O DEMÔNIO DO MEIO-DIA

ANDREW SOLOMON

O demônio do meio-dia
Uma anatomia da depressão

Tradução
Myriam Campello

9ª reimpressão

Copyright © 2001 by Andrew Solomon

Grafia atualizada segundo o Acordo Ortográfico da Língua Portuguesa de 1990, que entrou em vigor no Brasil em 2009.

Título original
THE NOONDAY DEMON: AN ATLAS OF DEPRESSION

Tradução do Epílogo
PEDRO MAIA SOARES

Capa
ALCEU CHIESORIN NUNES

Imagem de capa
ZÊNITE INVERTIDO. ARTISTA: THIAGO ROCHA PITTA, 2005, FOTOGRAFIA, 80 X 120 CM.

Preparação
MARIANA DELFINI

Índice remissivo
LUCIANO MARCHIORI

Revisão
RENATO POTENZA RODRIGUES
LARISSA LINO BARBOSA

Dados Internacionais de Catalogação na Publicação (CIP)
(Câmara Brasileira do Livro, SP, Brasil)

Solomon, Andrew
   O demônio do meio-dia : uma anatomia da depressão /
Andrew Solomon ; tradução Myriam Campello. — 1ª ed. —
São Paulo: Companhia das Letras, 2018.

   Título original: The Noonday Demon: An Atlas of
Depression.
   ISBN 978-85-359-3188-4

   1. Depressão mental 2. Depressão mental — Doentes —
Biografia 3. Pessoas deprimidas — Estudo de caso 4. Solomon,
Andrew, 1963 I. Título

14-04896   CDD-616.85270092

Índice para catálogo sistemático:
1. Depressão mental : Doentes : Estudo de caso : Medicina
616.85270092

Todos os direitos desta edição reservados à
EDITORA SCHWARCZ S.A.
Rua Bandeira Paulista, 702, cj. 32
04532-002 — São Paulo — SP
Telefone: (11) 3707-3500
www.companhiadasletras.com.br
www.blogdacompanhia.com.br
facebook.com/companhiadasletras
instagram.com/companhiadasletras
twitter.com/cialetras

A meu pai, que por duas vezes me deu a vida.

Sumário

Uma nota sobre método 11

1. Depressão 15
2. Colapsos 38
3. Tratamentos 97
4. Alternativas.. 130
5. Populações 166
6. Vício... 207
7. Suicídio 232
8. História.. 272
9. Pobreza 321
10. Política... 346
11. Evolução 384
12. Esperança 403

Epílogo.. 425
Notas... 471
Bibliografia... 511
Agradecimentos... 555
Índice remissivo... 559

Tudo passa — sofrimento, dor, sangue, fome, peste. A espada também passará, mas as estrelas ainda permanecerão quando as sombras de nossa presença e nossos feitos se tiverem desvanecido da Terra. Não há homem que não saiba disso. Por que então não voltamos nossos olhos para as estrelas? Por quê?

MIKHAIL BULGAKOV, *O exército branco*[1]

Uma nota sobre método

Escrever este livro foi tudo que fiz nos últimos cinco anos, e às vezes encontro dificuldades para ligar minhas próprias ideias a suas várias fontes. Tentei dar crédito a todas as influências nas notas no final do livro e não distrair os leitores com jargões e uma infinidade de nomes técnicos obscuros no texto principal. Pedi àqueles cujos casos são utilizados neste livro que me permitissem usar seus nomes verdadeiros, já que nomes reais emprestam credibilidade a histórias reais. Num livro que tem como um dos principais objetivos remover o estigma da doença mental, é importante não reforçar esse estigma escondendo a identidade de pessoas deprimidas. No entanto, incluí as histórias de sete pessoas que desejaram ser mencionadas por pseudônimos, e que me convenceram de que tinham um motivo importante para tal. Elas aparecem neste texto como Sheila Hernandez, Frank Rusakoff, Bill Stein, Danquille Stetson, Lolly Washington, Claudia Weaver e Fred Wilson. Nenhum deles é uma combinação de diferentes pessoas, e me esforcei para não mudar nenhum detalhe. Os membros dos Grupos de Apoio às Pessoas com Transtornos de Humor (Mood Disorders Support Groups, MDSG) usam apenas o primeiro nome; eles foram alterados para manter a privacidade dos encontros. Todos os outros nomes são verdadeiros.

Deixei que os homens e mulheres cujas batalhas são o tema central deste livro contassem suas histórias. Fiz o melhor que pude para obter deles histórias coerentes, mas em geral não verifiquei os fatos em seus relatos. Não insisti para que toda narrativa pessoal fosse estritamente linear.

Perguntam-me frequentemente como encontrei essas pessoas. Alguns profissionais me ajudaram com acesso a seus pacientes, conforme assinalado nos agradecimentos. Conheci um enorme número de pessoas no dia a dia que ofereceram voluntariamente, após tomar conhecimento de meu assunto, suas próprias copiosas histórias, algumas extremamente fascinantes e que se tornaram por fim fonte daquelas histórias que narro. Publiquei um artigo sobre depressão na revista *The New Yorker* em 1998 e recebi mais de mil cartas nos meses seguintes.[1] Graham Greene certa vez disse: "Às vezes cogito como é que todos os que não escrevem, não compõem ou não pintam conseguem escapar da loucura, da melancolia, do pânico inerente à condição humana".[2] Acho que ele subestimou amplamente o número de pessoas que escrevem de um modo ou de outro para aliviar a melancolia e o pânico. Respondendo ao meu dilúvio de correspondência, perguntei a certas pessoas, cujas cartas achei especialmente comoventes, se estariam interessadas em dar entrevistas para este livro. Além disso, fiz muitas palestras e assisti a inúmeras conferências onde conheci pessoas que recebem assistência médica.

Nunca havia escrito sobre um assunto a respeito do qual tantos tivessem tanto a dizer, ou sobre o qual tantos tivessem decidido me falar a respeito. É assustadoramente fácil acumular material sobre depressão. No final, senti que o que faltava no campo dos estudos da depressão era síntese. Ciência, filosofia, lei, psicologia, literatura, arte, história e muitas outras disciplinas têm se voltado independentemente para a causa da depressão. Muitas coisas interessantes estão acontecendo a muitas pessoas interessantes, e muitas coisas interessantes estão sendo ditas e publicadas — portanto, o caos reina. O primeiro objetivo deste livro é a empatia. O segundo, que para mim tem sido muito mais difícil de atingir, é a ordem: uma ordem baseada, tão estritamente quanto possível, no empirismo, e não nas generalizações impetuosas extraídas de histórias escolhidas ao acaso.

Preciso enfatizar que não sou médico, psicólogo ou mesmo filósofo. Este é um livro extremamente pessoal e não deve ser encarado como nada além disso. Embora eu ofereça explicações e interpretações de ideias complexas, este livro não pretende substituir o tratamento apropriado.

Em prol da legibilidade, não usei reticências ou parênteses em citações de fontes orais ou escritas onde senti que as palavras omitidas ou acrescentadas não mudavam o significado; qualquer pessoa que deseje se remeter a essas fontes deve voltar aos originais, todos catalogados no final deste livro. Citações sem referências pertencem a entrevistas pessoais, a maior parte realizada entre 1995 e 2001.

Usei estatísticas de estudos sólidos, sentindo-me muito à vontade com aquelas extensamente reproduzidas ou frequentemente citadas. Minha descoberta, de um modo geral, é que as estatísticas neste campo são inconsistentes e que muitos autores as selecionam para construir um conjunto atraente que apoie teorias preexistentes. Por exemplo, encontrei um estudo importante mostrando que pessoas deprimidas que usam drogas quase sempre escolhem estimulantes; e outro, igualmente convincente, demonstrando que os deprimidos que usam drogas usam invariavelmente opiáceos. Muitos autores assumem um ar nauseante de invencibilidade ao utilizar estatísticas: como se algo que ocorre 82,37% das vezes fosse mais palpável e verdadeiro do que algo que ocorre três em cada quatro vezes. Minha experiência diz que os números são os que mentem. As questões que descrevem não podem ser definidas com clareza. A declaração mais precisa a ser feita sobre a periodicidade da depressão é que ela ocorre com frequência e em geral afeta a vida de todos, direta ou indiretamente.

É difícil para mim escrever sem preconceito sobre as empresas farmacêuticas, porque meu pai trabalhou nesse mercado durante a maior parte de minha vida adulta. Em consequência disso, conheci muitas pessoas dessa área. Hoje em dia, é moda execrar a indústria farmacêutica, afirmando que ela tira vantagem do doente. Minha experiência diz que as pessoas na indústria são tão capitalistas quanto idealistas — gente interessada em lucro, mas também otimista quanto ao fato de seu trabalho poder beneficiar o mundo, de poder realizar importantes descobertas que levarão algumas doenças à erradicação. Sem as empresas que patrocinaram a pesquisa, não teríamos os inibidores seletivos da recaptação de serotonina (ISRS), antidepressivos que salvaram muitas vidas. Esforcei-me para escrever claramente sobre a indústria, já que ela é parte da história deste livro. Depois de sua experiência com minha depressão, meu pai estendeu o escopo de sua companhia para o campo dos antidepressivos. Sua empresa, a Forest Laboratories, é agora o distribuidor norte-americano do Celexa [mais conhecido no Brasil como Citalopram].[3] Para evitar qualquer conflito explícito de interesses, não mencionei o produto exceto onde sua omissão seria evidente ou prejudicial.

Enquanto eu escrevia este livro, perguntavam-me frequentemente se a escrita era catártica. Não era. Minha experiência está de acordo com a de outros que escreveram sobre esse campo. Escrever sobre depressão é doloroso, triste, solitário e estressante.[4] Contudo, a ideia de que eu estava fazendo algo que poderia ser útil a outros era gratificante; e o aumento de conhecimento me tem sido útil. Espero que fique claro que o prazer primordial deste livro é mais de comunicação literária do que libertação terapêutica da expressão pessoal.

Comecei escrevendo sobre minha depressão; depois, sobre depressão similar em outros; em seguida, sobre diferentes tipos de depressão em outros; e finalmente sobre a depressão em contextos completamente diferentes. Incluí três histórias de fora dos países desenvolvidos neste livro. As narrativas de meus encontros com gente do Camboja, Senegal e Groenlândia foram inclusas numa tentativa de contrabalançar ideias de depressão específicas a uma só cultura que têm circunscrito muitos estudos na área. Minhas viagens a lugares desconhecidos foram aventuras tingidas de um certo exotismo, e não suprimi a qualidade de conto de fadas desses encontros.

Sob vários nomes e disfarces, a depressão é e sempre foi onipresente por motivos bioquímicos e sociais. Este livro se esforça para abarcar a extensão do alcance temporal e geográfico da depressão. Se às vezes parece que a depressão é uma aflição própria da classe média do Ocidente moderno, isso se deve ao fato de que é nessa comunidade que repentinamente estamos ganhando uma nova sofisticação no reconhecimento, nomeação, tratamento e aceitação da depressão — e não porque temos quaisquer direitos especiais sobre a doença em si. Nenhum livro pode abarcar a extensão do sofrimento humano, mas espero que indicar tal extensão ajude a liberar algumas pessoas que sofrem de depressão. Jamais poderemos eliminar toda a infelicidade, e aliviar a depressão não assegura a felicidade, mas espero que o conhecimento contido neste livro ajude a eliminar parte da dor para algumas pessoas.

1. Depressão

A depressão é a imperfeição no amor.[1] Para poder amar, temos que ser capazes de nos desesperarmos ante as perdas, e a depressão é o mecanismo desse desespero. Quando ela chega, destrói o indivíduo e finalmente ofusca sua capacidade de dar ou receber afeição. Ela é a solidão dentro de nós que se torna manifesta e destrói não apenas a conexão com outros, mas também a capacidade de estar em paz consigo mesmo. Embora não previna contra a depressão, o amor é o que tranquiliza a mente e a protege de si mesma. Medicamentos e psicoterapia podem renovar essa proteção, tornando mais fácil amar e ser amado, e é por isso que funcionam. Quando estão bem, certas pessoas amam a si mesmas, algumas amam a outros, há quem ame o trabalho e quem ame Deus: qualquer uma dessas paixões pode oferecer o sentido vital de propósito, que é o oposto da depressão. O amor nos abandona de tempos em tempos, e nós abandonamos o amor. Na depressão, a falta de significado de cada empreendimento e de cada emoção, a falta de significado da própria vida se tornam evidentes. O único sentimento que resta nesse estado despido de amor é a insignificância.

A vida é repleta de tristezas: pouco importa o que fazemos, no final todos vamos morrer; cada um de nós está preso à solidão de um corpo independente; o tempo passa, e o que passou nunca voltará. A dor é a nossa primeira experiência de desamparo no mundo, e ela nunca nos deixa. Ficamos com raiva de sermos arrancados do ventre confortável e, assim que a raiva se dissipa, a depressão chega para assumir seu lugar. Mesmo as pessoas que se apoiam em uma fé que lhes promete uma existência diferente no além não podem evitar a angústia neste mundo; o próprio Cristo foi o homem dos sofrimentos. Contudo, vivemos numa época de paliativos crescentes. Nunca foi tão fácil decidir o que sentir e o que não sentir. Há cada vez menos desconfortos inevitáveis para os que têm como evitá-los. Entretanto, apesar das afirmações entusiasmadas da ciência farmacêutica, a depressão não será extinta enquanto formos seres conscientes de nosso próprio eu. Na melhor das hipóteses, ela pode ser contida — e contê-la é tudo que os atuais tratamentos para depressão almejam.

Um discurso altamente politizado embaralhou a distinção entre a depressão e suas consequências — a distinção entre como você se sente e como reage ao que sente. Isso é em parte um fenômeno social e médico, mas é também o resultado dos caprichos da linguística ligados às excentricidades do emocional. Talvez a depressão possa ser descrita como o sofrimento emocional que se impõe sobre nós contra a nossa vontade e depois se livra de suas circunstâncias exteriores. A depressão não é apenas muito sofrimento; mas sofrimento demais pode virar depressão. O pesar é a depressão proporcional à circunstância; a depressão é um pesar desproporcional à circunstância. A depressão se alimenta do próprio ar, crescendo apesar de seu desligamento da terra que a alimenta. Ela só pode ser descrita com metáforas e alegorias. Quando perguntaram a santo Antônio no deserto como ele conseguia distinguir os anjos que vinham a ele humildemente dos demônios que vinham sob rico disfarce, ele disse que percebia a diferença pelo modo como se sentia depois que iam embora. Quando um anjo nos deixa, nos sentimos fortalecidos por sua presença; quando um demônio nos deixa, sentimos o terror. O pesar é um anjo humilde que nos deixa com pensamentos fortes e claros e uma noção de nossa própria profundidade. A depressão é um demônio que nos deixa aterrados.[2]

Grosso modo, a depressão tem sido dividida em menor (leve ou distímica) e maior (severa). A depressão leve é um algo gradual e permanente, que mina as pessoas como a ferrugem enfraquece o ferro. É pesar demais para uma causa pequena demais, dor que se apodera das outras emoções e as sufoca. Tal depressão toma posse do corpo nas pálpebras e músculos que mantêm a espinha ereta. Fere o coração e o pulmão, tornando a contração dos músculos involuntários mais dura do que precisa ser. Como a dor física que se torna crônica, ela é terrível não tanto porque é intolerável no momento, mas porque é intolerável tê-la conhecido nos momentos passados e ter como única expectativa conhecê-la nos momentos vindouros. O tempo presente da depressão leve não prevê nenhum alívio porque soa como conhecimento.

Virginia Woolf escreveu sobre esse estado com uma clareza soturna:

> Jacob foi até a janela e parou com as mãos nos bolsos. Viu três gregos de saiote; mastros de navios; gente ociosa ou ocupada, das classes mais baixas, vagando ou andando rapidamente, formando grupos e gesticulando. A falta de interesse dessa gente por ele não era a causa da melancolia de Jacob; mas uma convicção mais profunda — não de que ele próprio estivesse solitário, mas de que todo mundo é solitário.

No mesmo livro, *O quarto de Jacob*, ela descreve que: "E uma singular tristeza dominava sua mente, como se tempo e eternidade espreitassem por entre saias e coletes e ela visse pessoas tragicamente a caminho da destruição. Ainda assim — só Deus sabe —, Julia não era nenhuma tola".[3] É essa aguda consciência da transitoriedade e da limitação que constitui a depressão leve. Por muitos anos simplesmente acomodada, ela é crescentemente submetida a tratamento, enquanto os médicos lutam com afinco para lidar com sua diversidade.

A depressão severa é a matéria dos colapsos nervosos. Se imaginarmos uma alma de ferro que se desgasta de dor e enferruja com a depressão leve, então a depressão severa é o colapso assustador de uma estrutura inteira. Há dois modelos para a depressão: o dimensional e o categórico. O dimensional postula que a depressão repousa num continuum com a tristeza e representa uma versão extrema de algo que todo mundo já sentiu e conhece. O categórico descreve a depressão como uma doença totalmente separada de outras emoções, tanto quanto um vírus estomacal é totalmente diferente de acidez no estômago. Ambos são verdadeiros. Vai-se pelo caminho gradual ou pelo súbito disparo da emoção para chegar a um lugar que é genuinamente diferente. Leva tempo para um edifício com estrutura oxidada desmoronar, mas a ferrugem está incessantemente transformando o sólido em pó, afinando-o, eviscerando-o. O colapso, por mais abrupto que possa parecer, é a consequência cumulativa da decadência. Contudo, é um evento altamente dramático e visivelmente diferente. O tempo que separa a primeira chuva do ponto em que a ferrugem devora uma viga de ferro é longo. Às vezes, a oxidação ocorre em pontos tão fundamentais que o colapso parece total, mas frequentemente é parcial; este trecho entra em colapso, derruba aquele outro trecho, modifica o equilíbrio de modo dramático.

Experimentar a decadência não é agradável, ver-se exposto às devastações de uma chuva quase diária e saber que está se transformando em algo débil, que uma parte de si cada vez maior vai pelos ares com o primeiro vento forte, transformando-o em alguém cada vez menor. Alguns acumulam mais ferrugem emocional do que outros. A depressão começa do insípido, nubla os dias com uma cor entediante, enfraquece ações cotidianas até que suas formas claras são obscurecidas pelo esforço que exigem, deixando-nos cansados, entediados e obcecados com nós mesmos — mas é possível superar isso. Não de uma forma feliz, talvez, mas pode-se superar. Ninguém jamais conseguiu definir o ponto de colapso que demarca a depressão severa, mas quando se chega lá, não há como confundi-la.

A depressão severa é um nascimento e uma morte: é ao mesmo tempo a presença nova e o total desaparecimento de algo. Nascimento e morte são graduais, embora documentos oficiais tentem fixar a lei natural criando categorias como "legalmente morto" e "hora do nascimento".[4] Apesar das excentricidades da natureza, há definitivamente um ponto a partir do qual um bebê que não estava no mundo passa a estar, e um ponto a partir do qual um habitante do mundo deixa de estar nele. É verdade que, num determinado estágio, a cabeça do bebê está aqui e o corpo não; que, até que o cordão umbilical seja cortado, a criança está fisicamente ligada à mãe. É verdade que o habitante do mundo pode fechar os olhos pela última vez horas antes de morrer, e que há um instante entre o momento em que ele para de respirar e o momento em que a "morte cerebral" é declarada. A depressão existe no tempo. Um paciente pode dizer que passou certos meses sofrendo de uma depressão severa, mas isso é um modo de impor uma medida ao imensurável. Tudo que se pode realmente dizer é que a pessoa passou por uma depressão severa e que ela está ou não a vivenciando em determinado momento presente.

O nascimento e a morte que constituem a depressão ocorrem simultaneamente. Há pouco tempo, voltei a um bosque em que brincara quando criança e vi um carvalho, enobrecido por cem anos, em cuja sombra eu costumava brincar com meu irmão. Em vinte anos, uma enorme trepadeira grudara-se a essa árvore sólida e quase a sufocara. Era difícil dizer onde a árvore terminava e a trepadeira começava. Esta enrolara-se tão completamente em torno da estrutura dos galhos da árvore que suas folhas pareciam à distância ser as da árvore. Só bem de perto podia-se ver como haviam sobrado poucos ramos vivos e quão poucos gravetos desesperados brotavam do carvalho, espetando-se como uma fileira de polegares do tronco maciço, suas folhas continuando o processo de fotossíntese ao modo ignorante da biologia mecânica.

Tendo acabado de sair de uma depressão severa, na qual eu dificilmente acolhia os problemas de outras pessoas, me senti cúmplice daquela árvore. Minha depressão havia tomado conta de mim como aquela trepadeira dominara o carvalho. Ela me sugou, uma coisa que se embrulhara à minha volta, feia e mais viva do que eu. Com vida própria, pouco a pouco asfixiara toda a minha vida. No pior estágio de uma depressão severa, eu tinha estados de espírito que não reconhecia como meus; pertenciam à depressão, tão certamente quanto as folhas naqueles altos ramos da árvore pertenciam à trepadeira. Quando tentei pensar claramente sobre isso, senti que minha mente estava emparedada, não podia se expandir em nenhuma direção. Eu sabia que o sol estava nascendo e se pondo, mas pouco de sua luz chegava a mim. Sentia-me afundando sob algo mais forte do que eu. Primeiro, não conseguia usar os tornozelos, depois não conseguia controlar os joelhos e em seguida minha cintura começou a se vergar sob o peso do esforço, e então os ombros se viraram para dentro. No final, eu estava comprimido e fetal, esvaziado por essa coisa que me esmagava sem me abraçar. Suas gavinhas ameaçavam pulverizar minha cabeça, minha coragem e meu estômago, quebrar-me os ossos e ressecar meu corpo. Ela continuava a se empanturrar de mim quando já parecia não ter sobrado nada para alimentá-la.

Eu não era suficientemente forte para parar de respirar. Sabia que jamais poderia matar essa trepadeira da depressão. Assim, tudo que eu queria era que ela me deixasse morrer. Mas ela se apoderara de minha energia. Eu precisaria me matar, ela não me mataria. Se meu tronco estava apodrecendo, essa coisa que se alimentava dele estava agora forte demais para deixá-lo cair. Ela se tornara um apoio alternativo para o que destruíra. No canto mais apertado da cama, rachado e atormentado por essa coisa que ninguém parecia ver, eu rezava para um Deus no qual nunca acreditara inteiramente e pedia libertação. Teria ficado feliz com uma morte dolorosa, embora estivesse letárgico demais até para conceber o suicídio. Cada segundo de vida me feria. Porque essa coisa drenara tudo que fluía de mim, eu não podia sequer chorar. Até a minha boca estava ressecada. Eu pensava que, quando nos sentimos muito mal, as lágrimas jorrassem, mas a pior dor possível é a dor árida da violação total que chega depois de todas as lágrimas já terem se exaurido. A dor que veda cada espaço através do qual você antes entrava em contato com o mundo, ou o mundo com você. Essa é a presença da depressão severa.

Eu disse que depressão é tanto nascimento quanto morte. A trepadeira é o que nasceu. A morte é a própria desintegração da pessoa, o quebrar dos galhos que sustentam essa infelicidade. A primeira coisa que vai embora é a felicidade. Não é possível ter prazer em nada. Isso é notoriamente o sintoma cardeal da depressão severa.[5] Mas logo outras emoções caem no esquecimento com a felicidade: a tristeza como você a conhecia, a tristeza que parecia tê-lo conduzido até esse ponto, o senso de humor, a crença no amor e na sua própria capacidade de amar. Sua mente é sugada a tal ponto que você parece um total imbecil, até para si próprio. Se seu cabelo sempre foi ralo, parece mais ralo ainda; se você tem uma pele ruim, ela fica pior. Você cheira a azedo até para si mesmo. Você perde a capacidade de confiar nas pessoas, de ser tocado, de sofrer. Posteriormente, ausenta-se de si.

O que está presente talvez usurpe o que se torna ausente, e a ausência de coisas perturbadoras talvez revele o que está presente. De um jeito ou de outro, você é menos do que si mesmo e se encontra nas garras de algo esquisito. Com muita frequência, os tratamentos dirigem-se somente à metade do problema: eles enfocam apenas a presença ou apenas a ausência. É necessário tanto cortar aqueles quinhentos quilos extras de trepadeiras quanto reorganizar um sistema de raízes e as técnicas de fotossíntese. A terapia com drogas desbasta à foice as trepadeiras. É possível sentir quando acontece, como a medicação parece estar envenenando a parasita, de modo que pouco a pouco ela murcha e cai. Sente-se o peso desaparecendo, sente-se como os galhos podem recuperar boa parte de sua curvatura natural. Até estar livre da trepadeira, não há como pensar no que foi perdido. Mas, mesmo depois que ela desaparece, é possível que sobrem algumas poucas folhas e raízes frágeis, e a reconstrução do eu não pode ser realizada com nenhuma droga existente. Sem o peso da trepadeira, pequenas folhas espalhadas ao longo do esqueleto da árvore tornam-se capazes de prover a nutrição essencial. Mas não é bom existir assim. Ninguém é forte assim. A reconstrução do eu numa depressão e depois dela exige amor, insight, trabalho e, mais do que tudo, tempo.

O diagnóstico é tão complexo quanto a doença. Os pacientes perguntam aos médicos o tempo inteiro: "Estou deprimido?", como se o resultado pudesse ser obtido através de exame de sangue. O único modo de descobrir se alguém está deprimido é escutar e observar a si mesmo, examinar seus sentimentos e pensar sobre eles. Se alguém se sente mal sem nenhum motivo durante a maior parte do tempo, está deprimido. Caso se sinta mal a maior parte do tempo com motivo, também está deprimido, embora mudar os motivos possa ser a melhor maneira de avançar, em vez de simplesmente deixar de lado a circunstância e atacar a depressão. Se ela o incapacita, então é grave. Se é apenas levemente perturbadora, não é grave. A bíblia da psiquiatria — o *Manual diagnóstico e estatístico de transtornos mentais* (*DSM-IV-TR*) — define ineptamente a depressão como a presença de cinco ou mais sintomas, numa lista de nove. O problema dessa definição é ser inteiramente arbitrária. Não há nenhuma razão especial para qualificar cinco sintomas como constituindo depressão; quatro sintomas são mais ou menos depressão e cinco sintomas são menos severos do que seis. Até mesmo um só sintoma é desagradável. Ter versões ligeiras de todos os sintomas pode ser menos problemático do que ter versões severas de dois sintomas. Depois de passar pelo diagnóstico, a maioria das pessoas busca a causa da doença, mesmo que o fato de você saber por que está doente não tenha nenhuma relação imediata com o tratamento da doença.

A doença da mente é uma doença real e pode ter graves impactos no corpo. As pessoas que vão aos consultórios queixando-se de cólicas ouvem com frequência as palavras: "Ora, não há nada de errado com você, só está deprimido!". Se a depressão é severa a ponto de causar cólicas, quer dizer que está realmente fazendo mal e exige tratamento. Se alguém se queixa de problemas respiratórios, ninguém lhe diz: "Ora, não há nada de errado com você a não ser um enfisema!". Para a pessoa que está sofrendo, doenças psicossomáticas são tão reais quanto as cólicas de alguém com intoxicação alimentar. Elas existem no cérebro inconsciente, e muito frequentemente o cérebro está enviando mensagens inadequadas para o estômago; portanto, elas existem lá também. O diagnóstico — se algo está podre em seu estômago, em seu apêndice ou em seu cérebro — tem importância na determinação do tratamento e não é trivial. No que diz respeito aos órgãos, o cérebro é muito importante, e seu mau funcionamento deve se tratado adequadamente.

Costuma-se buscar a química para curar as rachaduras entre corpo e alma. O alívio que as pessoas expressam quando um médico diz que a depressão delas é "química" baseia-se numa crença de que há um eu integral existindo através do tempo e numa divisão fictícia entre o sofrimento inteiramente justificado e o sofrimento completamente aleatório. A palavra *química* parece mitigar os sentimentos de responsabilidade perante o esgotamento causado pelo fato de não gostarem de seus empregos, de se preocuparem com o envelhecimento, de fracassarem no amor, de odiarem suas famílias. Junto com a *química*, vem uma agradável liberação de culpas. Se seu cérebro é predisposto à depressão, você não precisa se culpar por isso. Bem, culpe a si mesmo ou à evolução, mas lembre-se de que pôr a culpa na coisa em si pode ser entendido como um processo químico, e que a felicidade também é química. A química e a biologia não são fatores estranhos que se impõem ao eu "real"; a depressão não pode ser separada da pessoa afetada por ela. O tratamento não alivia um distúrbio de identidade, trazendo você de volta a alguma espécie de normalidade; ele regula uma identidade múltipla, mudando em um grau menor o que você é.

Qualquer um que tenha estudado ciências no ginásio sabe que os seres humanos são feitos de elementos químicos e que o estudo desses elementos e das estruturas nas quais são configurados é chamado de biologia. Tudo que acontece no cérebro tem manifestações e fontes químicas. Se você fecha os olhos e pensa com força em ursos-polares, isso tem um efeito químico em seu cérebro. Se você sustenta firmemente uma política de oposição à isenção de impostos para ganhos de capital, isso tem um efeito químico em seu cérebro. Quando você lembra de algum episódio de seu passado, isso é feito através da complexa química da memória. Milhares de reações químicas estão envolvidas na decisão de ler este livro, pegando-o com suas mãos, olhando para a forma das letras na página, extraindo significado dessas formas e tendo reações intelectuais e emocionais ao que elas transmitem. Se o tempo permite que você saia de um ciclo de depressão e sinta-se melhor, as mudanças químicas não são menos especiais e complexas do que as induzidas pela ingestão de antidepressivos. O externo determina o interno tanto quanto o interno inventa o externo. O que é bem pouco atraente é pensar que, além de todas as outras fronteiras indistintas, os próprios limites daquilo que nos torna nós mesmos estão fora de foco. Não há um eu essencial que permanece puro como um veio de ouro sob o caos da experiência e da química. Tudo pode ser mudado, e precisamos entender o organismo do ser humano como uma sequência de eus que sucumbem uns aos outros ou escolhem uns aos outros. E, no entanto, a linguagem da ciência, usada na formação de médicos e, cada vez mais, em textos e conversas não acadêmicos, é estranhamente perversa.

Os resultados cumulativos dos efeitos químicos do cérebro não são bem entendidos. Na edição de 1989 do *Comprehensive Textbook of Psychiatry* [Manual completo de psiquiatria], por exemplo, encontra-se esta fórmula útil: uma fórmula da depressão é equivalente ao nível de 3-metoxi-4-hidroxifenilglicol (um composto descoberto na urina de todas as pessoas e aparentemente não afetado pela depressão), menos o nível de 3-metoxi-4-ácido hidroximandélico, mais o nível de norepinefrina, menos o nível de normetanefrina mais o nível de metanefrina; o resultado disso é dividido pelo nível de 3-metoxi-4-ácido hidromandélico, mais uma variável de conversão inespecificada; ou, como o *Comprehensive Textbook of Psychiatry* coloca: "Escore tipo-D = C1 (MHPG) — C2 (VMA) + C3 (NE) — C4 (NMN + MN) / VMA + Co." O resultado final deve ficar entre 1, para pacientes unipolares, e 0, para pacientes bipolares, de modo que, se você chegar a outro resultado, está fazendo o cálculo errado.[6] Quanta informação tais fórmulas oferecem? Como *podem* se aplicar a algo tão nebuloso quanto o estado de espírito? Até que ponto uma experiência específica conduz a um tipo especial de depressão é difícil de determinar. Também não conseguimos explicar por meio de qual combinação química uma pessoa acaba por responder a uma circunstância externa com depressão. Nem elaborar o que faz de alguém essencialmente depressivo.

Embora a depressão seja descrita pela imprensa e pela indústria farmacêutica como uma doença de efeito único, tal como a diabetes, ela não o é. Na verdade, é surpreendentemente diferente da diabetes. Os diabéticos não produzem insulina suficiente, e a diabetes é tratada com o aumento e a estabilização da insulina na corrente sanguínea. A depressão *não* é a consequência de um nível reduzido de nada que possamos medir. Aumentar os níveis de serotonina no cérebro dispara um processo que consequentemente ajuda muitas pessoas deprimidas a se sentirem melhor, mas *não* porque tenham um nível anormalmente baixo de serotonina. Além disso, a serotonina *não* tem efeitos salutares imediatos. Pode-se bombear um litro de serotonina no cérebro de uma pessoa deprimida e isso não a faz instantaneamente se sentir nem um pouquinho melhor. Contudo, uma elevação sustentada e de longo prazo do nível de serotonina tem alguns efeitos que melhoram os sintomas depressivos. "Estou deprimido, mas é só químico" é uma frase que equivale a "Sou assassino, mas é só químico", ou "Sou inteligente, mas é só químico". Tudo na pessoa é só química, caso se pense nesses termos. "Você pode dizer que é 'só química'", diz Maggie Robbins, que é maníaco-depressiva. "Eu digo que não há nada de 'só' na química." O sol brilha forte e isso é só química também, e é pela química que as rochas são duras, que o mar é salgado, que certas tardes de primavera trazem em suas brisas suaves um quê de nostalgia que agita o coração com anseios e devaneios adormecidos pelas neves de um longo inverno. "Essa coisa de serotonina", diz David McDowell, da Universidade Columbia, "é parte da neuromitologia moderna." É um conjunto potente de histórias.

As realidades interna e externa existem num contínuo. O que acontece, o que você compreende do que aconteceu e como reage ao acontecimento estão geralmente ligados, mas um não é presságio dos outros. Se a própria realidade é frequentemente uma coisa relativa, e o eu está num permanente estado de fluxo, a passagem de um estado de espírito leve a um estado de espírito extremo equivale ao correr dos dedos sobre um teclado de piano. Assim, a doença é um estado extremo de emoção, e pode-se descrever a emoção como uma forma suave de doença. Se todos nos sentíssemos para cima e ótimos (mas não delirantemente maníacos) o tempo todo, poderíamos produzir mais e ter uma vida mais feliz no mundo, mas essa ideia é sinistra e aterrorizante (apesar de que, se nos sentíssemos para cima e ótimos o tempo todo, poderíamos esquecer tudo o que há de sinistro e aterrorizante nela, é claro).

A gripe é algo direto: um dia você não está com o vírus em seu sistema e no outro dia está. O HIV passa de uma pessoa a outra numa fração de segundo isolada e definível. E a depressão? É como tentar produzir parâmetros clínicos para a fome, que nos afeta várias vezes por dia, mas que em sua versão extrema é uma tragédia que mata suas vítimas. Algumas pessoas precisam de mais comida que outras, há quem viva sob circunstâncias de terrível desnutrição, algumas se enfraquecem rapidamente e desmaiam nas ruas. Da mesma forma, a depressão atinge pessoas diferentes de modos diferentes: algumas são predispostas a resistir ou batalhar contra ela, enquanto outras são indefesas em suas garras. Obstinação e orgulho podem fazer com que determinada pessoa atravesse uma depressão que derrubaria outra, cuja personalidade é mais suave e condescendente.

A depressão interage com a personalidade. Algumas pessoas são corajosas ante a depressão (durante e depois dela), outras são fracas. Uma vez que a personalidade também tem um aspecto fortuito e uma química que confunde, pode-se creditar tudo à genética, mas isso seria simples demais. "Não existe esse negócio de gene do estado de espírito", diz Steven Hyman, diretor do Instituto Nacional de Saúde Mental (National Institute of Mental Health, NIMH). "É apenas uma supersimplificação de interações muito complexas entre o gene e o meio ambiente." Se todos têm a capacidade para algum grau de depressão sob dadas circunstâncias, todos também têm a capacidade de lutar contra a depressão em algum grau sob circunstâncias diferentes. Geralmente, a luta assume a forma de procura dos tratamentos que serão mais eficazes na batalha. Ela diz respeito a encontrar ajuda enquanto você ainda está forte o bastante para fazê-lo. Diz respeito a valorizar ao máximo a vida entre um episódio mais severo e outro. Algumas pessoas afligidas de forma devastadora por sintomas da depressão conseguem alcançar o sucesso em suas vidas, e outras são completamente destruídas pelas formas mais suaves da doença.

Passar por uma depressão leve sem remédios tem certas vantagens. Dá a sensação de que é possível corrigir os desequilíbrios químicos através do exercício de sua própria vontade química. Aprender a caminhar sobre brasas é também um triunfo do cérebro sobre o que parece ser a química inevitável da dor, e é um modo eletrizante de descobrir o puro poder da mente. Atravessar uma depressão "com suas próprias pernas" permite evitar o desconforto social associado a remédios psiquiátricos. Sugere que aceitemos a maneira como fomos feitos, reconstruindo-nos apenas com nossa própria mecânica interior, sem ajuda de fora. Voltar da depressão gradualmente dá sentido à própria aflição.

A mecânica interior, contudo, difícil de pôr em ação, é frequentemente inadequada. A depressão geralmente destrói o poder da mente sobre o estado de espírito. Às vezes a complexa química do sofrimento surge de repente porque você perdeu alguém que ama, e a química da perda e do amor podem levar à química da depressão. A química da paixão pode surgir de repente por questões externas óbvias ou por caminhos que o coração nunca pode revelar à mente. Se quiséssemos tratar essa loucura emocional, talvez pudéssemos fazê-lo. Também é uma loucura adolescentes brigarem com pais que procuraram fazer o melhor possível, mas é uma loucura convencional, uniforme o bastante para que a toleremos relativamente bem sem questioná-la. Às vezes essa mesma química surge de repente por razões externas que, para os padrões da maioria, são insuficientes para explicar o grau de desespero que provocam: alguém pisa no seu pé num ônibus lotado e você sente vontade de chorar, ou lê sobre a superpopulação mundial e acha sua própria vida intolerável. Todos já sentiram em algum momento uma emoção desproporcional em relação a uma coisa sem importância ou uma emoção sem origem aparente. Às vezes a química se intromete sem nenhuma razão externa. A maioria das pessoas já teve momentos de desespero inexplicável, geralmente no meio da noite ou no início da manhã, antes de o despertador tocar. Se tais sensações duram dez minutos, são um estado de espírito estranho e rápido. Se duram dez horas, são uma febre perturbadora, e se duram dez anos, são uma doença mutiladora.

Frequentemente, a qualidade da felicidade está vinculada à sua fragilidade. A depressão, por sua vez, quando se vive uma, parece que nunca vai passar. Mesmo que você aceite que os humores mudam, que o que sente hoje será diferente amanhã, não pode relaxar com a felicidade como pode com a tristeza. Para mim, a tristeza sempre foi e ainda é um sentimento mais poderoso; e, se isso não é uma experiência universal, talvez forme a base sobre a qual cresce a depressão. Eu detestava estar deprimido, mas foi também na depressão que aprendi os limites de meu próprio terreno, a plena extensão da minha alma. Quando estou feliz, sinto-me levemente aturdido pela felicidade, como se ela deixasse de usar a parte de minha mente e do meu cérebro que quer ser exercitada. A depressão é algo a fazer. Minha gana se fortalece e se torna aguda em momentos de perda: posso ver a beleza de objetos de vidro na sua inteireza no momento em que eles escorregam da minha mão para o chão. "Achamos o prazer muito menos prazeroso, a dor muito menos dolorosa do que prevíamos", escreveu Schopenhauer. "Precisamos em todas as épocas de uma certa quantidade de desvelo, sofrimento ou carência, como um navio precisa de lastro para manter seu curso correto."

Existe uma expressão russa que diz: se você acorda sem sentir nenhuma dor, é porque está morto. Embora a vida não seja apenas dor, a experiência da dor, que é especial em sua intensidade, é um dos sinais mais seguros da força da vida. Schopenhauer disse:

> Imagine essa corrida transportada para uma Utopia onde tudo cresce sozinho e os perus voam de um lado para o outro já assados, onde os amantes se encontram sem qualquer demora e possuem um ao outro sem qualquer dificuldade: em tal lugar certos homens morreriam de tédio ou se enforcariam, outros lutariam e se matariam, e assim criariam para si mesmos mais sofrimento do que a natureza inflige a eles. [...] O polo oposto do sofrimento [é] o tédio."[7]

Acredito que a dor precisa ser transformada, mas não esquecida; contrariada, não suprimida.

Estou convencido de que alguns dados sobre depressão baseiam-se na realidade. Embora seja um erro confundir números com verdade, esses dados contam uma história alarmante. Segundo pesquisa recente, cerca de 3% dos norte-americanos — uns 19 milhões — sofrem de depressão crônica. Mais de 2 milhões deles são crianças.[8] A doença maníaco-depressiva, geralmente chamada de doença bipolar porque o estado de espírito de suas vítimas varia da mania à depressão, aflige cerca de 2,3 milhões e é a segunda que mais vitimiza mulheres jovens, e a terceira que mais vitimiza homens jovens.[9] A depressão como descrita no *DSM-*

-*IV* é a principal causa de incapacitação nos Estados Unidos e no exterior para pessoas acima de cinco anos de idade. Mundialmente, inclusive nos países em desenvolvimento, a depressão responde pela maior parte do conjunto de doenças, calculado segundo mortes prematuras somadas a anos-vida saudáveis perdidos para a incapacidade, do que qualquer outra doença, exceto as cardíacas.[10] A depressão ceifa mais anos do que a guerra, o câncer e a aids juntos.[11] Outras doenças, do alcoolismo aos males do coração, mascaram a depressão quando esta é a causa;[12] se levarmos isso em consideração, a depressão pode ser a maior assassina do mundo.

Tratamentos para a depressão estão proliferando agora, mas só metade dos norte-americanos que têm depressão severa já procurou algum dia ajuda de qualquer espécie — até mesmo a de um religioso ou de um conselheiro.[13] Cerca de 95% desses 50% vão a um clínico geral,[14] que geralmente não sabe muito acerca de moléstias psiquiátricas. Um norte-americano adulto com depressão teria sua doença identificada apenas 40% das vezes.[15] No entanto, cerca de 28 milhões de norte-americanos — um em cada dez — estão agora tomando ISRSs (inibidores seletivos da recaptação de serotonina — a classe de drogas a que pertence o Prozac),[16] e um número substancial está usando outros medicamentos. Menos da metade dos que têm a doença diagnosticada obterá tratamento apropriado. Como as definições de depressão têm se ampliado para incluir cada vez mais a população em geral, tornou-se cada vez mais difícil calcular uma taxa de mortalidade exata. A estatística tradicionalmente fornecida é que 15% dos deprimidos finalmente cometerão suicídio; esse número ainda se sustenta para aqueles com casos extremos da doença. Estudos recentes que incluem depressão mostram que de 2% a 4% dos deprimidos se matarão como consequência direta da doença.[17] Essa cifra é ainda assombrosa. Há vinte anos, cerca de 1,5% da população tinha depressão que exigia tratamento; agora é 5%; e 10% de todos os norte-americanos vivos agora podem ter expectativa de sofrer um episódio depressivo importante durante sua vida. Cerca de 50% vão experimentar alguns sintomas de depressão.[18] Os problemas clínicos aumentaram; os tratamentos aumentaram muito mais. O diagnóstico está em alta, mas isso não explica a escala desse problema. Os incidentes de depressão estão aumentando nos países desenvolvidos, especialmente nas crianças. A depressão está ocorrendo em pessoas mais jovens, aparecendo pela primeira vez quando as vítimas têm por volta de 26 anos, dez anos mais jovens do que há uma geração;[19] desordem bipolar ou doença maníaco-depressiva se instalam até mesmo antes. As coisas estão ficando piores.

Há poucas doenças simultaneamente tão sub e sobretratadas quanto a depressão. Pessoas que se tornam totalmente disfuncionais são por fim hospitalizadas e provavelmente recebem tratamento, embora às vezes sua depressão seja confundida com as doenças físicas pelas quais ela se manifesta. Inúmeras pessoas, contudo, mal se aguentam em pé, apesar das grandes revoluções nos tratamentos psiquiátricos e psicofarmacêuticos, e continuam sofrendo de uma infelicidade abjeta. Mais da metade dos que buscam ajuda — outros 25% da população deprimida — não recebe tratamento algum. Cerca de metade daqueles que recebem tratamento — mais ou menos 13% da população deprimida — recebe tratamento inadequado, geralmente tranquilizantes ou psicoterapias insuficientes. Dos que sobram, a metade — uns 6% da população deprimida — recebe dosagem inadequada por uma extensão inadequada de tempo. Isso resulta, portanto, em que cerca de 6% da população deprimida recebe tratamento adequado. Mas muitas dessas pessoas acabam por abandonar os medicamentos, geralmente devido aos efeitos colaterais. "Apenas de 1% a 2% obtêm um tratamento ótimo para uma doença que pode geralmente ser bem controlada, com medicamentos relativamente baratos de poucos efeitos colaterais sérios", diz John Greden, diretor do Instituto de Pesquisas em Saúde Mental da Universidade de Michigan. Enquanto isso, na outra ponta do espectro, pessoas que supõem que a alegria é seu direito inato engolem uma montanha de comprimidos numa tentativa fútil de aliviar os desconfortos suaves que acometem a todos.

Já foi bem estabelecido que o advento da supermodelo danificou a imagem que as mulheres têm de si mesmas, estabelecendo expectativas pouco realistas.[20] A supermodelo psicológica do século XXI é até mais perigosa do que a física. As pessoas questionam constantemente suas próprias mentes e rejeitam seus próprios estados de espírito. "É o fenômeno Lourdes", diz William Potter, que dirigiu a divisão de psicofarmacologia do NIMH nos anos 1970 e 1980, quando as novas drogas estavam sendo desenvolvidas. "Quando você expõe um grande número de pessoas ao que elas entendem, com razões para isso, como positivo, você obtém relatos de milagres — e também, claro, de tragédias." O Prozac é tão bem aceito que quase todo mundo pode tomá-lo, e quase todo mundo o faz. Ele vem sendo usado em gente com queixas leves que não tolerariam os desconfortos dos antidepressivos mais antigos, os inibidores de monoamino oxidase (IMAOs) ou tricíclicos. Mesmo se você não está deprimido, ele pode afastar as fronteiras de sua tristeza, e isso não é melhor do que viver com dor?

Nós patologizamos o curável, e o que pode ser facilmente revertido passa a ser tratado como doença, mesmo que previamente tratado como parte da personalidade ou estado de espírito. Assim que tivermos uma droga para a violência, a violência será uma doença. Há muitas nuances de estados entre a depressão a todo o vapor e uma suave dor acompanhada por mudanças no sono, apetite, energia ou interesse; começamos a classificá-los cada vez mais como doença, porque cada vez mais descobrimos maneiras de melhorá-los. Mas o limite entre uma coisa e outra permanece arbitrário. Decidimos que um QI de 69 constitui um retardo, mas alguém com um QI de 72 não está lá às mil maravilhas, e alguém com um QI de 65 ainda pode se virar;[21] dizemos que o colesterol deve ser mantido abaixo de 220, mas se seu colesterol é 221, você provavelmente não morrerá disso, e se é 219, você precisa ter cuidado: 69 e 220 são números arbitrários, e o que chamamos de doença é também realmente bastante arbitrário; no caso da depressão, está também num fluxo perpétuo.

* * *

Os depressivos usam a expressão "à beira do abismo" o tempo todo para definir a passagem da dor para a loucura. Essa descrição muito física frequentemente inclui cair "no abismo". É estranho que tantas pessoas tenham um vocabulário tão consistente, porque a beira é realmente uma metáfora abstrata. Poucos de nós já ultrapassamos a beira de alguma coisa e, certamente, não caímos num abismo. O Grand Canyon? Um fiorde norueguês? Uma mina de diamante sul-africana? É difícil até *encontrar* um abismo no qual cair. Quando questionadas, as pessoas descrevem o abismo de modo muito consistente. Em primeiro lugar, é escuro. Você está se afastando do sol em direção a um lugar onde as sombras são negras. Dentro dele, você não consegue enxergar, e os perigos estão em toda parte (o abismo não tem nem fundo nem laterais macios). Enquanto você cai, não sabe o quão fundo pode chegar ou se poderia de alguma forma parar a queda. Esbarra com coisas invisíveis repetidamente, até ficar em frangalhos, e mesmo assim seu ambiente é instável demais para você se agarrar em qualquer coisa.

Medo de altura é a fobia mais comum do mundo e deve ter sido bem útil a nossos ancestrais, já que os que não tinham medo provavelmente encontraram abismos, caíram neles e assim eliminaram seu material genético da espécie. Se você fica à beira de um penhasco e olha para baixo, sente-se tonto. Seu corpo não funciona tão bem nem lhe permite se afastar com precisão imaculada da beirada. Você acha que vai cair e, se olhar por muito tempo, cairá. Está paralisado. Lembro-me de quando fui com amigos às cataratas Vitória, onde um penhasco despenca diretamente de uma grande altura no rio Zambeze. Éramos jovens e desafiávamos implicitamente uns aos outros para tirarmos fotos tão próximos da borda do penhasco quanto ousávamos. Ao se aproximar mais da beira, cada um de nós sentiu-se enjoado e paralisado. Acho que depressão não é geralmente cair de lá (o que faria com que você morresse logo), mas sim chegar perto demais da borda, alcançar aquele momento de medo em que se foi longe demais, quando a tontura o privou inteiramente de sua capacidade de equilíbrio. Nas cataratas Vitória, descobrimos que o intransponível era uma borda invisível que ficava imediatamente antes do lugar onde o penhasco se precipitava. A três metros da queda vertical, todos nos sentíamos bem. A um metro e meio, a maioria de nós fraquejou. Num determinado ponto, uma amiga estava tirando uma foto minha e queria enquadrar a ponte para a Zâmbia. "Pode chegar um pouquinho para a esquerda?", perguntou, e eu obsequiosamente dei um passo para a esquerda — alguns centímetros para a esquerda. Sorri simpaticamente — um sorriso que ficou preservado na foto —, até que ela disse: "Você está um pouco perto demais da borda. Venha para cá". Eu me sentia totalmente confortável ali e então, subitamente, olhei para baixo e vi que ultrapassara o meu limite. O sangue sumiu de meu rosto. "Tudo bem", disse minha amiga, e se aproximou de mim com a mão estendida. A borda do penhasco estava a uns 25 centímetros de distância, mas mesmo assim tive que ficar de joelhos e deitar de barriga no chão para me arrastar até a terra firme. Sei que tenho um bom senso de equilíbrio e que posso facilmente ficar em pé numa plataforma de meio metro de largura; posso até fazer um sapateado de amador, e fazê-lo com confiança, sem cair no abismo. Mas não consegui ficar assim tão perto do Zambeze.

A depressão apoia-se fortemente num sentimento paralisante de iminência. Aquilo que você faz numa elevação de quinze centímetros, você não consegue fazer quando o chão subitamente se abre revelando uma queda de trezentos metros. O terror da queda toma conta mesmo que seja o próprio terror que pode fazê-lo cair. O que acontece na depressão é horrível, mas parece muito envolvido pelo que está prestes a acontecer. Entre outras coisas, você sente que está prestes a morrer. Morrer não seria tão ruim, mas viver à beira da morte, nessa condição de não estar exatamente caindo no abismo geográfico, é horrível. Numa depressão severa, as mãos que se estendem para você estão fora de alcance. Você não pode se abaixar e engatinhar porque sente que, assim que se inclinar, mesmo afastado da borda, vai perder o equilíbrio e mergulhar lá embaixo. Ah, algumas imagens do abismo se encaixam: a escuridão, a incerteza, a perda de controle. Mas, se você estivesse de fato caindo incessantemente num abismo, não seria questão de controle, você estaria sem controle algum. Aqui existe aquela sensação horrível de que o controle o abandonou quando você mais precisava dele, ainda que por direito ele devesse ser seu. Uma terrível iminência domina inteiramente o momento presente. A depressão foi longe demais quando, apesar de uma ampla margem de segurança, você não consegue mais se equilibrar. Na depressão, tudo que está acontecendo no presente é a antecipação da dor no futuro, e o presente enquanto presente não mais existe.

A depressão é um estado quase inimaginável para alguém que não a conhece. Uma sequência de metáforas — trepadeiras, árvores, penhascos etc. — é a única maneira de falar sobre a experiência. Não é um diagnóstico fácil porque depende de metáforas, e as escolhidas por um paciente são diferentes das escolhidas por outro. Nada mudou muito desde que Antonio, em *O mercador de Veneza*, se queixava:

> *Garanto que não sei por que estou triste;*
> *A tristeza me cansa, como a vós;*
> *Mas como a apanhei ou contraí,*
> *Do que é feita, ou do que terá nascido,*
> *Ainda não sei.*
> *A tristeza me fez um tolo tal*
> *Que é difícil até saber quem sou.*[22]

Não façamos rodeios: não sabemos de fato o que causa a depressão. Não sabemos de fato o que constitui a depressão. Não sabemos de fato por que certos tratamentos podem ser eficazes para a depressão. Não sabemos como a depressão abriu caminho através do processo evolutivo. Não sabemos por que alguém fica deprimido em circunstâncias que não perturbam outro. Não sabemos como a vontade opera nesse contexto.

As pessoas próximas aos depressivos têm a expectativa de que eles se recomponham: nossa sociedade tem pouco espaço para lamúrias. Cônjuges, pais, filhos e amigos ficam todos sujeitos a serem eles próprios arrastados para baixo e não querem estar perto de uma dor desmedida. Ninguém pode fazer nada a não ser pedir ajuda (se é que pode fazer isso) nas mais baixas profundezas de uma grande depressão, mas, uma vez que a ajuda é oferecida, ela também precisa ser aceita. Todos gostaríamos que o Prozac resolvesse o problema, mas, na minha experiência, o Prozac não resolve, a não ser que o ajudemos. Ouça as pessoas que amam você. Acredite que vale a pena viver por elas, mesmo que você não acredite nisso. Busque as lembranças que a depressão afasta e projete-as no futuro. Seja corajoso, seja forte, tome seus remédios. Faça exercícios, porque isso lhe fará bem, mesmo que cada passo pese uma tonelada. Coma mesmo quando sente repugnância pela comida. Seja razoável consigo mesmo quando você tiver perdido a razão. Esse tipo de conselho é lugar-comum e soa bobo, mas o caminho mais certo para sair da depressão é não gostar dela e não se acostumar com ela. Bloqueie os terríveis pensamentos que invadem a mente.

Eu ficarei em tratamento para depressão por um longo tempo. Gostaria de poder dizer como aconteceu. Não tenho ideia de como me afundei tanto e tenho pouca noção de como levantei a cabeça e me afundei de novo, e de novo, e de novo. Tratei a presença, a trepadeira, de todas as maneiras convencionais que encontrei, e depois trabalhei para consertar a ausência com o mesmo esforço e a mesma intuição com que aprendi a andar ou falar. Tive muitos lapsos leves, depois dois colapsos mentais sérios, depois um descanso, depois um terceiro colapso mental e depois alguns outros lapsos. Depois de tudo isso, faço o que tenho de fazer para evitar mais perturbações. Toda manhã e toda noite, olho para os comprimidos na mão: branco, rosa, vermelho, turquesa.[23] Às vezes parecem uma escrita em minha mão, hieróglifos dizendo que o futuro pode ser muito bom e que é um dever comigo mesmo viver para vê-lo. Às vezes sinto como se engolisse meu próprio velório duas vezes por dia, uma vez que sem essas pílulas eu já teria desaparecido. Vou ao terapeuta uma vez por semana quando não estou viajando. Às vezes fico entediado com nossas sessões e às vezes, interessado de um modo inteiramente dissociativo. Outras vezes tenho até momentos de epifania. Em parte pelas coisas que aquele homem me disse, reconstruí-me o suficiente para poder continuar engolindo meu velório em vez de vivê-lo. Conversamos muito: acredito que as palavras são fortes, que podem esmagar o que tememos quando o medo parece mais terrível do que o lado positivo da vida. Tenho me voltado, com cada vez mais atenção, para o amor. O amor é o outro modo de avançar. Eles precisam atuar juntos: quando sozinhos, os remédios são um veneno fraco, o amor, uma faca cega, o insight, uma corda que rebenta sob o excesso de esforço. Com eles juntos, se você tiver sorte, pode salvar a árvore da trepadeira.

Eu adoro este século. Adoraria ter a capacidade de viajar no tempo porque adoraria visitar o Egito bíblico, a Itália da Renascença, a Inglaterra elisabetana, ver o ápice dos incas, conhecer os habitantes do Grande Zimbábue, ver como era a América quando os povos indígenas eram donos da terra. Mas não há outra época em que eu preferisse viver. Adoro os confortos da vida moderna. Adoro a complexidade de nossa filosofia. Adoro a sensação de transformação grande que paira sobre nós nesse novo milênio, a sensação de que estamos na iminência de saber mais do que as pessoas já souberam algum dia. Gosto do nível relativamente alto de tolerância social que existe nos países em que vivo. Gosto de poder viajar pelo mundo mais uma vez, e outra, e outra. Gosto que as pessoas vivam mais do que jamais viveram antes, que o tempo esteja um pouco mais do nosso lado do que mil anos atrás.

Contudo, defrontamo-nos com uma crise sem paralelo em nosso meio ambiente. Estamos consumindo a produção da Terra num ritmo assustador, sabotando a terra, o mar e o céu. A floresta tropical está sendo destruída; nossos oceanos transbordam de dejetos industriais; a camada de ozônio diminui. Nunca houve tanta gente no mundo, e no ano que vem haverá ainda mais, e no ano depois deste, mais ainda. Estamos criando problemas que afetarão a próxima geração, e a próxima, e a que se segue a esta última. O homem vem mudando a Terra desde que a primeira faca de sílex foi modelada de uma pedra e a primeira semente, plantada por um lavrador da Anatólia, mas o ritmo da alteração está fugindo gravemente ao nosso controle. Não sou um alarmista ambiental. Não acredito que estejamos à beira do apocalipse neste momento. Mas estou convencido de que precisamos dar alguns passos a fim de alterar nosso rumo atual para não nos dirigirmos à aniquilação.

O fato de estarmos sempre desenvolvendo novas soluções para tais problemas é uma indicação do quanto a humanidade é resistente. O mundo continua, assim como a espécie. O câncer de pele está muito mais presente do que costumava pelo fato de a atmosfera nos fornecer muito menos proteção contra o sol.[24] No verão, uso loções e cremes com filtros poderosos, e eles colaboram para me manter a salvo. De vez em quando vou ao dermatologista, e ele retira um ou outro sinal maior do que o comum, mandando-o para análise. As crianças que no passado corriam pela praia nuas estão agora besuntadas de filtros solares. Homens que no passado trabalhavam sem camisa ao meio-dia usam agora camisas e tentam ficar na sombra. Temos a capacidade de lidar com tal aspecto dessa crise. Inventamos novos caminhos para não ter que passar nossas vidas no escuro. Usando bloqueadores solares ou não, porém, precisamos tentar não destruir o que sobrou. Neste momento, há ainda muito ozônio lá fora e ele ainda cumpre seu papel moderadamente bem. Seria melhor para o meio ambiente se todos parassem de usar carros, mas isso não vai acontecer a menos que haja uma crise gigantesca. Francamente, acho que antes de haver uma sociedade livre do transporte automotivo os homens viverão na Lua. Uma mudança radical é impossível e de muitos modos indesejável, mas não há dúvida de que algum tipo de mudança é necessário.

Ao que parece, a depressão está presente desde quando o homem tomou consciência do próprio eu. Pode ser que ela tenha existido mesmo antes dessa época, que macacos e ratos e talvez polvos tenham sofrido da doença antes de os primeiros humanoides acharem seu caminho para as cavernas. A sintomatologia de nosso tempo certamente apresenta poucas diferenças da que foi descrita por Hipócrates uns 2500 anos atrás.[25] Nem a depressão nem o câncer de pele são uma criação do século XXI. Assim como o câncer de pele, a depressão é um mal do corpo que aumentou muito em tempos recentes por motivos bastante específicos. É importante que não continuemos a ignorar por muito mais tempo a clara mensagem de problemas cada vez mais gritantes. Vulnerabilidades que numa era anterior teriam permanecido indetectáveis agora florescem em doenças clinicamente maduras. Precisamos não apenas aproveitar as soluções imediatas para nossos problemas correntes, mas também buscar conter esses problemas e evitar que dominem nossas mentes. As taxas crescentes de depressão são sem dúvida uma consequência da modernidade. O ritmo da vida, o caos tecnológico, a alienação das pessoas, o colapso da estrutura familiar, a solidão endêmica, o fracasso dos sistemas de crença (religioso, moral, político, social — qualquer coisa que parecia outrora dar significado e direção à vida) têm sido catastróficos. Felizmente, temos desenvolvido sistemas para lidar com o problema. Temos remédios voltados para as perturbações orgânicas e terapias voltadas para os tumultos emocionais da doença crônica. A depressão é um custo crescente, mas não ruinoso, para nossa sociedade. Temos equivalentes psicológicos de filtros solares, bonés e sombra.

Mas será que temos o equivalente a um movimento ambiental, um sistema para conter os danos que estamos fazendo à camada de ozônio social? A existência de tratamentos não deveria fazer com que ignorássemos o problema que está sendo tratado. Temos que ficar aterrorizados com as estatísticas. O que devemos fazer? Às vezes parece que a taxa da doença e o número de curas estão numa espécie de competição para ver qual vai superar o outro. Poucos de nós querem, ou podem, desistir da modernidade de pensamento, assim como não querem desistir da modernidade da existência material. Mas precisamos começar a fazer pequenas coisas agora para baixar o nível de poluição socioemocional. Precisamos buscar fé (em qualquer coisa: em Deus, no eu, em outras pessoas, na política, na beleza ou em qualquer outra coisa) e estrutura. Precisamos ajudar os que são privados de seus direitos civis, cujo sofrimento mina a alegria do mundo — para o bem dessas massas e dos privilegiados que carecem de motivação profunda em suas vidas. Precisamos praticar o negócio do amor, e ensiná-lo também. Precisamos melhorar as circunstâncias que conduzem a níveis assustadoramente altos de estresse. Precisamos nos manifestar contra a violência, e talvez contra suas representações. Isso não é uma proposta movida pela emoção; é tão urgente quanto clamar pela salvação da floresta tropical.

Em algum momento, um tempo que ainda não atingimos, mas que acho que atingiremos em breve, o nível de dano será mais terrível do que os avanços que compramos com esse dano. Não haverá nenhuma revolução, e sim talvez o advento de diferentes tipos de escolas, diferentes modelos de família e comunidade, diferentes processos de informação. Para continuarmos existindo na Terra, teremos que fazer isso. Teremos que encontrar um equilíbrio entre o tratamento da doença e a melhoria das circunstâncias que a causam. Buscaremos tanto a prevenção quanto a cura. Na maturidade do novo milênio, espero que salvemos as florestas tropicais deste planeta, a camada de ozônio, os rios e correntes, os oceanos, e salvaremos também, espero, as mentes e corações das pessoas que vivem aqui. Então controlaremos nosso medo crescente dos demônios do meio-dia — nossa ansiedade e depressão.

O povo do Camboja vive no compasso de sua tragédia imemorial. Durante os anos 1970, os revolucionários de Pol Pot estabeleceram uma ditadura maoísta nesse país em nome do que se chamou de Khmer Vermelho. Seguiram-se anos de guerra civil sangrenta, durante a qual mais de 20% da população foi assassinada. A elite instruída foi eliminada, e os camponeses, regularmente movidos de uma localidade para outra, e alguns deles levados para celas de prisão onde eram tratados com escárnio e torturados; o país inteiro vivia num medo perpétuo.[26] É difícil classificar guerras — as recentes atrocidades em Ruanda têm sido especialmente devastadoras —, mas o período Pol Pot foi certamente tão terrível quanto qualquer outro momento e lugar da história recente. O que acontece com as suas emoções quando você vê um quarto de seus compatriotas assassinado, quando você próprio viveu a dureza de um regime brutal, quando está lutando contra as chances de reconstruir uma nação devastada? Eu queria ver o que acontece aos cidadãos de um país ao suportar um nível de estresse tão alto, um grau desesperador de pobreza, ausência quase total de recursos e pouquíssima chance de educação ou emprego. Eu poderia ter escolhido outros locais para encontrar sofrimento, mas não quis entrar num país em guerra, já que a psicologia do desespero em tempo de guerra é geralmente frenética, enquanto o desespero que se segue à devastação é mais entorpecedor e abrangente. O Camboja não é um país em que uma facção lutou brutalmente contra outra; é um país em que todos estavam em guerra contra todos, no qual todos os mecanismos da sociedade haviam sido completamente aniquilados, no qual não havia restado nenhum amor, nenhum idealismo, nada de bom para ninguém.

Os cambojanos em geral são afáveis e extremamente amigáveis com os estrangeiros que os visitam. A maioria deles fala suavemente, é gentil e atraente. É difícil acreditar que esse país adorável foi o palco das atrocidades de Pol Pot. Cada pessoa que conheci tinha uma explicação diferente para o fato de o Khmer Vermelho ter ocorrido lá, mas nenhuma dessas explicações fazia sentido, assim como não faz sentido nenhuma das explicações que justificam a Revolução Cultural Chinesa, o stalinismo ou o nazismo. Tais coisas aconteceram, e retrospectivamente é possível entender por que uma nação foi especialmente vulnerável a elas; mas onde se originam tais comportamentos na imaginação humana é incognoscível. A estrutura social é sempre muito frágil, mas é impossível saber como ela pôde se vaporizar tão inteiramente quanto naquelas sociedades. O embaixador norte-americano no Camboja contou-me que o maior problema para o povo khmer é que a sociedade cambojana tradicional não tem nenhum mecanismo pacífico para resolver conflitos. "Se eles têm divergências", disse, "têm que negá-las e suprimi-las totalmente, ou então puxar suas facas e lutar." Um membro do atual governo cambojano disse que o povo foi subserviente demais a um monarca absoluto por tempo demais e não pensou em lutar contra a autoridade até que já fosse tarde. Ouvi pelo menos uma dúzia de outras histórias; continuei cético.

Durante entrevistas com pessoas que haviam sofrido atrocidades nas mãos do Khmer Vermelho, descobri que a maioria preferia olhar para a frente. Quando as pressionava a respeito de histórias pessoais, contudo, elas deslizavam para o lamentoso tempo passado. As histórias que ouvi eram inumanas, aterrorizantes e repulsivas. Todo adulto que conheci no Camboja havia sofrido traumas externos que teriam levado a maioria de nós à loucura ou ao suicídio. O que haviam sofrido em suas próprias mentes se enquadrava num grau de horrores à parte. Fui ao Camboja para me tornar mais humilde diante da dor dos outros e me curvei até o chão.

Cinco dias antes de deixar o país, encontrei-me com Phaly Nuon, candidata por algum tempo ao prêmio Nobel da paz, que criara um orfanato e um centro para mulheres deprimidas em Phnom Penh. Ela obtivera um enorme sucesso em ressuscitar mulheres cujas aflições mentais eram tamanhas que outros médicos as haviam abandonado à morte. De fato, o seu sucesso havia sido tão grande que a equipe de seu orfanato é quase inteiramente formada por mulheres que ela já ajudou e que criaram uma comunidade de generosidade em torno de Phaly Nuon. Se você salva as mulheres, dizem, elas por sua vez salvarão as crianças, e assim, traçando uma cadeia de influências, pode-se salvar o país.

Nós nos encontramos numa pequena sala num velho edifício de escritórios próximo do centro de Phnom Penh. Ela se sentou numa cadeira e eu num pequeno sofá do lado oposto. Os olhos assimétricos de Phaly Nuon parecem ver imediatamente através de você e, ao mesmo tempo, dar-lhe as boas-vindas. Como a maioria dos cambojanos, ela é relativamente pequena para os padrões ocidentais. Seus cabelos um pouco grisalhos estavam puxados para trás dando um ar de dureza aos contornos de seu rosto. Ela pode ser agressiva defendendo um ponto de vista, mas é também tímida, sorridente e olha para baixo sempre que não está falando.

Começamos com sua própria história. No início dos anos 1970, Phaly Nuon trabalhava para o Departamento Cambojano do Tesouro e Câmara do Comércio como secretária, datilógrafa e estenógrafa. Em 1975, quando Phnom Penh caiu em poder do Pol Pot e do Khmer Vermelho, ela foi tirada de sua casa com o marido e os filhos. Seu marido foi enviado para um lugar desconhecido, e Phaly Nuon não tinha ideia se fora executado ou continuava vivo. Ela foi colocada para trabalhar no campo com sua filha de doze anos, o filho de três e o bebê recém-nascido. As condições eram terríveis e a comida, escassa, mas ela trabalhava ao lado de seus companheiros, "jamais dizendo a eles coisa alguma e nunca sorrindo, nenhum de nós sorria porque sabíamos que a qualquer momento poderíamos ser mandados para a morte". Após alguns meses, foi despachada para outra localidade junto com sua família. Durante a transferência, um grupo de soldados amarrou-a a uma árvore e a obrigou a assistir sua filha ser violentada pelo bando e depois assassinada. Alguns dias depois, Phaly Nuon foi levada com alguns outros trabalhadores para um campo fora da cidade. Amarraram suas mãos atrás das costas e ataram suas pernas unidas. Depois forçaram-na a se ajoelhar e amarraram-na a uma vara de bambu, fazendo com que se inclinasse para a frente num campo lamacento, de modo que suas pernas tivessem que ficar tensas ou ela perderia o equilíbrio. A ideia era que, quando finalmente caísse de exaustão, ela afundaria na lama e, incapaz de se mover, se afogaria. Seu filho de três anos gritava e chorava a seu lado. A criança fora amarrada a ela para se afogar na lama quando a mãe caísse: Phaly Nuon mataria seu próprio filho.

Ela então contou uma mentira. Disse que, antes da guerra, trabalhara para um dos membros da cúpula do Khmer Vermelho, que fora sua amante e que ele ficaria zangado se ela fosse morta. Poucas pessoas escaparam dos campos de morte, mas um capitão que talvez tenha acreditado na história de Phaly Nuon disse posteriormente que não suportava o som de seus filhos gritando e que as balas que os matariam rapidamente eram caras demais para serem desperdiçadas. Então, ele desamarrou Phaly Nuon e lhe disse para correr. Com o bebê num dos braços e o filho de três anos no outro, ela disparou, adentrando profundamente a selva do nordeste cambojano. Ficou na selva por três anos, quatro meses e dezoito dias. Nunca dormia duas vezes no mesmo lugar. Enquanto perambulava, colhia folhas e desenterrava raízes para alimentar a si e sua família, mas a comida era difícil de encontrar e outros ceifadores, mais fortes que ela, haviam deixado a terra nua. Gravemente desnutrida, começou a definhar. O leite de seus seios logo secou, e o bebê que ela não pôde alimentar morreu em seus braços. Ela e o filho remanescente se agarraram à vida com todas as suas forças e atravessaram o período de guerra.

A essa altura da narrativa de Phaly Nuon, nós dois já tínhamos trocado nossos assentos pelo chão, e ela chorava balançando-se para a frente e para trás, enquanto eu me sentava com os joelhos sob o queixo e uma das mãos no ombro dela, um abraço que seu estado de transe permitia. Ela continuou quase sussurrando. Depois de a guerra acabar, ela encontrou seu marido que, gravemente espancado na cabeça e no pescoço, sofreu uma perda significativa de sua capacidade mental. Ela, o marido e o filho foram colocados num campo de fronteira próximo à Tailândia, onde milhares de pessoas viviam em abrigos temporários feitos de lona. Sofreram abusos físicos e sexuais por alguns dos funcionários do campo e foram

34

ajudados por outros. Phaly Nuon era uma das únicas pessoas instruídas ali e, conhecendo línguas, podia falar com os funcionários encarregados da assistência. Tornou-se uma parte importante da vida do campo, sendo dada a ela e sua família uma cabana de madeira que era considerada luxuosa, em comparação com o resto. "Ajudei em certas tarefas de assistência naquela época", lembra. "O tempo todo em que andei por ali, vi mulheres em péssimo estado, muitas delas paralisadas, não se moviam, não falavam, não se alimentavam e não davam a mínima para os próprios filhos. Vi que, embora tivessem sobrevivido à guerra, iam agora morrer de depressão, de um estresse pós-traumático totalmente incapacitante." Phaly Nuon fez um pedido especial aos funcionários encarregados da assistência e criou em sua cabana uma espécie de centro de psicoterapia.

Ela usava a medicina tradicional khmer (feita com proporções variáveis de mais de cem ervas e folhas) como primeiro passo. Se aquilo não funcionava ou não funcionava suficientemente bem, ela aplicava medicina ocidental quando disponível, como às vezes ocorria. "Eu escondia estoques de quaisquer antidepressivos que os funcionários da assistência conseguissem trazer", disse, "e tentava ter o suficiente para os casos piores." Ela levava as pacientes para meditar, mantendo em sua casa um altar budista enfeitado com flores. Conquistava a confiança das mulheres para que se abrissem. Primeiro, levava três horas para que cada mulher lhe contasse sua história. Depois, fazia visitas de acompanhamento regulares para obter mais detalhes, até que finalmente obtivesse a total confiança das mulheres deprimidas. "Eu precisava conhecer a história que essas mulheres tinham para contar", explicou, "porque queria entender bem especificamente o que cada uma tinha que superar."

Uma vez que a iniciação fosse concluída, Phaly Nuon prosseguia num sistema formulado por ela. "Eu o aplico em três etapas", disse. "Primeiro, ensino-as a esquecer. Temos exercícios que fazemos a cada dia, para que a cada dia elas possam esquecer um pouco mais as coisas que jamais esquecerão inteiramente. Durante esse tempo, tento distraí-las com música, bordado, tecelagem ou música, com uma hora ocasional de televisão, com qualquer coisa que pareça funcionar, com qualquer coisa que elas me digam que gostam. A depressão está sob a pele, toda a superfície do corpo tem a depressão logo abaixo de si, e não podemos tirá-la fora; mas podemos sim tentar esquecer a depressão mesmo que esteja bem ali.

"Quando suas mentes estão limpas do que esqueceram, quando aprenderam bem o esquecimento, eu as ensino a trabalhar. Seja qual for o tipo de trabalho que querem fazer, descubro um modo de ensiná-lo a elas. Algumas treinam apenas limpar casas ou cuidar de crianças. Outras aprendem habilidades que possam usar com os órfãos, e algumas voltam-se para uma verdadeira profissão. Elas precisam aprender a fazer tais coisas e se orgulhar delas.

"E então, quando finalmente já dominaram o trabalho, eu as ensino a amar. Construí uma espécie de anexo e fiz ali um banho a vapor. Agora tenho um similar, só que mais bem construído, em Phnom Penh. Então levo-as lá para que todas fiquem limpas e as ensino a fazer as mãos e os pés umas das outras, e como cuidar das unhas, porque elas se sentem bonitas com isso, e elas querem muito se sentir bonitas. Isso também as coloca em contato com os corpos de outras pessoas e faz com que se distraiam de seus corpos para cuidar de outros. Isso as resgata do isolamento físico, que é uma aflição habitual entre elas, e conduz à quebra do isolamento emocional. Enquanto estão juntas lavando-se e pintando as unhas, começam a conversar, pouco a pouco aprendem a confiar umas nas outras e, no final de tudo, aprenderam a fazer amigas, de modo que jamais terão que ser tão solitárias e tão sozinhas novamente. Suas histórias — que não contaram para ninguém, a não ser para mim —, elas começam a contá-las umas para as outras."

Phaly Nuon me mostrou depois os instrumentos de sua profissão de psicóloga: os pequenos frascos de esmalte colorido, a sala de vapor, as varetas para empurrar as cutículas, as lixas de unha, as toalhas. A limpeza e o cuidado consigo e com os outros são formas primordiais de socialização entre os primatas, e essa volta aos cuidados básicos como uma força socializante entre os humanos me pareceu curiosamente orgânica. Eu disse a ela que achava difícil ensinar a esquecer, a trabalhar, a amar e ser amado, mas ela disse que não era tão complicado se você mesmo pudesse fazer essas três coisas. Contou como as mulheres que ela tem tratado formaram uma comunidade e como se dão bem com os órfãos de quem tomam conta.

"Há um último passo", ela me disse depois de uma longa pausa. "No final, eu lhes ensino o mais importante: que essas três habilidades — esquecer, trabalhar e amar — não são isoladas, e sim parte de um enorme todo. É a prática dessas três coisas juntas, cada qual como parte das outras, que faz a diferença. É o mais difícil de transmitir", ela ri, "mas todas passam a entender isso e, quando o fazem, estão prontas para entrar novamente no mundo."

A depressão existe agora tanto como um fenômeno pessoal quanto social. Para tratar a depressão é preciso entender a experiência de um colapso mental, o modo de ação dos medicamentos e as formas mais comuns de terapia falada (psicanalítica, interpessoal e cognitiva). A experiência é uma boa professora, e os tratamentos correntes foram postos em prática e testados; mas muitos outros tratamentos, da erva-de-são-joão à psicocirurgia, oferecem uma promessa razoável — embora aqui haja mais charlatanismo do que em qualquer outra área da medicina. Um tratamento inteligente requer um exame atento de populações específicas: a depressão tem variações significativas entre crianças, idosos e cada um dos gêneros. Os dependentes químicos formam uma grande subcategoria própria. O suicídio, em suas muitas formas, é uma complicação da depressão. É fundamental entender como a depressão pode ser fatal.

Essas questões experimentais levam à epidemiologia. Está na moda encarar a depressão como uma queixa moderna, e isso é um erro grosseiro que um exame da história da psiquiatria ajuda a esclarecer. Também está na moda pensar sobre a queixa como algo da classe média e bastante consistente das manifestações da depressão. Isso não é verdade. Olhando para a depressão entre os pobres, podemos ver que tabus e preconceitos estão nos impedindo de ajudar uma população que é singularmente receptiva a essa ajuda. O problema da depressão entre os pobres leva naturalmente a uma política específica. Legislamos sobre ideias de doença e tratamento fazendo-as existir e deixar de existir.

Biologia não é destino. Há maneiras de levar uma boa vida com depressão. De fato, pessoas que aprendem com sua depressão podem desenvolver uma profundidade moral que é o troféu no fundo da caixa de tristezas. Há um espectro emocional básico do qual não podemos e não devemos escapar, e acredito que a depressão se inclua nesse espectro, perto não apenas da dor, mas também do amor. De fato, acredito que todas as emoções fortes ficam juntas, e que cada uma delas está intrinsecamente ligada ao que comumente pensamos como seu oposto. No momento, tenho conseguido conter a incapacitação que a depressão causa, mas a depressão em si vive para sempre na escrita cifrada de meu cérebro. É parte de mim. Travar guerra contra a depressão é lutar contra si mesmo, e é importante saber disso antes das batalhas. Acredito que a depressão só pode ser eliminada se minarmos o mecanismo emocional que nos faz humanos. A ciência e a filosofia devem proceder por meias medidas.

"Receba bem esta dor", escreveu Ovídio certa vez, "pois algum dia ela lhe será útil."[27] É possível (embora improvável, nos tempos presentes) que, através da manipulação química, possamos localizar, controlar e eliminar o circuito de sofrimento do cérebro. Espero que nunca façamos isso, já que removê-lo significaria aplainar nossas experiências: prejudicar uma complexidade que é muito mais valiosa do que o caráter doloroso de suas partes. Se eu pudesse ver o mundo em nove dimensões, pagaria um alto preço para fazê-lo. Preferiria viver para sempre no nevoeiro do sofrimento a desistir da capacidade de sentir dor. Mas a dor não é depressão aguda; amamos e somos amados mesmo sofrendo de uma grande dor e estamos vivos quando a experimentamos. É o caráter de morto-vivo provocado pela depressão que venho tentando eliminar de minha vida; é como artilharia para essa extinção que escrevo este livro.

2. Colapsos

Eu só entrei em depressão depois de ter resolvido quase todos os meus problemas. Minha mãe morrera três anos antes e eu começara a me conciliar com isso; estava publicando meu primeiro romance; me dava bem com a minha família; emergira intacto de um relacionamento poderoso de dois anos; comprara uma casa bonita; escrevia para a conceituada revista *The New Yorker*. Quando a vida estava finalmente em ordem e todas as desculpas para o desespero tinham sido exauridas é que a depressão chegou, dissimulada com suas leves passadas, e estragou tudo. Estar deprimido por ter vivido um trauma ou quando a vida está claramente uma bagunça é uma coisa, mas sentir-se deprimido quando você finalmente está distanciado do trauma e sua vida não é uma bagunça é terrivelmente confuso e desestabilizador. Claro que você está consciente de causas profundas: a perene crise existencial, as dores esquecidas da infância distante, os leves erros cometidos com pessoas agora falecidas, a perda de certas amizades por sua própria negligência, o fato de não ser nenhum Tolstói, a ausência do amor perfeito neste mundo, os impulsos de cobiça e falta de caridade que se acham perto demais do coração — esse tipo de coisa. Mas agora, ao repassar esse inventário, eu acreditava que minha depressão fosse um estado racional e incurável.

De um modo fundamentalmente material, não tenho tido uma vida difícil. A maioria das pessoas ficaria bastante feliz com as oportunidades que tive. Passei por algumas épocas melhores e outras piores, para meus próprios padrões, mas os mergulhos não foram tão fundos a ponto de explicar o que me aconteceu. Se minha vida tivesse sido mais difícil, eu compreenderia minha depressão de modo muito diferente. Na verdade, tive uma infância razoavelmente feliz com pais que me amavam generosamente e um irmão mais jovem a quem eles também amavam e com quem geralmente eu me dava bem. Era uma família suficientemente intacta para que eu não pensasse em divórcio ou uma batalha entre meus pais, que se amavam muito e, embora discutissem de vez em quando sobre isso e aquilo, nunca questionavam sua absoluta devoção de um pelo outro, por meu irmão e por mim. Sempre tivemos o suficiente para viver com conforto. Eu não era popular na escola primária ou no início do ginásio, mas no final eu tinha um círculo de amigos com quem me sentia contente. Sempre me saí bem academicamente.

Eu havia sido um tanto tímido quando criança, temeroso de ser rejeitado em situações de grande exposição — mas quem não é? Quando no ginásio, eu tinha consciência de estados de espírito ocasionalmente instáveis que, mais uma vez, não pareciam inusitados na adolescência. Durante meu penúltimo ano do ensino médio, estava certo de que o edifício em que assistia às aulas (que existia havia quase cem anos) ia desmoronar, e lembro de ter que me encher de coragem contra aquela estranha ansiedade dia após dia. Sabia que isso era estranho e fiquei aliviado quando, após um mês, a ansiedade passou.

Então entrei na faculdade, onde fui abençoadamente feliz e conheci muitas pessoas que são minhas amigas até hoje. Estudei e curti bastante, acordando tanto para uma nova série de emoções quanto para o escopo do meu intelecto. Às vezes, quando sozinho, sentia-me subitamente isolado, e a sensação não era apenas o sofrimento de estar só, mas medo. Eu tinha muitos amigos. Então visitava um deles, e geralmente me distraía e esquecia o sofrimento. Era um problema ocasional e não incapacitante. Fui fazer mestrado na Inglaterra e, quando terminei os estudos, passei de modo relativamente suave para uma carreira de escritor. Fiquei em Londres por alguns anos. Tive um monte de amigos e flertei um pouco com o amor. De muitas maneiras, tudo isso ficou mais ou menos igual. Tenho experimentado uma boa vida até agora, e sou grato por ela.

No começo de uma depressão severa, a tendência é olhar para trás à procura de suas raízes. Cogita-se de onde ela veio, se esteve sempre ali, à espreita, ou se chegou tão subitamente quanto uma intoxicação alimentar. Desde meu primeiro colapso, passei meses a fio catalogando antigas dificuldades, tais como existiram. Nasci de parto caudal, e alguns autores têm ligado o nascimento de parto caudal a um trauma antigo. Eu era disléxico, embora minha mãe, que identificou o problema cedo, começasse a me ensinar modos de compensar o problema desde quando eu tinha apenas dois anos, e isso nunca foi um impedimento sério para mim. Quando criança pequena, eu era falador e descoordenado. Quando pedi a minha mãe para identificar meu trauma mais antigo, ela disse que caminhar não tinha sido fácil para mim e que, embora minha fala parecesse não ter demandado nenhum esforço, meu controle motor e equilíbrio foram atrasados e imperfeitos. Disseram-me que eu caía muito, que só com bastante estímulo tentava ficar ereto. A falta de atividade atlética subsequente determinou minha falta de popularidade na escola primária. Naturalmente, não ser tolerado por meus pares foi decepcionante para mim, mas sempre tive alguns amigos e sempre gostei de adultos, que também gostavam de mim.

Tenho muitas lembranças estranhas e não organizadas de minha infância remota, quase todas felizes. Uma psicanalista com quem me tratei certa vez disse-me que uma tênue sequência de antigas lembranças que faziam pouco sentido para mim sugeriam que eu sofrera abuso sexual juvenil. Certamente é possível, mas nunca consegui construir uma lembrança convincente ou mencionar outras provas disso. Se algo aconteceu, deve ter sido bastante suave, porque fui uma criança muito observada, e qualquer machucado ou problema teria sido notado. Lembro de um episódio num acampamento de verão, quando eu tinha seis anos, em que fui súbita e irracionalmente tomado pelo medo. Tenho a imagem gravada em minha mente: a quadra de tênis acima, o salão de jantar à minha direita e, a uns quinze metros de distância, o grande carvalho sob o qual sentávamos para ouvir histórias. De repente, senti que não conseguia me mover. Fui dominado pela sensação de que algo horrível ia me acontecer, mais cedo ou mais tarde, e que, enquanto eu vivesse, jamais seria livre. A vida, que até então parecera uma superfície sólida sobre a qual eu pisava, tornara-se subitamente delicada e insegura, e comecei a escorregar através dela. Se eu ficasse imóvel, poderia ficar bem, mas, assim que me movesse, estaria em perigo de novo. A direção a tomar, se para a direita, para a esquerda ou em frente, parecia ter uma importância vital, mas eu não sabia que direção me salvaria, pelo menos naquele momento. Felizmente surgiu um conselheiro e disse que eu me apressasse, que eu estava atrasado para a natação. O estado de espírito se rompeu, mas por muito tempo me lembrei dele desejando que não voltasse.

Acho que esse tipo de coisa não é inusitada em crianças pequenas. Angústia existencial entre adultos, embora dolorosa, geralmente traz consigo uma consciência de si fortalecedora. Em contrapartida, as primeiras revelações da fragilidade humana, os primeiros anúncios da mortalidade, são devastadores e violentos. Eu vi seus efeitos em meus afilhados e em meu sobrinho. Seria romântico e tolo dizer que em julho de 1969, no acampamento Grant Lake, entendi que um dia morreria, mas tropecei, sem qualquer razão aparente, na minha própria vulnerabilidade, no fato de que meus pais não controlavam o mundo e tudo que acontecia nele, e que tampouco eu poderia controlá-lo. Tenho uma memória ruim, e depois daquele episódio no acampamento passei a ter medo do que se perde ao longo do tempo. Ficava deitado à noite tentando lembrar das coisas do dia para poder preservá-las — uma aquisição incorpórea. Eu dava um valor especial aos beijos de boa-noite de meus pais e costumava dormir com a cabeça num lenço de papel para recolher os beijos deles se caíssem de meu rosto, de modo a guardá-los para sempre.

Desde o ginásio eu tinha consciência de um confuso senso de sexualidade, do qual posso dizer que foi o desafio emocional mais impenetrável de minha vida. Enterrei a questão por trás da sociabilidade de modo a não confrontá-lo, uma defesa básica que me permitiu atravessar a faculdade. Tive alguns anos de incerteza, um longo histórico de envolvimentos com homens e mulheres, o que complicava minha relação com minha mãe em especial. Ocasionalmente, me via tomado por um estado de espírito de intensa ansiedade sem nenhum motivo particular, uma estranha mistura de tristeza e medo jorrando de lugar algum. Às vezes ela me dominava nas noites de sexta-feira na faculdade, quando o barulho das festas forçadas esmagava a privacidade da escuridão. Às vezes ela se apoderava de mim quando eu estava lendo ou durante o sexo. Ela aparecia sempre que eu me afastava de casa, e ainda agora acompanha minha partida. Mesmo que eu esteja indo embora apenas pelo fim de semana, tal estado de espírito me invade quando tranco a porta atrás de mim. E geralmente se apoderava de mim quando eu voltava para casa. Minha mãe, uma amiga e mesmo um de nossos cachorros me saudavam, e eu me sentia tão triste que essa tristeza me assustava. Lidava com ela interagindo compulsivamente com as pessoas, o que quase sempre me distraía. Tinha de assobiar uma melodia feliz para sair daquela tristeza.

No verão depois do meu último ano de faculdade, tive um pequeno colapso, mas na época eu não tinha ideia do que era. Estava viajando pela Europa, curtindo o verão que sempre desejara, completamente livre. Fora uma espécie de presente de formatura de meus pais. Passei um mês esplêndido na Itália, depois prossegui para a França e em seguida visitei um amigo no Marrocos. Fiquei intimidado pelo Marrocos. Era como se eu tivesse sido libertado demais de restrições demais. Eu me sentia nervoso o tempo todo, como me sentia nos bastidores pouco antes de entrar numa peça da escola. Voltei a Paris, encontrei-me com mais alguns amigos e depois fui para Viena, uma cidade que sempre quisera visitar. Não consegui dormir em Viena. Cheguei, instalei-me numa pensão e encontrei alguns velhos amigos que também estavam lá. Fizemos planos para viajar juntos a Budapeste. Saímos e tivemos uma noite agradável. Depois voltei e fiquei acordado a noite toda, aterrorizado com algum erro que eu pensei ter cometido, embora não soubesse qual. No dia seguinte, eu estava tenso demais para enfrentar um café da manhã numa sala cheia de estranhos. Quando saí ao ar livre, me senti melhor, decidi visitar algum museu e cheguei à conclusão de que provavelmente estava apenas me sobrecarregando. Meus amigos tiveram que ir jantar com outra pessoa e, quando me contaram isso, senti-me atingido até o âmago, como se estivesse ouvindo uma trama de assassinato. Concordaram em se encontrar comigo para um drinque depois do jantar. Eu não jantei. Simplesmente não conseguia entrar num restaurante estranho e pedir a comida sozinho (embora tivesse feito isso muitas vezes antes). Também não conseguia iniciar uma conversa com ninguém. Quando finalmente me encontrei com meus amigos, eu estava tremendo. Saímos, bebi muito mais do que habitualmente e me senti temporariamente calmo. Passei outra noite em branco, com uma dor de cabeça de rachar e o estômago revirado, preocupando-me obsessivamente com o horário do barco para Budapeste. Consegui atravessar o dia seguinte e, durante a terceira noite sem dormir, fiquei com tanto medo que fui incapaz de levantar para usar o banheiro. Liguei para meus pais. "Preciso ir para casa", eu disse. Eles pareceram mais do que surpresos, já que antes dessa viagem eu negociara cada dia extra, cada local extra, tentando estender ao máximo meu tempo no exterior. "Está acontecendo alguma coisa?", perguntaram, e só pude dizer que não me sentia bem e que tudo se revelara menos empolgante do que eu previra. Minha mãe foi solidária. "Viajar sozinho pode ser difícil", disse. "Pensei que você encontraria com amigos aí, mas mesmo assim pode ser tremendamente cansativo." Meu pai disse: "Se quiser vir para casa, use meu cartão de crédito para comprar a passagem e venha".

Comprei a passagem, fiz as malas e voltei para casa naquela mesma tarde. Meus pais foram me buscar no aeroporto. "O que aconteceu?", perguntaram, mas só consegui dizer que não podia ficar mais lá. Nos braços deles, senti-me seguro pela primeira vez em semanas. Chorei de soluçar, de tanto alívio. Quando voltamos para o apartamento onde eu crescera, estava deprimido e me sentia completamente estúpido. Estragara o verão de minha grande viagem; voltara a Nova York, onde eu não tinha nada para fazer exceto velhas tarefas. Eu não vira Budapeste. Liguei para alguns amigos, que ficaram surpresos por me ouvir. Nem tentei explicar o que tinha acontecido. Passei o resto do verão em casa. Estava entediado, incomodado e emburrado, embora tivéssemos nos divertido juntos.

Eu esqueci mais ou menos aquilo tudo nos anos que se seguiram. Depois daquele verão, fui para a universidade na Inglaterra. Começando numa nova universidade, num novo país, quase não senti pânico. Estabeleci-me logo na nova vida, fiz amigos rapidamente, me saí bem academicamente. Adorei a Inglaterra e nada parecia me assustar mais. O eu ansioso que partira para a faculdade da América abrira caminho para esse sujeito robusto, autoconfiante e sereno. Quando eu dava uma festa, todo mundo queria ser convidado. Meus amigos mais íntimos (que ainda o são) eram pessoas com quem eu passava a noite inteira numa intimidade profunda, imediata e fantasticamente prazerosa. Ligava para casa uma vez por semana, e meus pais observaram que eu parecia mais feliz do que nunca. Eu ansiava por companhia sempre que me sentia inquieto e a encontrava. Por dois anos, eu estava feliz a maior parte do tempo, e infeliz apenas com o clima, a dificuldade de fazer com que todos me amassem instantaneamente, a falta de sono e o início da queda de meus cabelos. A única tendência depressiva que sempre estava presente em mim era a nostalgia: diferente de Edith Piaf, eu lamento tudo só porque termina, e quando tinha doze anos já lamentava o tempo que passara. Mesmo no melhor estado de espírito, sempre fora como se eu me engalfinhasse com o presente num esforço vão para impedi-lo de se tornar passado.

Lembro de meus vinte e poucos anos como razoavelmente plácidos. Decidi, quase num capricho, me tornar um aventureiro e passar a ignorar minha ansiedade mesmo quando estava ligada a situações amedrontadoras. Dezoito meses depois de terminar minha pós-graduação, comecei a ir e a voltar da Moscou soviética e morei parte do tempo num local ocupado ilegalmente por alguns artistas que conheci por lá.[1] Quando alguém tentou me assaltar certa noite em Istambul, resisti com êxito e ele correu sem ter tirado nada de mim. Permiti-me avaliar todo tipo de sexualidade; deixei para trás a maior parte de minhas repressões e temores eróticos. Deixei o cabelo crescer; cortei-o bem curto. Toquei algumas vezes com uma banda de rock;[2] fui à ópera. Desenvolvera um desejo incontido pela experiência, e tive tantas experiências quanto pude, em tantos lugares quanto possível. Até me apaixonei algumas vezes.

Então, em agosto de 1989, quando eu tinha 25 anos, minha mãe recebeu um diagnóstico de câncer no ovário e meu mundo irretocável começou a desmoronar. Se ela não tivesse adoecido, minha vida teria sido completamente diferente; se essa história tivesse sido um pouco menos trágica, talvez eu tivesse passado pela vida com tendências depressivas, mas sem um colapso; ou talvez com um colapso mais tardio, como parte da crise de meia-idade; ou talvez eu o tivesse exatamente como e quando tive. Se a primeira parte de uma biografia emocional é formada por experiências precursoras, a segunda é formada por experiências desencadeadoras. As depressões mais severas são precedidas por depressões menores que passam amplamente despercebidas ou simplesmente inexplicadas. Claro que muitas pessoas que nunca desenvolveram depressão têm experiências que retrospectivamente seriam definidas como episódios precursores, se tivessem levado a algo, e só são esquecidas porque o que elas poderiam ter previsto jamais se materializou.

Não vou detalhar como tudo desmoronou, porque para aqueles que já vivenciaram uma doença devastadora isso é claro, e para os que não a experimentaram ela permanece tão inexplicável como para mim, quando eu tinha 25 anos. Basta dizer que as coisas foram medonhas. Em 1991, minha mãe morreu, aos 58 anos. Fiquei paralisado de tristeza. Apesar das muitas lágrimas e do enorme sofrimento, apesar da ausência da pessoa de quem eu dependera tão constantemente e por tanto tempo, consegui passar pelo período após a sua morte. Eu estava triste e com raiva, mas não louco.

Naquele verão, comecei a fazer psicanálise. Disse à mulher que seria minha analista que eu precisava de uma promessa antes de começar: a de que ela continuasse a análise até que a completássemos, pouco importava o que acontecesse, a não ser que ela ficasse seriamente doente. Ela estava com sessenta e tantos anos e concordou. Era uma mulher encantadora e sábia que me lembrava minha mãe. Eu dependia de nossas sessões diárias para conter minha dor.

No início de 1992, apaixonei-me por uma pessoa brilhante, bonita, generosa, amável e fantasticamente presente em todas as nossas relações, mas também tremendamente difícil. Tivemos um relacionamento tumultuado, embora frequentemente feliz. Ela ficou grávida no outono de 1992 e fez um aborto, o que me deu uma sensação imprevista de perda. No final de 1993, a semana anterior ao meu trigésimo aniversário, rompemos por acordo mútuo e com muita dor de ambos os lados. Desci outro degrau.

Em março de 1994, minha analista disse que ia se aposentar porque a viagem diária de sua casa em Princeton até Nova York tornara-se um fardo grande demais. Eu andava me sentindo desligado de nosso trabalho conjunto e vinha pensando em terminá-lo; contudo, quando ela deu a notícia, irrompi em soluços incontroláveis e chorei por uma hora. Geralmente não choro muito, e não chorava assim desde a morte de minha mãe. Senti-me completa e devastadoramente só, e inteiramente traído. Tivemos alguns meses (ela não tinha certeza de quantos; acabou sendo mais de um ano) para trabalhar no encerramento antes que sua aposentadoria fosse efetivada.

Mais tarde, naquele mês, queixei-me àquela mesma analista que uma perda de sentimento, uma espécie de entorpecimento, infectara todas as minhas relações humanas. Eu não dava importância ao amor, ao trabalho, à família, aos amigos. Diminuí o ritmo da minha escrita, até que finalmente parei. "Eu não sei de nada", escreveu certa vez o pintor Gerhard Richter. "Não posso fazer nada. Não compreendo nada. Não sei nada. Nada. E toda essa infelicidade nem me torna especialmente infeliz."[3] Assim, também descobri que toda emoção forte se fora, a não ser por uma certa ansiedade aborrecida. Sempre tivera uma libido obstinada que me conduzira com frequência a situações problemáticas. Ela parecia ter evaporado. Eu não sentia nenhum vestígio de meu anseio habitual por intimidade física/emocional e não me sentia atraído nem pelas pessoas nas ruas nem por aquelas que eu conhecia e amara. Durante o sexo, minha mente divagava continuamente para listas de compras e pendências no trabalho. Isso me dava a sensação de estar perdendo minha identidade, o que me assustava muito. Fiz questão de introduzir uma agenda de prazeres na minha vida. Durante a primavera de 1994, fui a festas e tentei me divertir, mas não consegui; vi amigos e tentei me ligar a eles, mas não consegui; comprei coisas caras que quisera no passado e não tive qualquer satisfação com elas; e fui a extremos previamente inexplorados para revitalizar minha libido, assistindo a filmes pornográficos e *in extremis* solicitando o serviço de prostitutas. Não fiquei especialmente horrorizado com meu novo comportamento, mas era incapaz de extrair dele qualquer tipo de prazer ou mesmo alívio. Minha analista e eu discutimos a situação: eu estava deprimido. Tentamos chegar à raiz do problema enquanto eu sentia a desconexão aumentar lenta, mas incessantemente. Comecei a me queixar dizendo que me sentia esmagado pelos recados na minha secretária eletrônica e me fixei nisto: via os telefonemas, geralmente de amigos, como um peso terrível. Quanto mais eu retornasse os chamados, mais eles viriam. Eu passara a ter medo de dirigir. Quando dirigia à noite, não conseguia ver a estrada e meus olhos ficavam continuamente ressecados. Achava que ia bater nas barreiras ou em outros carros. Eu estava no meio da rodovia e subitamente me dava conta de que não sabia dirigir. Consternado, parava num acostamento suando frio. Comecei a passar fins de semana na cidade para evitar ter que dirigir. Minha analista e eu analisamos a história de minhas ansiedades e tristezas. Ocorreu-me que minha relação com minha namorada terminara devido a um estágio anterior de depressão, embora eu soubesse também ser possível que o final daquela relação tivesse ajudado a causar a depressão. Enquanto eu procurava desatar aquele nó, continuava a dar novas datas para o começo da depressão: desde o rompimento, desde a morte de minha mãe, desde o começo da doença de dois anos de minha mãe, desde o final de uma relação anterior, desde a puberdade, desde o meu nascimento. Logo, não conseguia pensar numa época ou num comportamento que não fosse sintomático. Mesmo assim, o que eu estava experimentando era apenas depressão neurótica, caracterizada mais por um sofrimento ansioso do que pela loucura. Parecia estar sob meu controle; era uma versão duradoura de algo que eu já sofrera, algo de certa forma familiar a muitas pessoas saudáveis. A depressão se descortina tão gradualmente quanto a maturidade.

Em junho de 1994, comecei a ficar entediado constantemente. Meu primeiro romance foi publicado na Inglaterra, e até sua recepção favorável não me animou. Eu lia as resenhas com indiferença e me sentia cansado. Em julho, voltando à minha casa em Nova York, me sentia todo o tempo sobrecarregado por eventos sociais e até por conversas. Tudo aquilo parecia requerer mais esforço do que merecia. O metrô era intolerável. Minha analista, que ainda não se aposentara, disse que eu estava sofrendo de uma leve depressão. Discutimos motivos, como se dando nome à besta pudéssemos domá-la. Eu conhecia gente demais e fazia coisas demais; achei que poderia reduzir aquilo.

No final de agosto, tive uma crise de pedras nos rins, uma doença que já me visitara uma vez antes. Liguei para o meu médico, que prometera notificar o hospital e acelerar minha passagem pela sala de emergência. Quando cheguei ao hospital, porém, ninguém parecia ter recebido nenhum aviso. A dor de pedras nos rins é dilacerante e, enquanto eu me sentava esperando, era como se alguém, após ter mergulhado minha espinha dorsal em ácido, estivesse agora descascando os nervos até seu âmago. Embora eu descrevesse a dor que sentia várias vezes para vários atendentes, ninguém fez nada. E então algo pareceu rebentar em mim. Em pé no meio de meu cubículo na sala de emergência do hospital New York, comecei a gritar. Eles me deram uma injeção de morfina no braço. A dor arrefeceu. Mas logo retornou: entrei e saí do hospital por cinco dias. Fui cateterizado quatro vezes; finalmente, deram-me a dose máxima permitida de morfina, o que foi suplementado com injeções de Demerol com intervalos de poucas horas. Disseram-me que minhas pedras não eram localizáveis visualmente e que eu não era candidato à retirada das pedras, o que as teria eliminado rapidamente. A cirurgia era possível, mas dolorosa, e poderia ser arriscada. Eu não quisera perturbar meu pai, que estava de férias no Maine; mas agora eu queria procurá-lo, já que ele conhecia bem aquele hospital do tempo em que minha mãe esteve doente e poderia ajudar com as providências. Ele pareceu pouco preocupado. "Pedras nos rins, isso passa, tenho certeza de que você vai ficar bem, te vejo quando eu chegar em casa", disse. Enquanto isso, eu não dormia mais do que três horas por noite. Estava trabalhando num artigo complicadíssimo e falava com checadores de fatos e editores como que através de um nevoeiro.[4] Senti o controle de minha própria vida escorregar das mãos. "Se essa dor não parar", disse para um amigo, "vou me matar." Eu nunca tinha dito isso antes.

Quando deixei o hospital, estava com medo o tempo todo. A dor ou os remédios para controlá-la haviam minado completamente minha mente. Eu sabia que as pedras poderiam ainda estar se movendo por ali e eu poderia ter uma recaída. Tinha medo de ficar sozinho. Fui com um amigo a meu apartamento, peguei algumas coisas e me mudei. Foi uma semana errante; eu migrava de um amigo para outro. Essas pessoas geralmente tinham que trabalhar durante o dia, e eu ficava em suas casas, evitando a rua, tomando cuidado para nunca me afastar demais do telefone. Ainda estava tomando analgésicos profilaticamente e me sentia um pouco doido. Estava com raiva de meu pai, com raiva de um modo irracional, mimado e estúpido. Meu pai se desculpou pelo que chamei de seu comportamento negligente e tentou explicar que suas palavras só quiseram me transmitir seu alívio por eu ter uma doença que não era fatal. Ele disse que acreditara em meu relativo estoicismo ao telefone. Entrei numa histeria cujo sentido não consigo entender agora. Recusei-me a falar com ele ou lhe dizer para onde eu tinha ido. De vez em quando, ligava e deixava um recado em sua secretária eletrônica: "Detesto você e gostaria que estivesse morto" era como geralmente eu começava os recados. Remédios para dormir me faziam atravessar as noites. Tive uma pequena recaída e voltei ao hospital; não foi nada sério, mas fiquei apavorado. Retrospectivamente, posso dizer que foi a semana em que eu enlouqueci.

No final daquela semana, fui para Vermont para o casamento de uns amigos. Era um belo fim de semana de final de verão. Eu quase cancelara a viagem, mas, depois de conseguir detalhes sobre um hospital próximo ao local do casamento, decidi ir. Cheguei na sexta-feira para o jantar e a quadrilha (não dancei quadrilha alguma) e cruzei com alguém que eu conhecera muito de vista na faculdade, dez anos antes. Conversamos, e senti-me dominado por mais emoção do que sentira em anos. Sentia-me iluminado, extático, e não me dei conta de que nada de bom poderia sair daquilo. Passei de uma emoção para outra de um modo quase absurdo.

Após o casamento de Vermont, a descida foi contínua. Eu trabalhava cada vez menos e cada vez pior. Cancelei planos de ir à Inglaterra para outro casamento, sentindo que a viagem era mais do que aguentaria, embora um ano antes eu tivesse ido e voltado de Londres regularmente sem muitos problemas. Começara a sentir que ninguém poderia me amar e que eu nunca mais teria um relacionamento. Não tinha nenhum impulso sexual. Comecei a comer irregularmente porque raramente sentia fome. Minha analista disse que eu ainda estava em depressão, e eu me sentia cansado daquela palavra e cansado da analista. Eu disse que não estava doido, mas tinha medo de ficar e quis saber se ela achava que eu ia acabar tomando antidepressivos. Ela me disse que evitar medicação era corajoso e que poderíamos trabalhar nisso. Aquela conversa foi a última que iniciei; aqueles foram meus últimos sentimentos por um longo tempo.

A depressão severa tem um número de fatores definidores — a maioria tem a ver com o isolamento, embora a depressão agitada ou atípica possa ter uma negatividade intensa em vez de uma passividade apática — e é geralmente bastante fácil de reconhecer. Ela perturba o sono, os apetites e a energia. Tende a aumentar a sensibilidade à rejeição e pode ser acompanhada por uma perda de autoconfiança e autoconsideração. Parece depender tanto das funções hipotalâmicas (que regulam o sono, os apetites e a energia) quanto das funções corticais (que traduzem a experiência para a filosofia e a visão de mundo).[5] A depressão que ocorre como uma fase da enfermidade maníaco-depressiva (ou bipolar) é muito mais fortemente ligada ao fator genético (cerca de 80%) do que a depressão padrão (cerca de 10 a 50%).[6] Embora ela responda mais amplamente ao tratamento, não é mais fácil de ser controlada, sobretudo porque drogas antidepressivas podem desencadear a mania.[7] O maior perigo da enfermidade maníaco-depressiva é que ela às vezes irrompe no que é chamado de estados mistos, nos quais a pessoa fica maniacamente deprimida — cheia de sentimentos negativos e exuberante com relação a eles. Esta é a condição perfeita para o suicídio, sem os estabilizadores de estado de espírito que são partes necessárias da medicação bipolar. A depressão pode ser enervante ou atípica/agitada. Na primeira, você não sente vontade de fazer nada; na segunda, sente vontade de se matar. Um colapso é uma passagem para a loucura. Para usar uma metáfora da física, é um comportamento não característico da matéria determinado por variáveis escondidas. É também um efeito cumulativo: independentemente de serem ou não percebidos, os fatores que levam a um colapso depressivo se acumulam por anos, geralmente por uma vida inteira. Não há vida que não contenha motivos para o desespero, mas algumas pessoas chegam perto demais da borda, enquanto outras conseguem ficar tristes, mas numa clareira, à distância do abismo. Tudo que estava escrito em inglês está agora em chinês; tudo que foi rápido é agora lento; o sono se volta para a lucidez enquanto que a vigília é uma sequência de imagens desconectadas e sem sentido. Os sentidos abandonam lentamente a pessoa em depressão. "Há um ponto exato em que se pode sentir a química agindo." Um amigo depressivo, Mark Weiss, certa vez me disse: "Minha respiração muda e fica com mau cheiro. Minha urina cheira mal. Meu rosto desmorona no espelho. Sei quando ela está lá".

Quando eu tinha três anos, decidi que queria ser escritor. Desde então, passei a ficar ansioso para publicar um romance. Quando tinha trinta, meu primeiro romance foi publicado. Eu marcara uma viagem de leituras e estava detestando a ideia. Um amigo se oferecera para fazer uma festa de lançamento do meu livro em 11 de outubro. Adoro festas e adoro livros, e sabia que deveria estar em êxtase, mas na verdade me sentia entorpecido demais para convidar muita gente e cansado demais para ficar muito tempo em pé durante a festa. As funções da memória e as funções emocionais são distribuídas pelo cérebro, mas o córtex frontal e os sistemas límbicos são a base de ambas, e quando você afeta o sistema límbico, que controla a emoção, toca também na memória. Lembro daquela festa apenas num esboço fantasmagórico e cores esmaecidas: comida cinzenta, gente bege, luz fosca nos aposentos. Lembro que eu transpirava horrivelmente durante a festa e que estava louco para ir embora. Tentei atribuir tudo aquilo ao estresse. Estava decidido a manter as aparências, a qualquer custo, um impulso que foi muito útil. E consegui: ninguém pareceu notar nada de estranho. Sobrevivi à festa.

Quando cheguei em casa naquela noite, comecei a me sentir assustado. Deitei na cama, sem dormir, abraçando o travesseiro para me confortar. Nas duas semanas e meia seguintes, as coisas ficaram cada vez piores. Pouco antes do meu 31º aniversário, desmoronei. Todo o meu sistema parecia desabar. Eu não estava saindo com ninguém na época. Meu pai se oferecera para organizar uma festa de aniversário para mim, mas não conseguia nem imaginar isso, e em vez disso concordamos em ir a um restaurante com quatro de meus amigos mais íntimos. No dia anterior a meu aniversário, saí de casa só uma vez, para fazer algumas compras no mercado. Ao voltar da loja para casa, subitamente perdi o controle de meu intestino e me sujei. Podia sentir a mancha se espalhando enquanto eu me apressava em voltar para casa. Quando entrei, deixei cair o saco de compras, disparei para o banheiro, me despi e fui para a cama.

Não dormi muito naquela noite e não consegui levantar no dia seguinte. Sabia que não poderia ir a nenhum restaurante. Queria ligar para meus amigos e cancelar, mas não consegui. Fiquei imóvel e pensei no que falaria, tentando imaginar como fazê-lo. Mexi a língua, mas não produzi sons. Eu tinha esquecido como era falar. Então comecei a chorar, mas não houve lágrimas, apenas uma arquejante incoerência. Estava deitado de costas. Quis me virar, mas não consegui lembrar como fazer isso também. Tentei pensar a respeito, mas a tarefa parecia colossal. Achei que talvez eu tivesse sofrido um derrame, e então chorei de novo. Por volta das três horas daquela tarde, consegui sair da cama e ir ao banheiro. Voltei para a cama tremendo. Felizmente meu pai ligou. Atendi o telefone. "Você tem que cancelar o jantar desta noite", disse com voz trêmula. "O que aconteceu?", perguntou diversas vezes, mas eu não sabia.

Quando se tropeça ou escorrega, antes que nossa mão se estique para amortecer a queda, há um momento em que sentimos a terra subindo rapidamente em nossa direção e não podemos evitá-lo, uma fração de segundo passageira e aterrorizante. Eu me sentia assim hora após hora. Sentir-se ansioso nesse nível extremo é bizarro. Você sente todo o tempo que quer fazer algo, que há alguma emoção não disponível para você, que há uma necessidade física de urgência enorme e um desconforto para os quais não há alívio, como se você estivesse constantemente vomitando, mas não tivesse boca. Com a depressão, sua visão se estreita e começa a se fechar; é como tentar ver TV através de uma estática terrível, na qual se vê a imagem muito mal, não se pode enxergar o rosto das pessoas, a não ser torpemente durante um close; nada tem contornos. O ar parece espesso e resistente, como que cheio de massa de pão. Tornar-se deprimido é como ficar cego, a escuridão no início gradual acaba englobando tudo; é como ficar surdo, ouvindo cada vez menos até que um silêncio terrível o envolve, até que você mesmo não pode fazer qualquer som para quebrar o silêncio. É como sentir sua roupa lentamente se transformando em madeira, uma rigidez nos cotovelos e joelhos progredindo para um terrível peso e uma imobilidade isolante que vai atrofiá-lo e, dentro de algum tempo, destruí-lo.

Meu pai veio ao apartamento com um dos meus amigos, arrastando meu irmão e a noiva. Felizmente tinha a chave. Eu não tinha comido nada em quase dois dias, e eles tentaram me fazer engolir um pouco de salmão defumado. Todos acharam que eu devia ter algum vírus terrível. Comi um pouco e depois vomitei tudo em mim mesmo. Não conseguia parar de chorar, detestava minha casa, mas não conseguia deixá-la. No dia seguinte, de alguma forma fui ao consultório da analista. "Acho que vou ter que começar a tomar remédio", eu disse, mergulhando profundamente em busca das palavras. "Eu sinto muito", disse ela, e ligou para o psicofarmacologista, que concordou em me ver uma hora depois. Embora com atraso, pelo menos ela entendeu que tínhamos que procurar ajuda. Na década de 1950, um psicanalista que conheço ouviu que, segundo o pensamento da época, se quisesse dar medicação a um paciente, ele teria que parar a análise. Talvez fosse algum pensamento fora de moda que levara a minha analista a evitar a medicação? Ou talvez ela também tenha acreditado na aparência que eu lutava para manter. Nunca saberei.

O psicofarmacologista parecia sair de algum filme sobre psicanalistas: seu consultório era revestido de papel de seda cor de mostarda e luminárias de parede antigas, e tinha pilhas altas de livros com títulos como *Addicted to Misery* [Viciado em tristeza] e *Suicidal Behavior: The Search for Psychic Economy* [Comportamento suicida: A busca da economia psíquica]. Ele estava na casa dos setenta anos, fumava charutos, tinha um sotaque da Europa Central e usava pantufas. Tinha maneiras elegantes e antiquadas e um sorriso amável. Ele me fez uma rápida sequência de perguntas específicas — como eu me sentia na manhã em contraposição à tarde? Até que ponto era difícil para mim rir de algo? Eu sabia de que tinha medo? Meus padrões de apetites haviam mudado? — e respondi da melhor maneira possível. "Bem, bem", ele disse calmamente, enquanto eu desfiava meus horrores: "Muito clássico mesmo. Não se preocupe, logo nós o faremos ficar bem". Ele escreveu uma receita para Xanax [mais conhecido no Brasil como Frontal] e depois procurou um kit de iniciação ao Zoloft. Deu-me instruções detalhadas de como começar a tomá-lo. "Você vai voltar amanhã", disse com um sorriso. "O Zoloft não vai funcionar por algum tempo. O Xanax aliviará sua ansiedade imediatamente. Não se preocupe com as características viciantes do medicamento e coisas do gênero, já que este não é seu problema no momento. Quando tivermos dissipado um pouco a ansiedade, poderemos ver a depressão mais claramente e cuidar disso. Não se preocupe, você tem um grupo de sintomas muito normal."

No primeiro dia de medicação, mudei-me para o apartamento de meu pai. Ele tinha quase setenta anos na época, e a maioria dos homens dessa idade não lida facilmente com mudanças radicais em suas vidas. Meu pai merece elogios não só por sua generosa devoção, como também pela flexibilidade de mente e espírito que permitiu que ele entendesse que poderia ser meu arrimo através de tempos duros, e pela coragem que o ajudou a desempenhar esse papel. Buscou-me no consultório do médico e me levou para casa com ele. Eu não levara roupas limpas, mas na verdade não precisei delas, já que quase não saí da cama na semana seguinte. Naquele momento, o pânico era minha única sensação. O Xanax aliviava o pânico se eu tomasse em dose suficiente, mas essa quantidade era o bastante para que eu caísse num sono espesso, confuso e cheio de sonhos. Os dias eram assim: eu acordava sabendo que sofria de um pânico extremo. Só desejava tomar remédio contra o pânico para me permitir voltar a dormir; depois, queria dormir até ficar bem. Quando eu acordava algumas horas depois, queria tomar mais soníferos. Matar-me, como me vestir, era uma tarefa elaborada demais para entrar na minha mente; eu *não* ficava horas imaginando como faria tal coisa. A única coisa que desejava é que "aquilo" passasse; não conseguia sequer ser tão específico para poder dizer o que era "aquilo". Não conseguia falar muito; as palavras, com as quais sempre tive intimidade, pareciam subitamente metáforas muito elaboradas, difíceis, cujo uso exigia muito mais energia do que eu dispunha. "A melancolia termina em perda de sentido [...] calo-me e morro", escreveu certa vez Julia Kristeva. "O melancólico é um estrangeiro na sua língua materna. A língua morta que ele fala [...] anuncia seu suicídio."[8] A depressão, como o amor, lida com clichês, e é difícil falar dela sem cair numa retórica de melodias pop melosas; quando sentida, é tão vívida que a noção de que outros já conheceram algo semelhante parece totalmente implausível. Emily Dickinson escreveu talvez a mais eloquente descrição de um colapso já transposta para uma página em branco:

> *I felt a Funeral, in my Brain,*
> *And Mourners to and fro*
> *Kept treading — treading — till it seemed*
> *That Sense was breaking through —*
>
> *And when they all were seated,*
> *A Service, like a Drum —*
> *Kept beating — beating — till I thought*
> *My Mind was going numb —*
>
> *And then I heard them lift a Box*
> *And creak across my Soul*
> *With those same Boots of Lead, again,*
> *Then Space — began to toll,*
>
> *As if the Heavens were a Bell,*
> *And Being, but an Ear,*
> *And I, and Silence, some strange Race*
> *Wrecked, solitary, here —*
>
> *And then a Plank in Reason, broke,*
> *And I dropped down, and down —*

And hit a World, at every plunge,
And Finished knowing — then —[9]

Fala-se relativamente pouco que colapsos são absurdos; buscando dignidade e buscando dignificar o sofrimento de outros, pode-se facilmente passar por cima desse fato. Contudo, ele é real, verdadeiro e óbvio quando se está deprimido. Os minutos de depressão são como anos terríveis, baseados em alguma noção artificial de tempo. Lembro de estar deitado na cama, imobilizado, chorando por estar assustado demais para tomar um banho, e ao mesmo tempo saber que chuveiros não são assustadores. Eu continuava dando os passos, um por um, na minha mente: você gira e põe os pés no chão, fica em pé, anda até o banheiro, abre a porta do banheiro, vai até a borda da banheira, abre a água, entra embaixo dela, passa sabonete, enxágua-se, sai da banheira, enxuga-se, volta para a cama. Doze passos, que me pareceram então tão sufocantes quanto as estações da via-crúcis. Mas eu sabia, logicamente, que os banhos eram muito fáceis de tomar, que durante anos eu havia tomado uma ducha *todos os dias* e que o fizera tão rapidamente e tão prosaicamente que isso sequer era digno de um comentário. Eu sabia que aqueles doze passos eram realmente muito fáceis de dar. Sabia que poderia até conseguir alguém para me ajudar em alguns deles. Tive alguns segundos de alívio com tal pensamento. Outra pessoa podia abrir a porta do banheiro. Eu sabia que provavelmente conseguiria lidar com dois ou três passos; que, com todas as forças de meu corpo, eu sentaria, viraria e poria os pés no chão; e então me sentiria tão incapacitado e assustado que rolaria na cama e ficaria deitado com o rosto para baixo, os pés ainda no chão. Às vezes começava a chorar de novo, não só por causa do que não podia fazer, mas porque não poder fazê-lo me parecia muito idiota. No mundo inteiro as pessoas tomavam banho. Por que, por que eu não podia ser uma delas? E então refletia que essas pessoas também tinham famílias, empregos, contas no banco, passaportes, jantares programados e problemas, problemas de verdade, câncer, fome, morte dos filhos, solidão alienante e fracasso; e eu tinha tão poucos problemas em comparação com elas, exceto que não podia me virar até algumas horas depois, quando meu pai ou um amigo entrasse e me ajudasse a recolher os pés de volta para a cama. Já então a ideia de uma chuveirada parecia tola e pouco realista, e eu estava aliviado de conseguir levantar os pés de novo, e ficava deitado na segurança da cama, sentindo-me ridículo. E às vezes uma parte quieta de mim ria um pouco

---

* Senti dentro do Cérebro um Enterro/ E Gente em volta que chorava/ E pisava — pisava — e a Consciência/ Como a querer chegar —// E ao sentarem-se todos — um Ofício/ Como um Tambor iniciou-se/ E batia — batia — e a minha Mente/ Achei que me faltou —// E aí ouvi que erguiam uma Caixa/ Que no meu Cérebro perdeu-se/ Com os mesmos Pés de Chumbo novamente/ E o Ar — de sons se encheu// Como se o Céu de Sinos fosse feito/ E o Ser, somente de um Ouvido,/ E eu, e o Silêncio, alguma estranha Raça/ Náufraga, só, aqui —// E uma Tábua quebrou-se no Juízo/ E eu fui caindo e despencando —/ E deparei um Mundo em cada queda —/ E compreendi — então — (Tradução livre)

daquele ridículo. Acho que minha capacidade de enxergar isso foi o que me fez superar a coisa. No fundo da minha mente, havia sempre uma voz calma e clara que dizia "não seja tão emotivo; não faça nada melodramático. Tire as roupas, vista o pijama, vá para a cama; pela manhã, levante-se, vista-se e faça o que deve fazer". Escutava essa voz o tempo todo, aquela voz como a de minha mãe. Havia uma tristeza e uma terrível solidão quando eu considerava o que fora perdido. "Alguém — não apenas o circuito cultural fervilhante, mas qualquer pessoa, mesmo meu dentista — se importa que eu tenha desistido de lutar?" Daphne Merkin escreveu num ensaio confessional sobre sua própria depressão: "As pessoas chorariam por mim se eu jamais voltasse, jamais retomasse o meu lugar?"[10]

Quando a noite chegava, eu conseguia sair da cama. A maior parte das depressões é circadiana, melhorando durante o dia e depois decaindo de novo até a manhã. Ao jantar, eu me sentia incapaz de comer, mas conseguia me levantar e sentar na sala com meu pai, que cancelara todos os outros planos para ficar comigo. Nesse momento eu também conseguia falar. Tentava explicar o que sentia. Meu pai concordava com a cabeça, implacavelmente assegurando-me de que aquilo passaria, e tentava me fazer comer. Cortava minha comida. Eu falava para ele não me dar de comer, que eu não tinha cinco anos, mas quando me via derrotado pela dificuldade de espetar um pedaço de costeleta de cordeiro com o garfo, ele o fazia para mim. O tempo todo eu me lembrava da minha tenra infância, quando ele me dava de comer e me fazia prometer, brincando, que eu cortaria as costeletas de cordeiro para ele quando ele fosse velho e tivesse perdido os dentes. Ele tinha entrado em contato com alguns amigos meus e alguns haviam telefonado; depois do jantar, eu me sentia bem o suficiente para retornar seus telefonemas. Às vezes, um deles até aparecia depois do jantar. Contrariando as expectativas, geralmente eu conseguia até tomar uma chuveirada antes de voltar para a cama! E nenhuma bebida depois da travessia do deserto era mais adorável do que aquele triunfo e a limpeza. Antes de dormir, golpeado pelo Xanax, mas ainda não adormecido, eu brincava com meu pai e com amigos sobre o fato, e aquela rara intimidade que rodeia a doença se fazia sentir no quarto, e às vezes eu me emocionava demais e começava a chorar de novo, e então era hora de apagar a luz para eu poder voltar ao sono. Às vezes amigos íntimos ficavam comigo até eu adormecer. Uma amiga costumava segurar minha mão enquanto cantava canções de ninar. Em algumas noites, meu pai lia para mim os livros que lera quando eu era criança. Eu o interrompia. "Há duas semanas eu estava lançando meu romance", eu dizia. "Costumava trabalhar doze horas por dia e ainda ir a quatro festas em certas noites. O que aconteceu?" Meu pai me assegurava, animadamente, que eu seria capaz de fazer tudo aquilo de novo, em breve. Era o mesmo que dizer que eu poderia construir um helicóptero com massa de biscoito, ou voar nele para Netuno, tão claro parecia que minha verdadeira vida, a que eu vivera antes, estava definitivamente encerrada. De vez em quando o pânico se interrompia por um pequeno período. Então sobrevinha um calmo desespero. A inexplicabilidade daquilo tudo desafiava a lógica. Era tremendamente embaraçoso contar às pessoas que eu estava deprimido quando minha vida parecia ter tanta coisa boa, amor, conforto material. Mas para o mundo, a não ser meus amigos íntimos, eu tinha um "obscuro vírus tropical" que "devia ter pegado no último verão, durante minha viagem". A questão da costeleta de cordeiro tornou--se emblemática para mim. Uma amiga poeta, Elizabeth Prince, escreveu:

> *The night*
> *was late and soggy: It was*
> *New York in July.*
> *I was in my room, hiding,*
> *hating the need to swallow.*[*][11]

Posteriormente, li no diário de Leonard Woolf sua descrição das depressões de Virginia:

> Se deixada sozinha, ela não comia absolutamente nada e podia aos poucos morrer de fome. Era extraordinariamente difícil fazê-la comer o suficiente para se manter forte e bem. Geralmente difusa em sua insanidade, sempre havia uma sensação de culpa, cuja origem e natureza exata jamais consegui descobrir; mas era ligada de modo peculiar especialmente à comida e ao ato de comer. Nos primeiros estágios agudos e suicidas da depressão, ela sentava por horas, esmagada por uma melancolia desesperançosa, silenciosa, sem responder a coisa alguma que se dissesse a ela. Quando chegava a hora da refeição, ela não prestava nenhuma atenção ao prato de comida posto diante dela. Geralmente eu conseguia induzi-la a comer uma certa quantidade, mas era um processo terrível. Cada refeição levava uma hora ou duas; eu tinha que sentar a seu lado, colocar uma colher ou garfo em sua mão e, de vez em quando, pedir-lhe com muito cuidado para comer e ao mesmo tempo tocar-lhe o braço ou a mão. A cada cinco minutos mais ou menos ela talvez comesse uma colherada automaticamente.[12]

Dizem-lhe constantemente, na depressão, que seu julgamento está comprometido, mas parte da depressão está ligada à cognição. O fato de você estar tendo um colapso não significa que sua vida seja uma bagunça. Se há assuntos que você contornou ou evitou com sucesso por anos, eles voltam a galope e o encaram de frente, e um dos aspectos da depressão é o profundo conhecimento de que os médicos, que, para lhe dar conforto, asseguram que seu julgamento está ruim, estão errados. Você está em contato com o que há de verdadeiramente terrível em sua vida. Aceita racionalmente que, mais tarde, depois de a medicação começar a fazer efeito, você vai lidar melhor com o caráter estarrecedor da coisa, mas não estará livre dela. Quando se está deprimido, o passado e o futuro

---

* A noite/ tardia e encharcada: Era/ Nova York em julho./ Em meu quarto, escondida,/ eu odiava a necessidade de engolir. (Tradução livre)

são absorvidos inteiramente pelo momento presente, como no mundo de uma criança de três anos. Você não consegue se lembrar de um tempo em que se sentia melhor, pelo menos não claramente, e com certeza não consegue imaginar um futuro em que se sinta melhor. Estar perturbado, mesmo profundamente perturbado, é uma experiência temporal, enquanto a depressão é atemporal. Colapsos o deixam sem qualquer ponto de vista.

Muita coisa acontece durante um episódio depressivo.[13] Há mudanças na função do neurotransmissor, mudanças na função sináptica, aumento ou decréscimo da excitabilidade entre neurônios, alterações de expressão de gene, hipometabolismo (geralmente) ou hipermetabolismo no córtex frontal, níveis elevados de hormônio liberado pela tiroide (TRH), perturbação da função na amídala e possivelmente no hipotálamo (áreas dentro do cérebro), níveis alterados de melatonina (hormônio que a glândula pineal fabrica a partir da serotonina), aumento da prolactina (o lactato aumentado em indivíduos predispostos à ansiedade trará ataques de pânico), diminuição de temperatura corporal durante o período de 24 horas, distorção da secreção de cortisol durante o período de 24 horas, perturbação do circuito que liga o tálamo, os gânglios basais e os lobos frontais (mais uma vez, centros no cérebro), aumento de fluxo sanguíneo para o lobo frontal do hemisfério dominante, diminuição de fluxo sanguíneo para o lobo occipital (que controla a visão), diminuição de secreções gástricas. É difícil saber o que deduzir de todos esses fenômenos. Quais são causas de depressão, quais os sintomas, o que é meramente acidental? Pode-se pensar que os níveis elevados de TRH significam que ele provoca sensações ruins; na verdade, porém, administrar altas doses de TRH pode ser um tratamento temporariamente útil da depressão.[14] Como descobriu-se, o corpo começa a produzir TRH durante a depressão por suas capacidades antidepressivas. E o TRH, que não é de modo geral um antidepressivo, pode ser utilizado como tal imediatamente depois de um episódio depressivo grave, porque o cérebro, embora tendo um monte de problemas numa depressão, também se torna supersensível ao que pode ajudar a resolver aqueles problemas. As células cerebrais mudam suas funções prontamente e, durante um episódio depressivo, o coeficiente entre as mudanças patológicas (que causam depressão) e as adaptativas (que a combatem) determina se você continua doente ou melhora. Se receber medicamentos que aproveitam ou ajudam suficientemente os fatores adaptativos a derrubar os patológicos de uma vez por todas, então se libertará do ciclo, e seu cérebro pode continuar ocupado com suas rotinas habituais.

Quanto mais episódios você tem, provavelmente mais exposto estará a outros episódios, e em geral eles ficam piores e mais frequentes ao longo da vida.[15] Tal aceleração é uma pista de como a doença funciona. A instalação inicial da depressão está geralmente conectada a eventos que podem deflagrá-la ou a uma tragédia; pessoas com disposição genética para desenvolver depressão são, como observou Kay Jamison — uma psicóloga carismática cujos textos, acadêmicos e populares, ajudaram muito a mudar o pensamento sobre transtornos do ânimo —, "como piras funerárias secas e quebradiças, desprotegidas contra as faíscas inevitáveis lançadas pela própria existência".[16] As recorrências, de alguma forma, libertam-se das circunstâncias. Se você estimular acessos num animal todos os dias, os acessos se tornarão automáticos; o animal continuará tendo-os uma vez por dia mesmo se você retirar o estímulo.[17] De um modo parcialmente similar, o cérebro que entrou em depressão algumas vezes continuará a retornar à depressão repetidamente. Isso sugere que a depressão, mesmo que ocasionada por tragédia externa, no fim das contas muda a estrutura do cérebro, assim como sua bioquímica. "Portanto, não é uma doença tão benigna quanto costumávamos considerar", explica Robert Post, chefe do Departamento de Psiquiatria Biológica do Instituto Nacional de Saúde Mental (NIMH). "Ela tende a ser recorrente, tende a ir ladeira abaixo; assim, diante de várias crises, deve-se considerar o tratamento preventivo de longo prazo para evitar todas as terríveis consequências." Kay Jamison é incisiva quando discorre sobre esse assunto. "Não é como se a depressão fosse uma coisa inócua. Além de ser um estado infeliz, horrível, não construtivo, na maior parte dos casos, ela também mata. Não apenas através do suicídio, mas também através de uma taxa maior de doenças do coração, resposta menor do sistema imunológico e assim por diante." Frequentemente, pacientes que reagem à medicação deixam de reagir se começam e param os medicamentos; com cada episódio, há um aumento de 10% do risco de que a depressão se torne crônica ou inevitável. "É meio como câncer primário que reage muito às drogas, mas, uma vez que haja metástase, para de reagir", explica Post. "Se você sofre episódios demais, sua bioquímica muda para pior, talvez permanentemente. Quanto a isso, muitos terapeutas ainda estão numa direção completamente errada. Se o episódio agora ocorre no automático, de que adianta se preocupar com o fator estressante que disparou o processo original? É tarde demais para isso." O que se conserta é apenas remendado, jamais pode ser inteiro novamente.

Três eventos separados — decréscimo em receptores de serotonina, aumento do cortisol, um hormônio do estresse, e depressão — são coincidentes. A sequência deles é desconhecida: uma espécie de mistério do tipo "quem veio primeiro, o ovo ou a galinha". Se você lesiona o sistema de serotonina num cérebro animal, os níveis de cortisol aumentam. Se você aumenta os níveis de cortisol, a serotonina parece diminuir.[18] Se você aumenta o nível de estresse de uma pessoa, o hormônio liberador da corticotropina (CRH) sobe e faz com que o nível de cortisol suba. Se deprime uma pessoa, os níveis de serotonina descem.[19] O que significa isso? A substância da década é a serotonina, e os tratamentos usados com mais frequência para a depressão nos Estados Unidos são os que aumentam o nível funcional da serotonina no cérebro. Cada vez que se afeta a serotonina, modificam-se também os sistemas de estresse e muda-se o nível de cortisol no cérebro. "Eu não diria que o cortisol causa depressão", diz Elizabeth Young, que trabalha nessa área na Universidade de Michigan, "mas ele pode muito bem exacerbar um distúrbio de menor importância e criar uma verdadeira síndrome." Uma vez produzido, o cortisol une-se aos receptores de glicocorticoides no cérebro. Antidepressivos aumentam o número desses receptores de glicocorticoides — que então absorvem o cortisol em excesso, flutuando por ali. Isso é extremamente importante para o regulamento global do corpo. Na realidade, os receptores de glicocorticoides ligam e desligam alguns genes, e quando se tem relativamente poucos receptores submersos num monte de cortisol, o sistema entra em hiperatividade. "É como ter um sistema de aquecimento", diz Young. "Se o sensor do termostato está num local que passou a receber vento, a calefação jamais desligará, mesmo que a sala esteja escaldante. Se mais alguns sensores forem espalhados pela sala, pode-se fazer o sistema voltar a ficar sob controle."

Em circunstâncias comuns, os níveis de cortisol atêm-se a regras bastante constantes. O padrão circadiano do cortisol deve ser alto de manhã (é o que nos faz levantar da cama) e depois diminuir durante o dia. Em pacientes deprimidos, o cortisol tende a permanecer elevado o dia inteiro. Algo está errado com os circuitos inibidores, que deveriam estar desligando a produção de cortisol enquanto o dia vai terminando, e isso pode ser parte do porquê de a sensação de solavanco que normalmente sentimos pela manhã continuar pelo dia afora nos deprimidos. Pode ser possível regular a depressão agindo diretamente no sistema de cortisol, em vez de trabalhar pelo sistema de serotonina. Tendo como base pesquisas feitas em Michigan, cientistas de toda parte têm tratado pacientes de depressão resistentes aos tratamentos tradicionais com cetoconazol, uma medicação redutora de cortisol, e quase 70% mostraram uma melhora marcante.[20] No momento, o cetoconazol provoca efeitos colaterais em excesso para ser lançado no mercado como antidepressivo, mas várias empresas farmacêuticas importantes estão investigando medicamentos relacionados que podem não ter tais efeitos colaterais. Porém tal tratamento precisa ser cuidadosamente regulado, já que o cortisol é necessário para reações de combate ou fuga, para aquela descarga de adrenalina que ajuda a pessoa a lutar em face das dificuldades, para ação anti-inflamatória, para tomada de decisões e resoluções e, mais importante, para pôr o sistema imunológico em ação diante de doenças infecciosas.

Estudos sobre o padrão do cortisol foram feitos recentemente em babuínos e em controladores de tráfego aéreo.[21] Os babuínos que receberam cortisol por um período prolongado demonstraram tendências paranoicas, eram incapazes de distinguir entre uma ameaça real e uma situação levemente desconfortável, por exemplo lutando por uma banana junto a uma árvore cheia de frutas maduras tão desesperadamente quanto por sua vida. Entre os controladores de tráfego aéreo, os psicologicamente saudáveis demonstraram uma correlação exata entre o grau de sobrecarga de trabalho e o seu nível de cortisol, enquanto aqueles que já não estavam bem ficaram com o cortisol nas alturas e ultrapassando os limites. Uma vez que a correlação cortisol/estresse é distorcida, você pode se descontrolar por ninharias; descobrirá que tudo que lhe acontece é estressante. "E isso é uma forma de depressão e, é claro, estar deprimido é em si estressante", observa Young. "Uma espiral descendente."

Uma vez que alguém tenha sofrido estresse suficiente para provocar um aumento prolongado dos níveis de cortisol, seu sistema de cortisol está danificado e no futuro não será prontamente desligado se for novamente ativado. Assim, a elevação do cortisol depois de um pequeno trauma pode não se normalizar como ocorreria sob circunstâncias comuns. Como tudo que foi quebrado uma vez, o sistema de cortisol tende a quebrar de novo repetidamente, cada vez com menos pressão externa. Pessoas que tiveram enfarte do miocárdio após um grande esforço físico estão sujeitas à recidiva mesmo quando sentados numa poltrona — o coração está agora um pouco gasto, e às vezes ele simplesmente cede mesmo sem muito esforço.[22] A mesma coisa pode acontecer à mente.

Não é por ser clínico que não possa ter origens psicológicas. "Minha mulher é endocrinologista", diz Juan López, que trabalha com Young, "e atende crianças com diabetes. Bem, a diabetes é nitidamente uma doença do pâncreas, mas fatores externos a influenciam. Não apenas o que você come, mas também o seu nível de estresse — crianças em lares muito ruins ficam exaltadas e seu grau de açúcar no sangue passa dos limites. O fato, contudo, de que isso aconteça, não torna a diabetes uma doença psicológica." No campo da depressão, o estresse psicológico se transforma em mudança biológica e vice-versa. Se uma pessoa se submete a situações extremamente estressantes, o CRH (hormônio liberador da corticotropina) é liberado e geralmente ajuda a pôr em funcionamento a realidade biológica da depressão. As técnicas psicológicas para impedir alguém de ficar estressado demais podem ajudar a manter seus níveis de CRH baixos, e assim do cortisol. "Você tem seus genes", diz López, "e não há nada que possa fazer a respeito. Mas pode às vezes controlar o modo como eles se expressam."

Em seu trabalho de pesquisa, López voltou aos modelos animais mais diretos. "Se você provoca um estresse grande em um rato", diz, "esse rato terá altos níveis de hormônios de estresse. Se você examinar seus receptores de serotonina, eles estarão todos fora do lugar. O cérebro de um rato altamente estressado parece muito com o cérebro de um rato muito deprimido. Se você der a ele antidepressivos alteradores da serotonina, seu cortisol se normalizará. É provável que alguns tipos de depressão sejam mais ligados à serotonina", diz López, "e outros sejam mais estreitamente ligados ao cortisol, e a maioria misture essas duas sensibilidades de alguma forma. O cruzamento desses dois sistemas é parte da mesma patofisiologia." As experiências com ratos têm sido reveladoras, mas o córtex pré-frontal, aquela área do cérebro que os humanos têm e que nos faz mais desenvolvidos que os ratos, também contém muitos receptores de cortisol, e estes estão provavelmente relacionados a complexidades da depressão humana. Os cérebros de humanos suicidas mostram níveis extremamente altos de CRH —"é superestimulado, como se eles estivessem bombeando este negócio". Suas glândulas adrenais são maiores do que a de pessoas que morrem de outras causas, porque o alto nível de CRH realmente provoca a expansão do sistema adrenal. O trabalho mais recente de López indica que vítimas de suicídios mostram de fato um decréscimo significativo nos receptores de cortisol no córtex pré-frontal (o que significa que o cortisol naquela área não é enxugado tão rapidamente quanto deveria). O passo seguinte, diz López, é examinar o cérebro de pessoas que podem estar sujeitas a enormes quantidades de estresse e que conseguem seguir em frente apesar disso. "Qual é a bioquímica da maneira com que lidam com os problemas?", pergunta López. "Como mantêm tal resistência? Quais são os padrões de liberação de CRH em seus cérebros? Qual é a aparência de seus receptores?"[23]

John Greden, chefe do departamento onde atuam López e Young, enfoca os efeitos a longo prazo dos episódios depressivos e estresse sustentados. Se uma pessoa é submetida a estresse demais e a um nível excessivamente elevado de cortisol por tempo demais, começa a destruir os neurônios que deviam regular o circuito de feedback e a desligar o nível de cortisol depois de o estresse ter passado. Em última análise, isso resulta em lesões no hipocampo e na amídala, uma perda de tecido da rede neuronal. Quanto mais tempo se permanece deprimido, maior a probabilidade de ocorrer uma lesão significativa, o que pode levar à neuropatia periférica: sua visão começa a desaparecer e várias outras coisas podem dar errado. "Isso reflete a necessidade de tratar a depressão não só quando ela ocorre", diz Greden, "mas também impedir sua recorrência. A política atual do sistema de saúde pública é errada. As pessoas com depressão recorrente precisam ser medicadas permanentemente, e não apenas durante suas crises. Além de ser desagradável ter que sobreviver a múltiplos e dolorosos episódios depressivos, os pacientes estão danificando seu próprio tecido neuronal." Greden imagina um futuro em que o entendimento das consequências físicas da depressão possa nos levar a estratégias para revertê-las. "Talvez façam experiências com injeção seletiva de fatores de crescimento neurotrópicos em certas regiões do cérebro para fazer algum tipo de tecido proliferar e crescer. Talvez sejamos capazes de usar outros tipos de estímulo, magnético ou elétrico, para encorajar o crescimento em certas áreas."[24]

Espero que sim. Tomar remédios é dispendioso — não apenas financeiramente, mas também psicologicamente. É humilhante depender deles. É inconveniente ter de monitorá-los e estocar receitas. E é terrível saber que sem essas intervenções perpétuas você não é você mesmo, tal como você se conhece. Não sei bem por que me sinto assim — uso lentes de contato e sem elas sou praticamente cego, mas mesmo assim não sinto vergonha das lentes nem da minha necessidade de usá-las (embora, se pudesse escolher, teria uma visão perfeita). A presença constante da medicação é um lembrete da minha fragilidade e imperfeição; e sou perfeccionista, preferiria ter atributos inviolados, saídos da mão de Deus.

Embora os primeiros efeitos dos antidepressivos comecem após aproximadamente uma semana, pode levar até seis meses para que se obtenham todos os benefícios deles.[25] Senti-me péssimo com Zoloft, e por isso meu médico mudou para Paxil após algumas semanas. Não sou fã de Paxil, mas pareceu funcionar, e com menos efeitos colaterais. Apenas muito depois eu soube que, embora mais de 80% dos deprimidos reajam à medicação, só 50% reagem à primeira — ou, na realidade, a qualquer medicação.[26] Enquanto isso, existe um ciclo terrível: os próprios sintomas da depressão causam depressão. A solidão é deprimente, mas a depressão também causa solidão. Se você não consegue funcionar, sua vida se torna uma bagunça tão grande quanto a que imaginou que fosse; se você não consegue falar e não tem impulsos sexuais, sua vida amorosa e social desaparece, e isso por si só é deprimente. Na maior parte do tempo, eu estava perturbado demais com tudo para me deixar perturbar por algo em particular. Era a única maneira de tolerar as perdas do afeto, prazer e dignidade que a doença me trazia. Para piorar, também tive uma turnê de leituras logo após meu aniversário. Tive que ir a diversas livrarias, cumprir outros compromissos, me apresentar diante de um grupo de estranhos e ler para eles trechos do romance que eu tinha escrito. Era uma receita para o desastre, mas eu estava decidido a enfrentar. Antes da primeira dessas leituras, em Nova York, passei quatro horas no banho. Então, um amigo íntimo que também batalhava contra a depressão me ajudou a tomar uma ducha fria.[27] Ele não só abriu a torneira, mas também me ajudou a superar dificuldades exaustivas tais como botões e fechos, e ficou no banheiro para me ajudar a sair de lá. Então fui à minha leitura e li. Sentia-me como se tivesse talco na boca, e não conseguia ouvir bem; ficava pensando que podia desmaiar, mas consegui ir até o fim. Depois, outro amigo me ajudou a chegar em casa, e voltei para a cama, onde fiquei três dias. Eu tinha parado de chorar; e se eu tomasse Xanax o suficiente, conseguiria manter a tensão sob controle. Ainda achava as atividades cotidianas quase impossíveis. Acordava todo dia em pânico, cedo, e precisava de algumas horas para superar meu medo para pelo menos sair da cama; mas conseguia me forçar a aparecer perante o público por uma ou duas horas de cada vez.

Geralmente demora para sair dessa, e as pessoas param em vários estágios do processo. Uma profissional de saúde descreveu sua luta constante contra a depressão: "Ela nunca me deixa de fato, mas luto contra ela todos os dias. Tomo remédio e isso ajuda, e simplesmente decidi não me entregar. Você sabe, tenho um filho que sofre dessa doença, não quero que ele pense que isso é motivo para não levar uma vida boa. Cada dia me levanto e preparo o café para meus filhos. Alguns dias consigo ir adiante, mas em outros tenho que voltar para a cama depois, no entanto me levanto. Todos os dias entro nesse escritório em algum momento. Posso perder algumas horas, mas nunca faltei um dia inteiro por causa da depressão". Suas lágrimas rolavam enquanto conversávamos, mas seu rosto continuava firme enquanto ela prosseguia. "Um dia da semana passada acordei me sentindo muito mal. Consegui sair da cama e andei até a cozinha, contando cada passo, para abrir a geladeira. E todas as coisas do café da manhã estavam lá no fundo; eu simplesmente não conseguia alcançar tão longe. Quando meus filhos entraram, eu estava ali, olhando fixamente para dentro da geladeira. Detesto estar assim, ficar assim na frente deles." Conversamos sobre a batalha do dia a dia: "Alguém como Kay Jamison, ou alguém como você, passa por isso com muito apoio", disse. "Meus pais já morreram, estou divorciada e para mim não é fácil pedir ajuda."

Geralmente são os eventos de vida que desencadeiam a depressão. "Um indivíduo está muito menos propenso a sofrer depressão numa situação estável do que numa instável", diz Melvin McInniss, da Universidade Johns Hopkins. George Brown, da Universidade de Londres, é o fundador das pesquisas sobre eventos de vida e diz:

> Acreditamos que a maioria das depressões é antissocial na sua origem; existe também uma doença depressão, mas a maioria das pessoas é capaz de criar uma depressão severa a partir de um determinado conjunto de circunstâncias. O nível de vulnerabilidade varia, é claro, mas acho que pelo menos dois terços da população têm um nível suficiente de vulnerabilidade.[28]

Segundo sua exaustiva pesquisa realizada durante mais de 25 anos, eventos que ameaçam gravemente a vida são responsáveis pelo desencadeamento inicial da depressão. Tais eventos envolvem geralmente alguma perda — de uma pessoa querida, de uma função, de uma ideia sobre si mesmo — e se apresentam da pior forma quando envolvem humilhação ou uma sensação de estar preso numa armadilha. A depressão pode também ser causada por uma mudança positiva. O nascimento de um bebê, uma promoção ou um casamento podem desencadear uma depressão quase tão facilmente quanto uma morte ou perda.[29]

Tradicionalmente, traçou-se uma linha entre os modelos endógenos e os modelos reativos de depressão. O endógeno começa internamente, sem motivo aparente, enquanto o reativo aparece como uma resposta extremada a uma situação triste. Essa distinção desmoronou na última década, quando se tornou claro que a maioria das depressões mistura fatores reativos e internos. Russell Goddard, da Universidade Yale, me contou a história de suas batalhas contra a depressão: "Tomei Asendin e isso acabou resultando em uma psicose; minha mulher teve que me levar correndo para o hospital". Ele obteve resultados melhores com Dexedrine. Frequentemente sua depressão aumentava quando as reuniões familiares se aproximavam. "Eu sabia que o casamento de meu filho seria emocionante", disse, "e que qualquer coisa emocionante, fosse ela boa ou ruim, me desestruturava. Queria estar preparado. Sempre detestei a ideia da terapia por eletrochoques, mas me submeti a ela de qualquer maneira. Não adiantou nada. Quando chegou o dia do casamento, não consegui levantar da cama. Partiu o meu coração, mas não consegui ir até lá de jeito nenhum." Acontecimentos como esse prejudicam terrivelmente a família e as relações familiares. "Minha mulher sabia que não podia fazer nada", explicou Goddard. "Ela aprendeu a me deixar em paz, graças a Deus." Mas a família e os amigos geralmente são incapazes de fazê-lo, e incapazes de compreender. Alguns são quase indulgentes demais. Se você trata alguém como se fosse totalmente incapacitado, essa pessoa passa a se achar incapacitada, o que pode torná-la assim, talvez até mais do que normalmente seria. A existência da medicação aumentou a intolerância social. "Você tem problemas?", certa vez ouvi uma mulher dizer ao filho num hospital. "Tome Prozac, supere-os e então me procure." Estabelecer o nível correto de tolerância é necessário não apenas para o paciente, mas também para a família. "As famílias precisam se proteger", disse Kay Jamison certa vez, "contra o contágio do desespero."[30]

O que não está claro é quando a depressão conduz os eventos de vida e quando esses eventos do paciente induzem a depressão. Síndrome e sintoma se confundem e provocam um ao outro: casamentos ruins causam situações ruins que causam depressão, que causam maus relacionamentos, que são casamentos ruins. Segundo estudos feitos em Pittsburgh, o primeiro episódio de depressão severa geralmente está estreitamente ligado a situações difíceis; o segundo, um pouco menos; e pelo quarto ou quinto episódio, os eventos parecem não desempenhar papel algum. Brown concorda que depois de um certo ponto a depressão "alça voo com suas próprias asas" e se torna aleatória e endógena, dissociada dos acontecimentos da vida da pessoa. Embora a maioria das pessoas com depressão tenha sobrevivido a certas situações características, somente cerca de uma em cinco que passaram por essas situações fica deprimida. É claro que o estresse aumenta as taxas de depressão. O maior estresse é a humilhação; o segundo é a perda. A melhor defesa, para alguém com uma vulnerabilidade biológica, é um casamento "bom o suficiente", que absorva as humilhações externas e as minimize. "O psicossocial cria mudanças biológicas", reconhece Brown. "O que acontece é que a vulnerabilidade *precisa* ser inicialmente estimulada por eventos externos."

Pouco antes de minha turnê de leituras, comecei a tomar Navane, um psicotrópico com efeitos ansiolíticos que, segundo esperávamos, permitiu que eu tomasse Xanax com menos frequência. Meus compromissos seguintes eram na Califórnia. Não achei que conseguiria ir; sabia que não poderia ir sozinho. No fim das contas, meu pai me levou. Enquanto eu estava completamente entorpecido pelo Xanax, ele me pôs e me tirou do avião, levou-me do aeroporto para o hotel. Eu estava quase dormindo de tão drogado, mas nesse estado conseguia lidar com as mudanças, que teriam sido inconcebíveis para mim uma semana antes. Eu sabia que, quanto mais coisas conseguisse fazer, menos desejaria a morte; portanto, achei importante ir. Quando chegamos a San Francisco, fui para a cama e dormi por volta de doze horas. Então, durante meu primeiro jantar, senti subitamente meu estado de espírito melhorar. Sentamos na sala de jantar do hotel, que era grande e acolhedora, e escolhi minha própria refeição.

Eu passara dias a fio com meu pai, mas não tinha ideia do que estava acontecendo em sua vida, exceto pela minha presença nela. Conversamos naquela noite como faríamos se tivéssemos ficado meses afastados. Em nosso quarto, ficamos conversando até tarde e, quando finalmente fui para a cama, eu estava quase em êxtase. Comi alguns chocolates do frigobar, escrevi uma carta, li algumas páginas de um romance que trouxera comigo, cortei as unhas. Sentia-me pronto para enfrentar o mundo.

Na manhã seguinte, sentia-me pior do que nunca. Meu pai me ajudou a levantar da cama, ligou o chuveiro. Tentou me fazer comer, mas eu estava assustado demais para mastigar. Consegui tomar um pouco de leite. Quase vomitei várias vezes, mas não cheguei a tanto. Fui tomado por uma sensação de árida infelicidade, como a que sentimos quando quebramos um objeto precioso. Naqueles dias, um quarto de miligrama de Xanax me poria para dormir por doze horas. Nesse dia, tomei oito miligramas de Xanax e ainda estava tão tenso que não conseguia ficar parado. Senti-me melhor, mas não muito. É assim a mecânica de um colapso no estágio em que me encontrava: um passo para a frente, dois para trás, dois para a frente, um para trás. Passos de pugilista, se quiserem.

Durante o período que se seguiu, os sintomas começaram a se dissipar. Sentia-me melhor mais cedo, e por mais tempo, e com mais frequência. Logo consegui me alimentar. É difícil explicar como era a incapacitação que eu vivia, mas era semelhante ao que eu imagino que seja estar muito velho. Minha tia-avó Beatrice era notável aos 98 anos: apesar de sua idade, todo dia ela se levantava e se vestia. Se o tempo estava agradável, ela andava uns oito quarteirões. Ainda se preocupava com suas roupas e gostava de falar ao telefone por horas. Lembrava-se do aniversário de todo mundo e às vezes saía para almoçar. Ao emergir de uma depressão, você está bom a ponto de se levantar e se vestir *todos os dias*. Se o tempo está bom, consegue dar uma volta, e talvez consiga até almoçar. Fala ao telefone. Tia Bea não ofegava no final dos passeios; caminhava um pouco lentamente, mas se divertia e ficava contente de ter saído. Assim, quando alguém se encontra no estágio emergente de uma depressão, o fato de estar perfeitamente normal no almoço não quer dizer que tenha melhorado completamente, do mesmo modo que o fato de tia Bea andar oito quarteirões não significava que fosse a mesma garota que fora aos dezessete anos, quando virava as noites dançando.

Ninguém se recupera de colapsos rápida ou facilmente. O terreno continua pedregoso. Embora alguns dos sintomas parecessem estar melhorando, tive o azar de sofrer uma reação adversa rara, cumulativa, ao Navane. No final da terceira semana do remédio, comecei a perder a capacidade de permanecer com a coluna ereta. Andava por alguns minutos e então *tinha* que me deitar. Não conseguia controlar mais essa necessidade, da mesma forma que não podia controlar minha respiração. Eu saía para fazer uma leitura e me agarrava ao pódio. No meio da leitura, começava a pular parágrafos para acabar logo. Quando terminava, sentava numa cadeira e me segurava no assento. Assim que podia deixar a sala, às vezes fingindo que precisava ir ao banheiro, deitava-me de novo. Não tinha ideia do que estava acontecendo. Lembro-me de ter ido passear com uma amiga perto do campus de Berkeley, porque ela sugerira que a natureza me faria bem. Caminhamos por alguns minutos e então comecei a me sentir cansado. Forcei-me a ir em frente, pensando que o clima e o ar me ajudariam; havia passado as cinquenta horas anteriores na cama ou coisa do gênero. Já que reduzira substancialmente o Xanax para parar de dormir cinquenta horas seguidas, eu estava começando a sentir uma grande ansiedade de novo. Se você nunca teve ansiedade, pense nela como o oposto da paz. Toda a paz — interior e externa — fora retirada da minha vida naquele momento.

Muitas depressões incorporam sintomas de ansiedade. É possível encarar ansiedade e depressão separadamente, mas, segundo James Ballenger, da Faculdade de Medicina da Carolina do Sul, um importante especialista em ansiedade, "elas são gêmeas bivitelinas". George Brown disse sucintamente: "A depressão é uma reação a uma perda passada, e a ansiedade é uma reação a uma perda futura". São Tomás de Aquino propôs que o medo é para a tristeza o que a esperança é para o prazer; ou, em outras palavras, que a ansiedade é a forma precursora da depressão.[31] Eu sofria tanta ansiedade quando estava deprimido e sentia-me tão deprimido quando estava ansioso que passei a acreditar que o isolamento e o medo eram inseparáveis. A ansiedade não é paranoia; pessoas com transtornos de ansiedade entendem sua posição no mundo tanto quanto pessoas sem ela. O que muda na ansiedade é o sentimento em relação a esse entendimento. Cerca de metade dos pacientes com puros transtornos de ansiedade desenvolve depressão severa em um prazo de cinco anos. À medida que depressão e ansiedade são geneticamente determinadas, elas compartilham um único conjunto de genes (que são ligados aos genes do alcoolismo).[32] A depressão exacerbada pela ansiedade tem uma taxa de suicídio muito mais alta do que a depressão sozinha, sendo que é muito mais difícil recuperar-se da primeira. "Se você está tendo vários ataques de pânico por dia", diz Ballenger, "até o monstro mais terrível se rende. As pessoas são espancadas até ficarem em posição fetal, na cama."

Entre 10 e 15% dos norte-americanos sofrem de algum tipo de transtorno de ansiedade.[33] Em parte, os cientistas acreditam que, como o *locus coeruleus* no cérebro controla tanto a produção de norepinefrina quanto o intestino grosso, pelo menos metade dos pacientes com transtorno de ansiedade tem seu intestino irritado também; e alguém que já sofreu de uma ansiedade realmente intensa sabe como a comida pode correr rápida e furiosamente pelo sistema digestivo. Tanto a norepinefrina quanto a serotonina estão relacionadas com a ansiedade. "Dois entre três casos estão ligados a eventos na vida da pessoa e sempre têm a ver com uma perda de segurança", diz Ballenger. Cerca de um terço dos ataques de pânico, endêmicos em algumas depressões, ocorre durante o sono, num sono delta profundo e sem sonhos.[34] "Na verdade, as doenças do pânico são deflagradas por coisas que deixam todos nós nervosos", diz Ballenger. "Quando as curamos, é como se tivéssemos levado as pessoas a um grau de ansiedade normal." A síndrome do pânico é, na verdade, um distúrbio de escala. Atravessar uma multidão, por exemplo, é angustiante para a maioria das pessoas mesmo quando elas não têm um transtorno de ansiedade; mas, se elas o têm, aquilo pode ser tremendamente aterrorizante. Todos temos cuidado ao atravessar uma ponte — será que ela vai aguentar o peso? Será que é segura? —, mas, para uma pessoa com ansiedade, atravessar uma ponte de aço sólida que tem aguentado por décadas um tráfego intenso pode ser tão assustador quanto atravessar o Grand Canyon numa corda bamba para o resto de nós.

No auge da minha ansiedade, minha amiga de Berkeley e eu saímos para fazer um pouco de exercício e caminhamos até eu não conseguir continuar mais. Eu me deitei na lama vestido. "Vamos, suba num tronco pelo menos", ela disse. Sentia-me paralisado. "Por favor, deixe-me ficar aqui", eu disse, e senti o choro começar de novo. Fiquei deitado na lama por uma hora, sentindo a água encharcar as minhas roupas; então minha amiga praticamente me carregou de volta para o carro. Aqueles mesmos nervos que haviam sido esfolados até ficarem em carne viva num determinado momento agora pareciam estar envolvidos em chumbo. Eu tinha noção do desastre, mas isso não queria dizer nada. Sylvia Plath escreveu maravilhosamente em *A redoma de vidro* a evocação de seu próprio colapso: "Mas não conseguia. Eu me sentia imóvel e oca como o olho de um furacão, se agitando estupidamente no meio daquele enorme tumulto".[35] Eu sentia como se minha cabeça estivesse dentro de uma caixa de acrílico, como uma daquelas borboletas aprisionadas para sempre na transparência espessa de um peso de papel.

Fazer aquelas leituras foi a empreitada mais difícil de minha vida: mais difícil que qualquer desafio com que me deparei antes ou depois. A assessora de imprensa que organizara minha turnê me acompanhou pessoalmente em mais da metade das leituras e desde então é uma amiga querida. Meu pai juntou-se a mim em muitas das viagens: quando estávamos separados, ele me ligava a cada três horas. Alguns amigos íntimos assumiram a responsabilidade de cuidar de mim, e eu nunca estava só. Posso garantir que eu não era uma companhia divertida; e que o amor profundo e o conhecimento do amor profundo não são por si uma cura. Posso também dizer que, sem amor profundo e o conhecimento do amor profundo, eu não teria conseguido sobreviver àquela turnê. Teria achado um lugar para deitar nos bosques e ficado lá até morrer congelado.

O terror se dissipou em dezembro. Se foi porque as drogas começaram a fazer efeito ou porque as leituras terminaram, não sei. No final, eu cancelara apenas uma leitura; entre 1º de novembro e 15 de dezembro, conseguira visitar onze cidades. Tinha aberto algumas brechas ocasionais através da depressão, como quando o nevoeiro se levanta. Jane Kenyon, uma poeta que sofreu de depressão severa por boa parte da vida, escreveu sobre a saída da crise:

[...] *With the wonder*
and bitterness of someone pardoned
for a crime she did not commit

I come back to marriage and friends,
to pink fringed hollyhocks; come back
*to my desk, books, and chair.**[36]

Assim, em 4 de dezembro, fui à casa de uma amiga e passei momentos agradáveis lá. Nas semanas seguintes, senti prazer não pelo período bom que estava passando, mas pelo simples fato de poder vivenciá-lo. Consegui atravessar o Natal e o Ano-Novo e começava a agir como alguém parecido comigo mesmo. Eu tinha perdido cerca de sete quilos e agora começava a engordar. Meu pai e meus amigos me davam os parabéns pelo fantástico progresso. Eu agradeci. Em meu íntimo, porém, sabia que só os sintomas haviam ido embora. Detestava tomar meus remédios todos os dias. Detestava saber que tivera um *colapso* e perdera a cabeça. Fiquei aliviado de ter conseguido cumprir a turnê de leituras, mas estava exausto, antecipadamente, por todas as coisas que ainda teria de passar. Sentia-me humilhado por estar no mundo, pelas outras pessoas e suas vidas que eu não era capaz de viver, seus trabalhos que eu não podia executar — até por empregos que eu jamais quereria ou precisaria ter. Eu estava de volta ao ponto onde estivera em setembro, só que agora entendia como a coisa podia ficar ruim. Estava determinado a nunca mais passar por aquilo.

Essa fase de semirrecuperação pode durar muito tempo. É o momento perigoso. Durante a pior fase da depressão, quando eu mal conseguia cortar uma costeleta de carneiro, não poderia ter feito mal algum a mim mesmo. Nesse período de saída da crise, sentia-me suficientemente bem para me suicidar. Agora podia fazer mais ou menos o que sempre conseguira fazer, só que ainda sofria do que chamam de anedonia, uma total incapacidade de sentir prazer. Continuava me encorajando apenas formalmente mas, agora que tinha energia para pensar em por que estava me encorajando, não encontrava nenhum bom motivo. Lembro de uma determinada noite, quando um conhecido me convidou para ir ao cinema. Fui para provar minha própria alegria, e por várias horas fingi estar me divertindo tanto quanto os outros, embora os episódios que eles achavam engraçados me fizessem mal. Quando voltei para casa, senti o pânico ressurgir, e uma tristeza de proporções gigantescas. Fui ao banheiro e vomitei muitas vezes, como se a aguda compreensão de minha solidão fosse um vírus em meu organismo. Pensei que morreria sozinho e que não havia razão alguma para continuar vivo. Pensei que o mundo normal e real em que eu crescera, e no qual acreditava que os outros vivessem, jamais se abriria para me receber. Quando tais revelações irromperam em minha mente como disparos, vomitei no chão do banheiro. A acidez subiu por toda a extensão do meu esôfago, e quando tentei recuperar a respiração, inalei minha própria bile. Eu andava comendo refeições

* […] com o maravilhamento/ e a amargura de alguém perdoado/ por um crime que não cometeu/ Voltei ao casamento e aos amigos,/ às malvas de bordas cor-de-rosa; voltei/ à minha escrivaninha, aos livros e à cadeira. (Tradução livre)

fartas para tentar engordar e tive a sensação de que todas elas estavam voltando, como se meu estômago fosse virar do avesso e ficar pendurado no vaso sanitário.

Fiquei deitado no chão do banheiro por uns vinte minutos. Depois me arrastei até a cama e me deitei. A porção racional da minha mente tinha certeza de que eu ia enlouquecer de novo, e a consciência disso me deixou ainda mais cansado. Eu sabia, porém, que deixar a maluquice à solta não era um bom plano. Ainda que por pouco tempo, precisava ouvir outra voz, que pudesse penetrar no meu isolamento assustador. Não queria ligar para meu pai porque sabia que ele ficaria preocupado e porque eu esperava que a situação fosse temporária. Queria conversar com uma pessoa sã e que me fizesse sentir reconfortado (um impulso não muito bom: os malucos são melhores amigos quando se está maluco, eles sabem como você está se sentindo). Peguei o telefone e disquei para uma de minhas amigas mais antigas. Havíamos conversado anteriormente sobre os remédios, sobre o pânico, e suas reações foram inteligentes e libertadoras.

Achei que ela poderia reavivar a pessoa que eu era antes do colapso. Eram cerca de duas e meia da madrugada. O marido dela atendeu e passou-lhe o telefone: "Alô?", disse ela. "Oi", eu disse, e fiz uma pausa. "Aconteceu alguma coisa?", perguntou. Ficou imediatamente claro que eu não poderia explicar o que acontecera. Não tinha nada a dizer. Minha outra linha telefônica tocou. Era alguém que tinha ido ao cinema comigo que pensava ter me dado acidentalmente sua chave junto com o troco dos refrigerantes que havíamos tomado. Examinei meu bolso e sua chave estava lá. "Tenho que desligar", disse eu para minha velha amiga. Naquela noite, subi ao telhado e percebi, enquanto o sol nascia, que eu me sentia absurdamente melodramático e que não tinha o menor sentido, se você mora em Nova York, tentar o suicídio do alto de um edifício de seis andares.

Eu não queria sentar no telhado, embora também soubesse que, se não me permitisse o alívio de considerar o suicídio, eu logo explodiria internamente e cometeria suicídio. Senti os tentáculos fatais desse desespero envolvendo meus braços e pernas. Em breve prenderiam os dedos que eu precisaria para tomar os comprimidos certos ou puxar o gatilho; e, quando eu tivesse morrido, eles seriam o único movimento restante. Eu sabia que a voz da razão ("Desça, pelo amor de Deus!") era a voz da razão, mas também sabia que, pela razão, eu negaria todo o veneno dentro de mim, e sentia já um estranho êxtase desesperador ante a ideia do fim. Se pelo menos eu fosse descartável como o jornal do dia anterior! Teria me jogado fora bem silenciosamente e ficaria contente com a ausência, contente no túmulo, se aquele fosse o único lugar capaz de permitir algum contentamento.

Minha própria noção de que a depressão é piegas e ridícula me ajudou a sair do telhado. Assim como a lembrança de meu pai, que se esforçou tanto por mim. Eu não conseguia acreditar suficientemente em qualquer forma de amor para imaginar que minha perda fosse notada, mas sabia como seria triste para ele ter trabalhado tanto para me salvar, sem êxito. E ficava pensando em cortar costeletas de cordeiro para ele um dia, sabendo que prometera fazê-lo, e sempre me orgulhara de não quebrar minhas promessas, e meu pai jamais quebrara uma promessa feita a mim, e finalmente foi isso que me levou a descer. Por volta das seis da manhã, encharcado de suor e do que sobrou do orvalho, com uma febre que logo se tornaria alta, voltei a meu apartamento. Não queria necessariamente morrer, mas também não queria de modo algum viver.

As coisas que o salvam são frequentemente tão triviais quanto monumentais. Uma delas, certamente, é um sentimento de privacidade; matar-se é abrir sua infelicidade para o mundo. Um homem famoso, tremendamente bonito, brilhante, bem casado, cujos pôsteres cobriam as paredes das meninas que conhecia no ginásio, contou-me que passara por uma depressão severa aos vinte e tantos anos e pensara seriamente em suicídio. "Só minha vaidade me salvou", disse ele com franqueza. "Eu não podia suportar a imagem das pessoas comentando que eu não era capaz de ter sucesso, ou que não podia lidar com o sucesso, ou rindo de mim." Pessoas famosas e bem-sucedidas parecem ser especialmente suscetíveis à depressão. Já que o mundo tem falhas, os perfeccionistas tendem a ser deprimidos. A depressão diminui a autoestima, mas, em diversas personalidades, não elimina o orgulho, que é uma arma tão boa para lutar quanto qualquer outra que conheço. Quando você está se sentindo tão mal que o amor parece quase não fazer sentido, a vaidade e o senso de responsabilidade podem salvar sua vida.

Somente passados dois dias do episódio do telhado é que tive coragem de ligar para minha amiga, que me espinafrou por acordá-la e depois desaparecer. Enquanto ela brigava comigo, senti a estranheza brutal da vida que eu estava levando, e como ela era impossível de explicar. Tonto de febre e aterrorizado, permaneci calado. Ela nunca mais voltou a falar comigo direito. Vejo-a como alguém que valoriza a normalidade, e eu me tornara estranho demais. A depressão é um peso muito grande para os amigos. Você exige coisas que para os padrões normais são totalmente irracionais, e eles geralmente não têm a resistência, a flexibilidade, o conhecimento ou a inclinação para lidar com elas. Se você tiver sorte, alguns o surpreenderão com sua capacidade de se adaptar. Você comunica o que pode e espera que eles consigam assimilar. Lentamente, aprendi a aceitar as pessoas pelo que são. Alguns amigos conseguem encarar uma depressão severa de frente, outros não. A maioria das pessoas não gosta muito da infelicidade dos outros. Poucos conseguem lidar com a ideia da depressão desprendida da realidade externa. Muitos preferem pensar que, se você está sofrendo, é por algum motivo que se resolve com uma solução lógica.

Grande parte dos meus melhores amigos é um pouquinho maluca. As pessoas têm tomado minha franqueza como um convite à sua própria franqueza, e em muitos amigos encontrei uma confiança como a que existe entre colegas de escola ou ex-amantes, a facilidade de um amplo conhecimento mútuo. Tento ser cauteloso com meus amigos sadios demais. A depressão é em si destrutiva e gera impulsos destrutivos: fico facilmente desapontado com pessoas que não se dão conta disso e às vezes faço a bobagem de censurar aqueles que me frustraram. Depois de qualquer depressão, é preciso fazer uma faxina pesada. Lembro que adoro amigos com quem pensei haver cortado relação. Tento reconstruir o que arruinei. Depois de qualquer depressão, vem a hora de colar os ovos quebrados e guardar novamente o leite derramado.

Na primavera de 1995, a fase final de minha análise se arrastava. Minha analista ia aos poucos se aposentando e, embora eu não quisesse perdê-la, achava esse processo gradual agonizante, como arrancar as cascas de uma ferida bem devagar. Era como reviver a lenta morte de minha mãe. Finalmente eu mesmo terminei a análise. Entrei um dia no consultório com um súbito rompante de claridade e anunciei que não voltaria mais.

Na psicanálise, eu estudara meu próprio passado detalhadamente. Desde então cheguei à conclusão de que minha mãe também era depressiva. Posso lembrar dela certa vez descrevendo a sensação de desamparo que sentira como filha única. Adulta, se irritava com facilidade. Usava o pragmatismo como um campo de força para protegê-la permanentemente de uma tristeza incontrolável. O que, na melhor das hipóteses, funcionava apenas em parte. Acredito que ela tentava impedir um colapso mental organizando e regulamentando sua vida. Era uma mulher de notável autodisciplina. Acredito agora que seu abençoado frenesi por ordem era regido pela dor que com tanto afinco ela relegava a um lugar um pouco abaixo da superfície. Sofro pela dor que ela teve de suportar e que, na sua maior parte, eu não preciso suportar — o que teria sido sua vida, ou nossas vidas, se o Prozac existisse quando eu era criança? Eu adoraria ver melhores tratamentos com menos efeitos colaterais, mas sou tremendamente grato por viver nestes tempos de soluções, em vez daqueles de luta. A sabedoria de minha mãe em conviver com as próprias dificuldades é agora, em boa parte, desnecessária para mim, e, se ela tivesse vivido um pouco mais, teria se tornado desnecessária para ela também. Em retrospecto, é tudo muito triste. Tenho imaginado, muitas vezes, o que ela diria de minhas depressões, se teria reconhecido algo nelas, se teria sido arrastada também para o meu colapso. Mas, já que foi sua morte que as causou, pelo menos em parte, nunca saberei. As perguntas só me vieram depois da morte da pessoa que poderia responder a elas. Apesar disso, tive em minha mãe um modelo de alguém em quem uma certa tristeza estava sempre presente.

Quando parei de tomar os remédios, foi quase de uma vez só. Sabia que era uma burrice, mas queria desesperadamente me livrar da medicação. Pensei que poderia descobrir quem eu era novamente. Não foi uma boa estratégia. Em primeiro lugar, eu jamais sentira nada como os sintomas ocasionados pela retirada do Xanax: não conseguia dormir direito, sentia-me ansioso e estranhamente hesitante. Também sentia o tempo inteiro como se tivesse tomado litros de conhaque barato na noite anterior. Meus olhos doíam e meu estômago revirava, isso era provavelmente causado por abandonar o Paxil abruptamente. À noite, quando sequer estava dormindo direito, não parava de ter pesadelos aterrorizantes e despertava com o coração aos saltos. O psicofarmacologista me repetira muitas vezes que, quando eu estivesse pronto para deixar os medicamentos, deveria fazê-lo gradualmente e sob sua supervisão, mas minha decisão fora repentina e eu tinha medo de desistir dela.

Senti-me um pouco como eu era antigamente, mas o ano fora tão horrível, abalara-me tão profundamente que, embora eu agora conseguisse de novo tomar conta da minha própria vida, tinha percebido também que não podia seguir adiante. Essa sensação não me parecia irracional, como o terror; não era raiva; dava impressão de ser bem sensata. Eu estava cheio da minha vida e queria achar um jeito de acabar com ela com o mínimo de dano possível para as pessoas à minha volta. Precisava de algo em que acreditar, algo para mostrar, de modo que todos entendessem o grau do meu desespero. Tinha que trocar o obstáculo invisível por um visível. Não tenho dúvida de que o comportamento que escolhi era altamente individual e relacionado às minhas próprias neuroses, mas a decisão de agir com tanta avidez para me livrar do meu eu era típica da depressão agitada. Eu precisaria apenas ficar doente, isso me daria o salvo-conduto necessário. O desejo por uma doença mais visível era, como aprendi mais tarde, um lugar-comum entre depressivos, que frequentemente partem para a automutilação para que o estado físico combine com o mental. Eu sabia que meu suicídio seria devastador para minha família e triste para meus amigos, mas acreditava que eles saberiam que eu não tinha escolha.

Não conseguia encontrar uma maneira de provocar câncer, esclerose múltipla ou outras doenças fatais, mas sabia como pegar aids. Então decidi fazê-lo. Num parque em Londres, numa hora vazia, depois da meia-noite, um homem baixo e atarracado, de óculos de tartaruga fundo de garrafa, ofereceu-se a mim. Abaixou as calças e se curvou. Entrei em ação. Era como se aquilo estivesse acontecendo a outra pessoa; ouvi seus óculos caírem e pensei apenas: logo estarei morto e nunca ficarei velho e triste como este homem. Uma voz na minha cabeça dizia que finalmente eu havia começado o processo e logo morreria. Tal pensamento me provocava uma imensa sensação de alívio e gratidão. Tentei entender por que aquele homem continuava a viver, por que se levantava e fazia coisas o dia inteiro para vir aqui à noite. Era primavera, numa noite de pouco luar.

Eu não tinha intenção de morrer lentamente de aids; minha intenção era me matar usando o HIV como desculpa. Em casa, tive um medo repentino. Liguei para um amigo próximo e contei o que tinha feito. Ele conversou comigo até o medo passar e fui para a cama. Quando acordei, pela manhã, era como se estivesse no primeiro dia de faculdade, do acampamento de verão ou de um emprego novo. Esta seria a próxima fase da minha vida. Tendo comido do fruto proibido, decidi fazer toda uma compota. O final estava próximo. Me sentia eficiente mais uma vez. Aquela depressão por falta de propósito havia sumido. Nos três meses seguintes busquei outras experiências com estranhos que eu presumia infectados, correndo riscos cada vez maiores e mais diretos. Lamentava não ter nenhum prazer nessas relações sexuais, mas estava preocupado demais com meu objetivo para ter inveja dos que sentiam prazer. Eu não sabia o nome dessas pessoas, nunca fui para a casa de nenhuma delas nem as convidei para a minha. Ia uma vez por semana, geralmente às quartas-feiras, para um local onde podia ter uma experiência barata que me infectasse.

Enquanto isso, passava pelos típicos sintomas desagradáveis da depressão agitada. Eu já havia sentido ansiedade, que é puro terror; isso aqui era muito mais cheio de ódio, angústia, culpa e raiva de mim mesmo. Nunca em toda minha vida me senti tão efêmero. Eu dormia mal e me irritava com uma facilidade ferina. Parei de falar com pelo menos seis pessoas, inclusive aquela por quem acreditava estar apaixonado. Dei para desligar o telefone na cara de quem me dizia algo de que não gostava. Criticava a todos. Era difícil dormir porque minha mente revisitava, em alta velocidade, injustiças mínimas ocorridas no meu passado, que agora pareciam imperdoáveis. De fato, não podia me concentrar em coisa alguma. Geralmente leio muito durante o verão, mas naquele verão em especial não consegui chegar ao fim de uma revista. Comecei a lavar minhas roupas todas as noites enquanto estava acordado, para me manter ocupado e distraído. Quando era picado por um mosquito, eu cutucava a ferida até sangrar, depois tirava as cascas; roía tanto as unhas que meus dedos estavam sempre sangrando. Tinha ferimentos e arranhões por toda parte, embora jamais me cortasse de fato. A situação era tão diferente dos sintomas vegetativos de meu colapso que não imaginei estar ainda nas garras da mesma doença.

Então, certo dia no princípio de outubro, depois de um de meus acessos de sexo inseguro e desagradável, dessa vez com um rapaz que me seguira até um hotel e tentara uma abordagem no elevador, percebi que poderia estar infectando outros — e isso não fazia parte dos meus planos. De repente senti um medo aterrorizante de ter passado a doença para outra pessoa. Queria me matar, mas não matar o resto do mundo. Tivera quatro meses para ser infectado, num total de quinze episódios de sexo inseguro; e já era tempo de parar antes que começasse a espalhar a doença. A consciência de que ia morrer também levantara minha depressão e diminuíra, de modo estranho, meu desejo de morrer. Deixei para trás aquele período de minha vida. Voltei a ser mais gentil. No meu trigésimo aniversário, olhei para os muitos amigos que haviam comparecido à minha festa e consegui sorrir, sabendo que essa seria a última, que nunca celebraria outro aniversário, que logo morreria. As celebrações foram cansativas; deixei os presentes embrulhados. Calculei quanto tempo teria que esperar. Anotei o dia em março, que marcaria seis meses após meu último encontro, quando eu poderia fazer um teste e obter a confirmação. Durante esse tempo, eu agia como se tudo estivesse bem.

Trabalhava bem em alguns projetos, organizava tanto o dia de Ação de Graças quanto o Natal com a família. Estava emocionado por estes serem meus últimos feriados. Então, algumas semanas após o Ano-Novo, lembrei-me dos detalhes de meus encontros com um amigo, especialista em HIV, que me disse que eu poderia estar bem. No início, fiquei arrasado, mas o período de minha depressão agitada, ou fosse lá o que me tivesse impelido para aquele comportamento, começou a se dissipar. Não acho que as experiências com o HIV tenham sido expiatórias; o tempo passara, curando o pensamento doentio que me impelira a cometer tais excessos. A depressão, que te atinge como a ventania forte de um colapso, parte gradual e silenciosamente. Meu primeiro colapso terminara.

A insistência pela normalidade, a crença numa lógica interna em face da inequívoca anormalidade, é endêmica à depressão. É a história de cada um neste livro, a mesma que tenho ouvido seguidamente. Mas cada pessoa tem sua própria forma de normalidade: a normalidade é talvez um conceito até mais pessoal do que a esquisitice. Bill Stein, um editor que conheço, vem de uma família onde a depressão e o trauma ocorrem com muita frequência. Seu pai, um judeu nascido na Alemanha, deixou a Baváriacom um visto de trabalho no início de 1938. Seus avós foram postos em fila do lado de fora da casa da família na Kristallnacht [Noite dos Cristais], em novembro de 1938, e, embora não tenham sido detidos, tiveram de assistir a muitos de seus amigos e vizinhos serem mandados para Dachau. O trauma de ser judeu na Alemanha nazista foi terrível, e depois da Kristallnacht a avó de Bill entrou num declínio de seis semanas que culminou com seu suicídio no dia de Natal. Na semana seguinte, os vistos de saída chegaram para os dois avós. Seu avô emigrou sozinho.

Os pais de Bill casaram-se em Estocolmo, em 1939, e mudaram-se para o Brasil, antes de se estabelecerem nos Estados Unidos. Seu pai sempre se recusou a discutir essa história. Bill lembra: "Aquele período na Alemanha simplesmente não existiu". Eles moravam numa rua bonita de um bairro próspero nos arredores da cidade, uma bolha fora da realidade. Talvez em parte por causa de sua prática de negar seus traumas, o pai de Bill sofreu um severo colapso aos 57 anos e várias recidivas até sua morte, mais de trinta anos depois. Seu filho herdou seus padrões de depressão. O primeiro colapso grave do pai ocorreu quando seu primeiro filho tinha cinco anos. Ele continuou a desmoronar periodicamente, com uma depressão muito profunda que durou da época em que Bill estava na sexta série até terminar a primeira metade do ensino médio.

A mãe de Bill vinha de uma família judia alemã muito mais rica e privilegiada, que deixara a Alemanha migrando para Estocolmo em 1919. Mulher de caráter forte, certa vez esbofeteou um capitão nazista no rosto por ter sido grosseiro com ela: "Sou uma cidadã sueca", disse, "e não permito que fale comigo dessa maneira".

Aos nove anos, Bill Stein sofreu longos períodos de depressão, o que durou cerca de dois anos. Ficava aterrorizado por ter que dormir e traumatizado quando seus pais iam para a cama. Então, sensações sombrias se dissiparam por alguns anos. Após algumas recidivas menores, elas voltaram quando ele entrou na faculdade, saindo de controle em 1974, durante seu segundo semestre. "Meu colega de quarto era um sádico, e a pressão acadêmica era imensa. Sentia-me tão ansioso que ficava hiperventilando", lembra. "Simplesmente não aguentei a pressão. Então, fui ao serviço de saúde e lá me receitaram Valium."

A depressão não passou durante o verão. "Geralmente, quando eu tinha depressões severas, ficava com o intestino solto. Lembro que aquele verão foi especialmente complicado nesse aspecto. Eu estava apavorado com o segundo ano da universidade. Não conseguia enfrentar meus exames ou coisa alguma. Quando voltei à escola, completei meu primeiro ano e tirei nove e dez em tudo, pensei honestamente que alguém havia cometido algum engano. Ao verificar que não houvera engano algum, fiquei extasiado, e aquilo me tirou da depressão." Se há fatores que desencadeiam os colapsos, há também fatores que provocam uma mudança de rumo. Esse foi o caso de Stein. "Voltei à realidade um dia depois, mas não afundei mais na escola. Contudo, recuei nas minhas aspirações. Se tivessem me dito então o que eu estaria fazendo agora, as pessoas com quem estaria trabalhando, eu teria ficado totalmente surpreso. Não tinha ambição alguma." Apesar dessa resignação, Stein trabalhou arduamente. Ele continuou a receber só notas nove e dez. "Não sei por que eu me dava ao trabalho", disse. "Não queria ir para a faculdade de direito ou coisa parecida. Apenas pensei que, de algum modo, boas notas me deixariam mais seguro, me convenceriam de que eu era normal." Quando se formou, aceitou um emprego de professor numa escola pública de ensino médio no norte do estado de Nova York. Foi um desastre: não conseguiu disciplinar a turma e ficou apenas um ano. "Fui embora me sentindo um fracasso. Emagreci muito. Tive outra depressão. Então o pai de um amigo disse que podia me conseguir um emprego. Aceitei para ter algo que fazer."

Bill Stein é um homem de uma inteligência discreta mas poderosa, e um ego que mantém sempre sob controle. É excessivamente modesto. Bill teve várias crises de depressão, que duravam mais ou menos seis meses, um tanto sazonais, geralmente atingindo seu pior período em abril. A mais severa aconteceu em 1986, precipitada por turbulências no trabalho, a perda de um bom amigo e a tentativa de Bill de deixar o Xanax, pelo qual desenvolvera dependência, embora o estivesse tomando por apenas um mês. "Perdi meu apartamento", diz ele. "Perdi meu emprego, perdi a maioria dos amigos. Não conseguia ficar em casa sozinho. Eu devia me mudar de meu apartamento antigo, que acabara de vender, para um novo, que estava em reforma, mas simplesmente não conseguia. Desabei rapidamente, e a ansiedade me arrasou. Eu acordava às três ou quatro da manhã com uma espécie de surto de ansiedade tão intenso que pular da janela me daria mais prazer. Quando estava com outras pessoas, tinha a sensação de que ia desmaiar de estresse. Três meses antes, rodava o mundo em direção à Austrália, *estava bem*, e agora o mundo fora tirado de mim. Estava em New Orleans quando a crise realmente bateu. De repente me dei conta de que tinha de ir para casa, mas não conseguiria entrar num avião. As pessoas tiravam vantagem de mim; eu era um animal ferido em campo aberto." Ele desmoronou completamente.

"Quando você está realmente mal, fica com uma expressão catatônica, como se estivesse atordoado. Você age de maneira estranha por causa de suas deficiências; minha memória recente desapareceu. Depois tudo piorou ainda mais. Eu estava sempre com o intestino solto e sujava as calças. Passei a viver com tanto medo disso que não conseguia sair do meu apartamento, o que foi outro trauma. No final, voltei a morar com meus pais." Mas a vida na casa dos pais não ajudava em nada a situação. O pai de Bill desabou sob a pressão da doença do filho e terminou ele próprio num hospital. Bill foi para a casa da irmã. Depois um amigo de escola o recebeu por sete semanas. "Foi horrível", diz ele. "Àquela altura, pensei que continuaria doente pelo resto da vida. O episódio durou mais de um ano. Me pareceu melhor seguir o fluxo da depressão do que combatê-la. Acho que você tem de abrir mão do que existia antes e entender que o mundo será recriado, e que talvez nunca mais se pareça com aquele que você conhecia."

Ele foi até a frente do hospital várias vezes, mas não tinha coragem de dar entrada. Finalmente, em setembro de 1986, internou-se no hospital Mount Sinai em Nova York e pediu uma terapia eletroconvulsiva (TEC). Isso tinha ajudado seu pai, mas não fez nada com ele. "Eu não consigo imaginar outro lugar mais desumanizador. Passar da vida lá fora para um regime onde não é permitido sequer ter o próprio kit de barbear ou um cortador de unhas. Ter que usar pijamas. Ter que jantar às quatro e meia da tarde. Onde falam com você como se você fosse retardado, além de deprimido. Ver outros pacientes em celas acolchoadas. Você não pode ter telefone no quarto, porque pode se estrangular com o fio e porque querem controlar seu acesso ao mundo exterior. Não é como uma hospitalização normal. No pavilhão de saúde mental, você é privado de seus direitos. Não acho que o hospital seja um lugar para depressivos, a não ser que eles estejam totalmente desamparados ou com tendências desesperadamente suicidas."

O processo físico da TEC era terrível. "O médico que administrava os choques se parecia muito com o pai da Família Monstro. Os tratamentos eram aplicados no subsolo do hospital. Todos os pacientes que seriam submetidos a ele desciam até lá, nas profundezas do inferno, todos usando roupões de banho. Sentíamo-nos como penitenciários, enfileirados e acorrentados pelas canelas. Já que mantinha minha compostura razoavelmente bem, eu era o último e ficava por ali, tentando confortar as outras pessoas aterrorizadas enquanto esperavam. Durante todo o tempo, a equipe de limpeza entrava na sala, nos empurrando para chegar a seus armários, também localizados lá embaixo. Se eu fosse Dante, descreveria aquilo tudo maravilhosamente bem. Eu tinha escolhido passar pelo tratamento, mas aquela sala com aquelas pessoas… Senti como se estivesse vivendo uma experiência bárbara de Mengele. Se vão fazer uma coisa dessas, tratem de fazê-lo no oitavo andar com janelas iluminadas e cores alegres, porra! Hoje em dia, eu não me submeteria àquilo."

"Ainda choro a perda de minha memória", diz. "Tinha uma memória excepcional, quase fotográfica, e ela nunca voltou. Quando saí, não conseguia lembrar da senha do meu armário, ou das conversas que tive." No início, quando ele saiu, também não conseguia executar nem uma simples tarefa de arquivar papéis num trabalho voluntário, mas logo começou a melhorar. Mudou-se, por seis meses, para Santa Fé, onde ficou com amigos. No verão, voltou para Nova York para morar sozinho de novo. "Talvez fosse até bom que minha memória tivesse lacunas permanentes", diz. "Isso me ajudou a suavizar alguns momentos ruins. Eu os esqueço tão facilmente quanto todo o resto." A recuperação foi gradual. "Boa parte é voluntária, mas não se pode controlar a recuperação. Não dá para imaginar quando ela vai acontecer, assim como não se pode prever a morte de alguém."

Stein começou a visitar a sinagoga, semanalmente, com um amigo religioso. "A fé me ajudou muito. De certo modo, ela aliviou a pressão sobre mim para que acreditasse em algo mais", diz. "Sempre tive orgulho de ser judeu e sempre fui atraído por coisas religiosas. Depois daquela grande depressão, senti que, se acreditasse com força suficiente, poderiam acontecer coisas que salvariam o mundo. Tinha afundado tanto que não havia mais nada para acreditar a não ser em Deus. Senti-me ligeiramente envergonhado por me descobrir atraído pela religião; mas foi bom. Por pior que seja a semana, sempre sei que irei à sinagoga na sexta-feira.

"Mas o que me salvou foi o Prozac, surgido em 1988, bem a tempo. Foi um milagre. Depois de todos aqueles anos, minha cabeça subitamente não parecia mais ter aquela enorme rachadura que se abria cada vez mais. Se em 1987 você tivesse dito que um ano mais tarde eu estaria viajando em aviões, trabalhando com governadores e senadores... bem, eu teria rido. Eu não conseguia nem atravessar a rua." Bill Stein está agora tomando Efexor e lítio. "Meu maior medo na vida era de não ser capaz de lidar com a morte de meu pai. Ele faleceu aos noventa anos. Fiquei quase eufórico por descobrir que podia lidar bem com sua morte. Estava muito triste e chorei, mas conseguia fazer as coisas normalmente: desempenhar meu papel de filho da família, falar com advogados, escrever um obituário. Nunca imaginei que pudesse lidar tão bem com essa situação.

"Ainda tenho que ser cuidadoso. Sempre tenho a sensação de que todos querem tirar um pedacinho de mim. Só posso dar um tanto e depois começo a ficar muito tenso. Talvez esteja enganado, mas acho que as pessoas terão uma imagem pior de mim se eu for completamente honesto em relação às minhas experiências. Ainda me lembro de como me evitavam. A vida está sempre prestes a desabar novamente. Aprendi a esconder isso, a fazê-lo de modo que ninguém possa ver quando estou tomando remédios e à beira de um colapso. Acho que nunca me sinto realmente feliz. Só podemos esperar que a vida não seja completamente terrível. Quando se é autoconsciente demais, é difícil estar completamente feliz. Adoro beisebol. E quando vejo aqueles caras no estádio, tomando cerveja, que parecem não ter a menor consciência de si mesmos e de suas relações com o mundo, sinto inveja. Minha nossa, não seria ótimo ser assim?

"Sempre penso naqueles vistos de saída. Se minha avó tivesse esperado. A história de seu suicídio me ensinou a ter paciência. Não há dúvida de que, por pior que fique a situação, eu sairei dela. Mas eu não seria a pessoa que sou hoje sem o que aprendi com minhas experiências, a humildade que elas me trouxeram."

A história de Bill Stein me impressiona muito. Penso naqueles vistos de saída com frequência desde que conheci Bill. Penso no que nunca foi usado e, também, naquele que foi. Superar minha primeira depressão exigiu resistência. Seguiu-se um breve período de uma paz moderada. Quando comecei a sofrer de ansiedade e depressão severa pela segunda vez — embora ainda estivesse à sombra de minha primeira depressão e não soubesse ainda o resultado final de meu flerte com a aids —, entendi o que estava acontecendo. Senti uma necessidade irrefutável de fazer uma pausa. A própria vida parecia ter uma exigência alarmante e exigir demais. Era quase impossível lembrar, pensar, expressar e entender — tudo que eu precisaria para poder falar. Ter que, além de tudo, manter um semblante animado era somar insulto e injúria. Era como tentar cozinhar, andar de skate, cantar e digitar — tudo ao mesmo tempo. O poeta russo Daniil Kharms certa vez descreveu a fome: "Então começa a fraqueza. Depois o tédio. Depois a perda do poder de raciocínio rápido. Depois vem a calma. E então começa o horror".[37] Minha segunda crise de depressão começou com esses mesmos estágios lógicos e terríveis — exacerbada pelo medo do teste de HIV que eu agendara. Não queria voltar ao medicamento e durante um tempo tentei resistir a ele. Então, certo dia, percebi que aquilo não ia funcionar. Soube com uns três dias de antecedência que estava descendo ao fundo do poço. Comecei a tomar o resto de Paxil que ainda tinha no armário de remédios. Liguei para o psicofarmacologista. Avisei meu pai. Tentei fazer arranjos de ordem prática: perder a cabeça, assim como perder a chave do carro, é um verdadeiro pé no saco. Com terror, ouvia minha voz se apoiar na ironia quando os amigos ligavam. "Desculpe, terei que cancelar na terça-feira", dizia. "Estou com medo das costeletas de cordeiro de novo." Os sintomas vieram rapidamente, feito um mau agouro. Em cerca de um mês, perdi um quinto do meu peso, mais de quinze quilos.

Já que me sentira tonto com Zoloft e bastante tenso com Paxil, o psicofarmacologista achou que valia a pena experimentar algo novo; então me receitou Efexor e BuSpar, que ainda tomo, seis anos depois. Quando se está nas garras da depressão, alcança-se um estranho estágio no qual é impossível definir o limite entre sua própria teatralidade e a realidade da loucura. Descobri duas características conflitantes em meu caráter. Sou melodramático por natureza; por outro lado, posso "parecer normal" mesmo sob a mais anormal das circunstâncias. Antonin Artaud escreveu em um de seus desenhos: "Nunca real e sempre verdadeiro",[38] e é assim a depressão. Você sabe que não é real, que você é outra pessoa, e mesmo assim sabe que é tudo absolutamente verdadeiro. É muito confuso.

Quando chegou a semana do exame de HIV, eu já estava tomando de doze a dezesseis miligramas de Xanax por dia (eu havia reservado um pequeno estoque da droga), para poder dormir o tempo todo e não ficar ansioso. Na quinta--feira, levantei e ouvi as mensagens em minha secretária eletrônica. A enfermeira do consultório médico disse: "Seu colesterol está baixo, o eletrocardiograma está normal e seu teste de HIV deu negativo". Liguei imediatamente para ela. Era verdade. Afinal de contas, o HIV dera negativo. Como Gatsby disse: "E eu fiz o máximo possível para morrer, mas parecia ter uma vida enfeitiçada".[39] Eu sabia então que queria viver e fiquei grato pela notícia. Mas continuei a me sentir péssimo por mais dois meses. Todos os dias enfrentava a tendência ao suicídio.

Então, em julho, resolvi aceitar um convite para velejar com alguns amigos na Turquia. Era mais barato do que ser hospitalizado e foi pelo menos três vezes mais eficaz: sob o sol perfeito da Turquia, a depressão evaporou. Depois disso as coisas foram melhorando. No final do outono, subitamente me vi acordado à noite, o corpo tremendo, como nos momentos mais graves da minha depressão, mas dessa vez estava acordado de felicidade. Saí da cama e escrevi sobre isso. Anos haviam se passado desde que eu sentira alguma felicidade, e eu esquecera o que era desejar viver, gozar o dia e ansiar pelo próximo, saber que era uma das pessoas de sorte que acreditam que a vida é para ser vivida. Senti que tinha a prova de que a existência, apesar de tudo, sempre valeria a pena. Eu sabia que episódios de dor podiam estar em meu caminho, que a depressão é cíclica e volta para afligir suas vítimas repetidamente. Mas me senti seguro apesar de mim mesmo. Sabia que a eterna tristeza, embora dentro de mim, não mitigava a felicidade. Fiz 33 anos logo depois, e foi um aniversário verdadeiramente feliz, afinal.

Não tive mais notícias da minha depressão por muito tempo. A poeta Jane Kenyon escreveu:

We try a new drug, a new combination
of drugs, and suddenly
I fall into my life again

like a vole picked up by a storm
then dropped three valleys
and two mountains away from home.

I can find my way back. I know
I will recognize the store
where I used to buy milk and gas.

I remember the house and barn,
the rake, the blue cups and plates,
the Russian novels I loved so much,

*

and the black silk nightgown
that he once thrust
into the toe of my Christmas stocking.*40

E assim foi, de modo que tudo pareceu estar retornando, começou estranho e prosseguiu abruptamente familiar. Percebi então que uma tristeza profunda tinha começado quando minha mãe ficou doente, piorou quando ela morreu, transformou-se em algo além da dor e do desespero, deixando-me incapacitado. Mas não estava me incapacitando mais. Eu ainda ficava triste com o que era triste, mas voltei a ser eu mesmo, como costumava ser, como sempre pretendera continuar sendo.

Como estou escrevendo um livro sobre depressão, em situações sociais pedem-me frequentemente para descrever minhas próprias experiências, e geralmente termino dizendo que ainda estou sob medicamento. "Ainda?", perguntam as pessoas. "Mas você parece tão bem!" Diante disso, respondo invariavelmente que pareço bem porque estou bem, e que estou bem por causa do medicamento. "Quanto tempo espera continuar tomando esse negócio?", perguntam. Quando digo que não há previsão para parar, pessoas que vêm lidando calma e solidariamente com as notícias de tentativas de suicídio, catatonia, anos de trabalho perdidos, perda significativa de peso e coisas do gênero me olham fixamente, alarmadas. "Mas não é bom ficar tomando remédio assim", dizem. "Você certamente já está forte o suficiente para gradualmente pôr de lado algumas dessas drogas!" Se você disser a elas que isso é como pôr gradualmente de lado o carburador de seu carro ou os pilares da catedral de Notre Dame, elas riem. "Então você toma uma dose bem baixinha de manutenção?", perguntam. Você explica que a dosagem de medicamento que toma foi escolhida porque normaliza os sistemas que podem entrar em parafuso e que uma dose baixa de medicamento seria como remover metade de seu carburador. Acrescenta que não sente quase nenhum efeito colateral dos medicamentos que toma e que não há nenhuma prova de efeitos negativos da medicação a longo prazo. Você diz que não quer ficar doente de novo. Mas estar bem ainda é associado, nessa área, não com o controle de seu problema, mas com a descontinuação dos medicamentos: "Bem, espero que você pare de tomá-los em breve", dizem.

"Posso não saber os efeitos exatos do medicamento a longo prazo", diz John Greden. "Ninguém ainda tomou Prozac por oitenta anos. Mas conheço os efei-

---

* Tentamos uma nova droga, uma nova mistura/ de drogas, e subitamente/ caio em minha vida de novo// como um ratinho colhido na tempestade,/ atirado três vales/ e duas montanhas longe de casa.// Consigo encontrar meu caminho de volta. / Sei que vou reconhecer a loja onde comprava leite e gasolina.// Lembro-me da casa e do celeiro,/ do ancinho, das xícaras azuis e dos pratos,/ dos romances russos de que gostava tanto,// e da camisola de seda preta/ que ele certa vez enfiou/ dentro da minha meia de Natal. (Tradução livre)

tos de parar a medicação, de começar e parar a medicação e de tentar reduzir doses adequadas a níveis não adequados — e tais efeitos são danos cerebrais. Você começa a sofrer consequências da cronicidade. Tem recorrências cada vez mais severas, níveis de estresse que nunca deveria sofrer. Jamais trataríamos a diabetes ou a hipertensão desse modo; por que o fazemos com a depressão? De onde veio essa estranha pressão social? A doença tem uma taxa de recidiva de 80% em um ano sem medicação e uma taxa de 80% de bem-estar com medicação." Robert Post, do NIMH, concorda: "As pessoas se preocupam com os efeitos colaterais sofridos por tomar remédio a vida inteira, só que os efeitos colaterais disso parecem ser muito, muito insignificantes comparados ao caráter letal da depressão não tratada. Se você tem um parente ou um paciente tomando digitalis, você lhe sugeriria que deixasse de tomá-lo, para ver se ele tem outro ataque do coração, fazendo com que o coração fique tão fraco que talvez jamais se recupere?". Os efeitos colaterais dessas drogas são, para a maioria das pessoas, muito mais saudáveis do que a própria doença que tratam.

Há provas de gente tendo reações adversas a tudo: certamente muita gente tem apresentado reações adversas ao Prozac. Uma certa cautela é necessária quando se decide ingerir qualquer coisa, de cogumelos silvestres a xarope para a tosse. Um de meus afilhados quase morreu durante uma festa de aniversário em Londres por causa de nozes (às quais é alérgico). Todo produto que contivesse nozes, avelãs etc. deveria, obrigatoriamente, indicar isso em seu rótulo. Nos primeiros estágios do tratamento, as pessoas que tomam Prozac deveriam ficar atentas a reações adversas. O remédio pode causar tiques faciais e enrijecimento dos músculos. Drogas antidepressivas trazem à tona perguntas sobre dependência, que abordo mais adiante neste livro. A libido baixa, os sonhos esquisitos e outros efeitos mencionados na bula dos ISRSs podem ser horríveis. Fico perturbado por relatos que associam o uso de alguns antidepressivos com o suicídio. Imagino que isso tenha a ver com a qualidade capacitadora das drogas, que podem dar a alguém os meios para fazer o que previamente estava debilitada demais para imaginar. Aceito que não possamos saber com certeza o efeito a muito longo prazo das medicações. É lamentável, contudo, que alguns cientistas tenham escolhido capitalizar em cima dessas reações adversas, desenvolvendo uma indústria de detratores do Prozac que o acusam de ser um grave perigo impingido a um público inocente. Num mundo ideal, não se tomaria droga alguma e o corpo se autorregularia perfeitamente; quem quer tomar remédio? Mas as afirmações ridículas feitas em livros tão obviamente tolos como *Prozac Backlash* [O rebote do Prozac] só podem ser encaradas como a exploração dos medos mais básicos de um público apreensivo. Não me conformo com os cínicos que mantêm pacientes distantes de curas essencialmente benignas que poderiam lhes devolver suas vidas.

Como o parto, a depressão é uma dor tão forte que chega a ser riscada da memória. Não fiquei deprimido quando, no inverno de 1997, uma relação terminou mal. Comentei com alguém que tinha sido um avanço eu não ter sofrido um colapso durante o rompimento. Mas você nunca é o mesmo uma vez que descobre que não há eu que não desmorone. Alguns diziam que eu deveria aprender a depender de mim mesmo, mas isso era complicado, uma vez que eu não tinha um eu no qual me apoiar. Outros me ajudaram, e um pouco de química moldou minha readaptação. Por enquanto, estou bem com tudo isso. Mas os pesadelos recorrentes não são mais sobre coisas que acontecerão *comigo*, vindas de fora, mas sobre coisas que acontecem *dentro* de mim. E se amanhã eu acordar e não for mais eu mesmo e sim um inseto? Começo cada manhã com uma incerteza que me deixa sem ar: quem sou eu? Faço uma vistoria pelos cânceres que podem estar crescendo, sinto uma ansiedade momentânea achando que os pesadelos poderiam ser verdadeiros. É como se meu eu se virasse para mim, cuspisse e dissesse: "Não abuse da sua sorte, não conte mais comigo para muita coisa, eu tenho meus próprios problemas para cuidar". Mas, então, quem é esse que resiste à loucura ou é ferido por ela? Quem é esse que recebe o cuspe? Já fiz anos de psicoterapia, vivi, amei, perdi e, francamente, não tenho a menor ideia. Há alguém ou algo mais forte do que a química ou a vontade, um eu que me fez atravessar a rebelião de meu eu, um eu unificador que aguentou até que os elementos químicos rebeldes e seus consequentes devaneios entrassem na linha novamente. Esse eu é uma substância química? Não sou espiritualizado e cresci sem religião, mas esta fibra passa pelo centro de mim, mantendo-se firme mesmo quando o eu foi arrancado dela: todos que passam por isso sabem que nunca é tão simples quanto a complexa química.

Durante o colapso, a pessoa tem a vantagem de estar *dentro* dele, onde consegue ver o que está acontecendo. Do lado de fora, pode-se apenas tentar adivinhar. Mas, uma vez que a depressão é cíclica, pode ser produtivo aprender o autocontrole e o reconhecimento. Eve Kahn, uma velha amiga, contou o preço que sua família pagou pela depressão de seu pai: "Meu pai teve dificuldades desde a juventude. Meu avô morreu, e minha avó baniu a religião de sua casa. Ela disse: se Deus levou meu marido e me deixou sozinha com quatro crianças, ele não existe. Então ela começou a servir camarão e presunto em todas as festividades judaicas! Pratos de camarão e presunto! Meu pai tem 1,85 metro de altura e pesa quase cem quilos, era imbatível no handebol e também no beisebol. Ele jogava futebol americano na faculdade, era alguém que você não imagina sendo frágil. Ele se tornou psicólogo. Certo dia, quando tinha 38 anos ou coisa assim — a cronologia é uma bagunça, porque minha mãe não quer falar sobre isso, meu pai realmente não se lembra e eu estava engatinhando quando tudo começou —, alguém da clínica onde ele trabalhava ligou para minha mãe e disse que ele tinha desaparecido, tinha saído do trabalho. Ninguém sabia onde ele estava. Minha mãe nos enfiou no carro e rodamos de um lado para outro até que finalmente o encontramos apoiado numa caixa de correio, chorando. Ele passou por uma terapia eletroconvulsiva (ou de eletrochoque) e, quando terminaram, disseram a minha mãe que se divorciasse, porque ele jamais voltaria a ser o mesmo. 'Seus filhos não o reconhecerão', disseram. Embora ela realmente não acreditasse neles, chorou o trajeto todo enquanto dirigia do hospital para casa. Quando ele acordou, era como uma cópia de si mesmo. Um pouco borrado nas bordas, a memória ruim, mais cuidadoso consigo mesmo, menos interessado em nós. Supostamente fora um pai realmente dedicado quando éramos pequenos — vinha para casa cedo para ver o que tínhamos aprendido naquele dia e levava brinquedos para nós o tempo todo. Depois da TEC, ficou um pouco distante. E então ele teve uma recaída quatro anos depois. Eles experimentaram medicações e mais TEC. Ele teve que desistir do trabalho durante um período. Estava deprimido na maior parte do tempo. Seu rosto estava irreconhecível; seu queixo recuara para dentro. Ele saía da cama e perambulava pela casa, desamparado, com as mãos trêmulas. Mãos enormes pendendo ao lado do corpo. Dá para entender de onde vêm as teorias demoníacas, porque alguém tinha se apossado do corpo de meu pai. Mesmo com cinco anos eu conseguia ver isso. Lembro-me bastante bem. Ele parecia o mesmo, mas estava totalmente ausente.

"Então meu pai começou a melhorar e teve um período bom, que durou cerca de dois anos. Depois desmoronou de novo. Melhorou um pouco e em seguida se afundou mais e mais e mais. Quando eu tinha cerca de quinze anos, ele bateu o carro porque estava tonto demais ou porque teve ímpetos suicidas — quem sabe? Aconteceu de novo quando eu estava no meu primeiro ano de faculdade. Perdi uma prova para ir vê-lo no hospital. Haviam retirado o cinto dele, assim como sua gravata. Cinco anos depois, ele voltou ao hospital mais uma vez. E depois se aposentou e reestruturou sua vida. Toma um monte de vitaminas, faz um monte de exercícios e não trabalha. E sempre que alguma coisa o estressa, ele sai da sala. Meu bebê chora? Ele põe o chapéu e vai para casa. Mas mamãe ficou com ele durante todas as crises, e quando ele estava bem era um grande marido. Ele teve dez anos bons na década de 1990, até que um derrame o fez despencar de novo no início de 2001."

Eve está decidida a não submeter sua família aos mesmos problemas. "Eu mesma passei por uns dois episódios terríveis", diz. "Aos trinta anos, mais ou menos, estava com um ritmo de trabalho difícil demais, assumindo coisas demais. Após terminar um trabalho, ficava na cama por uma semana, totalmente incapacitada. Durante uma época tomei nortriptilina, o que só me fez engordar. Então, em setembro de 1995, meu marido conseguiu um emprego em Budapeste e tivemos que nos mudar, passei a tomar Prozac para lidar com o estresse da mudança. Lá, perdi totalmente o controle. Ficava na cama o dia inteiro ou então agia de modo completamente irracional. O estresse de estar no fim do mundo, sem amigos — e meu marido tendo que trabalhar quinze horas por dia, quando chegamos, por causa de uma negociação. Quatro meses depois, quando aquela situação terminou, eu estava completamente maluca. Voltei aos Estados Unidos para me consultar com médicos e comecei a tomar um coquetel enorme: Klonopin [mais conhecido no Brasil como Rivotril], lítio, Prozac. Era impossível sonhar ou ser criativa. Eu tinha que carregar comigo, para cima e para baixo, uma caixa de remédios gigantesca que indicava quais eu tinha que tomar de manhã, ao meio-dia, à tarde e à noite — já que não conseguia lembrar do que estava acontecendo. Posteriormente, montei uma vida lá, fiz alguns amigos próximos e consegui um emprego decente, de modo que diminuí a medicação até tomar apenas dois comprimidos por noite. Depois fiquei grávida, deixei as drogas e me senti ótima. Nós nos mudamos de volta para casa e, assim que tive o bebê, todos aqueles maravilhosos hormônios se dissiparam. Com um bebê em casa — não tive uma noite decente de sono durante um ano —, comecei a desmoronar de novo. Eu estava decidida a não fazer minha filha passar por aquilo. Estou tomando Depakote, que acho menos entorpecedor e aparentemente é seguro, mesmo quando se está amamentando. Farei o que for preciso para criar um ambiente estável para minha filha, não desaparecendo, não saindo porta afora o tempo todo."

Dois anos bons se seguiram ao meu segundo colapso. Eu estava bem e felicíssimo por estar bem. Então, em setembro de 1999, sofri um terrível abandono amoroso por alguém que pensei que ficaria comigo para sempre, e fiquei triste — não deprimido, só triste. E um mês depois escorreguei na escada de casa e desloquei o ombro gravemente, rasgando muito do tecido muscular. Fui para o hospital. Tentei explicar à equipe da ambulância e depois à equipe da sala de emergência que queria impedir uma nova depressão. Contei o episódio das pedras nos rins e como ele havia desencadeado um colapso anteriormente. Prometi preencher qualquer formulário que pudesse existir e responder a qualquer pergunta que eles pudessem inventar se aliviassem uma agonia física que eu sabia ser poderosa demais para minha mente. Expliquei que tinha um histórico de colapsos mentais graves e pedi que procurassem nas minhas fichas. Levou mais de uma hora para que eu conseguisse alguma medicação para a dor, uma dose de morfina intravenosa pequena demais para me aliviar. Um ombro deslocado é uma questão simples, mas o meu só foi recolocado no lugar oito horas depois de eu ter chegado ao hospital. Finalmente, quatro horas e trinta minutos após a minha chegada, recebi um remédio para aliviar significativamente a dor, o Dilaudid — portanto, as últimas três horas e meia de espera não foram tão horríveis quanto as anteriores.

Tentando permanecer calmo durante os primeiros estágios dessa empreitada terrível, pedi uma consulta psiquiátrica. A médica supervisora me disse: "Ombros deslocados doem e isso vai continuar doendo até que o recoloquemos no lugar. Você tem que ter paciência e parar com essa atitude". Ela acrescentou: "Você está sem nenhum controle, está com raiva, hiperventilando. Não vou fazer absolutamente nada até que se controle". Disseram-me que "nós não sabemos quem você é", que "não saímos por aí dando remédio forte para a dor" e que eu devia tentar respirar profundamente e me imaginar numa praia ouvindo o som da água e sentindo a areia entre os dedos dos pés. Um dos médicos me disse: "Controle-se e pare de ter pena de si mesmo. Há pessoas na sala de emergência que estão passando por coisas muito piores". E quando eu disse que sabia que tinha de aguentar a dor, mas queria abrandá-la antes de continuarmos, que não me importava tanto com aquela dor física, mas me preocupava com as complicações psiquiátricas, disseram-me que eu estava sendo "infantil" e "pouco cooperativo". Quando eu disse que tinha um histórico de doença mental, disseram-me que, nesse caso, não poderia esperar que alguém levasse a sério minhas opiniões. "Sou uma profissional formada e estou aqui para ajudá-lo", disse a médica. Quando falei que era um paciente experiente e sabia que o que ela estava fazendo era prejudicial a mim, ela me disse que eu não cursara a faculdade de medicina e que ela continuaria a proceder de acordo com o que julgava adequado.

Repeti meu pedido de uma consulta psiquiátrica, sem sucesso. As fichas psiquiátricas não estão disponíveis em salas de emergência, e assim não havia como verificar minhas queixas, embora eu estivesse no mesmo hospital em que trabalharam os meus clínicos e minha psiquiatra. Acho inaceitável uma política de sala de emergências em que a frase "Tenho experimentado depressões psicóticas graves exacerbadas por dor extrema" é tratada com tanto desprezo quanto "Tenho que ter um ursinho de pelúcia comigo antes de vocês fazerem a sutura". A prática-padrão das salas de emergência nos Estados Unidos não lida com os aspectos psiquiátricos de doenças somáticas. Ninguém na sala de emergência estava minimamente treinado para lidar com complicações psiquiátricas.[41] Eu estava pedindo filé numa peixaria.

A dor é cumulativa. Cinco horas de dor são pelo menos seis vezes mais dolorosas que uma hora de dor. Notei que o trauma físico é um dos desencadeadores primários do trauma psíquico, que curar um de modo a gerar o outro é um ato de estupidez médica. Claro que, quanto mais a dor se prolongava, mais me desgastava; mais superestimulado meus nervos ficavam; mais séria a situação se tornava. O sangue sob a pele tinha se acumulado. Parecia que eu estava com o ombro de um leopardo. Quando me deram Dilaudid, eu já estava tonto. Havia pessoas naquela sala de emergência cujos ferimentos eram mais graves do que o meu; por que qualquer um de nós deveria ter que suportar aquela dor gratuitamente?

Após três dias de minha aventura na sala de emergência, tive impulsos suicidas agudos, do tipo que não sentira desde minha primeira crise grave. Se não estivesse o tempo todo sob a vigilância de minha família e amigos, eu teria chegado a níveis de dor física e psíquica além do suportável e teria buscado alívio imediato do tipo mais extremo. Era a árvore e a trepadeira novamente. Se você vê um pequeno broto saindo do chão e o reconhece como o broto de uma forte trepadeira, pode arrancá-lo com o polegar e o indicador e tudo fica bem. Se espera até que a trepadeira agarre-se firmemente à árvore, precisará de serrotes e talvez de um machado e uma pá para se livrar dela e desenterrar suas raízes. É improvável que se consiga remover a trepadeira sem quebrar alguns galhos da árvore. Geralmente sou capaz de controlar meus impulsos suicidas, mas, como mostrei para a equipe do hospital depois de todo o episódio terminar, a recusa em tratar as queixas psiquiátricas de pacientes pode transformar uma questão relativamente insignificante como um ombro deslocado numa doença fatal. Se alguém diz que está sofrendo, a equipe da sala de emergência deve agir de acordo. Nos Estados Unidos, os suicídios ocorrem devido ao conservadorismo de médicos como os que encontrei lá, que lidam com extremos de dor física e psicológica sem tolerância alguma, como se fossem fraqueza de caráter.

Na semana seguinte, desmoronei de novo. Eu havia tido crises de choro durante os episódios anteriores, mas nunca como naquela época. Chorava o tempo todo, como uma estalactite que não para de gotejar. Era incrivelmente cansativo produzir todas aquelas lágrimas, tantas que meu rosto ficou ressecado. As coisas mais simples exigiam um esforço colossal. Lembro de irromper em lágrimas porque o sabonete do chuveiro acabara. Chorava porque uma das teclas de meu computador prendera por um segundo. Eu achava tudo dolorosamente difícil e assim, por exemplo, a perspectiva de tirar o fone do gancho parecia exigir o esforço de levantar 180 quilos. Ter de calçar não só um pé de meia, mas *dois*, e em seguida *dois* sapatos, esmagava-me tanto que eu tinha que voltar para a cama. Embora não sentisse a ansiedade aguda que caracterizara os episódios anteriores, a paranoia começou a tomar conta de mim: cada vez que meu cachorro saía do quarto, eu temia que era porque não estava interessado em mim.

Esse colapso teve algo a mais. Quando tive meus dois colapsos anteriores, eu não estava sob medicação. Depois do segundo, eu aceitara que, se quisesse evitar outros episódios, teria que tomar remédio permanentemente. E por quatro anos, a um custo psíquico considerável, eu tomara meus medicamentos todos os dias. Agora entrara em colapso total apesar de estar tomando Efexor, BuSpar e Wellbutrin. O que significava isso? Trabalhando neste livro, eu conhecera algumas pessoas que tiveram um ou dois episódios, depois entraram na medicação e ficaram bem. Conhecera também pessoas que reagiam bem a um medicamento durante um ano, sofriam um colapso, depois conseguiam viver com outro medicamento por mais alguns meses — pessoas que nunca pensavam em sua depressão como algo do passado. Eu acreditara pertencer à primeira categoria. Agora, subitamente parecia fazer parte da segunda. Eu vira essas vidas em que a saúde mental existia apenas ocasionalmente. Era muito possível que eu tivesse ultrapassado a capacidade de ajuda do Efexor — as pessoas realmente usam essas drogas até o limite. Nesse caso, eu pertenceria a um mundo terrível. Na minha cabeça, eu me via um ano usando um remédio, o ano seguinte, outro, até finalmente ter gastado todas as opções disponíveis.

Agora tenho procedimentos para enfrentar meus colapsos. Sei que médicos chamar e o que dizer. Sei quando é hora de afastar a gilete e continuar passeando com o cachorro. Dei alguns telefonemas e, sem rodeios, disse que estava deprimido. Alguns amigos queridos, casados recentemente, mudaram-se para minha casa e ficaram comigo por dois meses, ajudando-me a atravessar os momentos mais difíceis dos dias, conversando sobre minhas ansiedades e medos, contando-me histórias, certificando-se de que eu estava comendo, mitigando a solidão — eles se tornaram minhas almas gêmeas para o resto da vida. Meu irmão viajou da Califórnia e me surpreendeu na porta de casa exatamente quando eu estava no fundo do poço. Meu pai ficou em alerta imediatamente. Eis o que eu sabia que me salvava: agir rápido, ter um bom médico preparado para me atender, conhecer meus próprios padrões de modo muito claramente, dormir e me alimentar regularmente por mais odiosa que essa tarefa possa ser, suspender imediatamente qualquer estresse, fazer exercício, mobilizar o amor.

Liguei para o meu agente assim que pude e disse que não estava bem e iria suspender o trabalho neste livro. Eu disse que não tinha ideia de que rumo tomaria meu desastre. "Finja que fui atropelado por um carro ontem", acrescentei, "e que estou no hospital num aparelho de tração, esperando pelo resultado dos raios X. Quem sabe quando poderei digitar de novo?" Eu tomava Xanax mesmo quando ele me deixava aéreo e grogue, porque sabia que, se deixasse a ansiedade correr solta em meus pulmões e meu estômago, ela ficaria pior e eu estaria em apuros. Expliquei a amigos e à família que não perdera a cabeça, mas que não sabia exatamente onde a colocara. Senti-me como Dresden no tempo da guerra, como uma cidade sendo destruída sem poder se proteger das bombas, simplesmente desmoronando, deixando apenas os mais tênues vestígios de ouro cintilarem por entre os escombros.

Chorando vergonhosamente até no elevador do hospital onde ficava o consultório do meu psicofarmacologista, fui perguntar se havia algo a fazer. Para minha surpresa, ele não enxergava a situação com tanto pessimismo quanto eu. Disse que não ia me tirar do Efexor — "ele tem funcionado para você já faz um bom tempo e não há razão para parar agora". Ele me pôs no Zyprexa, um antipsicótico que tem também efeitos ansiolíticos. Aumentou a dose de Efexor porque, segundo ele, você jamais deve trocar o produto que o está ajudando, a não ser que isso seja absolutamente necessário. O Efexor me tirara do buraco antes e quem sabe se com um empurrão não o faria de novo? Depois baixou minha dose de Wellbutrin, porque ele é um ativador e no meu estado de alta ansiedade eu precisava ser menos ativado. Deixamos o BuSpar como estava. Meu psicofarmacologista acrescentou algumas coisas e subtraiu outras, observando minhas reações e minhas descrições de mim mesmo, construindo uma versão de algum modo "verdadeira" de mim, talvez exatamente como a antiga, talvez um pouquinho diferente. A esta altura, eu já tinha me transformado num perito, lia sobre todos os produtos que tomava (embora evitasse descobrir os efeitos colaterais de qualquer um deles até tê-lo tomado por algum tempo; ao conhecer os efeitos colaterais de um medicamento, estava praticamente garantindo que sofreria deles). Mesmo assim, era tudo uma vaga ciência de cheiros, sabores e misturas. Meu terapeuta me ajudou a sobreviver aos testes: ele era um campeão de continuidade, acalmando-me e me fazendo acreditar que o futuro seria no mínimo como o passado.

Na noite seguinte à que comecei a tomar o Zyprexa, eu deveria dar uma palestra sobre Virginia Woolf. Adoro Virginia Woolf. Dar uma palestra sobre ela, lendo em voz alta passagens de sua obra, era para mim como dar uma palestra sobre chocolate e comê-lo enquanto isso. A palestra aconteceria na casa de amigos, para um grupo divertido de talvez cinquenta colegas seus. Era uma espécie de função de caridade dedicada a uma causa nobre. Em circunstâncias normais, isso teria sido divertidíssimo, exigiria pouco esforço e me poria debaixo dos refletores — o que me agrada quando meu estado de espírito é o que deveria ser. Esperava-se que a palestra aumentasse meus problemas, mas eu estava tão pirado que não fez diferença alguma: o simples fato de estar acordado já era tão terrível que nada podia fazer as coisas piorarem. Assim, cheguei, iniciei uma conversa cordial enquanto serviam o coquetel, levantei com minhas anotações e me vi calmo, assustadoramente calmo, como se estivesse apenas apresentando algumas ideias à mesa do jantar e, fora de mim mesmo, observei-me dar uma palestra razoavelmente coerente sobre Virginia Woolf.

Depois da minha fala, fui jantar num restaurante próximo com um grupo de amigos e o pessoal que organizara o evento. O grupo era bastante variado, o que exigia um certo esforço para manter uma aparência de civilidade. Em circunstâncias comuns, teria sido um prazer. Mas naquela ocasião senti o ar em torno de mim se fixando como uma cola, numa estranha rigidez. As vozes pareciam estar quebrando e rachando o ar sólido, e o ruído que provocavam tornava difícil ouvir o que diziam. Eu tinha que romper a solidez até para erguer meu garfo. Pedi salmão e comecei a me dar conta de que minha situação estranha era aparente. Sentia-me levemente mortificado, mas não sabia o que fazer a respeito. Essas situações são embaraçosas, por mais que haja um mundo de pessoas que você conhece que tomam Prozac, por mais que todos estejam totalmente à vontade em falar sobre a depressão e conviver com ela. Todos à mesa sabiam que eu estava escrevendo um livro sobre o assunto, e a maioria lera meus artigos. Isso não ajudava. Murmurei e pedi desculpas durante todo o jantar como um diplomata na Guerra Fria. "Desculpe se pareço um pouco fora de foco, mas você sabe que acabo de ter outro surto de depressão", eu poderia ter dito, mas então todos teriam se sentido obrigados a perguntar as causas e os sintomas específicos e a tentar me tranquilizar, e isso acabaria exacerbando a depressão. Ou: "Acho que não consigo entender o que você está dizendo porque tenho tomado cinco miligramas de Xanax por dia, embora, é claro, eu não seja um viciado. Também acabo de começar a tomar um novo psicotrópico que acredito ter propriedades sedativas. Sua salada está boa?". Por outro lado, tinha a sensação de que, se continuasse sem dizer nada, as pessoas notariam que eu estava estranho.

E então descobri que o ar estava ficando tão duro e quebradiço que as palavras começavam a vir em ruídos *stacatto* que eu não conseguia juntar. Talvez você já tenha experimentado assistir a uma palestra e perceber que, a fim de acompanhar o tema principal, você precisa continuar prestando atenção. Mas sua mente divaga um pouco e, quando volta a se concentrar, você não consegue mais entender o que está sendo dito. A lógica se perdeu. Assim acontecia comigo em relação a todas as frases de todas as conversas. Senti a lógica desaparecendo bem debaixo dos meus pés. Alguém dissera algo sobre a China, mas eu não sabia bem o quê. Achei que outra pessoa havia mencionado marfim, mas eu não sabia se era a mesma pessoa que falara sobre a China, embora eu lembrasse que os chineses tivessem feito coisas de marfim. Alguém me perguntou algo sobre um peixe, talvez o meu peixe? Eu pedira peixe? Se eu gostava de peixe? Haveria algo sobre peixe chinês? Ouvi alguém repetir uma pergunta (reconheci o padrão da frase pronunciada logo antes) e então senti meus olhos se fecharem e pensei comigo: não é educado adormecer quando alguém lhe faz uma pergunta pela segunda vez. Preciso acordar. Então levantei a cabeça do peito e sorri como se quisesse dizer "não compreendi muito bem". Vi rostos intrigados me olhando. "Você está bem?", alguém perguntou de novo, e eu disse "Acho que não", e alguns amigos me pegaram pelos braços e me levaram para fora.

"Mil desculpas", eu continuava a dizer, vagamente consciente de deixar todos à mesa achando que eu estava tomando drogas ou coisa parecida e desejando simplesmente ter falado da minha depressão, de como estava hipermedicado e ansioso de atravessar a noite. "Mil desculpas", e todo mundo continuava dizendo que não havia do que se desculpar. Os amigos que haviam me salvado me levaram para casa e me puseram na cama. Tirei as lentes de contato e então tentei conversar por alguns minutos, para me tranquilizar. "Então, como é que você está?", disse, mas quando meu amigo começou a responder, ele se tornou um tanto fugaz, como o gato do País das Maravilhas, e então desmaiei de novo, entrando num sono profundo por dezessete horas. Sonhei com uma grande guerra. Meu Deus, eu havia esquecido a *intensidade* da depressão. Ela penetra tão profundamente! Somos determinados por conjuntos de padrões que vão muito além de nós mesmos. Os padrões pelos quais eu fora educado e que estabelecera para mim mesmo eram muito altos para os habituais. Se eu não me sinto capaz de escrever livros, algo está errado. Os padrões de algumas pessoas são muito mais baixos; de outras, muito mais altos. Se George W. Bush acorda um dia sentindo que não pode ser o líder do mundo livre, algo está errado. Mas alguns sentem que estão bem só pelo fato de conseguirem se alimentar sozinhos e continuar vivendo. Ter um colapso durante o jantar está completamente fora do quadro que eu considero normal.

Acordei me sentindo ligeiramente menos horrível do que no dia anterior, embora estivesse perturbado por minha falta de controle. A ideia de sair ainda parecia terrivelmente difícil, mas eu sabia que podia descer a escada (embora não tivesse certeza de querer fazê-lo). Podia mandar alguns e-mails. Fiz um telefonema entorpecido para o meu psicofarmacologista, que sugeriu que eu cortasse pela metade o Zyprexa e diminuísse o consumo de Xanax. Não acreditei muito quando meus sintomas começaram a desaparecer naquela tarde. Ao anoitecer, eu estava quase bem, como um caranguejo que ficou maior do que a carapaça e desistiu dela, arrastando-se vulnerável pela praia, e então encontrou uma nova carapaça em outro lugar. Embora eu ainda tivesse um longo caminho pela frente, fiquei contente ao saber que estava me recuperando.

Assim foi o terceiro colapso. Uma revelação. Enquanto o primeiro e o segundo haviam sido agudos por períodos de cerca de seis semanas cada um, e tivessem durado ao todo cerca de oito meses cada, o terceiro, que eu chamo de minicolapso, foi agudo por seis dias e durou em torno de dois meses. Tive sorte de ter uma resposta muito boa ao Zyprexa, mas também descobri que a pesquisa que vinha fazendo para este livro, tivesse ela valor para os outros ou não, era tremendamente útil para mim. Eu me sentia triste, pelas mais variadas razões, já fazia alguns meses, e sofria de um estresse considerável. Estava conseguindo lidar com tudo, mas não facilmente. O conhecimento que adquiri me ajudou a reconhecer imediatamente o momento em que a tristeza e o estresse se transformaram em depressão. Descobrira um psicofarmacologista capaz de regular com sutileza um coquetel de drogas. Acredito que, se tivesse tomado remédios antes do primeiro colapso me jogar no abismo, teria sido capaz de segurar minha depressão antes que ela saísse de controle e de evitar completamente colapsos totais. Se não tivesse abandonado a medicação que me ajudou naquele primeiro colapso, é possível que eu jamais tivesse sofrido um segundo. Quando comecei a me dirigir ao terceiro, estava determinado a não cometer mais um erro estúpido.

A remissão da doença mental exige manutenção: todos nós periodicamente nos deparamos com traumas físicos e psíquicos, e há boas chances de que os mais vulneráveis entre nós terão momentos de recidiva diante de problemas. A possibilidade de termos uma vida inteira de relativa liberdade aumenta com uma atenção cuidadosa e responsável para com a medicação e com conversas que nos estabilizem e tragam insights. A maior parte das pessoas com depressão severa tem que tomar uma combinação de remédios, às vezes em doses não ortodoxas. Também precisa compreender seu eu mutável, talvez com a ajuda de um profissional. Entre as pessoas cujas histórias considero dolorosamente trágicas estão aquelas que tiveram depressão, buscaram ajuda e foram displicentemente medicadas, tomando algum produto, frequentemente na dose errada, para ajudar parcialmente sintomas que poderiam ter sido curados. Talvez as mais trágicas entre essas histórias sejam as de pessoas que sabem que estão tendo um tratamento ruim, mas que não conseguem um melhor por causa dos obstáculos provocados pelo serviço de saúde pública ou pelo seguro de saúde.

Em minha família, conta-se uma fábula sobre uma família pobre, um sábio e um bode. A família pobre vivia na mais profunda miséria. Seus nove membros compartilhavam o mesmo aposento, ninguém tinha o suficiente para comer, suas roupas eram trapos e suas vidas, irremediavelmente infelizes. Certo dia, o homem da casa dispôs-se a visitar o sábio e lhe disse: "Grande sábio, nós somos tão miseráveis que mal conseguimos continuar vivos. O barulho é terrível, a sujeira é medonha e a falta de privacidade poderia matar alguém. Nunca temos o suficiente para comer, e nós estamos começando a nos odiar uns aos outros. O que devemos fazer?". O sábio respondeu simplesmente: "Devem arranjar um bode e colocá-lo dentro de casa com vocês por um mês. Então seus problemas irão se resolver". O homem olhou para o sábio, atônito. "Um bode? Viver com um bode?" Mas o sábio insistiu, e já que ele era profundamente sábio, o homem fez o que ele mandou. Nos meses seguintes, a vida infernal da família foi além do tolerável. O barulho estava pior, a sujeira também. Não havia nada remotamente parecido com privacidade; nada havia para comer já que o bode comia tudo; não havia roupas porque o bode comia as roupas também. O rancor na casa tornou-se explosivo. No final do mês, o homem voltou ao sábio, enfurecido. "Estamos vivendo há um mês com um bode dentro da cabana", disse ele. "Tem sido horrível. Como pode ter dado um conselho tão ridículo?" O sábio sacudiu sabiamente a cabeça concordando e disse: "Agora livre-se do bode e verá como suas vidas se tornarão calmas e sublimes".

É assim com a depressão. Se você a derrota, pode enfrentar todos os problemas do mundo real na mais completa paz, já que eles sempre parecem mínimos comparados com a depressão. Liguei para uma das pessoas que estava entrevistando para este livro e cordialmente comecei a conversa perguntando como ele estava. "Bem", disse ele, "minhas costas doem, torci o tornozelo, as crianças estão zangadas comigo, está chovendo a cântaros, o gato morreu e eu estou à beira da falência. Por outro lado, estou psicologicamente assintomático no momento e portanto eu diria que, levando tudo em conta, as coisas estão fabulosas." Meu terceiro colapso foi o meu bode; chegou numa hora em que eu estava me sentindo insatisfeito com uma série de coisas em minha vida que eu sabia, racionalmente, ter conserto. Quando consegui chegar ao fim do colapso, senti vontade de organizar um pequeno festival para celebrar a alegria da minha vida bagunçada. E me senti surpreendentemente pronto para voltar a este livro, que eu deixara de lado fazia dois meses. Na verdade, estava curiosamente feliz com isso. Contudo, foi um colapso que ocorreu quando eu estava tomando remédio; desde então, jamais me senti totalmente seguro. Durante os últimos estágios deste livro, fui atingido por surtos de medo e solidão. Não faziam parte de um colapso, mas às vezes eu digitava uma página e tinha que me deitar por meia hora para poder me recuperar de minhas próprias palavras. Às vezes ficava choroso, às vezes, ansioso, e passava um dia ou dois na cama. Acho que essas experiências refletem com precisão a dificuldade de escrever este texto e a incerteza petrificante que às vezes sinto quanto ao resto de minha vida. Não me sinto livre; não sou livre.

Tenho lidado bastante bem com efeitos colaterais. Meu psicofarmacologista atual é especialista em controlá-los. Minha atividade sexual sofreu alguns efeitos negativos — libido levemente diminuída e o problema universal do orgasmo muito retardado. Alguns anos atrás, acrescentei Wellbutrin à dieta; ele pareceu fazer minha libido funcionar de novo, embora ela nunca tenha voltado aos padrões antigos. Meu psicofarmacologista me receitou também Viagra, só para o caso de eu sofrer daquele efeito colateral, e depois acrescentou dexanfetamina, que supostamente aumenta o impulso sexual. Acho que é verdade, mas ela também me deixa cheio de tiques e tremedeiras. Meu corpo parece passar por mudanças que vão além da minha percepção, e o que funciona esplendidamente numa noite pode ser um pouco complicado na próxima. Zyprexa é sedativo, e na maior parte das vezes eu durmo demais, cerca de dez horas por noite, mas tenho Xanax por perto para a noite ocasional em que sou atacado pelas sensações e não consigo manter os olhos fechados.

Uma curiosa intimidade se constrói quando duas pessoas trocam histórias de colapsos devastadores. Laura Anderson e eu nos falamos praticamente todos os dias por mais de três anos e, durante meu terceiro colapso, ela foi extremamente atenciosa. Ela surgiu de repente na minha vida e estabelecemos uma amizade de uma intimidade estranha e súbita: poucos meses após sua primeira carta, eu sentia como se a tivesse conhecido minha vida toda. Embora nosso contato — sobretudo por e-mail, mas às vezes por carta ou cartão-postal, muito ocasionalmente por telefone e uma vez pessoalmente — fosse um evento à parte do resto de minha vida, ele era tão habitual que logo se tornou um vício. Assumiu o formato de uma história de amor, percorrendo descobertas, êxtase, cansaço, renascimento, hábito e profundidade. Às vezes sentia que nosso relacionamento se tornara intenso demais rápido demais, e nos primeiros estágios de nosso contato às vezes eu me rebelava contra ela ou tentava diminuir a comunicação entre nós. Mas logo passei a ter a sensação, nos raros dias em que não tinha notícias de Laura, de ter perdido uma refeição ou uma noite de sono. Embora Laura Anderson seja bipolar, seus episódios maníacos são muito menos pronunciados que os seus depressivos, e são mais facilmente controlados — uma condição denominada cada vez mais frequentemente de bipolar II. Ela é uma das muitas pessoas para quem a depressão está sempre à espreita, por mais cuidadoso que seja o controle da medicação, dos tratamentos e de seu comportamento. Alguns dias Laura está livre dela e em outros não está, e não há nada que possa fazer para manter a depressão longe.

Laura me enviou uma primeira carta em janeiro de 1998. Era cheia de esperança. Lera meu artigo sobre depressão e teve a sensação de que nos conhecíamos. Deu-me seu número de telefone e disse para ligar a qualquer momento e a qualquer hora sempre que eu quisesse. Incluiu uma lista de discos que a tinham ajudado a passar pelos períodos ruins e um livro que pensava que me agradaria por estar em sintonia comigo. Ela estava em Austin, no Texas, porque seu namorado morava lá, mas sentia-se um tanto isolada e entediada. Tinha estado deprimida demais para trabalhar, embora se interessasse por serviços governamentais e queria conseguir um emprego na assembleia legislativa do Texas. Contou-me que tomara Prozac, Paxil, Zoloft, Wellbutrin, Klonopin, BuSpar, Valium, Librium, Ativan e, "é claro, Xanax", e estava usando agora vários deles, assim como

Depakote e Ambien. Estava tendo problemas com seu psiquiatra, "portanto — adivinhe — lá vou eu para o médico número 49". Algo em sua carta me atraiu, e a respondi do modo mais caloroso que pude.

A outra vez que tive notícias dela foi em fevereiro. "O Depakote não está funcionando", escreveu. "Estou frustrada com a perda de memória, mãos trêmulas e gagueira, e por esquecer o isqueiro quando levei quarenta minutos só para encontrar os cigarros e o cinzeiro. Sinto-me frustrada porque essas doenças parecem ser tão evidentemente *multi*polares — acabo desejando que Lévi-Strauss jamais tivesse chamado nossa atenção para a oposição binária. *Bicicleta* é o melhor emprego que conheço para esse prefixo. Estou convencida de que há quarenta tons diferentes de preto, e não gosto de olhar para minha doença numa escala linear — vejo-a mais como um círculo e um ciclo, onde a roda está girando rápido demais e um desejo de morte pode entrar através de qualquer um de seus raios. Pensei em me internar voluntariamente num hospital esta semana, mas já estive lá o suficiente para saber que não me permitiriam um aparelho de som, mesmo com fones de ouvido, ou tesouras para fazer cartões para o Dia dos Namorados, e que eu sentiria saudade de meus cachorros, ficaria aterrorizada sem Peter, meu namorado (de quem sentiria uma saudade imensa), que me ama apesar de todo o vômito, raiva, intranquilidade e falta de sexo, e que eu teria que dormir no corredor junto ao posto das enfermeiras ou ser trancada num quarto sob vigilância de suicídio e assim por diante — portanto, não, obrigada. Estou confiante de que com os remédios me mantendo equatorial — entre os dois polos — vou ficar bem."

Quando a primavera chegou, seu ânimo melhorou. Em maio, ela ficou grávida e estava empolgada com a ideia de ter um bebê. Descobriu, contudo, que Depakote tem sido associado a espinha bífida e malformação cerebral, e tentou deixar de tomar o remédio. Preocupou-se com a possibilidade de não ter parado de tomá-lo suficientemente cedo, começou a se desestabilizar e logo me escreveu: "Aqui estou eu num estupor triste de pós-aborto. Acho que voltar aos remédios é minha luz no fim do túnel. Tento não ficar zangada ou ressentida com tudo isso, mas às vezes parece tão injusto. Faz um dia de céu azul imenso e brisa suave aqui em Austin, e não entendo por que me sinto tão esvaziada. Está vendo? Qualquer coisa — mesmo uma reação normal a uma droga de dificuldade — me faz ter um ataque de preocupação com uma depressão iminente. Estou numa espécie de névoa opaca e mal-humorada causada pelo Valium, mas com dor de cabeça e estressada de tanto chorar."

Dez dias depois, ela escreveu: "Já estou estabilizada — talvez descendo um pouco mais do que eu gostaria, mas não em limites preocupantes. Mudei médicos e remédios — do Depakote para Tegretol, com um pouco de Zyprexa para acelerar os efeitos do Tegretol. Zyprexa me deixa bem mais lenta. Os efeitos colaterais físicos da doença mental parecem um insulto tão grande! Acho que, com tudo o que tenho tomado, agora sou digna de entrar para a Depressão Avançada. Mesmo assim — tenho essa estranha amnésia — é impossível lembrar, quando uma hora é uma hora normal, o quanto a depressão é medonha — o esforço que é sobreviver aos minutos intermináveis. Estou tão cansada, tão exausta de tentar entender quem eu sou quando estou 'bem' — o que é normal e aceitável para mim."

Alguns dias depois, escreveu: "A consciência de quem eu sou me impede de mostrar muito de minha personalidade às pessoas — como resultado disso, a maioria dos amigos que fiz nos últimos oito ou nove anos são amizades bastante superficiais. Isso provoca solidão e faz com que me sinta uma idiota. Acabo de telefonar, por exemplo, para uma amiga muito querida (e exigente) em West Virginia, que quer uma explicação de por que eu não fui visitar ela e seu novo bebê. O que dizer? Que eu teria adorado fazer a viagem, mas estava muito ocupada tentando me manter fora de um hospital para doentes mentais? É tão humilhante — tão degradante. Se eu soubesse que não seria pega, adoraria mentir — inventar um câncer aceitável, que recorre e desaparece, algo que as pessoas pudessem entender, que não as deixasse assustadas e desconfortáveis".

Laura está constantemente travada; cada parte de sua vida é definida em torno de sua doença. "Quanto a namoros: preciso que as pessoas que namoro sejam capazes de cuidar de si mesmas, porque os cuidados que tenho comigo me tomam muita energia e não posso ser responsável por cada ressentimento que causo. Não é um modo terrível de encarar o amor? É difícil lidar com minha vida profissional também — os empregos de curta duração, os hiatos entre eles. Quem quer ouvir sobre sua esperança no novo medicamento? Como posso pedir que alguém entenda? Antes de sofrer dessa doença, tive um amigo querido que era depressivo. Eu ouvia tudo que ele dizia como se falássemos a mesma língua, e o que percebi desde então é que a depressão fala, ou ensina a você, uma língua totalmente diferente."

Nos meses que se seguiram, Laura parecia estar lutando contra algo que sentia iminente. Durante esse tempo, ela e eu nos dedicamos a nos conhecermos. Ela me disse que tinha sido molestada na adolescência e violentada com vinte e poucos anos, e que cada uma dessas experiências havia deixado marcas profundas. Casara-se aos 26 anos e teve a primeira depressão no ano seguinte. Seu marido parecera incapaz de lidar com a doença, e ela encontrou uma solução na bebida. No outono, tornou-se levemente maníaca. O médico lhe disse que estava apenas tensa e lhe receitou Valium. "A mania envolveu minha mente, mas meu corpo estava terrivelmente lento", ela me contou mais tarde. Na festa de Natal que ela e o marido deram no mês seguinte, ela se enfureceu e jogou uma mousse de truta nele. Então ela subiu ao andar de cima da casa e engoliu o resto do Valium. O marido a levou para o pronto-socorro e disse à equipe atendente que não conseguia lidar com ela. Laura foi colocada numa clínica de doenças mentais e lá ficou durante o Natal. Quando voltou para casa, fortemente medicada, "o casamento havia acabado. Nós nos arrastamos durante o ano seguinte todo, mas no Natal, quando fomos a Paris, olhei para meu marido na mesa de jantar e pensei: 'Não estou mais feliz agora do que há um ano no hospital'." Então mudou-se; conheceu um novo namorado bem depressa e passou a morar em Austin para ficar com ele. A depressão tornou-se bastante regular a partir de então, pelo menos uma vez por ano.

Em setembro de 1998, Laura me escreveu para relatar um surto breve e repentino "daquela terrível ansiedade letárgica". Em meados de outubro, começou a afundar e sabia disso. "Ainda não estou em plena depressão, mas começo a ficar um pouco lenta — isto é, tenho que me concentrar em cada coisa que faço, cada vez mais intensamente. Não estou completamente deprimida nesse momento, mas já entrei em recessão." Ela começou a tomar Wellbutrin. "Detesto essa sensação de distanciamento", queixou-se. Logo depois, começou a passar dias na cama. O medicamento estava falhando de novo. Laura se afastou de pessoas pouco relevantes e concentrou-se em seus cachorros. "Quando meus apetites habituais são afetados pela depressão — minha necessidade de riso, sexo, comida —, os cachorros me oferecem meus únicos momentos realmente iluminados."

No início de novembro, ela reclamou: "Agora tomo banhos de banheira porque não consigo aguentar a água do chuveiro batendo em mim e escorrendo pelo meu corpo de manhã. Neste momento, parece um modo violento demais de começar o dia. Dirigir é tão difícil quanto. Assim como ir ao caixa automático, fazer compras — qualquer coisa." Ela alugou o filme *O mágico de Oz* para se distrair, "mas as partes tristes me fizeram chorar". Seu apetite desaparecera. "Tentei comer um pouco de atum hoje, mas vomitei, então comi só um pouco do arroz que preparei para os cachorros." Ela se queixou de que até visitas ao médico a faziam se sentir mal. "É difícil ser honesta com ele a respeito de como me sinto porque não quero desapontá-lo."

Mantivemos nossa correspondência diária. Quando lhe perguntei se não achava difícil continuar escrevendo, ela respondeu: "Dar atenção aos outros é o modo mais simples de obter atenção *dos* outros. É também o modo mais simples de manter as coisas em perspectiva. Tenho necessidade de compartilhar minha obsessão comigo mesma. Tenho tal consciência dela em minha vida neste momento que me encolho cada vez que toco no cerne do meu eu. (Ai! Ai!) Meu dia, até agora, tem sido dedicado a me FORÇAR a fazer as mínimas coisas e tentar avaliar a gravidade da situação — estou realmente deprimida? Sou apenas preguiçosa? Essa ansiedade é provocada por excesso de café ou de antidepressivos? O processo de autoavaliação me fez começar a chorar. O que aborrece a todos é que eles não podem FAZER coisa alguma para ajudar, a não ser estarem presentes. Eu dependo do e-mail para me manter sã! Pontos de exclamação são pequenas mentiras."

Mais tarde, naquela semana: "São dez horas da manhã e já me sinto esmagada pela perspectiva do dia de hoje. Estou tentando, estou tentando. Ando para cima e para baixo à beira das lágrimas, cantarolando: 'Está tudo bem, está tudo bem', e respirando fundo. Meu objetivo é permanecer com segurança entre a autoanálise e a autodestruição. Eu sinto que estou sugando a energia das pessoas nesse momento, inclusive a sua. Só posso pedir, sem dar nada em troca. No entanto, acho que se vestir algo que gosto, prender o cabelo e levar os cachorros comigo, me sentirei suficientemente forte para ir até a loja e comprar suco de laranja".

Pouco antes do dia de Ação de Graças, ela escreveu: "Hoje vi fotos antigas. Elas me pareceram instantâneos da vida de outra pessoa. A medicação nos cobra um preço tão alto!". Mas logo, pelo menos, estava levantando. "Hoje, tive alguns momentos bons", escreveu no final do mês. "Quero mais, por favor, seja lá quem os conceda. Consegui caminhar entre a multidão e não me sentir constrangida." No dia seguinte, ela teve uma pequena recidiva. "Eu *estava* me sentindo melhor e esperava que isso fosse o começo de algo maravilhoso, mas hoje senti muita ansiedade, do tipo 'estou caindo para trás', 'tem algo apertando meu esterno'. Mas ainda tenho alguma esperança, o que ajuda." No dia seguinte, as coisas pioraram. "Meu humor continua sombrio. Sinto terror pela manhã e desamparo no final da tarde." Ela descreve a ida ao parque com o namorado. "Ele comprou um panfleto que identificava todas as plantas. Junto à descrição de uma árvore, havia a seguinte frase: TODAS AS PARTES SÃO MORTALMENTE VENENOSAS. Pensei que talvez eu pudesse encontrar a árvore, mastigar uma folha ou duas, me aninhar sob a sombra de uma rocha e desaparecer no sono. Sinto falta da Laura que teria adorado colocar um biquíni, deitar ao sol de hoje e fitar o céu azul, azul! Ela foi arrancada de mim por uma feiticeira má e substituída por uma moça horrível! A depressão leva embora tudo que eu realmente gosto em mim (o que não é tanto assim, para princípio de conversa). Sentir-se desamparada e desesperada é apenas um modo mais lento de estar morta. Nesse meio-tempo, tento funcionar através desses grandes blocos de horror. Posso entender por que o chamam de 'meio'."

Uma semana depois, contudo, ela estava bem melhor. Então, de repente, perdeu as estribeiras quando o caixa da loja de conveniência começou a registrar as compras de outra pessoa na frente das suas. Com uma fúria nada habitual, ela berrou: "MEU DEUS! Isso aqui é uma loja de *conveniência* ou uma barraca de cachorro-quente, porra?", e saiu sem seu refrigerante. "É apenas uma subida com muitas pedras. Estou tão cansada de falar sobre isso, pensar sobre isso." Quando o namorado lhe disse que a amava, ela irrompeu em lágrimas. No dia seguinte, estava se sentindo melhor, comeu duas vezes e comprou um par de meias. Foi para o parque e subitamente sentiu o impulso de se sentar no balanço. "Enquanto na semana passada fui assolada pela sensação de estar caindo para trás, agora foi tão bom balançar. Você fica com a sensação oposta: um sentimento leve, o vento batendo no meio do peito, como quando sobe uma colina de carro na velocidade exata. É ótimo fazer algo tão simples. Comecei a me sentir um pouco mais eu mesma; e mais leve, esperta e espirituosa novamente. Não vou desejar muito mais, só a ausência de preocupações abstratas, de peso ou tristeza inexplicável, parecia tão rica, verdadeira e boa que, por uma vez, não tive vontade de chorar. Sei que os outros sentimentos voltarão, mas acho que tive uma trégua esta noite, provocada por Deus e pelos balanços, um lembrete para ser esperançosa e paciente, um augúrio de boas coisas por vir." Em dezembro, ela teve uma reação adversa ao lítio, que deixou sua pele intoleravelmente seca. Então diminuiu a dose do remédio e começou a tomar Neurontin. Pareceu funcionar. "Voltar para o centro, *um* centro, conhecido como EU, parece ótimo e verdadeiro", escreveu ela.

No outubro seguinte, finalmente nos conhecemos. Ela estava hospedada com a mãe em Waterford, na Virginia, uma cidade bela e antiga na periferia de Washington, o lugar onde crescera. Àquela altura, já gostava tanto dela que não conseguia acreditar que jamais tínhamos nos encontrado. E ela veio me buscar na estação de trem trazendo seu amigo Walt, que eu também via pela primeira vez. Ela era esbelta, loura e linda. Mas o período com sua família estava trazendo à tona lembranças demais e ela não estava bem. Sentia-se desesperadamente ansiosa, tão ansiosa que tinha problemas para falar. Num sussurro rouco, pediu desculpas por seu estado. Seus movimentos claramente exigiam enorme esforço. Ela disse que vinha piorando a semana toda. Perguntei se minha presença estava dificultando ainda mais a situação e ela me garantiu que não. Fomos almoçar, e Laura pediu mexilhões. Pareceu incapaz de comê-los. Suas mãos tremiam muito, e quando tentou abrir algumas conchas o molho espirrou nela. Ela não conseguia falar e comer os mexilhões ao mesmo tempo, então Walt e eu conversamos. Ele descreveu a piora gradual de Laura durante a semana, e ela emitiu pequenos sons de aquiescência. A essa altura, ela já desistira dos mexilhões e dava atenção total a um copo de vinho branco. Fiquei de fato muito chocado: ela me avisara que as coisas estavam ruins, mas não me preparara para sua aura de inutilidade.

Deixamos Walt e então assumi a direção do carro de Laura, já que ela estava abalada demais para fazê-lo. Quando voltamos à casa, vi como sua mãe estava preocupada. Laura e eu tivemos uma conversa às vezes coerente, às vezes não; parecia que ela estava falando de um lugar distante. E então, enquanto olhávamos algumas fotos, ela subitamente empacou. Eu jamais vira ou imaginara algo assim. Laura estava me explicando quem era quem nas fotos e começou a se repetir. "Esta é Geraldine", disse, e então pestanejou e começou de novo, apontando: "Esta é Geraldine", e depois novamente: "Esta é Geraldine", cada vez levando mais tempo para pronunciar as sílabas. Seu rosto congelara, e ela parecia ter dificuldade em mover os lábios. Chamei sua mãe e seu irmão, Michael. Ele pôs as mãos nos ombros de Laura e disse: "Tudo bem, Laura. Tudo bem". Mais tarde, conseguimos levá-la para cima: ela continuava repetindo: "Esta é Geraldine". A mãe trocou suas roupas respingadas de mexilhão, colocou-a na cama, sentou-se e afagou sua mão. O encontro estava longe de ser o que eu imaginara.

Depois, descobriu-se que alguns dos remédios de Laura estavam tendo uma interação ruim e causaram o surto. Eram a causa da estranha rigidez da tarde, da perda da fala, da hiperansiedade. No final do dia, ela já havia superado o pior, mas "toda cor havia desaparecido de minha alma, todo o eu desaparecera do eu que eu amava; meu corpo era uma concha esvaziada do que havia sido". Laura foi logo posta numa nova rotina de remédios. Somente no Natal ela começou a se sentir como antes; e depois, em março de 2000, exatamente quando as coisas pareciam melhorar, ela teve novos surtos. "Estou tão assustada", ela me escreveu. "E tão humilhada. É patético que as melhores notícias que tenho para compartilhar sejam a ausência de convulsões." Seis meses depois, os surtos a atingiram de novo. "Não posso ficar retomando minha vida continuamente", disse. "Tenho tanto medo dos surtos que fico ansiosa — hoje saí de casa para o trabalho e vomitei em mim mesma enquanto dirigia. Tive que voltar para casa e mudar a roupa para poder ir ao escritório. Cheguei atrasada, e disse a eles que estava tendo ataques, mas eles apenas me deram um aviso disciplinar. Meu médico quer que eu tome Valium, mas o remédio me faz desmaiar. Esta é minha vida agora. Esta será sempre a minha vida, essas terríveis quedas até o inferno. As lembranças horríveis. Será que vou aguentar viver assim?"

Será que vou aguentar viver assim? Bem, alguém de nós aguenta viver com suas próprias dificuldades? A maioria de nós consegue. Vamos em frente. As vozes do passado voltam como vozes dos mortos para se mostrarem solidários perante a mutabilidade das coisas e a passagem dos anos. Quando estou triste, lembro demais: sempre de minha mãe e de quem eu era quando sentávamos na cozinha e conversávamos, desde meus cinco anos até sua morte, aos meus 27 anos; de como o cacto de Natal de minha avó florescia a cada ano até ela morrer, quando eu tinha 25 anos; daquela vez em Paris em meados dos anos 1980, com Sandy, a amiga de mamãe, que queria dar seu chapéu verde para Joana d'Arc, Sandy, que morreu dois anos depois; de meu tio-avô Don e minha tia-avó Betty e dos chocolates que guardavam na gaveta de cima de seu armário; dos primos de meu pai, Helen e Alan, de minha tia Dorothy e de todos os outros que se foram. Ouço as vozes dos mortos o tempo todo. É à noite que essas pessoas e meus próprios eus passados vêm me visitar, e quando acordo e percebo que não estamos mais no mesmo mundo, sinto aquele estranho desespero, algo além da tristeza comum e, por um momento, estreitamente ligado à angústia da depressão. Mesmo assim, se sinto falta deles e do passado que construíram para mim e comigo, sei bem que o caminho para seu amor ausente está em prosseguir. É depressão quando penso como preferia ir lá para onde foram e parar o combate maníaco de continuar vivo? Ou apenas faz parte da vida, continuar vivendo de todas as maneiras que não conseguimos aguentar?

Acho o passado, a realidade da passagem do tempo, tremendamente difícil. Minha casa está cheia de livros que não consigo ler, discos que não consigo ouvir e fotos que não consigo olhar por terem uma ligação forte demais com o passado. Quando vejo amigos da faculdade, tento não conversar muito sobre um tempo em que eu era tão feliz — não necessariamente mais feliz do que sou agora, mas com um sentimento especial e específico que jamais voltará. Aqueles dias de jovem esplendor me perturbam. Esbarro nos prazeres passados o tempo todo, e esses prazeres são para mim muito mais difíceis de enfrentar do que as dores passadas. Pensar num tempo negro que passou: bem, sei que o estresse pós--traumático é um mal terrível, mas para mim os traumas do passado estão piedosamente distantes. Os prazeres do passado, porém, são duros. A lembrança dos velhos tempos com as pessoas que não estão mais vivas ou que não são mais quem eram: daí vem a pior dor atualmente. Não me façam lembrar, digo para os restos dos prazeres passados. A depressão pode facilmente ser a consequência tanto do excesso do que foi alegre quanto do excesso do que foi horrível. Existe o estresse pós-alegria também. O pior da depressão está num momento presente que não consegue escapar do passado que idealiza ou lamenta.

3. Tratamentos

Há duas modalidades principais de tratamento para a depressão: psicoterapias, que lidam com palavras, e terapias de intervenção física, que incluem os cuidados farmacológicos e o eletrochoque ou terapia eletroconvulsiva. Conciliar a compreensão psicossocial com a compreensão psicofarmacológica da depressão é difícil, mas necessário. É extremamente perigoso que tantas pessoas pensem que um tratamento dispensa o outro. A medicação e a terapia não deveriam competir por uma população limitada de depressivos: deviam ser terapias complementares que podem ser usadas juntas ou separadamente, dependendo da situação do paciente. O conceito biopsicossocial de terapia continua a nos escapar, trazendo consequências graves. É moda os psiquiatras darem primeiro a causa da depressão (baixa de níveis de serotonina ou antigos traumas são as mais populares) e depois, como se houvesse um vínculo lógico, a cura; mas isso é papo-furado. "Eu não acredito que problemas com causas psicossociais exijam, necessariamente, um tratamento psicossocial; nem que depressões de origem biológica exijam um tratamento biológico", disse Ellen Frank, da Universidade de Pittsburgh. É surpreendente ver que pacientes que se recuperam da depressão através da psicoterapia mostram as mesmas mudanças biológicas — por exemplo, no eletroencefalograma do sono (EEG) — que aqueles que recebem medicação.

Enquanto a psiquiatra tradicional encara a depressão como uma parte integral da pessoa que a sofre e tenta produzir mudanças na estrutura de sua personalidade, a psicofarmacologia, em sua forma mais pura, vê a doença como um desequilíbrio determinado por razões externas e que pode ser corrigido sem referência ao resto da personalidade. O antropólogo T. M. Luhrmann escreveu recentemente sobre os perigos que se apresentam por essa divisão na psiquiatria moderna: "Os psiquiatras deveriam enxergar essas abordagens como instrumentos variados numa mesma caixa de ferramentas. No entanto, aprendem que são instrumentos diferentes, baseados em diferentes modelos e usados para objetivos diferentes".[1] "A psiquiatria", diz William Normand, um psicanalista que usa medicações quando sente que são úteis, "passou de uma prática sem cérebro para uma sem mente" — profissionais que antes negligenciavam o cérebro fisiológico em favor do emocional agora negligenciam a mente emocional em favor da química do cérebro. O conflito entre a terapia psicodinâmica e a medicação é, no fim das contas, um conflito moral: tendemos categoricamente a acreditar que, se o problema responde ao diálogo psicoterapêutico, é um problema que você deveria ser capaz de superar com simples rigor, enquanto um problema que reage à ingestão química não é sua culpa e não exige rigor algum. Na verdade, uma depressão raramente é causada apenas por culpa de quem a sofre, e quase toda depressão pode melhorar através do rigor. Antidepressivos ajudam os que ajudam a si mesmos. Se você se esforça demais, ficará pior, mas precisa se esforçar o suficiente se realmente quiser melhorar. A medicação e a terapia são instrumentos que devem ser usados quando necessário. Não se censure nem seja indulgente demais consigo mesmo. Melvin McInnis, psiquiatra no hospital Johns Hopkins, fala de "volição, emoção e cognição" como elementos que correm em ciclos interligados, quase como biorritmos. Sua emoção afeta a volição e a cognição, mas não se apodera delas.

As psicoterapias se originam da psicanálise, que por sua vez tem origem no ritual de expor os pensamentos perigosos oralmente, formalizado inicialmente pela doutrina confessional da Igreja. A psicanálise é uma forma de tratamento na qual técnicas específicas são usadas para desenterrar o trauma que desencadeou uma neurose. Habitualmente, requer muito tempo — quatro ou cinco horas por semana é o padrão — e dedica-se a trazer o conteúdo da mente inconsciente à tona. Agora é moda criticar Freud e as teorias psicodinâmicas que herdamos dele, mas na verdade o modelo freudiano, embora falho, é excelente. Ele contém, nas palavras de Luhrmann, "uma visão da complexidade humana, da profundidade, uma forte exigência de luta contra as recusas próprias de cada um e um respeito pela dificuldade da vida humana".[2] Enquanto as pessoas discutem entre si sobre problemas específicos na obra de Freud e o censuram pelos preconceitos de sua época, elas deixam escapar a verdade fundamental do seu texto, a sua grande humildade: a de que frequentemente não conhecemos nossas próprias motivações e somos prisioneiros do que não compreendemos. Podemos reconhecer apenas um pequeno fragmento dos nossos ímpetos e um fragmento ainda menor dos ímpetos de outra pessoa. Se aproveitarmos apenas isso de Freud — e podemos chamar essa força das motivações de "inconsciente" ou "a desregulação de certos circuitos cerebrais" —, teremos uma base para o estudo da doença mental.

A psicanálise explica bem as coisas, mas não é eficiente ao tentar mudá-las. O enorme poder do processo psicanalítico parece ser desperdiçado se o objetivo do paciente é uma transformação imediata de seu estado de espírito. Quando descubro que alguém está usando a psicanálise para melhorar da depressão, me vem a imagem de uma pessoa em pé num banco de areia disparando uma metralhadora contra a maré montante. As terapias psicodinâmicas que saíram da psicanálise, entretanto, têm um papel fundamental. Uma vida que nunca foi examinada raramente pode ser consertada sem um exame atento, e a psicanálise nos ensina que tal exame é quase sempre revelador. As escolas de psicoterapia mais populares são aquelas em que um cliente fala com um médico sobre seus sentimentos e experiências atuais. Por muitos anos, falar sobre depressão era considerado a melhor cura. Ainda é uma cura. "Tome notas", escreveu Virginia Woolf em Os anos, "que a dor passa."[3] Esse é o processo subjacente à maioria das escolas de psicoterapia. O papel do médico é ouvir atenta e estritamente enquanto o cliente entra em contato com suas verdadeiras motivações, para que ele possa compreender por que age como age. A maioria das terapias psicodinâmicas baseia-se no princípio de que nomear um problema é uma boa maneira de dominá-lo e de que conhecer a fonte de um problema pode ser útil ao resolvê-lo. Tais terapias, porém, não se restringem ao conhecimento: elas ensinam estratégias para conduzir o conhecimento para a melhora do paciente. O médico pode também dar respostas não críticas que levarão o cliente ao insight que pode modificar seu comportamento e assim melhorar sua qualidade de vida. A depressão é frequentemente ocasionada pelo isolamento. Um bom terapeuta pode ajudar uma pessoa deprimida a se conectar com as pessoas ao seu redor e estabelecer estruturas de apoio que suavizam a severidade da depressão.

Para algumas pessoas obstinadas, o insight emocional não tem sentido. "Quem se importa com motivos e origens?", pergunta Donald Klein, um importante farmacologista da Universidade Columbia. "Ninguém derrubou Freud ainda porque ninguém desenvolveu uma teoria um pouquinho melhor do que todo aquele conflito internalizado. A questão é que podemos agora tratá-lo; filosofar de onde ele vem não teve até agora a menor utilidade terapêutica."

É verdade que a medicação tem nos libertado, mas devemos nos importar com as origens da doença. Steven Hyman, diretor do Instituto Nacional de Saúde Mental (National Institute of Mental Health, NIMH), diz: "Em se tratando de doenças coronarianas, nós não nos limitamos a receitar remédios. Também pedimos ao paciente que limite a ingestão de colesterol, passamos uma rotina de exercícios, fazemos um aconselhamento alimentar e talvez até o ajudemos a controlar seu estresse. O processo combinatório não é unicamente para as doenças mentais. O debate que coloca a medicação em oposição à terapia é ridículo. Ambas são questões empíricas. É meu entendimento filosófico que os dois devem funcionar bem juntos, porque a medicação deixa as pessoas mais disponíveis para a psicoterapia, ela ajuda a iniciar um processo espiral crescente".[4] Ellen Frank realizou vários estudos mostrando que a terapia não é nem de longe tão eficaz para tirar pessoas da depressão quanto as drogas, mas que a terapia tem um efeito protetor contra a recorrência. Embora os dados nesse campo sejam complicados, eles sugerem que a combinação de drogas e terapia funciona melhor do que cada uma das duas sozinhas. "É a estratégia de tratamento adequada para impedir um próximo episódio da depressão", diz ela. "Não está claro para mim quanto espaço haverá no futuro do sistema de saúde para uma visão integrada dessa questão, e isso é assustador." Martin Keller, do Departamento de Psicologia da Universidade Brown, descobriu num estudo recente sobre pessoas com depressão, ao trabalhar com uma equipe de cientistas de várias universidades, que menos da metade experimentou uma melhora significativa apenas usando remédio, que menos da metade experimentou uma melhora significativa com análise comportamental cognitiva e que mais de 80% experimentaram uma melhora significativa depois de serem tratados com as duas coisas. A causa a favor da combinação é bastante incontestável. Exasperado, Robert Klitzman, da Universidade Columbia, diz: "O Prozac não deveria tornar o insight *desnecessário*; deveria torná-lo *possível*". E Luhrmann escreve: "Os médicos sentem que foram treinados para ver e entender uma infelicidade grotesca, no entanto tudo que lhes é permitido é distribuir um picolé biomédico ao prisioneiro dessa infelicidade e depois virar as costas".

Se uma experiência real desencadeou sua descida à depressão, você tem uma necessidade inerente à sua condição humana de entendê-la, mesmo quando deixou de experimentá-la; a limitação da experiência que se consegue com remédios químicos não é equivalente à cura. Tanto o problema quanto o fato de que o problema existe geralmente requerem atenção urgente. É possível que mais pessoas sejam tratadas em nossa era pró-medicação; a saúde pública de uma maneira geral pode aumentar. Mas é terrivelmente perigoso pôr a psicoterapia em segundo plano. A terapia permite ao paciente entender o novo eu que ele adquiriu com a medicação e aceitar a perda do eu que ocorreu durante um colapso. Você precisa renascer após um episódio grave e aprender os comportamentos que podem protegê-lo contra a recidiva. Você precisa levar sua vida de modo diferente do que levava antes. "É tão difícil regular sua vida, o sono, a alimentação, o exercício, sob quaisquer circunstâncias", comenta Norman Rosenthal, do NIMH. "Pense como é duro fazê-lo quando se está deprimido! Você precisa de um terapeuta como uma espécie de treinador, para mantê-lo ativo. A depressão é uma doença, não uma escolha de vida, e você precisa de ajuda ao passar por ela." "Os remédios tratam a depressão", disse o meu terapeuta. "Eu trato os depressivos." O que o acalma? O que aumenta seus sintomas? Não há nenhuma diferença, do ponto de vista químico, entre a depressão que foi desencadeada pela morte de um membro da família e a depressão causada pelo término de um caso de duas semanas. Embora reações extremas pareçam mais racionais na primeira instância que na segunda, a experiência clínica é quase idêntica. Como disse Sylvia Simpson, uma clínica do hospital Johns Hopkins: "Se tem cara de depressão, trate-a como depressão".

Quando comecei a me encaminhar para meu segundo colapso, eu encerrara a psicanálise e estava sem terapeuta. Todos me diziam categoricamente que eu devia encontrar um novo terapeuta. Encontrar alguém quando você está se sentindo animado e comunicativo já é pesado e assustador, mas fazê-lo quando você se vê nas garras de uma depressão séria está além de suas capacidades. É importante procurar bem para encontrar um bom terapeuta. Tentei onze em seis semanas. Para cada um dos onze terapeutas, ensaiei a litania de meus lamentos até parecer que estava recitando um monólogo tirado de uma peça escrita por outra pessoa. Alguns dos terapeutas que entrevistei pareciam sábios. Alguns eram inacreditáveis. Uma mulher cobria toda a mobília com papel celofane para protegê-la de seus cães barulhentos; ela ficava me oferecendo pedaços de um peixe de aparência bolorenta que comia de um recipiente de plástico. Fui embora quando um dos cachorros fez xixi no meu sapato. Um terapeuta me deu o endereço de seu consultório errado ("Ah, é o endereço de meu consultório antigo!"), e outro me disse que eu não tinha problemas de verdade e que devia me animar um pouco. Uma mulher me afirmou que não acreditava na emoção, e um homem parecia só acreditar nela. Havia o cognitivista, o freudiano que roía as unhas a sessão inteira, o junguiano e o autodidata. Um terapeuta vivia me interrompendo para dizer que eu era *exatamente* como ele. Vários pareciam simplesmente não entender quando eu tentava explicar quem era. Eu imaginara por muito tempo que meus amigos bem-ajustados deviam ter bons terapeutas. Descobri contudo que muitas pessoas bem-ajustadas e com relações francas com seus maridos ou mulheres estabelecem relações lunáticas com médicos esquisitos em prol — só se pode pensar assim — do equilíbrio. "Tentamos fazer estudos que comparam as drogas com a terapia", diz Steven Hyman. "Mas fizemos algum estudo longitudinal sobre terapeutas brilhantes *versus* terapeutas incompetentes? Nessa área, somos bandeirantes desbravando novos territórios."

Por fim, fiz uma escolha que tem me feito muito feliz — alguém cuja mente parecia rápida e em quem eu via traços de uma verdadeira humanidade. Escolhi-o porque parecia inteligente e leal. Dada minha experiência ruim com a analista que interrompera minha análise e me impedira de tomar medicamento quando eu precisava desesperadamente dele, comecei meu tratamento na defensiva e precisei de uns bons três ou quatro anos para confiar em meu terapeuta. Ele tem sido firme e constante em meio a períodos tumultuados de crise, e divertido durante os bons tempos. Valorizo muito o senso de humor em alguém com quem tenho que passar tanto tempo. Ele tem trabalhado bem com o meu psicofarmacologista. No final, conseguiu me convencer de que sabe o que está fazendo e de que quer ajudar. Valeu a pena tentar dez outros primeiro. Não vá a um terapeuta se você não gosta dele. As pessoas de quem não gosta, por mais que sejam habilidosas, não podem ajudá-lo. Se você acha que é mais esperto do que seu médico, provavelmente está certo: um diploma em psiquiatria ou psicologia não é garantia de genialidade. Tenho o maior cuidado ao escolher um psiquiatra. É impressionante a quantidade de pessoas que se dispõem a dirigir vinte minutos a mais para ir a um bom tintureiro e que se queixam ao gerente do supermercado quando não tem sua marca favorita de molho de tomate; mas que, no entanto, escolhem o psiquiatra como se este fosse um prestador de serviços genérico. Lembre-se, você está no mínimo pondo sua mente nas mãos dessa pessoa. Lembre-se também de que precisa dizer ao psiquiatra o que não pode mostrar a ele. "É tão mais difícil", escreveu-me Laura Anderson, "confiar em alguém quando o problema é tão nebuloso que você não consegue saber se ele o entendeu; é mais difícil para ele confiar em você, também." Tornei-me inacreditavelmente reservado com psiquiatras mesmo quando estou me sentindo totalmente arrasado. Sento-me reto na poltrona e não choro. Eu me retrato com ironias e uso humor negro num estranho esforço para encantar os que me tratam, gente que na verdade não deseja ser conquistada. Às vezes cogito se meus psiquiatras acreditam em mim quando lhes conto como me sinto, uma vez que posso ouvir o distanciamento de minha voz. Imagino como devem detestar essa grossa máscara de sociabilidade através da qual meus sentimentos penetram tão ligeiramente. Com frequência, eu gostaria de poder ficar inteiramente emotivo no consultório do psiquiatra. Nunca consegui definir o espaço da terapia como privado. O modo como falo com meu irmão, por exemplo, escapa de mim quando estou com meus médicos. Suponho que me exporia demais. Apenas de vez em quando, de uma forma maravilhosa, uma fagulha de minha realidade abre caminho com sua essência, em vez de ser filtrada pela descrição.

Um dos modos de julgar um psiquiatra é observar até que ponto ele julga você bem. A arte de uma filtragem inicial está em fazer as perguntas certas. Durante minha pesquisa, não participei de entrevistas psiquiátricas confidenciais, mas assisti a entrevistas para internações em hospitais e fiquei surpreso com a variedade de abordagens em relação aos pacientes deprimidos. A maioria dos bons psiquiatras começava por deixar o paciente contar sua história e então passava bruscamente para entrevistas altamente estruturadas, nas quais buscavam informações específicas. A capacidade de conduzir bem essa entrevista é uma das habilidades mais importantes de um clínico. Sylvia Simpson, médica do hospital Johns Hopkins, descobriu nos primeiros dez minutos da entrevista com uma paciente que acabara de dar entrada por uma tentativa de suicídio que ela tinha doença bipolar. A psiquiatra dessa mulher, que a tratara por cinco anos, não chegara a esse diagnóstico extremamente básico e lhe havia receitado antidepressivos sem estabilizadores do humor — uma rotina de remédios inadequada para pacientes bipolares que com frequência acabam sofrendo de estados agitados mistos. Quando perguntei a Simpson sobre isso, ela disse: "Foram necessários vários anos de trabalho contínuo para chegar às perguntas daquela entrevista". Mais tarde, presenciei entrevistas com pessoas que recentemente haviam ficado sem teto realizadas por Henry McCurtiss, chefe de psiquiatria do hospital Harlem. Ele passava pelo menos metade de cada entrevista de vinte minutos recolhendo histórias inacreditavelmente detalhadas sobre a moradia prévia de seus pacientes. Quando lhe perguntei por que insistia nessa questão, ele disse: "Os que moraram num único lugar por longos períodos ficam temporariamente sem casa por circunstâncias difíceis, mas são capazes de ter vidas bem reguladas, e exigem, primordialmente, uma intervenção social. Os que se mudaram constantemente, se tornaram repetidamente sem teto ou não conseguem lembrar de onde viveram têm provavelmente uma doença grave subjacente e demandam, primordialmente, uma intervenção psiquiátrica". Tenho sorte de ter um bom seguro que me paga consultas semanais com um terapeuta e visitas mensais com um psicofarmacologista. A maioria dos sem-teto adora as medicações, comparativamente baratas. Mas não gosta de psicoterapias e hospitalizações, que exigem muito tempo e custam caro.

Os dois tipos de psicoterapia que têm os melhores índices de sucesso para o tratamento da depressão são a terapia cognitivo-comportamental (TCC) e a terapia interpessoal (TIP). A TCC é uma forma de terapia psicodinâmica — baseada nas reações emocionais e mentais a eventos externos, no presente e na infância —, e é dirigida para a obtenção de objetivos específicos.[5] O sistema foi desenvolvido por Aaron Beck, da Universidade da Pensilvânia, e é agora usado por todos os Estados Unidos e a maior parte da Europa Ocidental. Segundo Beck, os pensamentos do paciente sobre si mesmo são frequentemente destrutivos, e ao forçar sua mente a pensar de uma forma determinada pode-se de fato mudar sua realidade — é um programa denominado por um de seus colaboradores de "otimismo aprendido".[6] Ele acredita que a depressão é consequência de uma falsa lógica, e que, corrigindo os raciocínios negativos, a pessoa pode obter uma saúde mental melhor. A TCC ensina a objetividade.

O terapeuta começa ajudando o paciente a elaborar uma lista de "dados históricos de vida", a sequência de dificuldades que o conduziram à sua atual posição. Então o terapeuta mapeia as reações a essas dificuldades e tenta identificar padrões característicos. O paciente aprende por que acha certos acontecimentos tão deprimentes e tenta se libertar de reações inadequadas. Essa parte macroscópica da TCC é seguida pela microscópica, na qual o paciente aprende a neutralizar seus "pensamentos automáticos". Os sentimentos não são respostas diretas ao mundo. O que acontece no mundo afeta nossa cognição, e esta por sua vez afeta os sentimentos. Se o paciente pode alterar a cognição, então pode alterar os estados de espírito concomitantes. Por exemplo, uma paciente pode aprender a ver as preocupações do marido como reações razoáveis às demandas do local de trabalho, em vez de uma rejeição a ela. Ela pode então ver como seus próprios pensamentos automáticos (de ser uma imbecil, incapaz de ser amada) se transformam em emoção negativa (autocensura) e identificar como essa emoção negativa leva à depressão. Uma vez que o ciclo é quebrado, a paciente pode atingir algum autocontrole. Ela aprende a distinguir entre o que realmente acontece e suas ideias sobre o que acontece.

A TCC funciona segundo regras específicas. O terapeuta passa muito dever de casa: listas de experiências positivas e listas de experiências negativas devem ser feitas e às vezes elas são colocadas em diagramas. O terapeuta apresenta os objetivos para cada sessão, continua de um modo estruturado e termina com um sumário do que tem sido realizado. Fatos e conselho são especificamente excluídos da conversa do terapeuta. Identificam-se momentos prazerosos no dia do paciente e ele é instruído na arte de incluir prazer emocional em sua vida. O paciente deve se tornar atento a sua cognição, de modo que possa se deter quando se arrisca em direção a um padrão negativo e mudar seu processamento para um sistema menos prejudicial. Toda essa atividade é padronizada em exercícios. A TCC ensina a arte da autoconsciência.

Nunca usei a TCC, mas tenho aprendido algumas coisas com ela. Se você sente vontade de rir durante uma conversa, pode às vezes parar de rir forçando sua mente a se concentrar em algum assunto triste. Se está numa situação na qual esperam de você sensações sexuais que na verdade não está tendo, você pode se transportar para um mundo de fantasia muito remoto da realidade que está vivendo, e suas ações e as ações de seu corpo podem ocorrer muito mais dentro desse artifício do que na realidade presente. Essa é a estratégia subjacente da terapia cognitiva. Se você se descobre pensando que ninguém jamais poderia amá-lo e que a vida não tem sentido, pode redimensionar sua mente e forçar a lembrança, por menor que seja, de uma época melhor. É duro lutar com a própria consciência, porque não há nenhum instrumento nessa batalha a não ser a própria consciência. Pense apenas em coisas adoráveis, adoráveis e maravilhosas, e elas minarão a dor. Pense no que não tem vontade de pensar. Pode ser falso e autoilusório de certa maneira, mas funciona. Expulse da mente as pessoas associadas à sua perda: proíba-as de entrarem em sua consciência. A mãe que abandona, o amante cruel, o patrão odioso, o amigo desleal — tranque-os lá fora. Isso ajuda. Sei quais pensamentos e preocupações podem me deixar arrasado, e sou cuidadoso em relação a eles. Por exemplo, penso em amantes de outrora e sinto uma ausência física dolorosa. Sei que tenho que abandonar tais pensamentos e preocupações e tentar não invocar um excesso de imagens de uma felicidade que existiu entre nós e que, em sua forma material, há muito terminou. Melhor tomar uma pílula para dormir do que deixar a mente correr livre sobre tópicos dolorosos ao deitar na cama esperando o sono. Como um esquizofrênico a quem dizem para não ouvir vozes, estou sempre afastando tais imagens para longe.

Certa vez encontrei uma sobrevivente do Holocausto, uma mulher que passara mais de um ano em Dachau e vira toda a sua família morrer no campo. Eu lhe perguntei como havia lidado com aquilo. Ela me disse que entendera desde o início que, se se permitisse pensar no que estava acontecendo, enlouqueceria e morreria. "Decidi", contou-me, "pensar apenas nos meus cabelos, e por todo o tempo em que estive naquele lugar só pensei nisso. Pensava em quando poderia lavá-los, em tentar penteá-los com meus dedos, em como agir com os guardas para garantir que não raspassem minha cabeça. Passava horas combatendo os piolhos que infestavam todo o campo. Isso fazia com que minha mente se concentrasse em algo sobre o qual eu podia exercer algum controle, e preenchia minha mente de tal modo que me permitisse deixar de fora a realidade dos acontecimentos à minha volta, possibilitando que eu passasse por aquele período." É desse modo que o princípio da TCC pode ser levado ao extremo, sob circunstâncias extremas. Forçar seus pensamentos a seguir certos padrões pode salvá-lo.

Quando Janet Benshoof veio à minha casa pela primeira vez, ela me deixou maravilhado. Advogada brilhante, Jane é uma liderança na luta pelo direito ao aborto. Para todos os meus padrões, ela é uma pessoa incrível — muito culta, articulada, atraente, engraçada e despretensiosa. Faz perguntas com a experiência de quem consegue ler a verdade rapidamente. Com total controle sobre si mesma, falou das depressões que a deixavam arrasada. "Minhas realizações são as barbatanas de espartilho, me segurando de pé; sem elas, eu seria apenas um monte de nada no chão", disse. "Boa parte do tempo eu não sei quem ou o que elas estão sustentando, mas sei que são minha única proteção." Ela fez um considerável trabalho comportamental com um terapeuta que se dedicou às suas fobias. "Bem, voar era uma das piores", explica. "Ele me levava em viagens de avião e me monitorava. Eu tinha certeza de que encontraria alguém que não via desde a escola e que teria que apresentar esse gordo ao meu lado com a camisa estourando nas costuras: 'Este é o meu terapeuta comportamental, e só estamos aqui praticando tomar a ponte aérea'. Mas devo dizer que funcionou. Acompanhamos meus pensamentos exatos a cada minuto e os modificamos. Agora não tenho mais acessos de ansiedade em aviões."

A terapia cognitiva-comportamental é amplamente usada hoje em dia, e parece surtir um efeito considerável na depressão. A terapia interpessoal também parece ter resultados extremamente bons. O tratamento foi formulado por Gerald Klerman, da Universidade de Cornell, e sua esposa, Myrna Weissman, da Universidade Columbia.[7] A TIP se concentra na realidade imediata do dia a dia. Em vez de elaborar um esquema abrangente para toda uma história pessoal, ela conserta os problemas no presente. Seu objetivo não é tornar o paciente uma pessoa mais profunda, e sim ensiná-lo como tirar o máximo do que é. É uma terapia de curto prazo, com limites bem definidos. Ela parte do princípio de que muitas pessoas deprimidas têm agentes que causam o estresse e que desencadeiam a depressão ou surgem como consequência dela. Esses agentes podem ser eliminados através de uma interação bem monitorada com outros. O tratamento ocorre em dois estágios. No primeiro, ensina-se o paciente a compreender sua depressão como uma aflição externa e informa-se a ele sobre a predominância da desordem. Seus sintomas são classificados e nomeados. Ele assume o papel de um doente e identifica um processo de melhora. O paciente elabora listas de todas as suas relações correntes e, com o terapeuta, define o que obtém e o que quer de cada uma. O terapeuta trabalha com o paciente para entender quais são as melhores estratégias a fim de extrair das relações o que é necessário para sua vida. Problemas são separados em quatro categorias: dor, diferenças sobre seu papel em relação aos amigos íntimos e membros da família (o que você dá e o que espera em troca, por exemplo), estados de transição cheios de estresse na vida pessoal ou profissional (divórcio ou perda de emprego, por exemplo) e isolamento. O terapeuta e o paciente então estabelecem alguns objetivos factíveis e decidem quanto tempo trabalharão para atingi-los. A TIP expõe sua vida em termos claros e diretos.

É importante não suprimir seus sentimentos por completo quando você está deprimido. É igualmente importante evitar grandes discussões ou demonstrações de raiva. Você deve evitar comportamentos que são prejudiciais. As pessoas perdoam, mas é melhor não chegar ao ponto de o perdão ser necessário. Quando você está deprimido, precisa do amor de outras pessoas, e no entanto a depressão provoca ações que destroem esse amor. Os deprimidos geralmente enfiam alfinetes em seus próprios botes salva-vidas. A mente consciente pode intervir. Não se está desamparado. Pouco tempo depois de eu sair de minha terceira depressão, jantei com meu pai. Quando ele disse algo que me aborreceu, ouvi minha voz ficar esganiçada e minhas palavras cortantes e fiquei muito alarmado, pude ver o movimento de recuo de meu pai. Respirei profundamente e depois de uma boa pausa, eu disse: "Desculpe. Prometi não gritar com você e não ser manipulador, desculpe se agi assim". Isso parece sentimentaloide, mas a capacidade de intervir conscientemente faz de fato uma enorme diferença. Um amigo irônico certa vez me disse: "Por duzentos dólares a hora, é de esperar que meu psiquiatra possa mudar minha família e me deixar em paz". Infelizmente não funciona assim.

Embora a TCC e a TIP tenham pontos a seu favor, a eficiência da terapia depende de quem a pratica. Seu terapeuta tem muito mais importância do que a escolha de um sistema terapêutico. Alguém com quem você tem um vínculo profundo pode ajudá-lo muito apenas ao conversar com você num ambiente relaxado; alguém com quem você não tem vínculo não o ajudará, por mais que sua técnica seja sofisticada ou por melhores que sejam suas qualificações. As chaves são a inteligência e o insight: o formato no qual esse insight é comunicado e o tipo de insight usado são realmente secundários. Num importante estudo feito em 1979, mostrou-se que qualquer forma de terapia pode ser eficaz se certos critérios são preenchidos: que o terapeuta esteja agindo de boa-fé, que o cliente acredite no domínio da técnica pelo terapeuta, que o cliente goste e respeite o terapeuta e que o terapeuta tenha capacidade de formar relações de entendimento. Os pesquisadores escolheram professores ingleses dotados de compreensão humana e descobriram que, em média, os professores ingleses conseguiam ajudar seus pacientes tanto quanto os terapeutas profissionais.[8]

"A mente não pode existir sem o cérebro, mas pode influenciar o cérebro. É um problema pragmático e metafísico cuja biologia ainda não entendemos", diz Elliot Valenstein, professor emérito de psicologia e neurociência na Universidade de Michigan. A experiência pode ser usada para afetar o físico. Como diz James Ballenger, da Faculdade de Medicina da Carolina do Sul: "A psicoterapia muda a biologia. A terapia do comportamento muda a biologia do cérebro — provavelmente do mesmo modo que os remédios". Certas terapias cognitivas eficazes na diminuição da ansiedade baixam os níveis do metabolismo do cérebro enquanto, como imagem no espelho, as terapias farmacêuticas baixam os níveis de ansiedade. Esse é o princípio da medicação antidepressiva, que ao modificar os níveis de certas substâncias no cérebro mudam o modo como um paciente sente e age.

A maior parte do que ocorre no cérebro durante um colapso ainda é inacessível à manipulação externa. A pesquisa médica sobre a depressão focalizou atentamente a forma que os neurotransmissores são afetados, principalmente porque conseguimos afetar neurotransmissores.[9] Já que os cientistas sabem que baixar os níveis de certos neurotransmissores pode causar depressão, trabalham com a suposição de que aumentar os níveis desses mesmos neurotransmissores pode aliviar a depressão — e, de fato, drogas que aumentam esses níveis são em muitas instâncias antidepressivos eficientes. É reconfortante pensar que conhecemos a relação entre os neurotransmissores e o estado de ânimo, mas não a conhecemos. O mecanismo parece ser indireto. Pessoas com muitos neurotransmissores esbarrando-se dentro de suas cabeças não são mais felizes do que as que possuem poucos neurotransmissores. Em primeiro lugar, pessoas deprimidas geralmente não têm níveis baixos de neurotransmissores. Colocar serotonina extra no cérebro não provoca absolutamente um bem imediato; se você faz pessoas comerem mais triptofano (encontrado em determinados alimentos, inclusive no peru, bananas e tâmaras), que aumenta os níveis de serotonina, isso não surte efeito imediato algum, embora existam provas de que reduzir o triptofano na alimentação pode acentuar a depressão.[10] O presente enfoque da população na serotonina é, na melhor das hipóteses, ingênuo. Como disse secamente Steven Hyman, diretor do NIMH: "Há sopa de serotonina em demasia e neurociência de menos. Por enquanto, não estamos organizando o Dia da Valorização da Serotonina". Sob condições normais, a serotonina é expelida pelos neurônios e depois reabsorvida para ser expelida de novo. Os ISRSs (inibidores seletivos da recaptação de serotonina) bloqueiam a reabsorção, aumentando assim o nível da serotonina flutuando livremente no cérebro. A serotonina traça uma linha contínua no desenvolvimento das espécies: pode ser encontrada nas plantas, nos animais inferiores e nos seres humanos. Parece ter múltiplas funções, que variam de uma espécie para outra. Nos seres humanos, é um dos diversos mecanismos que controlam a constrição e dilatação de vasos sanguíneos. Ajuda a formar as cascas das feridas, provocando a coagulação que controla o sangramento. Está envolvida em reações anti-inflamatórias. Também afeta a digestão. Influi diretamente na regulação do sono, depressão, agressão e suicídio.[11]

Os antidepressivos levam um longo tempo para provocar mudanças palpáveis. Só após um período de duas a seis semanas os pacientes deprimidos sentem qualquer resultado significativo pela mudança em seus níveis de neurotransmissores. Isso sugere que a melhora envolve partes do cérebro que respondem a níveis alterados de neurotransmissores. Circulam muitas teorias, nenhuma delas definitiva. A mais aceita até pouco tempo atrás era a teoria do receptor.[12] O cérebro tem um número de receptores para cada neurotransmissor. Quando há mais transmissores, o cérebro precisa de menos receptores, porque os transmissores inundam todos os existentes. Quando há menos transmissores, o cérebro precisa de mais receptores para absorver cada pedacinho de neurotransmissor disponível. Assim, aumentar a quantidade de neurotransmissores faria o número de receptores diminuir, permitindo que células que vinham atuando como receptores se reespecializassem e assumissem outras funções. No entanto, uma pesquisa recente revela que os receptores não levam muito tempo para se reespecializarem; de fato, podem se alterar dentro de meia hora a partir de uma mudança nos níveis de neurotransmissores. Dessa forma, a teoria do receptor não explica a demora experimentada com antidepressivos. Ainda assim, muitos pesquisadores se atêm à noção de que uma mudança gradual na estrutura do cérebro explica a resposta retardada aos antidepressivos. O efeito das drogas é provavelmente indireto. O cérebro humano é surpreendentemente maleável. As células podem se reespecializar e mudar depois de um trauma; podem "aprender" novas funções. Aumentar os níveis de serotonina, fazendo com que certos receptores de serotonina encerrem o expediente, provoca reações em outras partes do cérebro, e essas reações mais adiante podem corrigir o desequilíbrio que fez a pessoa se sentir mal. Contudo, os mecanismos são completamente desconhecidos. "Há a ação imediata da medicação, que leva a uma caixa-preta da qual não conhecemos nada, que leva a uma cura", diz Allan Frazer, presidente do Departamento de Psicofarmacologia da Universidade do Texas, em San Antonio. "Você obtém o mesmo tipo de resultado aumentando a serotonina ou aumentando a norepinefrina. Elas levam a duas diferentes caixas-pretas? Levam à mesma caixa-preta? Uma coisa leva a outra que leva a uma caixa-preta?"[13]

"É como colocar um grão de areia numa ostra", diz Steven Hyman a respeito da medicação antidepressiva, "e ele se transformar numa pérola. É nas *adaptações* aos neurotransmissores alterados que, lentamente, no decorrer de muitas semanas, os efeitos terapêuticos ocorrem." Elliot Valenstein, da Universidade de Michigan, acrescenta: "Antidepressivos são farmacologicamente específicos, mas não comportamentalmente específicos. A química de produtos é cada vez mais específica, mas só Deus sabe o que está realmente acontecendo no cérebro". William Potter, que estava dirigindo a área de psicofarmacologia do NIMH nas décadas de 1970 e 1980 e agora foi para Eli Lilly para trabalhar no desenvolvimento de novas drogas, explica: "Há múltiplos mecanismos que produzem efeitos antidepressivos: drogas com espectros agudamente diferentes têm na verdade efeitos muito semelhantes. Elas convergem de modos que jamais se esperaria. Podem-se obter os mesmos efeitos antidepressivos através dos sistemas da serotonina ou da norepinefrina, e em algumas pessoas através da dopamina. Não é simples: é como um sistema climático. Você faz algo em algum lugar que modifica a velocidade do vento ou sua umidade e obtém um tipo de clima completamente diferente, mas como e o que cada mudança afetará nem mesmo o melhor meteorologista pode afirmar com certeza". É importante que a maioria dos antidepressivos suprima o sono REM (Rapid Eye Movement), ou este é um efeito colateral irrelevante? É importante que antidepressivos geralmente baixem a temperatura do cérebro que, na depressão, tende a subir à noite? Ficou claro que todos os neurotransmissores interagem e que um influencia o outro.[14]

Modelos animais são imperfeitos, mas podem-se obter informações úteis de estudos animais.[15] Macacos separados das mães na infância ficam psicóticos: seus cérebros se modificam em nível fisiológico e desenvolvem níveis de serotonina muito menores do que os dos macacos criados pelas mães. Uma série de animais que sofrem repetidas separações da mãe acusa níveis excessivos de cortisol.[16] O Prozac reverte esses efeitos. Coloque o macho dominante de uma colônia de marsupiais em outro agrupamento no qual não seja dominante e ele sofrerá perda de peso, atuação sexual diminuída, sono perturbado e todos os outros sintomas característicos da depressão severa. Aumente os níveis de sua serotonina e o animal pode ter uma remissão total de tais sintomas.[17] Animais com serotonina baixa tendem a ser brutos com outros animais: correm riscos desnecessários e irracionais e buscam confronto sem motivo.[18] Modelos animais de fatores externos e níveis de serotonina são extremamente reveladores. Um macaco que sobe na estrutura de dominação de seus pares mostrará níveis mais altos de serotonina conforme aumenta sua posição no grupo —[19] e a serotonina elevada está associada a níveis mais baixos de agressão e suicídio. Se tais macacos são isolados de modo a que não tenham status no grupo, sua serotonina cairá em até 50%. Com os inibidores seletivos da recaptação de serotonina (ISRSs), eles se tornam menos agressivos e menos inclinados à atividade autodestrutiva.[20]

Há quatro classes de medicação antidepressiva disponíveis atualmente. A mais popular são os ISRSs, que acarretam níveis mais altos de serotonina no cérebro. Prozac, Luvox, Paxil, Zoloft e Celexa são todos ISRSs. Há também dois tipos mais antigos de antidepressivos. Os tricíclicos, assim denominados por sua estrutura química, afetam a serotonina e a dopamina. Elavil, Anafranil, Norpramin, Tofranil e Pamelor são todos tricíclicos. Os inibidores da monoaminooxidase (IMAOs) inibem o colapso da serotonina, dopamina e norepinefrina. Nardil e Parnate são ambos IMAOs. Outra categoria, os antidepressivos atípicos, inclui os remédios que operam em sistemas neurotransmissores múltiplos. Asendin, Wellbutrin, Serzone e Efexor são todos antidepressivos atípicos.

A escolha de que medicação usar baseia-se geralmente, pelo menos no período inicial, nos efeitos colaterais. Espera-se em algum momento encontrar um modo de testar as reações às drogas específicas, mas até o momento somos completamente incapazes de fazê-lo. "Há pouca base científica para a escolha de um antidepressivo para um paciente, com poucas exceções", diz Richard A. Friedman, do hospital Payne-Whitney, da Universidade Cornell. "Uma reação prévia a uma determinada droga é um bom modo de prever uma reação futura à mesma droga. Se você tiver um determinado subtipo de depressão, uma depressão atípica, em que come e dorme demais, vai se dar melhor com um IMAO do que um tricíclico, embora a maioria dos médicos use as substâncias mais novas em tais pacientes de qualquer maneira. Fora isso, você escolhe uma droga que pareça ter um perfil de poucos efeitos colaterais como primeira linha de ação. Pode-se decidir por uma droga mais ativadora, como Wellbutrin, para alguém que é muito retraído, ou uma droga mais desativadora para alguém agitado, mas tirando isso é uma questão de ir tentando até acertar com cada paciente. As bulas dizem que um medicamento apresenta certos efeitos colaterais com mais frequência do que outro, mas em minha experiência clínica não há realmente muita diferença entre medicamentos pertencentes à mesma classe. As diferenças nas respostas individuais, contudo, podem ser muito pronunciadas." A grande popularidade atual dos ISRSs — a revolução do Prozac — se deve não à sua eficácia superior, mas a seu perfil de poucos efeitos colaterais e sua segurança.[21] É quase impossível cometer suicídio tomando essas drogas, e isso é uma consideração importante ao se tratar pessoas deprimidas, que podem, à medida que se recuperam, tornar-se autodestrutivas. "O Prozac é uma droga muito bondosa", diz um cientista da Eli Lilly. Ter poucos efeitos colaterais significa não apenas que as pessoas tomarão mais prontamente a droga, como também que se aterão a seus tratamentos mais cuidadosamente. É o mesmo princípio que norteia sua escolha de pasta de dente: se ela tem sabor melhor, talvez você escove os dentes por mais tempo.

Algumas pessoas experimentam perturbações estomacais com os ISRSs e há relatos ocasionais de dor de cabeça, sensação de esgotamento, insônia e sonolência. O maior efeito colateral que apresentam, porém, é a diminuição no apetite sexual. "Quando eu estava tomando Prozac", me contou Brian D'Amato, um amigo depressivo, "Jennifer Lopez poderia ter aparecido na minha cabeceira seminua que eu lhe teria pedido ajuda para organizar uns papéis." Os tricíclicos e os IMAOs também têm efeitos colaterais negativos do ponto de vista sexual. Mas como a tendência é usar essas drogas apenas para casos de depressão mais severa, os efeitos colaterais que afetam o desempenho sexual parecem insignificantes. A diminuição do prazer erótico provocada pelos tricíclicos e pelos IMAOs não tem sido tão amplamente debatida quanto a provocada pelos ISRSs. Em estudos feitos na época em que o Prozac foi lançado, um número limitado de pacientes relatou que esse remédio estava surtindo efeitos colaterais negativos do ponto de vista sexual. Em estudos subsequentes, quando pacientes eram questionados especificamente sobre os problemas sexuais, um número esmagador deles relatou dificuldades. Anita Clayton, da Universidade da Virgínia, divide a experiência sexual em quatro fases: desejo, excitação, orgasmo e conclusão.[22] Os antidepressivos afetam as quatro. O desejo é comprometido pela libido reduzida. A excitação é diminuída pelo estímulo sexual inibido, a sensação genital diminuída, impotência ou falta de lubrificação vaginal. O orgasmo é retardado; algumas pessoas se tornam totalmente anorgásmicas. Confusamente, tais efeitos podem ser irregulares: um dia tudo vai bem, e no dia seguinte há uma impotência incapacitante, e não se consegue dizer como a noite vai ser até a hora H. A conclusão é naturalmente quase inexistente quando não há nenhum desejo ou excitação ou orgasmo.

Os efeitos colaterais que afetam a sexualidade são frequentemente considerados insignificantes em comparação a uma depressão severa e são, de fato, insignificantes. Mesmo assim, são inaceitáveis. Um paciente que entrevistei disse não conseguir ter orgasmo de forma alguma durante uma relação e descreveu como foi complicado o processo de pôr de lado a medicação por tempo suficiente para engravidar a mulher. "Se eu não soubesse quão terríveis são as consequências de ficar sem o remédio", disse, "deixaria de tomá-lo. Ah, meu eu sexual... seria tão bom tê-lo de volta por alguns dias. Não sei se terei um orgasmo com minha mulher de novo." Logo que você está se recuperando de um episódio depressivo, quando tem outras coisas na mente, a deficiência sexual não é tão perturbadora. Mas, ao eliminar a dor insuportável à custa do prazer erótico — bem, isso parece um negócio duvidoso. É também um bom motivo para não cumprir a rotina de remédios, o que provavelmente é o maior problema no tratamento da depressão. Menos de 25% dos pacientes que tomam antidepressivos continuam o tratamento por seis meses,[23] e uma grande parcela dos que param o fazem devido aos efeitos colaterais ligados à atividade sexual e ao sono.

Uma vez que os problemas sexuais começam a se manifestar, segue-se a ansiedade sexual, de modo que as relações se tornam perturbadores momentos de fracasso; pessoas com esse fardo podem desenvolver uma aversão psicológica pela interação sexual, o que piora os sintomas. A maioria dos homens com problemas de impotência sofre de depressão. Fazer desaparecer a impotência pode ser suficiente para reverter a depressão. É tão importante quanto difícil, como observou Clayton, trazer à tona os problemas sexuais característicos da psicologia subjacente que podem ter tornado uma pessoa deprimida; os problemas sexuais que são causados pela depressão (99% de pessoas com depressão aguda grave relatam disfunções sexuais) e os problemas sexuais que são causados pela terapia antidepressiva. Clayton sublinha a necessidade de um exame não invasivo, mas rigoroso dos pacientes quanto aos problemas sexuais.

Diz-se que muitas substâncias ajudam a contrabalançar a falta de apetite sexual causada pelos antidepressivos:[24] antagonistas da serotonina como a ciproeptadina e o granisetron, antagonistas alfa-2 como a ioimbina e a trazodona; agonistas colinérgicos como o betanecol; drogas que auxiliam a dopamina ou aumentam sua eficiência como a bupropiona, amantadina e a bromocriptina; agonistas de autorreceptores como a buspirona e o pindolol; estimulantes como a anfetamina, o metilfenidato e efedrina; e herbáceas como ginkgo biloba e L-arginina. Tirar breves feriados — geralmente cerca de três dias — das drogas causam resultados positivos ocasionais. Às vezes mudar de medicamento ajuda a melhorar a libido. Nenhum deles provou ser especialmente eficaz; mas eles têm algum efeito, variando de pessoa a pessoa. Uma mulher cuja história está neste livro teve uma experiência alarmante quando passou a tomar várias dessas drogas, incluindo Dexedrine: ela ficou com a libido tão acentuada que passou a ter dificuldades físicas para ficar sentada nas reuniões de rotina em seu escritório. Chegou ao ponto de fazer sexo com estranhos em elevadores, o que era totalmente contrário à sua personalidade. "Eu podia gozar três vezes entre o oitavo e o décimo-quarto andar", contou. "Parei de usar roupa de baixo porque levava muito tempo para tirá-la. Os caras pensavam que estavam fazendo algo surpreendente — para mim era bem desconfortável, mas sinto que realmente ajudei alguns egos masculinos. Mas essa situação não podia continuar. Sou basicamente uma moça de boa família, altamente reprimida. Já não sou tão jovem. Eu realmente não estava a fim disso." Alguns pequenos ajustes levaram-na a um nível controlável de excitação sexual. Infelizmente, as mesmas drogas usadas em outra paciente que conheço não surtiram efeito algum —"Eu não conseguiria ter um orgasmo mesmo que ficasse presa num elevador por quatro horas com Montgomery Clift ainda jovem", disse, tristemente.

Injeções de testosterona, administradas para aumentar os níveis da testosterona livre no corpo, podem funcionar, mas são difíceis de aplicar e controlar e seus efeitos não são inteiramente claros. O raio de esperança mais brilhante é o Viagra. Devido a seus efeitos psicológicos e físicos, ele parece afetar três dos estágios de Clayton; só falha em não estimular a libido. Ele pode ser um passo secundário para ajudar a recuperar a autoconfiança na capacidade de a pessoa interagir sexualmente, e isso a ajuda a relaxar, o que por sua vez auxilia a libido. Espera-se que os estimuladores da dopamina atualmente em desenvolvimento possam cuidar disso, já que a dopamina parece estar fortemente ligada à libido. Tomar regularmente o Viagra restaurará também as ereções noturnas dos homens, frequentemente eliminadas pelos antidepressivos.[25] Isso por sua vez tem um efeito positivo na libido. Propôs-se que homens que tomam antidepressivos deviam usar Viagra toda noite como um agente terapêutico, mesmo se não tiverem relações sexuais cada vez que o tomarem.[26] O remédio pode ser, na verdade, um antidepressivo rápido e eficaz. A atividade sexual é uma das melhores coisas para melhorar o ânimo. Tanto a pesquisa de Andrew Nierenberg, de Harvard, quanto a de Julia Warnock, da Universidade de Oklahoma, indicam que o Viagra, embora ainda não seja oficialmente aprovado para mulheres, parece ter bons efeitos no impulso sexual feminino e facilitar o orgasmo.[27] Em parte porque ajuda o clitóris a aumentar com o fluxo sanguíneo. As terapias hormonais são também úteis em mulheres com disfunção sexual. Manter níveis altos de estrogênio melhora o ânimo, e declínios súbitos nos níveis de estrogênio podem ser devastadores. A queda de 80% no estrogênio das mulheres durante a menopausa causa efeitos pronunciados no humor. Mulheres com baixos níveis de estrogênio desenvolvem todo tipo de queixa, e Warnock sublinha que tais níveis têm que ser normalizados antes que o Viagra possa ter qualquer efeito útil. Embora seja importante não aumentar demais os níveis de testosterona em mulheres para não as deixar peludas e agressivas, a testosterona é um hormônio necessário à libido feminina e também tem de ser mantido em níveis adequados.

Os antidepressivos tricíclicos funcionam em diversos sistemas neurotransmissores, incluindo a acetilcolina, a serotonina, a norepinefrina e a dopamina. Os tricíclicos são especialmente úteis em depressões severas ou delirantes. A inibição da acetilcolina traz uma série de efeitos colaterais desagradáveis, inclusive secura da boca e dos olhos e constipação. Os tricíclicos podem também ser um tanto sedativos. O uso deles por pessoas com doença bipolar pode precipitar a mania, devendo-se portanto tomar muito cuidado ao receitá-los.[28] Os ISRSs e a bupropiona podem também desencadear mania, mas a possibilidade é menor.

Os IMAOs são especialmente úteis quando a depressão provoca sintomas físicos agudos como dor, energia diminuída e sono interrompido. Essas drogas bloqueiam a enzima que decompõe a adrenalina e a serotonina, aumentando assim os níveis dessas substâncias. Os IMAOs são drogas excelentes, mas provocam muitos efeitos colaterais. Pacientes que os tomam têm que evitar uma série de alimentos com os quais os medicamentos têm interações perturbadoras. Podem também afetar funções corporais. Um paciente entrevistado teve uma retenção urinária total devido aos IMAOs. "Eu precisava ir ao hospital sempre que tinha de urinar, o que não era nada conveniente."

Os antidepressivos atípicos são apenas isto: atípicos. Cada um tem seu modo próprio de agir. O Efexor afeta tanto a serotonina quanto a norepinefrina. O Wellbutrin age na dopamina e norepinefrina. O Asendin e o Serzone atuam em todos os sistemas. No momento, está na moda procurar usar as chamadas drogas limpas, as que têm efeitos altamente específicos. Drogas limpas não são necessariamente mais eficazes do que as sujas. Especificidade pode ser vinculada, até certo ponto, ao controle dos efeitos colaterais, mas parece que, quanto mais se mexe no cérebro humano, mais eficaz o tratamento para a depressão. As drogas limpas são desenvolvidas pelas empresas farmacêuticas entusiastas da pureza da sofisticação química; mas elas não se sobressaem em relação à sua eficiência terapêutica.

Os efeitos dos antidepressivos são imprevisíveis e nem sempre podem ser sustentados a longo prazo. No entanto, "eu não acredito que um total 'apagão' ocorra com tanta frequência quanto dizem", comenta Richard A. Friedman. "Creio que a dosagem pode precisar ser reajustada, que a medicação precise ser amortecida. A psicofarmacologia requer uma série de ajustes. E muitos dos remédios que deixaram de ter efeito o fizeram porque deixaram de provocar uma reação de placebo, que tende a ser de curta duração." Contudo, muitos pacientes experimentam a medicação unicamente como um alívio temporário. Sarah Gold, cuja história de depressão percorre toda sua vida adulta, obteve sucesso completo com Wellbutrin — por um ano. Conseguiu o efeito novamente durante um breve período com Efexor, mas isso se dissipou em dezoito meses. "As pessoas repararam. Eu estava dividindo a casa com algumas pessoas, e uma delas me disse que eu tinha uma aura negra. Ela não conseguia ficar dentro de casa nem quando eu estava em meu quarto com a porta fechada." Gold passou a tomar uma mistura de lítio, Zoloft e Ativan; toma agora Anafranil, Celexa, Risperdal e Ativan, e está "com menos energia, se sente menos segura, mas consegue lidar com sua depressão". Pode ser que no momento não exista uma medicação capaz de lhe oferecer uma remissão permanente. Para alguém que precisará estar constantemente sob medicação, essa mudança contínua de remédios é intensamente desmoralizante.

Há vários remédios que agem em certos nervos sensíveis à serotonina, como o BuSpar, e são usados para o controle da ansiedade a longo prazo. Há também drogas de ação rápida, os benzodiazepínicos — uma categoria que inclui Klonopin, Ativan, Valium e Xanax. Halcion e Restoril, que são receitados para insônia, são também benzodiazepínicos. Tais remédios podem ser tomados quando necessários para acabar imediatamente com a ansiedade. Contudo, o medo da dependência faz com que eles sejam pouco utilizados. Há drogas maravilhosas para uso de curto prazo, que podem tornar a vida tolerável durante períodos de ansiedade aguda. Conheci pessoas que foram torturadas por uma angústia psíquica que poderia ter sido aliviada se seus médicos tivessem sido mais ou menos rígidos ao receitar os benzodiazepínicos. Sempre me lembro que meu primeiro psicofarmacologista me disse: "Se você ficar dependente, nós o tiraremos da dependência. Enquanto isso, vamos aliviar seu sofrimento". A maioria das pessoas que tomam benzodiazepínicos desenvolverá tolerância e dependência, o que significa que não podem parar de tomá-los de repente; mas não tomarão doses crescentes para obter benefícios terapêuticos. "No que diz respeito a essas drogas", diz Friedman, "a dependência ocorre principalmente em pessoas com histórico de uso de drogas. O risco de vício com os benzodiazepínicos é muito exagerado."[29]

No meu caso, o Xanax fez o horror desaparecer como num passe de mágica. Enquanto os antidepressivos que eu tomava tinham um efeito tão lento como o alvorecer, aos poucos jogando luz na minha personalidade e permitindo que ela voltasse ao mundo padronizado e conhecido, o Xanax provocou o alívio instantâneo da ansiedade —"tapando o buraco do dique no momento crucial", como diz James Ballenger, um especialista em ansiedade. Os benzos podem salvar vidas de pessoas que não tenham tendência ao uso de drogas — "o público é tremendamente mal-informado", diz Ballenger. "A sedação é um efeito colateral; usar as drogas como pílulas para dormir é um abuso. Usá-las para controlar a ansiedade não é. A retirada rápida dos medicamentos provoca sintomas, mas isso acontece com muitas outras substâncias." Embora as benzodiazepinas possam ajudar a ansiedade, não aliviam por si só a depressão. Podem afetar a memória recente. A longo prazo, podem ter qualidades depressoras, e o uso contínuo deve ser atentamente monitorado.

Desde minha primeira visita ao psicofarmacologista, sete anos atrás, entrei nesse jogo dos remédios. Para o bem de minha saúde mental, tenho tomado, em várias combinações e diversas doses, Zoloft, Paxil, Navane, Efexor, Wellbutrin, Serzone, BuSpar, Zyprexa, Dexedrine, Xanax, Valium, Ambien e Viagra. Tive a sorte de reagir bem à primeira classe de drogas que experimentei. Mesmo assim posso dar depoimentos sobre o inferno que é esse jogo de erros e acertos. Tentar diferentes medicações faz você se sentir um alvo para dardos. "Hoje em dia, a depressão é curável", as pessoas dizem. "Você toma antidepressivos como se toma aspirina para uma dor de cabeça." Isso não é verdade. Hoje em dia, a depressão é tratável; você toma antidepressivos como se toma radiação para o câncer.

Os remédios às vezes fazem milagres, mas nunca é fácil e os resultados são inconsistentes.

Nunca fui internado em um hospital, mas sei que pode acontecer algum dia. Geralmente, no hospital, os pacientes tomam medicamentos e/ou recebem eletrochoques. Mas parte do efeito curativo vem da própria hospitalização: a atenção continuada da equipe, os métodos para protegê-los de seus impulsos suicidas. A hospitalização não deve servir como último recurso de pessoas desesperadas. É um recurso como outro qualquer e deve ser explorado quando necessário, se seu seguro-saúde assim permite.

Os pesquisadores estão trabalhando em quatro novas direções de tratamentos. A primeira é mudar tanto quanto possível para terapias preventivas: quanto mais rápido você detecta problemas mentais de qualquer espécie, melhor é para você. A segunda é aumentar a especificidade das drogas. O cérebro tem pelo menos quinze diferentes receptores de serotonina. A evidência sugere que os efeitos antidepressivos dependem de apenas alguns desses locais, e que os outros são responsáveis por muitos dos efeitos colaterais desagradáveis dos ISRSs. A terceira são drogas mais rápidas. A quarta é a maior especificidade da sintomatologia, em vez de a posição biológica, a fim de abolir o jogo de erros e acertos na escolha dos remédios. Se descobrirmos, por exemplo, uma maneira de identificar a depressão por subtipos genéticos, poderemos encontrar tratamentos específicos para tais subtipos. "Os medicamentos existentes", diz William Potter, ex-membro do NIMH, "são indiretos demais no seu funcionamento para que possamos exercer algum tipo de controle sobre eles." Esse tipo de especificidade portanto permanece impossível. Os transtornos de humor não envolvem apenas um sinal vindo de um único gene. Há muitos genes envolvidos, cada qual contribuindo para um pequeno aumento de risco.

O tratamento físico para a depressão mais bem-sucedido é o menos limpo e específico de todos. Os antidepressivos têm uma eficácia de cerca de 50%, talvez um pouquinho mais. A TEC parece ter um impacto significativo em 75% a 90% dos casos.[30] Cerca de metade dos pacientes que melhoraram com eletrochoque ainda se sente bem um ano após o tratamento. Outros, porém, precisam de várias sessões de eletrochoque ou uma manutenção regular. O eletrochoque funciona rapidamente. Muitos pacientes sentem-se radicalmente melhor em poucos dias de tratamento, o que é uma grande vantagem em relação ao processo lento da medicação. O eletrochoque é especialmente indicado para pessoas que têm fortes tendências suicidas — pacientes dados à autoflagelação e que portanto correm sérios riscos de vida —, devido à sua ação rápida e seu alto índice de sucesso. Ele pode ser aplicado em mulheres grávidas, pessoas doentes e idosos, já que não apresenta os efeitos colaterais sistêmicos ou problemas de interação com drogas da maioria dos medicamentos.

Os pacientes são submetidos a alguns exames de sangue rotineiros, um eletrocardiograma, geralmente uma radiografia do tórax e alguns exames relacionados à anestesia. Aqueles que forem considerados aptos a passar por um tratamento de eletrochoque assinam formulários de consentimento (também apresentados às suas famílias). Na noite anterior ao tratamento, o paciente jejua e recebe um soro intravenoso. Pela manhã, é levado para a sala do eletrochoque. Depois de o paciente ser ligado a monitores, atendentes médicos passam gel em suas têmporas e aplicam os eletrodos. O tratamento pode ser unilateral, apenas no lado não dominante do cérebro (geralmente para o cérebro direito) — que é a estratégia inicial preferida —, ou bilateral. O eletrochoque unilateral tem menos efeitos colaterais, e pesquisas recentes mostram que, em doses altas, é tão eficaz quanto o tratamento bilateral.[31] O médico que administra o tratamento também escolhe entre estímulo de ondas seno, que provoca um estímulo mais continuado, e estímulo de impulsos breves, que induz convulsões com efeitos colaterais menores. Aplica-se então uma anestesia geral intravenosa de curta duração, que colocará o paciente completamente fora do ar por cerca de dez minutos, e um relaxante muscular para prevenir espasmos físicos (o único movimento durante o tratamento é um ligeiro torcer dos dedos dos pés — diferente da TEC da década de 1950, em que as pessoas se debatiam e se feriam). O paciente é conectado a uma máquina EEG e a um eletrocardiograma (ECG), de modo que seu cérebro e seu coração sejam monitorados o tempo todo. A seguir, um choque de um segundo causa uma convulsão na têmpora e no vértice do cérebro que geralmente se estende por trinta segundos — período suficientemente longo para mudar a química do cérebro, mas não para queimar a massa cinzenta. O choque geralmente é de cerca de duzentos joules, o equivalente à potência de uma lâmpada de cem watts. A maior porção da descarga elétrica é absorvida pelos tecidos moles e pelo crânio, apenas uma fração minúscula chega ao cérebro. Em dez ou quinze minutos, o paciente acorda na sala de recuperação. A maioria das pessoas que recebe eletrochoque tem dez ou doze sessões durante cerca de seis semanas. Cada vez mais a TEC está sendo administrada em pacientes externos.[32]

A escritora Martha Manning descreveu sua depressão e TEC num belo e divertidíssimo livro chamado *Undercurrents*. Ela agora se estabilizou com Wellbutrin, um pouco de lítio, um pouco de Depakote, Klonopin e Zoloft — "Quando olho para todos eles vejo o arco-íris na minha mão", brinca. "Sou um estudo científico sem prazo de encerramento." Ela teve uma experiência intensa e prolongada com a TEC quando sua depressão estava em seu momento mais grave. Decidiu submeter-se ao tratamento depois de descobrir o endereço de uma loja de armas para se matar. "Não queria morrer porque me odiava, mas porque me amava o suficiente para querer o fim da dor. Eu me apoiava na porta do banheiro de minha filha a cada dia para ouvi-la cantar — ela tinha onze anos e sempre cantava no chuveiro —, e aquilo era um convite para que eu não sucumbisse por mais um dia. Eu não conseguia me importar, mas de repente percebi que, se comprasse uma arma e a usasse, aquela menina pararia de cantar. Eu a silenciaria. Naquele dia mesmo me internei para um tratamento eletroconvulsivo. Era como se finalmente 'pedisse arrego' para quem me tivesse derrubado no chão. Submeti-me ao tratamento por semanas — acordando depois de cada sessão como se estivesse de ressaca, pedindo uma Coca Light, sabendo que seria mais um dia entregue aos cuidados do Tylenol."

A TEC provoca distúrbio da memória a curto prazo e pode afetar a memória de longo prazo. Os distúrbios são geralmente temporários, mas alguns pacientes têm encontrado lacunas permanentes na memória. Uma mulher que conheci, ex-advogada, saiu da TEC sem qualquer lembrança da escola de direito. Não conseguia lembrar de nada que estudara, nem onde estudara, nem quem conhecera durante os estudos. É um caso extremo e raro, mas acontece. Segundo um estudo, a TEC tem sido associada à morte de cerca de um entre 10 mil pacientes, geralmente devido a problemas cardíacos após o tratamento.[33] Mas não está claro se tais mortes foram causadas de fato pela TEC ou se são simples coincidência. A pressão sanguínea aumenta significativamente durante a terapia, mas não parece causar danos fisiológicos. Pelo contrário, Richard Abrams, autor de um livro fundamental sobre a TEC, descreve como uma paciente passou por mais de 1250 sessões de TEC bilaterais e, quando ela morreu, aos 89 anos, seu cérebro estava em ótimo estado. "Não há prova alguma — e virtualmente chance alguma — de que a TEC, da maneira que é ministrada atualmente, seja capaz de produzir danos cerebrais", ele escreve.[34] Muitos dos efeitos colaterais de curto prazo — inclusive tontura e náusea — são causados pela anestesia usada com o eletrochoque, não pelo próprio eletrochoque.

A TEC é ainda o tratamento mais estigmatizado que existe.[35] "Você se sente um Frankenstein", diz Manning. "Ninguém quer falar sobre o assunto. Ninguém lhe traz caixas de chocolate quando você está passando por uma TEC. É muito solitário para a família." Além disso, todo o conceito do tratamento eletroconvulsivo pode ser traumatizante para o paciente. "Eu sei que funciona", diz uma pessoa que trabalha com saúde mental. "Tenho visto funcionar. Mas a ideia de perder lembranças preciosas de meus filhos e de minha família... Sabe, não tenho nem pais nem marido. Quem *encontrará* essas lembranças para mim? Quem me contará sobre elas? Quem se lembrará da receita especial da torta que fizemos há quinze anos? Minha depressão aumentaria se eu me sentisse ainda mais sem sonhos. São as lembranças e os pensamentos amorosos do passado que me ajudam a chegar ao fim do dia."

Por outro lado, a TEC pode ser miraculosamente eficaz. "Antes, eu tinha consciência de cada gole d'água, cada um deles era excessivamente trabalhoso", diz Manning. "Após o tratamento, pensei: será que as pessoas comuns se sentem assim o tempo todo? É como se você estivesse por fora de uma grande piada durante toda a sua vida." E os efeitos são geralmente rápidos. "Os sintomas vegetativos se foram; então meu corpo ficou mais leve; aí eu quis *muito* um Big Mac", diz Manning. "Durante um tempo, senti como se tivesse sido atropelada por um caminhão, mas, comparativamente, aquilo não era tão ruim." Manning é uma exceção. Muitas pessoas que foram submetidas à terapia eletroconvulsiva são resistentes à ideia de que seja útil, especialmente se sofreram de déficits passageiros de memória ou se a reconstrução de suas vidas foi gradual. Duas pessoas que conheço passaram por TEC no início de 2000. Ambas estiveram no fundo do poço — incapazes de sair da cama ou se vestir, eternamente exaustas, totalmente negativas sobre a vida, sem nenhuma vontade de comer, incapazes de trabalhar e com ímpetos suicidas frequentes. Elas receberam eletrochoques com uma distância de alguns meses entre um e outro. O primeiro sofreu de uma perda severa de memória logo após o tratamento — era engenheiro, mas não conseguia se lembrar de como funcionava um circuito. A segunda saiu do tratamento tão morosa quanto entrara, porque ainda enfrentava problemas legítimos. A memória do engenheiro começou a voltar cerca de três meses depois, e aos poucos, no decorrer do ano, ele voltou à ativa, começou a trabalhar e a interagir bem com o mundo. Ele disse que fora "provavelmente uma coincidência". A segunda pessoa se submeteu a mais uma sessão de tratamento, apesar de insistir que a primeira não lhe fizera bem algum. Após a segunda, sua personalidade começou a voltar, e no outono ela não apenas tinha um emprego como um novo apartamento e um namorado. Continuou a dizer que a TEC fora perturbadora demais para ter valido a pena. Até que eu lhe sugeri que a TEC devia ter apagado a lembrança de seu estado antes do tratamento. Quando o livro de Manning foi publicado, houve gente protestando contra "o controle eletrônico da mente". Havia leis contra a TEC em muitos estados norte-americanos. A metodologia do tratamento está sujeita a excessos e não é para todo mundo, certamente não deve ser usada indiscriminadamente ou sem o total consentimento do paciente — mas o resultado pode ser maravilhoso.

Por que o eletrochoque funciona? Não sabemos. Ele parece aumentar o efeito da dopamina e afetar todos os outros neurotransmissores também. Além disso, é possível que afete o metabolismo do córtex frontal. A eletricidade de alta frequência parece aumentar o nível metabólico; a eletricidade de baixa frequência pode baixar o nível metabólico. Naturalmente, não está claro se a depressão é um dos muitos sintomas do hipometabolismo, se a depressão agitada é um sintoma de hipermetabolismo ou se tanto a depressão quanto essas alterações do metabolismo são funções de alguma outra mudança no cérebro. Os efeitos da TEC não estão limitados ao córtex frontal; até mesmo as funções do tronco cerebral ficam temporariamente afetadas pela carga elétrica.

Decidi não abandonar meus remédios. Não tenho certeza se estou viciado, mas sou dependente: sem as drogas, eu correria o risco de ter novamente os sintomas da doença. É uma linha tênue. Engordei mais do que gostaria. Tenho erupções esquisitas na pele sem qualquer razão aparente. Transpiro mais. Minha memória, que nunca foi muito boa, está ligeiramente danificada: frequentemente esqueço o que estou dizendo no meio de uma frase. Tenho muita dor de cabeça. Sofro muito de câimbras musculares. Meu impulso sexual vai e vem, e minha função sexual é errática: hoje em dia, um orgasmo marca uma ocasião especial. Não é o ideal, mas parece que se ergueu uma verdadeira parede entre mim e a depressão. Os últimos dois anos foram inquestionavelmente os melhores em uma década. Lentamente, vou tomando pé. Quando dois amigos morreram há não muito tempo, ambos de acidente, senti-me tremendamente triste, mas não senti meu eu escorregando das mãos. E sentir apenas dor provocou (sei que soa horrível, mas de algum modo egoísta é verdade) uma espécie de satisfação.

A pergunta sobre qual a função da depressão no nosso mundo não é bem igual à pergunta sobre que funções os antidepressivos vêm preencher. James Ballenger, um especialista em ansiedade, diz: "Somos vinte centímetros mais altos do que antes da Segunda Guerra Mundial, muito mais saudáveis e vivemos mais tempo. Ninguém se queixa da mudança. Quando se remove uma incapacidade, as pessoas saem para a vida e encontram mais coisas boas e más". E essa, acho eu, é a resposta à pergunta que me fizeram quase todos a quem mencionei este livro: "Essas drogas não apagam sua vida?". Não. O que fazem é permitir que a dor seja sentida em lugares mais importantes, em lugares melhores, por razões mais enriquecedoras.

"Você tem 12 bilhões de neurônios", diz Robert Post, chefe da Divisão de Psiquiatria Biológica do NIMH. "Cada um tem entre mil e 10 mil sinapses, todas mudando em rápida velocidade. Conseguir fazer com que todas funcionem de modo exato para que as pessoas sejam maravilhosamente felizes o tempo todo... Estamos muito, muito longe disso." James Ballenger diz: "Não vejo o nível de sofrimento no universo diminuindo muito com *todas* as nossas melhorias e não acho que chegaremos a um nível tolerável tão cedo. No momento, não precisamos nos preocupar com o controle da mente".

A palavra *normal* persegue os depressivos. A depressão é normal? Em estudos, leio sobre grupos de pessoas normais e de pessoas com depressão; sobre medicamentos que podem "normalizar" a depressão; sobre sintomas "normais" e "atípicos". Uma das pessoas que conheci durante esta pesquisa me disse: "No início, quando esses sintomas começaram, pensei que estava enlouquecendo. Foi um grande alívio descobrir que era apenas uma depressão clínica e que era basicamente normal". Era, claro, basicamente o caminho normal para se ficar maluco. A depressão é uma doença mental, e quando você está em suas garras, fica completamente louco, um pouco idiota, com um parafuso a menos, de miolo mole.

Certa vez, num coquetel em Londres, vi uma conhecida e mencionei que estava escrevendo este livro. "Tive uma depressão terrível", disse ela. Perguntei-lhe o que fizera a respeito. "A ideia de tomar remédios não me agradava", respondeu. "Percebi que meu problema estava relacionado ao estresse. Então decidi eliminar todas as causas do estresse em minha vida." Ela contou nos dedos: "Deixei meu emprego. Rompi com meu namorado e nunca procurei outro. Desisti de dividir a casa com alguém e agora moro sozinha. Parei de ir a festas que acabavam tarde. Mudei-me para um lugar menor. Afastei-me da maioria de meus amigos. Desisti em grande parte da maquiagem e de roupas". Eu olhava para ela, horrorizado. "Parece ruim, mas na verdade estou muito mais feliz, e com muito menos medo que antes." Parecia orgulhosa: "E fiz isso sem remédios".

Alguém que estava em nosso grupo segurou seu braço. "Isso é completamente doido. É a coisa mais maluca que já ouvi. Você deve ser doida para fazer isso com sua vida", disse. É maluquice evitar os comportamentos que tornam você doido? Ou é maluquice medicar-se para que você possa manter uma vida que o deixa doido? Eu poderia acalmar um pouco minha vida e fazer menos coisas, viajar menos, conhecer menos pessoas e evitar escrever livros sobre depressão. Talvez, se fizesse todas essas mudanças, eu não precisasse de medicamentos. Poderia viver minha vida dentro dos limites do que posso tolerar. Essa não tem sido minha opção, mas certamente seria razoável. Viver com depressão é como tentar manter o equilíbrio enquanto dança com um bode — é perfeitamente saudável preferir um parceiro com um equilíbrio melhor. E no entanto a vida que levo, cheia de aventura e complexidade, permite uma satisfação tão enorme que eu detestaria abrir mão dela. Detestaria isso mais do qualquer coisa. Seria mais fácil para mim triplicar o número de comprimidos que tomo do que cortar meu círculo de amizades pela metade. O Unabomber — cujas técnicas de comunicar suas sensibilidades contra a modernidade foram desastrosas, mas cujos insights dos perigos da tecnologia são sólidos — escreveu em seu manifesto:

> Imaginem uma sociedade que sujeita pessoas a condições que as tornam tremendamente infelizes, e depois lhe dá as drogas para eliminar tal infelicidade. Ficção científica? Ela já existe. [...] Antidepressivos são de fato o meio de modificar um estado interno do indivíduo de modo a torná-lo capaz de tolerar condições sociais que de outro modo ele acharia intoleráveis.[36]

A primeira vez que vi uma depressão clínica, não a reconheci; na verdade, sequer a notei. No verão, depois do meu primeiro ano na faculdade, fui com um grupo de colegas para a casa de veraneio de minha família. Minha grande amiga Maggie Robbins estava entre nós, a encantadora Maggie, sempre tão resplandecente. Maggie tivera um surto psicótico na primavera e ficara hospitalizada por duas semanas, mas parecia ter se recuperado. Não dizia mais coisas malucas a respeito de encontrar informações secretas no subsolo da biblioteca ou de ter que viajar clandestinamente num trem para Ottawa, e portanto todos nós presumíamos que ela estava no controle de suas capacidades mentais. Seus longos silêncios naquele fim de semana de verão pareciam ponderados e profundos, como se ela tivesse aprendido a pesar o valor das palavras. Era estranho que não tivesse levado roupa de banho — só anos mais tarde ela me contou que não conseguiria ficar tão nua, vulnerável e exposta. Espirrávamos água uns nos outros alegremente, como verdadeiros jovens universitários que éramos. Num vestido de algodão de mangas compridas, Maggie sentou-se no trampolim, apoiando o queixo nos joelhos e observando a alegria. Éramos sete sob o sol a pino, e só minha mãe notou (num aparte para mim) que Maggie parecia tremendamente arredia. Eu não tinha ideia do esforço que Maggie fazia, não tinha a menor pista do que ela estava passando. Não notei as olheiras que ela devia ter, as que desde então aprendi a procurar. Lembro que todos continuamos a provocá-la por não nadar, por perder a diversão, até que finalmente ela se levantou na ponta do trampolim e mergulhou, totalmente vestida. Lembro daquelas roupas como chumbo grudadas em seu corpo enquanto ela nadava até o outro lado da piscina. Depois caminhou penosamente toda molhada de volta à casa, para vestir roupas secas, a água pingando na grama. Poucas horas depois, fui encontrá-la lá dentro, tirando mais uma soneca. Quando ela não comeu muito ao jantar, achei que não gostava de filé ou estava de regime. Curiosamente, lembro daquele fim de semana como um momento feliz, e fiquei chocado quando Maggie relatou sua experiência como doença.

Quinze anos depois, ela sofreu a pior depressão que já vi. Com uma tremenda incompetência, seu médico lhe dissera que, depois de quinze anos sentindo-se bem, ela podia tentar deixar o lítio, como se estivesse curada e a grave doença bipolar tivesse sumido de seu corpo. Ela foi baixando lentamente a dosagem. Sentira-se ótima. Perdera peso, suas mãos finalmente haviam parado de tremer, e ela recuperara um pouco da energia da antiga Maggie, a energia que tinha quando me contara seu objetivo de ser a atriz mais famosa do mundo. Então começou a se sentir inexplicavelmente ótima o tempo todo. Todos lhe perguntávamos se não achava que podia estar ficando um tantinho maníaca, mas ela nos assegurava que não se sentia bem assim havia anos. Seu comportamento devia ter nos alertado para a verdade: sentir-se tão bem não era uma coisa boa. Ela não estava tão bem. Não estava nada bem. Em três meses, concluiu que Deus a estava dirigindo e que fora encarregada de uma missão para salvar o mundo. Um amigo passou a cuidar dela e, quando não conseguiu entrar em contato com o psiquiatra de Maggie, encontrou outro que a mandou tomar remédios novamente. Durante os meses que se seguiram, ela mergulhou na depressão. No outono seguinte, Maggie começou um curso de pós-graduação. "A pós-graduação trouxe muito para a minha vida; para começar, me trouxe tempo, espaço e bolsas de estudo para ter mais dois surtos", brincou. Durante o segundo trimestre na universidade, teve uma suave hipomania, depois uma leve depressão. No final de seu quarto trimestre, entrou numa mania total e depois mergulhou numa depressão tão profunda que parecia ilimitada. Lembro de Maggie no apartamento de uma amiga, encolhida no sofá como uma bola, contraindo-se como se alguém estivesse colocando lascas de bambu sob suas unhas. Não sabíamos o que fazer. Ela parecia ter perdido completamente a fala; quando por fim conseguimos arrancar-lhe algumas palavras, foram quase inaudíveis. Felizmente, seus pais haviam aprendido tudo sobre doença bipolar ao longo dos anos, e naquela noite nós a ajudamos a se mudar para o apartamento deles. Aquela foi a última vez que a vimos por dois meses, enquanto ela ficava num canto, sem se mexer por dias a fio. Eu já passara pela depressão e queria ajudar, mas ela não conseguia falar ao telefone e não queria visitas, e seus pais já tinham experiência suficiente para lhe dar margem para o silêncio. Os mortos me pareciam mais próximos. "*Nunca*

121

passarei por isso de novo", disse ela. "Sei que faria *qualquer coisa* necessária para evitar isso, isso que eu absolutamente *recuso*."

Agora Maggie está bem com Depakote, lítio e Wellbutrin, e, embora ela mantenha Xanax à mão, não tem precisado dele há muito tempo. Não está mais tomando Klonopin e Paxil, os quais tomou no início. Ficará sob medicação permanentemente. "Precisei ter a humildade de dizer: 'Puxa, talvez algumas pessoas que decidiram tomar remédio são exatamente como eu e nunca, nunca mesmo pretenderam tomá-los seja lá por que motivo. E então o fizeram, e isso as tem ajudado.'" Ela escreve, é artista plástica e trabalha durante o dia como revisora numa revista. Não quer um emprego mais glamoroso. Quer alguma segurança financeira, um seguro-saúde e um lugar onde não precise ser brilhante o tempo todo. Quando fica pensativa — ou zangada —, escreve poesia sobre um alter ego que criou para si mesma, a quem chama de Suzy. Parte de sua poesia trata de ficar maníaca. Parte trata de ficar deprimida:

> *Someone's standing in the bathroom,*
> *staring into Suzy's eyes.*
> *Someone with the look of voices*
> *Suzy doesn't recognize.*
> *Someone living in the mirror*
> *Some fat face that cries and cries.*
>
> *Suzy's skull is packed and pounding.*
> *Suzy's teeth are shaking loose.*
> *Suzy's hands are slow and tremble*
> *covering the glass with mousse.*
> *Suzy studied knots one summer.*
> *Suzy doesn't know a noose.*
>
> *Suzy feels a veil get lifted.*
> *Suzy hears a veil get torn.*
> *Then the truth lies, pinned, before her —*
> *stark and struggling, woken, worn.*
> *Hunger pangs are all that's certain,*
> *All we're given when we're born.**

---

* Alguém está em pé no banheiro,/ encarando os olhos de Suzy./ Alguém com a aparência de vozes/ que Suzy não reconhece./ Alguém vivendo no espelho/ Um rosto gordo que chora e chora.// O crânio apinhado de Suzy lateja./ Os dentes de Suzy batem e relaxam./ Suas mãos são lentas e tremem/ cobrindo o espelho de musse./ Num verão Suzy estudou nós./ Ela não sabe fazer um laço de forca.// Suzy sente um véu se levantar./ A seguir ela ouve um véu se rasgar./ Então a verdade se recorta diante dela/ violenta, lutando, acordada e gasta./ Certeza só há nas fisgadas da fome,/ Pois só isso é dado quando nascemos. (Tradução livre)

"Aos oito anos de idade", contou-me, "cheguei à conclusão de que eu era Maggie. Lembro de fazer isso na escola, num corredor, dizendo, 'Sabe, eu sou Maggie. E eu sempre vou ser eu. Esse é o eu, nesse momento, que eu vou ser. Tenho sido diferente porque nem consigo lembrar de parte da minha vida, mas de agora em diante vai ser apenas eu'. E assim tem sido. E esta é a minha identidade. Eu sou aquela mesma pessoa. Posso olhar para trás e dizer: 'Ah, nossa, não consigo acreditar que fiz aquela bobagem quando tinha dezessete anos'. Mas era eu fazendo aquilo. Não passo por nenhuma descontinuidade do eu."

Ter um senso imutável de si através da afronta que é a doença maníaco--depressiva mostra grande força. Maggie chegou a estágios onde queria ser liberada desse eu coerente. Naquela depressão horripilante, quase catatônica, conta ela: "Eu deitava na cama cantando a mesma canção repetidamente para ocupar a mente. Percebo agora que poderia ter tomado alguns outros remédios, ou que poderia ter pedido a alguém para vir dormir em meu quarto, mas estava doente demais para pensar nisso. Não conseguia dizer o que me assustava tanto, mas achava que ia explodir de ansiedade. Eu me afundava cada vez mais. Continuávamos mudando de medicamentos e eu continuava descendo mais e mais. Acreditava nos médicos; sempre aceitava que finalmente eu voltaria ao normal. Mas não conseguia esperar; não podia nem esperar o minuto seguinte. Estava cantando para apagar as coisas que minha mente dizia, que eram: 'Você é... você nem sequer merece viver. Não tem valor nenhum. Nunca vai ser nada. Você não é ninguém'. Foi quando realmente comecei a pensar em me matar. Já pensara nisso antes, mas agora estava fazendo planos. Não parava de imaginar meu próprio velório. Enquanto estava na casa de meus pais, tinha essa imagem de mim subindo ao telhado e caindo da borda, de camisola. Havia um alarme na porta que dava para o telhado, eu acionava o alarme, mas não tinha importância. Eu pularia de lá antes que alguém conseguisse chegar. Não podia arriscar que não desse certo. Escolhi a camisola que ia usar. E então algum vestígio de minha autoestima se intrometeu e me lembrou que muitas pessoas ficariam tristes se eu fizesse aquilo, e não consegui suportar a responsabilidade de causar tantas horas de tristeza. Tive que reconhecer a agressão contra os outros que é o suicídio.

"Acho que reprimi boa parte desses acontecimentos da memória. Não consigo, é impossível lembrar, porque não faz sentido. Mas consigo me lembrar de certas partes do apartamento, e como me sentia mal lá. E da fase que veio a seguir, quando só pensava em dinheiro o tempo todo. Eu começava a adormecer e logo acordava preocupada; não conseguia me livrar daquilo. Não era muito racional — eu não estava com problemas financeiros naquela época. Pensava: 'E se eu não tiver muito dinheiro daqui a dez anos?'. Não há absolutamente nenhuma relação entre os sentimentos de medo e ansiedade em minha vida normal e o tipo de temor ou ansiedade que tinha naquela época. É de um tipo completamente diferente, não apenas quantidade. Cara, foram tempos terríveis. Finalmente tive o bom senso de mudar de médico. E então passei a tomar Xanax. Eu tomava meio miligrama ou coisa assim e sentia como se uma mão gigante pousasse sobre meu quadril e o resto da mão apertasse a lateral, os dedos no meu ombro. Aquela mão inteira me afundava apenas alguns centímetros na cama. E então eu finalmente adormecia. Ficava aterrorizada ante a possibilidade de me viciar, mas o médico me assegurou que isso não ia acontecer — eu não estava tomando uma quantidade nem remotamente próxima ao necessário para isso acontecer — e acrescentou que, mesmo se eu ficasse dependente, ele me tiraria do remédio quando eu estivesse mais capaz de lidar com a vida. Então pensei: 'Tudo bem, não vou pensar nisso; apenas vou fazê-lo'.

"Na depressão, você não pensa que pôs um véu cinzento e está vendo o mundo através da névoa de um estado de espírito ruim. Você pensa que o véu foi retirado, o véu da felicidade, e que agora está realmente enxergando. Você tenta cercar a verdade e examiná-la, e acredita que a verdade é a única coisa fixa, mas ela é viva e corre de cá para lá. Você pode exorcizar os demônios dos esquizofrênicos que percebem que há algo estranho dentro deles. Mas é muito mais difícil com gente deprimida, porque nós acreditamos estar vendo a verdade. Mas a verdade mente. Olho para mim mesma e penso: 'Sou divorciada!', e isso parece terrível. Embora eu pudesse pensar: 'Sou divorciada!', e me sentir ótima e livre. Apenas um comentário foi realmente útil durante esse pesadelo. Uma amiga disse: 'Não vai ser sempre assim. Tente se lembrar disso. É assim agora, mas não vai ser sempre assim'. A outra frase que disse e que também ajudou foi: 'Isso é a depressão falando. Ela está falando através de você'."

Terapia e medicação são os tratamentos mais acessíveis para a depressão, mas outro sistema tem ajudado muitas pessoas a lidar com a doença: a fé. Podemos pensar na consciência humana como ligada pelos lados de um triângulo: o teológico, o psicológico e o biológico. É enormemente difícil escrever sobre fé porque ela lida com o incognoscível e o indescritível. Além disso, a fé no mundo moderno tende a ser altamente pessoal. Entretanto, a crença religiosa é uma das principais maneiras através das quais as pessoas conseguem conviver com a depressão. A religião fornece respostas para perguntas sem resposta. Geralmente, ela não consegue tirar pessoas da depressão; na verdade, mesmo os mais religiosos veem sua fé diminuir ou sumir nas profundezas da depressão. Contudo, ela pode ser uma defesa contra a doença e ajudar as pessoas a sobreviverem a episódios depressivos. Ela dá motivo para viver. Muitas religiões nos fazem ver o sofrimento como louvável. Elas nos oferecem dignidade e objetivo em nosso desamparo. Muitos objetivos da terapia cognitiva e psicanalítica são atingidos pelos sistemas de crença que subjazem nas principais religiões do mundo — o redirecionamento da energia fora do eu, a descoberta da autoestima, a paciência, a amplitude da compreensão. A fé é um grande dom. Proporciona muitas das vantagens da intimidade sem ser contingente aos caprichos de uma outra pessoa, embora Deus também, claro, seja famoso por seus caprichos. Há uma divindade que trabalha nossas arestas, molda-as apesar de nós. A esperança tem algo de preventivo, e a fé em sua essência oferece esperança.

Sobrevive-se à depressão através de uma fé na vida que é tão abstrata quanto qualquer sistema de crença religiosa. A depressão é a coisa mais cínica do mundo, mas é também a origem de uma espécie de crença. Suportá-la e emergir com o próprio eu é descobrir que algo pelo qual não se tinha a coragem de esperar pode até se tornar realidade. O discurso da fé, como o do amor, tem a desvantagem de carregar o potencial para a desilusão: para muita gente, a depressão é a experiência de ser rejeitado por Deus ou abandonado por Ele, e muitos que sofrem de depressão se dizem incapazes de acreditar num Deus que inflige uma crueldade tão inútil aos membros de Seu rebanho. Para a maioria dos fiéis, no entanto, essa fúria contra Deus se desvanece assim que a depressão se dissipa. Se a crença é seu padrão, você volta a ela do mesmo modo que a qualquer outro. Os sistemas formais da religião não fazem parte da minha educação e experiência, mas acho difícil afastar a ideia da intervenção que caracteriza o declínio e a ascensão de uma pessoa. É um sentimento profundo demais para ser um ato sem Deus.

A ciência resiste a um estudo atento da relação entre a religião e a saúde mental, sobretudo por motivos metodológicos. "Em se tratando de meditação ou prece, qual é o padrão apropriado para um teste duplo-cego?", pergunta Steven Hyman, diretor do NIMH dos Estados Unidos. "Fazer os pacientes rezarem para o Deus errado? Este é o problema fundamental no teste da riqueza terapêutica da prece." O prelado é, além de tudo o mais, a face mais aceitável do terapeuta. De fato, um sacerdote que conheço, Tristan Rhodes, disse haver tratado por alguns anos de uma mulher psicoticamente deprimida que recusava a psicoterapia, mas se confessava toda semana. Ela lhe contava suas histórias e ele então partilhava a informação essencial com um amigo psiquiatra; e depois relatava a ela as opiniões partilhadas com o psiquiatra. Ela recebia nos termos mais explícitos o apoio psiquiátrico do contexto religioso.

Para Maggie Robbins, a fé e a doença estão próximas. Ela se tornou membro da High Church Episcopalian [parte mais conservadora da Igreja anglicana] — às vezes, muito devota. Vai à igreja constantemente, à prece noturna na maioria dos fins de semana, às vezes a duas missas no domingo (uma para a comunhão e outra apenas para escutar), um estudo da Bíblia às segundas-feiras e uma variedade de atividades da paróquia no resto do tempo. Participa do conselho editorial da revista da paróquia e tem ensinado catecismo e pintado o cenário para a peça de Natal. Diz: "Sabe, Fénelon escreveu: 'Esteja eu deprimido ou animado; adoro todos os seus objetivos'. O quietismo pode ser heresia, mas essa ideia é um dos dogmas centrais de minha fé. Você não tem que entender o que acontece. Eu costumava pensar que tínhamos que fazer algo da vida embora ela fosse desprovida de significado. Ela não é sem sentido. A depressão o faz acreditar em certas coisas: que você não tem valor e devia estar morto. Como se pode reagir a isso senão com crenças alternativas?". Apesar de tudo, nos piores estágios da depressão a religião não ajudou Maggie Robbins. "À medida que eu melhorava, ia lembrando: 'Ah, sim, a religião — por que não a usei para me ajudar?'. Mas ela não pôde me ajudar nos piores momentos." Nada poderia.

A oração da noite acalma e ajuda a manter o caos da depressão a uma distância segura. "É uma estrutura tão forte", diz ela. "Você faz as mesmas orações todas as noites. Alguém definiu o que você vai dizer a Deus, e outros o dizem com você. Estou convertendo esses rituais em algo que contenha minha experiência. A liturgia é como as ripas de madeira de uma caixa; os textos da Bíblia e especialmente os Salmos são considerados uma caixa extremamente boa para conter experiência. O ritual de ir à igreja cria uma rotina de concentração que nos faz evoluir espiritualmente." Em certos aspectos, isso parece pragmático: não diz respeito à crença, mas a um programa, e os mesmos resultados poderiam ser obtidos através de uma aula de aeróbica. Maggie admite que isso é parcialmente verdadeiro, mas nega a separação entre o espiritual e o pragmático. "Tenho certeza de que poderia conseguir a mesma profundidade com algumas outras religiões e com outras coisas além de religião. A cristandade é apenas um modelo. Quando discuto minha experiência religiosa com meu terapeuta ou minha experiência de terapia com meu diretor espiritual, esses modelos se revelam bastante semelhantes. Meu guia espiritual me disse recentemente que o Espírito Santo usa meu inconsciente o tempo todo! Na terapia aprendi a levantar as barreiras ao redor de meu ego; na igreja, aprendi a deixá-las cair e me unir ao universo, ou pelo menos a uma parte do corpo de Cristo. Estou aprendendo a continuar a levantá-las e deixá-las cair até que consiga fazê-lo assim." E estala os dedos.

"Segundo a doutrina cristã, você não pode cometer suicídio porque sua vida não lhe pertence. Você administra sua vida e seu corpo, mas eles não são seus para que você os destrua. Você não luta contra seus problemas apenas com o que tem dentro de si; você acredita que está lutando contra seus problemas junto com Jesus Cristo, Deus Pai e o Espírito Santo. A Igreja é uma carapaça para aqueles cujo esqueleto vem sendo devorado pela doença mental. Você se esparrama na carapaça e se adapta à sua forma. Faz crescer uma espinha dorsal dentro dela. O individualismo, esse nosso rompimento com todo o resto do mundo, denegriu a vida moderna. A Igreja diz que devemos agir primeiro dentro de nossas comunidades e depois como integrantes do corpo de Cristo, e finalmente como integrantes da raça humana. É muito pouco norte-americano neste século XXI, mas é muito importante. Tiro de Einstein a ideia de que os humanos estão trabalhando sob um 'delírio óptico' de que cada um é separado do outro, do resto do mundo material, do universo — quando na verdade somos todos partes inteiramente interconectadas do universo. Para mim, o cristianismo é o estudo da essência do verdadeiro amor, do amor útil. As pessoas acham que o cristianismo é contra o prazer, como às vezes é; mas é muito, muito a favor da alegria. Nele, seu objetivo é encontrar uma alegria que jamais irá deixá-lo, não importa em que tipo de dor você esteja mergulhado. Mas é claro que você ainda passa pela dor.

Na época em que eu queria me matar, perguntei a meu sacerdote: 'Qual é o objetivo desse sofrimento?'. E ele disse: 'Detesto frases que contenham a palavra *sofrimento* junto com a palavra *objetivo*. Sofrimento é só sofrimento. Mas acredito que Deus está com você durante este processo, embora eu duvide que você consiga sequer senti-lo'. Perguntei como eu poderia colocar uma coisa dessas nas mãos de Deus, e ele disse: 'Não há nenhum *colocar*, Maggie. As coisas estão apenas onde estão'."

Outra amiga, a poetisa Betsy de Lotbinière, também lutou com a fé de dentro da depressão e usou a crença como canal primário de recuperação. Na pior parte da depressão, ela diz: "Odeio meus próprios erros, é claro, e, conforme perco a tolerância, perco a generosidade e odeio o mundo e os erros daqueles ao meu redor e acabo com vontade de gritar porque há gotas que pingaram e manchas e folhas caídas, e multas por estacionar em local proibido e pessoas que se atrasam ou não telefonam de volta. Nada disso é bom. Logo as crianças começam a chorar e, se eu ignorar isso, elas vão ficar bem quietas e obedientes, o que é pior, pois as lágrimas estão agora por dentro. O medo está em seus olhos e elas ficam quietas. Deixo de ouvir as mágoas secretas delas que são tão fáceis de remediar quando está tudo bem. Eu me odeio assim. A depressão me leva para baixo, cada vez mais baixo".

Ela foi criada num lar católico e se casou com um homem de grande fé católica. Embora não seja tão assídua na igreja quanto o marido, ela se voltou a Deus e à oração quando sentiu que estava se afastando da realidade, quando viu como seu desespero estava destruindo o prazer que tinha com as crianças e o prazer delas no mundo. Mas não ficou inteiramente dentro do catolicismo — na verdade, tentou programas de doze etapas, meditação budista, caminhou sobre brasas, visitou templos hindus, estudou a cabala e praticamente tudo o mais que lhe parecesse espiritual. "Ao fazermos uma prece num momento de ansiedade, de esforço além da conta, ela pode funcionar como um botão que apertamos para abrir o paraquedas que vai nos impedir de trombar com toda a força contra uma parede de tijolos ou de cair tão rápido e tão forte a ponto de esmagar todos os ossos do nosso corpo emocional", ela escreveu num período difícil para mim. "A prece pode ser o seu freio. Ou, se sua fé for grande o bastante, a prece pode ser seu acelerador, um amplificador para enviar ao universo uma mensagem a respeito da direção que gostaria de seguir. A maioria das religiões do mundo envolve uma forma de parar e acessar o ser interior — por isso nos ajoelhamos, temos posições de lótus ou nos estendemos no chão. Elas também usam o movimento para afastar o cotidiano e restaurar a conexão com ideias maiores de Ser — por isso a música e o ritual. Ambas as coisas são necessárias para sair de uma depressão. Pessoas que já têm certo grau de fé antes de chegar às profundezas eviscerantes do abismo têm uma rota para sair de lá. A chave está em encontrar seu equilíbrio na escuridão. É nesse ponto que as religiões podem ajudar. Os líderes religiosos têm experiência em transmitir certa estabilidade às pessoas enquanto essas trilham caminhos conhecidos para longe da escuridão. Se conseguir acompanhar esse equilíbrio fora de si, talvez consiga alcançar o equilíbrio interno. Então, estará livre novamente."

A maioria das pessoas não consegue emergir de uma depressão realmente séria apenas lutando; uma depressão realmente séria tem que ser tratada ou tem que passar. Mas enquanto você está sendo tratado ou esperando que ela passe, tem que continuar lutando. Tomar remédio como parte da batalha é lutar com ferocidade, e recusá-lo seria tão ridiculamente autodestrutivo como entrar a cavalo numa guerra dos nossos dias. Não é fraqueza tomar medicamentos; isso não significa que você não consiga lidar com sua vida pessoal; é corajoso. Assim como não é fraqueza buscar a ajuda de um bom terapeuta. A fé em Deus e qualquer forma de fé em si mesmo são ótimas. Você precisa levar suas terapias, de todos os tipos, com você para a luta. Não pode ficar esperando a cura. "O trabalho duro é que deve ser a cura, não a pena que os outros sentem por você — trabalho duro é a única cura radical para a dor enraizada", escreveu Charlotte Brontë. Não é a cura *inteira*, mas ainda é a única. A felicidade em si pode ser um trabalho duro e grandioso.

E mesmo assim, todos sabemos que trabalho duro por si só não faz aflorar a alegria. Charlotte Brontë também escreveu, em *Villette*:

> Nenhuma zombaria nesse mundo me soa tão vazia quanto a que diz para *cultivar* a felicidade. O que significa esse conselho? A felicidade não é uma batata para ser plantada em húmus e adubada com esterco. A felicidade é uma glória brilhando à distância sobre nós vinda do céu. É um orvalho divino que a alma, em algumas de suas manhãs de verão, voluntariamente deixa cair sobre nós, do florescer do amaranto e dos frutos dourados do Paraíso. "Cultivar a felicidade!" Disse eu rapidamente ao médico: "O *senhor* cultiva a felicidade? Como consegue fazê-lo?"[37]

A sorte desempenha um papel significativo, derramando sobre nós, como por acaso, esses orvalhos de felicidade. Alguns reagem bem a determinado tratamento, alguns, a outro. Alguns têm uma remissão espontânea depois de uma luta breve. Alguns, que não lidam bem com remédios, podem de fato avançar muito através de psicoterapias; alguns, que desperdiçaram milhares de horas na psicanálise, melhoram no minuto em que tomam um comprimido. Alguns se arrancam de um episódio com um tratamento apenas para se afundar em outro que requer um tratamento diferente. Alguns têm uma depressão refratária que nunca desaparece, por mais que se esforcem. Alguns têm efeitos colaterais desanimadores com todos os tipos de tratamento, e alguns jamais encontram o menor problema com terapias aparentemente medonhas. Pode chegar um tempo em que conseguiremos analisar o cérebro e todas as suas funções, um tempo em que seremos capazes de explicar não apenas as origens da depressão, mas também os motivos para todas essas diferenças. Não vou esperar sentado. Por enquanto, precisamos aceitar que o destino deu a alguns de nós uma vulnerabilidade grande à depressão, e que, entre os que carregam essa vulnerabilidade, alguns têm cérebros que respondem ao tratamento, e alguns, cérebros que resistem ao tratamento. Aqueles de nós que, de algum modo, podem melhorar substancialmente, devem se considerar sortudos, por mais sinistros que seus colapsos tenham sido. Além disso, precisamos tratar aqueles para quem não existe recuperação com paciência. A resistência é um dom comum, mas não universal, e nenhum segredo neste livro ou em qualquer outro lugar pode ajudar os mais destituídos de sorte entre nós.

4. Alternativas

"Se há vários remédios para uma mesma doença", escreveu Anton Tchékhov certa vez, "podem estar certos de que a doença não tem cura."[1] Receitam-se muitos remédios para a depressão — além das medidas-padrão, um espantoso número de alternativas. Algumas são maravilhosas e podem ser extremamente úteis, a maioria seletivamente. Outras são completamente ridículas nesse campo. Histórias fantásticas estão por toda parte, e as pessoas as contam com o êxtase dos recém-convertidos. Poucos desses tratamentos alternativos causam danos profundos, exceto talvez às contas bancárias; o único perigo real vem quando remédios de faz de conta são usados no lugar dos eficazes. Já a quantidade de terapias alternativas reflete um otimismo persistente diante do problema implacável da dor emocional.

Logo depois das minhas publicações anteriores sobre a depressão, recebi centenas de cartas, de nove países diferentes e da maioria dos cinquenta estados norte-americanos, que, de forma tocante, buscam me informar sobre tratamentos alternativos. Uma mulher de Michigan escreveu que, após anos tentando todo tipo de remédio, finalmente descobriu a solução verdadeira, que era "fazer coisas com fios". Quando lhe perguntei o que ela fazia com os fios, ela me mandou uma foto extraordinária de uns oitenta ursinhos idênticos que fizera com as cores do arco-íris e um livro publicado por ela mesma sobre um modo muito, muito fácil de tecer. Em Montana, uma mulher se queixou: "Talvez você devesse saber que todos os efeitos que descreveu decorrem de envenenamento crônico. Olhe ao redor. Fez dedetização na casa, passou herbicida no gramado? Seu assoalho tem preenchimento de compensado de madeira? Enquanto escritores como William Styron e você não examinarem o ambiente em que vivem, verificando se estão expostos a tais riscos e removendo-os, não terei paciência com vocês e suas narrativas da depressão". Não pretendo falar em nome de William Styron, cujo assoalho pode estar encharcado de Agente Laranja, mas posso afirmar com segurança que minha casa, cujas entranhas me foram reveladas ao longo de uma década de desastres com o encanamento e a fiação, tem apenas assoalho de madeira numa estrutura de madeira. Outro leitor achava que eu estava envenenado pelo mercúrio das obturações dentais (mas não tenho nenhuma obturação nos dentes). Alguém me escreveu uma carta enorme de Albuquerque, dizendo que eu tinha uma baixa taxa de açúcar no sangue. Outro se ofereceu para me ajudar a encontrar um professor de sapateado. Alguém em Massachusetts queria me falar do *biofeedback*. Um homem de Munique perguntou se eu gostaria que ele substituísse o meu RNA, proposta que delicadamente declinei. Minha preferida veio de uma mulher em Tucson que escreveu simplesmente: "Você já pensou em sair de Manhattan?".

Não obstante minha situação (e a de William Styron), os efeitos do envenenamento por formaldeído podem de fato ser semelhantes aos sintomas da doença depressiva. Como também os efeitos da neurotoxicidade do envenenamento por mercúrio das obturações de amálgama nos dentes. A baixa taxa de açúcar no sangue está ligada a um estado de ânimo depressivo. Não posso confirmar o potencial terapêutico das aulas de sapateado, mas qualquer tipo de atividade física pode provocar uma melhora no estado de ânimo. Mesmo as ocupações manuais repetitivas e consoladoras de tecer podem servir a um propósito útil nas circunstâncias certas. Sair de Manhattan certamente diminuiria meu nível de estresse. Minha experiência é que ninguém, por mais lunático que possa parecer à primeira vista, é completamente sem razão. Muitas pessoas atingem resultados surpreendentemente bons com projetos aparentemente doidos. Seth Roberts, do Departamento de Psicologia da Universidade da Califórnia, em Berkeley, tem uma teoria de que um tipo de depressão está vinculado a acordar sozinho, e que a experiência de assistir a um apresentador ou entrevistador de televisão falando por uma hora no começo do dia pode ajudar. Seus pacientes têm gravações de programas de entrevistas que usam uma câmera única para que a cabeça fique na tela com o tamanho aproximado da vida real. Eles assistem a isso durante a primeira hora do dia e um número convincente deles sente-se miraculosamente muito melhor. "Nunca imaginei que a TV pudesse ser minha melhor amiga", me disse um de seus pacientes. O abrandamento da solidão, mesmo dessa forma excessiva, pode ter um efeito bastante animador.

Tive uma série de encontros abençoados com um homem que acabei chamando de "o místico incompetente". O místico incompetente me escreveu sobre as terapias de energia que pratica e, depois de uma considerável troca de correspondência, convidei-o à minha casa para que demonstrasse seu trabalho. Ele foi extremamente agradável e cheio de boas intenções; assim, depois de alguns minutos trocando ideias, começamos a trabalhar. Ele me fez unir o polegar e o dedo médio de minha mão esquerda para fazer um O e depois repetir isso na mão direita. Depois me fez criar um elo entre os dois Os. Então me pediu para recitar algumas frases, afirmando que, quando eu falasse a verdade, meus dedos não cederiam às suas tentativas de afastá-los, mas que, quando eu mentisse, os dedos ficariam fracos. Os gentis leitores talvez possam imaginar meu constrangimento quando, sentado na minha própria sala, eu dizia "eu me odeio" enquanto um homem sério de terno azul-claro puxava minhas mãos. Descrever os procedimentos que se seguiram a esse conjunto de exercícios encheria páginas e páginas, mas o ponto alto veio quando ele começou a cantar por cima de mim, e a meio caminho esqueceu o que devia cantar. "Espere um segundo", disse ele, e vasculhou numa pasta até achar: "Você quer ser feliz. Então será feliz". Cheguei à conclusão de que qualquer um que não conseguisse lembrar daquelas duas frases era um grande pateta, e com algum esforço consegui que o místico incompetente se retirasse de minha casa. Desde então, pacientes me relataram experiências mais bem-sucedidas com a terapia de energia, e aceito que alguns realmente revertem sua "polaridade corporal" e chegam a um bem-aventurado amor-próprio através da prática inspirada dessas metodologias. Contudo, continuo muito cético — embora não possa duvidar de que alguns charlatães sejam mais dotados em suas apresentações que o meu.

Já que a depressão é uma doença cíclica que entrará em remissão temporária sem qualquer tratamento, pode-se creditar sua melhora eventual a qualquer atividade prolongada, útil ou inútil. Acredito piamente que no campo da depressão não existe placebo. Se você tem câncer, tenta um tratamento exótico e acha que está melhorando, pode estar errado. Se tem depressão, tenta um tratamento exótico e acha que está melhorando, você está melhorando. A depressão é uma doença dos processos do pensamento e das emoções, e se algo muda seus processos de pensamento e emoções na direção correta, isso funciona como uma recuperação. Penso sinceramente que o melhor tratamento para a depressão é a crença, o que em si é bem mais essencial do que aquilo em que se acredita. Se você realmente acredita que pode aliviar sua depressão ficando de cabeça para baixo e cuspindo moedas por uma hora todas as tardes, é provável que essa atividade incômoda lhe faça um tremendo bem.

O exercício e a alimentação desempenham um papel importante no progresso da doença afetiva, e acredito que se possa atingir um controle considerável através de bons regimes em busca de boa forma física e nutrição. Entre os tratamentos alternativos, considero mais sérios a estimulação magnética transcraniana repetitiva (EMTr), o uso de caixas de luz para pessoas com transtornos afetivos sazonais (TAS), terapia de dessensibilização e reprocessamento por meio dos movimentos oculares (EMDR); massagens, cursos de sobrevivência, hipnose, terapia de privação do sono, a planta erva-de-são-joão, a S-adenosilmetionina (SAMe), homeopatia, fitoterapia chinesa, terapias de grupo, grupos de apoio e psicocirurgia. Só um livro infinito poderia debater cada tratamento que algum dia já trouxe um resultado razoável.

"O exercício é o primeiro passo para todos os meus pacientes", diz Richard A. Friedman, do hospital Payne-Whitney. "Ele joga qualquer pessoa para cima."[2] Detesto exercício, mas, assim que consigo me arrastar para fora da cama, faço um pouco de ginástica calistênica ou, se posso, vou à academia. Quando estava saindo da depressão, o que eu fazia não tinha nenhuma importância; o step e a esteira eram os mais fáceis. O exercício parecia ajudar a expulsar a depressão de meu sangue, como se ajudasse a me limpar. "É uma questão muito clara", diz James Watson, presidente do laboratório Cold Spring Harbor e um dos descobridores do DNA. "O exercício produz endorfinas. As endorfinas são morfina endógena e fazem você se sentir ótimo, se você está normal. Fazem você se sentir melhor se está péssimo. Você tem que manter a taxa de endorfinas no sangue alta e ativa — afinal de contas, elas estão contra a corrente dos neurotransmissores também, e assim o exercício vai funcionar para aumentar os níveis de seus neurotransmissores." Além disso, a depressão deixa o corpo pesado e lento, e estar pesado e lento aumenta a depressão. Se você continua fazendo o corpo funcionar, à medida que pode, sua mente o seguirá. Quando estou deprimido, não consigo pensar em nada mais desagradável do que fazer exercício, e não é divertido praticá-lo, mas depois sempre me sinto mil vezes melhor. O exercício também afasta a ansiedade: a energia nervosa é gasta nos abdominais, e isso ajuda a conter o medo irracional.

Você é o que você come; você sente o que você é. Não é possível fazer a depressão recuar apenas escolhendo os alimentos certos, mas é certamente possível fazer uma depressão aflorar deixando de comê-los. E uma cuidadosa monitoração da dieta pode de certo modo protegê-lo contra a recorrência.[3] O açúcar e os carboidratos parecem aumentar a absorção de triptofano no cérebro, o que por sua vez aumenta os níveis de serotonina. A vitamina B6, encontrada nos grãos integrais e crustáceos, é importante para a síntese da serotonina; baixos níveis de vitamina B6 podem precipitar uma depressão. O colesterol baixo tem sido ligado a sintomas depressivos. Os estudos não estão disponíveis, mas uma boa dieta de lagosta e mousse de chocolate pode fazer muito para melhorar o ânimo. "A ênfase do século XX numa alimentação fisicamente saudável", diz Watson, "tem provavelmente nos dado uma dieta psiquicamente não saudável." A síntese da dopamina também repousa nas vitaminas B, especialmente na B12 (encontrada em peixes e laticínios) e no ácido fólico (encontrado em fígado de boi e brócolis), e também no magnésio (encontrado no bacalhau, na cavalinha e no gérmen de trigo). Pessoas deprimidas frequentemente têm níveis baixos de zinco (que está presente em ostras, endívia, aspargos, peru e rabanetes), vitamina B3 (encontrada no ovo, levedo de cerveja e aves) e cromo; e esses três têm sido usados para tratar a depressão. Baixos níveis de zinco, especialmente, têm sido associados à depressão pós-parto, uma vez que todas as reservas de zinco passam da mãe para o bebê bem no final da gravidez. Aumentar a ingestão de zinco pode elevar o estado de ânimo. Uma teoria em circulação é que as pessoas do Mediterrâneo têm menos depressão devido à quantidade de óleo de peixe — rico em vitaminas B — que consomem, o que aumenta o nível dos ácidos graxos ômega-3.[4] A evidência dos efeitos benéficos dos ácidos graxos ômega-3 no estado de espírito é a mais forte de todas.

Embora esses alimentos possam ser eficazes na prevenção da depressão, outros podem provocar a depressão. "Muitos europeus têm alergia a trigo, e muitos norte-americanos têm alergia a milho", explica Vicki Edgson, autora de *The Food Doctor* [O doutor comida]. Alergias a certos alimentos podem também desencadear a depressão. "Essas substâncias comuns se tornam toxinas no cérebro que precipitam todo tipo de doença mental." Muitos desenvolvem sintomas depressivos como parte de uma síndrome de exaustão adrenal, uma consequência da excessiva indulgência em relação a açúcares e carboidratos. "Se seu nível de açúcar no sangue flutua constantemente, com altos e baixos ao longo do dia, trate de ficar longe de doces e comida fast-food, pois eles causarão problemas no sono e limitarão não apenas seu desempenho durante todo o dia, mas também sua paciência e tolerância com os outros. As pessoas com essa síndrome estão cansadas o tempo todo, perdem o impulso sexual, sentem dores por todo o corpo. O estresse em seus sistemas é tremendo." Alguns desenvolvem doença celíaca, que impede o bom funcionamento geral. "As pessoas que estão deprimidas se enganam pensando que café é a única coisa que fornece energia", diz Edgson. "Na verdade, ele devora a energia e estimula respostas de ansiedade." O álcool também cobra um preço substancial do corpo. "Às vezes", diz Edgson, "a depressão é o modo de o seu corpo lhe dizer para parar de abusar dele; é a prova de que as coisas estão desmoronando."

Robert Post, do Instituto Nacional de Saúde Mental (National Institute of Mental Health, NIMH), vem trabalhando com estimulação magnética intracraniana repetitiva (EMTr), que usa magnetismo para criar um estímulo metabólico muito parecido com o que é produzido na TEC, mas em níveis mais baixos.[5] A tecnologia moderna permite que o magnetismo seja focado e concentrado para fornecer um estímulo intenso em áreas específicas do cérebro. Enquanto a corrente elétrica tem que ser bem alta para poder penetrar o crânio e o couro cabeludo até o cérebro, fluxos magnéticos penetram facilmente. Assim, a TEC causa uma convulsão no cérebro, e a EMTr não. Post propõe que, com o avanço da neuroimagem, será finalmente possível assinalar as áreas deprimidas do cérebro, apontar os estímulos magnéticos para tais áreas e ajustar o tratamento de modo a corresponder às formas específicas de doença. A EMTr oferece também a possibilidade de uma enorme especificidade: o estímulo magnético pode ser direcionado com precisão. "Em algum momento", diz Post, "poderemos usar tecnologia para colocar um capuz, como um secador de cabelos antigo, em sua cabeça. Ele escanearia seu cérebro, escolhendo as áreas de metabolismo deprimido, e então focalizaria o estímulo nessas áreas. Meia hora depois você iria embora com o cérebro reequilibrado."

Norman Rosenthal descobriu o transtorno afetivo sazonal (TAS) quando se mudou da África do Sul para os Estados Unidos e começou a ter acessos de tristeza de inverno. Muita gente sofre mudanças de humor sazonais e desenvolve depressões de inverno recorrentes. Se mudanças de estação — o que um paciente chamou de "o fogo cruzado entre verão e inverno" — são difíceis para todos, o TAS é diferente de apenas não gostar dos dias frios. Rosenthal argumenta que os seres humanos foram feitos para reagir a variações sazonais, o que a luz artificial e as restrições artificiais da vida moderna não permitem. Quando os dias ficam mais curtos, muitas pessoas se retraem, e "pedir-lhes para serem ativos, indo contra seus instintos biológicos, é uma fórmula para a depressão. Como um urso hibernando se sentiria se você quisesse que ele entrasse no circo, se erguesse nas pernas traseiras e dançasse por todo o inverno?".[6] Experiências têm mostrado que o TAS é afetado pela luz, que influencia a secreção da melatonina, afetando assim os sistemas neurotransmissores. A luz estimula o hipotálamo, onde estão baseados muitos sistemas — do sono, da fome, da temperatura, do impulso sexual — que a depressão desregula. A luz também influencia a síntese da serotonina na retina. Um dia ensolarado oferece cerca de trezentas vezes mais luz que o interior de uma casa.[7] A terapia geralmente prescrita para vítimas do TAS é o uso de uma caixa de luz, que joga uma luz terrivelmente brilhante na pessoa. Descobri que as caixas de luz me deixam um pouco tonto, e sinto como se agredissem meus olhos, mas conheço gente que as adora. Alguns na verdade usam visores de luz ou caixas de luz montadas na cabeça. Há provas de que uma caixa brilhante, que é muito mais iluminada que a luz de um ambiente interno normal, levanta os níveis de serotonina no cérebro. "Dá para ver as vítimas do TAS começando a entrar no outono", diz Rosenthal. "É como observar as folhas caírem das árvores. E quando começamos a tratá-las com uma intensa exposição à luz, é como ver as tulipas brotarem."

A terapia da dessensibilização e reprocessamento por meio dos movimentos oculates (EMDR) foi criada em 1987 para o tratamento do estresse pós-traumático.[8] A técnica é um pouco kitsch. O terapeuta move a mão em várias velocidades, indo do campo de visão periférica do lado direito para o campo de visão periférica do lado esquerdo, estimulando assim um olho e depois o outro. Numa variante dessa técnica, a pessoa usa fones de ouvido que alternam sons para estimular um ouvido e depois o outro; ou, numa terceira possibilidade, ela segura pequenos vibradores, um em cada mão, e eles pulsam alternadamente. Enquanto isso está acontecendo, o paciente passa por um processo psicodinâmico em que relembra e revive seu trauma. No final da sessão, está livre dele. Enquanto muitas terapias — a psicanálise, por exemplo — englobam belas teorias e resultados limitados, a EMDR tem teorias tolas e excelentes resultados. Médicos que utilizam terapia especulam que ela funciona estimulando o cérebro esquerdo e direito em rápida alternância, ajudando assim a transferir lembranças de um centro de estocagem do cérebro para outro. Isso parece improvável. No entanto, algo sobre o estímulo oscilante da EMDR tem um efeito dramático.

A EMDR vem sendo cada vez mais usada para a depressão. Já que a técnica envolve a lembrança de traumas, é com frequência receitada mais como um tratamento para depressão com base em trauma do que para uma depressão mais generalizada. Submeti-me a todos os tipos de terapias ao longo da pesquisa deste livro, inclusive EMDR. Estava convencido de que era um sistema atraente, mas insignificante, e fiquei muitíssimo surpreso com os resultados. Haviam me dito que a técnica "acelera o processo", mas isso não me preparou para a intensidade da experiência. Coloquei fones de ouvido e tentei pensar em minhas lembranças. Fui inundado por imagens incrivelmente poderosas da infância, coisas que eu nem sabia que estavam no meu cérebro. Consegui formar associações imediatas: minha mente tornou-se mais veloz do que nunca. Foi uma experiência eletrizante, e o terapeuta de EMDR com quem eu estava trabalhando eficientemente levou-me a todo tipo de dificuldades da infância já esquecidas. Não tenho certeza de que a EMDR tenha um efeito imediato numa depressão que não seja desencadeada por um trauma único, mas foi tão estimulante e interessante que continuei a fazê-la por mais de vinte sessões.

David Grand, um terapeuta com formação em psicanálise que agora usa a EMDR com todos os pacientes, diz: "A EMDR pode ajudar uma pessoa a fazer em seis ou doze meses o que ela não conseguiu em cinco anos de tratamento comum. Não estou comparando de maneira vaga: comparo meu trabalho com a EMDR ao meu trabalho sem ela. A ativação passa por cima do ego e ativa a mente profunda, rápida e diretamente. A EMDR não é uma abordagem, como a cognitiva ou a psicanalítica: é uma ferramenta. Você não pode ser apenas um terapeuta EMDR genérico. Tem que ser um bom terapeuta primeiro e então descobrir como integrar a EMDR. A estranheza desse método afasta as pessoas, mas eu a tenho aplicado por oito anos e não poderia voltar a fazer terapia sem EMDR sabendo o que sei agora. Seria uma tremenda regressão, uma tremenda volta ao primitivo". Sempre saí do consultório de meu terapeuta de EMDR num turbilhão (positivo); e as coisas que aprendi ficaram comigo e enriqueceram minha mente consciente. É um processo poderoso. Eu o recomendo.

Em outubro de 1999, viajei para Sedona, no Arizona, para quatro dias de massagem alternativa durante um período em que estava sofrendo de muito estresse.[9] Em geral sou cético a respeito de tratamentos new age, e saudei a "analista" que realizaria meu primeiro tratamento com alguma suspeita, enquanto ela depositava seus cristais no canto da sala e me contava sobre seus sonhos. Não estou convencido de que uma profunda tranquilidade interior é resultado direto de ser borrifado com óleos dos sagrados canyons do Chaco e Tibete, e não sei se o rosário de contas de quartzo rosa que ela estendeu sobre os meus olhos estava realmente conectado com meus chakras; nem acredito que os cantos em sânscrito estivessem inscrevendo virtudes antidepressivas em meus meridianos. Dito isso, quatro dias de manipulação suave por mulheres lindas num local opulento de recreação foram muito bons para mim, e fui embora com muita paz. O tratamento final — massagem sacrocraniana — pareceu ter efeitos especialmente benéficos: uma certa serenidade desceu sobre mim e durou vários dias.

Acredito que uma massagem prolongada, que desperta o corpo que a depressão separou da mente, pode ser uma parte útil da terapia. Acho que minha experiência em Sedona não poderia ter ajudado alguém nas profundezas de uma depressão severa, mas como técnica de sintonização foi sensacional. O teórico Roger Callahan diz que mistura cinesiologia aplicada e medicina chinesa tradicional. Callahan afirma que primeiro mudamos numa base celular, depois numa base química, a seguir numa neurofisiológica e então numa cognitiva. Diz que temos trabalhado de trás para a frente ao tratar a cognitiva primeiro e a neurofisiológica em segundo lugar; ele começa com as realidades místicas de resposta muscular. Tem muitos seguidores. Embora suas práticas soem pouco críveis para mim, a ideia de começar do físico parece inteligente. A depressão é uma aflição corporal, e o físico ajuda.[10]

Na Segunda Guerra Mundial, muitos soldados britânicos tiveram que passar extensos períodos vagando pelo Atlântico depois de seus navios terem sofrido ataques devastadores. Os soldados com a melhor taxa de sobrevivência não eram os mais jovens e capazes, e sim os mais experientes, que geralmente tinham uma dureza de espírito que transcendia os limites de seus corpos. O educador Kurt Hahn observou que tal aspereza teve que ser aprendida e fundou a Outward Bound, que é agora uma ampla confederação de associados espalhada por todo o mundo. Através de incursões planejadas em ambientes selvagens, a Outward Bound tenta manter os objetivos de Hahn: "Encaro como principal tarefa da educação assegurar a sobrevivência das seguintes qualidades: uma curiosidade empreendedora, um espírito invencível, tenacidade na busca, disposição para um altruísmo sensato e, acima de tudo, compaixão".[11]

No verão de 2000, participei de uma expedição com a Hurricane Island School da Outward Bound. Eu jamais teria sobrevivido à Outward Bound durante uma depressão, mas passar por ela quando eu não estava deprimido parecia fortalecer qualidades em mim que me fazem resistir à depressão. O curso era rigoroso e às vezes muito difícil, mas também prazeroso. Me deu a sensação de que minha vida estava ligada aos processos orgânicos de um mundo maior. Era um sentimento seguro: assumir nosso lugar na eternidade é imensamente reconfortante. Remávamos de caiaque no mar, e nossos dias eram cheios de esforço físico. Num dia normal, levantávamos por volta das quatro horas da manhã, depois corríamos um quilômetro e meio, em seguida íamos para uma plataforma a uns oito metros acima do mar e pulávamos nas águas geladas do Maine. Então guardávamos os suprimentos nos caiaques e levantávamos acampamento; em seguida, carregávamos os caiaques — botes para duas pessoas, com uns seis metros de comprimento — até o mar. Remávamos talvez uns oito quilômetros contra a maré (a pouco mais de 1,5 quilômetro por hora) até alcançarmos um local onde podíamos parar para o café da manhã e descansar, cozinhar e comer. Depois entrávamos novamente nos botes e remávamos por outros oito quilômetros, chegando ao local onde passaríamos a noite. Almoçávamos e depois praticávamos resgates assistidos, virando nossos botes de cabeça para baixo e nos libertando sozinhos, debaixo d'água, da rede que nos segurava, endireitando os caiaques no mar e entrando neles de novo. A seguir, éramos levados individualmente para locais separados para passar a noite dentro de um saco de dormir, com uma garrafa d'água, uma espécie de lona de plástico e um pedaço de barbante. Felizmente o tempo estava bom durante minha viagem; cumpriríamos a mesma rotina se estivesse chovendo granizo. Nossos instrutores eram notáveis, pessoas que pertenciam a terra, que pareciam sobreviver a tudo, incrivelmente fortes e às vezes até mesmo sábios. Através de nossos encontros com o selvagem e das intervenções cuidadosas dos instrutores, adquirimos alguma porção da intensa competência deles.

Por vezes eu desejei não ter ido, sentindo que a prova final de minha maluquice tinha sido consentir em ter minha vida despojada de luxos a esse ponto. Mas também me senti novamente em contato com algo profundo. Há um gosto de triunfo em habitar o mundo selvagem, mesmo se você faz isso num caiaque de fibra de vidro. O ritmo das remadas ajuda, assim como a luz, e as ondas parecem marcar o fluxo do sangue enquanto ele vai para o coração, e a tristeza desaparece. A Outward Bound lembrou-me de muitos modos a psicanálise: era um processo de autorrevelação que alargava nossas fronteiras. Nisso, ia ao encontro das intenções de seu fundador. "Sem a descoberta de si mesmo", escreveu Hahn, estendendo uma ideia de Nietzsche, "a pessoa pode até ter autoconfiança, mas é uma autoconfiança construída na ignorância e ela se dissolve diante de fardos pesados. A autodescoberta é consequência da vitória sobre um grande desafio, quando a mente ordena que o corpo faça o que é aparentemente impossível, quando a força e a coragem são levadas a limites extraordinários em benefício de algo fora do eu — um princípio, uma tarefa onerosa, a vida de outro ser humano." Isto é, a pessoa tem que fazer coisas entre os surtos de depressão que construam a sua capacidade de resistência, para que ela possa sobreviver ao desespero quando ele chegar de novo — do mesmo modo que fazemos exercício diários para manter nosso corpo em forma. Não indico Outward Bound como substituto da terapia, mas como um suplemento da terapia pode ser poderoso; e é, no todo, gratificantemente belo. A depressão corta você de suas raízes. Embora possa parecer um chumbo, ela é também uma espécie de balão a gás, porque nada segura a pessoa à terra. Outward Bound foi o meu caminho para dentro das raízes firmes da natureza, e ter feito o que fiz me deixou finalmente orgulhoso e seguro.

A hipnose, como a EMDR, é um instrumento que pode ser usado mais como um acessório do que como um tratamento. É possível, através dela, levar um paciente de volta às suas primeiras experiências e ajudá-lo a revivê-las de modo que alguma solução aflore. Em seu livro sobre o uso da hipnose na depressão, Michael Yapko escreve que a hipnose funciona melhor quando a compreensão de uma experiência parece ser a fonte da depressão, podendo ser mudada para uma compreensão alternativa que faça a pessoa se sentir melhor. A hipnose também é usada para criar na mente do paciente a imagem de um futuro brilhante em potencial, uma previsão do que pode tirá-lo da atual infelicidade e assim propiciar esse futuro. Uma hipnose bem-sucedida é no mínimo útil para romper padrões negativos de pensamento e comportamento.[12]

Um dos sintomas primordiais da depressão é uma perturbação nos padrões do sono; pessoas realmente deprimidas podem não ter sono profundo, passando muito tempo na cama sem jamais conseguir descansar. Dorme-se de modo estranho por causa da depressão ou mergulha-se na depressão porque se dorme de modo estranho? "O sofrimento, que leva à depressão, perturba seu sono; a paixão, que pode levar à mania, perturba seu sono de outro modo", sublinha Thomas Wehr, do NIMH. Mesmo gente que não sofre de depressão tem a experiência de acordar cedo demais com uma sensação de horror. Na verdade, esse temível estado de desespero, que geralmente passa rápido, pode ser o mais próximo que pessoas saudáveis chegam da experiência da depressão. Quase todas as pessoas que sofrem de depressão sentem-se pior pela manhã e melhor à medida que o dia avança. Assim, Thomas Wehr fez uma série de experiências que mostram que é possível aliviar alguns sintomas da depressão com uma privação de sono controlada. Não é um sistema prático no longo prazo, mas pode ser útil em pessoas que estão esperando pelos efeitos dos antidepressivos. "Ao não deixar a pessoa dormir, prolonga-se a melhora que acontece durante o dia. Embora gente deprimida busque o esquecimento que existe no sono, é *no* sono que a depressão é mantida e intensificada. Que espécie de demônio horrível aparece durante a noite e traz essa transformação?", pergunta Wehr.[13]

F. Scott Fitzgerald escreveu em *A derrocada* que "às três da madrugada, um fardo esquecido tem a mesma importância trágica de uma sentença de morte, e a cura não funciona — numa noite realmente escura da alma são sempre três horas da manhã, dia após dia".[14] Esse demônio das três horas me visitou.

Nas épocas em que estou mais deprimido, sinto uma melhora gradual durante o dia. Embora fique exausto facilmente, meu período de maior produtividade são as altas horas da noite — na verdade, se fosse escolher de acordo com meus estados de espírito, viveria minha vida à meia-noite. Há poucas pesquisas nessa área, porque ela não é patenteável, mas alguns estudos indicam que os mecanismos são complicados e dependem de quando você dorme, em que parte do sono está quando acorda e uma série de outros fatores técnicos. O sono é o determinante primordial dos padrões circadianos do corpo, e alterar o sono perturba o horário de liberação endócrina e dos neurotransmissores. Mas, embora possamos identificar muito do que acontece durante o sono e observar o mergulho emocional que o sono acarreta, não conseguimos ainda traçar correlações diretas. O nível de hormônio que regula o funcionamento da tireoide baixa durante o sono; é isso que causa o mergulho emocional? A norepinefrina e a serotonina baixam, a acetilcolina sobe. Alguns teorizam que a privação do sono aumenta os níveis de dopamina, uma série de experiências sugere que pestanejar causa a liberação da dopamina, e que portanto um longo período com os olhos fechados diminui seu nível no organismo.

Claro que não é possível privar alguém totalmente de sono, mas pode-se impedi-lo de passar pelo estágio tardio do inquieto sono REM, despertando-o quando ele começar, e isso pode ser um modo excelente de manter a depressão sob controle. Tentei fazê-lo e funciona. As sonecas, pelas quais anseio quando estou deprimido, são contraproducentes e podem desfazer todo o bem atingido ao estar acordado. O professor M. Berger, da Universidade de Freiburg, tem praticado o chamado avanço do sono, no qual as pessoas são postas na cama às cinco da tarde e acordadas antes da meia-noite. Isso pode ter um efeito benéfico, embora ninguém entenda por quê. "Esses tratamentos parecem meio malucos", reconhece Thomas Wehr. "Mas, francamente, se você dissesse para alguém: 'Eu gostaria de colocar alguns fios em sua cabeça e lhe dar um choque elétrico para induzir uma convulsão porque acho que pode ajudar sua depressão', isso dificilmente aconteceria, se não fosse um tratamento amplamente praticado e bem-estabelecido."

Michael Thase, da Universidade de Pittsburgh, observou que muitos deprimidos têm o sono substancialmente reduzido e que a insônia durante a depressão é um prognóstico da propensão ao suicídio. Mesmo para aqueles que conseguem dormir, a qualidade do sono é significativamente alterada durante a depressão. O sono de pessoas deprimidas tende a ser de baixa eficiência. Elas raramente ou nunca entram no sono profundo, que é associado a uma sensação de renovação e de descanso. Podem ter muito mais episódios breves de sono REM do que os poucos episódios típicos de um indivíduo saudável. Já que o sono REM pode ser descrito como um leve despertar, esse REM repetitivo é mais exaustivo do que repousante. A maioria dos antidepressivos reduz o sono REM, embora não necessariamente melhore a sua qualidade do sono como um todo. Se isso é parte de seu mecanismo de ação, é difícil saber. Thase observou que depressivos com sono normal podem responder melhor à psicoterapia e que os de sono anormal tendem a precisar de medicação.

Embora o sono durante a depressão ponha a pessoa para baixo, a falta de sono crônica pode ser o que desencadeia a depressão. Desde o aparecimento da TV, a média de sono noturno diminuiu duas horas. O amplo aumento da depressão na sociedade poderia ter se dado em parte como resultado da diminuição do sono? Claro que temos um problema básico: não só não sabemos muito sobre a depressão, mas também não sabemos para que serve o sono.

Todos os outros sistemas do corpo podem ser remanejados em modos aparentemente produtivos. A exposição ao frio pode ter efeitos similares à privação do sono. As renas que ficam imóveis nas noites impiedosas de um inverno do

Norte, antes de começarem a se mover de novo na primavera, ficam em "resignação ártica", o que parece muito com a depressão humana.[15] O frio, pelo menos em alguns animais, causa uma redução geral de atividade.

A erva-de-são-joão é uma bela moita que brota por volta do dia de são João (24 de junho). Sua utilidade medicinal está documentada desde Plínio, o Velho, no século I d.C., que a usava para problemas da bexiga. No século XIII, era usada para afastar o demônio. Nos Estados Unidos, hoje em dia, a erva-de-são-joão é vendida como extrato, pó, em chá, como tintura e como um ingrediente nos mais variados tipos de alimentos ditos saudáveis. Está em plena voga no norte da Europa. Já que não há incentivo financeiro para pesquisar substâncias naturais não patenteáveis, há relativamente poucos estudos controlados sobre a erva, que certamente parece funcionar, aliviando tanto a ansiedade quanto a depressão. O que não é claro é como funciona; na verdade, não se sabe nem mesmo quais das muitas substâncias biologicamente ativas na planta são responsáveis pelo tratamento da depressão. A substância de que mais se sabe é o hipérico, que representa cerca de 0,3% de um determinado extrato da droga. A erva-de-são-joão parece capaz de inibir a reapreensão dos três neurotransmissores. Diz-se que baixa a produção da interleucina-6, proteína envolvida no sistema imunológico, que em quantidades excessivas faz as pessoas se sentirem infelizes.[16]

O guru da medicina natural Andrew Weil afirma que extratos da planta são eficazes porque operam em sistemas múltiplos; sua opinião é que muitos agentes potentes trabalhando em conjunto são melhores do que moléculas especificamente desenvolvidas, embora seja pura conjectura como ou se tais agentes realmente ajudam uns aos outros. Ele defende as impurezas dos remédios extraídos de plantas, o modo como agem de múltiplas maneiras em múltiplos sistemas do corpo. Suas teorias têm respaldo científico limitado, mas um certo encanto conceitual.[17] A maioria das pessoas que escolhem tomar erva-de-são-joão não o faz pela sujeira terapêutica. Elas o escolheram devido a uma visão sentimental de que é melhor ingerir uma planta do que uma substância sintetizada. O marketing da erva-de-são-joão explora esse preconceito. Num anúncio exposto durante um tempo no metrô de Londres, uma mulher loura com uma expressão de entusiasmo no rosto era identificada como "Kira, a moça do raio de sol", mantida naquele elevado estado de espírito pelas "folhas suavemente secas" e "vivas flores amarelas" da erva-de-são-joão. A implicação desse anúncio ridículo — como se uma secagem suave ou a cor amarela tivessem algo a ver com a eficácia do tratamento — reflete a abordagem tola que tornou a erva-de-são-joão um remédio tão popular. Dificilmente pode-se considerar "natural" a ingestão regular da erva-de-são-joão numa quantidade específica. Que Deus tenha colocado uma certa configuração molecular numa planta e deixado que outra configuração fosse desenvolvida pela ciência humana dificilmente recomenda a primeira sobre a segunda. Não há nada especialmente atraente sobre doenças "naturais" como a pneumonia, substâncias "naturais" como o arsênico ou fenômenos "naturais" como a queda de um dente. Deve-se lembrar que muitas substâncias que ocorrem naturalmente são extremamente tóxicas.

Tenho notado que algumas pessoas têm reações adversas aos ISRSs. Vale a pena notar que a erva-de-são-joão, por mais que cresça nos prados, não é inofensiva.[18] Substâncias naturais são vendidas de maneira pouco controlada, de modo que não se pode ter certeza de estar comprando a mesma quantidade de ingredientes ativos em cada comprimido, e eles certamente podem ter interações perigosas com outras drogas.[19] A erva-de-são-joão pode, por exemplo, diminuir a eficácia de anticoncepcionais orais, drogas estatinas para baixar o colesterol, betabloqueadores, bloqueadores dos canais de cálcio para pressão alta e doença coronariana e inibidores da protease para infecções do HIV (entre outros).[20] Minha opinião é que não há nada de errado com a erva-de-são-joão, mas não há nada especialmente certo com ela também. Ela é menos regulamentada, menos estudada e mais frágil do que moléculas sintéticas, e tende a ser tomada de um modo menos consistente do que o Prozac.

Na intensa busca por remédios "naturais", os pesquisadores desenterraram outra substância curativa, chamada de S-adenosilmetionina ou, abreviadamente, SAMe. Enquanto a erva-de-são-joão se transformou numa panaceia psicológica no norte da Europa, a SAMe é o tratamento mais popular no sul da Europa, com numerosos seguidores especialmente na Itália. Como a erva-de-são-joão, ela não é regulamentada, sendo disponível em lojas de alimentos naturais em forma de pequenas pílulas brancas. A SAMe não vem de alegres flores, como a erva-de-são-joão; é encontrada no corpo humano. O nível da SAMe varia com a idade e o gênero. A SAMe está em todo o corpo e capacita muitas funções químicas. Embora as pessoas deprimidas não tenham baixos níveis de SAMe, estudos sobre a eficácia da substância como antidepressivo são encorajadores.[21] A SAMe derrota placebos consistentemente no alívio de sintomas depressivos e parece ser pelo menos tão eficaz quanto os antidepressivos tricíclicos, aos quais têm sido comparada. Contudo, muitos estudos sobre a droga não foram bem dirigidos, e seus resultados podem não ser inteiramente confiáveis. A SAMe não tem um longo rol de efeitos colaterais, mas pode desencadear mania em pacientes com disfunção bipolar.[22] Ninguém parece ter uma ideia concreta do modo de ação da SAMe. Ela pode estar relacionada ao metabolismo dos neurotransmissores e seu uso a longo prazo em animais aumenta os níveis de neurotransmissores cerebrais.[23] Ela parece realçar especialmente a ação de dopamina e da serotonina. Uma deficiência de SAMe pode estar ligada a uma metilação pobre,[24] que submeteria o corpo ao estresse. Os idosos tendem a ter baixos níveis de SAMe, e alguns pesquisadores propuseram que essa deficiência está ligada à função diminuída do cérebro envelhecido. Muitas explicações para a aparente eficácia da SAMe vêm sendo propostas, sem virtualmente qualquer prova que as suporte.

142

A homeopatia é às vezes usada para combater a depressão: os profissionais ministram doses minúsculas de diversas substâncias que podem, em doses maiores, provocar sintomas depressivos em pessoas saudáveis. Muitas formas da medicina não ocidental podem ser úteis contra a depressão. Uma mulher que vem batalhando contra a depressão por toda a vida e não obteve grandes resultados com antidepressivos, descobriu aos sessenta anos que o Qigong, um sistema chinês de respiração e exercícios corporais, podia eliminar totalmente seu problema. A acupuntura, que vem conquistando cada vez mais adeptos no Ocidente — norte-americanos agora gastam 500 milhões de dólares anuais com ela —,[25] também tem demonstrado efeitos surpreendentes para algumas pessoas. O NIMH reconhece que a acupuntura pode mudar a química do cérebro. A fitoterapia chinesa parece menos confiável, mas algumas pessoas já conseguiram grandes mudanças com o uso de remédios de ervas.

Muitos que usam terapias alternativas já tentaram as convencionais. Alguns preferem as alternativas, enquanto outros buscam complementar os tratamentos convencionais. Alguns são atraídos pelo conceito de meios de cura menos invasivos que remédios ou eletrochoques. Evitar a psicoterapia parece no mínimo ingênuo, mas descobrir variantes dela ou usar essas terapias com formas não tradicionais de tratamento pode ser preferível para alguns, em vez de ir até um farmacologista e ingerir coquetéis dos quais ainda sabemos muito pouco.

Entre meus conhecidos que percorreram todo o caminho da homeopatia, tenho uma especial consideração por Claudia Weaver. Claudia é extremamente autêntica. Alguns mudam com a situação e se tornam reflexos das pessoas com quem estão dialogando, mas Claudia tem uma combinação especial de rudeza e excentricidade que não se curva a ninguém. Pode ser inquietante, mas há também algo extremamente satisfatório nisso. Você sabe em que pé está com Claudia — não que ela não seja educada, pois tem maneiras impecáveis, mas porque não está nem um pouco interessada em disfarçar seu eu essencial. Na verdade, ela joga sua personalidade quase como uma luva: você pode aceitar o desafio e gostar dela, o que a fará muito contente, ou você pode decidir que é um pouquinho difícil demais, e, nesse caso, é convidado a seguir seu alegre caminho. À medida que a conhece melhor, você passa a perceber todo o encanto de sua cabeça peculiar. Juntamente com sua espontaneidade estão a lealdade e integridade desmedida. Ela é uma pessoa muito moral. "Certamente tenho minhas excentricidades e passei a me orgulhar delas", diz, "porque não conseguia entender como viver sem elas. Sempre fui muito individualista e crítica."

Conheci Claudia Weaver quando ela tinha vinte e tantos anos. Ela tomava remédios homeopáticos como parte de um tratamento para controlar alergias, problemas digestivos, eczema e outros aspectos de sua saúde. Também fazia meditação e havia mudado a dieta. Levava com ela uns 36 frascos de substâncias diferentes com potências diferentes em forma de comprimido (tinha mais cinquenta em casa), diversos óleos e um chá aiurvédico. Tomava tudo isso em horários de uma organização complexa, por vezes ingerindo comprimidos inteiros, por outras moendo-os e dissolvendo-os e ministrando certos unguentos de uso tópico. Seis meses antes, ela pusera de lado definitivamente todos os remédios nos quais tinha se apoiado desde os dezesseis anos; tivera problemas com drogas e estava pronta para tentar outra coisa. Como já havia acontecido em outras ocasiões em que parara de tomar remédios, ela passou por uma euforia temporária e depois começou a afundar. Uma breve tentativa com erva-de-são-joão havia sido ineficaz. Os remédios homeopáticos a haviam sustentado pouco antes do desastre e pareciam ser bastante eficazes.

Seu médico homeopático, com quem nunca se encontrou pessoalmente, morava em Santa Fé, onde tratara um amigo dela com excelentes resultados.[26] Ela telefonava para ele todo dia ou em dias alternados para contar como se sentia, e ele lhe fazia várias perguntas: "Sua língua está com uma textura estranha?" ou "Sente os ouvidos escorrerem?", por exemplo. Baseando-se nas respostas, ele receitava remédios, geralmente seis comprimidos por dia. Ela defendia que o corpo é como uma orquestra e os remédios são como diapasões. Claudia é uma entusiasta de rituais, e acho que estava um tanto convencida pela própria complexidade de seu tratamento. Gostava de todos os pequenos frascos, das consultas e do protocolo do empreendimento. Gostava das curas elementares — enxofre, ouro, arsênico — e dos compostos e misturas mais exóticos — beladona, tinta de lula. O foco no tratamento a distraía da doença. Seu médico geralmente conseguia tratar de uma situação aguda, mesmo que não pudesse alterar o movimento fundamental de seu estado de espírito.

Claudia tem levado uma vida de descobertas quanto às suas depressões e disciplina em relação a elas. "Quando estou deprimida, tenho muita dificuldade em me lembrar das coisas positivas. Repasso muitas vezes as coisas ruins que pessoas me fizeram. Tenho uma memória de elefante para esse tipo de coisa e para as vezes em que me senti traída, humilhada ou diminuída. Essas situações vão ganhando importância e se tornam piores do que eram na vida real, tenho certeza. No grupo de espiritualidade alternativa ao qual pertenço, pediram que eu fizesse uma lista das coisas negativas que me atravancavam a vida. Escrevi vinte páginas. Depois me pediram para escrever coisas positivas. Eu não conseguia pensar em nada de positivo para dizer sobre mim mesma. Também fico fascinada com assuntos sombrios, como Auschwitz ou um acidente de avião, e não consigo parar de me imaginar numa situação dessas. Meu médico geralmente consegue descobrir o que receitar para aliviar meu medo obsessivo de desastres.

"Trago muita experiência comigo. No próximo mês, serão 29 anos de experiência. E sei que posso contar a você uma história hoje que será completamente diferente amanhã. Minha realidade muda tanto quanto meus estados de espírito. Um dia posso lhe contar como minha depressão está terrível e como tenho sido atormentada por ela toda a minha vida; no dia seguinte, se a coisa parece mais sob controle, posso dizer que tudo está bem. Tento pensar em épocas felizes.

Tento fazer coisas para evitar a introspecção, que leva rapidamente à depressão. Tenho vergonha de tudo sobre mim quando estou deprimida. Não consigo aceitar a ideia de que os outros também são seres humanos e estão passando por vários estados emocionais. Tenho sonhos humilhantes; mesmo em meu sono não consigo me afastar dessa sensação horrenda e pesada de estar oprimida, de a vida ser sem esperança. A esperança é a primeira coisa que se vai."

Claudia Weaver sentia-se oprimida pela inflexibilidade de seus pais: "Eles queriam que eu fosse feliz da maneira deles". Já na infância "sentia que vivia em meu próprio mundo. Diferente, isolada e pequena, como se eu não contasse, e perdida em pensamentos, quase inconsciente de outras pessoas. Se eu estava no quintal, simplesmente perambulava por ali, sem ver coisa alguma". Sua família fazia de conta que nada estava acontecendo. Na terceira série da escola, ela começou a se retrair fisicamente. "Eu detestava ser tocada, abraçada ou beijada, mesmo por pessoas de minha família; na escola, sentia-me muito cansada o tempo todo. Lembro dos professores me dizendo: 'Claudia, levante a cabeça da carteira'. E ninguém dava muita atenção a isso. Lembro de ir a uma aula de ginástica e simplesmente adormecer em cima do aquecedor. Detestava minha escola e não tinha vontade de fazer amizades. Qualquer coisa que dissessem podia me ferir, e feria. Lembro de andar pelos corredores na sexta ou sétima série e não me interessar por ninguém e sentir que não me importava com nada. Sou extremamente amarga a respeito de minha infância, embora na época fosse também estranhamente orgulhosa de ser diferente do resto do mundo. A depressão? Estava sempre lá; só levou um tempo para ser nomeada. Eu tinha uma família muito amorosa, mas nunca ocorreu a eles — ou à maioria dos pais de minha geração — que sua filha pudesse estar deprimida."

Seu único e verdadeiro prazer era andar a cavalo, no que mostrava talento. Seus pais lhe deram um pônei. "Cavalgar me dava autoconfiança, felicidade, abria uma janela de esperança que eu não tinha em mais nenhum lugar. Eu era boa naquilo e minha competência era reconhecida. Eu amava aquele pônei. Nós formávamos um time perfeito; e éramos parceiros. Ele parecia saber que eu precisava dele. Ele me tirava da infelicidade."

Ela foi para o colégio interno na primeira série do ensino médio e, depois de um conflito com o instrutor de hipismo, desistiu do esporte. Disse aos pais que vendessem o pônei; não tinha mais energia para cavalgá-lo. Aquele primeiro período letivo no colégio interno foi um tempo para considerar o que agora chama de "questões espirituais: por que estou aqui? Qual é minha razão de ser?". Sua companheira de quarto, a quem fazia algumas dessas perguntas, prontamente comunicou-as às autoridades escolares, repetindo fragmentos de conversa fora do contexto. As autoridades decidiram que Claudia tinha inclinações suicidas e logo a mandaram para casa. "Foi tremendamente constrangedor. Fiquei com muita vergonha. E não tive mais vontade de fazer parte de nada. Passei um tempo difícil lidando com esta situação. Não sei se os outros esqueceram tudo aquilo rápido... eu não consegui."

Mais tarde naquele mesmo ano, muito abalada, ela começou a se cortar — sofrendo do que chama de "anorexia alternativa totalmente não atraente". Seu truque era fazer um corte na pele sem fazê-la sangrar e depois abri-la para que sangrasse. Os cortes eram tão finos que não deixavam cicatrizes. Ela sabia que outras quatro ou cinco garotas na escola também estavam se cortando, "o que me parece um número significativo". Ela continuou a se cortar muito ocasionalmente; fez isso periodicamente na faculdade e, aos vinte e tantos anos, cortou partes de sua mão esquerda e do ventre. "*Não* estava pedindo ajuda", diz ela. "Eu sentia uma enorme dor emocional e queria me afastar dela. E então via uma faca e pensava: oba, essa faca parece afiada e é muito macia, como seria se eu fizesse uma pressão aqui... eu ficava fascinada com a faca." Sua colega de quarto viu os cortes e mais uma vez delatou-a. "Eles disseram que eu *sem dúvida alguma* era suicida, e *isso* me tirou do prumo. Meus dentes batiam. Fiquei muito nervosa com aquilo." Ela foi mandada para casa de novo, com instruções para consultar um psiquiatra. O profissional que consultou disse que ela era bastante normal e que estava bem: sua escola e a colega de quarto que eram malucas. "Ele viu que eu não estava tentando cometer suicídio e sim testando os limites e tentando descobrir quem eu era e para onde estava indo." Ela voltou à escola alguns dias depois, mas já então não sentia mais nenhuma segurança e começou a desenvolver sintomas de depressão aguda. "Eu ficava cada vez mais cansada e dormia mais e mais, fazendo cada vez menos e querendo ficar cada vez mais sozinha — estava extremamente infeliz. E achava que não podia contar a ninguém."

Logo estava dormindo catorze horas por dia. "Eu levantava no meio da noite e ia ao banheiro para estudar, o que todos achavam muito esquisito. As pessoas batiam na porta e perguntavam o que eu estava fazendo lá. 'Só estou estudando', eu dizia. Então perguntavam: 'Por que está estudando aí?', e eu dizia: 'Porque estou com vontade'. E perguntavam: 'Por que não vai para a sala de estudos?'. Mas, se eu fosse para lá, talvez tivesse que entrar em contato com outras pessoas. Era isso que estava tentando evitar." No final do ano, ela tinha praticamente parado de ingerir comida normal. "Eu comia sete ou nove barras de chocolate por dia, e isto me bastava. Assim, nunca tinha que ir à lanchonete. Se eu tivesse ido à lanchonete, as pessoas me perguntariam: 'Como vai?'. O que era a última coisa que eu desejava responder. Continuei estudando e terminei o ano porque eu dava menos na vista se simplesmente continuasse aparecendo; se ficasse na cama, a escola entraria em contato com meus pais e eu teria que me explicar, e eu não conseguia lidar com a visibilidade, a vulnerabilidade daquilo. Nem pensei em ligar para meus pais e dizer que queria ir para casa; achei que estava presa numa armadilha. Era como se estivesse numa espécie de nevoeiro e não conseguisse enxergar mais do que um metro adiante — até minha mãe estava a dois metros de distância. Eu tinha muita vergonha de estar deprimida e achava que todos tinham uma imagem terrível de mim. Eu achava constrangedor ir ao banheiro até mesmo sozinha. Quero dizer, certamente num local público eu teria muitos problemas. Mas mesmo sozinha não conseguia me encarar. Achava que não tinha valor algum como ser humano, até mesmo nesse ato em particular. Era como se alguém soubesse o que eu estava fazendo, e eu sentia vergonha. Era incrivelmente doloroso."

O verão seguinte foi muito duro. Claudia teve um eczema por causa da tensão que continuava a atormentá-la. "Estar com outras pessoas era sem sombra de dúvida a coisa mais esgotante que eu podia imaginar. Apenas falar com alguém. Eu evitava o mundo. Na maior parte do tempo, ficava na cama e queria minhas cortinas fechadas. A luz me incomodava." À medida que o verão avançava, ela finalmente começou a medicação, tomando imipramina. Pessoas à sua volta notaram uma melhora contínua, e "no final do verão eu reunira energia suficiente para passar um dia em Nova York com minha mãe fazendo compras e voltar para casa. Foi a coisa mais emocionante e cheia de energia que fiz naquele verão". Ela também criou um vínculo com o seu terapeuta, que continua sendo um amigo próximo.

No outono, foi para uma nova escola, que lhe deu um quarto individual. Isso funcionou bem para ela. Gostava das pessoas lá e tinha a medicação para ajudar a segurar suas emoções. Sentiu que durante o verão sua família finalmente havia encarado suas mudanças de humor como uma questão importante, e isso foi uma grande ajuda. Começou a se ocupar arduamente e a fazer montes de atividades extracurriculares. No final do último ano, foi aceita na Universidade Princeton.

Em Princeton, desenvolveu muitas das estratégias que a ajudam a lidar com suas dificuldades até hoje. Embora fosse uma pessoa bastante reservada, descobriu ser difícil ficar sozinha. Para resolver a solidão da noite, tinha seis amigos que se revezavam para colocá-la para dormir. Frequentemente passavam a noite em sua cama — Claudia ainda não era sexualmente ativa e seus amigos respeitavam esses limites. Ficavam lá apenas para fazer companhia. "Dormir com alguém, aquela sensação de proximidade aconchegante, tornou-se um antidepressivo muito importante. Por essa sensação de aconchego eu desistiria de sexo, comida, cinema, trabalho. Ou seja, desistiria de quase qualquer coisa, exceto dormir e ir ao banheiro, para estar num ambiente de aconchego. Para ser franca, fico imaginando se isso não estimula reações químicas no cérebro." Ela levou um certo tempo para dar o passo seguinte da intimidade física. "Sempre tive vergonha de meu corpo; acho que jamais provei uma roupa de banho sem traumas com a coisa. Eu não era a primeira pessoa do mundo a fazer sexo. As pessoas passavam um monte de tempo tentando me convencer de que sexo era uma coisa boa. Eu não conseguia concordar. Por anos achei que eu não dava para a coisa. Exatamente como com o refrigerante Seven Up — nunca o experimentei nem vou experimentar. Mas, por fim, consegui superar meu preconceito."

No inverno de seu primeiro ano, ela abandonou os remédios por um tempo. "A imipramina sempre causava efeitos colaterais bem na pior hora. Quando eu tinha que falar em frente à classe, minha boca ficava tão seca que eu não conseguia mexer a língua." Claudia afundou rapidamente. "Eu novamente não conseguia sair para comer", explica, "portanto um amigo fazia o meu jantar todas as noites e me dava de comer. Por oito semanas ele fez isso. E era sempre no quarto dele, para eu não ter que comer na frente de outras pessoas.

"Você sempre quer continuar sem medicação, e quando você está muito determinada, não percebe como as coisas estão ruins." Finalmente, amigos a convenceram a voltar para os remédios. Naquele verão, Claudia foi fazer esqui aquático, e um golfinho começou a nadar ao lado dela. "Foi o mais próximo que cheguei de conhecer Deus. Pensei comigo mesma: acho que tenho companhia." Ficou tão eufórica que abandonou os remédios novamente.

Voltou a tomá-los seis meses depois.

No final de seu penúltimo ano, Claudia começou a tomar Prozac, que funcionou bem, exceto pelo fato de matar certas partes de seu eu interior. Ela viveu com isso por cerca de oito anos. "Tomo remédio por algum tempo e depois o abandono porque começo a pensar que estou bem e que na verdade não preciso dele. Tá legal... Logo que paro me sinto bem, bem, bem, e então uma série de coisas acontecem e começo a me sentir arrasada. Como se estivesse carregando muito peso. A seguir umas duas coisinhas acontecem — sabe, não é tão terrível assim a tampa do tubo de pasta de dentes cair pelo ralo, mas é a gota d'água e me deixa mais perturbada do que quando minha avó morreu. Levo algum tempo para ver para onde estou indo. É sempre para baixo e para cima, para baixo e para cima, e é difícil estabelecer quando os baixos são bem mais baixos do que a altura a que chegam os altos." Quando um transtorno temporário fez com que ela perdesse um chá de cozinha — "Não conseguia sair do meu apartamento e tomar o ônibus para ir até lá" —, ela sentiu que não conseguia sequer telefonar. Então voltou ao Prozac.

Mais tarde, desistiu dos remédios para poder redespertar sua sexualidade e começou a tomar os remédios homeopáticos que usava quando a conheci. A homeopatia pareceu funcionar por algum tempo. Claudia acha que tais remédios são eficazes para mantê-la estável, mas, quando as circunstâncias a levaram a uma nova depressão, eles não conseguiram tirá-la de lá. Houve alguns momentos difíceis, mas ela aguentou firme com homeopatia durante um longo inverno. Uma vez por mês, Claudia ficava em pânico, achando que a depressão estava voltando, mas então percebia que era só TPM. "Fico sempre tão contente de ficar menstruada; penso: 'Ah, então é isso!'." Embora a falta de remédio não tenha causado nenhuma regressão importante, ela teve mais dificuldades com situações complicadas. O programa de tratamento parecia não dar conta de suas doenças físicas, principalmente aquelas relacionadas à tensão. O eczema ficou tão ruim num determinado momento que seus seios sangravam através da blusa.

Foi mais ou menos nessa época que ela desistiu da psicoterapia e começou a escrever o que Julia Cameron chama de "páginas matinais", exercícios escritos de vinte minutos num fluxo de consciência matinal. Ela diz que isso a ajuda a tornar a vida mais clara. Não deixou de fazê-lo sequer um dia, já há três anos. Mantém na parede do quarto uma lista de coisas a fazer quando está começando a se sentir desanimada e entediada — uma lista que começa assim: "Ler cinco poemas infantis. Fazer uma colagem. Olhar fotografias. Comer um pouco de chocolate".

Alguns meses depois de ter começado a escrever as páginas matinais, conheceu o homem que é agora seu marido. "Passei a perceber que me sinto muito mais feliz quando tenho alguém trabalhando no quarto ao lado. Companheirismo é muito importante para mim, é muito importante para minha estabilidade emocional. Preciso ser consolada. Preciso de pequenas recordações e atenção. Fico melhor quando estou numa relação imperfeita do que quando estou sozinha." Seu noivo aceitou sua depressão. "Ele sabe que tem de ser equilibrado e estar pronto para me ajudar quando volto para casa depois de discutir minha depressão com você, por exemplo", me disse. "Ele sabe que tem de estar preparado o tempo todo no caso de eu ter uma recaída. Quando ele está por perto, sinto-me muito melhor comigo mesma e muito mais capaz de fazer as coisas." Na verdade, sentiu-se tão bem depois de conhecê-lo que resolveu deixar o regime homeopático. Passou o ano animada e feliz planejando com o noivo a cerimônia de casamento.

Foi um bela festa de verão, planejada com o mesmo cuidado meticuloso de um tratamento homeopático. Claudia estava linda, e o casamento foi uma daquelas ocasiões em que é possível sentir uma grande onda de afeição dos muitos amigos que estavam lá. Cada um de nós que conhecia Claudia sentia-se muito feliz por ela: ela havia encontrado o amor, superara uma vida inteira de sofrimento e estava radiante. Agora sua família mora em Paris, mas mantiveram a casa em que Claudia cresceu, uma construção do século XVII numa cidadezinha próspera de Connecticut. Nós nos reunimos lá numa manhã para a cerimônia de intenções, na qual o noivo e a noiva invocaram os quatro ventos. Seguiu-se um almoço na casa de um amigo da família do outro lado da estrada. A cerimônia do casamento realizou-se num lindo jardim às quatro da tarde, e depois tomamos coquetéis; Claudia e o marido abriram uma caixa de borboletas, que saíram e voaram magicamente em torno de nós. À noite houve um jantar elegante para 140 convidados. Sentei-me junto ao sacerdote, que afirmou jamais ter realizado um casamento tão cuidadosamente orquestrado; a cerimônia, escrita por Claudia e o marido, tinha orientações completas de "proporções operísticas", disse ele. Tudo foi muito requintado. Os cartões indicando os lugares de cada convidado eram de papel feito à mão com letras xilogravadas que combinavam com o papel e com os cardápios também xilogravados. As imagens haviam sido desenhadas especialmente para a ocasião. O noivo fizera pessoalmente o bolo, enorme, de quatro andares.

Qualquer mudança, mesmo quando positiva, é estressante; e casamento é uma das maiores mudanças possíveis. As dificuldades que haviam começado antes do casamento pioraram logo depois dele. Claudia acreditava que o problema era com o marido; levou algum tempo para aceitar que sua situação podia ser sintomática. "Ele estava na realidade mais preocupado comigo e com o meu futuro do que eu. Todos se lembram como eu estava feliz na festa de casamento. Pareço feliz nas fotos. Mas passei o dia inteiro sentindo que devia estar apaixonada, que devia estar realmente apaixonada se estava fazendo aquilo. E me sentia como um cordeiro indo para o abatedouro. Na minha noite de núpcias, estava exausta. E, pra ser sincera, nossa lua de mel foi um desastre. Não tive nada de bom para dizer a ele por toda a viagem. Não queria estar com ele; não queria sequer olhar para ele. Tentamos fazer sexo, mas eu sentia muita dor. Simplesmente não funcionou. Eu podia ver como ele estava apaixonado. E pensei: não consigo acreditar nisso. Pensei que seria diferente. E me senti infeliz com a ideia de que havia estragado minha vida e o magoado."

No final de setembro, ela voltou ao tratamento homeopático. Ele a estabilizou, mas não conseguiu tirá-la de uma depressão verdadeiramente aguda. "Às vezes, no trabalho", lembra, "eu me sentia prestes a ter um colapso e cair em prantos. Ficava tão preocupada em agir de maneira pouco profissional que mal conseguia fazer meu trabalho. Tinha que me desculpar dizendo que estava com dor de cabeça e ia embora do escritório. Detestava tudo; detestava minha vida. Queria um divórcio ou uma anulação. Sentia que não tinha amigos, nem futuro. Tinha cometido um engano terrível. Pensei: 'Meu Deus, sobre o que vamos conversar pelo resto das nossas vidas? Vamos ter que jantar juntos e o que vamos dizer? Não tenho mais nada para dizer'. E, claro, ele se sentia culpado e passou a se odiar. Não queria se barbear, ir para o trabalho ou coisa alguma. Eu não era gentil com ele, eu sei. Ele tentava de tudo sem a menor ideia do que fazer. Nada que pudesse ter feito teria funcionado. Mas eu não via isso naquela época. Eu lhe dizia que fosse embora, que queria ficar sozinha. Mas então o que queria mesmo era que ele insistisse em ficar. 'O que é realmente importante para mim?', eu me perguntava. Não sei. O que me faria feliz? Não sei. E isso me deixava completamente pirada. Eu não tinha a menor pista. Não havia nada que me deixasse animada. Despejei todas as minhas frustrações nele. Sabia que estava sendo horrível com ele — sabia e mesmo assim não conseguia parar com aquilo." Em outubro, foi almoçar com uma amiga que lhe disse que "a felicidade de seu casamento irradiava em seu rosto" e ela irrompeu em lágrimas.

Foi sua pior fase desde o colégio. Finalmente, em novembro, os amigos a persuadiram a voltar para a medicina alopática. Seu psiquiatra lhe disse que ela tinha sido maluca em ter insistido por tanto tempo com a homeopatia e lhe deu 48 horas para limpar o organismo antes de começar com Celexa. "A diferença foi instantânea. Eu ainda tinha momentos de depressão, pensamentos depressivos, e o remédio acaba com meu impulso sexual (a ponto de sentir que tenho de me esforçar para fazer isso pelo meu marido). Não é apenas o interesse por sexo que se vai, há também uma perturbação física: não consigo sequer ficar excitada! Talvez eu tenha 2% de interesse durante a ovulação, e esse é o ponto alto do mês. Mas está tudo muito melhor. Meu marido é tão doce. Ele diz: 'Não casei com você pelo sexo, isso não tem importância'. Acho que está bastante aliviado por eu não ser mais o monstro que fui logo depois do casamento. Nossa vida se estabilizou. Posso ver em meu marido as qualidades que eu desejava — a segurança emocional voltou. A sensação de aconchego voltou. Sou muito carente, e ele está preenchendo essas necessidades, e adora ficar abraçadinho também. Ele me fez sentir que sou uma boa pessoa. E me sinto feliz de novo por estar com ele. Ele me ama e isso agora é um grande tesouro. Pelo menos 80% de nosso relacionamento é maravilhoso.

"Sinto-me ligeiramente estimulada de modo artificial. Quando tomava dez miligramas a menos do remédio, os momentos depressivos vinham e eram muito perturbadores, dolorosos. Era difícil sair deles, embora eu conseguisse fazê-lo e o fiz. Sinto que ainda preciso disso para me manter bem. Não me sinto estável. Não tenho a mesma sensação de um navegar macio de quando estava planejando a cerimônia de casamento. Se eu me sentisse razoavelmente segura, deixaria o remédio; mas não me sinto segura. Acho que é cada vez mais difícil traçar uma linha entre meu eu depressivo e meu eu não depressivo. Acho que a tendência depressiva é muito mais forte até mesmo do que as depressões verdadeiras. A depressão não é o começo e o fim da minha vida. Não vou ficar deitada na cama pelo resto da vida e sofrer. A pessoas que vivem bem apesar da depressão fazem três coisas. Primeiro, procuram compreender o que está acontecendo. Depois, aceitam que é uma situação permanente. E em seguida, têm que superar sua experiência de algum modo, aprender com ela e se colocar no mundo das pessoas reais. Uma vez que você já compreendeu e já superou, percebe que pode interagir com o mundo, viver sua vida e prosseguir em seu emprego. Você para de se sentir tão aleijada e tem uma enorme sensação de vitória! O deprimido que consegue deixar de olhar para o próprio umbigo não é tão insuportável quanto o que não consegue. No início, quando percebi que passaria a vida lidando com meus humores, fiquei muito, muito amargurada. Mas agora sinto como se *houvesse* esperança. Isso se tornou um ponto importante na minha vida: Como posso superar essa situação? Talvez ela me machuque agora, mas como posso aprender com ela?" Claudia Weaver inclina a cabeça para o lado. "Consegui entender isso. Tenho sorte." É seu espírito de busca, tanto quanto qualquer tratamento experimental, que lhe tem permitido viver de uma forma mais ou menos intacta, apesar de todas as dificuldades que vem enfrentando.

Das terapias de grupo que pesquisei, a que me pareceu mais sutil e orientadora, a que levou mais gente para perto de uma solução, foi a baseada no trabalho de Bert Hellinger, na Alemanha. Um ex-sacerdote que foi missionário entre os zulus, Hellinger tem grandes e devotos seguidores por seu estilo gestáltico de trabalho. Um dos discípulos de Hellinger, Reinhard Lier, veio aos Estados Unidos em 1998 e liderou um tratamento intensivo, do qual participei.[27] À medida que me envolvia no processo, meu ceticismo natural foi dando lugar ao respeito. O tratamento de Lier teve algum efeito em mim, e vi que produzira efeitos enormes em outros do grupo. Como a EMDR, o estilo de trabalho de Hellinger é provavelmente mais eficaz para pessoas que lidam com traumas; mas, para os objetivos de Lier, o trauma pode ser um fato básico — "minha mãe me odiava", por exemplo — em vez de um evento isolado no tempo.

Um grupo de umas vinte pessoas se reuniu e estabeleceu laços de confiança através de alguns exercícios básicos. Então pediu-se a cada um que construísse uma narrativa do evento mais doloroso de sua vida. Compartilhamos nossas histórias e nos pediram então para escolher pessoas do grupo para representar outras figuras da narrativa. Reinhard Lier então coreografava uma espécie de dança elaborada, usando essas pessoas como marcadores físicos, colocando uma na frente da outra, movendo o sujeito ao redor desses elementos e recontando a história, direcionando-a para uma solução melhor. Ele chamava tais formações de "constelações familiares". Eu escolhi trabalhar com a morte de minha mãe como o ponto de origem de minha depressão. Alguém representou minha mãe, outra pessoa, meu pai, outra, meu irmão. Lier disse que queria meus avós lá também: o que eu tinha conhecido e os três que eu não conhecera. Enquanto ele nos mudava de lugar, pedia que eu conversasse com essas várias figuras. "O que tem a dizer ao pai de sua mãe, que morreu quando ela ainda era muito jovem?", perguntou. De todo o trabalho que fiz sobre depressão, esse talvez seja o que mais depende de um líder carismático. Lier era capaz de despertar grandes forças dentro de cada um de nós. Depois de vinte minutos fazendo essa dança e dizendo certas coisas, senti como se estivesse falando com minha própria mãe de novo e lhe disse algumas coisas que pensava e sentia. Então o encanto se quebrou, e eu estava numa sala de seminário num centro de conferência em New Jersey — mas naquele dia fui embora com uma sensação de calma, como se algo tivesse sido resolvido. Talvez fosse o próprio fato de falar com essas forças com as quais eu nunca falara, esses avós desaparecidos e minha mãe perdida, mas fiquei comovido com o processo, senti que havia algo sagrado nele. Ele não curava a depressão, mas podia trazer um pouco de paz.

O mais interessante de nosso grupo era um homem de origem alemã que descobrira que seus pais tinham trabalhado num campo de concentração. Incapaz de processar tal horror, tornara-se gravemente deprimido. Em suas falas para todos os diferentes membros da família, que estavam sendo fisicamente posicionados por Reinhard Lier mais perto ou mais afastados dele, o homem chorou continuamente. "Esta é sua mãe", disse Lier em determinado ponto. "Ela fez coisas terríveis. Ela também o amou e protegeu quando você era criança. Diga-lhe que ela o traiu, e depois lhe diga que você sempre a amará. Não tente perdoá-la." Parece artificial, mas foi na verdade poderoso.

É difícil falar da depressão durante a depressão, mesmo com amigos, e por isso a ideia de grupos de apoio contra a depressão parece fazer pouco sentido. Ainda assim, tais grupos proliferaram conforme os incidentes de depressão passaram a ser mais amplamente reconhecidos e com a redução nos recursos para a terapia. Não entrei para grupos de apoio durante minha própria depressão — por esnobismo, apatia, ignorância e uma ideia de privacidade —, mas comecei a frequentá-los quando trabalhava neste livro. Há centenas de organizações — hospitais, em geral — administrando grupos de apoio nos Estados Unidos e no mundo. A Associação para o Tratamento da Depressão e Distúrbios Afetivos Relacionados (Depression and Related Affective Disorders Association, DRADA), da Universidade Johns Hopkins, administra 62 grupos de apoio diferentes, criou um sistema de parceiros um-a-um e publica um boletim particularmente bom intitulado *Smooth Sailing* [Navegação Tranquila]. Os Grupos de Apoio para Transtornos de Humor (Mood Disorders Support Groups, MDSG), com sede em Nova York, são a maior organização de apoio nos Estados Unidos, administrando catorze grupos de apoio todas as semanas e atendendo a cerca de 7 mil frequentadores por ano; a MDSG também patrocina dez palestras por ano, cada uma delas recebendo público de aproximadamente 150 pessoas. Publicam um boletim trimestral, enviado a cerca de 6 mil pessoas. As reuniões da MDSG ocorrem em diversos locais; participei principalmente dos grupos no hospital Beth Israel, em Nova York, às sete e meia da noite de sexta-feira, quando a maioria das pessoas deprimidas não tem programa. Para entrar, paga-se quatro dólares em dinheiro e ganha-se uma etiqueta adesiva com seu nome, usada durante as reuniões com cerca de uma dúzia de outras pessoas e um mediador. Primeiro, todos se apresentam e explicam o que desejam da reunião. Então começa um debate mais geral. As pessoas contam suas histórias e oferecem conselhos umas às outras, às vezes disputando para ver quem está pior. As sessões duram duas horas. São terríveis e viciantes por partirem o coração, cheias de pessoas abandonadas e resistentes ao tratamento que passaram por episódios graves. Esses grupos tentam compensar a crescente impessoalidade dos sistemas de atendimento médico: muitas das pessoas participantes destruíram relacionamentos com sua doença, perdendo família e amigos.

Numa reunião típica, entrei numa sala banhada por luz fluorescente e encontrei dez pessoas esperando para contar suas histórias. Os depressivos não se vestem muito bem e, com frequência, acreditam que tomar banho consome energia demais. Boa parte daquela turma tinha uma aparência tão miserável quanto seu estado de espírito. Fui por sete sextas-feiras. Na última vez que estive lá, John foi o primeiro a falar, pois gostava de falar e estava indo bem, comparecendo quase todas as semanas havia dez anos, e conhecia bem a situação. John mantivera seu emprego, nunca perdia um dia de serviço. Não queria tomar remédios, mas estava experimentando ervas e vitaminas. Achava que ia superar. Dana estava deprimida demais para falar naquela noite. Tinha encolhido as pernas, apoiado o queixo sobre elas e prometeu que falaria mais tarde. Anne não vinha ao MDSG havia algum tempo. Passara por um mau bocado: tomou Efexor contra a depressão, e o remédio ajudou bastante. Então, quando a dose receitada aumentou, ela ficou paranoica, "surtou". Acreditava que a máfia queria pegá-la e se trancava no apartamento. Acabou hospitalizada, foi tratada com "todos os remédios, todos eles", e, quando nenhum deles a ajudou, foi submetida à terapia eletroconvulsiva. Não conseguia se lembrar muito daquela época; os choques tinham apagado muitas de suas memórias. Ela era uma executiva, tinha cargo de diretora. Agora, ganhava a vida alimentando os gatos dos outros. Tinha perdido dois clientes naquele dia, e a rejeição era difícil. A humilhação também. Assim, ela decidira vir naquela noite. Seus olhos se encheram de lágrimas. "Vocês são tão simpáticos, ouvindo uns aos outros", disse ela. "Lá fora ninguém ouve." Tentamos ajudar. "Eu tinha tantos amigos. Agora todos já se foram. Mas estou superando. É bom ir até meus diferentes gatos, isso me mantém em movimento, andar faz bem."

Jaime tinha sido obrigado a pedir demissão do emprego numa "agência do governo" por ter faltado demais. Ficou três anos de licença-médica. Das pessoas que ele ainda conhecia, a maioria não compreenderia. Fingia ainda ter o emprego e não atendia o telefone durante o dia. Parecia bem naquela noite, melhor do que em outras vezes que o vira. "Se não pudesse manter as aparências", disse ele, "acabaria me matando. Essa é a única coisa que me faz seguir em frente." Howie foi o próximo. Ele tinha passado a noite toda apertando um grande casaco impermeável contra o peito. Howie vinha com frequência e raramente falava. Olhou ao redor. Aos quarenta anos, nunca tivera um emprego fixo. Duas semanas antes, anunciara que estava prestes a aceitar um trabalho em período integral, mudaria de renda, seria como uma pessoa normal. Estava tomando bons remédios que pareciam funcionar. Mas, e se deixassem de funcionar? Será que ele conseguiria de volta os 85 dólares mensais de Renda de Segurança Complementar (Supplemental Security Income, SSI) por invalidez? Todos nós dissemos a ele que fosse adiante e tentasse o emprego, mas, naquela noite, ele nos contou que tinha recusado a oferta; aquilo era simplesmente assustador demais para ele. Anne perguntou se o humor dele era constante, se os acontecimentos externos o afetavam, se ele se sentia diferente quando saía de férias. Howie olhou para ela com a expressão vazia. "Nunca tirei férias", disse ele. Todos ficaram olhando para ele. Mexia os pés. "Sinto muito. Quero dizer, acho que nunca cheguei a ter algo de que pudesse tirar férias."

Polly disse: "Ouço as pessoas falando em andar de bicicleta, em se sentir desta ou daquela maneira, e sinto muita inveja. Para mim, as coisas nunca foram assim. Sempre fui dessa maneira; era uma criança mórbida, infeliz e ansiosa. Há alguma esperança para mim?". Ela tomava Nardil e tinha descoberto que clonidina em microdoses a salvava da pesada sudorese da qual sofria. Começara com o lítio, mas o tratamento a fizera ganhar mais de sete quilos num mês, e por isso ela o interrompeu. Alguém sugeriu que ela tentasse o Depakote, que pode ajudar com o Nardil. As restrições alimentares do Nardil eram incômodas. Jaime disse que o Paxil o deixara ainda mais enjoado. Mags disse que tomara Paxil e o tratamento não funcionou. Mags parecia falar em meio à neblina. "Não consigo decidir", disse ela. "Não consigo mais me decidir a respeito de nada." Mags estava tão apática que passava semanas sem sair da cama. O terapeuta dela a tinha

154

praticamente obrigado a vir ao grupo. "Antes dos remédios, eu era uma pessoa neurótica, infeliz e suicida", disse. "Agora, simplesmente não me importo com mais nada." Ela olhou ao redor como se fôssemos o júri no portal do paraíso. "O que é melhor? Qual dessas pessoas devo ser?" John balançou a cabeça. "Esse é o problema, a cura é pior que a doença", disse ele. Então foi a vez de Cheryl. Ela olhou ao redor, mas dava para perceber que ela não estava vendo nenhum de nós. O marido dela a tinha trazido na esperança de que aquilo ajudasse e estava esperando do lado de fora. "Tenho a sensação", disse ela numa voz monótona, como um toca-discos antigo em câmera lenta, "de ter morrido algumas semanas atrás, mas meu corpo ainda não percebeu."

Essa triste reunião para compartilhar a dor era um momento singular de libertação para muitas das pessoas presentes. Lembrei dos meus piores momentos, daqueles rostos ansiosos e inquiridores, do meu pai dizendo: "Está se sentindo melhor?", e do quanto me sentia desapontado ao dizer: "Não, na verdade não". Alguns amigos tinham sido ótimos, mas, com outros, senti a necessidade de ser mais cuidadoso. E de fazer piadas. "Adoraria vir, mas estou no meio de uma crise nervosa, será que não podemos combinar outra hora?" É fácil guardar segredos sendo sincero num tom de voz irônico. Aquela sensação elementar no grupo de apoio — eu trouxe minha consciência hoje, e você? — dizia muita coisa e, quase sem perceber, comecei a relaxar naqueles momentos. Muito não pode ser dito durante a depressão, só pode ser intuído por aqueles que conhecem. "Se eu estivesse de muletas, eles não me pediriam para dançar", disse uma mulher a respeito dos esforços incansáveis de sua família para que ela fosse se divertir. Há tanta dor no mundo, e a maioria das pessoas guarda as suas em segredo, rodando por vidas de agonia em cadeiras de rodas invisíveis, dentro de um gesso ortopédico invisível cobrindo todo o corpo. Nós apoiávamos uns aos outros com o que dizíamos. Certa noite, Sue, agoniada, as lágrimas escorrendo pelo rímel pesado, disse: "Preciso saber se algum de vocês já se sentiu assim e sobreviveu. Alguém me diga isso, vim até aqui para ouvi-lo, é verdade, por favor, digam-me que é". Outra noite alguém disse: "Minha alma dói tanto; preciso ter contato com outras pessoas".

Os propósitos práticos também são atendidos no MDSG, especialmente para as pessoas que não são confortadas por amigos, parentes e um excelente seguro-saúde. Ninguém quer que o empregador, ou possível empregador, saiba do problema; o que podemos dizer sem mentir a respeito? Infelizmente, os participantes com quem entrei em contato pareciam em geral oferecer uns aos outros um apoio excelente e conselhos péssimos. Ao torcer o tornozelo, outras pessoas que tenham sofrido a mesma torção podem oferecer dicas úteis, mas, no caso de um distúrbio mental, não se deve confiar em pessoas com distúrbios mentais para nos dizer o que fazer. Vali-me dos conhecimentos que li, horrorizado diante da péssima orientação que muitas dessas pessoas tinham recebido, mas era difícil ser levado a sério. Christian era claramente bipolar, não tomava remédios e estava caindo na mania; tenho certeza de que ele terá passado pela fase suicida antes da publicação deste livro. Natasha nem deveria *pensar* em deixar o Paxil tão cedo. Claudia passara por aquilo que parecia ter sido um tratamento excessivo e mal conduzido com eletrochoques, sendo em seguida tratada com tantos remédios a ponto de parecer um zumbi; com eletrochoques, Jaime talvez pudesse ficar no emprego de verdade, mas ele pouco sabia a respeito do tratamento, e aquilo que Claudia contou a ele não lhe transmitiu confiança.

Certa vez, alguém estava falando em tentar explicar as coisas para os amigos. Um frequentador de longa data da MDSG, Stephen, perguntou ao grupo: "Vocês têm amigos lá fora?". Apenas eu e outra pessoa dissemos que tínhamos. Stephen disse: "Tento fazer novos amigos, mas não sei como isso funciona. Passei tanto tempo recluso. Tomei Prozac, que funcionou durante um ano, e então parei. Acho que tomei por mais de um ano, mas perdi o juízo". Ele olhou para mim com curiosidade. Era triste, de natureza doce e inteligente — claramente uma pessoa amável, como alguém lhe dissera naquela noite — mas estava perdido. "Como fazemos para conhecer pessoas fora daqui?" E, antes que eu pudesse responder, ele acrescentou: "E, depois de conhecê-las, sobre o que vocês conversam?".

Como todas as doenças, a depressão é um grande equalizador, mas nunca conheci alguém que parecesse ter menos propensão à depressão do que Frank Rusakoff. Vinte e nove anos, de fala e maneiras polidas, bom gênio, bonito, é o tipo de pessoa que parece completamente normal, exceto pela sua medonha depressão. "Quer entrar na minha cabeça?", escreveu ele certa vez.[28] "Seja bem-vindo. Não é exatamente o que esperava? Também não é exatamente o que eu esperava." Mais ou menos um ano depois de se formar na faculdade, Frank Rusakoff estava no cinema quando sua primeira depressão o atingiu. Nos sete anos que se seguiram, foi hospitalizado trinta vezes.

Seu primeiro episódio veio abruptamente: "A caminho de casa, depois do cinema, percebi que ia bater o carro contra uma árvore. Senti um peso empurrando meu pé para baixo, e alguém puxando minhas mãos. Eu sabia que não conseguiria chegar em casa porque havia muitas árvores naquele caminho, e era cada vez mais difícil resistir a elas. Assim, fui para o hospital". Nos anos que se seguiram, Frank passou por todas as medicações habituais e não chegou a lugar algum. "No hospital, cheguei ao ponto de tentar me sufocar até a morte." Finalmente submeteu-se à TEC. Isso ajudou, mas também o deixou levemente maníaco. "Tive alucinações, ataquei outro paciente, tive que ficar no isolamento durante um tempo", lembra. Por cinco anos depois disso, Frank recebia uma aplicação de TEC (em vez de uma série delas) sempre que a depressão voltava, geralmente de seis em seis semanas. Passou a receber um coquetel de lítio, Wellbutrin, Ativan, doxepina, Cytomel e Synthroid. "A TEC funciona, mas eu a odeio. É totalmente segura e eu a recomendaria, mas eles estão colocando eletricidade em sua cabeça, e isso é amedrontador. Detesto os problemas de memória. Ela dá dor de cabeça. Sempre tenho medo de que façam algo errado ou que eu não saia de lá vivo. Escrevo diários para poder lembrar do que aconteceu: de outro modo, jamais saberia."

Cada pessoa tem em sua cabeça uma hierarquia dos tratamentos, mas a cirurgia é sempre o último recurso para todos. A lobotomia, realizada inicialmente na virada do século XIX para o XX, se tornou popular na década de 1930, especialmente depois da Segunda Guerra Mundial. Veteranos de guerra em estado de choque ou neurose eram submetidos rotineiramente a operações canhestras, nas quais seus lobos frontais (ou outras partes) eram cortados. No auge de sua popularidade, cerca de 5 mil lobotomias foram realizadas anualmente nos Estados Unidos, causando entre 250 e quinhentas mortes por ano. A psicocirurgia jaz nas sombras. "Lamentavelmente", diz Elliot Valenstein, que escreveu um livro de história da psicocirurgia, "as pessoas ainda relacionam tais cirurgias a controle da mente, e fogem delas." Na Califórnia, onde a TEC foi ilegal durante um tempo, a psicocirurgia ainda é ilegal. "As cifras na psicocirurgia falam a seu favor", diz Valenstein. "Cerca de 70% da população-alvo — pessoas para as quais todos os outros tratamentos falharam — têm pelo menos alguma reação. Cerca de 30% delas mostram uma melhora marcante. O procedimento é realizado apenas naqueles com doença psiquiátrica grave e duradoura, que não reagem nem aos remédios nem à TEC, e que continuam gravemente incapacitados ou doentes: os casos mais refratários. É o último recurso. Nós executamos só o procedimento mais suave, e às vezes temos que fazê-lo duas ou três vezes, mas preferimos isso ao modelo europeu, que é fazer de cara uma cirurgia maior. Com a cingulotomia, não temos nos deparado com mudança permanente na memória ou na função cognitiva ou intelectual."

Quando conheci Frank, ele acabara de voltar de uma cingulotomia. Nesse procedimento, o couro cabeludo é congelado localmente e o cirurgião abre um pequeno orifício na frente do crânio. Então coloca um eletrodo diretamente dentro do cérebro para destruir áreas de tecido medindo cerca de oito por dezoito milímetros. O procedimento é realizado sob anestesia local com sedação, usando-se uma estrutura estereotáxica. Essa cirurgia é realizada em poucos lugares, e o mais importante deles é o Massachusetts General Hospital, em Boston, onde Frank foi examinado por Rees Cosgrove, o psicocirurgião mais importante dos Estados Unidos.

Não é fácil atingir os pré-requisitos da cingulotomia: você tem que ser examinado por um comitê de filtragem e é submetido a uma bateria intensa de testes e perguntas. A inspeção pré-cirúrgica leva pelo menos doze meses. O Massachusetts General Hospital, o centro mais ativo, realiza apenas quinze ou vinte cirurgias desse tipo por ano. Da mesma forma que os antidepressivos, a cirurgia geralmente tem um efeito retardado, frequentemente mostrando benefícios depois de seis ou oito semanas. Assim, é provável que o benefício venha não da eliminação de certas células, mas do efeito que essa eliminação tem no funcionamento das outras. "Não entendemos a fisiopatologia: não temos nenhuma compreensão dos mecanismos que fazem o procedimento funcionar", diz Cosgrove.

"Tenho esperança na cingulotomia", disse Frank quando nos conhecemos. Ele descreveu o procedimento com um ar de suave distanciamento. "Ouvi a broca entrando no meu crânio, como se estivesse no dentista. Eles abriram dois buracos de modo que pudessem fazer lesões no cérebro. O anestesiologista disse que se eu quisesse mais remédio era só pedir, e eu ali deitado, ouvindo meu crânio ser aberto. Então eu disse: 'Isso é meio sinistro; pode me dopar um pouquinho mais?'. Espero que funcione; se não, tenho um plano, venho arquitetando um modo de acabar com tudo, porque simplesmente não consigo continuar assim."

Alguns meses depois, ele estava se sentindo ligeiramente melhor e tentando reconstruir sua vida. "Meu futuro parece especialmente nublado neste momento. Quero escrever, mas minha autoconfiança está tão baixa, não sei que tipo de texto eu poderia produzir. Acho que estar deprimido o tempo todo me dava alguma segurança. Eu não tinha as preocupações do mundo real que todos têm, porque sabia que não conseguia nem cuidar de mim mesmo. O que faço agora? Tentar romper os hábitos de anos de depressão é o que estou fazendo no momento com meu médico."

A cirurgia de Frank, combinada com o Zyprexa, tem sido um sucesso. No ano seguinte, ele teve alguns lapsos, mas não foi hospitalizado nenhuma vez. Durante esse tempo, ele me escreveu sobre seu progresso e disse que foi capaz de passar uma noite inteira acordado comemorando o casamento de um amigo. "Antes", escreveu, "não conseguia fazer isso porque estava sempre com medo de prejudicar meu ânimo precário." Ele foi aceito em um programa de pós-graduação na Johns Hopkins para aprender a escrever textos científicos. Com grande temor, decidiu frequentar o curso. Tinha uma namorada com quem estava feliz. "Estou meio surpreso por alguém querer se misturar com os problemas óbvios que me acompanham, mas estou realmente animado por ter companhia e romance ao mesmo tempo. Eu sempre quero encontrá-la."

Ele completou com êxito seu trabalho de pós-graduação e arranjou um emprego numa empresa de internet. Ele me escreveu no início do ano 2000 sobre o Natal. "Meu pai me deu dois presentes: primeiro, um rack de CD motorizado. É totalmente desnecessário e extravagante, mas ele sabia que eu me divertiria com ele. Abri a caixa enorme, vi algo de que realmente não precisava e entendi que papai estava comemorando o fato de eu estar vivendo por minha conta, ter um emprego que adoro e poder pagar minhas próprias despesas. O outro presente era uma foto de minha avó que se suicidou. Enquanto eu abria o presente, comecei a chorar. Ela era linda. Está de perfil, olhando para baixo. Papai disse que era provavelmente do princípio dos anos 1930, é uma foto em preto e branco numa moldura de prata. Minha mãe se aproximou e perguntou se eu estava chorando por causa de todos os parentes que não conhecera, e eu respondi: 'Vovó tinha a mesma doença que eu'. Estou chorando agora — não é que esteja triste —, só estou tremendamente comovido. Talvez porque eu poderia ter me matado, mas não o fiz graças à ajuda daqueles à minha volta que me convenceram a prosseguir

— e fiz a cirurgia. Estou vivo e sou grato a meus pais e a alguns de meus médicos. Nós vivemos no tempo certo, embora nem sempre pareça."

As pessoas viajam de toda a África Ocidental, algumas mesmo de mais longe, para as místicas cerimônias *ndeup*, dedicadas à doença mental e praticadas pelo povo lebou (e parte dos sérèr) do Senegal. Parti para a África com o intuito de conhecê-las. O diretor do primeiro hospital de doenças mentais de Dakar, dr. Dou-dou Saar, que pratica psiquiatria no estilo ocidental, disse acreditar que todos os seus pacientes buscaram tratamentos da tradição africana. "Às vezes eles ficam sem jeito de me contar sobre essas atividades", disse. "Mas acredito que a cura tradicional e a moderna, embora devam ser mantidas separadas, precisam coexistir; se eu tivesse um problema e as medicinas ocidentais não me curassem, partiria para a ajuda tradicional." Mesmo em seu estabelecimento, os costumes senegaleses prevalecem. Para dar entrada lá, o doente precisa vir com um membro da família como guardião, para que ambos possam permanecer no hospital. O guardião recebe instruções e aprende alguns princípios psiquiátricos básicos, de modo que possa assegurar a saúde mental continuada do paciente a ser tratado. O hospital é simples — quartos particulares custam nove dólares por dia, semiparticulares, cinco dólares, e um leito na enfermaria, 1,75 dólar. O lugar todo fede, e aqueles que são declarados perigosamente insanos são trancados atrás de portas de ferro. Pode-se ouvi-los gemendo e batendo nas portas o tempo todo. Mas há uma horta agradável onde os residentes plantam legumes, e a presença dos muitos guardiões de certo modo mitiga a aura assustadora de esquisitice que faz de muitos hospitais ocidentais lugares tão sombrios.

O *ndeup* é um ritual animista que provavelmente antecede o vodu. O Senegal é um país muçulmano, mas o governo islâmico faz vista grossa a essas antigas práticas que se realizam publicamente e um tanto secretamente, ao mesmo tempo.[29] Ao fazer um *ndeup*, todos se reunirão ao seu redor, mas ninguém falará disso. A mãe de um amigo da namorada de um amigo, que se mudou para Dakar há alguns anos, conhecia uma curandeira que podia conduzir a cerimônia, e através dessa conexão eu pude participar de um *ndeup*. No final de uma tarde de sábado, uns amigos senegaleses e eu tomamos um táxi de Dakar para a cidade de Rufisque, atravessando minúsculas ruelas e casas caindo aos pedaços, buscando pessoas que participariam, até que finalmente chegamos à casa de Mareme Diouf, a velha que realizaria a cerimônia. A avó de Mareme Diouf realizara o *ndeup* naquele lugar e o ensinara à neta; a avó de Mareme aprendera de sua própria avó, e Mareme disse que as tradições da família e essa cadeia iam tão longe quanto a memória podia alcançar. Mareme Diouf veio ao nosso encontro, descalça, usando um turbante e um vestido comprido, debruado de renda em verde-claro e coberto com imagens assustadoras de olhos estampadas em batique. Ela nos levou para uma área atrás de sua cabana, onde, sob os ramos de um baobá, havia uns vinte recipientes de barro grandes e a mesma quantidade de postes fálicos de madeira. Explicou que os espíritos que ela extraía do corpo de seus pacientes eram colocados naquele pedaço de terra e que ela os alimentava através dessas panelas cheias de água e raízes. Se as pessoas que participaram do *ndeup* se encontravam com problemas, vinham se banhar ou beber a água.

Depois de vermos tudo isso, nós a seguimos até uma sala pequena e escura. Houve um debate considerável sobre o que fazer em seguida, e ela disse que tudo dependia do que os espíritos queriam. Pegou minha mão e olhou-a atentamente, como se houvesse algo escrito nela. Então soprou na minha mão e me fez colocá-la na testa, começando a apalpar meu crânio. Perguntou sobre meus hábitos de sono e se eu tinha dor de cabeça, declarando então que apaziguaríamos os espíritos com uma galinha branca, um galo vermelho e um carneiro branco. A seguir, começou a barganha pelo preço do *ndeup*; conseguimos baixá-lo (para cerca de 150 dólares), concordando que nós mesmos compraríamos os ingredientes de que ela precisava: sete quilos de painço, cinco quilos de açúcar, um quilo de noz-de-cola, uma cabaça, sete metros de tecido branco, dois recipientes grandes, uma esteira de palha, uma cesta, um bastão pesado, as duas aves e o carneiro. Ela disse que alguns de meus espíritos (no Senegal, há espíritos por toda parte, alguns necessários a você, outros neutros, outros prejudiciais — um pouco como micróbios) estavam com ciúmes de minhas relações sexuais com meus parceiros vivos e que era essa a razão de minha depressão. "Precisamos fazer um sacrifício para aplacá-los", declarou, "e então eles ficarão quietos, e você não sofrerá do peso da depressão. Todos os seus apetites estarão com você e você dormirá em paz, sem pesadelos, e o medo ruim irá embora."

Fizemos uma segunda viagem para Rufisque na aurora de segunda-feira. Assim que saímos da cidade, vimos um pastor e compramos um carneiro. Tivemos certa dificuldade em fazê-lo entrar no táxi, onde ele emitiu ruídos lamentosos e se aliviou copiosamente; rodamos por mais dez minutos e mais uma vez penetramos no labirinto de ruelas nos arredores de Rufisque. Deixamos o carneiro com Mareme e fomos ao mercado para pegar os outros itens, que uma de minhas amigas empilhou na cabeça como a torre de Pisa; então voltamos de carroça puxada a cavalo à casa de Mareme Diouf.

Mandaram-me tirar os sapatos e então me levaram ao lugar onde ficavam os recipientes. Haviam espalhado areia fresca por ali, e cinco mulheres estavam reunidas no local, todas de vestidos soltos, com enormes colares de ágata e cintos feitos de tecido embutidos como salsichas (recheados com objetos icônicos e preces). Uma delas, de setenta e tantos anos, usava uns óculos de sol enormes à la Jackie Onassis. Sentei numa esteira com as pernas retas, esticadas e as palmas das mãos viradas para cima, para a adivinhação. As mulheres pegaram painço e o derramaram na cesta, depois acrescentaram um tanto de objetos de poder xamanístico — gravetos curtos, grossos, o chifre de algum animal, uma garra, uma pequena bolsa amarrada com uma grande quantidade de fios, uma espécie de objeto redondo feito de tecido vermelho, com conchas de cauri costuradas dentro dele, e um chumaço de crina de cavalo. Estenderam um tecido branco sobre meu corpo e colocaram a cesta seis vezes sobre minha cabeça, seis vezes em cada braço e assim pelo meu corpo inteiro. Entregaram-me os gravetos para segurar e soltar, e as mulheres falaram entre si, consultando-se a respeito dos padrões que os gravetos formaram. Fiz isso seis vezes com minhas mãos e seis vezes com os pés. Várias águias vieram e se penduraram no baobá acima de nós; isso pareceu um bom sinal. Então as mulheres tiraram minha camisa e colocaram um colar de ágata em mim. Esfregaram meu peito e minhas costas com o painço. Pediram-me que levantasse, tirasse o jeans e enrolasse um pano no corpo, e esfregaram meus braços e pernas com o painço. Finalmente, pegaram o painço que caíra por toda parte e o embrulharam num pedaço de jornal, dizendo que eu devia dormir com ele sob o travesseiro por uma noite e dá-lo a um mendigo com bom ouvido e nenhuma deformidade no dia seguinte. Como a África é um continente de incongruências, o rádio estava tocando a música-tema do filme *Carruagens de fogo* durante todo o processo.

Cinco tocadores de atabaque chegaram e começaram a tocar o *tama*. Cerca de uma dúzia de pessoas já estava por ali, e à medida que o som dos atabaques se espalhava mais e mais gente começou a se juntar, até que houvesse talvez duzentas pessoas, todas vindas para o *ndeup*. Elas formaram círculos em torno de uma esteira de capim. As pernas do carneiro tinham sido atadas e ele estava deitado de lado, com uma expressão bestificada pelos acontecimentos. Disseram-me para deitar atrás dele e abraçá-lo, como se estivéssemos abraçados na cama. Cobriram-nos com um lençol e talvez duas dúzias de cobertores, de modo que eu e o carneiro (que eu tinha que segurar pelos chifres) estivéssemos numa escuridão total e num calor sufocante. Um dos cobertores, vi depois, tinha as palavras *Je t'aime* bordadas. Os atabaques tocavam cada vez mais forte, em um ritmo implacável, e eu podia ouvir as vozes das cinco mulheres cantando. De tempos em tempos, aparentemente no final de cada música, os atabaques paravam; então uma voz começava e os atabaques se juntavam a ela, outras vozes se juntavam a essas e às vezes também as vozes das centenas de espectadores. Enquanto isso, as mulheres dançavam em torno de mim num círculo estreito, e eu abraçava o carneiro. Elas continuavam a me bater no corpo todo com o que descobri depois ser o galo vermelho. Eu mal podia respirar e o carneiro cheirava forte (ele se aliviara de novo em nossa pequena cama). O chão sacudia com o movimento da multidão, e eu mal conseguia segurar o carneiro, que se torcia com uma exasperação crescente.

Finalmente os cobertores foram suspensos, me levantaram e levaram para dançar ao ritmo dos atabaques, que mantinham um ritmo crescente. Mareme conduzia a dança e todos batiam palmas enquanto eu imitava suas batidas de pé e seu deslizar em direção aos tocadores de atabaques. Uma a uma, as outras mulheres vinham à frente e eu tinha que imitá-las. E então, uma de cada vez, diversas mulheres saíram da multidão e tive que dançar com elas também. Eu estava tonto, Mareme estendeu os braços para mim e eu quase desmaiei neles. De repente, uma mulher ficou possuída e dançou histericamente, dando saltos como se o chão estivesse em fogo, e depois desmoronou. Eu soube depois que ela fizera o seu *ndeup* no ano anterior. Quando eu estava completamente sem fôlego, os atabaques pararam subitamente, e me disseram para tirar a cueca, já que agora eu tinha que usar apenas o pano que enrolara no corpo. O carneiro estava deitado, tive que passar sobre ele sete vezes da direita para a esquerda e sete vezes da esquerda para a direita, e então permaneci com uma perna de cada lado dele. Um dos homens que tocava atabaque se aproximou, colocou a cabeça do carneiro sobre uma bacia de metal e cortou a garganta do animal. Ele limpou um lado da faca na minha testa e o outro na minha nuca. O sangue jorrava e logo encheu metade da vasilha. Mandaram-me banhar as mãos no sangue e desfazer os coágulos que começavam a se formar. Ainda tonto, obedeci, enquanto o homem cortava a cabeça do galo e misturava seu sangue com o do carneiro.

Então deixamos a multidão e fomos para a área perto dos recipientes, o local onde eu estivera anteriormente naquela manhã. Ali, as mulheres jogaram o sangue em mim. O sangue tinha que cobrir cada centímetro de meu corpo; elas o esfregaram em meu cabelo, rosto, genitália e nas solas de meus pés. Esfregaram-no em todo o meu corpo, e era quente, e as partes semicoaguladas eram esmagadas contra minha pele. A experiência era especialmente prazerosa. Quando eu estava totalmente coberto, uma delas disse que era meio-dia e me ofereceu uma Coca-Cola, que tomei contente. Ela me deixou lavar uma parte do sangue da mão e da boca para que eu pudesse beber. Outra pessoa me trouxe um pouco de pão. Alguém com um relógio de pulso disse que poderíamos descansar até as três horas. Uma súbita leveza tomou conta da cerimônia, e uma das mulheres tentou me ensinar as canções que tinham cantado durante a manhã, quando eu estava deitado debaixo dos cobertores. O pano ao redor do meu corpo estava completamente empapado, e milhares de moscas começaram a pousar em mim, atraídas pelo cheiro do sangue. Enquanto isso, o carneiro fora pendurado no baobá, e um dos homens esfolava e esquartejava o animal. Outro pegara uma faca comprida e lentamente cavava no chão três buracos perfeitamente circulares de cerca de meio metro de profundidade, próximos aos recipientes de água dos *ndeups* anteriores. Fiquei por ali tentando manter as moscas longe dos meus olhos e orelhas. Finalmente, quando os buracos estavam prontos e já eram três horas, mandaram-me sentar de novo, e as mulheres amarraram os intestinos do carneiro nos meus braços, pernas e peito. Disseram-me para colocar sete gravetos em cada buraco, fazendo uma prece ou desejando algo a cada vez. Então dividimos a cabeça do carneiro em três partes e colocamos uma em cada buraco; elas acrescentaram algumas ervas e uma pequena porção de cada parte do animal, depois pequenos pedaços do galo. Mareme e eu nos revezamos para colocar sete bolos de painço e açúcar em cada um dos buracos. A seguir, ela pegou bolsas contendo diferentes pós feitos de folhas e cascas de árvore e polvilhou um pouco de cada em cada um dos buracos. Dividimos e derramamos o resto do sangue; desamarraram os intestinos de meu corpo e os jogaram nos buracos. Mareme colocou folhas frescas sobre tudo e ela e o homem (que não parava de tentar beliscar o traseiro dela) encheram os buracos; tive que pisar em cada um dos buracos três vezes com o pé direito. Depois repeti as seguintes palavras para meus espíritos: "Deixem-me viver; deem-me paz e deixem-me fazer o trabalho de minha vida. Nunca esquecerei vocês". Gostei especialmente da última frase. "Nunca esquecerei vocês", como se eu precisasse apaziguar o orgulho dos espíritos.

Uma das mulheres envernizara com sangue um dos recipientes de barro, que foi colocado na área que havíamos acabado de encher. Enfiou-se um bastão no chão e derramaram uma mistura de painço, leite e água em todas as vasilhas invertidas das cerimônias anteriores e no alto dos bastões fálicos. Nossa vasilha foi preenchida com água e vários pós de ervas. A essa altura, o sangue que me cobria já estava endurecido. Era como estar coberto por uma enorme casca de machucado, a pele completamente presa. Avisaram que já era hora de eu me lavar. Rindo alegremente, as mulheres começaram a descascar o sangue de meu corpo. Levantei; elas enchiam a boca de água e cuspiam em mim. Dessa forma, e com muita esfregação, o sangue foi retirado. No final, tive que tomar mais ou menos meio litro de água com o mesmo pó que Mareme usara anteriormente. Quando estava completamente limpo e com um pano novo e limpo em torno do corpo, os atabaques começaram a soar novamente e a multidão voltou. Dessa vez, a dança era de celebração. "Você está livre de seus espíritos, eles o deixaram", disse uma das mulheres. Ela me deu uma garrafa de água misturada com pó de ervas e me disse que me banhasse com essa poção curativa se os espíritos me perturbassem de novo. Os atabaques aumentaram o ritmo alegres e eu competi com um deles, que tocava cada vez com mais agressividade enquanto eu pulava cada vez mais alto. Finalmente ele concedeu um empate. Depois todos receberam alguns bolos e um pedaço do carneiro (levamos uma perna para fazer churrasco naquela noite) e Mareme me disse que agora eu estava livre. Eram mais de seis da tarde. A multidão seguiu nosso táxi tanto quanto pôde e depois ficou acenando, e voltamos para casa com uma boa sensação de ter participado de uma festa.

O *ndeup* me impressionou mais do que muitas formas de terapia de grupo praticadas nos Estados Unidos. Ele me mostrou um modo alternativo de pensar sobre a aflição da depressão — como uma coisa externa, separada da pessoa que sofre. Ele mexeu com o organismo, o que poderia certamente desencadear um processo de hiperatividade na química do cérebro — uma espécie de TEC sem eletricidade. Provocou uma experiência íntima de comunidade. Incluiu um contato físico íntimo com outros. Me colocou em sintonia com a morte e ao mesmo tempo afirmou que eu estava vivo, quente e pulsante. Forçou-me a uma grande quantidade de movimento físico. Me trouxe o conforto de um procedimento específico a seguir, caso haja uma recorrência. E foi revigorantemente energético — um absoluto *tour de force* de movimento e som. Por fim, foi um ritual, e o efeito de qualquer ritual — seja cobrir o corpo com sangue misturado de carneiro e galo ou contar a um profissional o que sua mãe fez quando era pequeno — não deve ser subestimado. A mescla de mistério e especificidade é sempre tremendamente poderosa.

* * *

Como fazer uma escolha entre as milhares de terapias para a depressão? Qual é o melhor modo de tratá-la? E como combinar tais tratamentos não ortodoxos com outros mais tradicionais? "Posso lhe dizer qual era a resposta correta em 1985", diz Dorothy Arnsten, uma terapeuta interpessoal que vem estudando diversos sistemas de tratamento. "Posso dizer qual era a resposta correta em 1992, a resposta correta em 1997 e a resposta correta neste momento. Mas qual é a utilidade disso? Não sei dizer qual será a resposta correta em 2004, mas posso afirmar que será diferente da que temos agora." A psiquiatria está tão sujeita a tendências quanto qualquer outra ciência, e a grande revelação de um ano é a loucura de outro.

É difícil saber o que o futuro trará. Fizemos avanços muito pequenos no entendimento da depressão, ao mesmo tempo que fizemos avanços enormes em seu tratamento. Se este pode continuar a superar o insight é difícil dizer, já que o desenvolvimento dos tratamentos depende em grande parte da sorte e levará um bom tempo para o conhecimento alcançar o que já podemos fazer. Das drogas em último estágio de testes, a mais promissora é a reboxetina, um inibidor da reapreensão da norepinefrina seletiva. A norepinefrina, que tem seu efeito intensificado por antidepressivos tricíclicos, está envolvida na depressão juntamente com a serotonina e a dopamina. Parece provável que um empurrão da norepinefrina funcione bem com ISRSs e talvez com Wellbutrin, uma combinação que atacaria todos os neurotransmissores. Os primeiros estudos mostram que a reboxetina parece ser um bom produto para levantar a energia do paciente e melhorar seu funcionamento social, embora também pareça causar boca seca, constipação, insônia, aumento da transpiração e aceleração dos batimentos cardíacos. A reboxetina está sendo produzida pela Pharmacia e pela Upjohn.[30] Nesse ínterim, a Merck vem trabalhando com produtos que têm como alvo outra substância no cérebro, a substância P, envolvida na reação à dor, e que eles acreditam estar relacionada com a depressão. A primeira substância P antagonista que desenvolveram não parece ser especialmente bem-sucedida no tratamento da depressão, mas estão pesquisando outras.[31]

Cientistas do Projeto de Anatomia da Molécula Cerebral (Brain Molecule Anatomy Project, BMAP) procuram entender que genes estão envolvidos no desenvolvimento e funcionamento do cérebro. Buscam também saber quando tais genes estão ativos. A manipulação genética avançará bastante com o BMAP. "Estou fazendo minhas apostas", diz Steven Hyman, do NIMH. "Uma é nos genes. Acho que, sabendo de alguns dos genes envolvidos em doenças ou no processo de regulação do estado de espírito, vamos poder questionar em que caminho metabólico eles estão. Esse caminho pode nos dizer o que acontece no cérebro? E os objetivos terapêuticos? Esses genes estão ativos durante nosso desenvolvimento? Onde eles estão no cérebro? Qual é a diferença na função cerebral entre essa versão que cria vulnerabilidade à doença e a versão que não cria? Quais são os genes que constroem essa parte do cérebro e quando? Imagine que descobrimos que um determinado subnúcleo da amídala está criticamente envolvido no controle de efeitos negativos, o que é bastante provável. E se tivermos diante de nós cada um dos genes ativos daquela estrutura através de seu desenvolvimento? Bem, então temos um kit de investigação. Não existe um gene do estado de espírito. Isso é apenas uma simplificação. Cada gene envolvido em uma doença tem provavelmente muitas outras funções no corpo ou no cérebro. O cérebro é um processador bem distribuído."

Se o genoma humano é feito de aproximadamente 30 mil genes — e esse número parece continuar subindo à medida que descobrimos cada vez mais deles —,[32] e se cada um tem cerca de dez variedades comuns importantes, isso nos dá 10^{30000} candidatos para a vulnerabilidade genética do homem a todas as doenças. Quanto tempo entre o momento de conseguirmos identificar alguns desses genes e aquele de tentarmos compreender o que acontece a eles em diferentes combinações, em diferentes estágios, diante de diferentes tipos de estímulos ambientais? Precisamos da força bruta dos números para checar todas as possibilidades combinatórias. Depois, precisamos ver como eles se comportam sob diversas circunstâncias externas. Por mais rápidos que sejam nossos computadores, tal conhecimento parece estar ainda a uma eternidade de distância. Entre todas as doenças, a depressão deve ser uma das que têm maior probabilidade de ser sobredeterminada: não sou geneticista, mas apostaria que existem pelo menos algumas centenas de genes que podem conduzir ao desenvolvimento de disfunções depressivas. Como tais genes desencadeiam a depressão dependeria de como interagem com estímulos externos e uns com os outros. Pressinto que a maioria desses genes tem também outras funções úteis ao organismo, e que simplesmente eliminá-los teria efeitos deletérios significativos. A informação genética pode nos ajudar a controlar certos tipos de depressão, mas as chances de eliminar a depressão pela manipulação genética num futuro próximo são, acho, mais tênues do que gelo fino.

5. Populações

Não existem duas pessoas com o mesmo tipo de depressão. Como flocos de neve, as depressões são sempre únicas, todas baseadas nos mesmos princípios essenciais, mas cada uma exibindo um formato irreproduzível e complexo. Apesar disso, os profissionais vivem agrupando a depressão em tipos: bipolar em oposição a unipolar; aguda em oposição a suave; exógena em oposição a endógena; breve em oposição a prolongada — a lista pode e tem sido estendida infinitamente, um processo que decepciona por sua utilidade limitada quanto ao diagnóstico e ao tratamento. É importante, contudo, levar em consideração as qualidades inerentes a uma depressão ligadas ao gênero e à idade do paciente, assim como os determinantes culturais da doença. Elas suscitam uma pergunta fundamental: as qualidades características de tais depressões são determinadas por diferenças biológicas entre homens e mulheres, entre os muito jovens e os muito velhos, entre asiáticos e europeus, entre pessoas homossexuais e heterossexuais, ou são determinadas por diferenças sociológicas, por padrões de expectativa que impomos às pessoas de acordo com o grupo que representam? Na verdade, as duas coisas. O problema monolítico da depressão não pode ser tratado com considerações monolíticas; as depressões são contextuais e devem ser interpretadas dentro dos contextos nos quais ocorrem.

Por motivos atribuídos ora à química, ora às condições externas, as mulheres sofrem aproximadamente duas vezes mais depressão do que os homens.[1] A diferença não existe entre as crianças deprimidas, mas se estabelece durante a puberdade.[2] As mulheres sofrem várias formas características de depressão — a depressão pós-parto, a depressão pré-menstrual e a depressão da menopausa —, assim como de todas as formas de depressão que afligem os homens. Taxas flutuantes de estrogênio e progesterona têm nitidamente efeitos no estado de ânimo, especialmente quando eles interagem com os sistemas hipotalâmico e pituitário (da hipófise), mas tais variações no humor não são previsíveis ou consistentes.[3] Uma súbita baixa nos níveis de estrogênio causará sintomas depressivos, e altos níveis de estrogênio promovem uma sensação de bem-estar. Antes da menstruação, algumas mulheres experimentam desconforto físico e algumas, devido ao inchaço, consideram-se menos atraentes; as duas coisas desencadeiam uma baixa no ânimo. Mulheres grávidas ou que acabaram de dar à luz, embora tenham menos propensão ao suicídio, são mais predispostas do que quaisquer outras a sofrer de depressão.[4] Uma grave depressão pós-parto atinge cerca de uma em dez parturientes.[5] Essas novas mães tendem a ser chorosas, estão frequentemente ansiosas e irritáveis e perdem o interesse em seu bebê recém-nascido — talvez porque o parto drene as reservas de estrogênio, que leva algum tempo para ser restaurado. Os sintomas normalmente atenuam depois de algumas semanas. Uma versão mais suave da síndrome provavelmente ocorre em cerca de um terço das novas mães.[6] Dar à luz é uma experiência difícil e exaustiva, e parte do que é agora classificado como depressão pós-parto é na verdade o suave colapso que se segue a qualquer gasto extraordinário de energia. As mulheres são propensas a níveis mais baixos de depressão por volta da menopausa, o que sugere um fator hormonal na depressão entre elas. O período mais agudo da depressão feminina são os anos férteis. Sugeriu-se que as alterações nos níveis de hormônios podem afetar neurotransmissores, mas nenhum mecanismo que indique tal ação foi localizado. Mais surpreendente do que o enfoque popular, mas vago nos hormônios é que os homens realmente sintetizam serotonina cerca de 50% mais rápido que as mulheres, o que pode dar a eles mais resistência.[7] A restauração mais lenta das reservas de serotonina nas mulheres pode deixá-las predispostas à depressão prolongada.

A biologia não explica sozinha a alta taxa da depressão feminina. Há algumas diferenças biológicas na depressão entre homens e mulheres; há diferenças sociais evidentes nas posições de força e poder entre ambos. Parte da explicação para o fato de elas sofrerem mais depressão do que eles é que elas são destituídas de seus direitos de cidadania com mais frequência.[8] Surpreendentemente, as chances da depressão pós-parto afligir mulheres com um alto nível de estresse são especialmente grandes;[9] e mulheres cujos maridos assumem uma porção significativa de responsabilidade pelos cuidados básicos dos filhos têm níveis mais baixos de depressão pós-parto. Feministas que pesquisam a depressão tendem a preferir teorias sociológicas a biológicas. Elas não gostam da implicação de que os corpos das mulheres sejam de algum modo mais fracos do que o dos homens. Susan Nolen-Hoeksema, uma das mais importantes autoras norte-americanas a escrever sobre a depressão, diz: "É perigoso concluir, através da escolha de um rótulo, que um aspecto da biologia reprodutiva das mulheres seja central na ocorrência de doenças psiquiátricas". Esse tipo de pensamento tem atribuído um sentido político a boa parte do trabalho sociológico sobre a depressão das mulheres. Embora seja um objetivo admirável, nem sempre está de acordo com a experiência, a biologia e a estatística. Na verdade, muitas abordagens teóricas sobre a depressão das mulheres acabam por agravar os problemas daquelas a quem buscam ajudar. A sobreposição da manipulação de realidades científicas por teorias feministas, para atingir objetivos políticos, com a grande insensibilidade da teoria médica à realidade social, tem amarrado a questão de gênero na depressão com um nó górdio.

Um estudo recente mostrou que as taxas de depressão masculina e feminina nas faculdades norte-americanas são iguais. Algumas feministas pessimistas sugeriram que mulheres propensas à depressão não chegam à faculdade. Outras mais otimistas sugeriram que mulheres têm um status mais equilibrado com o dos homens na faculdade do que em quase qualquer outro contexto social.[10] Eu lançaria à mistura a ideia de que os homens que estão na faculdade são provavelmente mais abertos a reconhecer sua doença do que os menos instruídos ou mais velhos. A taxa de depressão feminina *versus* masculina não parece variar nas sociedades ocidentais; permanece consistente de duas para um. O mundo é dominado pelos homens, e isso torna as coisas mais difíceis para as mulheres.[11] Elas são menos capazes de se defender fisicamente. Têm mais probabilidade de serem pobres. Têm mais probabilidade de serem vítimas de abuso. Têm menos probabilidade de serem instruídas. Têm mais probabilidade de sofrerem humilhações regulares. São mais propensas a se subordinarem aos maridos. Algumas feministas dizem que as mulheres desenvolvem depressão porque não têm esferas suficientes nas quais se afirmar e precisam se apoiar nos triunfos do lar para todos os seus sentimentos de autoestima; outras dizem que mulheres bem-sucedidas têm esferas para se afirmar em excesso e estão sempre divididas entre o trabalho e o lar.[12] Que essas duas situações são cheias de estresse é consistente com as descobertas de que donas de casa casadas e mulheres casadas que trabalham fora sofrem aproximadamente da mesma taxa de depressão — que é muito mais elevada do que a dos homens casados que trabalham. É interessante notar que, através das culturas, as mulheres têm taxas muito mais altas não apenas de depressão, mas também de doenças de pânico e disfunções da alimentação, enquanto os homens têm incidências mais altas de autismo, disfunção hiperativa de déficit de atenção e alcoolismo.[13]

O psicólogo inglês George Brown é um dos maiores especialistas do campo da sociologia da psicologia. Ele propôs que a depressão das mulheres está ligada à sua preocupação com os filhos, uma teoria que tem sido corroborada por outros acadêmicos. Se descontarmos a depressão desencadeada pela ansiedade em relação aos filhos, a taxa de depressão para homens e mulheres parece se igualar; e em casais em que os papéis de gênero são menos rigidamente definidos, as taxas de depressão de homens e mulheres tendem a se aproximar — "As diferenças de gênero nas taxas de depressão são, em boa parte, consequência das diferenças de papéis", conclui Brown.[14] Myrna Weissman, da Universidade Columbia, afirma que faz sentido em termos evolucionários que as mulheres sejam especialmente sensíveis à perda: isso as motivaria no parto e nos cuidados com os filhos.[15]

É também fato que muitas mulheres deprimidas sofreram abusos significativos quando crianças.[16] Meninas pequenas são mais sujeitas a abuso sexual do que meninos, e vítimas de abuso são muito mais sujeitas à depressão. Essas mulheres são mais propensas a sofrer de anorexia, uma doença que em anos recentes tem sido ligada à depressão.[17] A má nutrição causa muitos sintomas de depressão; assim, é possível que os sintomas depressivos de mulheres anoréxicas sejam a consequência de sua doença. Mas muitas mulheres com anorexia descrevem os sintomas que persistem depois de elas atingirem o seu peso normal. Ainda, parece que os construtos sociais estão implicados tanto na dolorosa obsessão com o autocontrole que se manifesta na anorexia quanto na sensação de desamparo que caracteriza a depressão. O ódio de si mesmo pode levar alguém a querer se fazer tão pequeno quanto possível, até que quase desapareça. Certas questões-chave podem ser críticas para o diagnóstico de uma doença depressiva isolada da anorexia. Costuma ser útil perguntar aos anoréxicos se dormem mal mesmo quando não estão pensando em comida ou em comer.

Por muito tempo, a doença mental foi definida pelos homens. Em 1905, Sigmund Freud sustentou que sua paciente Dora sofria de histeria ao rejeitar os avanços indesejados de um homem que tinha três vezes a sua idade.[18] Esse tipo de conivência é menos comum hoje do que há cinquenta anos. Contudo, as mulheres são frequentemente encaradas como deprimidas quando não demonstram a vitalidade que seus maridos exigem ou esperam delas e que elas próprias aprenderam a exigir ou esperar de si mesmas. Contudo, tal princípio é enganador: também argumenta-se que os homens subestimam a depressão das mulheres porque o retraimento delas é confundido com passividade feminina. Mulheres que tentam se ajustar a ideais de feminilidade podem *agir* como deprimidas por conformismo ou *se tornar* deprimidas como consequência da incapacidade de viver dentro de uma definição estupidificante de feminilidade. Mulheres que se queixam de depressão pós-parto podem em alguns casos estar expressando apenas seu choque e desapontamento por não sentir um tipo de superemoção que os filmes e a TV descrevem como a essência da nova maternidade. Como dizem-lhes frequentemente que o amor maternal é instintivo (que interpretam como significando sem esforço), ficam deprimidas pela ambivalência que geralmente acompanha os cuidados com a criança.[19]

A crítica feminista Dana Crowley Jack sistematizou tais ideias como componentes da perda de voz ou perda do eu das mulheres. "Como essas mulheres não se escutam falando com seus parceiros, são incapazes de sustentar as convicções e sentimentos do eu, e em vez disso escorregam para a dúvida sobre a legitimidade de sua experiência pessoal." A tese de Jack é que as mulheres que não conseguem se comunicar bem com os parceiros (frequentemente, sugere, porque o parceiro não está disposto a ouvir) mergulham no silêncio. Elas falam menos e minam suas próprias afirmativas com frases como "Não sei" ou "Não tenho mais certeza". Para impedir que seus casamentos ou relações abalados desmoronem inteiramente, essas mulheres tentam se ajustar a um ideal de feminilidade em que dizem o que pensam que seus parceiros querem ouvir — e assim tornam-se falsas mesmo em interações íntimas, dissolvendo-se como pessoas. Jack declara: "Mulheres empreendem uma autonegação maciça como parte de sua procura por intimidade". Na verdade, as relações bem-sucedidas são geralmente parcerias em que o poder pode ser passado de um membro do casal para o outro, adaptando-se a várias circunstâncias que eles encontram juntos ou separadamente. No entanto, é verdade que as mulheres geralmente têm menos dinheiro ou menor controle financeiro, e que em relações frágeis as mulheres aceitam abuso e espancamento mais prontamente do que os homens. Esse é mais um dos cenários que suscitam a pergunta do "quem veio primeiro, o ovo ou a galinha": mulheres deprimidas são menos capazes de se defender de abuso e por isso sofrem mais abusos, tornando-se mais deprimidas como consequência de abuso, o que as torna menos capazes ainda de se defender.

Jack acredita que o sistema de poder masculino menospreza a depressão das mulheres. Em um de seus momentos de excesso, Jack descreve o casamento como "o mais persistente dos mitos que aprisionam as mulheres", e em outro momento escreve que as mulheres são "alvos fáceis da depressão, uma depressão intimamente ligada ao patriarcado e roubada de sua natureza mítica, orgânica e, consequentemente, de suas propriedades curativas".[20] Esse refrão é ecoado em outro texto feminista radical sobre a depressão das mulheres. Outra crítica, Jill Astbury, sugere em sua análise do assunto que nossa noção da depressão feminina é uma construção inteiramente masculina:

> A questão da propensão das mulheres à depressão contém uma suposição que raramente é explícita: as taxas de depressão feminina são encaradas como patológicas, altas demais e problemáticas. O único ponto de vista que possibilita essa conclusão é o que assume que as taxas masculinas de depressão são a norma, são em si completamente não problemáticas e fornecem o único ponto de partida razoável pelo qual as mulheres podem ser medidas. A dominância da abordagem androcêntrica só pode ser aceita se, em vez de perguntarmos qual o problema da depressão feminina, posicionarmos as taxas de depressão nos homens como problemáticas, causadoras de perplexidade e que exigem esclarecimento. Por que, podemos perguntar — mas geralmente não o fazemos —, as taxas masculinas são tão anormalmente baixas? A testosterona interfere no desenvolvimento da completa humanidade e completa sensibilidade emocional?[21]

E assim por diante. Tais argumentos recorrentes levantados por eruditos com reputação nesse ramo, geralmente em livros publicados por universidades importantes (Jack é publicada pela Harvard University Press; Astbury, por Oxford), parecem se concentrar na demonização da depressão das mulheres na sociedade, como se a depressão em si fosse inócua. Eu diria que, se você não se sente afligido por seus sintomas, não tem depressão. Se sofre com eles, é razoável e talvez mesmo generoso do sistema investir na descoberta de soluções para seu abatimento. Já que as altas taxas de depressão das mulheres não refletem uma predisposição genética que conseguimos atualmente identificar, podemos dizer com alguma segurança que as taxas de depressão entre as mulheres podem ser significativamente reduzidas numa sociedade mais equânime. Enquanto isso, porém, são em geral as mulheres deprimidas que acham sua depressão anormal e que desejam fazer algo a respeito. Maridos abusivos, como opressores patriarcais que são, tendem a gostar de mulheres deprimidas e não ver a depressão delas como sintomática: são mulheres com mais recursos que têm mais probabilidade de reconhecer, nomear e tratar sua depressão. A ideia de que mulheres são deprimidas devido à conspiração patriarcal tem alguma validade; a ideia de que fazemos as mulheres se sentirem mal sobre sua depressão como parte de uma conspiração patriarcal ignora as próprias afirmativas das mulheres sobre suas experiências de depressão.

A literatura ressalta muito as qualidades próprias da depressão das mulheres e diz pouco sobre qualquer qualidade característica da depressão dos homens. Muitos homens deprimidos não são diagnosticados, porque tendem a lidar com sentimentos de depressão não se retraindo em um silêncio de desânimo, mas retraindo-se no ruído da violência, no uso de drogas ou se tornando viciados em trabalho. As mulheres relatam duas vezes mais depressão que os homens, mas eles são quatro vezes mais propensos a cometer suicídio.[22] Homens solteiros, divorciados ou viúvos têm uma taxa muito mais alta de depressão que os casados.[23] Homens deprimidos podem mostrar o que é chamado um tanto eufemisticamente de "irritabilidade" — agridem desconhecidos, batem nas esposas, tomam drogas e atiram nas pessoas. O escritor Andrew Sullivan escreveu recentemente que as injeções de testosterona que ele tomava como parte de um tratamento para o HIV aumentavam sua tendência para a violência. Numa série de entrevistas com homens que batem em suas esposas, encontrei queixas consistentes de sintomas orgânicos de depressão. "Chego em casa e me sinto completamente cansado o tempo todo", disse um homem, "e ali está aquela mulher me fazendo um monte de perguntas, droga, e aquele barulho começa a martelar minha cabeça. Não consigo comer com aquilo, não consigo dormir, ela está lá o tempo todo. Não quero machucá-la, mas tenho que fazer alguma coisa, estou ficando maluco, você entende?" Alguém disse que, quando via a esposa, sentia-se "tão sem valor nesse mundo que não conseguiria viver se não tascasse um soco ou qualquer coisa assim".

O espancamento de esposas é obviamente uma reação inadequada ao sentimento de depressão, mas com frequência as síndromes estão estreitamente ligadas. Parece provável que muitos outros comportamentos nocivos, de confronto, sejam manifestações da depressão masculina. Na maioria das sociedades ocidentais, admitir fraqueza é considerado feminino. Isso tem um efeito negativo nos homens, impedindo-os de chorar, deixando-os com vergonha diante de lágrimas irracionais e ansiedade. O espancador que acredita que bater na mulher é o único modo de existir no mundo evidentemente compra a ideia de que a dor emocional é sempre um chamado à ação e que a emoção sem ação o nega como homem. É uma infelicidade que homens que — no sentido mais amplo — se comportam mal não recebam tratamento antidepressão. Se as mulheres agravam sua depressão porque não são tão felizes quanto acham que deviam ser, os homens a agravam porque não são tão corajosos quanto pensam que deviam ser. A maior parte dos abusos é uma forma de covardia, e alguns tipos de covardia são um forte sintoma de depressão. Eu devia saber: certa vez fiquei com medo de uma costeleta de cordeiro, e é uma sensação muito debilitante.

Tive diversos episódios violentos desde a minha primeira depressão e tenho pensado se tais episódios, para os quais não há precedentes em minha vida, estavam ligados à depressão em si, eram sequelas da doença ou estavam de alguma forma associados aos antidepressivos que eu tomava. Quando criança, eu raramente batia em alguém, exceto no meu irmão, e a última vez que o fiz eu tinha doze anos. E então um dia, quando eu estava na casa dos trinta, fiquei tão zangado que comecei a tramar mentalmente assassinatos. Descarreguei minha raiva estilhaçando os vidros de uma série de retratos meus que estavam pendurados na casa de uma namorada, deixando os cacos no chão e o martelo jogado entre eles. Um ano depois, tive um sério desentendimento com um homem a quem eu amava muito e por quem me sentira profunda e cruelmente traído. Eu já estava num estado ligeiramente depressivo e fiquei furioso. Ataquei-o com uma ferocidade que ia além de qualquer coisa que eu já experimentara antes, atirei-o contra a parede e soquei-o repetidamente, quebrando seu maxilar e seu nariz. Depois ele foi hospitalizado por perda de sangue. Nunca esquecerei a sensação de seu rosto se esmagando sob os meus golpes. Sei que logo depois de bater nele eu lhe apertei o pescoço com as mãos por um momento e que só um poderoso apelo de meu superego me impediu de estrangulá-lo. Quando as pessoas expressaram seu horror ao meu ataque, eu lhes disse quase o mesmo que o espancador tinha me falado: era como se eu estivesse desaparecendo e, em algum ponto bem fundo da parte mais primitiva de meu cérebro, senti que a violência era o único modo pelo qual poderia conservar meu eu e minha mente no mundo. Eu fiquei arrasado pelo que fiz. No entanto, se uma parte de mim lastima o sofrimento de meu amigo, outra parte de mim não lamenta o ocorrido, pois acredito sinceramente que eu teria ficado irrecuperavelmente maluco se não tivesse feito aquilo. Uma opinião que esse amigo, de quem ainda sou próximo, passou a aceitar. Sua violência emocional e minha violência física atingiram um curioso equilíbrio. Parte da sensação de medo e desamparo paralisantes que me afligia naquela época foi aliviada pelo ato de selvageria. Não aceito o comportamento de espancadores de mulheres e certamente não endosso o que fazem. Enveredar por atos violentos não é um bom modo de tratar a depressão. Entretanto, é eficaz. Negar o poder curativo inato da violência seria um equívoco terrível. Cheguei em casa naquela noite coberto de sangue, meu e dele, e com uma sensação tanto de horror quanto de exaltação. Experimentei uma sensação imensa de libertação.

Nunca bati em uma mulher, mas, cerca de uns oito meses depois de quebrar o maxilar de meu amigo, gritei com uma de minhas amigas mais íntimas e a humilhei em público porque ela queria remarcar um jantar que havíamos combinado. Eu entendi que a depressão pode facilmente irromper em fúria. Desde que saí das profundezas da depressão, tais impulsos estão sob controle. Posso sentir uma raiva imensa, mas ela é geralmente conectada a eventos específicos, e minha resposta a tais eventos é geralmente proporcional a eles. Normalmente não é física, é mais ponderada e menos impulsiva. Meus ataques têm sido sintomáticos. Isso não me tira a responsabilidade pela violência, mas ajuda a entender o seu sentido. Não sou tolerante com tal comportamento.

Nenhuma mulher que conheci descreveu esses tipos de sentimento dessa forma, mas muitos homens deprimidos que conheci experimentam impulsos destrutivos semelhantes. Muitos conseguiram evitar concretizá-los; muitos outros os puseram em prática e, ao fazê-lo, sentiram-se livres do terror irracional. Acredito que a depressão nas mulheres não é diferente da dos homens, mas acho que as mulheres são diferentes dos homens e as formas como lidam com a depressão são geralmente diferentes também. As feministas que querem evitar a patologização do feminino e os homens que acreditam poder denegar seu estado emocional estão procurando problema. É interessante que homens judeus, uma população especialmente avessa à violência, tenham uma taxa de depressão muito mais alta do que homens não judeus — na verdade, estudos mostram que eles têm aproximadamente a mesma taxa de depressão das mulheres judias.[24] O gênero, então, desempenha um papel elaborado não apenas em relação a quem fica deprimido, mas também em relação a como essa depressão se manifesta e, consequentemente, como ela pode ser contida.

Mães deprimidas geralmente não são grandes mães, apesar de que depressivas que lidam bem com a doença possam às vezes mascará-la e cumprir seus papéis maternais. Embora algumas mães deprimidas fiquem facilmente zangadas com os filhos e se comportem de maneira errática em consequência disso, muitas simplesmente não reagem aos filhos: são pouco afetivas e retraídas. Tendem a não estabelecer um controle claro ou regras e limites. Têm pouco amor, ou conforto emocional ou físico para dar. Sentem-se desamparadas frente às demandas filiais. Seu comportamento é desregulado; ficam zangadas sem qualquer razão aparente e então, num acesso de culpa, expressam afeição extravagante também por razões indistintas. Não conseguem ajudar uma criança a lidar com seus próprios problemas. Suas reações aos filhos não têm a ver com o que eles estão fazendo ou com demonstrações de carência. Seus filhos são chorões, raivosos e agressivos. Essas crianças são frequentemente incapazes de um comportamento carinhoso; ou, às vezes, tendem a cuidar demais dos outros e se sentem responsáveis por todo o sofrimento do mundo. Meninas pequenas são especialmente propensas a ser excessivamente solidárias e portanto se sentem tremendamente infelizes. Como não identificam nenhuma melhora no ânimo das mães, perdem a capacidade de mudar seu próprio humor.[25]

As primeiras manifestações da depressão infantil, encontradas em crianças até de três meses de idade,[26] ocorrem fundamentalmente nos filhos de mães deprimidas. Elas não sorriem e tendem a virar a cabeça para todos, inclusive os pais. Provavelmente ficam mais à vontade quando não estão olhando para ninguém do que quando olham para sua mãe deprimida. Os padrões de onda cerebral dessas crianças são característicos; se a depressão nas mães for tratada com êxito, os padrões de onda cerebral das crianças podem melhorar.[27] Em crianças mais velhas, contudo, as dificuldades de adequação podem não desaparecer com tanta facilidade. Filhos em idade escolar com mãe deprimida mostram-se seriamente desajustados até mesmo um ano depois de os sintomas da mãe terem diminuído.[28] Os filhos de pais deprimidos têm uma desvantagem significativa. Quanto mais severa a depressão da mãe, provavelmente mais severa será a depressão do filho, embora alguns pareçam assumir a depressão da mãe mais dramática e empaticamente do que outros. Em geral, os filhos de uma mãe deprimida não apenas refletem mas também maximizam o estado da mãe. Mesmo dez anos depois de uma primeira avaliação, os filhos sofrem de um desajuste social flagrante, correm um risco de depressão três vezes maior do que outras crianças e um risco cinco vezes maior de transtornos de pânico e dependência alcoólica.[29]

Para melhorar a saúde mental dos filhos, às vezes é mais importante tratar a mãe do que diretamente os filhos; tentar mudar os padrões familiares negativos para incorporar a flexibilidade, a resistência, a coesão e a capacidade de resolver problemas. Os pais podem se unir para evitar a depressão dos filhos mesmo se a relação entre eles é cheia de problemas e embora seja difícil manter um semblante de clareza. Os filhos de mães deprimidas têm mais dificuldades do que os filhos de mães esquizofrênicas:[30] a depressão produz um efeito particularmente imediato nos mecanismos básicos dos cuidados dos pais para com os filhos. Filhos de mães deprimidas podem sofrer não apenas de depressão, mas também de transtorno de déficit de atenção, ansiedade de separação e distúrbios de conduta.[31] Eles se saem mal em situações sociais e acadêmicas, mesmo se são inteligentes e têm grandes qualidades em suas personalidades. Têm níveis especialmente altos de queixas físicas — alergias, asmas, resfriados frequentes, fortes dores de cabeça, dores de estômago — e são muito medrosos. São frequentemente paranoicos.

Arnold Sameroff, da Universidade de Michigan, é um psiquiatra do desenvolvimento que acredita que tudo no mundo é uma variável de cada experiência; todos os eventos são sobredeterminados; nada pode ser entendido exceto conhecendo todos os mistérios da criação de Deus. Sameroff sugere que, embora as pessoas tenham certas queixas em comum, elas têm experiências individuais, com uma série individual de queixas e redes individuais de causas. "Há a hipótese de gene único", diz. "Ou você tem o gene ou não tem, e isso é muito atraente para nossa sociedade de soluções rápidas. Mas nunca vai funcionar." Sameroff vem examinando os filhos de pessoas com depressão severa. Tem descoberto que eles, mesmo começando no mesmo nível cognitivo que seus pares, pioram por volta dos dois anos de idade. Aos quatro anos, são nitidamente "mais tristes, menos interativos, mais retraídos e com desempenho ruim".[32] Ele propõe cinco explicações primordiais possíveis para isso, e todas, acredita ele, entram em ação em diversos mosaicos: genética, espelhamento empático (crianças que repetem o que aprenderam), desamparo aprendido (elas deixam de tentar se conectar devido à falta de aprovação do progenitor por manifestações emotivas), um papel assumido (já que as crianças veem as vantagens que um pai doente tem por estar doente demais para fazer coisas desagradáveis e decide assumir o papel de doente) e retraimento como consequência de não ver nenhum prazer na comunicação entre os pais infelizes. Há também as subexplicações: pais deprimidos tendem mais ao vício de substâncias do que outros pais. Que tipo de experiência ou trauma uma criança passa nas mãos de viciados em substâncias? Isso nos levaria direto ao estresse.

Um estudo recente fez uma lista de duzentos fatores que podem contribuir para a pressão alta.[33] "Num nível biológico", diz Sameroff, "a pressão alta é realmente bastante simples. Se há duzentos fatores que a influenciam, pense quantos fatores podem influenciar uma experiência complexa como a depressão!" Na opinião de Sameroff, a coincidência de um número de fatores de risco é a base para a depressão. "As pessoas com um grupo de fatores de risco todos juntos, amontoados, são as que têm o que chamamos de uma disfunção", diz Sameroff. "Descobrimos que, em termos de depressão, a hereditariedade não era um fator tão importante quanto o status socioeconômico. A interação da hereditariedade e status socioeconômico era o fator mais forte de todos, mas quais eram os componentes-chave do baixo status socioeconômico que faziam crianças pequenas ficarem deprimidas? Era falta de educação pré-natal? Falta de dinheiro? Pouco apoio social? Número de filhos na família?" Sameroff fez uma lista de dez variáveis desse tipo e depois as relacionou com graus de depressão. Descobriu que quaisquer variáveis negativas sozinhas contribuíam para um baixo estado de espírito, mas que qualquer grupo de tais variáveis provavelmente produziria sintomas clínicos significativos (assim como um QI baixo). Então Sameroff organizou uma pesquisa que mostrava que o filho de um genitor seriamente doente provavelmente se saía melhor do que filhos de um pai moderadamente doente. "O que acontece é que, se você está realmente doente, alguém mais assume as tarefas. Se há pai e mãe, o que não está doente sabe que tem de fazer todo o trabalho. E o filho tem um modo de compreender o que está acontecendo na família. Ele entende o conceito de que um de seus pais está mentalmente doente e ele não é deixado com todas as perguntas não respondidas que afligem os filhos dos que estão com doenças mais brandas. Está vendo? Isso não se pode prever com um sistema linear simples. Cada depressão tem sua própria história."

E, se pais ruins ou deprimidos podem causar depressão nos filhos, bons pais podem também ajudar a manter a depressão longe ou aliviá-la. O velho princípio freudiano de pôr a culpa na mãe já foi descartado, mas o mundo das crianças ainda é definido por seus pais, e elas podem aprender, até certo grau, resistência ou fragilidade de suas mães, de seus pais ou de outras pessoas que cuidam delas. De fato, muitos protocolos de tratamento envolvem agora o treinamento de pais em intervenções terapêuticas nos filhos. Tais intervenções devem ser baseadas em *ouvir*. Os jovens são uma população diferente e não podem ser tratados como se fossem adultos anões. Firmeza, amor, consistência e humildade devem vir juntos nas abordagens parentais das crianças deprimidas. Uma criança que viu um de seus pais resolver um problema tira uma enorme força disso.

Uma forma distinta de depressão, chamada depressão anaclítica,[34] ocorre na segunda metade do primeiro ano em crianças que ficaram excessivamente separadas das mães. Em diversas combinações e graus de severidade, ela mistura apreensão, tristeza, choro, rejeição ao meio ambiente, retraimento, retardamento mental, estupor, falta de apetite, insônia e manifestações de infelicidade. A depressão anaclítica pode se desenvolver na "incapacidade de prosperar" começando aos quatro ou cinco anos;[35] crianças com essa doença não têm muito afeto e não criam vínculos. Aos cinco ou seis anos, podem demonstrar extremo mau humor e irritabilidade, dormem mal e comem mal. Não fazem amigos e têm uma autoestima inexplicavelmente baixa. A persistência em urinar na cama aponta para ansiedade. Algumas se tornam retraídas; outras, prontamente mais mal--humoradas e destrutivas. Como as crianças geralmente não consideram seu próprio futuro, como os adultos, e não organizam suas memórias lucidamente, elas raramente se preocupam com a falta de sentido da vida. Sem um sentimento abstrato desenvolvido, as crianças não sentem a falta de perspectiva e o desespero característicos da depressão adulta. Mas podem sofrer de uma negatividade persistente.

Estudos recentes têm mostrado tanto desencontro nas estatísticas que chegam a ser ridículos: um deles provou definitivamente que a depressão afeta cerca de 1% das crianças; outro demonstrou que cerca de 60% das crianças sofrem de importantes disfunções afetivas.[36] Tentativas de avaliar crianças através de depoimentos são muito mais complicadas do que para os grupos de adultos. Em primeiro lugar, as perguntas devem ser colocadas de tal modo que não predisponham respostas "desejáveis"; os terapeutas precisam ser corajosos o bastante para perguntar sobre suicídio sem mostrá-lo como uma alternativa concreta. Um terapeuta propôs a formulação: "O.k., se você detesta tanto todas essas coisas em sua vida, já pensou o que poderia fazer para não precisar mais estar por aí?". Algumas crianças dirão "Que pergunta burra!", outras dirão "Sim" e darão detalhes completos e outras ficarão quietas e pensativas. O terapeuta precisa observar a linguagem corporal da criança. E tem que persuadi-la de que está preparado para ouvir qualquer coisa. Crianças com depressão realmente séria falam sobre suicídio em tais circunstâncias. Uma mulher deprimida que conheci, que se esforçava para manter uma boa fachada diante dos filhos, descreveu o desespero que sentiu quando o filho de cinco anos disse: "Sabe, a vida é uma porcaria e muitas vezes eu não quero viver". Aos doze anos, ele fez uma séria tentativa de suicídio. "Eles dizem que querem se juntar a alguém, talvez um parente, que morreu", diz Paramjit T. Joshi, diretor do departamento de saúde mental infantil do hospital Johns Hopkins. "Dizem que querem dormir para sempre; algumas crianças de cinco anos realmente dizem 'Quero morrer; queria nunca ter nascido'. Então os comportamentos começam a se manifestar. Vemos muitas crianças que pularam de janelas do segundo andar. Algumas tomam cinco comprimidos de Tylenol e pensam que isso é suficiente para morrer. Outras tentam cortar os pulsos e braços, se sufocar ou se enforcar. Muitas crianças pequenas se enforcam com seus cintos nos armários. Algumas sofrem abusos ou negligência, mas outras fazem essas coisas sem qualquer razão aparente. Graças a Deus elas raramente têm capacidade para conseguirem se matar!" Na verdade, podem ter uma capacidade surpreendente; o suicídio no grupo etário de dez a catorze anos aumentou 120% entre o início dos anos 1980 e meados dos anos 1990, e as crianças que tiveram êxito usaram meios agressivos: armas e enforcamentos respondem por quase 85% das mortes. A taxa vem aumentando à medida que as crianças, assim como seus pais, sofrem um aumento do nível de estresse.[37]

Crianças podem ser e estão sendo crescentemente tratadas com Prozac líquido e nortriptilina líquida, cuidadosamente pingados num copo de suco. A medicação parece ajudar. Contudo, não há nenhum estudo sério sobre como tais remédios funcionam em crianças, nem se são seguros ou eficazes. "Temos transformado crianças em órfãos terapêuticos", diz Steven Hyman, diretor do NIMH. Apenas alguns antidepressivos têm sido testados para mostrar que são seguros para uso infantil, e quase nenhum tem sido testado quanto à sua eficácia. Dados empíricos variam amplamente. Um estudo mostrou, por exemplo, que os ISRSs funcionam melhor com crianças pequenas e com adultos do que com adolescentes; outro mostrou que IMAOs são os mais eficazes para crianças pequenas. Não se deve considerar nem um resultado nem outro como definitivo, mas eles apontam para a nítida possibilidade de que tratar crianças pode ser diferente de tratar adolescentes e de que ambos podem ser diferentes de tratar adultos.[38]

Crianças deprimidas também exigem terapia. "Você tem simplesmente que mostrar a elas que você está com elas", diz Deborah Christie, uma psicóloga infantil carismática, consultora no University College de Londres e no hospital Middlesex. "E tem que fazê-las ficar ali com você também. Eu uso muito a metáfora de subir uma montanha. Queremos subir uma montanha e, sentados num acampamento na base, pensamos em que tipo de bagagem podemos precisar, quantos de nós devem subir juntos e se devemos nos amarrar com uma corda. Podemos decidir seguir em frente ou que não estamos prontos ainda, e talvez possamos dar a volta na montanha para ver qual é o melhor caminho para cima. E você tem que mostrar que eles estão fazendo uma parte da escalada, que você não pode pegá-los e levá-los até lá, mas que pode ficar junto deles em cada passo do caminho. É ali que você precisa começar: tem que estimular a motivação deles. Crianças que estão realmente deprimidas não sabem o que dizer ou onde começar, mas sabem o que querem mudar. Nunca vi uma criança deprimida que não quisesse tratamento se acreditasse na chance de que ele mudaria as coisas. Uma menininha estava deprimida demais para falar comigo, mas conseguia escrever; então escrevia palavras ao acaso, em bloquinhos de folhas autoadesivas, e as colocava em mim, de modo que, ao final de uma sessão, eu era apenas um mar das palavras que ela queria fazer chegar a mim. E entrei em sua linguagem, comecei a escrever palavras nas folhinhas colantes também, grudando todas juntas em cima dela, e foi assim que atravessamos a sua parede de silêncio." Há muitas outras técnicas que se provaram úteis para ajudar crianças a reconhecer e melhorar seu estado de espírito.

"Em crianças", diz Sylvia Simpson, uma psiquiatra do Johns Hopkins, "a depressão impede o desenvolvimento da personalidade. Toda essa energia é usada para combater a depressão; o desenvolvimento social é retardado, o que não torna a vida menos deprimente mais tarde. Você vive em um mundo que espera desenvolver relações com você, mas simplesmente não sabe como fazê-lo." Crianças com depressão sazonal, por exemplo, frequentemente passam anos indo mal na escola e tendo problemas; sua doença não é percebida porque parece coincidir com o ano escolar. É difícil saber quando e quão agressivamente tratar tais disfunções. "Eu trabalho com base na história familiar", diz Joshi. "Pode ser muito confuso se é um transtorno do déficit de atenção com hiperatividade (TDAH) ou verdadeira depressão, ou se uma criança com TDAH passou a ter depressão também; se é um transtorno de ajustamento vinculado a abuso ou uma doença depressiva." Muitas crianças com TDAH mostram comportamentos extremamente perturbadores e às vezes a reação dos adultos é disciplinar a criança; mas a criança não é necessariamente capaz de controlar suas ações se elas estão ligadas a problemas cognitivos e neurobiológicos profundos. Claro que os transtornos de conduta tendem a tornar essas crianças impopulares mesmo com os próprios pais, e isso aumenta a depressão — inicia-se mais uma espiral descendente.

"Tenho que prevenir os pais dessas crianças ao chegarem", diz Christie. "'Bem, nós vamos nos livrar dessa raiva, mas vocês podem ter uma criança muito triste por algum tempo.' Crianças nunca vêm sozinhas, são levadas à terapia. Você tem que descobrir delas por que pensam que estão lá com você, e o que acham que está errado. É uma situação muito diferente daquela em que as pessoas buscam cuidados psicológicos voluntariamente." Um dos elementos importantes no trabalho terapêutico com crianças pequenas é a criação de um mundo alternativo de fantasia, uma versão mágica do espaço seguro de terapias psicodinâmicas. Pedir às crianças para nomear seus desejos frequentemente revela a natureza exata de seus déficits na autoestima. É importante, como uma jogada de abertura, fazer com que crianças caladas transitem para a fala. Muitas não conseguem explicar seus sentimentos, exceto para dizer que se sentem bem ou não. Deve-se dar a elas um novo vocabulário, é preciso lhes ensinar, num nível cognitivo, a diferença entre pensamentos e sentimentos, de modo que possam aprender a usar pensamentos para controlar seus sentimentos. Um terapeuta descreveu seu modo de pedir a uma menina de dez anos para manter um diário de pensamentos e sentimentos por duas semanas e depois levá-lo ao terapeuta. "Você pode dizer que seu pensamento é: 'Mamãe está zangada com papai'. E seu sentimento pode ser: 'Estou assustada'." Mas a distinção estava além do alcance cognitivo da criança, porque sua depressão lhe incapacitara o funcionamento cognitivo. Quando ela trouxe o diário, tinha escrito a cada dia: "Pensamentos: 'Estou triste'. Sentimentos: 'Estou triste'." Em sua hierarquia, o mundo de pensamento e o mundo de sentimento eram simplesmente inseparáveis. Posteriormente, conseguiu fazer um gráfico de suas angústias: essa parte de sua ansiedade era sobre a escola, essa outra sobre sua casa, essa outra sobre pessoas que a odiavam, essa outra sobre o fato de ser feia etc. Crianças que já trabalharam com computadores são geralmente mais receptivas a metáforas que usam o princípio da tecnologia; um terapeuta que conheci me contou que diz a tais crianças que suas mentes têm programas para processar medo e tristeza, e que o tratamento tiraria o vírus desses programas. Bons terapeutas de criança informam e distraem seus pacientes ao mesmo tempo; como Christie observou: "Não há nada mais relaxante para crianças do que ouvirem lhes dizer para relaxar".

A depressão é também um problema agudo para crianças com doenças ou incapacidades físicas. "Crianças com câncer são constantemente cutucadas, recebem sondas, agulhas por todo o corpo e passam a acusar os pais, censurando-os por puni-las com tais tratamentos; então os pais ficam ansiosos, e todos ficam deprimidos juntos", diz Christie. A doença provoca o segredo e o segredo provoca a depressão. "Eu sentei com uma mãe e seu filho, que estava muito deprimido, e perguntei: 'E então, diga-me por que está aqui', e a mãe disse bem diante do garotinho, num sussurro alto e teatral: 'Ele está com leucemia, mas não sabe'. Era extraordinário. Então pedi para ficar algum tempo sozinha com o garoto e perguntei por que tinha vindo me ver. Ele disse que era porque estava com leucemia, mas que eu não devia contar à sua mãe porque não queria que ela soubesse que ele sabia. Assim a depressão estava ligada a temas importantíssimos em torno da comunicação, que eram exacerbados e trazidos à tona pela leucemia e os tratamentos exigidos pela doença."

Já é um fato difundido que as crianças deprimidas geralmente se tornam adultos deprimidos.[39] Quatro por cento de adolescentes que tiveram depressão na infância cometem suicídio. Um enorme número tenta o suicídio e têm altas taxas de quase todo tipo de problema grave de ajuste social. A depressão ocorre entre um bom número de crianças antes da puberdade, mas chega ao auge na adolescência, com pelo menos 5% de adolescentes sofrendo de depressão clínica.[40] Nesse estágio, quase sempre está combinada com uso de drogas ou transtornos de ansiedade.[41] Os pais subestimam a profundidade da depressão de seus filhos adolescentes.[42] Claro que a depressão adolescente é confusa porque a adolescência normal se parece muito com a depressão, de qualquer forma. É um período de emoções extremas e sofrimento desproporcional. Mais de 50% de estudantes do curso secundário "pensam em se matar".[43] "Pelo menos 25% dos adolescentes que sofrem correções disciplinares têm depressão", diz Kay Jamison, uma proeminente autoridade na doença maníaco-depressiva. "A depressão poderia ser tratada e eles poderiam se tornar menos fechados. Quando viram adultos, o nível de depressão é alto, mas o comportamento negativo foi enraizado na personalidade, e tratar a depressão não é suficiente."[44] A interação social também desempenha seu papel. O surgimento de características sexuais secundárias geralmente leva à confusão emocional. A pesquisa atual se volta a retardar o estabelecimento de sintomas depressivos — quanto mais cedo sua depressão começa, mais resistente ela será ao tratamento.[45] Um estudo diz que a taxa de depressão adulta entre aqueles que sofrem episódios depressivos na infância e adolescência é sete vezes maior que a da população geral; outro diz que 70% deles sofrerão recorrência.[46] A necessidade de intervenções no princípio e de terapias preventivas é evidente. Pais devem estar atentos para desinteresse, perturbações no apetite e no sono e comportamento autocrítico; crianças que mostram tais sinais de depressão devem ser levadas para uma avaliação profissional.

Adolescentes, em especial (e adolescentes homens, principalmente), não conseguem se expressar claramente, e os profissionais prestam muito pouca atenção a eles. "Tenho adolescentes que entram, sentam no canto e dizem: 'Não há nada errado comigo'", explicou um terapeuta. "Eu nunca os contradigo. Comento: 'Puxa, que fantástico! É maravilhoso que você não esteja deprimido como tantos garotos da sua idade e como tantos garotos que vêm me ver. Diga-me como é se sentir tão bem. Diga-me como é, exatamente nesse minuto, estar nesta sala se sentindo tão bem.' Tento lhes dar a oportunidade de não se sentirem sozinhos."

Não é claro até que ponto o abuso sexual provoca depressão através de processos orgânicos diretos, e até que ponto a depressão é causada pelo ambiente de um lar desestruturado em que o abuso sexual tende a ocorrer.[47] Crianças que sofreram abusos sexuais tendem a ter padrões de comportamento autodestrutivo e encontram altos níveis de adversidade. Geralmente crescem com um medo permanente: seu mundo é instável, e isso desequilibra sua personalidade. Um terapeuta descreve uma moça que sofreu abuso sexual e não conseguia confiar em ninguém ou acreditar que alguém se importava com ela — "tudo de que precisava era que eu fosse firme em minhas interações com ela", para romper a desconfiança automática com a qual se relacionava com o mundo. Crianças privadas de amor no início de suas vidas e de encorajamento em relação ao desenvolvimento cognitivo são em geral incapacitadas permanentemente. Um casal que adotou uma criança de um orfanato russo disse: "Aos cinco anos, ela não parecia ter nenhuma noção de causa e efeito e não sabia que as plantas eram vivas, mas que a mobília não era". Desde então eles vêm tentando compensar esse déficit, reconhecendo agora que a recuperação total não será possível.[48]

Para outras crianças, embora a recuperação pareça impossível, a adaptação não é. Christie descreve que trata de uma menina com horríveis dores de cabeça crônicas, "como se um martelo batesse na minha cabeça", que desistira de tudo em sua vida devido às dores de cabeça. Não conseguia sequer ir à escola. Quando ela viu Christie pela primeira vez, anunciou: "Você não pode fazer minha dor de cabeça passar". Christie disse: "Não, tem razão. Não posso. Mas vamos pensar em modos de manter essa dor toda numa parte de sua cabeça e ver se você pode usar a outra parte da cabeça mesmo enquanto o martelo está batendo". Christie observa: "O primeiro passo é acreditar no que a criança diz, mesmo que ela esteja usando uma linguagem metafórica que não faça sentido; deve fazer sentido para ela". Após extenso tratamento, a menina disse que podia ir à escola apesar das dores de cabeça, e então começou a ter amigas apesar das dores de cabeça, e um ano depois as dores desapareceram.

Os idosos deprimidos sofrem de um descaso crônico, em grande parte porque nós, como sociedade, encaramos a velhice como deprimente. A suposição de que é lógico que os velhos sejam infelizes nos impede de tratar dessa infelicidade, deixando muita gente viver seus últimos dias numa dor emocional extrema e desnecessária.[49] Ainda em 1910, Emil Kraepelin, pai da psicofarmacologia moderna, classificou a depressão entre os idosos como melancolia involucionária.[50] Desde então, o colapso das estruturas tradicionais de amparo familiar e a destituição de qualquer senso da importância dos idosos têm tornado as coisas piores. Idosos morando em abrigos para a terceira idade são no mínimo duas vezes mais propensos à depressão do que os demais —[51] na verdade, tem sido sugerido que mais de um terço dessas pessoas sofre de uma depressão significativa.[52] É interessante reparar que os efeitos de tratamento com placebo em pacientes idosos sejam substancialmente mais altos do que o padrão. Isso indicaria que eles experimentam alguns benefícios das circunstâncias que vêm com um placebo, além dos benefícios psicossomáticos convencionais de acreditar que estão recebendo medicação. O monitoramento e as entrevistas íntimas, que são uma parte do mapeamento de um estudo, a cuidadosa regulação e o enfoque para a mente têm um efeito muito significativo.[53] Os idosos se sentem melhor quanto mais atenção lhes é prestada. Os idosos em nossa sociedade devem ser horrivelmente solitários para essa pequena resposta lhes dar tanto ânimo.

Embora os fatores sociais que levam à depressão entre os idosos sejam poderosos, parece que mudanças orgânicas importantes também afetam seu estado de espírito. Níveis de todos os neurotransmissores são mais baixos entre os idosos.[54] O nível da serotonina em pessoas de oitenta anos é metade do que teria sido nas mesmas pessoas aos sessenta anos.[55] Naturalmente, o corpo nesse estágio da vida passa por muitas mudanças metabólicas e muitos reequilíbrios químicos, e, assim, a diminuição dos níveis de neurotransmissores não tem o mesmo efeito imediato (tanto quanto sabemos) que teria em uma pessoa mais jovem cujos níveis de serotonina fossem subitamente reduzidos à metade.[56] Até que ponto os cérebros mudam em plasticidade e função com a idade reflete-se também no fato de que o tratamento antidepressivo leva um tempo especialmente longo para atuar nos idosos. Os mesmos ISRSs que na meia-idade começam a trabalhar em três semanas, num paciente idoso geralmente levam doze semanas ou mais para serem eficazes.[57] A taxa de tratamento bem-sucedido, no entanto, não é alterada pela idade; a mesma proporção de pessoas responde ao tratamento.[58]

A terapia eletroconvulsiva é frequentemente indicada para os idosos por três motivos. O primeiro é que, diferente dos remédios, ela age rapidamente: deixar a pessoa ficar cada vez mais deprimida por meses antes que seus medicamentos comecem a aliviar seu desespero não é construtivo. Adicionalmente, a TEC não tem interações adversas com outras medicações tomadas pelos idosos — tais interações podem em muitos casos limitar o número de antidepressivos a serem receitados. Finalmente, idosos deprimidos frequentemente têm lapsos de memória e podem esquecer de tomar o seu remédio ou esquecer que tomaram o dobro da dose necessária. A TEC é muito mais fácil de controlar nesse aspecto. Hospitalização de curto prazo é geralmente o melhor modo de cuidar de idosos que estão passando por uma depressão severa.[59]

A depressão pode ser difícil de detectar na população idosa. As questões de libido que são elementos importantes da depressão entre pessoas mais jovens não desempenham papel significativo entre os idosos. Eles se sentem culpados menos frequentemente do que os depressivos mais jovens. Em vez de ficarem sonolentos, os idosos deprimidos tendem a ter insônia, ficando acordados à noite, com frequência tomados pela paranoia. Têm reações exageradamente catastróficas a pequenos eventos. Tendem a somatizar muito e a se queixar de um enorme número de dores peculiares e desconfortos atmosféricos: essa cadeira não está mais confortável, a pressão de meu chuveiro está baixa, meu braço direito dói quando levanto uma xícara, as luzes no meu quarto estão brilhantes demais, as luzes no meu quarto estão escuras demais e assim por diante, até o infinito. Eles se tornam irritadiços e ranzinzas, mostrando também, frequentemente, uma rudeza emocional exagerada ou uma indiferença emocional àqueles que os rodeiam, ocasionalmente manifestando "incontinência emocional".[60] Tais sintomas[61] reagem mais comumente aos ISRSs. A depressão dos idosos é geralmente uma consequência direta de mudanças nos sistemas orgânicos (inclusive um menor suprimento de sangue para o cérebro) ou um resultado da dor e da indignidade pela decadência do corpo. Senilidade ou demência nos idosos são geralmente acompanhadas por depressão, mas as duas, embora possam ocorrer juntas, são diferentes. Na demência, a capacidade para funções automáticas da mente diminui: a memória básica, especialmente a recente, é comprometida. Em pacientes deprimidos, os processos psicologicamente árduos são bloqueados: as memórias complexas antigas tornam-se inacessíveis e o processamento de novas informações é impedido. Mas a maioria dos idosos não tem consciência de tais diferenças e supõe que os sintomas de depressão são característicos da idade e de uma suave demência, razão pela qual eles frequentemente deixam de dar passos fundamentais para melhorar a situação.

Uma de minhas tias-avós caiu em seu apartamento e quebrou uma perna quando estava com noventa e tantos anos. A perna foi imobilizada e ela voltou para casa com uma equipe de enfermeiras. Naturalmente, ela achava difícil andar no início e somente com dificuldade conseguia fazer os exercícios prescritos por sua fisioterapeuta. Um mês depois, sua perna já havia se recuperado notavelmente bem, mas ela ainda tinha medo de andar, evitando se locomover. Ela se acostumara a uma comadre, que podia ser trazida à beira da cama, e recusava-se a andar para ir ao banheiro. Sua vaidade de sempre subitamente desaparecera, e ela não queria mais ir ao cabeleireiro, aonde fora duas vezes por semana durante quase um século. Na verdade, recusou-se a sair e adiava continuamente uma visita ao pedicuro, apesar de uma unha encravada que devia ser muito dolorosa. Passaram-se semanas assim em seu apartamento claustrofóbico. Ao mesmo tempo, seu sono era irregular e perturbado. Ela se recusava a conversar com meus primos quando ligavam para ela. Sempre fora meticulosa em seus negócios pessoais e um tanto secreta quanto a detalhes. Agora, no entanto, ela me pedia para abrir suas contas e pagá-las como se isso fosse confuso demais para ela. Não conseguia entender uma informação simples, me pedia para repetir oito vezes meus planos para o fim de semana, e esse retardo cognitivo parecia quase uma senilidade. Ela ficou repetitiva e, embora não estivesse triste, estava totalmente diminuída. Seu médico insistiu que ela estava apenas passando por um trauma relacionado ao estresse, mas vi que ela estava se preparando para morrer, e eu acreditava que era uma reação desmedida para uma perna quebrada, por mais velha que ela estivesse.

Finalmente, convenci meu psicofarmacologista a ir ao apartamento dela para conversar, e ele imediatamente diagnosticou depressão severa de terceira idade, receitando-lhe Celexa. Três semanas depois, tínhamos uma consulta com um pedicuro. Pressionei-a para sair em parte porque achei que seu pé precisava de cuidados, mas principalmente porque achava necessário que ela se aventurasse no mundo novamente. Ela me olhou com angústia quando a fiz sair do apartamento e parecia achar a coisa toda completamente debilitante. Estava confusa e sinceramente aterrorizada. Duas semanas depois, tínhamos uma consulta com o médico que cuidara de sua perna. Cheguei ao apartamento dela e a encontrei com um vestido bonito, o cabelo penteado e um pouco de batom, usando um pequeno broche de pérolas que sempre exibira em dias mais felizes. Ela desceu sem se queixar. Era óbvio que achava nosso passeio estressante, e se mostrou reticente no consultório do médico, e um pouco paranoica. Mas quando o cirurgião entrou, foi encantadora e muito articulada com ele. No final da consulta, a enfermeira dela e eu a empurramos na cadeira de rodas de volta à porta do edifício. Ela estava contente de saber que sua perna cicatrizara muito bem e agradeceu a todos profusamente. Eu estava exultante ante cada sinal de seu redespertar, mas nada de fato me preparara para a frase que pronunciou quando estávamos saindo: "Meu querido, vamos almoçar fora?". Fomos a um restaurante de que gostávamos e com minha ajuda ela chegou mesmo a andar uma distância curta no restaurante. Contamos pequenas histórias e rimos, e ela se queixou que seu café não estava bastante quente e o devolveu. Ela estava *viva* de novo. Não posso dizer que ela voltou a ter almoços regulares, mas consentia em sair de poucas em poucas semanas, e sua coerência básica e seu senso de humor gradualmente voltaram.

Seis meses depois, ela teve uma hemorragia interna não muito grave e foi hospitalizada por três dias. Fiquei preocupado, mas contente porque seu estado de espírito resistia o suficiente para ela poder lidar com a entrada no hospital sem ficar em pânico ou confusa. Uma semana depois de voltar para casa, visitei-a e vistoriei todos os seus medicamentos para saber se ela tinha um estoque suficiente de todos eles. Notei que o frasco de Celexa estava quase tão cheio quanto da última vez que o verificara. "Você está tomando isso aqui?", perguntei. "Ah, não", respondeu. "O médico me disse para parar de tomá-lo." Supus que ela tivesse entendido mal, mas sua enfermeira, presente quando as instruções do médico haviam sido dadas, confirmou o que ela dissera. Fiquei atônito e horrorizado. O Celexa não tem efeitos colaterais gastroenterológicos e era altamente improvável que estivesse envolvido com o sangramento. Não havia nenhum bom motivo para parar de tomá-lo tão abruptamente; mesmo alguém jovem e em forma deve sair de um remédio antidepressivo gradualmente, seguindo um programa bem traçado. Alguém que está se beneficiando substancialmente do remédio não deveria deixá-lo de modo algum, mas o gerontologista que tratava de minha tia-avó decidira, por um capricho, que seria bom para ela largar qualquer medicação "desnecessária". Liguei para o médico e fiz um escândalo do outro lado da linha, escrevi uma carta desaforada ao diretor do hospital e disse à minha tia que voltasse ao remédio. Ela está vivendo feliz e faltará apenas um mês para completar seu centésimo aniversário quando este livro estiver sendo publicado. Dentro de duas semanas, vamos ao cabeleireiro para que ela se arrume para a festinha que planejamos dar. Vou visitá-la todas as quintas-feiras, e nossas tardes juntos, que antes eram um chumbo, são agora cheias de diversão; quando dei a ela boas notícias sobre a família algumas semanas atrás, ela bateu palmas e depois começou a cantar. Conversamos sobre todo tipo de coisa, e tenho aprendido com sua sabedoria, que voltou sorrateiramente para ela junto com o dom da alegria.

A depressão é frequentemente um estado precursor de alguma grave doença da mente. Parece predizer, em algum grau, a senilidade e o mal de Alzheimer.[62] Tais doenças, por sua vez, podem coexistir com a depressão ou desencadeá-la. O mal de Alzheimer parece baixar as taxas de serotonina ainda mais que o envelhecimento.[63] Temos capacidades muito limitadas de impedir a confusão e a decadência cognitiva que são a essência da senilidade ou do mal de Alzheimer, mas podemos aliviar a dor psíquica aguda que geralmente as acompanha. Muitas pessoas ficam desorientadas sem estarem aterrorizadas ou profundamente tristes, e isso é, no momento, um estágio a que podemos chegar com essas populações — mas geralmente não chegamos. Algumas experiências têm sido feitas para calcular se níveis mais baixos de serotonina podem ser responsáveis pela senilidade,[64] mas parece mais provável que a demência se siga ao dano que ocorre em várias áreas cerebrais, inclusive as responsáveis pela síntese da serotonina. Em outras palavras, a senilidade e a baixa de serotonina são consequências separadas de uma causa única. Parece que os ISRSs não têm muita influência nas capacidades motoras ou intelectuais danificadas pela senilidade;[65] mas um melhor estado de espírito frequentemente permite aos idosos fazerem melhor uso de suas capacidades ainda organicamente presentes, e assim pode haver, em termos práticos, um certo grau de melhora cognitiva.[66] Os pacientes de Alzheimer e outros idosos deprimidos parecem também responder a medicações atípicas como trazodona, que não são habitualmente considerados como tratamentos de primeira linha para depressão. Eles também podem reagir bem a benzodiazepínicos, mas estes tendem a deixá-los excessivamente sedados.[67] Eles respondem bem à TEC. O fato de que são incoerentes não precisa condená-los à infelicidade. Para os pacientes que mostram agressividade sexual no Alzheimer — uma situação não incomum —, terapias hormonais podem ajudar.[68] Mas isso me parece ser um tanto desumano, a não ser que as sensações sexuais estejam causando infelicidade. Pacientes com demência geralmente não respondem a psicoterapia.

A depressão é também muitas vezes o resultado de um derrame.[69] No primeiro ano depois de um derrame, as pessoas são duas vezes mais propensas a ter depressão do que outras. Isso pode ser o resultado de danos fisiológicos em partes específicas do cérebro, e pesquisas têm indicado que derrames no lobo frontal esquerdo são especialmente inclinados a desregular a emoção.[70] Depois de uma recuperação inicial, muitos idosos que tiveram derrames sofrem acessos intensos de choro em situações negativas ou positivas sem importância. Um paciente, depois de um derrame, irrompia em lágrimas de 25 a cem vezes por dia, cada acesso com duração de um a dez minutos, e isso o deixava tão exausto que ele mal conseguia executar as tarefas mais simples durante o resto do tempo. O tratamento com um ISRSs rapidamente controlou esses acessos de choro; mas, assim que o paciente deixou o remédio, o choro voltou, e ele está agora permanentemente sob medicação.[71] Outro homem que teve de desistir do trabalho por dez anos devido à depressão que se seguiu a um derrame também era dado a acessos de choro. O tratamento com um ISRSs o deixou totalmente disposto novamente, e aos sessenta e tantos anos ele voltou a trabalhar.[72] Não há dúvida de que derrames em certas áreas do cérebro têm consequências emocionalmente devastadoras, mas parece que, em muitos exemplos, elas podem ser controladas.

Ao contrário de gênero e idade, a etnia não parece abrigar determinantes biológicos para a depressão. Expectativas culturais em torno das pessoas, porém, fazem com que manifestem suas doenças de modos particulares. Em seu extraordinário livro *Mad Travelers* [Viajantes loucos], Ian Hacking descreve uma síndrome (viagem física, embora inconsciente) que afetou muita gente no final do século XIX e que desapareceu depois de algumas décadas. Ninguém mais tem o problema de fazer viagens físicas sem saber que as está fazendo. Certos períodos históricos e classes sociais foram claramente afligidos por determinados sintomas mentais.

> Quando falo de uma doença mental passageira, estou falando de uma doença que aparece numa hora, num local, e depois some. Pode ser seletiva por classe social ou gênero, preferindo mulheres pobres ou homens ricos. Não quero dizer que vem e vai neste ou naquele paciente, mas que esse tipo de loucura existe apenas em certas épocas e em certos lugares.[73]

Hacking comenta a teoria desenvolvida por Edward Shorter que explica que a mesma pessoa que no século XVIII sofria de acessos de desmaio e choros convulsivos, que no século XIX teria sofrido contratura ou paralisia histérica, é agora propensa a sofrer de depressão, fadiga crônica ou anorexia.

As conexões entre etnia, educação e classe, mesmo entre norte-americanos deprimidos, são muito intrincadas para se listar. Apesar disso, algumas generalizações podem ser traçadas. Juan López, da Universidade de Michigan, é um rapaz animado, tem senso de humor e um caráter caloroso, irreverente. "Sou um cubano casado com uma porto-riquenha e temos um afilhado mexicano", diz ele, "e vivi na Espanha por algum tempo. Portanto, em termos de cultura latina, já conheci de tudo." López vem atuando extensamente com a população de trabalhadores hispânicos imigrantes em Michigan e os sacerdotes que são seus guardiões primordiais. Ele tem assumido a tarefa de atender suas necessidades psicológicas. "O que é maravilhoso nos Estados Unidos", diz, "é que você pode ter muitas pessoas de origens culturais diferentes interagindo com a mesma doença." López observou que os latinos são mais propensos a somatizar do que a mostrar seus problemas psicológicos. "Veja essas mulheres, e eu sou aparentado com várias delas, que chegam dizendo, 'Ah, minhas costas doem, minha barriga dói e estou com uma sensação estranha nas pernas', e assim por diante. O que eu quero saber e não consigo entender é se elas dizem isso apenas para evitar admitir seus problemas psicológicos ou se estão sofrendo de depressão dessa forma, sem sentir os sintomas habituais. Se elas melhoram, como muitas, ouvindo Walter Mercado, esse místico porto-riquenho, então o que realmente aconteceu com elas biologicamente?" A depressão entre populações latinas mais instruídas é provavelmente mais estreitamente ligada à depressão da população em geral.

Um amigo meu, dominicano, de quarenta e poucos anos, teve um colapso súbito, surpreendente e arrasador quando ele e sua segunda mulher concordaram em se separar. Ela se mudou, e ele começou a ter uma dificuldade crescente em desempenhar seu trabalho de zelador de um edifício. Se achava incapaz de executar as tarefas mais simples: parou de comer, seu sono tornou-se irregular. Deixou de entrar em contato com os amigos e até com os filhos. "Eu não pensei que fosse uma depressão", contou mais tarde. "Achei que eu devia estar morrendo, que talvez tivesse uma doença física. Acredito que sabia que estava perturbado, mas não entendia o que aquilo tinha a ver com qualquer coisa. Como dominicano, sou muito emotivo, mas também bastante machão, acho. Portanto, tenho muitos sentimentos, mas não acho fácil expressá-los, e não me permito chorar." Depois de passar dois meses sentado dias e noites no subsolo do edifício onde trabalhava — "Eu não sei como não fui demitido" —, finalmente fez uma viagem para sua terra natal, a República Dominicana, onde vivera nos primeiros dez anos de sua vida e onde ainda morava sua família. "Eu estava bebendo. Sentia muito medo de tudo, até de ir para casa, então entrei no avião e fiquei completamente bêbado. Comecei a chorar e chorei a viagem toda, fiquei chorando no aeroporto e ainda chorava quando vi meu tio, que tinha ido me buscar. Aquilo foi ruim. Fiquei constrangido, aborrecido e com medo. Mas pelo menos havia saído daquele maldito subsolo. Então, na praia, alguns dias depois, conheci uma mulher, uma amiga, uma moça bonita, que achou muito glamoroso eu ter vindo dos Estados Unidos. E de algum modo passei a me ver através de seus olhos e comecei a me sentir melhor. Continuei bebendo, mas parei de chorar porque não podia fazê-lo na frente dela, e talvez isso tenha sido bom para mim. Sabe, para mim, como dominicano, a atenção das mulheres é uma necessidade real. Sem isso, quem sou eu?" Alguns meses depois, ele e sua esposa voltaram a ficar juntos, e, embora a sensação de tristeza permanecesse nele, sua ansiedade se evaporara. Quando mencionei os remédios, ele sacudiu a cabeça. "Sabe, isso de tomar comprimidos para as emoções não é para mim", disse.

A depressão entre os afro-americanos traz sua própria carga de dificuldades. Em seu livro belo e pungente *Willow Weep for Me* [Salgueiro-chorão, chore por mim], Meri Danquah descreve o problema:

> A depressão clínica simplesmente não existia dentro da esfera de minhas possibilidades, ou na esfera das possibilidades de qualquer mulher negra no meu mundo. A ilusão de força tem sido e continua a ser de significado maior para mim como mulher negra. O mito que venho tendo de suportar toda a minha vida é o de meu suposto direito inato à força. *Supõe-se* que as mulheres negras sejam fortes — amparadoras, nutridoras, que curam outras pessoas —, qualquer uma da infinidade de variações da mammy. *Supõe-se* que a dureza emocional seja construída na estrutura de nossas vidas, está ligada ao fato de eu ser ao mesmo tempo negra e mulher.[74]

Meri Danquah é, habitualmente, qualquer coisa exceto deprimida: uma mulher bela, dramática, com estilo e uma aura de autoridade principesca. Suas histórias das semanas e meses perdidos de sua vida são perturbadoras. Ela nunca esquece sua negritude. "Fico tão contente", disse-me certo dia, "por ter uma filha e não um filho. Detesto pensar sobre o que é a vida para os homens negros nos dias que correm e o que seria para uma criança com um histórico familiar de depressão. Detesto pensar que eu poderia terminar vendo essa criança crescer e ir para trás das grades no sistema penitenciário. Não há muitos lugares para mulheres negras deprimidas, mas não há lugar algum para um negro deprimido."

Não há uma história exemplar de depressão negra. A internalização do racismo geralmente desempenha um papel importante. Várias pessoas cujas histórias estão incluídas neste livro são afro-americanas; preferi não identificar as pessoas pela raça exceto quando isso parecia especialmente relevante para os detalhes de seu sofrimento. Entre as muitas histórias atípicas que ouvi, passei a conhecer especialmente bem a de Dièry Prudent, um afro-americano de origem haitiana cujas experiências de depressão parecem ter endurecido seu espírito e amaciado sua interação com outras pessoas, e que é profundamente consciente do modo como sua negritude afeta sua vida emocional. Mais jovem de nove filhos, Dièry cresceu na região empobrecida de Bedford-Stuyvesant, no Brooklyn, e depois em Fort Lauderdale quando seus pais se aposentaram e se mudaram para lá. Sua mãe trabalhava durante meio período como enfermeira particular, seu pai como carpinteiro. Ambos eram ávidos seguidores da Igreja Adventista do Sétimo Dia, que estabelece altos padrões de comportamento e retidão, e Dièry tinha que conciliar tais padrões com algumas das ruas mais violentas do mundo. Ele se tornou forte, física e mentalmente, para sobreviver à tensão entre as expectativas da família, os desafios diários e as lutas do mundo lá fora. "Sempre tive a sensação, mesmo quando garoto, de não me enquadrar no resto do mundo e de ser sempre o escolhido para punição e humilhação. Não havia muitos outros haitianos em nosso bairro quando eu estava crescendo, e certamente éramos os únicos adventistas do sétimo dia num raio de quilômetros. Implicavam comigo por ser diferente: os garotos de meu quarteirão me chamavam de 'cabeça de coco'. Éramos uma das poucas famílias que não recebia seguro-desemprego. Eu era o garoto de pele mais negra, o que me destacava. Em minha família, em meio à expectativa cultural de que crianças sejam inquestionavelmente obedientes e à doutrina religiosa de 'honra teu pai e tua mãe', aprendi que não era legal ficar com raiva — ou pelo menos demonstrá-la. Aprendi cedo a manter um rosto impassível e esconder meus sentimentos. Em contraste com isso, havia muita raiva nas ruas, um monte de violência em nosso bairro. Quando eu era atacado e provocado, virava a outra face, como nossa igreja nos ensinava a fazer, e as pessoas riam de mim. Eu vivia num estado de medo constante. Passei a ter problemas na fala durante certo tempo.

"Então, quando eu tinha uns doze anos, fiquei cansado de ficar apanhando, ser roubado e espancado por garotos maiores, mais duros e mais espertos. Comecei a fazer musculação e a praticar artes marciais. Sentia-me bem ao aguentar as séries mais puxadas e severas que eu conseguia inventar. Tinha que me tornar fisicamente forte, mas eu procurava uma dureza emocional também. Tinha que abrir meu caminho lutando durante os anos de escola, aguentar o racismo e a brutalidade da polícia — comecei lendo as revistas dos Panteras Negras do meu irmão —, evitar ficar drogado ou ir para a cadeia. Nove anos mais novo que meu irmão imediatamente anterior, eu sabia que ia acabar em um monte de velórios — começando com os de meus pais, que já eram velhos quando eu nasci. Eu achava que não tinha muito a esperar. Meu medo se juntava a uma profunda desesperança. Eu geralmente me sentia triste, embora tentasse não demonstrá--lo. Não havia uma válvula de escape para a fúria, então eu malhava, tomava banhos escaldantes por horas, lia constantemente, para me livrar de meus próprios sentimentos. Quando tinha dezesseis anos, minha fúria ficou à flor da pele. Eu cultivava a mística do camicase. 'Você pode fazer o que quiser, mas se se meter comigo, eu vou te matar.' A luta se tornou um vício, um jorro de adrenalina, e eu achava que, se aprendesse a sofrer, ninguém me magoaria. Eu tentava arduamente encobrir minha sensação de desamparo."

Dièry sobreviveu à dor física e psicológica de sua adolescência e deixou o gueto para entrar na Universidade de Massachusetts, onde se formou em literatura francesa. Durante um período em Paris, ele conheceu a mulher que é hoje sua esposa e decidiu ficar mais um ano lá. "Embora eu ainda fosse um estudante", lembra, "eu tinha uma vida aparentemente glamorosa. Era modelo de publicidade e de passarela, frequentava os locais de jazz, viajava pela Europa. Mas não estava preparado para o racismo declarado da polícia francesa." Após ser parado, revistado e detido pela polícia em cerca de uma dúzia de batidas num ano, ele foi publicamente espancado e preso por má conduta quando confrontou os policiais de Paris num incidente especialmente horrível. A fúria escondida de Dièry se transformou em sintomas de depressão aguda. Ele continuava a viver sua vida normalmente, mas havia "um grande peso em mim".

Dièry voltou aos Estados Unidos para terminar seu curso e, em 1990, mudou-se para Nova York para trabalhar. Teve uma série de empregos de relações públicas em empresas. Mas, depois de cinco anos, "senti que minhas opções profissionais eram muito limitadas. Achei que um monte de gente com quem eu lidava era mais bem-sucedida que eu; outros pareciam avançar mais rapidamente e ter melhores perspectivas. Mais importante ainda, eu sentia que algo estava me faltando e minha depressão se aprofundou".

Em 1995, Dièry fundou a Prudent Fitness, sua própria empresa de personal training, com muito êxito. É com uma forte noção do poder de redenção do exercício físico que ele se dirige a seus clientes agora, alguns dos quais vêm para suas sessões na antiga casa reformada, no Brooklyn, onde ele mora com a esposa e a filha. Seu tratamento tem um espírito holístico, embora seja disciplinado na execução. Sua capacidade de suportar as dificuldades serve de inspiração para os clientes. "Decidi me envolver com as pessoas num nível bastante profundo e acho que minha maior habilidade como treinador é poder pegar o cliente mais revoltado e resistente e encontrar um modo de motivá-lo. Isso requer muita empatia, sensibilidade e um estilo maleável de comunicação. Esse trabalho me permite usar todas as melhores partes de mim para ajudar outras pessoas, e me sinto muito bem com isso. Conheci recentemente uma mulher, assistente social, que quer combinar boa forma física com o trabalho social para dar mais força ao indivíduo. Acho que é uma ideia fabulosa. Esse trabalho tem a ver com ter controle sobre o que você consegue controlar: seu próprio corpo."

Dièry sofre as dificuldades tanto do mundo pobre de onde saiu como do mundo mais rico em que vive. Sua elegância, que ele exibe da maneira mais casual, foi duramente conquistada, e ele mantém sua atitude solene por se observar de perto, num mundo que está sempre pronto para fazer o mesmo. Dièry teve dificuldade para contar de sua depressão a todos os membros da família. Ele não sabe se todos conseguem entendê-la da mesma maneira que ele, embora seu pai e vários outros familiares tenham mostrado alguns sintomas. Tem sido difícil para ele manter a aparência do irmão caçula animado, e nem sempre é capaz de executar esse papel. Felizmente, uma de suas irmãs, doutora em psicologia clínica, com um consultório em Boston, ajudou-o a encontrar um caminho quando ele pediu sua ajuda. Sua esposa foi imediatamente solidária e passou a ser um apoio sólido, mas para ela também foi difícil no começo conciliar a masculinidade e autoconfiança do marido com o que ela conheceu da depressão.

Desde seu primeiro tratamento em Paris, ele vem se tratando com psicoterapia e tomando antidepressivos boa parte do tempo. Seu trabalho mais recente é uma terapia que já dura cinco anos com uma mulher que "tem me dado uma espécie de autovalorização. Passei a perceber a dificuldade que eu tinha em processar a raiva. Tinha medo de ficar com raiva de todo mundo por temer explodir e destruí-los. Agora estou livre desse medo. Na minha terapia, desenvolvi uma série de novas habilidades. Sinto-me mais equilibrado. Sinto-me mais autoconsciente. Tenho mais facilidade para identificar meus sentimentos em vez de simplesmente reagir a eles". Primeiro o casamento feliz e depois o nascimento da filha o suavizaram. "A vulnerabilidade da minha filha é uma de suas coisas mais poderosas. É seu instrumento mais poderoso. Mudou minha maneira de encarar a vulnerabilidade e a fragilidade." Apesar disso, a depressão volta. A fragilidade vem à superfície. A medicação precisa ser ajustada. "De repente, um dia, algumas coisas ruins acontecem e sinto que estou perdendo o pé de minha própria vida. Se não tivesse o amor de minha esposa e filha para me ajudar a sair disso, eu teria desistido há muito tempo. Na terapia, estou aprendendo a entender o que aciona a depressão. Com o cuidado certo e apoio, estou começando a definir a doença, em vez de deixar que ela me defina."

Dièry é vítima de racismo constante, acentuado por seu tamanho intimidante, seu físico e, curiosamente, por sua boa aparência. Já vi balconistas se afastarem dele nas lojas. Já fiquei com ele em esquinas de Nova York vendo-o tentar parar um táxi por quinze minutos sem sucesso; quando eu levantei a mão, conseguimos um em dez segundos. Certa vez, ele foi preso pela polícia a três quarteirões de sua casa no Brooklyn por se ajustar à descrição do suspeito de um crime, sendo mantido muitas horas numa cela de detenção, acorrentado a uma viga. Seu porte e credenciais não fizeram nenhuma diferença para as autoridades que o prenderam. Os absurdos do racismo não tornam a depressão mais fácil de suportar. A suspeita com que é olhado nas ruas e a presunção de culpa são exaustivas. É isolador ser tão mal compreendido por tantas pessoas.

Quando Dièry está bem, presta relativamente pouca atenção a esses ataques constantes a seu orgulho, aos quais está habituado, mas "isso deixa seu dia muito mais difícil", disse-me certa vez. "A própria depressão não distingue cores. Acho que, quando se está deprimido, pode-se ser marrom ou azul ou branco ou vermelho. Quando estou lá embaixo, vejo gente feliz de todos os tons e formas e tamanhos a meu redor, e é como se eu pensasse: Meu Deus, sou o único ser do planeta que está deprimido assim.

"Então, mais uma vez a questão da raça entra no jogo. Você sente como se o mundo estivesse só esperando para puxá-lo para baixo. Sou um negro grande e forte e ninguém vai desperdiçar seu tempo se lamentando. O que aconteceria se você subitamente começasse a chorar no metrô? Acho que alguém poderia muito bem perguntar se você estava sentindo alguma coisa. Se eu irromper em lágrimas no metrô, vão pensar que estou usando drogas. Quando alguém me trata de um modo que não tem nada a ver com o que sou ou o que realmente pareço, é sempre um choque para mim. É sempre um choque, a discrepância entre minha percepção de mim mesmo e como sou percebido pelo mundo, entre minha visão interna de mim mesmo e as circunstâncias externas da minha vida. Quando estou lá embaixo, é um tapa na cara. Passei horas me olhando no espelho, dizendo: 'Você é um cara de aparência decente, é limpo, está arrumado adequadamente, é educado e tem bom coração. Por que as pessoas não gostam de você? Por que estão sempre tentando derrotá-lo e foder com você? E o jogando para baixo e humilhando? Por quê?'. Eu simplesmente não consigo entender. Portanto, há certas dificuldades externas que enfrento como negro que são diferentes das que algumas outras pessoas encaram. Detesto admitir o fato de que a raça é uma questão na minha vida — ela não está nos sintomas, mas nas circunstâncias. Sabe, é bem difícil ser eu mesmo até se eu não fosse negro! Mas certamente vale a pena. Quando estou me sentindo bem, fico realmente contente de ser eu mesmo, e, sabe, é difícil ser você também, e você não é negro. Mas esse problema de raça está sempre lá, sempre irritando, sempre cutucando minha fúria permanente. Isso me põe muito para baixo."

Dièry e eu nos conhecemos por meio de sua esposa, que é uma antiga amiga de escola. Somos amigos há cerca de uma década e, em parte devido à nossa mútua experiência de depressão, ficamos extremamente próximos. Não sou muito fiel aos exercícios e há algum tempo Dièry tem sido meu instrutor — uma posição que cria uma intimidade tão grande em muitos aspectos como a que tenho com meu psiquiatra. Além de estruturar um programa de exercício, ele melhora o meu humor e me mantém em movimento. Como constantemente testa meus limites, ele sabe que limites são esses. Sabe quando faz sentido me forçar para um limite físico e quando é necessário recuar rápido no meu limite emocional. Ele é um dos primeiros que eu chamo quando começo a desintegrar — em parte porque sei que aumentar o ritmo de exercícios terá um efeito positivo em meu estado de ânimo, em parte porque ele tem uma afetuosidade singular. Em parte porque ele sabe de onde eu falo, em parte porque a introspecção lhe tem permitido insights genuínos. Tenho que confiar nele, e confio. Ele é aquele que veio à minha casa e me ajudou a tomar uma chuveirada e me vestiu quando eu estava no pior momento. Ele é um dos heróis da minha história pessoal de depressão. E é autenticamente generoso, alguém que escolheu seu trabalho porque acredita que pode fazer os outros se sentirem bem, alguém que encontra satisfação em sua própria amabilidade; ele transformou a agressão da tortura que fazia consigo mesmo em uma disciplina produtiva. Isso é de fato uma qualidade rara num mundo cheio de gente que se sente sobrecarregada com o fardo do sofrimento alheio.

A panóplia de preconceitos culturais em relação à depressão desafia a catalogação. Muitos orientais, por exemplo, evitam o assunto a ponto de atingirem uma negação abjeta. Nesse espírito, um artigo recente sobre a depressão numa revista de Singapura descreveu todo o espectro de medicações, depois terminou dizendo definitivamente: "Busque ajuda profissional se precisar, mas, enquanto isso, anime-se".[75]

Anna Halberstadt, uma psiquiatra que atua em Nova York e trabalha exclusivamente com imigrantes russos que estão decepcionados com os Estados Unidos, disse: "Você tem que ouvir o que essas pessoas falam considerando o contexto russo. Se uma pessoa nascida na Rússia soviética viesse a meu consultório e não se queixasse de nada, eu a teria hospitalizado. Se ela se queixasse de tudo, saberia que está bem. Só se ela mostrasse sinais de extrema paranoia ou dor extrema eu acharia que poderia estar ficando deprimida. É a nossa norma cultural. 'Como vai você?' 'Não muito bem' é a resposta padrão para os russos. É um pouco o que os confunde nos Estados Unidos, essa declaração que parece ridícula, realmente: 'Bem, obrigado, e você, como vai?'. E, honestamente, é difícil para mim também, mesmo agora, ouvir como as pessoas dizem isso. 'Bem, obrigado.' Quem está bem?"

Na Polônia, os anos 1970 foram uma época de poucos prazeres e liberdade limitada. Em 1980, o primeiro movimento Solidariedade começou a trazer avanços, promovendo esperança e vitalidade. Era possível dar opiniões sem timidez; as pessoas que haviam sentido por muito tempo o peso de um sistema estrangeiro de governo começaram a sentir o prazer da expressão individual, e nasceu uma mídia que refletia esse novo estado de espírito. Mas em 1981 a lei marcial foi imposta na Polônia e houve um número enorme de detenções; a maioria dos ativistas recebeu sentenças de seis meses. "Ser preso era algo que todos aceitavam", lembra Agata Bielik-Robson, que naquela época estava saindo com um dos líderes ativistas e é uma filósofa política bastante reconhecida. "O que não suportavam era a perda da esperança." A esfera pública na qual eles tinham se expressado simplesmente deixara de existir. "Esse foi o princípio de uma espécie de depressão política, uma época em que esses homens perderam a fé na comunicação de todos os tipos: se não pudessem dizer nada num contexto público, não diriam nada num contexto privado também." Os homens que vinham organizando demonstrações e manifestos agora perdiam seus empregos ou desistiam deles e ficavam em casa, vendo TV por horas a fio e bebendo. Eles se tornaram "morosos, monossilábicos, desconectados, não comunicativos, fechados". Sua realidade não era tão diferente da de cinco anos antes, com exceção de que agora havia a sombra dos anos 1980 sobre ela, e o que havia sido uma realidade aceita passou a parecer derrota.

"Nessa época, a única esfera em que havia qualquer possibilidade de sucesso era a doméstica", lembra Bielik-Robson. As mulheres que haviam se envolvido com o Solidariedade, muitas das quais tendo abandonado sua vida doméstica pelo ativismo, retiraram-se para papéis femininos tradicionais e cuidavam de seus homens que sofriam em decorrência das dificuldades. "Desse modo, encontramos um propósito e tivemos nosso próprio objetivo. Encontramos satisfação em nosso papel, que passara a ser essencial! O início dos anos 1980 foi uma época na qual as mulheres eram menos deprimidas do que em qualquer outro período da história polonesa recente, e os homens, mais deprimidos do que nunca."

Entre os grupos mais propensos a sofrer depressão, o dos homossexuais se destaca de modo acentuado.[76] Num estudo recente, pesquisadores examinaram gêmeos de meia-idade, quando um era gay e o outro não. Entre os heterossexuais, cerca de 4% tentaram suicídio. Entre os homossexuais, 15% o haviam tentado.[77] Em outro estudo, com uma amostragem de população aleatória de quase 4 mil homens entre as idades de dezessete e 39 anos, 3,5% dos heterossexuais haviam tentado suicídio, enquanto quase 20% dos que tinham parceiros do mesmo sexo procuraram se matar. Em outros estudos aleatórios com cerca de 10 mil homens e mulheres, os que tinham feito sexo com pessoas de seu próprio sexo durante o ano anterior tiveram uma taxa significativamente elevada de depressão e síndrome do pânico.[78] Um estudo que durou 21 anos, realizado na Nova Zelândia com 1200 pessoas, mostrou que quem se identificava como gay, lésbica ou bissexual tinha um maior risco de sofrer depressão severa, ansiedade, transtorno de conduta, dependência de nicotina, idealização e tentativas de suicídio.[79] Um estudo holandês realizado com 6 mil pessoas mostrou que homens e mulheres homossexuais eram propensos a ter taxas substancialmente mais altas de depressão severa do que os heterossexuais.[80] Um estudo com 40 mil jovens realizado em Minnesota indicou que homens gays eram sete vezes mais inclinados a idealizar o suicídio do que heterossexuais.[81] Outro estudo ainda, com cerca de 3500 estudantes, mostrou que homens homossexuais eram quase sete vezes mais propensos a realizar tentativas de suicídio do que estudantes heterossexuais.[82] Mais um estudo mostrou que, em uma amostragem de cerca de 1500 estudantes, homossexuais (de qualquer gênero) eram mais que sete vezes mais propensos a tentativas de suicídio em comparação com estudantes heterossexuais.[83] Um estudo feito em San Diego descobriu, entre suicídios masculinos, que 10% eram cometidos por gays.[84] Se você é homossexual, suas chances de ser deprimido são tremendamente maiores.

Muitas explicações têm sido propostas para isso, algumas mais plausíveis do que outras. Alguns cientistas sustentam uma vinculação genética entre a homossexualidade e a depressão (uma proposta que acho não apenas perturbadora como também insustentável). Outros sugeriram que as pessoas cuja sexualidade não pressupõe filhos podem confrontar a mortalidade mais cedo do que a maioria dos heterossexuais. Diversas outras teorias têm circulado, mas a explicação mais óbvia para as altas taxas de depressão gay é a homofobia.[85] É mais provável que os gays tenham sido rejeitados por suas famílias do que as pessoas em geral. São mais sujeitos a problemas de ajuste social. Devido a tais problemas, são mais inclinados a abandonar a escola. Eles têm uma taxa mais elevada de doenças sexualmente transmitidas. Têm menos probabilidade de formar relações estáveis em sua vida adulta. É menos provável que tenham alguém para tomar conta deles quando idosos. Têm mais chance de serem infectados pelo HIV; e, mesmo os que não são soropositivos, quando ficam deprimidos são mais vulneráveis à prática de sexo inseguro e a contrair o vírus, o que, por sua vez, exacerba a depressão. E, acima de tudo, têm uma maior probabilidade de viver furtivamente e ter passado por intensa segregação em consequência disso. No início de 2001, viajei para Utrecht para me encontrar com Theo Sandfort, que desenvolvera um trabalho pioneiro sobre a depressão gay. Não há nada surpreendente no fato de Sandfort ter descoberto que a taxa de depressão é mais alta entre pessoas não assumidas do que entre os que assumiram sua sexualidade, e é mais alta entre solteiros do que entre aqueles que se encontram em relações estáveis de longo prazo. Eu diria que assumir a sexualidade e ter uma relação estável são fatores que afastam uma solidão terrível que aflige boa parte da população gay. Em resumo, Sandfort descobriu que o nível de dificuldade que os gays encontram em suas vidas cotidianas é extremamente alto, e de um modo tão sutil que às vezes passa despercebido mesmo por aqueles que são afetados por ela. Por exemplo, os homossexuais tendem a partilhar menos informações sobre sua vida pessoal com outros no trabalho mesmo se são assumidos. "E isso na Holanda", disse Sandfort, "onde somos muito mais abertos à homossexualidade do que na maior parte do mundo. Sentimos que há muita aceitação da homossexualidade, mas o mundo ainda é heterossexual, e a tensão de ser gay num mundo hétero é substancial. Bem, há muitos gays que de fato levam uma vida boa; na verdade há pessoas que, ao lidarem bem com as complexidades de ser gay, construíram uma força psicológica realmente surpreendente, muito maior do que grande parte dos heterossexuais. Mas o espectro de estados mentais é mais amplo na comunidade gay do que em qualquer outra, abrangendo desde essa grande força até uma incapacidade terrível." Sandfort sabe do que fala. Ele passou por momentos difíceis, sofrendo acusações do pai e da mãe. Quando tinha vinte anos, ficou deprimido e debilitado. Passou sete meses num hospital psiquiátrico, o que causou uma reviravolta nas atitudes de seus pais, levou-o a uma nova intimidade com eles e iniciou uma nova fase de sua saúde mental, de que ele tem usufruído desde então. "Desde que desmoronei e juntei as peças de novo", disse ele, "sei como sou feito, e consequentemente sei um pouco mais como os outros gays são feitos também."

Embora pesquisadores como Sandfort venham fazendo estudos amplos e bem dirigidos para reunir correlações e números, o significado dessas estatísticas encontra relativamente pouca divulgação. Em dois trabalhos notáveis, "Homofobia internalizada e a reação terapêutica negativa" e "Homofobia interna e autoestima ligada ao gênero na psicanálise de pacientes gays", Richard C. Friedman e Jennifer Downey escrevem de forma comovente sobre as origens e mecanismos da homofobia internalizada. No centro de seu debate está uma noção de trauma inicial estreitamente ligado à clássica visão freudiana de que experiências primordiais nos moldam para o resto da vida. Contudo, Friedman e Downey enfatizam não a primeira infância, mas a etapa posterior da infância, que situam como ponto de origem para a incorporação das atitudes homofóbicas. Um estudo recente de socialização entre homens gays indica que as crianças que serão adultos homossexuais geralmente são criados em contextos heterossexistas e homofóbicos e desde pequenos começam a internalizar a visão negativa da homossexualidade expressa por seus pares ou seus pais. "Nessa situação", escrevem Friedman e Downey, "o desenvolvimento do paciente ocorre numa infância inicial cheia de ódio por si mesmo, que posteriormente é condensado em narrativas homofóbicas internalizadas construídas durante a infância mais avançada." A homofobia internalizada frequentemente tem origem com abuso e negligência na infância inicial. "Antes de se tornarem sexualmente ativos", Friedman e Downey escrevem, "muitos meninos que se tornarão homens gays são rotulados de 'maricas' ou 'viado'. Eles foram provocados, ameaçados de violência física, isolados e mesmo atacados por outros garotos." Na verdade, um estudo de 1998 descobriu que a orientação homossexual de uma criança estava estatisticamente vinculada a ela ter seus bens roubados ou deliberadamente danificados na escola.[86] "Essas interações traumáticas podem resultar num sentimento de inadequação masculina. O isolamento dos pares masculinos pode resultar do ostracismo, da ansiedade do próprio menino que os evita ou dos dois." Essas experiências dolorosas podem criar um ódio por si mesmo global, tenaz e quase intratável. Esse problema de homofobia internalizada é semelhante de muitos modos ao racismo internalizado e a todos os tipos de preconceito internalizado. Sempre fiquei espantado com as taxas muito altas de suicídio entre os judeus de Berlim entre os doze e os dezenove anos e entre vinte e trinta anos,[87] o que sugere que, diante do preconceito, as pessoas acabam por duvidar de si mesmas, subvalorizar suas vidas e finalmente se desesperar em face do ódio. Mas há esperança. "Acreditamos", escrevem Friedman e Downey, "que muitos homens e mulheres gays deixam as consequências de suas infâncias para trás e que a integração na subcultura gay é instrumental para facilitar esse caminho. Relações de apoio geralmente têm um efeito terapêutico em sobreviventes de trauma, acentuando a segurança, a autoestima e solidificando o senso de identidade. Os processos complexos envolvidos na consolidação de uma identidade positiva são incentivados no contexto de interações interpessoais benéficas com outras pessoas gays."

Apesar dos maravilhosos efeitos curativos da comunidade gay, problemas profundos persistem, e a parte mais interessante do trabalho de Friedman e Downey examina pacientes que são semelhantes em seu "comportamento *manifesto* àqueles que parecem ter deixado para trás as piores consequências do trauma", mas que estão na verdade gravemente comprometidos por um persistente ódio de si mesmo. Frequentemente, tais pessoas expressam seu preconceito em relação àqueles cuja homossexualidade lhes parece ostentatória de algum modo, inclusive, por exemplo, em relação a travestis ou homens efeminados, nos quais colocam o desprezo que sentem por seus próprios sentimentos de não masculinidade. Podem acreditar, consciente ou inconscientemente, que não são verdadeiramente apreciados em áreas inteiramente separadas de suas vidas sexuais — no local de trabalho, por exemplo—, porque acham que os que os percebem como gays acreditam que eles sejam inferiores. "Uma visão negativa do eu tão inadequadamente masculino funciona como uma fantasia organizadora inconsciente", dizem Friedman e Downey. Tal fantasia é "um elemento numa narrativa interna complexa, cujo tema principal é 'Sou um homem sem valor, inadequado e pouco masculino'." As pessoas afligidas por tais atitudes podem atribuir todos os problemas de suas vidas à sua sexualidade. "A autoavaliação negativa pode passar a ser atribuída a desejos homossexuais; assim, embora ela possa estar enraizada em fenômenos bem diferentes, o paciente pode conscientemente acreditar que odeia a si mesmo porque é homossexual."

Sempre pensei que a linguagem do orgulho gay dominou o *establishment* gay por ser na verdade o oposto do que um grande número de gays sente. A vergonha gay é endêmica. "Culpa e vergonha por ser gay levam ao ódio por si mesmo e ao comportamento autodestrutivo", escrevem Friedman e Downey. Esse ódio é em parte "uma consequência da identificação parcial e defensiva com os agressores, 'depositada' em cima de uma autoaceitação anterior." Poucas pessoas na idade do despertar da consciência sexual escolheriam ser gay, e a maioria das pessoas que o são tem durante algum período de tempo fantasias de conversão. Estas são dificultadas por um movimento de orgulho gay que considera a vergonha gay vergonhosa. Se você é gay e se sente mal a respeito disso, exércitos dos que sentem o orgulho gay zombarão de você por seu embaraço, homofóbicos zombarão de você por ser gay e você será deixado à deriva. É preciso de fato internalizar nossos atormentadores. Frequentemente, reprimimos as lembranças de como a homofobia externa foi dolorosa para nós quando a experimentamos inicialmente. Pacientes gays frequentemente descobrem, depois de bastante terapia, crenças profundas como: "Meu pai (ou mãe) sempre me detestou porque eu era homossexual". É triste dizer, mas tais pacientes podem ter razão. Um estudo da revista *New Yorker* perguntou a um grande número de pessoas: "O que preferiria para seu filho ou filha; que fosse heterossexual, sem filhos, solteiro ou de algum modo casado e infeliz; ou que fosse homossexual, envolvido numa relação estável e feliz, e com filhos?".[88] Mais de um terço escolheu "heterossexual, sem filhos, solteiro ou de algum modo casado e infeliz". Na verdade, muitos pais encaram a homossexualidade como uma punição a eles mesmos por suas próprias transgressões: a questão não é sobre a identidade dos filhos, mas sobre sua própria identidade.

Tive dificuldade com minha sexualidade e passei por dificuldades semelhantes às de muitos homens gays. Não houve qualquer problema, pelo que me lembro, até meus sete anos. Mas, na segunda série, as torturas começaram. Eu era desajeitado e nada atlético, usava óculos, não estava interessado em esportes, vivia com o nariz enfiado nos livros, achava amizade com meninas mais fácil. Tinha um gosto por ópera inadequado para a idade. Era fascinado pelo glamour. Tive que fugir de muitos de meus colegas de escola. Quando ia dormir, no acampamento de verão, aos dez anos, era provocado e atormentado e regularmente chamado de viado — uma palavra que me deixava atordoado, já que eu ainda não tinha desejos sexuais de qualquer espécie. Quase ao final do ensino fundamental, o problema se tornou mais íntimo. Na escola, o olho vigilante de um corpo docente liberal oferecia alguma proteção, e eu era só esquisito e impopular; acadêmico demais, desajeitado demais, artístico demais. No ônibus da escola, porém, a brutalidade reinava. Lembro de ficar duro, sentado junto de uma menina cega de quem eu ficara amigo, enquanto o ônibus inteiro cantava coisas debochadas contra mim, batendo com os pés para seguir o ritmo de suas invectivas. Eu era objeto não apenas de escárnio como de um intenso ódio, que me confundia tanto quanto me causava dor. Esse período terrível não durou muito tempo; no início do ensino médio tudo diminuiu e em meu último ano eu não era impopular (na escola ou no ônibus). Mas aprendera demais sobre a aversão e sobre o medo e nunca mais me senti livre deles.

Na minha família, eu soube desde o começo que a homossexualidade não seria bem aceita. Quando estava ainda no ensino fundamental, levaram-me a um psiquiatra, e anos mais tarde minha mãe disse que perguntara a ele se eu era gay; aparentemente, ele disse que não. O interesse do episódio, para mim, reside no fato de minha mãe ter demonstrado uma grande preocupação sobre minha identificação sexual já em minha pré-puberdade. Tenho certeza de que o obtuso terapeuta teria recebido uma ordem para consertar o problema de minha sexualidade se o tivesse interpretado com mais precisão. Nunca contei à família sobre as zombarias nos acampamentos ou na escola; posteriormente, alguém contou à mãe de alguém o que acontecia todos os dias no ônibus da escola e essa mãe contou para a minha, que quis saber por que eu não dissera nada a ela. Como poderia fazê-lo? Quando comecei a sentir um desejo sexual forte, mantive-o em segredo. Quando um rapaz adorável me deu uma cantada durante uma viagem divertida, achei que estava apenas tentando me provocar para depois contar a fofoca para o mundo todo; e, para minha eterna tristeza, rejeitei seus avanços. Em vez disso, escolhi perder a virgindade com um estranho cujo nome jamais soube, num local público e sem graça. Eu me detestava então. Durante os anos que se seguiram, fui consumido por meu terrível segredo e me dividi entre a pessoa desamparada que fazia coisas revoltantes em banheiros de subsolo e o aluno brilhante com montes de amigos que se divertia muito na faculdade.

Quando comecei minha primeira relação séria, aos 24 anos, já incorporara toneladas de experiências infelizes ao meu eu sexual. Essa relação, que retrospectivamente parece ter sido não apenas surpreendentemente afetuosa, mas também surpreendentemente normativa, marcou minha saída de uma infelicidade aguda, e pelos dois anos que vivi com esse namorado senti que a luz chegara à parte escura de minha vida. Depois, acreditei que minha sexualidade estava de certo modo implicada no sofrimento de mamãe durante sua doença final; ela odiava demais o que eu era, e aquele ódio era um veneno que fluía dela para mim e corrompia meus prazeres românticos. Não consigo separar sua homofobia da minha própria, mas sei que ela tem me custado muito caro. É de surpreender que, quando comecei a idealizar meu suicídio, eu tenha escolhido tentar me infectar com HIV? Isso foi apenas um modo de fazer a tragédia interna de meus desejos adentrar minha realidade física. Suponho que meu primeiro colapso esteja ligado à publicação de um romance que aludia à doença de mamãe e à sua morte; mas foi também um livro com um conteúdo gay explícito, e certamente aquilo também estava ligado ao colapso. Talvez isso fosse a angústia dominante: me forçar a tornar público o que por tanto tempo eu emparedara com o silêncio.

Agora reconheço os elementos de homofobia internalizada e sou menos sujeito a eles do que no passado. Tenho experimentado também relações mais longas e consistentes, uma das quais continuou por muitos anos. A estrada do conhecimento para a liberdade, contudo, é longa e árdua, e luto por meu caminho nela a cada dia. Sei que me engajei em muitas atividades citadas neste livro em parte como supercompensação para os sentimentos homofóbicos de não masculinidade. Salto de paraquedas, tenho uma arma, fiz o programa da Outward Bound — tudo que ajuda a compensar o tempo que passei com minhas roupas, na chamada busca feminina da arte, e no abraço erótico e emocional dos homens. Eu gostaria de pensar que agora estou livre, mas, embora haja muita emoção positiva associada à minha sexualidade, acredito que nunca escaparei completamente da negação. Tenho me descrito com frequência como bissexual, tive três relações de longo prazo com mulheres que me trouxeram grande prazer, emocional e físico; mas, se as questões pudessem ser revertidas e eu tivesse um grande interesse sexual pelas mulheres e um interesse menor pelos homens, certamente não teria tentado experimentar uma identidade sexual alternativa. Acho provável que eu tenha tido relações sexuais com mulheres em boa parte para poder provar minha masculinidade. Embora esses esforços tenham me levado a algumas grandes alegrias, tem sido um esforço às vezes de proporção devastadora. Mesmo com homens, às vezes tenho tentado mostrar uma dominância que não necessariamente é minha, tentando redimir minha masculinidade mesmo no contexto gay — pois na verdade até a sociedade liberada gay menospreza homofobicamente homens passivos. E se eu não tivesse gastado, assim, tanto tempo e energia fugindo do que considero minhas características não masculinas? Teria evitado totalmente minhas experiências de depressão? Teria sido inteiro, em vez de fragmentado? No mínimo, talvez tivesse experimentado anos de felicidade agora perdidos para sempre.

Para investigar ainda mais a questão da diferença cultural na definição da depressão, examinei a vida dos inuítes (esquimós) da Groenlândia —[89] em parte porque a taxa de depressão é elevada naquela cultura, em parte porque as atitudes dessa cultura em relação à depressão são particularmente distintas. A depressão chega a afetar 80% dessa população. Como é possível organizar uma sociedade em que a depressão desempenha um papel tão central? Como território da Dinamarca, a Groenlândia está no momento integrando os costumes de uma sociedade antiga às realidades do mundo moderno, e sociedades em transição — comunidades tribais africanas que estão sendo desdobradas em países maiores, culturas nômades que estão sendo urbanizadas, lavradores de subsistência que vêm sendo incorporados aos desenvolvimentos agrícolas de larga escala — quase sempre têm altos níveis de depressão. Contudo, mesmo no contexto tradicional, a depressão tem sempre uma taxa elevada entre os inuítes, e a taxa de suicídio também tem sido alta — em algumas áreas, cerca de 0,35% da população comete suicídio *por ano*.[90] Alguns poderiam dizer que isso é o modo de Deus indicar às pessoas que não deviam viver em locais impossíveis — e mesmo assim, o povo inuíte não abandonou sua vida voltada para o gelo para imigrar para o Sul. Eles aprenderam a tolerar as dificuldades da vida acima do Círculo Polar Ártico. Eu presumira, antes de ir lá, que a questão na Groenlândia era principalmente TAS, a depressão como resultado de um período de três meses em que o sol nunca nasce. Eu imaginara que todos pioravam no final do outono e começavam a melhorar em fevereiro. O caso não é esse. O mês de maior índice de suicídios na Groenlândia é maio, e, embora estrangeiros que se mudam para a parte norte da Groenlândia fiquem tremendamente deprimidos durante os longos períodos de escuridão, os inuítes se adaptaram ao longo dos anos às mudanças sazonais de luz e são geralmente capazes de preservar um estado de espírito adequado durante a estação escura. Todo mundo gosta da primavera, e alguns acham a escuridão medonha; mas o TAS não é realmente o problema central daqueles povos. "Quanto mais rica, amena e agradável a natureza se torna", escreveu o ensaísta A. Alvarez, "mais intenso parece esse inverno interior, e mais profundo e intolerável o abismo que separa o mundo interno do externo."[91] Na Groenlândia, onde a mudança para a primavera é duas vezes mais dramática do que em zonas mais temperadas, esses são os meses mais cruéis.

A vida é dura na Groenlândia, portanto o governo dinamarquês instituiu programas de apoio social fantásticos. Há assistência médica, educação e até mesmo auxílio aos desempregados. Os hospitais são imaculados, e a prisão na capital parece mais uma pousada do que uma instituição de punição. Mas o clima e as forças da natureza na Groenlândia são incrivelmente severos. Um dos inuítes que conheci, um homem que viajara à Europa, disse: "Nós nunca desenvolvemos uma grande arte ou construímos grandes edifícios, como as outras civilizações. Mas nós sobrevivemos aqui por mil anos". Isso me pareceu muito provavelmente o maior dos feitos. Os caçadores e pescadores pegam o suficiente para alimentar a si e a seus cães e vendem as peles das focas que comem para pagar as despesas menores de suas vidas e consertar os trenós e os barcos. As pessoas que vivem segundo os velhos costumes em povoados ou aldeias são, na maioria, calorosas; gostam de contar histórias, especialmente sobre caçadas e aventuras que por um triz não acabaram em morte. São pessoas de poucos preconceitos. Têm um maravilhoso senso de humor e riem um bocado. Devido ao clima em que vivem, sofrem muitos traumas: de congelamento, de fome, de ferimentos e de perda. Há quarenta anos, essas pessoas ainda moravam em iglus; agora têm casas pré-fabricadas em estilo dinamarquês com apenas dois ou três aposentos. Por três meses cada ano, o sol desaparece inteiramente. Durante esse período de escuridão, caçadores com calças de pele de urso-polar e casacos de pele de foca precisam correr ao lado de seus cães nos trenós para evitar o congelamento.

As famílias inuítes são grandes. Por meses a fio, famílias de talvez doze pessoas permanecem dentro de casa o tempo todo, geralmente reunidas num único aposento. É gelado demais e escuro demais para qualquer um sair exceto o pai, que vai caçar ou pescar no gelo uma ou duas vezes por mês para complementar o estoque de peixe seco do verão. Não há árvores na Groenlândia, portanto nenhum fogo alegre estala dentro de casa. Na verdade, tradicionalmente, haveria apenas uma única lâmpada queimando gordura de baleia dentro de um iglu, onde, como disse um habitante de lá, "todos nós sentávamos juntos por meses a fio observando as paredes derreterem". Nessas circunstâncias de intimidade forçada, não há lugar para queixas ou para falar sobre problemas, raivas e acusações. Os inuítes têm um tabu contra as queixas. São silenciosos e ruminam seus pensamentos, são contadores de história dados ao riso ou falam sobre as condições do lado de fora e da caça, mas quase nunca sobre si mesmos. A depressão, assim como a histeria e a paranoia concomitantes, são o preço pago pela intensa comunalidade de suas vidas.

Os traços característicos da depressão na Groenlândia não são o resultado direto da temperatura e da luz; são as consequências do tabu de falar sobre si mesmo. A extrema intimidade física da sociedade torna necessária a reserva emocional. Não é falta de amabilidade, não é frieza; é simplesmente outro jeito. Poul Bisgaard, um homem grande e gentil com um ar de paciência confusa, é o primeiro nativo da Groenlândia a se tornar psiquiatra. "É claro que, se alguém está deprimido dentro de uma família, podemos ver os sintomas", diz ele. "Mas tradicionalmente não nos metemos em sua vida. Seria uma afronta ao orgulho de alguém dizer que você acha que ele está deprimido. O homem deprimido não acredita que tem valor e, já que não tem valor, não há motivo para aborrecer outras pessoas. Os que estão em torno dele não pensam em interferir." Kirsten Peilman, um psicólogo dinamarquês que morou na Groenlândia por mais de uma década, diz: "Culturalmente, eles não possuem regras que incluam a intromissão nos assuntos alheios. Ninguém diz a ninguém como se comportar. Você simplesmente tolera seja lá o que as pessoas apresentam e deixa que elas tolerem a si mesmas".

Fui para lá na estação da luz. Nada poderia ter me preparado para a beleza da Groenlândia em junho, com o sol bem lá no alto a noite inteira. Tomamos um pequeno barco a motor de um pescador da cidade de Ilulissat, de 5 mil pessoas, onde eu tinha chegado em um pequeno avião, e rumamos ao Sul, para um dos povoados que eu escolhera em consulta com o diretor de saúde pública da Groenlândia. O povoado é chamado de Illiminaq, um lugar de caçadores e pescadores, com uma população adulta de cerca de 85 pessoas. Não há estradas que levam a Illiminaq nem estradas no próprio povoado. No inverno, os aldeões viajam através do terreno gelado em trenós puxados por cães; no verão, o acesso é apenas por barco. Na primavera e no outono, as pessoas ficam em casa. Na época do ano em que fui, icebergs fantásticos — alguns tão grandes quanto prédios comerciais — desciam a costa, agrupando-se perto do fiorde de gelo Kangerlussuaq. Atravessamos a boca do fiorde, navegando entre as formas macias e oblongas de gelo mais antigo que haviam virado de cabeça para baixo e nacos de geleiras quebrados, tão grandes quanto edifícios residenciais, corrugados com a idade e curiosamente azuis — nosso barco humilde diante de tanta majestade natural. Enquanto avançávamos, gentilmente deslocávamos os icebergs menores, alguns do tamanho de geladeiras; outros eram como pratos flutuantes e apinhavam a água clara de modo que, se a nossa visão seguisse a remota linha do horizonte, pensaríamos estar viajando por contínuos lençóis de gelo. A luz era tão clara que parecia não haver nenhuma profundidade no campo de visão, e eu não sabia dizer o que estava próximo e o que estava distante. Ficamos perto da praia, mas eu não conseguia diferenciar a terra do mar, e na maior parte do tempo permanecíamos como num desfiladeiro de montanhas de gelo. A água era tão fria que, quando um pedaço de gelo se quebrava da borda de um iceberg e caía, a água mostrava uma depressão como um creme, tornando a se fechar maciamente apenas alguns segundos depois. De vez em quando víamos ou escutávamos uma foca atirando-se na água gelada. Fora isso, estávamos sozinhos com a luz e o gelo.

Illiminaq é construída em torno de um pequeno porto natural. Há umas trinta casas, uma escola, uma igreja minúscula e uma loja, que é abastecida cerca de uma vez por semana. Cada casa tem um grupo de cães, muito mais numerosos que os humanos residentes no local. As casas são pintadas nas cores vivas e claras que os habitantes locais adoram — azul brilhante, amarelo vivo, rosa-claro —, mas dificilmente fazem alguma diferença em meio às vastas rochas que se erguem por trás delas ou ante o mar branco que se estende à sua frente. É difícil imaginar um lugar mais isolado que Illiminaq. Contudo, a aldeia tem uma linha telefônica, e o governo dinamarquês paga helicópteros para transportar os habitantes locais numa crise médica se o tempo permitir uma aterrissagem. Ninguém tem água corrente ou toaletes com descarga, mas há um gerador e algumas casas e a escola têm eletricidade. Várias casas também têm televisão. Cada casa tem uma vista inconcebivelmente linda. À meia-noite, quando o sol estava alto e os habitantes adormecidos, eu andava entre as casas silenciosas e os cães dormindo como se vagasse num sonho.

Uma semana antes de minha chegada, havia sido colocado na loja um anúncio, chamando por voluntários para discutir seu estado de espírito comigo. Minha intérprete — uma ativista inuíte, viva e instruída, que contava com a confiança dos habitantes do povoado — concordara, apesar de suas descrenças, em me ajudar a persuadir aqueles reservados habitantes a falar sobre seus sentimentos. Fomos abordados, um tanto timidamente, no dia seguinte à nossa chegada. Sim, eles tinham algumas histórias para contar. Sim, haviam decidido contá-las para mim. Sim, era mais fácil falar sobre essas coisas com um estrangeiro. Sim, eu precisava conversar com as três mulheres sábias — as que tinham começado todo esse negócio de falar sobre as emoções. Em minha experiência, os inuítes são um povo amável e eles queriam ajudar, mesmo quando essa ajuda envolvia uma loquacidade um tanto estranha a seu jeito habitual. Devido às recomendações que haviam sido enviadas antes da minha chegada ao pescador que me trouxera em seu barco e à minha intérprete, eles me acolheram como parte de sua comunidade íntima, enquanto me garantiam as cortesias devidas a um hóspede.

"Não faça perguntas diretas" foi o conselho do médico dinamarquês encarregado do distrito que incluía Illiminaq. "Se você lhes perguntar como se sentem, eles não conseguirão dizer nada." Entretanto, os aldeões sabiam o que eu queria saber. Geralmente não davam respostas de mais de algumas palavras, e a pergunta tinha que ser tão concreta quanto possível, mas mesmo que as emoções não estivessem disponíveis a eles linguisticamente, mostravam-se nitidamente presentes do ponto de vista conceitual. O trauma é uma parte regular da vida dos habitantes da Groenlândia; a ansiedade pós-traumática não era incomum, tampouco a descida aos sentimentos sombrios e às dúvidas sobre a própria identidade. Velhos pescadores nas docas me contaram histórias de seus trenós afundando (uma equipe de cães bem treinados puxa você para fora se o gelo não se quebrar mais ainda, se você não se afogar primeiro, se as rédeas não se romperem) e de ter de continuar por quilômetros em temperaturas abaixo de zero e roupas molhadas. Falaram sobre caçadas em cima de gelo que se movia, o barulho de trovoada que isso provocava, tornando impossível a comunicação entre os caçadores. Eles sentiam que estavam sendo erguidos à medida que um naco de geleira mudava de posição, sem saber se esse naco ia em seguida virar e mergulhá-los no mar. E falaram como, depois de tais experiências, tinha sido difícil continuar, extrair a comida do dia seguinte do gelo e da escuridão.

Fomos ver as três mulheres idosas. Cada uma tinha sofrido muito. Amalia Joelson, a parteira, era o que havia de mais parecido com um médico na cidade. Um filho seu nascera morto; no ano seguinte, ela teve um filho que morreu na noite seguinte a seu nascimento. Seu marido, louco de dor, acusou-a de matar a criança. Ela própria mal suportou a ideia de que conseguia realizar partos nas vizinhas, mas não conseguia ter um filho. Karen Johansen, a esposa de um pescador, deixara sua cidadezinha natal para vir para Illiminaq. Pouco depois, em rápida sequência, sua mãe, seu avô e sua irmã mais velha morreram. Então a mulher de seu irmão ficou grávida de gêmeos. O primeiro deles morreu prematuramente no quinto mês de gestação. O segundo nasceu saudável, mas morreu de uma súbita síndrome infantil aos três meses. A seu irmão sobrou apenas um filho, uma menina de seis anos, e quando esta se afogou, ele se enforcou. Amelia Lange era a ministra da igreja. Casara-se com um caçador alto e jovem e lhe dera oito filhos em rápida sucessão. Ele sofreu um acidente de caça; uma bala ricocheteou em uma rocha e seu braço direito foi partido pela metade entre o cotovelo e o pulso. O osso nunca regenerou e o ponto em que quebrara se curvava como uma articulação extra se você apertasse sua mão. Ele perdeu o uso do braço direito. Alguns anos depois, ele estava do lado de fora da casa durante uma tempestade quando foi empurrado por um vento forte. Sem o braço para amortecer a queda, ele quebrou o pescoço e ficou paralisado da cabeça para baixo. Sua mulher tem de cuidar dele, empurrar sua cadeira de rodas pela casa, criar os filhos e caçar para comer. "Eu fazia meu trabalho ao ar livre e chorava o tempo todo enquanto trabalhava", lembra ela. Quando perguntei se outros não tinham vindo ajudá-la ao vê-la chorando enquanto trabalhava, ela disse: "Eles não interfeririam enquanto eu conseguisse fazer o trabalho". Seu marido sentiu que era um fardo grande demais para ela e parou de comer, esperando morrer de fome. Mas ela notou o que ele fazia e isso quebrou seu silêncio, e ela implorou ao marido que vivesse.

"Sim, é verdade", disse Karen Johansen. "Nós da Groenlândia estamos próximos demais para sermos íntimos. E todos aqui carregamos tantos fardos que nenhum de nós quer acrescentar, aos nossos, os fardos dos outros." Exploradores dinamarqueses do início e meados do século XX encontraram três formas principais de doenças mentais entre os inuítes, descritas pelos próprios inuítes como um período fora de si. Em grande parte, tais doenças já desapareceram, exceto em localidades muito remotas. A "histeria polar" foi descrita por um homem que a sofrera como "um aumento da seiva, do sangue jovem alimentado pelo sangue de morsas, focas e baleias — tristeza que se apodera de você. No início fica-se agitado. Deve ser enjoo da vida". Uma forma modificada dela existe atualmente no que poderíamos chamar de depressão ativada ou um estado misto; ela está ligada à ideia malaia do frenesi violento [running amok].[92] "A síndrome do homem que vaga pelas montanhas" afetava os que viravam as costas à comunidade e partiam. Em tempos anteriores, não lhes era permitido voltar jamais e eles tinham que se arranjar sozinhos em absoluta solidão, até morrerem. "A ansiedade de caiaque" — a crença, contrariando a realidade, de que há água no seu barco e você vai afundar e morrer — era a forma de paranoia mais comum. Embora tais termos sejam usados agora primordialmente de modo histórico, eles ainda evocam alguns dos conflitos da vida dos inuítes. Em Umanaaq, segundo René Birger Christiansen, que administrava a saúde pública na Groenlândia, houve recentemente uma enxurrada de queixas de pessoas que acreditavam terem água sob a pele. O explorador francês Jean Malaurie escreveu nos anos 1950:

> Há contradições frequentemente dramáticas entre o temperamento basicamente individualista dos esquimós e sua crença consciente de que a solidão é sinônimo de infelicidade. Abandonado por seus conterrâneos, ele é dominado pela depressão que está sempre à espreita. A vida comunal seria algo excessivo para suportar? Uma rede de obrigações vincula as pessoas, fazendo do esquimó um prisioneiro voluntário.[93]

As mulheres sábias de Illiminaq vêm suportando a dor em silêncio por muito tempo. Segundo Karen Johansen: "No início, tentei dizer às outras mulheres como me sentia, mas elas simplesmente me ignoraram. Não queriam falar sobre coisas ruins. E não sabiam como ter uma conversa dessas; nunca tinham ouvido ninguém falar sobre seus problemas. Até meu irmão morrer, também tinha orgulho de não ser uma nuvem no céu para outras pessoas. Mas depois do choque de seu suicídio, tive que falar. As pessoas não gostaram disso. Do nosso ponto de vista, é rude dizer para alguém, mesmo para um amigo: 'Sinto muito por seus problemas'". Ela descreve o marido como um "homem de silêncio", com quem ela negociou um modo de chorar enquanto ele ouvia, sem que nenhum deles tivesse que usar palavras, que soariam bem estranhas para ele.

Essas três mulheres foram atraídas pelas dificuldades mútuas e, após muitos anos, conversavam entre si sobre a profundidade de sua angústia, sobre sua solidão, sobre todos os sentimentos que havia nelas. Amalia Joelson fora para o hospital em Ilulissat para seu treinamento como parteira e lá entrou em contato com a psicoterapia. Ela se sentiu acolhida na sua conversa com as duas mulheres e lhes fez uma proposta. Era uma ideia nova para aquela sociedade. Na igreja, num domingo, Amelia Lange anunciou que formara um grupo e que queria convidar todos que quisessem falar sobre problemas, individualmente ou juntos. Propôs que usassem a sala de consultas da casa de Amalia Joelson. Lange prometeu que tais reuniões permaneceriam inteiramente confidenciais. "Nenhum de nós precisa ficar sozinho", disse ela.

No ano seguinte, todas as mulheres da aldeia, uma de cada vez, sem saber quantas outras haviam aceitado o convite, foram até lá. Mulheres que jamais haviam dito aos maridos e filhos o que se passava em seus corações tinham ido e chorado na sala de partos. E assim essa nova tradição de abertura começou. Alguns homens foram, embora a ideia de dureza dos homens os mantivesse longe, pelo menos no início. Passei longas horas nas casas dessas três mulheres. Amelia Lange disse que fora um grande insight para ela ver como as pessoas se sentiam "liberadas" após conversarem com ela. Karen Johansen me convidou para conhecer sua família e me deu uma tigela de sopa de baleia fresca, o que disse ser geralmente a melhor resposta para os problemas de alguém, acrescentando que encontrara a verdadeira cura para a tristeza, que era ouvir a tristeza dos outros. "Não estou fazendo isso só pelas pessoas que falam comigo", disse, "mas também por mim mesma." Em suas casas e em sua intimidade, as pessoas de Illiminaq não falam uns sobre os outros. Mas vão até os seus parentes mais velhos e extraem força deles. "Sei que tenho impedido muitos suicídios", disse Karen Johansen. "Fico contente de poder falar com eles a tempo." A questão da confidencialidade foi de máxima importância: num pequeno povoado há muitas hierarquias, que não podem ser perturbadas sem causar problemas bem maiores do que o do silêncio. "Vejo lá fora as pessoas que me contam seus problemas, e nunca os trago à tona ou pergunto de um modo diferente sobre a saúde de alguém", disse Amalia Joelson. "Só se, quando pergunto educadamente: 'Como vai você?', eles começam a chorar, então eu os trago de volta comigo para casa."

A ideia das psicoterapias é frequentemente discutida no Ocidente como se tivesse sido inventada pelos psicanalistas. A depressão é uma doença da solidão, e qualquer um que a tenha sofrido agudamente sabe que ela impõe um medonho isolamento, mesmo para pessoas rodeadas de amor — no caso, um isolamento causado por excesso. As três mulheres idosas de Illimaq descobriram a maravilha de descarregar seus problemas e ajudar os outros a fazer o mesmo. Culturas diferentes expressam dor de modos diferentes, e membros de culturas diferentes sentem diferentes espécies de dor, mas a solidão é uma característica infinitamente plástica.

Aquelas três mulheres sábias também me perguntaram sobre minha depressão, e, sentado em suas casas e comendo bacalhau seco envolvido em gordura de foca, eu as senti ouvindo minha experiência através das suas. Quando fomos embora da cidadezinha, minha intérprete disse que aquela fora a experiência mais exaustiva de sua vida, mas disse isso com um orgulho fulgurante. "Nós, os inuítes, somos pessoas fortes", acrescentou. "Se não resolvêssemos nossos problemas, morreríamos aqui. Portanto, encontramos um modo de resolver também esse problema, a depressão." Sara Lynge, uma groenlandesa que criou uma linha telefônica para ajudar suicidas numa cidade grande, disse: "Primeiro, as pessoas precisam ver como é fácil falar com alguém; depois, como isso faz bem. Elas não sabem disso. Descobrimos que precisamos nos esforçar ao máximo para espalhar a notícia".

Confrontados com mundos em que a adversidade é a norma, vemos limites descontínuos entre a aceitação realista das dificuldades da vida e o estado de depressão. A vida inuíte é dura — não moralmente aviltante, à maneira dos campos de concentração, e não emocionalmente vazia, à moda das cidades modernas, mas incessantemente árdua e sem os luxos materiais cotidianos a que a maioria dos ocidentais está tão acostumada. Até bem recentemente, os inuítes não podiam arcar nem mesmo com o luxo de falar de seus problemas: tinham que suprimir toda a emoção negativa para que esta não destruísse a sua sociedade. As famílias que visitei em Illiminaq abriram seu caminho através das atribulações observando um pacto de silêncio. Era um sistema eficaz que servia a seus propósitos e manteve muita gente através de muitos e longos invernos. Nossa crença ocidental moderna é que os problemas são mais bem resolvidos quando retirados da escuridão, e a história do que aconteceu em Illiminaq sustenta essa teoria; mas a articulação é limitada em escopo e localização. Temos que lembrar que nenhum dos deprimidos da aldeia falava sobre seus problemas com os objetos desses problemas e que não discutiam suas dificuldades regularmente mesmo com as três mulheres mais velhas. Diz-se com frequência que a depressão é algo que acomete uma classe privilegiada numa sociedade desenvolvida; na verdade, é uma coisa que uma certa classe tem o luxo de articular e comunicar. Para os inuítes, a depressão é tão sem importância na escala das coisas e tão claramente uma parte da vida de todo mundo que, a não ser em casos graves de doença vegetativa, eles simplesmente a ignoram. Entre seu silêncio e nossa autoconsciência intensamente verbalizada, há uma multidão de modos de expressar a dor psíquica, de conhecimento dessa dor. Contexto, raça, gênero, tradição, nação — tudo conspira para determinar o que deve ser dito e o que deve permanecer calado, e em certa medida eles determinam assim o que deve ser mitigado, o que deve ser agravado, o que deve ser suportado, o que deve ser rechaçado. A depressão — sua urgência, seus sintomas e os modos de sair dela — é determinada por forças muito fora de nossa bioquímica individual, por quem somos, onde nascemos, em que acreditamos e como vivemos.

6. Vício

A depressão e o uso de drogas formam um ciclo. Os deprimidos procuram as drogas numa tentativa de se livrar da depressão. Eles atrapalham suas vidas a ponto de ficarem deprimidos pelo dano causado. Os que são "geneticamente inclinados" ao alcoolismo passam a beber e então sofrem depressão em consequência disso, ou os que são geneticamente inclinados à depressão bebem como uma forma de automedicação? A resposta às duas perguntas é sim. A queda da serotonina parece desempenhar um papel significativo no reforço do alcoolismo, de modo que um aumento de depressão poderia causar um aumento orgânico do alcoolismo. Na verdade, há uma relação inversa entre os níveis de serotonina no sistema nervoso e o consumo de álcool. A automedicação com drogas ilícitas é frequentemente contraproducente: embora os medicamentos antidepressivos lícitos comecem com efeitos colaterais e atinjam efeitos desejáveis, as drogas geralmente começam com efeitos desejáveis e desembocam em efeitos colaterais. A decisão de tomar Prozac em vez de cocaína é uma estratégia de adiar a recompensa, e a decisão de tomar cocaína em vez de antidepressivos é atribuída a um anseio de gratificação imediata.

Todas as drogas — nicotina, álcool, maconha, cocaína, heroína e cerca de vinte outras atualmente conhecidas —[1] têm efeitos importantes no sistema da dopamina. Algumas pessoas têm uma predisposição genética a usar tais substâncias. Elas agem no cérebro em três estágios.[2] Primeiro, no prosencéfalo, afetando a cognição; isso por sua vez excita as fibras que levam às áreas mais primitivas do cérebro — as que temos em comum com répteis —, e estas, por fim, enviam mensagens tilintantes a muitas outras partes do cérebro, frequentemente afetando o sistema da dopamina. A cocaína, por exemplo, parece bloquear a absorção da dopamina, de modo que mais dopamina fique flutuando pelo cérebro.[3] A morfina causa a liberação da dopamina.[4] Outros neurotransmissores também estão envolvidos; o álcool afeta a serotonina[5] e várias substâncias parecem aumentar os níveis da encefalina.[6] Contudo, o cérebro é autorregulador e tende a manter níveis constantes de estímulo; se você continua inundando-o com dopamina, ele desenvolverá resistência, de modo a exigir cada vez mais dopamina para desencadear uma resposta. Ele também aumenta o número de receptores de dopamina ou diminui a sensibilidade dos receptores de dopamina existentes.[7] É por isso que os viciados precisam de quantidades crescentes da substância que usam;[8] é também por isso que pessoas em recuperação, que não estão mais estimulando a liberação excessiva de dopamina através de determinadas substâncias, geralmente sentem-se desanimadas, abatidas e deprimidas. Seus níveis de dopamina natural são, pelos padrões de seus cérebros adaptados, extremamente baixos. Quando o cérebro se ajusta novamente, o processo de abstinência está completo.

Se usa uma droga em quantidade suficiente por muito tempo, a maioria das pessoas se torna dependente dela. Um terço das pessoas que fumam um cigarro se torna viciado em nicotina; cerca de um quarto dos que experimentam heroína se torna dependente dela; cerca de um sexto dos que experimentam álcool se vicia nele.[9] A velocidade com que tais drogas atravessam a barreira sanguínea do cérebro e intoxicam o usuário[10] é frequentemente determinada pelo modo como a substância é consumida, sendo o mais rápido a injeção, seguida pela inalação e, como modo mais lento, o consumo oral. É claro que a velocidade também varia de uma droga para outra e determina quão rapidamente ela precisa ser reforçada. "A questão de quem experimenta ou não alguma droga por uma vez é aleatória", diz David McDowell, diretor do Serviço de Pesquisa e Tratamento de Drogas da Universidade Columbia. "Tem a ver com o lugar em que está e qual seu ambiente social. Mas o que vem depois não é absolutamente aleatório. Algumas pessoas que experimentam uma droga prosseguem com suas vidas e nunca voltam a pensar no assunto; algumas são fisgadas imediatamente." Tanto para os que usam drogas quanto para os depressivos, uma predisposição genética interage com a experiência externa. As pessoas nascem com uma capacidade de se tornar usuário de droga e, uma vez que usaram determinada droga por um tempo suficientemente longo, irão se tornar viciadas nela. Os deprimidos com tendência para o alcoolismo geralmente começam a beber crônica e pesadamente cerca de cinco anos depois do primeiro episódio depressivo grave; os que vão em direção à cocaína começam a usá-la cronicamente cerca de sete anos depois de tal episódio.[11] Não existe atualmente nenhum teste para mostrar quem pode usar quais drogas e com que níveis de risco, embora tentativas de formular tais testes, principalmente com base em certos níveis de enzima na corrente sanguínea, estejam a caminho. Ainda não é possível ver se uma transformação fisiológica em deprimidos os torna mais vulneráveis ao uso de drogas, ou se a vulnerabilidade crescente é primariamente psicológica.

A maioria dos deprimidos que faz uso de alguma droga tem duas doenças vinculadas atuando ao mesmo tempo, cada uma exigindo um tratamento específico e uma acentuando a outra. As duas doenças interagem no sistema de dopamina. A ideia popular de que é preciso afastar a pessoa de sua droga antes de prestar atenção à sua depressão é ridícula: você está pedindo a alguém que deixe de abafar sua infelicidade e permita que esta floresça antes que você faça qualquer coisa a respeito. A ideia de que se pode ignorar o vício e tratar a depressão como doença primária, ajudando a pessoa a se sentir tão bem que ela não deseje mais as drogas negligencia a realidade da dependência física. "Se existe algo que aprendemos no campo da dependência", diz Herbert Kleber, que foi por alguns anos o czar das drogas nos Estados Unidos e agora dirige o Centro para Dependência e Uso de Drogas da Universidade Columbia, "é que pouco importa como se chega lá — você tem uma doença com vida própria. Se tratar um alcoólatra deprimido com um antidepressivo, você chega a um alcoólatra não deprimido." Retirar de alguém a motivação original para o uso de drogas não liberta essa pessoa do padrão de uso de drogas.

Os teóricos tomam cuidado em separar estado de espírito e dependência de droga. Algumas medidas diretas — história familiar de depressão, por exemplo — podem identificar uma depressão primária, e um histórico familiar de uso de drogas pode apontar para um problema primário de dependência. Além disso, os termos ficam vagos. O alcoolismo causa os sintomas da depressão. A filosofia terapêutica mais aceita no presente sustenta que o uso de drogas deve ser tratado primeiro e, depois de a pessoa ficar "limpa" ou "sóbria" por cerca de um mês, sua condição emocional deve ser avaliada. Se ela está se sentindo bem, a dependência provavelmente era a causa da depressão; assim, afastando-se a dependência, afastou-se a depressão. Isso parece bom na teoria, mas na prática o impacto causado pela retirada da droga é enorme. Alguém que se sente ótimo no final de um mês livre de drogas está provavelmente cheio de orgulho por seu autocontrole e está experimentando níveis alterados de todos os tipos de hormônios, neurotransmissores, peptídeos, enzimas e assim por diante. Essa pessoa não está necessariamente livre de seu alcoolismo ou de sua depressão. Alguém que está deprimido pode estar, depois de um mês livre de drogas, deprimido por motivos relacionados à vida que não refletem nem o estado emocional que o levou inicialmente ao uso da substância nem um estado emocional subjacente, agora posto a nu. A noção de que alguém pode ser devolvido a uma condição de pureza, a ideia de que as drogas mascaram o verdadeiro eu de um dependente, é completamente ridícula. Além disso, problemas de humor relacionados à retirada da droga podem aparecer pela primeira vez depois de um ou dois meses de sobriedade. O corpo precisa de muitos meses para realizar a recuperação completa do uso de substância de longo prazo. Algumas alterações cerebrais "parecem permanentes", segundo Kleber, e algumas têm uma vida de pelo menos um ou dois anos. A tomografia por emissão de pósitron (TEP) mostra os efeitos de várias drogas no cérebro e indica recuperação limitada mesmo depois de três meses.[12] Há lesões persistentes, e os que usam drogas cronicamente geralmente sofrem danos permanentes na memória.[13]

Se é sádico começar retirando a droga dos deprimidos que fazem uso dela, então faz sentido começar dando-lhes medicação? O uso de antidepressivos em alcoólatras deprimidos causará algum alívio em seu desejo por bebida, caso a depressão seja um motivo primário do alcoolismo. Esse modo de testar — começar diminuindo a depressão — é mais generoso do que retirar as drogas para revelar se a pessoa tem ou não uma "verdadeira depressão". O tratamento antidepressivo é inegavelmente útil na redução do uso de drogas; estudos recentes têm mostrado que receitar medicamentos ISRSs a alcóolatras aumenta as chances de eles deixarem o álcool.[14] A depressão pode melhorar significativamente com terapia psicodinâmica ou apenas com atenção — e a grande atenção que se presta a pessoas que participam de estudos pode ter um efeito benéfico no uso da droga que não tem nada a ver com o protocolo do estudo. Os alcóolatras deprimidos tendem a ficar terrivelmente isolados, e interromper esse isolamento geralmente mitiga alguns sintomas depressivos.

"Há certo preconceito em se tornar muito técnico a respeito de qual doença é a primária e qual é a secundária, tentando de certa forma agregar culpa à doença autoindulgente ou à mental", diz Elinore McCance-Katz, da Escola de Medicina Albert Einstein. "No entanto, como alguém que trata pessoas com problemas de dependência e de saúde mental, quero saber disso porque essa informação pode ser útil para um prognóstico de como vão agir no futuro; isso me ajuda a saber como instruí-las e como trabalhar com elas, e me será útil para decidir que medicamentos posso receitar para tratá-las e por quanto tempo. Mas a verdade é que, se elas tiverem as duas disfunções, ambas terão que ser tratadas." Às vezes, pessoas que se automedicam passam a usar drogas para controlar a depressão agitada, que pode, sem supervisão, provocar impulsos suicidas. Se você eliminar o álcool dessa pessoa sem fazer planos para controlar a sua depressão de algum modo, corre o grave risco de criar um suicida. "Quando a depressão não está diagnosticada devido à falta de abstinência", diz David McDowell, da Universidade Columbia, "manter a abstinência pode ser um impeditivo do tratamento da depressão." Em outras palavras, se a pessoa está deprimida, talvez não possa lidar com o estresse da desintoxicação.

As conexões são estudadas para tentar construir um sistema de diagnóstico num campo em que saber a origem da doença é apenas uma pequena parte do conhecimento de como tratá-la. Um estudo recente, por exemplo, examinou padrões de sono e determinou que uma latência menor do sono de movimento rápido dos olhos (REM) —[15] extensão de tempo antes da entrada no primeiro estágio REM depois de adormecer — indica a depressão como doença primária, enquanto uma latência prolongada do sono REM indica o alcoolismo como doença primária. Alguns clínicos afirmam que pessoas que se tornam alcóolatras cedo são mais propensas à depressão do que quando se tornam alcóolatras mais tarde.[16] Alguns testes medem metabólitos da serotonina ou níveis de cortisol e outros hormônios e esperam demonstrar, através dessas mensurações, a presença de uma "verdadeira" depressão; contudo, uma vez que muitos tipos de depressão verdadeira não se manifestam em tais metabólitos, os testes são de utilidade limitada.[17] Um espectro incrivelmente amplo de estatísticas está disponível, mas parece que cerca de um terço de todos os usuários de drogas sofre de algum tipo de transtorno depressivo; e é evidente que um número alto de depressivos usa drogas.[18] O uso de drogas começa frequentemente no início da adolescência,[19] numa fase em que as pessoas com predisposição para a depressão podem não ter desenvolvido a doença. Pode começar como uma defesa contra a tendência para desenvolver depressão. Às vezes, a depressão transforma alguém que foi usuário de uma substância viciante num dependente. "As pessoas que tomam coisas porque estão ansiosas ou porque estão deprimidas são muito mais propensas a desenvolver dependência", diz Kleber. Pessoas que se recuperaram do uso de drogas são muito mais propensas a ter uma recidiva quando estão deprimidas do que o contrário.[20] R. E. Meyer propôs cinco relações possíveis entre o uso de drogas e a depressão. A depressão pode ser a causa do uso de drogas; a depressão pode ser o resultado do uso de drogas; a depressão pode alterar ou intensificar o uso de drogas; a depressão pode coexistir com o uso de drogas sem afetá-lo; depressão e uso de drogas podem ser dois sintomas de um único problema.[21]

O uso de drogas, a retirada delas e a depressão têm sintomas em comum, e isso provoca grande confusão. Depressivos como o álcool e a heroína aliviam a ansiedade e agravam a depressão; estimulantes como cocaína aliviam a depressão e agravam a ansiedade. Pacientes deprimidos que fazem uso de estimulantes podem ter um comportamento aparentemente esquizofrênico, embora este desapareça com a descontinuidade do uso da droga *ou* com um tratamento bem-sucedido da depressão.[22] Em outras palavras, os sintomas da combinação são piores do que os sintomas combinados das duas doenças. Em casos de diagnóstico duplo, o alcoolismo é geralmente mais severo do que o alcoolismo médio, e a depressão é também com frequência mais gravemente sintomática do que a depressão média.[23] Felizmente, as pessoas com diagnose dupla são mais propensas a buscar ajuda do que as que têm um único problema. Contudo, são também mais inclinadas à recidiva. Embora o uso de drogas e a depressão possam ser problemas separados, cada um deles tem inquestionavelmente consequências fisiológicas no cérebro que podem acentuar gravemente o outro. Algumas substâncias (cocaína, sedativos, hipnóticos e ansiolíticos) que não causam depressão quando estão sendo usadas de fato afetam o cérebro de um modo que acabam provocando depressão na sua retirada;[24] algumas drogas (anfetaminas, opiáceos e alucinógenos) causam depressão como parte de seu efeito intoxicador imediato. Alguns (cocaína, ecstasy) levam o usuário a um ápice e depois uma baixa compensatória. Isso não é uma questão a se negligenciar. Todas essas drogas, e o álcool em especial, aumentam a possibilidade de suicídio.[25] Todas turvam a mente o suficiente para perturbar a adesão aos medicamentos receitados, o que pode criar um verdadeiro caos para pessoas em tratamento antidepressivo contínuo.

Dito isso, a depressão desaparece mais ou menos permanentemente em algumas pessoas depois de elas se desintoxicarem,[26] e o seu tratamento correto é a abstinência. O interesse de outras pessoas em drogas e álcool simplesmente se esvanece aos poucos quando sua depressão é posta sob controle, e o tratamento correto para elas é medicação antidepressiva e terapia. A maioria dos usuários de drogas, como a maioria dos depressivos, requer intervenção psicossocial, mas não é sempre o caso. Infelizmente, clínicos ainda têm uma compreensão inadequada de quantos medicamentos antidepressivos podem interagir com as drogas. O álcool acelera a absorção de medicamentos, e essa rápida absorção aumenta significativamente os efeitos colaterais dos medicamentos.[27] Antidepressivos tricíclicos, uma forma mais antiga de tratamento, podem, combinados com a cocaína, causar um estresse expressivo ao coração. Ao receitar antidepressivos a quem usava drogas e está sóbrio, é importante imaginar que tal pessoa pode voltar à sua droga de escolha e ter cautela ao prescrever medicação que possa causar dano significativo em combinação com essas drogas. Em alguns exemplos, a terapia psicodinâmica pode ser, a princípio, o modo mais seguro para tratar a depressão dos usuários de drogas.

A linguagem do vício foi ficando vaga ao longo dos últimos vinte anos, de modo que agora é possível ser viciado em trabalho, sol, massagem nos pés. Alguns são viciados em comida. Alguns em dinheiro — tanto ganhar quanto gastar. Uma moça anoréxica que conheci fora diagnosticada como viciada em pepinos, uma doença sobre a qual, impossível não pensar, o dr. Freud teria muito a dizer. Howard Shaffer, diretor da divisão de dependências da Escola de Medicina Harvard, vem estudando jogadores compulsivos. Ele acredita que os caminhos do vício estão no cérebro e que o objeto da compulsão não é de fato importante. Para ele, o vício em comportamentos não difere significativamente do vício em substâncias químicas. É a necessidade desamparada de continuar repetindo algo prejudicial que acarreta dependência, e não a reação fisiológica à coisa repetida. "Não existem cartas marcadas", diz ele.

Entretanto, Bertha Madras, do Departamento de Psiquiatria de Harvard, diz que as substâncias usadas com mais frequência conseguem penetrar nos caminhos que existem no cérebro pela sua similaridade com substâncias que existem naturalmente. "A estrutura química das drogas assemelha-se à estrutura química dos próprios neurotransmissores do cérebro", diz.

> Eu as chamo de "grandes impostoras do cérebro". Seus alvos são os mesmos sistemas de comunicações das mensagens naturais do cérebro. Mas a complexa comunicação e os sistemas de controle no cérebro são acionados pela mensagem natural, não pela impostora. Como resultado, o cérebro se adapta aos sinais anormais gerados pela droga e os compensa. É quando o processo de vício começa. A adaptação do cérebro é fundamental para o vício. No caso de drogas que produzem retraimento físico ou psicológico, há uma compulsão para restaurar o cérebro ao status que tinha quando foi inundado pelas drogas.[28]

Não obstante as cartas marcadas, o vício físico envolve a ativação de caminhos de vício no cérebro, e muitos desses atalhos levam a alterações fisiológicas que podem por sua vez causar depressão.

Pessoas com histórico familiar de alcoolismo tendem a ter níveis mais baixos de endorfina — a morfina endógena responsável por nossas respostas de prazer — do que pessoas geneticamente não propensas ao alcoolismo.[29] O álcool aumentará levemente o nível de endorfina de pessoas sem base genética para o alcoolismo; aumentará dramaticamente o nível de endorfina das pessoas com essa base genética. Os especialistas gastam muito tempo formulando hipóteses exóticas para explicar o uso de drogas. A maioria das pessoas usa drogas porque se sente bem ao fazê-lo. Os especialistas destacam que há motivações fortes para se evitar as drogas; mas há também fortes motivações para consumi-las. As pessoas que afirmam não entender por que alguém se vicia são geralmente as que nunca as experimentaram ou que são geneticamente resistentes a elas.

"As pessoas são péssimas juízes de sua própria suscetibilidade", diz Herbert Kleber, da Columbia. "Ninguém quer ser viciado. O problema no tratamento é que o objetivo do terapeuta — a abstinência — e o objetivo do paciente — o controle — não são os mesmos. Todo viciado em crack quer poder dar um 'tapa' ocasional no cachimbo. E um dos problemas é que no passado eles podiam fazê-lo. Todo viciado teve uma lua de mel com o vício, quando conseguiam controlar o uso da droga. Para um alcoólatra, pode ter sido há cinco ou dez anos; para o viciado em crack, pode ter sido há apenas seis meses." Querer repetir algo porque é prazeroso não é o mesmo que precisar repetir algo por ser intolerável não fazê-lo. Frequentemente, o que determina a necessidade é uma circunstância externa, como a depressão. Um indivíduo deprimido está propenso, portanto, a se tornar dependente muito mais rápido do que alguém não deprimido. Se você está deprimido, a capacidade de tirar prazer da vida cotidiana é reduzida. Os que usam drogas podem ser classificados como pré-contemplativos — o que significa que não estão nem sequer pensando em desistir da droga de sua escolha —, contemplativos, externamente motivados ou internamente motivados. A maioria tem que passar por esses quatro estágios antes de conseguir se livrar da dependência.

A literatura médica afirma que o vício vem de problemas com: (1) afetos, (2) autoestima, (3) relações interpessoais e (4) cuidado consigo mesmo.[30] Para mim, o que é realmente extraordinário é como muitos de nós conseguem evitar a dependência. Em parte, somos motivados por saber quão danoso e desagradável o vício pode ser, pelo medo de perder relações e pelo prazer no autocontrole. Entretanto são os efeitos físicos colaterais do uso de drogas que realmente fazem a maior diferença de todas. Se não existisse a ressaca, haveria muito mais alcoólatras e cocainômanos por aí. As drogas dão prazer e punem, e a fronteira entre o nível de uso em que o prazer é maior do que a punição e o nível de uso em que a punição sobrepuja o prazer é difusa. Os efeitos depressivos de um drinque ajudam as pessoas a se soltar e lidar com situações sociais sem uma ansiedade incapacitante, e esse tipo de uso é socialmente aceito na maioria das sociedades não muçulmanas. Os efeitos estimulantes do uso ocasional da cocaína são para a depressão o que o álcool é para a ansiedade, embora a ilegalidade da cocaína reflita nosso desconforto social com ela. Os vícios mais comuns são, de longe, a cafeína e a nicotina. Um médico que se especializou em dependência me contou como, em sua visita a amigos no exterior, sofreu de uma ressaca paralisante e uma grande depressão por dois dias antes de perceber que seus amigos só tinham chá de ervas em casa e que ele estava passando não por um problema de desidratação por causa do álcool, e sim por sintomas de retirada de cafeína. Algumas xícaras de café forte o deixaram bem de novo. "Nunca pensei sobre isso, mas o café não era simplesmente um gosto adquirido; era um vício, e qualquer modificação em relação a ele ia acarretar a sensação de retirada." Nossa sociedade não faz objeções aos vícios que não sejam incapacitantes; mas nos opomos ao uso de certas substâncias viciantes mesmo quando esse uso é ocasional e não viciante em natureza. Os debates sobre a legalização da maconha e a proibição do tabaco mostram nossas opiniões divididas sobre esse assunto.

Os genes não determinam nosso destino. A Irlanda tem uma taxa extremamente alta de alcoolismo; tem também uma taxa extremamente alta de abstinência. Israel tem uma taxa extremamente baixa de alcoolismo, mas quase nenhum defensor da abstinência.[31] Numa sociedade em que pessoas são inclinadas ao alcoolismo, elas podem tender também a exercer um grande autocontrole. "O alcoolismo", diz Kleber, "não é uma doença do cotovelo. Não é um espasmo muscular que leva o copo à sua boca. Um alcoólatra tem escolhas. A capacidade de exercitar essas escolhas, porém, é influenciada por muitas variáveis, uma das quais pode ser um transtorno de humor." Se você consome drogas, faz isso deliberadamente. Sabe quando o faz. Isso envolve vontade. E mesmo assim tem escolha? Se você sabe que há um alívio imediato para a dor imediata, o que significa negar isso a si mesmo? T. S. Eliot escreve em "Gerontion": "Após tanto saber, que perdão?".[32] Na noite escura da alma, é melhor não saber o que a cocaína pode fazer por você?

Em parte, o mais horrendo da depressão, e especialmente da ansiedade e do pânico, é que eles não envolvem uma escolha: são sensações que lhe ocorrem sem razão alguma. Um escritor já disse que o uso de drogas é a substituição da "dor desconfortável e incompreensível" pela "dor confortável e compreensível", eliminando "o sofrimento incontrolável que o usuário não entende" em favor de "uma disforia induzida pela droga que o usuário entende".[33] No Nepal, quando um elefante está com uma lasca ou espinho no pé, seus condutores colocam pimenta em um de seus olhos, fazendo com que o elefante fique tão preocupado com a dor do olho que para de prestar atenção à dor do pé, e assim podem remover o espinho sem serem pisoteados até a morte (e, num tempo razoavelmente curto, a pimenta é tirada do olho).[34] Para muitos depressivos, álcool, cocaína ou heroína são a pimenta, a coisa intolerável cujo horror distrai da depressão, ainda mais intolerável.

A cafeína, a nicotina e o álcool são as principais drogas legais incorporadas em diferentes graus aos padrões de nossa sociedade e propagandeadas aos consumidores. A cafeína, ignoramos completamente. A nicotina, embora altamente impositiva, não é intoxicante, não perturbando assim a vida cotidiana; os efeitos do alcatrão, que acompanha o consumo habitual de nicotina, é que são preocupantes para os líderes do movimento antifumo. Como os efeitos colaterais negativos de fumar são lentos, é fácil se viciar em nicotina: se as pessoas tivessem ressacas horrendas cada vez que fumassem cigarros, fumariam muito menos. Uma vez que os efeitos adversos — principalmente enfisema e câncer do pulmão — são o resultado do fumo a longo prazo, eles são mais facilmente ignorados ou negados. A alta taxa de fumantes entre os deprimidos parece refletir não um atributo particular da nicotina, mas uma tendência geral à autodestruição entre aqueles para quem é certo que o futuro será sombrio. A oxigenação menor do sangue, que ocorre como consequência do fumo,[35] pode também ter um efeito depressivo ativo. Fumar parece baixar os níveis de serotonina, embora seja possível que baixos níveis de serotonina na verdade façam com que as pessoas sejam atraídas para a nicotina e comecem a fumar.[36]

Das drogas significativamente incapacitantes, a mais comum é o álcool, com capacidade de cumprir muito bem seu papel de aliviar nossa dor. Embora beber durante a depressão não seja pouco comum, alguns bebem menos quando estão deprimidos, geralmente por reconhecerem que o álcool é um depressor e que beber em excesso durante a depressão pode exacerbá-la gravemente. Minha experiência é que o álcool não é particularmente tentador quando se está passando por uma depressão pura, mas é muito tentador quando se sente ansiedade. O problema é que, assim como tira o aspecto pungente da ansiedade, o álcool tende a acentuar a depressão, de modo que você passa de tenso e assustado para desolado e sem valor. O que não é uma melhora. Fui atrás da bebida sob tais circunstâncias e sobrevivi para contar a verdade: ela não ajuda.

Tendo vivido com diversos padrões de consumo de álcool, acredito que o que constitui a dependência é muitas vezes determinado socialmente. Na casa em que cresci, que o vinho era servido com o jantar, eu ganhava dois goles em meu copo desde os seis anos. Quando fui para a faculdade, descobri que era um bom bebedor: podia aguentar bem a bebida. Por outro lado, beber era mais ou menos desencorajado em minha escola, e as pessoas que bebiam demais eram consideradas "perturbadas". Adaptei-me ao padrão. Posteriormente, na universidade que frequentei na Inglaterra, beber era moda, e as pessoas que recusavam a bebida eram consideradas "metidas" ou "não divertidas". Não gosto de me considerar parte do rebanho, mas me adaptei perfeitamente a esse novo sistema. Alguns meses depois de começar minha pós-graduação na Inglaterra, fui iniciado numa sociedade e, como parte de um ritual meio estúpido, tive que beber quase dois litros de gim. Foi um divisor de águas para mim e rompeu um medo incipiente do alcoolismo que antes me afetava. Naquele estágio de minha vida, eu não sofria muito de depressão, mas era ansioso, dado a acessos de medo. Alguns meses depois, fui a um jantar e sentei-me junto a uma moça por quem estava interessado; acreditando que o álcool tiraria um pouco do intenso acanhamento que ela me causava, afoguei-me agradavelmente em umas duas garrafas e meia de vinho durante o jantar. Aparentemente também acanhada, ela bebeu quase o mesmo, e nós dois acordamos sobre uma pilha de casacos nas primeiras horas da manhã. Nenhuma vergonha em especial foi vinculada a isso. Se você estivesse disposto a pagar com dor de cabeça e conseguisse cumprir as leituras para a aula seguinte, era convidado a beber até cair todas as noites. Nunca me ocorreu, ou a meus amigos, que eu corria o perigo de me tornar um alcoólatra.

Aos 25 anos, comecei a trabalhar em meu primeiro livro, sobre os artistas soviéticos de vanguarda.[37] Se na Inglaterra eu bebia de modo esporádico e intenso, na Rússia eu bebia constantemente. Entretanto, lá isso não era depressivo. A exaltação alcoólica fazia parte da sociedade em que eu vivia na Rússia. A água de Moscou era quase imbebível, e me lembro de ter dito que o verdadeiro milagre seria alguém transformar meu vinho em água, não o contrário. Passei o verão de 1989 com um grupo de artistas num local abandonado, nos arredores de Moscou, e acho que eu bebia quase um litro de vodca por dia. No final de um mês, não notei quanto estava bebendo. Acostumara-me a tropeçar fora da cama ao meio-dia e encontrar um círculo de amigos fumando, fervendo água para o chá num pequeno fogareiro elétrico e tomando vodca em copos sujos. Achava o chá nojento — água quente com pedaços de lama flutuando nela — e assim tomava a vodca da manhã, e o dia continuava, mais macio com o consumo constante de álcool. Essa ingestão contínua nunca fez com que eu me sentisse bêbado, e posso dizer retrospectivamente que me ajudava muito. Eu crescera protegido nos Estados Unidos, e meu sentimento de camaradagem com meus amigos russos era em muito realçado pela combinação da vida comunal e a bebida constante. Claro que algumas pessoas entre nós bebiam demais, mesmo para os padrões da sociedade em que vivíamos. Um homem bebia até ficar estuporado, perambulava por ali e depois desmaiava toda noite. Seu ronco parecia a percussão de uma banda de heavy metal. O grande truque era fazer com que ele não capotasse no quarto dos outros, especialmente na nossa própria cama. Lembro de ficar ali de pé com seis outros homens e içar do chão esse personagem inconsciente volumoso. Certa vez, o carregamos por três lances de escada sem ele acordar. Ter continuado com meus padrões americanos de beber teria sido não apenas rude, mas também peculiar nesses círculos. Talvez mais significativamente, beber liberava meus amigos moscovitas de sua vida social de tédio e terror. Levavam uma vida marginal numa sociedade opressiva, num momento confuso da história, e para nos expressarmos livremente, dançarmos e rirmos como fazíamos, para conseguir uma certa intimidade exagerada, tínhamos que continuar bebendo. "Na Suécia", disse um de meus amigos russos depois de visitar o país, "as pessoas bebem para evitar a intimidade. Na Rússia, bebemos porque amamos muito uns aos outros."

Beber não é uma questão simples: tem motivações e efeitos diferentes em diferentes pessoas, em diferentes lugares. Acredita-se que elevar os impostos sobre bebidas alcoólicas nos países escandinavos ajuda a conter as taxas de suicídio.[38] Tenho lido muitos estudos que dizem que ser alcoólatra é deprimente, mas não acredito que todos os alcoólatras sejam deprimidos. A relação entre a depressão e o álcool é uma questão de temperamento e contexto, dois atributos bastante variáveis. Eu definitivamente bebo mais quando estou ansioso — em interações sociais que produzem uma ansiedade normal ou quando um pouco de ansiedade do tipo provocado pela depressão aparece para mim — e venho descobrindo que me apoio no álcool de maneira perturbadora em tempos difíceis. Minha tolerância aumenta e diminui, e minha reação é irregular; tenho consumido álcool e sentido a tensão desaparecer, mas também tenho bebido apenas um pouco e me sentido perigosamente suicida, apavorado, fraco e com medo. Sei que não devia beber quando me sinto deprimido e, se fico em casa, não bebo; mas em situações sociais é difícil dizer não, e mais difícil ainda estipular a fronteira entre reduzir a inquietação e estimular o desânimo. Frequentemente confundo as duas.

Claro que beber muito provoca dores de cabeça e sensação de ineficiência ou incompetência, assim como indigestão. O alcoolismo sério por um período prolongado pode causar danos cognitivos[39] e mesmo a psicose, assim como graves doenças físicas, como a cirrose.[40] Os alcoólatras tendem a morrer mais jovens do que quem não bebe.[41] A retirada do uso crônico de álcool pode incluir *delirium tremens*, potencialmente fatal. Noventa por cento dos norte-americanos vivos consumiram álcool em algum estágio de suas vidas. Nos Estados Unidos, cerca de 10% dos homens e 5% das mulheres desenvolvem o vício fisiológico do álcool —[42] o que significa que sofrerão de uma taxa elevada de problemas de coração, *delirium tremens* e agitação se tentarem parar com a bebida. O mecanismo fisiológico do álcool no cérebro não é totalmente entendido, assim como não o é a base fisiológica para seu consumo, embora a serotonina pareça afetar a capacidade de resistir à tentação de beber.[43] Parece que o álcool em altas doses tem um efeito adverso nos neurotransmissores, possivelmente via certos receptores GABA, que são também o alvo do Valium.[44] Beber constantemente afeta a memória de forma severa e parece causar danos permanentes à capacidade de ordenar novas experiências, incorporando-as numa linha de lembrança. Isso significa que se perde a forma essencial de nossa própria história; a vida é lembrada mais como momentos e episódios do que numa narrativa coerente.

Há muitos modelos para tratar o alcoolismo separado da depressão, mas quando as duas doenças existem juntas, as terapias psicodinâmicas parecem ser muito eficazes.[45] Os Alcoólicos Anônimos e outros programas de doze passos oferecem ambientes de apoio, em que as pessoas podem compartilhar tanto sua experiência de alcoolismo quanto sua experiência de depressão. Outras terapias de grupo e mesmo internação de curto prazo são também altamente produtivas para lidar com o alcoolismo e a depressão, como se eles surgissem de uma causa única. Para muitas pessoas, esses tratamentos funcionam mesmo que não haja uma causa única. Profissionais da Universidade Columbia usam uma terapia cognitiva-comportamental individual para impedir a recaída.[46] O programa está escrito e pode ser praticado do mesmo modo por qualquer médico. "É uma forma de terapia que trata do 'aqui e agora'", explica David McDowell. O tratamento típico começa com uma ou duas semanas dedicadas aos desejos da pessoa e então avança para elucidar o que desencadeia a recidiva e descobrir como lidar com isso.

Mais recentemente, o alcoolismo tem sido tratado com Antabuse, uma substância que altera o metabolismo do álcool e diminui a tolerância a ele.[47] É uma espécie de extensor da autodisciplina. As pessoas que acordam muito determinadas mas veem sua vontade decair ao meio-dia geralmente tomam Antabuse para reforçar sua decisão de não beber. As pessoas em processo de desintoxicação são de modo geral altamente ambivalentes, e Antabuse as ajuda a agarrar-se com mais força ao desejo de liberdade do que ao desejo de uma droga. Um médico que trabalha com pessoas que consomem muito drogas, sobretudo médicos e advogados, faz com que escrevam, assinem e entreguem a ele cartas de demissão dos órgãos que lhes concedem licença de trabalho. Se eles tiverem uma recaída, o médico põe a carta no correio. Alguns dos que trabalham com dependência têm usado medicamentos que bloqueiam os efeitos das drogas, destruindo assim a motivação para o consumo. O Naltrexone, por exemplo, é um narcótico antagonista que bloqueia os efeitos da heroína. Impede também o álcool de exercer uma influência sobre as endorfinas, destruindo assim os motivos mais comuns para beber. Se você toma Naltrexone, não vai ter nenhum prazer com as drogas que usa. O medicamento tem obtido êxito em ajudar as pessoas a romper os padrões de vício, porque mina o desejo que o motiva.[48]

A referência mais antiga sobre a maconha está num texto chinês sobre remédios herbáceos do século XV a.C., mas ela só se tornou comum no Ocidente quando o exército de Napoleão a trouxe ao voltar do Egito.[49] Como o álcool, a maconha interfere no sono REM. O cérebro tem um receptor específico que responde a pelo menos um dos muitos elementos químicos contidos na fumaça da maconha, que se introduz no circuito de recompensa e prazer do cérebro. A maconha tira a motivação e nisso imita os sintomas da depressão. A retirada é desagradável, mas não é agoniante (como a da heroína), prolongada (como a da cocaína) nem uma ameaça potencial à vida (como a do álcool), e assim a droga é frequentemente descrita como não viciante. A maconha deixa a pessoa lenta e pode ser usada como uma droga antiansiedade; a depressão agitada pode ser de fato ajudada pela maconha. Já que ela não é disponível legalmente, é difícil controlar quantidades e proporções utilizadas; e como sua folha seca fumada ou pirolisada tem cerca de quatrocentos componentes identificáveis, cujos efeitos na maior parte são desconhecidos, os efeitos não são puros. O uso ocasional da maconha por um não viciado para tirar a tensão de uma depressão altamente agitada não é um modo irracional de autotratamento. Embora muitos trabalhos estejam sendo feitos agora a respeito dos usos medicinais da maconha, tais estudos até hoje não focalizaram seu uso para doenças psiquiátricas. O uso regular da maconha se torna desmotivador e "produz mudanças neurocognitivas que podem ser permanentes se você estiver 'louco' o tempo todo", diz McDowell. A maconha também contém toda a toxicidade dos cigarros, é claro, causando dano significativo aos pulmões.[50]

Drogas pesadas são aquelas que causam alta morbidade. Cafeína é um estimulante, assim como o crack, mas este é classificado como droga pesada porque é muito mais viciante e tem um efeito mais repentino no cérebro. Drogas pesadas tendem a causar depressão — em parte porque são ilegais e adquiri-las pode acabar com a vida da pessoa, em parte porque são caras, em parte porque são geralmente impuras, em parte porque as pessoas que as utilizam tendem a consumir o álcool também, em parte devido ao modo como operam no sistema nervoso central. Os parentes de usuários de estimulantes têm altas taxas de depressão.[51] Isso pareceria indicar que uma predisposição genética para a depressão pode preceder o uso da cocaína e outros estimulantes. Só cerca de 15% dos que experimentam a cocaína se tornam viciados nela,[52] mas para os que são propensos, a cocaína é a droga mais viciante que há. Alguns ratos de laboratório preferem consistentemente os estimulantes tipo cocaína a sexo e comida e, se tiverem quantidades ilimitadas, usarão esses estimulantes até morrerem de exaustão.[53]

A cocaína é um antidepressivo caro que causa uma ressaca grande, geralmente atingindo seu ponto mais baixo cerca de 48 a 72 horas depois do "barato". "É uma droga suja que afeta tudo", diz David McDowell. "E está constantemente esvaziando os estoques de neurotransmissores, de modo que o viciado desce em queda livre." A ressaca da cocaína é caracterizada por intensa agitação, depressão e fadiga. Parece que o jorro de dopamina liberado no "barato" da anfetamina ou da cocaína geralmente esvazia os estoques de dopamina, ocasionando níveis reduzidos dela no cérebro.[54] Herbert Kleber, da Universidade Columbia, diz: "Se a ressaca fosse ruim o bastante, ninguém usaria cocaína; e se fosse suave o bastante, não teria importância que as pessoas a usassem. É a ressaca própria da cocaína que provoca todo o reforço negativo, que deixa as pessoas desesperadas." Quanto mais viciado, menos prazer e mais dor depois do prazer. A cocaína e as anfetaminas parecem afetar adversamente muitos sistemas neurotransmissores, não apenas a dopamina, mas também a norepinefrina e a serotonina.[55] Em certas pessoas, porém, um desejo agudo pelas drogas pode durar por décadas depois de terem parado com elas.[56]

O uso continuado da cocaína acentua os sintomas depressivos. Dez semanas tomando antidepressivos geralmente ajudam quem quer se livrar da cocaína a atravessar a extensa ressaca da droga,[57] mas, dependendo das condições subjacentes e do dano neurológico, a depressão pode exigir tratamento permanente. O uso regular da cocaína ou de anfetaminas pode causar danos permanentes nos sistemas de dopamina do cérebro, resultando em um estado fisiológico básico constantemente deprimido.[58] A cocaína é uma das drogas que podem ser chamadas de ampliadoras da depressão de longo prazo. Ela parece alterar o funcionamento dos mecanismos de ansiedade do cérebro alterando os níveis de fator liberador de corticotrofina (CRF).[59] Se, ou quando, o cérebro tem plasticidade suficiente para se recuperar de tais mudanças, não é claro. Alguns conseguem compensar os danos melhor do que outros. Um cérebro com antidepressivos, um cérebro que tem a capacidade de afundar em depressão severa, é um órgão em equilíbrio delicado. Partes do cérebro que estão envolvidas no vício e no uso de drogas estão também envolvidas na regulação do estado de espírito e são pertinentes à disfunção afetiva. Esvaziar as reservas de dopamina e bagunçar com o CRF em tal cérebro é um convite ao desastre. Se você tem qualquer inclinação para a depressão, não use cocaína: por mais que o faça se sentir bem no impacto inicial, você se sentirá muito mal depois, muito pior do que levemente bem para que valha a pena.

Eu tinha consumido cocaína na faculdade e a achara destituída de charme. Tentei novamente uma década depois e foi uma experiência totalmente diferente — talvez por causa da idade, talvez devido a um cérebro mais vulnerável no período posterior à minha depressão, talvez por causa dos antidepressivos. Ela me dá uma espécie de energia, uma exuberância sexual e uma sensação de superpoder fantásticas. Chego ao ponto de ser incapaz de completar uma frase e pouco me importa se jamais conseguirei pronunciar outra. Percebo que as soluções para tudo são simples e diretas. O barato provocado pela cocaína compromete a memória o suficiente para que o passado não assombre o futuro. A felicidade química de uma boa carreira é completamente desligada do contexto. Lembro-me de estar com o nariz entorpecido, pensando que, se pudesse congelar a vida naquele segundo, eu o faria, ficando ali para sempre. Quase nunca uso a droga, mas a ideia de que jamais venha a desejá-la é ridícula. Apaixonei-me pela cocaína naqueles primeiros minutos de felicidade. A noção de estar desequilibrando meu cérebro e a ressaca devastadora são o que me mantêm longe do barato da cocaína.

Os opiáceos são outra classe de drogas de uso frequente e são extremamente perigosos, em parte devido ao modo como são consumidos. São drogas depressoras, o que significa que não ajudam muito a depressão. Por outro lado, não levam ao tipo de ressaca desesperada que a cocaína provoca. De 25% a 50% das pessoas que usam essas drogas são depressivas.[60] Opiáceos, incluindo ópio, heroína e medicamentos, como o Demerol, são para a mente o que a posição fetal é para o corpo. Opiáceos fazem desaparecer o tempo, de modo que não se consiga lembrar de onde vêm os próprios pensamentos. Não é possível dizer se eles são recentes ou antigos, não é possível fazê-los interagir uns com os outros. O mundo se fecha em torno de você. Seus olhos só processam um objeto de cada vez, e a mente sustenta apenas um pensamento, e realmente não tem importância o que você faz porque o presente ficou sem foco e fragmentado como as memórias geralmente são. O barato dos opiáceos dura horas. É a experiência de um perfeito não querer. Nunca consumi heroína, mas já fumei ópio, e apenas com o ópio já tive a sensação de não querer coisa alguma senão coçar a cabeça, comer, dormir, levantar, deitar, fazer planos, estar verdadeiramente ótimo, lembrar dos amigos. É uma droga não íntima: acaba com o impulso sexual e isola as pessoas, de modo que se fica deitado, com os olhos turvos, fixando o espaço diagonal. Ela provoca uma apatia feliz, uma ociosidade que pessoas ativas não conseguem sentir de qualquer outro modo. Também acarreta uma espécie de ausência de memória de curto prazo ("Eu disse algo para aquela pessoa? Eu a conheço?") que, quando breve, constitui uma viagem — fosse ela mais prolongada, se pareceria com o mal de Alzheimer. Escrevendo isso, consigo me lembrar de como o ópio libertou meu cérebro e me transformou em um homem-balão, flutuando serenamente pelo ar. Os opiáceos são classificados como depressores, mas seu efeito não é a simples supressão dos sentimentos; é uma espécie de alegria que vem de ter os sentimentos suprimidos. Com os opiáceos, pode-se dar adeus à depressão ansiosa. Uma viagem provocada por opiáceo parece uma versão edênica da vida, quando não fazer coisa alguma era suficiente.

A taxa de depressão entre as pessoas que abandonaram a heroína e outros opiáceos e se mantêm sem drogas ou com metadona é muito alta.[61] Os neurologistas dizem que isso se deve ao dano orgânico causado no cérebro. Os psicólogos dizem que essas pessoas já eram depressivas e foi a depressão que as levou à dependência. De um modo ou de outro, o prognóstico para seu estado de espírito depois de um consumo extenso de opiáceos não é bom. O período de retirada é horrível; o desejo pelas drogas é forte, e a depressão enfraquece a vontade, tornando muito mais difícil o abandono. Por outro lado, a heroína não é tão altamente viciante quanto sugere a retórica da "guerra contra as drogas". Na Guerra do Vietnã, a maioria das tropas de infantaria usava heroína, e temia-se que, em seu retorno, os Estados Unidos tivessem que travar uma batalha terrível contra a droga. Na verdade, estudos indicam que a maioria dos veteranos do Vietnã usou heroína pelo menos uma vez desde seu retorno, mas só uma pequena porção deles se viciou.[62]

Os alucinógenos e as "drogas da balada" (ecstasy/MDMA, Special K/ketamina, GHB) são outra classe de drogas. Talvez minha droga favorita (e a de que menos gosto) entre todas seja o ecstasy, que consumi apenas quatro vezes. Consegui salvar uma relação que passava por problemas ao tomá-lo e disse um monte de coisas que sentia, mas não conseguia falar. Aquela relação durou mais um ano, e fico pensando se, com uma dose de E a cada seis meses, quem sabe eu pudesse acabar tendo um casamento feliz. Sou um apaixonado idealista na melhor das circunstâncias, mas quando tomo E percebo que posso salvar o mundo e me animo a fazê-lo. Começo expressando um amor imenso por todos ao meu alcance. As soluções para todos os meus problemas tornam-se claras. Infelizmente, as soluções que arquiteto geralmente se mostram insatisfatórias quando saio da viagem. Não conseguiria resolver todos os meus problemas (ou deles) se fizesse parte da família real britânica nem haveria alguma forma exequível de realizar tal objetivo. Mas, embora a lucidez seja falsa, a sensação de lucidez é adorável. O ecstasy também me dá uma ressaca inacreditável de três dias, durante os quais meus maxilares doem, minha boca fica seca e a cabeça parece estar em meio à Revolução Francesa. Geralmente não tenho ressacas ruins com o álcool ou qualquer outra droga, mas minha reação ao ecstasy foi suficiente para me impedir de usar a droga regularmente.

Ler a farmacologia clínica do ecstasy embrulha meu estômago. A ideia de que algum dia eu já tenha permitido que tal substância entrasse no meu corpo me apavora. Nas doses usadas para diversão (entre cem e 150 miligramas), o ecstasy danifica os axônios de serotonina do cérebro — a parte da célula nervosa que se estende a outras células — em macacos e outros mamíferos. A evidência sugere que ela faz o mesmo com os humanos. A droga causa essencialmente uma explosão de serotonina e dopamina, liberando grandes estoques dessas substâncias e então danificando as células onde estão estocadas. Além disso, impede a síntese de mais serotonina. Os usuários regulares de ecstasy têm níveis de serotonina mais baixos do que outras pessoas. Às vezes 35% mais baixo.[63] Pesquisadores relatam vários episódios em que uma única dose de ecstasy desencadeia uma doença psiquiátrica permanente — às vezes imediatamente, às vezes anos depois. Deprimidos não podem se dar ao luxo de baixar seus níveis de serotonina e devem portanto ficar à maior distância possível dessa droga. "Se você tomar muito e por um tempo prolongado, pode destruir sua capacidade de sentir felicidade; ela pode provocar, no longo prazo, os efeitos adversos que a cocaína causa no curto prazo", diz David McDowell, da Universidade Columbia. "Calouros a adoram; os que estão no segundo ano a apreciam; os do ano seguinte se preocupam com ela e os formandos têm medo. O álcool pode se tornar o seu melhor amigo, mas o ecstasy não. Meu medo é que muita gente que usou ecstasy em grandes quantidades durante as últimas duas décadas, ache que está bem, até despencar aos cinquenta anos. E os pacientes deprimidos que usam a droga? Eu digo a eles: 'Em vinte anos vocês vão querer estar tomando três remédios apenas ou dez?'."

As benzodiazepinas (ou benzos) — Valium, Xanax, Klonopin — e seus primos Ambien e Sonata talvez sejam as drogas que mais causam confusão.[64] São viciantes e ao mesmo tempo úteis para tratamento de doenças psiquiátricas. São muito eficazes contra a ansiedade, mas, como há muita tolerância cruzada entre elas e barbitúricos ou álcool, não devem ser receitadas a pessoas propensas ao consumo dessas substâncias. Elas são um modo válido de lidar, a curto prazo, com algo que precise tanto de uma solução imediata quanto uma de longo prazo. A ideia é tomar outros medicamentos que permitem abandonar os benzos e então usá-los apenas com objetivos regulatórios, para ajudar em dias em que se precise de mais apoio. Tomar os benzos diariamente a longo prazo é contraindicado e perigoso.[65] Os benzos vendidos na praça com mais frequência são de atuação rápida, chamados de "boa-noite Cinderela" porque induzem um torpor temporário em que a pessoa não consegue se colocar ou se defender.[66] Em geral, porém, as pessoas para quem os benzos são receitados acabam por se viciar neles. Deve-se pensar sempre duas vezes antes de tomar um benzo, e, se de repente você achar que é necessário aumentar a dose, pense no motivo. Encobrir sintomas com benzos é como tomar antiácidos para câncer do estômago.

Sou um grande fã dos benzodiazepínicos porque acredito que Xanax salvou minha vida, quando diminuiu minha ansiedade desmedida. Tenho usado Xanax e Valium para dormir durante períodos agitados. Sofri pequenas síndromes de abstinência deles uma dúzia de vezes. É importante usá-los apenas para seu objetivo primário, que é aliviar a ansiedade; isso eles farão bem e em níveis consideráveis. Quando minha ansiedade é alta, preciso mais deles; quando é moderada, preciso menos. Entretanto, tenho consciência dos perigos dessas substâncias. Tenho feito pequenas incursões ao uso de drogas, mas nunca fui viciado em nada até que me receitaram Xanax. Parei de usar drogas abruptamente no fim de minha primeira experiência de depressão. Não foi uma boa estratégia. Os sintomas de retirada do Xanax — que eu vinha tomando a conselho médico por diversos meses, numa dose média de dois miligramas por dia — foram horríveis. Durante pelo menos três semanas depois de ter parado de tomar Xanax, não conseguia dormir direito e me sentia ansioso e estranhamente hesitante. Também sentia como se tivesse tomado vários litros de conhaque barato na noite anterior. Meus olhos doíam e eu sentia náusea. À noite, quando eu não estava de fato dormindo, tinha pesadelos incessantes, aterrorizantes, meio acordado, e me sentava na cama com o coração batendo forte.

Parei com o Zyprexa, a droga que me salvou do minicolapso, algumas semanas depois de terminar um rascunho deste livro, e tive outra experiência de abstinência. Obriguei-me a passar por ela porque Zyprexa me fizera ganhar mais de sete quilos em oito meses, mas, enquanto eu estava deixando a droga, sentia-me péssimo. Meu sistema de dopamina estava desregulado, e eu me sentia ansioso, arredio e sobrecarregado. Um nó parecia apertar minha barriga como um laço ao redor do estômago. Se eu não tivesse esperanças de melhoras, teria pensado em suicídio. A tensão horrenda era pior do que qualquer coisa que eu conseguisse lembrar. Eu ficava cutucando minha barriguinha, me perguntando por que era tão vaidoso. Pensava se poderia controlar meu peso tomando o Zyprexa caso fizesse mil abdominais por dia. Mas sabia que quando o tomava não tinha como fazer nem cem abdominais por dia. Deixar o Zyprexa aumentou minha energia — me torturava da mesma forma que um belíssimo trecho de música subitamente fica penoso e distorcido, se você aumentar o volume ao máximo. Foi um inferno. Aguentei isso por três longas semanas e, embora não tenha sofrido um colapso, estava tão desanimado no final da terceira semana que não me interessava mais se meu corpo conseguia regular o sistema de dopamina. Preferi gordura e funcionalidade à esbelteza e infelicidade. Forcei-me a parar com os doces que sempre amei e a fazer noventa minutos de exercício toda manhã, estabilizando-me num peso que não me agradou. Gradualmente cortei minha dose pela metade. Logo perdi mais de quatro quilos. Para manter minha energia alta e continuar em frente enquanto eu tomava o Zyprexa, meu psicofarmacologista acrescentou Dexedrina. *Outro* comprimido? Que saco — eu a tomo apenas quando me sinto muito mal.

Não tomo mais Xanax regularmente, mas será que sou viciado no pequeno coquetel de antidepressivos — Efexor, Wellbutrin, BuSpar e Zyprexa — que me permitiu escrever este livro? Sou dependente deles? A versão mais grave dessa pergunta é se as drogas que venho tomando continuarão sendo legais. A heroína foi originalmente desenvolvida pelo pessoal da aspirina Bayer como remédio contra a tosse,[67] e o ecstasy, patenteado por farmacólogos na Alemanha antes da Primeira Guerra Mundial.[68] As substâncias migram com regularidade do mundo da medicina para o mundo das drogas e voltam. Parece que correntemente endossamos qualquer substância que essencialmente não prejudique o dia a dia da pessoa. Penso no efeito que o Zyprexa teve em minha mais recente batalha contra a depressão. O que o Zyprexa está realmente fazendo dentro do meu cérebro? Se sofri todos aqueles sintomas de retirada do Zyprexa, será que então era dependente dele? Como reagiria se alguém me dissesse que, em consequência das mais recentes descobertas, o Zyprexa tivesse sido colocado entre os inimigos na guerra contra as drogas?

Michael Pollan argumentou na *New York Times Magazine* que não há na verdade nenhuma base consistente para se declarar uma substância legal ou ilegal e escreve:

> A mídia está cheia de anúncios farmacêuticos diáfanos prometendo não apenas alívio da dor, como também prazer e até realização. Ao mesmo tempo, uma infinidade de agências de publicidade está trabalhando com afinco para demonizar outras substâncias em benefício de uma "América livre das drogas". Quanto mais gastamos em nosso culto às drogas boas (20 bilhões de dólares em psicoativos receitados no ano passado), mais gastamos combatendo as más (17 bilhões de dólares no mesmo ano). Odiamos drogas. Amamos drogas. Ou será que odiamos o fato de amarmos as drogas?[69]

Em princípio, o consumo da droga ilícita, viciante, ocupa o espaço de todas as outras atividades, enquanto as drogas antidepressivas deixam a pessoa mais apta a exercer outras funções e não causam dano a longo prazo. Por outro lado, William Potter, que já dirigiu a divisão psicofarmacológica do NIMH, comenta: "Decidimos que as drogas que impedem a pessoa de experimentar resposta emocional adequada não são aceitáveis. É por isso que a cocaína é ilegal. Há problemas demais quando você deixa de detectar ameaças e sinais de advertência. A viagem excessiva tem seu preço. Isso não é moralismo, é apenas minha observação". "Ninguém tem um desejo intenso por Zoloft", diz Steven Hyman. "Ninguém mataria para conseguir um Zoloft." Eles também não produzem euforia ou um relaxamento tamanho gigante. Não se fala de um diabético como viciado em insulina. Talvez a ênfase de nossa sociedade em gratificação adiada seja tão intensa que simplesmente preferimos as drogas que causam um mal-estar inicial (efeitos colaterais) e depois um bem-estar (efeitos de ânimo) a drogas que fazem a pessoa se sentir bem (barato) e depois mal (ressaca)? Mesmo assim, os antidepressivos de nova geração serão os esteroides anabólicos para o cérebro? O psiquiatra Peter Kramer, em seu famoso livro *Ouvindo o Prozac*, cogitou se as pessoas que usam esses medicamentos têm uma vantagem injusta, criando assim uma pressão para que os outros também as usem. Será que elas reproduzem o efeito da modernização, que tem sido incentivar as pessoas a aumentar suas expectativas e acelerar a vida? Estamos à beira de criar uma raça de super-homens?

Certamente é difícil parar com os antidepressivos; em dois anos, tentei deixar o Zyprexa três vezes e falhei nas três. Tirar as pessoas dos ISRSs pode ser muito difícil. Eles não são intoxicantes, mas fazem a gente se sentir melhor e têm um monte de efeitos colaterais adversos — adversos mais para o indivíduo do que para a sociedade, porém nitidamente adversos. Tenho certa preocupação com meu estado de saúde mental e sou muito cuidadoso ao reajustar minha química cerebral: tenho pavor de mergulhar de volta no abismo, e nenhuma viagem vale isso. Sou desconfiado demais das drogas de diversão para conseguir extrair muito prazer delas. Mas, nas raras ocasiões em que as consumi e tive um barato, não pude deixar de comparar a sensação intoxicante com o efeito dos remédios dos quais agora dependo. Me pergunto se a adaptação permanente da minha personalidade não é um tanto aparentado com o barato. Na realidade, escrevo bem em estados alterados: já consegui textos muito bons ao final de uma noite bebendo regularmente e rascunhei algumas ideias enquanto "voava" com a cocaína. Certamente não gostaria de estar num ou noutro estado o tempo todo, mas fico imaginando até onde eu adaptaria minha personalidade se qualquer coisa fosse possível. Definitivamente, eu a colocaria alguns níveis acima de onde está agora. Gostaria de ter energia ilimitada, rápida precisão e alta resistência. Se eu achasse uma droga que me desse tais características, ela seria necessariamente ilícita? Fala-se muito que os remédios antidepressivos não oferecem alívio imediato, enquanto as drogas dão o barato desejado muito rápido. Será que é simplesmente essa velocidade do efeito que nos perturba tanto, o fenômeno sinistro de enfeitiçamento ali diante de nós? Se alguém inventasse um pó que não acabasse com os neurotransmissores, que não provocasse ressaca e que, em vez disso, permitisse um desempenho ótimo em tudo ao inalá-lo a cada cinco horas, ele seria necessariamente ilegal?

Do meu ponto de vista, não sou mais independente. Os medicamentos são caros, embora sejam pelo menos regular e convenientemente fornecidos. Não me importo com a ideia de que sou dependente deles, nem com a ideia de que essa dependência é prima do vício. Desde que funcionem, estou contente em tomá-los. Carrego comprimidos nos bolsos o tempo todo, todos os dias, de modo a tê-los no caso de, por alguma razão, não voltar para casa alguma noite. Nos aviões levo frascos com comprimidos porque sempre pensei que, se fosse sequestrado e mantido como refém, tentaria manter o medicamento escondido comigo. Janet Benshoof lembra de ser presa em Guam e ligar para seu psiquiatra da cadeia. "Ele ficou desesperado com a possibilidade de eu ter uma depressão na prisão, sem falar na retirada do medicamento, e tentou vigorosamente mandar antidepressivos para mim através do sistema de segurança. Foi engraçadíssimo. Eu estava histérica."

Tomo cerca de doze comprimidos por dia para impedir que meu estado de espírito piore. Francamente, se conseguisse os mesmos efeitos com dois drinques (conheço gente que consegue), essa seria uma alternativa perfeitamente satisfatória, uma vez que eles não se transformassem em três drinques, quatro ou oito — o que geralmente acontece, se você está lutando contra a depressão. Uma dependência do álcool pode ser completamente aceitável socialmente, mesmo se interfere com o sono REM. Fiquei encantado com alguém que conheci que às seis horas em ponto exclamava, enquanto decantava seu uísque: "Cada fibra de meu ser grita por álcool". Ele construíra uma vida que comportava seus caprichos noturnos, e acho que era uma vida feliz, embora, quando fora certa vez a uma casa mórmon que não permitia álcool, quase não tenha conseguido atravessar a noite. Seria estúpido receitar a ele Prozac em lugar do álcool. Para outras substâncias, a lei geralmente cria problemas em vez de controlá-los — ou, como diz Keith Richards: "Eu não tenho um problema com as drogas; tenho um problema com a polícia".[70] Conheci gente que usava maconha e mesmo cocaína de um modo controlado e disciplinado que melhorava seu estado mental e seu bem-estar. O livro de Ann Marlowe, *How to Stop Time: Heroin from A to Z* [Como parar o tempo: Heroína de A a Z], descreve de maneira convincente um controle racional do estado de ânimo com heroína. Ela usou e parou de usar a heroína por muitos anos sem jamais se viciar na droga.

O grande problema com a automedicação, bem maior do que a escolha de substâncias inadequadas, é ser com frequência eficiente e mal-informado. "Eu lido com pessoas que usam mal a cocaína", diz David McDowell, da Columbia. "Pessoas que cheiram 150 dólares de cocaína por dia por pelo menos 22 dias por mês. E eles não gostam da ideia de medicação, acham que soa pouco natural. Ao contrário daquilo que compram de Billy, o traficante! Tais substâncias não são regulamentadas e não se pode confiar nelas."

Muitas pessoas citadas neste livro têm tido problemas consideráveis com o uso de drogas, e muitas acusam-nas por sua depressão. Tina Sonego é surpreendentemente honesta sobre a interação dos dois problemas. Tina é uma mulher com uma vitalidade pouco habitual, um grande senso de humor e uma enorme força de vontade. Ao longo de três anos, cinquenta cartas e dúzias de e-mails, ela desenvolveu uma intimidade comigo na base da pura teimosia. Ela passou a "purificar os humores sombrios no papel", segundo descreve, e o resultado é um conjunto notável de documentos que marcam a ascensão e queda de seu humor. Suas lutas contra a tendência autodestrutiva, o vício e a depressão estão tão estreitamente interligadas que é quase impossível ver onde termina um e começa outro.

Tina Sonego é comissária de bordo em uma companhia aérea internacional. Ela se denomina "uma pessoa que supre as vontades dos outros", que passou a vida tentando fazer com que os outros gostassem dela. "Sou engraçada", diz, "extrovertida, bonitinha e sexy — sou tudo que se espera de uma aeromoça. Crio laços emocionais felizes com meus passageiros por oito horas, e depois eles partem." Tem quarenta e poucos anos, e seu jeito animado esconde uma luta constante contra a depressão e o alcoolismo. Tem uma mente rápida, mas "a inteligência não é uma qualidade admirada na minha família; ninguém ali jamais deu importância a isso", e, já que ela sofre de dislexia, nunca passou do curso secundário. Sua avó era uma empregada obrigada a prestar serviços sexuais a seu empregador no Marrocos; seu avô, um fabricante de mobília que plantava haxixe para exportação. Ela pertencia à primeira geração de imigrantes dos dois lados, e crescera num reduto marroquino na Califórnia, falando uma mistura de francês, espanhol e árabe em casa. Doença mental não tinha espaço naquele mundo. "Não havia nenhum lugar, em minha casa, para as perguntas que eu fazia. Então aprendi a representar e tinha uma persona exterior, de modo que ninguém visse a mulher triste e que se odiava dentro de mim. Eu era dividida ao meio. E a depressão acontecia quando as metades se chocavam." O pai de Tina tinha altos e baixos em seu estado de espírito, talvez depressivo, um homem que precisava ser protegido de qualquer coisa que o perturbasse; sua mãe "precisa de muito carinho, mas não o dá. Ela me disse há anos: 'Querida, não posso ficar mais sensível só para conseguir entendê-la'". Sua irmã era igual. "Há alguns anos, eu estava assistindo TV com ela e perguntei: 'Quem é aquele ali?', e ela me contou tudo que acontecera na vida do personagem nos últimos vinte anos. E nem ao menos sabia o nome do meu namorado. Cresci pensando que eu era um produto com defeito." Depois que o pai de Tina morreu, sua mãe se casou de novo. Tina adora o padrasto e atribui a ele grande parte da boa saúde de que goza hoje em dia.

Tina teve seu primeiro colapso sério aos dezenove anos, quando viajava por Israel e planejava escrever um livro sobre os *kibbutzim*. Sua irmã teve que ir resgatá-la e levá-la para casa. Alguns anos depois, ela resolveu se mudar para Roma para ficar com um homem que amava. Mas quando ela chegou "a relação ficou metálica, o sexo era mais do que impossível e eu não tinha nada a dizer". Então mergulhou em outra depressão. Como muitos depressivos que usam drogas, ela sofria de um ódio imenso por si mesma e se sentia atraída por criminosos que a tratavam com violência. Alguns anos depois do episódio de Roma, casou-se com um dinamarquês e mudou-se para Copenhague. Durou menos de dois anos; após o assassinato da amante do marido, ele e Tina foram longamente interrogados. Embora tivessem sido soltos, o casamento estava destruído; ele a expulsou de casa e ela teve outro colapso. Seu trabalho na época era transportar soldados para a operação Tempestade no Deserto. Ela estava numa escala em Roma quando subitamente descobriu que não podia continuar. "Ainda me lembro daquele momento. Pedi uma salada de frango que tinha gosto de giz. Eu sabia que estava com uma depressão que se tornou cada vez mais profunda. Foi quando realmente comecei a beber. Fiz tudo para me destruir até o fim. Eu bebia e apagava, bebia e apagava, bebia e apagava. Sempre deixava bilhetes suicidas: se eu não acordar, ligue para minha mãe. Usava o álcool para me matar. Era a droga mais fácil que conhecia; a mais barata e acessível. E respeitável."

Foi parar em um hospital psiquiátrico na Carolina do Sul que "era uma espécie de estaleiro onde supostamente o consertavam. Os deprimidos nunca tinham atenção alguma porque não fazíamos tanto barulho quanto os outros malucos. Eu sentia como se o céu estivesse caindo. Ah, a ansiedade! A ansiedade na depressão é como ter um terrível segredo que todos estão prestes a descobrir, e você nem mesmo sabe que segredo é esse". Passou a tomar antidepressivos e algumas outras substâncias prescritas, misturando-os com álcool na tentativa de superar a ansiedade. Teve duas grandes convulsões epilépticas por causa disso e acabou inconsciente por três dias em outro hospital.

Para Tina, a depressão não era entorpecimento, e sim dor. "Eu me sentia como uma esponja embebida de paixão, pesada e inchada. Não era silenciosa em minha dor. Ficava acordada a noite inteira escrevendo cartas para Deus no escuro. Não nascera para ser feliz, alegre, livre. Se a vontade do meu corpo prevalecesse, eu ficaria deprimida o tempo todo. Quando eu era menina, mamãe costumava dizer: 'Fique feliz ou vá para o quarto com sua cara amarrada'. Eu não era assim de propósito. É apenas o que sou." A interação com outros é em geral dolorosamente aguda para Tina Sonego. "Sair com alguém era para mim a coisa mais agonizante que Deus inventou. Eu costumava vomitar no banheiro. Casei-me para escapar da dor. Ficar imaginando por que ninguém me convidava para sair me machucava mortalmente." Tina Sonego logo se casou com o segundo marido, um malaio que morava nos Estados Unidos e teve problemas com a Justiça, voltando para seu país. Ela foi com ele até a casa da mãe dele, tradicional e islâmica. Os constrangimentos foram mais do que ela conseguia aguentar. "Meu colapso foi ainda mais vertiginoso quando eu estava lá; voltei com mais saudade de casa do que já tivera em vinte anos."

De volta aos Estados Unidos, ela continuou a beber; era o único modo que encontrara para controlar a ansiedade incapacitante. Periodicamente, começava a reabilitação e recuperava-se parcialmente por um curto período — ela agora já passou por quatro programas completos de reabilitação. "O programa de reabilitação? É a última parada antes da internação", diz ela.

Tina Sonego foi para sua primeira reunião dos AA há cerca de uma década, e o programa tem sido o seu salva-vidas. Ela o descreve como o único lugar em que conseguiu ser honesta com as pessoas. O programa não a libertou da depressão, mas lhe deu uma metodologia diferente para lidar com ela. "Sem o álcool em seu corpo tentando manter as emoções ruins afastadas, todas elas surgem como fogos de artifícios. Mas graças a Deus eu era pelo menos uma alcoólatra e podia fazer algo a respeito disso. Fui a uma reunião do grupo Emoções Anônimas e me senti péssima. Eles não tinham nada a tratar, nada palpável que pudessem consertar. Bêbados são gente barra-pesada. Posso falar com eles sobre depressão, como eu a sinto. É como se formar na faculdade. Você passa a ter o direito de falar sobre algumas coisas com desenvoltura. É isso que nós alcoólatras queremos, alguém para contarmos nossa história, alguém que sabemos que vai ouvir."

Quando começou a ficar sóbria, Tina Sonego se desesperou. "Aquela foi a pior depressão que eu já tive. Foi quando me isolei no meu apartamento e, já que não conseguia tomar decisões, comi apenas sanduíches de peru e salame por um mês. A depressão é uma busca de invalidação. E você sempre pode provar que ela existe. Quando está deprimido, está sempre tentando provar que não tem valor. Tínhamos essa discussão nos AA. Quem são nossos juízes? E percebi que, se um juiz não estava me dando a resposta negativa de que eu precisava, eu simplesmente procurava outro. Mesmo agora, se me aproximo de alguém famoso, ouço minha irmã dizendo: 'Ah, você está querendo ser maior do que é'."

"Já passei pelo quinto, sexto e sétimo episódio de depressão. Agora, apenas penso comigo: 'Voltou! Já sei o que está acontecendo!'. É como estar completamente envolvida com um filme e os créditos começarem a aparecer subitamente, a gente cai de novo na real. Como se o filme tivesse acabado. Mesmo assim, não consigo fazer nada a respeito. Mas você chega ao ponto em que percebe que a depressão não vai durar para sempre, vê que você é finalmente capaz de esperar."

Ela continuou a ir às reuniões dos AA por cinco anos — "é como um acampamento de verão para o cérebro", diz. "Estou cansada de tentar descobrir por quê. Por que tive um colapso, por que me tornei uma alcoólatra? Seria interessante saber, mas para que desperdiçar tempo, saber não vai me fazer sentir melhor. A sobriedade é como uma pirâmide, e cada vez que avançamos um passo sentimos como se chegássemos a algum lugar, e contudo há sempre outro passo a dar. Olhando para baixo, não podemos realmente ver os passos que estamos dando e então ficamos desesperados, mas, se olharmos para cima, vemos o dedo de Deus furando o céu, e sabemos que estamos no caminho certo."

Tina Sonego descreve o momento em que sentiu que o vício e o pior da depressão haviam passado. "Eu estava no Japão quando vi umas flores lindas numa loja de departamentos. Eu parei, toquei as flores e disse: 'Estou em contato com vocês'. Olhei para aquelas belas flores e disse: 'Estou em contato com vocês neste exato momento. Isso não significa que tem de durar para sempre; não significa que tenho que levar vocês comigo. Simplesmente estou em contato com vocês neste momento'. E assim, até hoje ainda me lembro daquelas flores. Ainda lembro da alegria que me deram naquele momento." Alguns anos depois: "Eu tive uma epifania no aeroporto de Frankfurt. Andava por ali, tomando café, fumando e me perguntando que diabo estava acontecendo em minha vida, porque algo parecia diferente. Eu não sabia o que era. E então de repente eu soube. Finalmente tinha minha própria voz. Não sabia o que fazer com ela ainda, mas sabia que tinha uma voz".

É uma voz duramente conquistada, mas é um clarim. Tina Sonego consegue ser surpreendentemente animada; dança muito bem sapateado e muitas vezes vai para o terraço do hotel onde está hospedada para praticar a dança e respirar o ar da noite.

"Sinto falta dos anos de fome. Nossa, sinto falta mesmo dos anos de fome. Sinto falta dos terapeutas que faziam de tudo para me fazer melhorar. E sinto falta da quantidade de emoções, mesmo que fossem ruins. Nunca mais sentirei aquela quantidade de emoções, a não ser que eu tenha outra crise. A vida será sempre uma experiência para mim depois da depressão e da bebedeira. Mas percebo os seus frutos — embora saiba que teria esbofeteado qualquer um que mencionasse essa hipótese para mim quando eu estava doente. Sonho passar uma noite com um bando de sobreviventes de depressão séria e de dependência, só dançando e rindo sobre os dias terríveis que se passaram. É assim que imagino o paraíso."

Minha personalidade não parece inclinada para o vício. Já passei pela abstinência de certas substâncias, mas nunca tive compulsão de consumir coisa alguma. Um drinque não me faz necessariamente querer outro. Uma boa sensação que sei ser perigosa não me domina a ponto de eu desejar repeti-la. Nunca fui muito simpático ao vício até começar a tomar Zyprexa. Não foi o vício do Zyprexa que me incomodou, e sim o fato de que o Zyprexa destruiu o ponto de equilíbrio de meu apetite. Hoje em dia, faço uma refeição normal e ainda continuo faminto, uma fome tão extrema a ponto de me impelir a sair de casa no meio da noite para comer. Continuo com a minha fome e penso como é feio ter barriga; lembro das horas de exercício que queimaram apenas algumas calorias. Então sinto que se não comer eu morro, tenho um colapso, aí vou e me entupo. Depois me odeio por ter feito isso. Não me obrigo a vomitar porque não quero entrar nesse tipo de padrão. Além disso, tenho um estômago de ferro e quase nada me faz vomitar. O Zyprexa me viciou em comida, e a certa altura engordei onze quilos por causa dele. Se você conseguir encontrar algo que faça pela libido o que o Zyprexa faz pelo apetite, vai derrotar qualquer dom-juan. Aprendi o que é ter impulso incontrolável por algo autodestrutivo. Dentro das flutuações normais de meu ânimo, um bom ânimo me dá autodisciplina e eu rejeito doces; mas um ânimo deprimido mina essa força. A depressão possibilita o vício. Resistir aos desejos exige energia e determinação, e, quando se está deprimido, geralmente é difícil demais dizer não — à comida, ao álcool, às drogas. É realmente simples. A depressão o enfraquece. A fraqueza é o atalho mais seguro para o vício. Por que dizer não quando a negativa só o levará para uma infelicidade ainda mais intolerável?

7. Suicídio

Muitos depressivos nunca se tornam suicidas. Muitos suicídios são cometidos por pessoas que não são depressivas. Os dois elementos não são partes de uma única equação lúcida, uma ocasionando a outra. São entidades separadas que com frequência coexistem, influenciando-se mutuamente.[1] A tendência ao suicídio é um dos nove sintomas do episódio depressivo catalogado no *DSM-IV*, mas muitos deprimidos são tão propensos a acabar com sua vida quanto pessoas com uma artrite medonha: a capacidade humana de suportar a dor é absurdamente forte. Só se pode considerar todos os suicidas deprimidos se a tendência ao suicídio for estipulada como uma condição por si só suficiente para o diagnóstico da depressão.

A tendência ao suicídio tem sido tratada como um *sintoma* de depressão quando na verdade pode ser um problema que coexiste com a depressão. Não tratamos mais o alcoolismo como um efeito colateral da depressão: nós o tratamos como um problema que ocorre simultaneamente à depressão. A inclinação ao suicídio é pelo menos tão independente das depressões com as quais frequentemente coincide quanto o uso de drogas. George Howe Colt, autor de *The Enigma of Suicide* [O enigma do suicídio], diz:

> Muitos médicos acreditam que, ao tratar com êxito [a depressão], trataram o paciente suicida, como se a inclinação ao suicídio fosse simplesmente um péssimo efeito colateral da doença subjacente. Contudo, alguns pacientes suicidas não têm uma doença subjacente diagnosticável, e pacientes geralmente se matam pouco depois de sair de uma depressão — ou muito tempo depois de uma depressão ter se dissipado.[2]

Um médico tratando alguém que está deprimido e com tendência suicida em geral se concentra na cura da depressão. Embora curar a depressão possa ajudar a impedir o suicídio, isso não é necessariamente verdade. Quase metade de todos os suicídios nos Estados Unidos é cometida por pessoas sob cuidados de um psiquiatra, e apesar disso a maioria das ocorrências causa grande surpresa.[3] Há algo errado com nosso modo de pensar. Não se deve achar que a tendência ao suicídio possa ser somada a outros sintomas como perturbações de sono; nem se deve parar de tratar tal tendência simplesmente porque a depressão com a qual foi associada parece ter desaparecido. A tendência ao suicídio é um problema associado que requer seu próprio tratamento. Por que não é classificada como um diagnóstico próprio, relacionado e sobreposto à depressão, mas essencialmente distinto dela?

Tentativas de definir a depressão suicida têm sido especialmente infrutíferas. Não existe nenhuma relação forte entre a gravidade da depressão e a probabilidade do suicídio: alguns suicídios parecem ocorrer durante disfunções severas, embora algumas pessoas em situações desesperadas apeguem-se à vida. Algumas pessoas oriundas de regiões mais deterioradas das grandes cidades, que perderam todos os filhos para a violência das gangues, que estão aleijados fisicamente, com inanição, que jamais conheceram um minuto de amor de qualquer espécie, mesmo assim agarram-se à vida com cada tiquinho de energia. Outros, com infinitas promessas brilhantes em suas vidas, cometem suicídio. O suicídio não é a culminação de uma vida difícil; nasce de algum lugar escondido além da mente e da consciência. Posso olhar para trás agora, para minha fase *parassuicida*: a lógica que parecia tão perfeitamente racional para mim naquela época parece agora tão estranha quanto a bactéria que me causou pneumonia alguns anos antes. É como um germe poderoso que entrou no corpo e o dominou. Eu fora sequestrado pela estranheza.

Há diferenças sutis, mas importantes entre querer estar morto, querer morrer e querer se matar. A maioria das pessoas tem, de tempos em tempos, o desejo de estar morto, anulado, além da dor. Na depressão, muitos querem morrer, fazer uma passagem concreta do estado em que se encontram para se libertar das aflições da consciência. Querer se matar, contudo, requer um nível extra de paixão e uma certa violência direcionada. O suicídio não é o resultado da passividade; é o resultado de uma ação. Requer uma grande quantidade de energia e uma vontade forte, além de uma crença na permanência do momento atual e pelo menos um toque de impulsividade.

Os suicidas dividem-se em quatro grupos. O primeiro comete suicídio sem pensar no que está fazendo; é tão horrível e inevitável para ele quanto respirar. Tais pessoas são as mais impulsivas e as mais propensas a serem levadas ao suicídio por um evento externo específico; seus suicídios tendem a ser repentinos. Como o ensaísta A. Alvarez escreveu em sua brilhante reflexão sobre o suicídio, *O deus selvagem*, eles fazem "uma tentativa de exorcismo" da dor que a vida só consegue entorpecer aos poucos. O segundo grupo, meio apaixonado pela morte consoladora, comete suicídio como vingança, como se o ato não fosse irreversível. Sobre esse grupo, Alvarez escreve: "Esse é o problema do suicídio: é um ato de ambição que só pode ser cometido quando já se está além de toda ambição".[4] Essas pessoas não estão fugindo da vida, mas correndo para a morte, desejando não o fim da existência, mas a presença da obliteração. O terceiro grupo comete suicídio por uma lógica falha, em que a morte parece ser a única fuga de problemas intoleráveis. Eles consideram as opções e planejam seus suicídios, escrevem bilhetes e lidam com os aspectos pragmáticos como se organizassem férias no espaço sideral. Geralmente acreditam não somente que a morte vai melhorar sua condição, mas também que ela pode tirar um fardo das pessoas que os amam (a realidade costuma ser o contrário disso). O último grupo comete suicídio com uma lógica racional. Tais pessoas — devido a uma doença física, instabilidade mental ou uma mudança nas circunstâncias de vida — não querem a dor da vida e acreditam que o prazer que elas podem vir a sentir não é suficiente para compensar a dor. Essas pessoas podem ou não ter razão em suas prenúncias, mas não se iludem, e nenhuma quantidade de tratamento ou medicação antidepressiva as fará mudar de ideia.

Ser ou não ser? Não há outro assunto sobre o qual se tenha escrito tanto e sobre o qual tão pouco se tenha dito. Hamlet propõe que a decisão pode estar naquele "país ignorado de onde nunca ninguém voltou". E no entanto homens que não temem o desconhecido, que se aventuram alegremente em territórios de experiências estranhas, não deixam tão alegremente esse mundo de estilingues e flechas por um estado do qual nada se pode saber, muito se teme e do qual se pode esperar tudo. Na verdade, a "nossa consciência se acovarda, e o instinto que inspira as decisões desmaia no indeciso pensamento".[5] Essa é a verdadeira questão de ser ou não ser: a consciência aqui é consciência de si mesmo, resistindo à aniquilação não apenas pela covardia mas também por alguma vontade subjacente de existir, manter controle, agir conforme for necessário. Além disso, a mente que se reconhece não pode se desconhecer, e é contrário à vida introspectiva destruir-se a si mesma. O "indeciso pensamento" em nós é que nos impede de cometer suicídio; os que se matam sentiram talvez não apenas desespero, mas também a perda momentânea da autoconsciência. Mesmo se a escolha é simplesmente entre o ser e o nada — se alguém acredita que não haja absolutamente nada além da morte e que o espírito humano não é mais do que um arranjo químico temporário —, o ser não pode conceber não ser. Ele pode conceber a ausência de experiência, mas não a ausência de si próprio. Se penso, existo. Minha opinião quando estou saudável é que pode haver glória, paz, horror ou nada do outro lado da morte, e, à medida que não o sabemos, devemos diversificar nossas apostas e tirar o máximo do mundo em que vivemos. "Só existe um problema filosófico realmente sério: o suicídio", escreveu Albert Camus.[6] De fato, um grande número de franceses devotou sua vida a esse problema em meados do século XX, assumindo em nome do existencialismo as perguntas que outrora a religião se encarregara de responder.

Schopenhauer desdobra a questão:

> O suicídio pode ser encarado como uma experiência, uma pergunta que o homem faz à Natureza, tentando forçá-la a responder. A pergunta é a seguinte: que mudança a morte produz na existência do homem e em seu insight da natureza das coisas?

É uma experiência desajeitada, pois envolve a destruição da própria consciência que pergunta e espera a resposta.[7]

É impossível saber das consequências do suicídio até que se tenha concretizado um. Viajar para o outro lado da vida com garantia de voltar é uma ideia atraente: frequentemente penso em ficar morto por um mês. Nós tememos o caráter definitivo da morte, a irreversibilidade do suicídio. A consciência nos torna humanos, e parece haver um consenso geral de que é improvável que a consciência, como a conhecemos, exista além da morte, que a curiosidade que satisfaríamos não exista no momento em que for respondida. Quando desejei não estar vivo e cogitei o que seria estar morto, também percebi que estar morto derrotaria esse cogitar. É ele que faz com que continuemos em frente. Eu podia desistir das questões externas da minha vida, mas não de seu lado intrigante.

Embora o instinto bruto desempenhe o papel principal, a base racional para viver é extremamente difícil, numa sociedade secular. "Que a vida vale a pena ser vivida é o mais importante dos pressupostos", escreveu George Santayana, "e, se não fosse pressuposto, seria a mais impossível das conclusões."[8] As muitas aflições que nos assaltam devem ser consideradas, mas talvez mais urgente é a questão da mortalidade. A morte é tão alarmante e sua inevitabilidade, um tal desapontamento, que alguns sentem que podem muito bem já resolver tudo. A ideia de um nada final parece negar o valor de algo corrente. Na verdade, a vida nega o suicídio, ocultando na maior parte do tempo a realidade da própria mortalidade. Se a morte não é orgulhosa, é porque é amplamente desconsiderada.

Não acredito que seja preciso estar louco para acabar com a própria vida, embora pense que muitos malucos se matam e que muitos outros se matam por motivos insanos. É óbvio que a análise da personalidade suicida só pode ser realizada retrospectivamente ou depois de uma tentativa falhada de suicídio. O próprio Freud disse que "não temos meios adequados de abordar" o problema do suicídio.[9] Deve-se apreciar sua deferência nesse assunto; se a psicanálise é a profissão impossível, o suicídio é o tema impossível. Querer morrer é loucura? A pergunta é mais religiosa do que médica, já que depende não só do que repousa no outro lado da vida como também da extensão do valor que se dá à vida. Camus sugeriu que o que é realmente maluco é até onde a maioria de nós vai para adiar a morte inevitável por algumas décadas.[10] A vida é apenas um adiamento absurdo da morte? Acredito que a maioria das pessoas, considerando tudo, sente mais dor do que prazer durante a vida, mas somos sedentos pelo prazer e pela alegria acumulada que a vida traz. Ironicamente, a maioria das religiões que aceita a vida eterna como um fato proíbe o suicídio, proibição que impede o fiel de pular do alto do rochedo para se juntar aos coros de anjos (embora as religiões possam aprovar a desistência da vida em nome de uma causa, como nos martírios cristãos ou nas guerras santas islâmicas).

O poder de cometer suicídio já foi louvado por muitos homens que gostam da vida, de Plínio — que disse: "Em todas as misérias de nossa vida terrena, poder abranger nossa própria morte é o melhor presente de Deus ao homem" —,[11] passando por John Donne, que escreveu em *Biathanatos*, em 1621: "Quando, em qualquer momento, uma aflição me assalta, penso ter as chaves da prisão em minha própria mão e nenhum remédio se apresenta tão rapidamente a meu coração como minha própria espada" —[12] e até Camus. "Será descoberto por todos", declarou Schopenhauer, "que assim que os terrores da vida superem em peso o terror da morte, o homem porá um fim à própria vida."[13] Eu mesmo experimentei na depressão um terror da vida esmagador, e naquele momento eu estava perigosamente imune ao medo da morte. Acreditava, contudo, que meu terror era temporário, e isso o abrandava o suficiente para torná-lo suportável. O suicídio racional, do meu ponto de vista, não é uma ação do presente; depende de uma avaliação precisa de mais longo prazo. Acredito no suicídio racional como resposta mais à futilidade do que à desesperança. O problema é que é geralmente difícil ver suicidas como racionais, e é melhor, creio eu, salvar pessoas demais do que deixar gente demais morrer. O suicídio é notoriamente uma solução duradoura para um problema com frequência temporário. O direito ao suicídio devia ser uma liberdade civil básica; ninguém deve ser forçado a viver contra sua vontade. Por outro lado, a tendência ao suicídio é muitas vezes temporária, e legiões de pessoas ficam contentes por terem sido salvas de tentativas de suicídio ou impedidas de realizá-las. Se algum dia eu tentasse o suicídio, gostaria que alguém me salvasse, a não ser que tivesse chegado a um ponto no qual acreditasse nitidamente que a quantidade de alegrias que me sobraram não pudesse ser maior que a de sofrimento ou dor.

Thomas Szasz, um influente crítico do sistema de saúde mental que tem permitido a limitação do poder dos psiquiatras, diz: "O suicídio é um direito humano fundamental. Isso não significa que seja desejável. Significa apenas que a sociedade não tem o direito moral de interferir, com uso de força, na decisão da pessoa de cometer tal ato". Szasz acredita que, ao intervir à força nos atos de um suicida, nós o privamos da legitimidade de seu eu e suas ações. "O resultado é uma infantilização e desumanização de longo prazo do suicida."[14] Um estudo de Harvard entregou a médicos alguns históricos editados de pacientes suicidas e pediu-lhes diagnósticos. Os médicos diagnosticaram doença mental em apenas 22% do grupo quando não lhes foi dito que os pacientes haviam cometido suicídio. Ao incluir esse dado nos históricos, a cifra aumentou para 90%.[15] Nitidamente, a inclinação ao suicídio cria um diagnóstico fácil, e é provável que ocorra algum grau de infantilização — ou pelo menos paternalismo. A posição de Szasz tem algum respaldo na realidade, mas tomar decisões clínicas com base nela pode ser extremamente perigoso. O psicólogo Edwin Shneidman, que iniciou o movimento de prevenção ao suicídio, representa o outro extremo. Para ele, matar-se é um ato de loucura. "Há pelo menos um toque de insanidade em cada suicida, no sentido que, no suicida, há alguma desconexão entre o pensamento e a emoção", escreve.

Isso resulta numa incapacidade de nomear sentimentos e mesmo de diferenciá-los em tons mais sutis de significado e comunicá-los aos outros. É a "divisão" anormal entre o que pensamos e o que sentimos. Ali está a ilusão de controle; ali está a loucura.[16]

Essa visão tautológica dá argumentos para privar as pessoas de seu direito ao suicídio. "O suicídio não é mais um 'direito' que o 'direito de arrotar'", escreveu Shneidman numa oposição pungente a Szasz. "Se a pessoa se sente forçada a fazê-lo, ele o fará."[17] Vale a pena observar que há controle sobre o ato de arrotar em parte do tempo, e a pessoa se contém tanto quanto possível em situações públicas, em deferência aos outros.

O suicídio é espantosamente comum e mais disfarçado e camuflado que a depressão. É na verdade uma crise de saúde pública ampla que nos deixa tão desconfortáveis que preferimos desviar o olhar. A cada dezessete minutos, alguém nos Estados Unidos comete suicídio.[18] É a terceira causa de morte de norte-americanos abaixo de 21 anos, e a segunda de estudantes do ensino superior. Em 1995 (por exemplo), mais jovens morreram de suicídio do que a soma das vítimas de aids, câncer, derrame, pneumonia, gripe, defeitos de nascimento e doenças cardíacas. De 1987 a 1996, mais homens abaixo dos 35 anos morreram de suicídio do que de aids.[19] Quase meio milhão de norte-americanos é levado a hospitais todo ano devido a tentativas de suicídio. Segundo a Organização Mundial da Saúde, ele foi responsável por quase 2% de mortes no mundo em 1998, o que o coloca na frente de mortes causadas pela guerra e bem na frente de homicídio. E a taxa de suicídio está subindo continuamente. Um estudo recente feito na Suécia mostrou que a probabilidade de um rapaz, na área de abrangência do estudo, cometer suicídio aumentara 260% desde os anos 1950.[20] Metade daqueles com doença maníaco-depressiva farão uma tentativa de suicídio; uma entre cinco pessoas com depressão severa também.[21] Uma pessoa no seu primeiro episódio depressivo é especialmente propensa a tentar suicídio;[22] quem passou por alguns ciclos em geral aprendeu a atravessá-los. Tentativas prévias de suicídio são o fator mais forte na previsão do suicídio: cerca de um terço das pessoas que se matam já tentou antes; 1% dos que já tentaram completa o suicídio dentro de um ano; 10% se mata dentro de dez anos. Há aproximadamente dezesseis tentativas de suicídio para cada suicídio concretizado.[23]

Já vi, num único documento, tanto a afirmação de que pessoas deprimidas são 5% mais propensas a cometer suicídio do que pessoas não deprimidas quanto a estatística de que pacientes deprimidos têm uma taxa de suicídio 25 vezes maior que a norma social.[24] Li em outro lugar que a depressão aumenta duas vezes a probabilidade de suicídio. Quem sabe? Tais taxas dependem em grande parte de como se define esse demônio escorregadio, a depressão. Por motivos que parecem ser de saúde pública, o Instituto Nacional de Saúde Mental advertiu durante muito tempo, com grandiloquência embora não cientificamente, que "quase todas as pessoas que se matam têm uma disfunção mental ou dependência química diagnosticável". Recentemente, rebaixaram "o quase todas" para "90%".[25] Tal informação ajuda as pessoas que fizeram tentativas de suicídio mal-sucedidas e as que sofrem pelo suicídio de um próximo a se livrar de parte da culpa que, de outro modo, poderia acorrentá-las. Embora isso seja confortador e por mais útil que seja para atrair a atenção para a alta taxa de suicídio associado a doenças, é um exagero grosseiro, não corroborado por nenhuma pessoa que conheci que tenha tratado de pacientes suicidas.

As estatísticas sobre o suicídio são ainda mais caóticas do que as estatísticas sobre a depressão. As pessoas cometem suicídios com mais frequência nas segun-das-feiras;[26] suicídios ocorrem mais entre o final da manhã e o meio-dia;[27] a es-tação preferida para o suicídio é a primavera.[28] As mulheres têm uma alta taxa de suicídio durante a primeira e a última semana do ciclo menstrual (um fenômeno para o qual pode haver explicações hormonais) e uma baixa taxa durante a gra-videz e no primeiro ano após o nascimento do bebê (um fenômeno que deixa claro o sentido evolucionário, mas para o qual não temos até agora nenhuma explicação química definitiva).[29] Uma corrente de pesquisadores sobre o suicídio adora estatísticas comparativas e as usa como se correlação implicasse causalida-de. Algumas dessas correlações chegam próximas do absurdo: pode-se calcular o peso corporal médio dos que cometem suicídio, ou o comprimento médio de seu cabelo, mas o que exatamente isso provaria e que utilidade teria?

Émile Durkheim, o grande sociólogo do século XIX, tirou o suicídio da es-fera da moralidade e o colocou no domínio mais racional da ciência social. Os suicidas são sujeitos à categorização, e Durkheim argumenta que há quatro tipos significativos. O suicídio egoísta é cometido por pessoas que são integradas de forma inadequada na sociedade que habitam. Apatia e indiferença os motivam a cortar permanentemente sua relação com o mundo. O suicídio altruísta é causa-do pela integração completa em sua própria sociedade; a categoria de Durkheim incluiria, por exemplo, a devoção de Patrick Henry à ideia: "Deem-me a liberda-de ou me deem a morte!". Os que cometem suicídio altruístico são enérgicos, apaixonados e determinados. O suicídio anômico vem da irritação e do desgosto. Durkheim escreve:

> Em sociedades modernas, a existência social não é mais regulada pelo costume e pela tradição, e os indivíduos são cada vez mais colocados em competição uns com os outros. À medida que eles passam a demandar mais da vida, não mais de algo específico, mas simplesmente mais do que têm em determinado momento, ficam mais inclinados a sofrer de uma desproporção entre suas aspirações e suas satisfa-ções, e a insatisfação resultante conduz ao crescimento do impulso suicida.[30]

Como Charles Bukowski escreveu certa vez: "Pedimos mais da vida do que há" —[31] e nossa inevitável decepção pode ser motivo suficiente para terminar a vida. Ou, como Tocqueville escreveu sobre o idealismo norte-americano, "as alegrias incompletas deste mundo nunca bastarão a seu coração".[32] O suicídio fatalista é cometido por pessoas cujas vidas são genuinamente infelizes além da possibilidade de mudança — o suicídio de um escravo, por exemplo, seria fatalista na taxonomia de Durkheim.

As categorias de Durkheim não são mais usadas com objetivos clínicos, mas têm definido boa parte do pensamento moderno sobre o suicídio. Contrário às crenças de seu tempo, Durkheim propôs que, embora o suicídio seja um ato individual, suas origens são sociais.[33] Um suicídio visto individualmente é o resultado da psicopatologia, mas a aparência relativamente consistente de uma tendência psicopatológica ao suicídio parece estar ligada aos construtos sociais. Em cada sociedade há um contexto diferente para o ato suicida, mas pode ser que uma certa porcentagem da população em toda sociedade procure acabar com a própria vida. Os valores e costumes de uma sociedade determinam as causas que levarão ao ato e em que lugar. Pessoas que acreditam estar sendo guiadas por um trauma único geralmente estão, na verdade, apenas manifestando uma tendência de sua sociedade que impele as pessoas à morte.

Embora muitas estatísticas sem sentido atravanquem os estudos sobre o suicídio, é possível identificar algumas tendências úteis. Pessoas com histórico de suicídio na família são muito mais propensas a se matar.[34] Isso ocorre em parte porque os suicídios na família tornam pensável o impensável. Ocorre também porque a dor de viver quando alguém querido se matou pode ser quase intolerável. Uma mãe cujo filho se enforcara me disse: "Sinto como se meus dedos tivessem sido esmagados por uma porta fechada com toda a força e eu fui detida permanentemente no meio do grito". Ocorre também porque, num nível presumivelmente genético, o suicídio corre em suas famílias. Estudos de adoção mostram que os parentes biológicos de um suicida são muitas vezes mais suicidas do que os parentes adotivos daquela pessoa. Gêmeos idênticos tendem a partilhar a tendência ao suicídio, mesmo que sejam separados ao nascer e não se conheçam. Gêmeos não idênticos não apresentam essa tendência.[35] Não é uma vantagem seletiva ter "genes suicidas" de função única, mas a combinação de genes que causam a depressão, a violência, a impulsividade e a agressão pode fornecer um mapa genético que ao mesmo tempo indique um comportamento suicida e seja vantajoso em certas situações.

Suicídio gera o suicídio também em sociedade.[36] O contágio do suicídio é incontestável. Se uma pessoa comete suicídio, um grupo de amigos ou pares com frequência o seguirá. Isso acontece especialmente entre adolescentes. As mesmas localidades são usadas repetidamente, carregando a maldição daqueles que morreram: a ponte Golden Gate, em San Francisco, o monte Mihara, no Japão, trechos especiais de estradas de ferro, o Empire State Building. Epidemias de suicídio ocorreram recentemente em Plano, no Texas, Leominster, em Massachusetts, no condado de Bucks, na Pensilvânia, no condado de Fairfax, na Virgínia, e em algumas outras comunidades aparentemente "normais" nos Estados Unidos. Relatos públicos de suicídios também inspiram o comportamento suicida. Quando *Os sofrimentos do jovem Werther*, de Goethe, foi publicado, no princípio do século XIX, suicídios ao modo daquele cometido pelo protagonista ocorreram em toda a Europa.[37] Sempre que uma história importante de suicídio irrompe na mídia, a taxa de suicídios sobe. No período imediatamente seguinte ao suicídio de Marilyn Monroe, por exemplo, a taxa de suicídios nos Estados Unidos aumentou 12%.[38] Se está com fome e vê um restaurante, é provável que você entre. Se é suicida e lê sobre o assunto, é bem provável que você dê o passo final. Parece claro que uma redução nos relatos sobre suicídio diminuiria a taxa de mortes voluntárias. No momento, a evidência sugere que mesmo os programas de prevenção ao suicídio mais bem-intencionados frequentemente introduzem a ideia do suicídio a uma população vulnerável; parece possível que eles realmente aumentem a taxa de suicídio.[39] São úteis, porém, já que conscientizam as pessoas de que o suicídio é em geral resultado de uma doença mental tratável.

Ao contrário do mito popular, aqueles que falam sobre suicídio são exatamente aqueles com maior probabilidade de se matar. Os que tentam tendem a tentar de novo; na verdade, o melhor indicativo de um futuro suicídio é uma tentativa.[40] Ninguém faz muito uso disso. O estudo sobre tratamentos feito por Maria Oquendo em 1999 sublinha que, embora

> um histórico de tentativas de suicídio pudesse ser usado por médicos como um indício de uma propensão a futuras tentativas, pacientes com tal histórico não foram tratados com mais intensidade do que aqueles sem esse histórico. Ainda não está claro se os pacientes com risco substancial de suicídio não têm esse risco reconhecido ou se não estão recebendo tratamento somático adequado, apesar do reconhecimento, por parte do médico, da vulnerabilidade mais elevada do paciente.[41]

Embora argumentos existenciais abrangentes sejam envolventes, a realidade do suicídio não é boa, pura e filosófica, mas bagunçada, chocante e física. Já ouvi que a depressão severa é "uma morte em vida, de qualquer modo". Uma morte em vida não é boa, mas, ao contrário da morte em vida, ele oferece a possibilidade da melhora. O caráter definitivo do suicídio faz dele um problema muito maior do que qualquer outro discutido neste livro, e é preciso medir com urgência a capacidade de antidepressivos de impedir o suicídio para que as medicações apropriadas possam ser aplicadas imediatamente. Pesquisadores da indústria acham a tendência ao suicídio difícil de monitorar, especialmente porque o auge da autonegação não ocorre comumente durante as doze semanas de um estudo controlado "de longo prazo". Nenhum dos ISRSs, o medicamento antidepressivo mais popular no mundo, tem sido monitorado em sua capacidade de impedir o suicídio. Entre outros remédios, o lítio vem sendo o mais rigorosamente testado —[42] a taxa de suicídio entre os pacientes bipolares que descontinuam o tratamento de lítio aumenta dezesseis vezes.[43] Algumas drogas que reduzem a depressão podem aumentar a motivação para o suicídio, porque aumentam a motivação em geral; drogas podem desencadear mecanismos de autodestruição ao abrandar o torpor da depressão. É importante distinguir entre esse fenômeno e uma causa verdadeira. Não acredito que o paciente cometa suicídio como resultado direto da medicação, a não ser que uma forte propensão ao suicídio já exista dentro dele há algum tempo. Devem-se realizar entrevistas cuidadosas com os pacientes antes de receitar antidepressivos ativadores. A TEC pode afastar imediatamente impulsos suicidas urgentes ou delirantes. Um estudo mostra que a taxa de suicídio é nove vezes mais alta entre pacientes com doença grave sob medicação do que entre pacientes igualmente doentes tratados com TEC.[44]

Mais ou menos ao mesmo tempo que Durkheim, Freud defendeu que o suicídio é muitas vezes um impulso assassino de uma pessoa contra outra, desferido pela própria pessoa contra si mesma.[45] O psicólogo Edwin Shneidman disse mais recentemente que o suicídio é "assassinato em 180 graus".[46] Freud afirmava que o "instinto de morte" está sempre em equilíbrio incerto com o instinto de vida. É certo que esse fascínio existe e é responsável por vários suicídios. "Os dois instintos básicos operam um contra o outro ou combinam-se mutuamente." Freud escreveu:

> Assim, o ato de comer é uma destruição do objeto com o objetivo final de incorporá-lo, e o ato sexual é um ato de agressão com o intuito da mais íntima união. Esta ação concorrente e mutuamente oposta dos dois instintos fundamentais dá origem a toda a variedade de fenômenos da vida.[47]

O suicídio, aqui, é o contraponto necessário da vontade de viver. Karl Menninger, que tem escrito extensamente sobre o suicídio, disse que ele exige a coincidência do "desejo de matar, o desejo de ser morto e o desejo de morrer".[48] Seguindo esse tom, G. K. Chesterton escreveu: "O homem que se mata, mata todos os homens; no que lhe diz respeito, ele elimina o mundo".[49] À medida que somos confrontados com estresses crônicos para os quais não estamos prontos para lidar, nós nos apoiamos em neurotransmissores e abusamos deles. O fluxo de neurotransmissores que induzimos no estresse súbito não pode ser mantido durante um estresse mais prolongado. Por essa razão, as pessoas que passam por estresse crônico tendem a esgotar seus transmissores.[50] A depressão suicida parece ter algumas características neurobiológicas distintas, que podem causar um comportamento suicida ou simplesmente refletir tendências suicidas. As tentativas de suicídio reais são geralmente desencadeadas por estresses externos, que frequentemente incluem o uso de álcool, doença médica aguda e eventos de vida negativos. A tendência ao suicídio é determinada pela personalidade, genética, infância e criação, alcoolismo ou uso de drogas, doença crônica e nível de colesterol.[51] A maior parte de nossa informação sobre o cérebro suicida vem de estudos post mortem. Suicidas têm baixos níveis de serotonina em certos postos-chave do cérebro. Eles têm receptores de serotonina em excesso, o que pode refletir uma tentativa do cérebro de compensar os baixos níveis de serotonina. Os níveis de serotonina parecem ser especialmente baixos nas áreas associadas à inibição, e essa deficiência parece provocar uma poderosa liberdade para agir impulsivamente.[52] Pessoas dadas à agressão incontida têm em geral níveis baixos de serotonina na mesma área. Os incendiários e assassinos impulsivos têm níveis mais baixos de serotonina do que a maioria das pessoas — mais baixos do que os dos assassinos não impulsivos ou de outros criminosos.[53] Experiências em animais mostram que primatas com baixa serotonina são mais propensos a correr riscos e ser agressivos do que seus pares.[54] O estresse pode tanto sugar os neurotransmissores quanto aumentar em excesso a produção de enzimas que os destroem. Níveis de noradrenalina e norepinefrina parecem reduzidos em cérebros suicidas post mortem,[55] embora os resultados sejam menos consistentes do que aqueles ligados à serotonina. As enzimas que rompem a norepinefrina parecem estar presentes em quantidades excessivas, enquanto aquelas necessárias para o funcionamento da adrenalina existem em baixa quantidade. O que tudo isso significa em termos funcionais é que pessoas com baixos níveis de neurotransmissores essenciais em áreas-chave têm uma alta propensão ao suicídio.[56] Esse é o resultado consistentemente encontrado por John Mann, um renomado pesquisador sobre o suicídio, agora trabalhando na Universidade Columbia. Ele tem usado três medidas diferentes de níveis de serotonina em pacientes suicidas. Marie Åsberg, do hospital Karolinska, na Suécia, vem extrapolando implicações clínicas dessa informação. Num estudo pioneiro, ela acompanhou pacientes que fizeram tentativas de suicídio e cujos níveis de serotonina pareciam ser baixos; 22% deles se matavam dentro de um ano.[57] Um trabalho subsequente confirmou que embora apenas 15% dos depressivos se matem, 22% dos depressivos com baixa serotonina cometerão suicídio.

Considerando que o estresse suga a serotonina, a baixa serotonina aumenta a agressão e a alta agressão leva ao suicídio, não é de surpreender que a depressão oriunda de um estresse é o tipo que mais conduz ao suicídio. O estresse leva à agressão porque esta é muitas vezes a melhor maneira de lidar com ameaças de curto prazo que induzem o estresse. Contudo, a agressão não é específica e, embora útil para combater um adversário, pode da mesma forma ser voltada contra a própria pessoa. Parece provável que a agressão seja um instinto básico, enquanto a depressão e a propensão ao suicídio são impulsos cognitivos mais sofisticados que se desenvolveram posteriormente. Em termos evolucionários, o traço desejável de aprender — um comportamento autoprotetor — está inextricavelmente ligado ao traço indesejável de aprender — um comportamento autodestrutivo. A capacidade para o suicídio é um fardo que vem com a consciência que nos diferencia dos outros animais.

Fatores genéticos podem determinar baixos níveis de serotonina, e o gene que estabelece níveis da enzima triptofano hidroxilase é agora nitidamente associado a altas taxas de suicídio.[58] Genes não apenas para doença mental, mas também para impulsividade, agressão e violência podem provocar grandes riscos.

Experiências em macacos que cresceram sem mãe mostram que uma criação carente baixa os níveis de serotonina em áreas específicas.[59] Parece provável que um abuso inicial pode baixar permanentemente os níveis de serotonina e assim aumentar a probabilidade de suicídio (bem à parte do problema de depressão cognitiva causada pelo mesmo abuso).[60] O uso de drogas pode baixar ainda mais os níveis de serotonina — e assim, de modo interessante, baixar o colesterol. O dano neurológico causado ao feto pelo uso de álcool ou cocaína pode predispor crianças a transtornos de humor que levem ao suicídio;[61] a falta de atenção maternal pode privá-las de estabilidade de desenvolvimento inicial; uma dieta ruim pode funcionar adversamente em seus cérebros. Os homens têm níveis mais baixos de serotonina do que as mulheres.[62] Assim, um homem estressado com predisposição genética à baixa serotonina, que teve uma criação carente, usa drogas e tem colesterol baixo, se ajustaria ao perfil de um provável suicida. Drogas que aumentam os níveis de serotonina em tais indivíduos seriam indicações para tentar impedir o suicídio. Escaneamento do cérebro para detectar níveis de atividade da serotonina nas partes relevantes — tecnologia que não existe agora, mas poderá existir em breve — pode ser usado para avaliar a probabilidade de alguém tentar o suicídio. Temos um longo caminho a percorrer. "Minimizar a complexidade das interações químicas dentro do cérebro ou nas sinapses seria um erro crasso", escreve Kay Jamison em seu magistral livro sobre o suicídio. "Um equivalente, em finais do século XX, das antigas e primitivas opiniões de que distúrbios mentais eram causados por feitiços satânicos ou por um excesso de fósforo e vapores."[63]

Há provas de que a taxa de suicídio pode ser contida por fatores externos: taxas de suicídios são nitidamente mais baixas em lugares onde é difícil adquirir armas e barbitúricos.[64] A tecnologia moderna tornou o suicídio mais fácil e menos doloroso do que nunca, e isso é extremamente perigoso. Quando a Inglaterra mudou seu fornecimento de gás do letal gás de coque para o gás natural, menos tóxico, a taxa de suicídio caiu um terço, com suicídios relacionados a gás caindo de 2368 para onze.[65] Se a tendência ao suicídio pode se expressar impulsivamente, reduzir a disponibilidade imediata de meios para a pessoa se matar permitiria que o impulso passasse sem ser concretizado. Os Estados Unidos são o único país do mundo em que o principal meio usado para o suicídio são armas. A cada ano mais norte-americanos se matam com armas do que são assassinados por elas.[66] Em 1910, numa reunião na Sociedade Psicanalítica de Viena, David Oppenheim disse: "Uma pistola carregada impele positivamente quem a possui ao suicídio". Em 1997, cerca de 18 mil norte-americanos se mataram com armas, respondendo a esse chamado.[67] A técnica pode variar dependendo da localidade, idade e situação. Na China, uma quantidade enorme de mulheres comete suicídio comendo pesticidas tóxicos e fertilizantes por serem prontamente disponíveis.[68] No Punjab, na Índia, mais da metade dos suicídios acontece por pessoas pulando na frente de trens.[69]

O suicídio é muitas vezes o final depressivo de um ciclo maníaco-depressivo, e é o motivo geralmente dado para a alta taxa de suicídio entre pessoas muito bem-sucedidas. Ocorre também que pessoas bem-sucedidas tendem a estabelecer altos padrões para si mesmas e várias vezes se desapontam mesmo com suas maiores realizações. A autoanálise e a ruminação podem levar ao suicídio, o que ocorre frequentemente entre artistas e outras pessoas criativas. Mas a taxa é também alta entre homens de negócios de sucesso: parece que algumas das qualidades que explicam o sucesso também explicam a inclinação ao suicídio. Cientistas, compositores e executivos de alto nível são cinco vezes mais propensos a se matar do que a população em geral; escritores, especialmente poetas, têm uma taxa ainda mais alta de suicídio.[70]

Aproximadamente um terço de todos os suicídios e um quarto de todas as tentativas são cometidos por alcoólatras.[71] Aqueles que tentam suicídio durante a época em que estão bebendo ou consumindo drogas são muito mais propensos a ser bem-sucedidos do que os que estão sóbrios. Quinze por cento dos alcoólatras graves se matam. Karl Menninger chamou o alcoolismo de "uma forma de autodestruição usada para afastar uma autodestruição ainda maior".[72] Para alguns, é a autodestrutibilidade que capacita a autodestruição.

A detecção prévia é difícil. Quando eu estava profundamente deprimido, fui a um psiquiatra com quem esperava fazer terapia. Ele me disse que me aceitaria como paciente se eu lhe prometesse não cometer suicídio enquanto estivesse sob seus cuidados. Pensei: é como um especialista de doenças infecciosas concordar em tratá-lo de tuberculose caso prometa jamais tossir de novo. Acho que isso não foi simplesmente ingenuidade. Num voo a caminho de casa, um homem me viu folheando um livro sobre depressão e puxou conversa comigo. "Tenho interesse no que está lendo", disse ele. "Também tive depressão." Fechei o livro e o ouvi descrever seu histórico psiquiátrico. Ele fora hospitalizado duas vezes por depressão severa. Estivera sob medicação por um tempo, mas se sentira bem por mais de um ano e por isso parara com os remédios. Desistira também de sua terapia porque resolvera os problemas que o haviam afligido no passado. Fora preso duas vezes por posse de cocaína e passara um breve período na prisão. Tinha pouco contato com os pais e sua namorada não sabia que ele já tivera depressão. Eram cerca de dez e meia da manhã e ele pediu um uísque com gelo à comissária.

"Você geralmente conta tanto de sua vida a estranhos?", perguntei o mais gentilmente que pude.

"Bem, às vezes, sim", respondeu. "Às vezes acho mais fácil falar com estranhos do que com pessoas que conheço. Mas não a qualquer estranho... Sabe, é como ter uma intuição em relação às pessoas. Eu simplesmente sei quais as boas pessoas para conversar. Tive essa sensação ao sentar aqui perto de você."

Impulsivo. Destemido.

"Você já teve multas por excesso de velocidade?", perguntei.

"Puxa, você é médium ou coisa semelhante? Tenho multas por excesso de velocidade o tempo todo; na verdade, tive minha carteira de motorista suspensa por um ano."

Se eu tivesse acabado de sair de uma conferência sobre cardiologia e estivesse sentado perto de um homem com 130 quilos, que fumasse como uma chaminé e comesse nacos de manteiga, queixando-se da dor no peito irradiando pelo braço esquerdo, eu poderia achar adequado avisá-lo do risco que corria naquela hora. Dizer a alguém que ele corre o risco de suicídio é muito mais difícil. Contornei o assunto aconselhando meu novo amigo a voltar aos remédios e disse que era bom estar em contato com um psiquiatra só para o caso de ter uma recaída. Obediência à convenção social me impediu de dizer: "Você pode se sentir ótimo agora, mas está caminhando direto para o suicídio e deve tomar medidas preventivas imediatamente".

Modelos animais para o suicídio são imperfeitos, uma vez que animais presumivelmente não compreendem sua mortalidade de fato e são incapazes de buscar sua própria morte. Não se pode ansiar pelo que não se entende: o suicídio é um preço que os humanos pagam pela autoconsciência, e não existe em forma comparável em outras espécies. Animais podem, porém, ferir-se deliberadamente, e muitas vezes o fazem se submetidos a vicissitudes excessivas. Ratos amontoados em espaços pequenos por muito tempo roem as próprias caudas.[73] Macacos rhesus criados sem mãe começam a se machucar em cerca de cinco meses — tal comportamento continua ao longo da vida, mesmo quando os macacos são colocados para viver em sociedade.[74] Tais animais parecem ter níveis de serotonina mais baixos que os normais em áreas cruciais do cérebro; o fator biológico relaciona-se mais uma vez ao fator sociológico. Fiquei fascinado ao ouvir sobre o suicídio de um polvo, treinado para um circo, que fora acostumado a fazer truques para ser recompensado com comida. Quando o circo se desfez, o polvo foi mantido num tanque e ninguém prestou atenção a seus truques. Ele gradualmente perdeu a cor (os estados mentais dos polvos são expressos em seus tons mutáveis), finalmente desfiou seus truques uma última vez, não foi recompensado e usou o próprio esporão para apunhalar-se de forma tão terrível que morreu.[75]

Pesquisa recente com modelos humanos revelou uma conexão estreita entre o suicídio e a morte de um genitor.[76] Um estudo sugere que três quartos dos suicídios realizados são cometidos por pessoas que sofrem um trauma na infância causado pela morte de alguém de quem eram próximos, frequentemente o pai ou a mãe. A incapacidade de processar essa perda tão cedo na vida leva a uma incapacidade de processar a perda de modo geral. Jovens que perdem um genitor geralmente internalizam a autocensura, minando o seu autovalor. Podem também renunciar a seu sentido de constância: se um pai de quem se depende tanto pode simplesmente desaparecer de um dia para o outro, como é possível confiar em algo? As estatísticas podem ser exageradas, mas, obviamente, quanto mais a pessoa perde, mais probabilidade tem de se destruir, caso não haja outras compensações.

O suicídio em uma fase inicial da vida é disseminado. Cerca de 5 mil pessoas entre dezoito e 24 anos se matam nos Estados Unidos todo ano; pelo menos 80 mil tentam suicídio. Um em cada 6 mil norte-americanos entre as idades de vinte e 24 anos se mata. O suicídio está aumentando cada vez mais entre as pessoas mais jovens. O suicídio é a causa número três entre as mortes para norte-americanos entre quinze e 24 anos.[77] Não há consenso sobre o aumento de suicídios nesse grupo. George Howe Colt observou: "Uma horda de explicações tem sido proposta para esclarecer esta 'epidemia' de suicídio jovem:[78] a dissolução da fibra moral dos Estados Unidos, o colapso do núcleo familiar, pressão da escola, pressão dos pares, pressão dos pais, lassidão dos pais, abuso infantil, drogas, álcool, baixa taxa de açúcar no sangue, TV, MTV, música popular (rock, punk ou heavy metal, dependendo da década), promiscuidade, a frequência baixa à igreja, aumento da violência, racismo, a Guerra do Vietnã, a ameaça de guerra nuclear, a mídia, o desenraizamento, aumento de riqueza, desemprego, capitalismo, liberdade excessiva, tédio, narcisismo, Watergate, desilusão com o governo, falta de heróis, filmes sobre suicídio, debate demais sobre suicídio, debate de menos sobre suicídio". Adolescentes que exigem muito de si mesmos academicamente podem se matar se seu desempenho não estiver à altura de suas expectativas ou das de seus pais: o suicídio é mais comum entre aqueles com alto desempenho do que entre seus pares menos ambiciosos.[79] Os distúrbios hormonais da puberdade e os anos que se seguem são também fortes predeterminantes do suicídio adolescente.

Adolescentes que cometem suicídio foram, com frequência, protegidos de uma visão sombria da morte. Muitos parecem acreditar que a morte não é o cessar total da consciência.[80] Uma pequena cidade da Groenlândia que visitei em 1999 sofrera uma sequência bizarra de mortes; um estudante se matara e logo uma dúzia de outros o seguiu. Um dos suicidas que o seguiram dissera no dia anterior à sua morte que ele sentia falta de seu amigo ausente. Era quase como se ele estivesse se matando para ir a seu encontro. Pessoas mais jovens também são mais propensas a acreditar que uma tentativa de suicídio não levará à morte. Eles podem usar uma tentativa de suicídio para punir outros; como minha mãe costumava dizer, caricaturando minhas atitudes, quando eu era criança: "Vou comer minhocas e vou morrer, e você vai ter remorsos de ter sido má para mim". Tais atos, por mais que sejam manipuladores, são no mínimo um grito por socorro. Jovens que sobrevivem a uma tentativa de suicídio merecem nossa atenção; seus problemas são de fato graves, e, mesmo se não entendemos por quê, precisamos aceitar a seriedade da questão.

Embora haja uma alta dramática de suicídios entre adolescentes, a maior taxa de suicídio é entre homens com mais de 65 anos.[81] Há uma lamentável tendência a se pensar que suicídios de idosos devem causar menos pena do que os de jovens. O desespero que leva à morte é devastador, não importa a quem afete.

Que cada dia de vida nos leva mais perto da morte é evidente; mas achar que cada dia de vida torna a destruição de uma pessoa mais aceitável é uma variação bizarra sobre esse tema. Nossa tendência é supor que suicídio nos idosos é mais racional, mas na verdade ele é frequentemente consequência de perturbações mentais não tratadas. Além disso, os idosos têm uma rica compreensão da morte. Enquanto adolescentes se voltam para o suicídio para escapar da vida, em busca de uma experiência diferente, os idosos veem a morte como um estado final. E sabem o que estão fazendo; tentativas de suicídio malsucedidas são muito menos frequentes nessa população do que entre pessoas mais jovens. Os idosos empregam métodos especialmente letais em seus suicídios e são menos propensos a comunicar sua intenção antecipadamente.[82] Homens divorciados ou viúvos têm a taxa de suicídio mais alta.[83] Raramente procuram ajuda profissional para a depressão e muitas vezes aceitam que seus sentimentos negativos são simplesmente reflexo de suas vidas já sem importância.

Além do suicídio explícito, muitos idosos adotam comportamentos suicidas crônicos: escolhem não se alimentar nem se cuidar, deixando seus corpos entrarem em colapso. Após a aposentadoria, eles permitem que sua taxa de atividade diminua e em muitos casos desistem de atividades recreacionais devido à pobreza e ao baixo status social. Isolam-se. Quando desenvolvem formas especialmente graves de depressão — problemas motores, hipocondria e paranoia —,[84] as pessoas sofrem uma considerável decadência física. Pelo menos metade dos idosos deprimidos tem doenças parcialmente delirantes que, no período anterior ao suicídio, eles pensam ser mais incapacitantes e intratáveis do que na verdade são.[85]

Os suicídios não são comumente registrados, em parte porque alguns suicidas disfarçam suas ações e em parte porque os que ficam não desejam reconhecer a realidade de um suicídio. A Grécia tem uma das taxas mais baixas de suicídio relatado do mundo;[86] isso reflete não apenas o clima ensolarado e a cultura relaxada do país, mas também o fato de que, para a igreja grega, os suicidas não podem ser enterrados em solo sagrado. Há uma razão específica para não declararem suicídios na Grécia. Sociedades onde o nível de vergonha é mais alto têm menos suicídios oficiais. Além disso, há também muito do que se poderia chamar de suicídios inconscientes, nos quais alguém vive sem cuidados e morre por imprudência — talvez por causa de uma suave propensão ao suicídio ou talvez por simples audácia. A divisão entre autodestruição e suicídio, de acordo com a igreja grega, pode ser confusa. Pessoas que empurram sua própria decadência sem recompensa óbvia são protossuicidas. Algumas religiões diferenciam autodestruição ativa e passiva; deixar de se alimentar nos últimos estágios de uma doença terminal pode não ser censurável, embora tomar uma dose excessiva de comprimidos seja pecado. De um modo ou de outro, há *muito mais* suicídios no mundo do que se pensa, seja lá o que se pensa.

Os métodos de suicídio são vários. Kay Jamison lista algumas técnicas exóticas em *Quando a noite cai*,[87] tais como tomar água fervendo, empurrar cabos de vassoura garganta abaixo, enfiar agulhas de costura no abdome, engolir couro e ferro, pular dentro de vulcões, engolir dinamite, carvões quentes, roupa de baixo ou roupa de cama, estrangular-se com o próprio cabelo, usar furadeira elétrica para fazer furos no cérebro, andar na neve sem nenhuma roupa protetora, colocar o pescoço num torno mecânico, provocar a própria decapitação, injetar manteiga de amendoim ou maionese no sangue, lançar aviões de bombardeio contra montanhas, aplicar viúvas-negras na pele, afogar-se em tonéis de vinagre, sufocar-se dentro de geladeiras, tomar ácido, engolir fogos de artifício, aplicar sanguessugas no corpo e estrangular-se com um rosário. Nos Estados Unidos, os métodos mais comuns são os óbvios: armas, drogas, enforcar-se e pular de um lugar alto.

Não sou dado a fantasias irresistíveis de suicídio. Penso em suicídio com frequência e, quando estou no auge da minha depressão, a ideia nunca está longe de minha mente; mas tende a ficar ali, brilhando com a mesma falta de realidade com que as crianças imaginam a velhice. Eu sei quando as coisas estão ficando piores porque os tipos de suicídio que imagino tornam-se mais variados e, de certo modo, mais violentos. Minhas fantasias ignoram os comprimidos em meu armário de remédios e mesmo a arma em meu cofre e me levam a pensar se as lâminas de meu barbeador poderiam ser usadas para cortar meus pulsos, ou se seria melhor usar uma faca. Cheguei até mesmo a testar uma viga só para ver se seria suficientemente forte para aguentar uma corda. Imagino o horário propício: quando eu estivesse sozinho em casa, em que hora eu poderia realizar meu suicídio. Ao dirigir nesse estado de espírito, penso muito sobre penhascos, mas então penso sobre air bags e a possibilidade de ferir outras pessoas e esse método revela-se inadequado demais para mim. Todas essas imagens são muito reais e podem ser muito dolorosas, mas até agora têm permanecido em minha imaginação. Já tive comportamentos irresponsáveis que poderiam ser chamados de suicidas e já quis morrer com frequência; nos períodos mais difíceis, brinquei com a ideia, assim como nos melhores períodos de minha vida brinquei com a ideia de aprender a tocar piano; mas isso nunca fugiu do meu controle ou se transformou numa realidade acessível. Quis deixar a vida, mas não tive impulso para retirar meu ser da existência.

Se minha depressão tivesse sido pior ou mais demorada, imagino que teria tendências mais acentuadamente suicidas, mas acho que eu não teria me matado sem uma prova forte da irreversibilidade de minha situação. Embora o suicídio aplaque o sofrimento presente, ele geralmente é posto em prática para evitar sofrimento futuro. Herdei de meu pai um forte otimismo, e, por razões que podem ser puramente bioquímicas, meus sentimentos negativos, embora às vezes intoleráveis, nunca me pareceram finais e imutáveis. Consigo me lembrar da minha incapacidade de vislumbrar o futuro durante os piores momentos de minha depressão. Ficava relaxado demais na decolagem de um avião pequeno porque pouco me importava se ele caísse e me matasse ou se me levasse até meu destino. Assumi riscos tolos quando se apresentaram a mim. Eu toparia tomar veneno, mas não estava disposto a achá-lo ou prepará-lo. Um de meus entrevistados, que sobreviveu a múltiplas tentativas de suicídio, disse que se eu nunca cortara os pulsos então *nunca* ficara realmente deprimido. Decidi não entrar nessa competição, conheço gente que tem sofrido enormemente, mas que jamais tentou se matar.

Na primavera de 1997, no Arizona, saltei de paraquedas pela primeira vez. Esse esporte é muitas vezes considerado uma atividade parassuicida e, se eu tivesse de fato morrido durante um salto, imagino que ele ficaria, na imaginação de minha família e amigos, ligado ao meu estado de espírito. Contudo — e acredito que seja este geralmente o caso durante um ato parassuicida —, não parecia um impulso suicida, e sim um impulso vital. Eu o fiz porque me sentia tão bem que fui capaz de fazê-lo. Ao mesmo tempo, tendo acalentado a ideia de suicídio, eu quebrara certas barreiras entre mim e uma autodestruição completa. Não queria morrer quando pulei do avião, mas não temia a morte como a temera antes de minha depressão, e assim não precisava evitá-la tão rigorosamente. Já saltei várias vezes desde então, e o prazer que sinto por minha ousadia, depois de ter vivido tanto tempo num medo irracional, é incalculável. Cada vez que estou à porta do avião, sinto o jorro de adrenalina ativar um medo real, que, como a dor real, é precioso para mim por sua simples autenticidade. Ele me lembra do motivo dessas emoções. Então vem a queda livre, a vista sobre uma região virgem, a impotência esmagadora, a beleza e a velocidade. E então a gloriosa descoberta de que o paraquedas está lá, afinal de contas. Quando o velame se abre, as correntes de ar ascendentes revertem a queda e eu subo e me afasto da terra, como se um anjo subitamente viesse em meu resgate para me carregar até o sol. E então, quando começo a descer de novo, o faço muito lentamente e vivo, num mundo de silêncio em múltiplas dimensões. É maravilhoso descobrir que o destino no qual você confiou justifica essa confiança. Que alegria tem sido descobrir que o mundo pode suportar minhas experiências mais ásperas, e sentir, mesmo ao cair, que sou sustentado firmemente pelo próprio mundo.

Tornei-me de fato consciente do que era suicídio pela primeira vez quando tinha cerca de nove anos. O pai de um colega de meu irmão se matou, e tivemos que discutir o assunto em minha casa. O homem em questão levantara na frente de sua família, fizera alguma observação extraordinária e depois pulara pela janela aberta, deixando esposa e filhos à vista de um corpo sem vida vários andares abaixo. "Algumas pessoas simplesmente têm problemas que não conseguem resolver e chegam a um ponto em que não suportam mais viver", explicou minha mãe. "É preciso ser forte para atravessar a vida. É preciso ser um dos sobreviventes." Não entendi bem o horror do acontecido; tinha uma característica exótica, fascinante e quase pornográfica.

Quando eu estava no ensino médio, um de meus professores preferidos deu um tiro na cabeça. Foi encontrado em seu carro, com uma Bíblia aberta a seu lado. A polícia fechou a Bíblia sem anotar a página. Lembro de discutir isso à mesa do jantar. Eu ainda não perdera ninguém realmente próximo; assim, o fato da morte dele ser um *suicídio* não se destacava tanto quanto se destaca agora, em retrospecto. Eu me deparava pela primeira vez com a morte. Conversamos a respeito de que ninguém jamais saberia em que página a Bíblia estava aberta, e algo literário em mim sofreu mais pela conclusão frustrada de uma vida do que por sua própria perda.

No meu primeiro ano de faculdade, a ex-namorada do ex-namorado da minha namorada pulou de um prédio no campus. Não a conhecia, mas sabia que estava implicado numa cadeia de rejeição que a incluía, e me senti culpado pela morte dessa desconhecida.

Alguns anos depois da faculdade, um conhecido meu se matou. Bebeu uma garrafa de vodca, cortou os pulsos e, aparentemente, insatisfeito com o lento escoar de seu sangue, foi para o telhado do edifício de seu apartamento em Nova York e pulou. Dessa vez eu fiquei chocado. Ele era um homem doce, inteligente e bonito, alguém de quem eu sentira inveja ocasionalmente. Naquela época, eu escrevia para o jornal local. Ele costumava pegar seu exemplar bem cedo em uma banca 24 horas, e cada vez que eu publicava algo ele era o primeiro a ligar e me dar os parabéns. Não éramos íntimos, mas nunca vou me esquecer de seus telefonemas e do tom de reverência ligeiramente inadequado com que ele tecia seu elogio. Ele costumava repetir, com uma certa tristeza, sua indecisão quanto a uma escolha de carreira e sua percepção de que eu sabia o que queria fazer. Foi a única característica melancólica que observei nele. Fora isso, ainda penso nele como uma pessoa animada. Divertia-se nas festas; na verdade, dava boas festas. Conhecia gente interessante. Por que uma pessoa assim cortaria os pulsos e pularia do telhado? Seu psiquiatra, que o vira no dia anterior, não foi capaz de esclarecer a questão. Havia um porquê a responder? Quando aconteceu, eu ainda achava que o suicídio tinha uma lógica, embora distorcida.

O suicídio, contudo, não é lógico. Laura Anderson, que tem batalhado contra uma depressão aguda, escreveu: "Por que eles sempre vêm com essa história de 'motivo'?". O motivo dado raramente é suficiente para o acontecido. É tarefa do analista e dos amigos buscar pistas, causas e categorias. Desde então aprendi isso nas listas de suicídio que li. As listas são longas e dolorosas. Todos tiveram algum trauma agudo próximo ao seu suicídio; um marido que insultou alguém, um amante que abandonou outro, uma pessoa que feriu muito a si mesma, alguém que perdeu seu grande amor para uma doença, alguém que faliu, alguém que destruiu o próprio carro. Alguém simplesmente acordou um dia e não queria ter acordado. Alguém que detestava as noites de sextas-feiras. Se eles se mataram, fizeram-no porque eram suicidas, não por algum raciocínio lógico. Embora o discurso médico insista que sempre há uma conexão entre doença mental e suicídio, a mídia sensacionalista sugere muitas vezes que a doença mental não tem nenhuma grande participação em suicídios. Definir causas para um suicídio nos deixa mais seguros. É a versão mais extrema da lógica segundo a qual uma depressão aguda é consequência do fato que a desencadeou. Não há linhas nítidas. Até que ponto é necessário ter instintos suicidas para *tentar* o suicídio, com qual intensidade é preciso sentir esses instintos para *cometer* o suicídio e em que ponto uma intenção se torna a outra? O suicídio pode de fato ser (como diz a Organização Mundial de Saúde) um "ato suicida de resultado fatal",[88] mas que motivos conscientes e inconscientes fundamentam esse resultado? Ações de alto risco — que vão desde se expor deliberadamente ao HIV até provocar a fúria de um homicida ou permanecer fora de casa numa tempestade de gelo — são frequentemente parassuicidas. Tentativas de suicídio são de escopo variado e vão desde atos totalmente deliberados e orientados para um único objetivo até aqueles levemente autodestrutivos. "O ato suicida", escreve Kay Jamison, "é saturado de ambivalência."[89] A. Alvarez escreve:

> As desculpas dos suicidas são geralmente casuais. O melhor que conseguem é aliviar a culpa dos sobreviventes, contentar os mais metódicos e encorajar os sociólogos em sua interminável busca por categorias e teorias convincentes. São como um incidente de fronteira tolo que acaba detonando uma grande guerra. Os verdadeiros motivos que impelem uma pessoa a pôr fim à própria vida estão em outro lugar; pertencem a um mundo interno, tortuoso, contraditório, labiríntico e geralmente invisível.[90]

"Os jornais falam com frequência das 'tristezas pessoais' ou 'doenças incuráveis'", escreveu Camus.

> Estas explicações são válidas. Mas teríamos que saber se no mesmo dia um amigo do desesperado não o tratou de modo indiferente. Ele é que é o culpado. Pois isto pode ser suficiente para precipitar todos os rancores e todas as prostrações ainda em suspensão.[91]

E a crítica teórica Julia Kristeva descreve o total acaso do momento:

> Uma traição, uma doença fatal, um acidente ou uma desvantagem que, de forma brusca, me arrancam dessa categoria que me parecia categoria normal, das pessoas normais, ou que se abatem com o mesmo efeito sobre um ser querido, ou ainda… Quem sabe? A lista das desgraças que nos oprimem todos os dias é infinita.[92]

Em 1952, Edwin Shneidman abriu o primeiro centro de prevenção ao suicídio, em Los Angeles, e tentou produzir bases úteis (mais úteis que teóricas) para o pensamento sobre o suicídio. Propôs que ele é resultado do amor distorcido, controle despedaçado, autoimagem atacada, sofrimento e fúria.

> É quase como se o drama do suicídio fosse se escrevendo sozinho, como se a peça tivesse uma mente própria. É possível não abrir os olhos ao perceber que, à medida

que as pessoas, consciente ou inconscientemente, dissimulam suas dores e motivações com êxito, nenhum programa de prevenção ao suicídio pode ser 100% bem-sucedido.[93]

Kay Jamison refere-se a tal dissimulação quando lamenta que "a privacidade mental é uma barreira impermeável".[94]

Alguns anos atrás, outro colega meu se matou. Ele sempre fora estranho, e de certo modo seu suicídio foi mais fácil de explicar. Eu recebera uma mensagem dele algumas semanas antes de sua morte e pretendia ligar de volta para combinar um almoço. Eu havia saído com amigos quando soube. "Alguém tem falado com fulano ultimamente?", perguntei, quando um assunto me lembrou dele. "Você não soube?", respondeu um de meus amigos. "Ele se enforcou há um mês." Por algum motivo, essa imagem para mim é a pior de todas. Posso imaginar o amigo com os pulsos cortados no ar, seu corpo desintegrado depois de um salto. A imagem dele oscilando de uma viga como um pêndulo: bem, nunca consegui imaginar isso. Sei que meu telefonema e convite para almoçar não o teriam salvado de si mesmo, mas o suicídio inspira culpa, e não consigo expulsar da minha mente a ideia de que teria percebido uma pista, se eu o tivesse visto, e teria feito algo com essa pista.

Então o filho de um sócio do meu pai se matou. E então o filho de um amigo do meu pai se matou. Então, duas outras pessoas que eu conhecia se mataram. E amigos de amigos também se mataram e, desde que comecei a escrever este livro, soube de pessoas que perderam irmãos, filhos, amantes, pais. É possível compreender os rumos que podem levar alguém ao suicídio, mas a mentalidade desse momento em si, o salto necessário para realizar a ação final — isso é incompreensível e aterrorizante e tão estranho a ponto de fazer com que tenhamos a sensação de jamais ter realmente conhecido a pessoa que cometeu aquilo.

Enquanto escrevia este livro, soube de muitos suicídios, em parte devido aos mundos com os quais entrei em contato e em parte porque as pessoas olhavam para mim, através de toda a minha pesquisa, buscando uma espécie de sabedoria ou insight que eu era na verdade totalmente incapaz de oferecer. Uma amiga de quem sou próximo há dezenove anos, Chrissie Schmidt, me telefonou chocada quando um de seus colegas de faculdade enforcou-se no vão da escada atrás de seu quarto. O rapaz em questão fora eleito representante da turma. Depois de ser surpreendido bebendo (aos dezessete anos), fora removido do cargo. Fizera um discurso de renúncia ao qual todos aplaudiram de pé, depois tirara sua própria vida. Chrissie conhecera o rapaz apenas de passagem, mas ele parecia ocupar um mundo encantado de popularidade do qual ela às vezes se sentia excluída. "Depois de uns quinze minutos de descrença", escreveu Chrissie num e-mail, "me desfiz em lágrimas. Acho que senti muitas coisas ao mesmo tempo — uma tristeza inexprimível diante da vida rompida voluntária e prematuramente; raiva da escola, um lugar sufocado pela própria mediocridade, por fazer um alarde tão grande contra a bebida e ser tão dura com o rapaz; e talvez, acima de tudo, medo de que eu, em algum momento, pudesse me enforcar no vão da escada de meu dormitório. Por que não conheci esse rapaz quando eu estava lá? Por que senti que era a única que estava tão mal, tão infeliz, quando o rapaz mais popular da escola provavelmente sentia tantas coisas iguais? Por que diabo ninguém notou que ele carregava um fardo tamanho? Todo esse tempo, deitada no meu quarto no segundo ano, desesperadamente triste e frustrada com o mundo à minha volta e a vida que estava levando... Bem, aqui estou. E sei que não teria dado aquele passo final. Sei mesmo. Mas cheguei bem perto de sentir que ele era, pelo menos, uma possibilidade. O que é isso — bravura? patologia? solidão? — que empurra alguém para além dessa borda final e fatal, quando a vida é algo que estamos dispostos a perder?" E no dia seguinte, ela acrescentou: "A morte dele agita e traz à tona todas essas perguntas não respondidas — e é insuportavelmente triste para mim neste momento precisar fazê-las e nunca ter as respostas". Essa, basicamente, é a catástrofe do suicídio para os que sobrevivem: não apenas a perda de alguém, mas a perda da chance de persuadir essa pessoa a agir de modo diferente, a perda da chance de se ligar a ela. Não há ninguém com quem se anseie tanto entrar em contato quanto com uma pessoa que cometeu suicídio. "Se ao menos tivéssemos sabido" é a declaração dos pais de um suicida, vasculhando as próprias mentes para tentar entender que falha no amor deles permitiu um acontecimento tão surpreendente, tentando pensar o que deveriam ter dito.

Mas não há nada a dizer, nada que possa aliviar a solidão da autoaniquilação. Kay Jamison conta a dolorosa história de sua própria tentativa de suicídio numa época em que seus pensamentos estavam tão perturbados quanto seu estado de ânimo.

Nenhuma quantidade de amor de/ ou por outra pessoa — e havia muita — pôde ajudar. Nenhuma vantagem de uma família carinhosa e de um emprego fabuloso foi suficiente para superar a dor e a desesperança que eu sentia; nenhuma paixão ou amor romântico, mesmo fortes, puderam fazer diferença. Nada vivo e caloroso podia penetrar minha carapaça. Eu sabia que minha vida andava trôpega e acreditava — incontestavelmente — que minha família, amigos e pacientes ficariam melhor sem mim. Não me restava mais muita coisa, de qualquer modo, e achei que minha morte libertaria as energias despendidas e os esforços bem-intencionados em meu benefício.[95]

Não é incomum o suicida acreditar que é um peso para os outros. Um homem que cometeu suicídio escreveu em seu bilhete final: "Ponderei e decidi que iria feri-los [a amigos íntimos e parentes] menos estando morto do que vivo".[96]

Grandes tristezas não fazem de mim um suicida, mas ocasionalmente, durante uma depressão, algo pequeno me esmaga e tenho um sentimento ridículo. Há pratos sujos demais na cozinha e não tenho energia para lavá-los. Talvez eu simplesmente me mate. Ou... olhe, o trem está vindo. Eu poderia me atirar na frente dele. Devo fazê-lo? Mas ele chega à estação antes que eu decida. Tais pensamentos são como sonhos acordados, e consigo ver como são absurdos, mas sei que estão ali. Não quero morrer com esses pensamentos e não quero violência, mas de alguma maneira ridícula o suicídio parece simplificar as coisas. Se eu tivesse me matado, não teria que consertar o telhado ou aparar a grama ou tomar outro banho de chuveiro. Ah, imagine o luxo de jamais ter que pentear o cabelo novamente! Minhas conversas com suicidas em potencial levaram-me a acreditar que essa sensação está mais próxima da que normalmente conduz a uma tentativa de suicídio do que o sentimento de desespero total que tive durante a fase mais negra da depressão. É a súbita percepção de uma saída. Não é exatamente um sentimento melancólico, embora possa ocorrer em um contexto infeliz. Também conheço a sensação de querer matar a depressão e ser incapaz de fazê-lo, exceto matando o eu que ela aflige. A poeta Edna St. Vincent Millay escreveu:

> *And must I then, indeed, Pain, live with you*
> *All through my life? — sharing my fire, my bed,*
> *Sharing — oh, worst of all things! — the same head? —*
> *And, when I feed myself, feeding you, too?*[*][97]

Nutrir nossa própria infelicidade pode se tornar desgastante demais para suportar, e o tédio do desamparo e a incapacidade de distanciamento podem levar o indivíduo ao ponto em que matar a dor é mais importante do que se salvar.

Conversei com um grande número de sobreviventes do suicídio na pesquisa para este livro, e um deles me assustou especialmente. Conheci-o num hospital no dia seguinte à sua tentativa. Era bem-sucedido, atraente e bastante feliz no casamento, vivendo num bairro bom de uma cidade litorânea norte-americana e trabalhando como chef num restaurante popular. Sofrera de depressão periódica, mas deixara sua medicação por cerca de dois meses, acreditando que ficaria bem sem ela. Não contara a ninguém que ia parar com os remédios, mas baixara apropriadamente sua dose por algumas semanas antes de terminar totalmente o tratamento. Ele se sentira ótimo por alguns dias, mas depois começou a ter pensamentos repetitivos e explicitamente suicidas, que eram independentes dos outros sintomas da depressão. Continuava a ir ao trabalho, mas sua mente fugia regularmente para a ideia do suicídio. Em seguida decidira, por uma boa razão, segundo ele, que o mundo ficaria melhor sem ele. Resolveu algumas questões pendentes em sua vida e fez arranjos para as coisas continuarem depois de sua morte. Então, certa tarde em que decidiu que era a hora, engoliu dois frascos de Tylenol. Enquanto tomava os comprimidos, ligou para sua mulher em seu escri-

---

* E devo na verdade, Dor, viver contigo/ Toda a minha vida? — dividindo meu fogo, meu leito,/ Dividindo — ah, pior de tudo! — a mesma cabeça?/ E, ao me alimentar, alimentar-te também? (Tradução livre)

tório para se despedir, certo de que ela veria sua lógica e não se oporia à sua decisão. No início ela não estava certa se aquilo era uma brincadeira, mas logo percebeu que ele falava sério. Sem que ela soubesse, ele estava tomando comprimidos aos punhados mesmo falando ao telefone. Por fim, ele ficou irritado com ela por se colocar contra o seu plano, disse adeus e desligou o telefone. E terminou o segundo frasco.

Dentro de meia hora a polícia chegou. O homem, percebendo que seus planos seriam abortados, saiu para conversar com os policiais. Explicou que sua mulher era um pouco maluca, que fazia esse tipo de coisa para irritá-lo e que não havia de fato nenhum motivo para eles estarem ali. Ele sabia que, se pudesse mantê-los longe por mais uma hora ou coisa assim, o Tylenol destruiria seu fígado (ele fizera uma pesquisa cuidadosa), e esperava que, mesmo que não conseguisse fazê-los partir, poderia pelo menos distraí-los. Convidou-os a tomar uma xícara de chá e pôs a água para ferver. Estava tão calmo e convincente que os policiais acreditaram em sua história. Conseguiu de fato retardá-los; mas eles disseram que eram obrigados a investigar qualquer possível tentativa de suicídio e lamentavelmente ele teria que acompanhá-los a um pronto-socorro. Seu estômago foi lavado no último minuto.

Quando conversei com ele, descreveu-me o acontecido como às vezes descrevo sonhos, eventos nos quais pareço desempenhar um papel perturbadoramente ativo e cujo significado não consigo decifrar. Ele estava se recuperando do bombeamento do estômago e muito trêmulo, mas bastante coerente. "Não sei por que eu quis morrer", disse, "mas posso lhe dizer que ontem isso fazia muito sentido para mim." Passamos aos detalhes. "Eu chegara à conclusão de que o mundo seria um lugar melhor sem mim. Pensei que estava tudo acabado e vi como poderia libertar minha mulher, como seria melhor para o restaurante, como seria um alívio para mim. É isso que é tão estranho, que a ideia parecesse tão óbvia, boa, sensata."

Ele estava imensamente aliviado por ter sido salvo daquela boa ideia. Não o descreveria como feliz naquele dia no hospital; estava tão aterrorizado por seu encontro com a morte quanto um sobrevivente de acidente de avião. Sua mulher passara a maior parte do dia com ele. Ele disse que a amava e que sabia que ela o amava também. Ele gostava de seu trabalho. Talvez algo inconsciente nele o tivesse levado ao telefone quando estava prestes a se matar, fazendo-o ligar para a mulher e não escrever um bilhete. Se foi isso, quase não lhe servia de consolo, pois sua mente consciente deixara inteiramente de registrá-lo. Perguntei a seu médico quanto tempo o paciente permaneceria hospitalizado, e ele me respondeu que seria bom tratá-lo até que sua lógica falha pudesse ser mais bem explorada e a medicação, estabilizada. "Ele parece suficientemente saudável para ir para casa hoje", disse o médico, "mas também teria parecido suficientemente saudável anteontem." Perguntei ao homem se achava que tentaria se matar de novo. Foi como se eu lhe pedisse para prever o futuro de outra pessoa. Sacudiu a cabeça e me olhou com uma expressão pálida e perturbada. "Como posso saber?", disse.

Sua perturbação, sua derrota emocional, são lugares-comuns da mente suicida. Joel P. Smith, um sobrevivente de múltiplas tentativas, me escreveu de Wisconsin: "Estou sozinho. Uma grande parte dos deprimidos que conheço é mais ou menos solitária, perdeu empregos, esgotou suas famílias e seus amigos. Tornei-me suicida. Meu guardião final — isto é, eu mesmo — não apenas largou o trabalho, mas, o que é muito mais perigoso, tornou-se advogado e agente de minha destruição".

No dia em que aconteceu, quando eu tinha 27 anos, entendi e acreditei nos motivos do suicídio de minha mãe.[98] Ela estava nos estágios finais do câncer terminal. Na verdade, com meu pai e meu irmão, ajudei-a a se matar, vivenciando uma grande intimidade com ela ao fazê-lo. Todos apoiávamos sua atitude. Infelizmente, muitos que acreditam numa decisão racional — inclusive Derek Humphry, autor de *Solução final: Justificativa e defesa da eutanásia*, e Jack Kevorkian — parecem pensar que *racional* significa uma linha reta. Não foi fácil chegar a essa decisão racional. Foi um processo lento, complicado e estranho, cujas voltas foram tão loucamente individuais quanto as experiências de amor que podem levar ao casamento. Embora eu admire minha mãe por ter feito o que fez e acredite em sua atitude, seu suicídio é o cataclismo de minha vida. O fato de geralmente evitar pensar e falar sobre seus detalhes me exaspera. Sua ocorrência é agora um fato da minha vida e eu o compartilharei abertamente com qualquer um que me perguntar a seu respeito. A realidade do que aconteceu, porém, é como um objeto afiado dentro de mim, que corta cada vez que me movo.

Os ativistas traçam uma distinção obsessivamente cuidadosa entre o suicídio "racional" e todos os outros tipos de suicídio. Na verdade, um suicídio é um suicídio — triste, tóxico em alguma medida para todos que toca. O pior e o melhor tipo estão em duas extremidades de um contínuo; eles diferem mais em grau do que em qualidade essencial. O suicídio racional sempre foi uma ideia popular e assustadora. O narrador de *Os demônios*, de Dostoiévski, pergunta se as pessoas se matam racionalmente. "Muitos", replica Kiríllov. "Se não fosse preconceito esse número seria maior; muito maior; seriam todos."[99] Quando falamos de um suicídio racional e o distinguimos de um irracional, estamos esboçando os detalhes de nossos próprios preconceitos ou dos preconceitos de nossa sociedade. Alguém que se matasse por não gostar de sua artrite seria suicida; alguém que se matasse por não suportar a perspectiva da dor e morte pouco digna devido ao câncer, parece talvez bem racional. Recentemente, um tribunal britânico concedeu a um hospital permissão para alimentar à força uma anoréxica diabética e para lhe injetar insulina contra sua vontade. Ela era extremamente astuciosa e conseguira substituir uma mistura de leite e água pela insulina que deveria ser injetada, chegando logo a um estado quase comatoso. "Isso é anorexia?", perguntou o terapeuta que a estava tratando. "Isso é comportamento suicida? É parassuicida? Acho que é obviamente um ato muito deprimido e raivoso."[100] E pessoas com doenças terríveis, mas não imediatamente fatais? É razoável matar-se ante o mal de Alzheimer e a doença de Lou Gehrig? É possível existir um estado mental terminal, em que alguém que recebeu muito tratamento e continua infeliz possa cometer suicídio mesmo não estando doente? O que é racional para uma pessoa é irracional para outra, e todo suicídio é uma calamidade.

Num hospital na Pensilvânia, conheci um rapaz com pouco menos de vinte anos cujo desejo de morrer eu tenderia a acatar. Tinha nascido na Coreia e sido abandonado ainda pequeno; ao ser encontrado, meio morto de fome, foi levado a um orfanato de Seul, onde foi adotado aos seis anos por um casal de alcoólatras norte-americanos que abusaram dele. Quando chegou aos doze anos, sua tutela já tinha sido transferida para o Estado, que o mandou para um hospital psiquiátrico, onde o encontrei. Ele sofre de paralisia cerebral, que lhe impossibilita os movimentos da parte inferior do corpo, e falar é um esforço doloroso. Nos cinco anos que passou vivendo integralmente no hospital, recebeu todos os remédios e tratamentos conhecidos pela humanidade, incluindo o espectro completo de tratamentos antidepressivos e terapia eletroconvulsiva, mas permaneceu amargo e angustiado. Desde o final da infância, fez inúmeras tentativas de suicídio, mas, por estar numa instalação de atendimento, sempre foi salvo; e, como fica confinado a uma cadeira de rodas numa ala trancada, raramente consegue se colocar numa situação suficientemente privada para que suas tentativas tenham chance de sucesso. Desesperado, ele tentou morrer de fome; quando desmaiou, recebeu alimentação intravenosa.

Embora a deficiência física torne a fala um desafio, ele é perfeitamente capaz de manter uma conversa racional. "Eu sofro por estar vivo", disse-me. "Não quero ficar aqui desse jeito. Simplesmente não quero estar no mundo. Não tive vida. Não há nada que me dê alegria. Minha vida é assim: subir para o edifício 9 desse hospital e em seguida voltar aqui, no edifício 1, tão ruim quanto o 9. Minhas pernas doem. Meu corpo é dolorido. Tento não falar com as pessoas daqui. Seja como for, todos basicamente falam sozinhos. Acho que os remédios não funcionam comigo. Levanto pesos com os braços no andar de cima e uso o computador. Isso me mantém ocupado e me distrai daquilo que tenho. Mas não é o bastante. Isso nunca vai mudar. Nunca vou deixar de querer me matar. Sinto-me bem ao cortar os pulsos. Gosto de ver meu próprio sangue. Então, adormeço. Ao despertar, digo a mim mesmo: 'Droga, acordei'." Muitas pessoas com paralisia cerebral levam vidas satisfatórias. Esse jovem, no entanto, está tão ferido psicologicamente e se mostra tão violentamente hostil que dificilmente encontrará algum amor e talvez nem conseguisse reconhecer tal sentimento se ele lhe fosse oferecido. Ele comove a mim e a algumas das pessoas que ajudam nos seus cuidados, mas nenhuma pessoa heroica disposta a abrir mão da própria vida para ajudá-lo se materializou; não há neste mundo pessoas altruístas em número suficiente para se dedicarem a todas as pessoas como ele, que lutam contra a própria vida em cada minuto de sua existência. A vida dele é dor física e dor mental e incompetência física e sombras mentais. Para mim, sua depressão e seu desejo de morrer são impossíveis de tratar, e fico feliz por não ter a responsabilidade de garantir que ele acorde toda vez que consegue cortar os pulsos, e não sou eu quem insere a sonda de alimentação quando ele para deliberadamente de comer.

Em outro hospital, conheci um senhor de 85 anos, com boa saúde, que, juntamente com sua mulher, tomou doses mortais de barbitúricos quando ela teve câncer. Estavam casados havia 61 anos e fizeram um pacto de suicídio. Ela morreu. Ele foi ressuscitado. "Fui enviado para cá a fim de curar a depressão desse homem", disse-me um jovem psiquiatra. "Para dar a ele alguns remédios e conduzir sua terapia para que ele não fique deprimido por ser velho, doente, com dor constante, com a mulher morta e uma tentativa de suicídio frustrada. Já se passaram seis meses e ele ainda está no mesmo estado, ele pode viver ainda dez anos. Eu trato depressão. O que ele tem não é esse tipo de depressão."

O poema de Tennyson, "Tithonus", conta a história desse desespero de final de vida. Tithonus era amante de Eros, a aurora; ela pediu a Zeus que desse a ele a vida eterna. Zeus concedeu seu pedido, mas ela esqueceu de pedir juventude eterna. Sem poder se matar, Tithonus vive para sempre, envelhecendo infinitamente. Ele anseia por morrer, dizendo para sua antiga amante:

> *Coldly thy rosy shadows bathe me, cold*
> *Are all thy lights, and cold my wrinkled feet*
> *Upon thy glimmering thresholds, when the steam*
> *Floats up from those dim fields about the homes*
> *Of happy men that have the power to die,*
> *And grassy barrows of the happier dead.**[101]

A história da Sibila de Cumas, personagem de Petrônio, também condenada à imortalidade sem eterna juventude, comporia a desesperançada epígrafe de *A terra desolada*, de T. S. Eliot: "Quando perguntada, 'Sibila, o que você quer?', ela replicava: 'Quero morrer'".[102] E mesmo Emily Dickinson, vivendo tranquilamente na Nova Inglaterra, chegou à conclusão semelhante sobre a gradual descida para a perda:

> *The Heart asks Pleasure — first —*
> *And then — Excuse from Pain —*
> *And then — those little Anodynes*
> *That deaden suffering —*

* Friamente tuas sombras róseas me banham, geladas/ Geladas são tuas luzes, e gelados meus enrugados pés/ Nos teus lampejantes umbrais, quando o vapor/ Flutua dos campos obscuros sobre os lares/ De homens felizes que têm o poder de morrer,/ E os túmulos relvados dos ainda mais felizes mortos. (Tradução livre)

And then — to go to sleep —
And then — if it should be
The will of its Inquisitor
The privilege to die —[103]

Em nossa família, os debates sobre a eutanásia começaram bem antes de minha mãe ter câncer no ovário. Todos nós fizemos testamentos no início dos anos 1980 e conversávamos naquela época — de um modo inteiramente abstrato — sobre como era pouco civilizado que as opções de eutanásia disponíveis na Holanda não o fossem nos Estados Unidos. "Detesto dor", dizia minha mãe casualmente. "Se eu chegar ao ponto de não sentir nada a não ser dor, espero que um de vocês me dê um tiro." Nós todos concordávamos, rindo. Todos detestávamos dor, todos pensávamos que uma morte tranquila era melhor — no sono, em casa, quando você estivesse bem velho. Jovem e otimista, eu presumia que nós todos morreríamos assim em algum ponto do futuro remoto.

O câncer de minha mãe foi diagnosticado em agosto de 1989. Em sua primeira semana no hospital, ela anunciou que ia se matar. Todos tentamos não levar a sério essa declaração, e ela não insistiu. Naquela época, ela não estava falando de um plano ponderado para terminar com seus sintomas — quase não tinha nenhum —, mas expressava uma sensação de ultraje ante a indignidade do que estava à sua frente e um profundo medo de perder o controle de sua vida. Na época, falava de suicídio como alguém que sofreu uma decepção no amor poderia falar dele, como uma alternativa rápida e fácil para o lento e doloroso processo de recuperação. Era como se quisesse vingança pela afronta que recebera da natureza; se sua vida não podia ser tão requintada como antes, ela não a queria mais.

O assunto foi deixado de lado à medida que minha mãe passava por uma série de sessões de quimioterapia dolorosa e humilhante. Dez meses depois, quando submeteu-se a uma cirurgia exploratória para apurar a eficácia da quimioterapia, descobrimos que o tratamento não fora tão eficaz quanto esperávamos, e uma segunda série foi receitada. Depois da cirurgia, mamãe retardou-se por muito tempo numa resistência à consciência forjada pela fúria. Quando finalmente começou a falar de novo, uma onda de raiva saiu jorrando dela, e dessa vez, quando disse que ia se matar, foi em tom de ameaça. Nossos protestos eram rebatidos violentamente. "Já estou morta", disse, deitada na cama do hospital. "O que restou aqui para vocês amarem?" Ou dava instruções: "Se vocês me amassem, me ajudariam a sair dessa infelicidade". Qualquer esperança na quimioterapia, por mínima que fosse, já havia desaparecido, e minha mãe determinou, como condição para aceitar outra série do terrível tratamento, que lhe conseguissem

---

* Primeiro — o Coração pede Prazer;/ Depois — Isenção de Dor;/ Depois — aqueles Anódinos/ De efeito entorpecedor;// Depois — para adormecer;/ E depois — se isto aprouver/ à vontade de seu Inquisidor —/ Privilégio de morrer. (Tradução livre)

"aqueles comprimidos", para que ela pudesse acabar com tudo aquilo quando estivesse pronta.

Temos a tendência de fazer a vontade dos doentes graves. A única resposta à fúria e ao desespero de minha mãe, depois de sua cirurgia, foi dizer sim a qualquer uma de suas exigências. Eu estava morando em Londres naquela época: vinha para casa toda semana para vê-la. Meu irmão, na faculdade de direito em New Haven, passava longos dias no trem. Meu pai negligenciava seu trabalho para ficar em casa. Todos nos agarrávamos a minha mãe — que sempre fora o centro da família — e oscilávamos entre o tom leve, mas significativo que sempre usávamos em nossas conversas, e uma solenidade aterrorizante. Mesmo assim, quando ela recuperava o semblante que tivera, a ideia de seu suicídio, embora tivesse ganhado ressonância, recuava mais uma vez. A segunda sessão de quimioterapia parecia estar funcionando, e meu pai pesquisara mais meia dúzia de opções de tratamento. Mamãe fazia observações sombrias sobre suicídio de vez em quando, mas continuávamos a lhe dizer que havia muito tempo antes que tais medidas fossem pertinentes.

Às quatro horas de uma tarde de muito vento de setembro de 1990, telefonei para verificar os resultados de alguns testes que ficariam prontos naquele dia. Quando meu pai atendeu, eu logo soube o que acontecera. No momento, disse-me ele, continuaríamos com essa terapia enquanto buscaríamos outras opções. Eu não tinha dúvida sobre quais outras opções mamãe estaria buscando. Assim, não deveria ter ficado surpreso quando ela me disse, em outubro, ao almoço, que os detalhes técnicos já haviam sido arranjados e que ela agora tinha os comprimidos. Nos primeiros estágios de sua doença, minha mãe, sem seus disfarces, sofrera a perda de sua beleza como um efeito colateral dos tratamentos, uma devastação tão óbvia que apenas meu pai não via. Ela sempre fora muito bonita e achava as perdas físicas provocadas pela quimioterapia intensamente dolorosas — o cabelo caíra, a pele estava alérgica demais para aguentar a maquiagem, o corpo definhara, os olhos tinham olheiras terríveis. Naquele almoço de outubro, entretanto, ela adquiria uma nova espécie de beleza etérea, pálida, luminosa, completamente diferente em seu efeito da típica aparência americana dos anos 1950 que fora a sua quando eu era criança. O momento em que minha mãe realmente procurou os comprimidos foi também o momento em que aceitou (talvez prematuramente, talvez não) estar morrendo, e sua aceitação lhe trouxe uma luz, tanto física quanto profunda, que me pareceu por fim mais poderosa que sua decadência. Quando me lembro daquele almoço, lembro, entre outras coisas, como minha mãe ficara novamente bonita.

Enquanto comíamos, protestei que ela poderia ter ainda muito tempo. Mamãe respondeu que sempre acreditara em planejar com cuidado as coisas e, agora que tinha os comprimidos, podia relaxar e usufruir o que sobrara sem preocupações com o fim. A eutanásia é uma questão de prazo, e perguntei a mamãe até quando se estenderia o seu. "Só enquanto ainda houver uma chance remota de eu ficar bem", disse ela. "Continuarei com os tratamentos. Quando disserem que estão me mantendo viva, mas sem qualquer chance de recuperação, então paro. Quando chegar a hora, vamos saber. Não se preocupe. Não vou tomar os comprimidos antes desse momento. Enquanto isso, pretendo usufruir todo o tempo que restar."

Tudo que fora intolerável para ela passou a ser tolerável, depois que ela conseguiu os comprimidos, pela certeza de que, quando a situação se tornasse realmente intolerável, ela acabaria com tudo. Tenho que dizer que os oito meses seguintes, embora conduzissem à sua morte, foram os meses mais felizes de sua doença; e que, de algum modo obscuro, apesar ou talvez por causa do sofrimento que eles continham, estiveram entre os mais felizes de nossas vidas. Uma vez que todos tínhamos resolvido o futuro, podíamos viver inteiramente no presente, algo que nenhum de nós tinha feito de fato até então. Devo enfatizar que o vômito, o mal-estar, a perda de cabelo eram incessantes, que a boca de mamãe era uma grande ferida que nunca parecia cicatrizar, que ela precisava poupar força por dias para sair por uma tarde, que não podia comer quase nada, tinha muitas alergias, tremia tanto que certos dias não conseguia usar garfo e faca — e mesmo assim a lancinante situação provocada pela quimioterapia contínua parecia de repente pouco importante, pois tais sintomas seriam permanentes apenas até mamãe decidir que não aguentaria mais, e assim a doença não a tinha mais sob seu controle. Em *Breviário de decomposição*, escreve E. M. Cioran: "O consolo que provoca a possibilidade do suicídio amplia a um espaço infinito essa esfera dentro da qual sofremos. [...] Pode haver riqueza maior do que o suicídio que cada um de nós leva dentro de si?"[104]

Desde então sempre releio e me comovo especialmente com o bilhete de suicídio de Virginia Woolf, tão semelhante em espírito aos termos da partida de mamãe. Virginia Woolf escreveu ao marido:

Meu querido,

Quero dizer que você me deu uma felicidade completa. Ninguém poderia ter feito mais do que você. Por favor, acredite.

Mas sei que jamais me recuperarei: e estou desperdiçando sua vida. É essa loucura. Nada que alguém disser poderá me convencer. Você não consegue trabalhar, e ficará muito melhor sem mim. Está vendo, não consigo nem escrever isso direito, o que mostra que tenho razão. Só quero dizer que até essa doença surgir fomos perfeitamente felizes. Foi tudo graças a você. Ninguém poderia ter sido tão bom quanto você tem sido, do primeiro dia até agora. Todos sabem disso.

V.

Por favor, destrua todos os meus papéis.[105]

É um bilhete incomumente solidário, precisamente por ser desapaixonado e claro sobre a doença. Há pessoas que se matam porque ainda não encontraram, ou talvez porque não procuraram, uma cura existente. Então há aqueles que se matam porque sua doença é genuinamente incurável. Se eu realmente tivesse acreditado quando estava doente que minha situação era permanente, teria me matado. Mesmo se tivesse acreditado que era cíclica, como Virginia Woolf sabia, teria me matado se os ciclos parecessem pender demais na direção do desespero. Woolf sabia que, fosse lá qual fosse, a dor que sentia ia embora, mas não queria passar por aquilo e esperar que cessasse; já tivera tempo e esperas suficientes e já era hora de partir. Ela escreveu:

Ah, está começando está vindo — o horror — fisicamente como uma onda doloro-sa inchando sobre o coração — atirando-me para cima. Estou infeliz, infeliz! Desalentada — Deus, gostaria de estar morta. Pausa. Mas por que estou sentindo isso? Deixe-me observar a onda se erguer. Observo. Fracasso. Sim, detecto isso. Fracasso, fracasso. (A onda se ergue.) A onda desaba. Gostaria de estar morta! Tenho apenas alguns anos para viver, espero. Não posso mais encarar esse horror — (é a onda espalhando-se sobre mim).

E continua; por várias vezes, com variedades de horror. Depois, na crise, em vez de a dor permanecer intensa, torna-se vaga. Eu cochilo. Acordo com um sobressalto. A onda de novo! A dor irracional: a sensação de fracasso; geralmente algum incidente específico.

Por fim digo tão desapaixonadamente quanto posso: Agora controle-se. Chega disso, raciocino. Faço um balanço de pessoas felizes & infelizes. Firmo-me para empurrar distorcer demolir. Começo a andar cegamente em frente. Sinto os obstáculos caírem. Digo que não tem importância. Nada importa. Torno-me rígida & reta, & durmo de novo, & meio que acordo & sinto a onda começando & observo a luz surgindo & imagino como esse momento, desjejum & a luz do dia sobrepujará isso. Todos passam por esse estado? Por que tenho tão pouco controle? Não é honroso nem louvável. É a causa de muito desperdício & dor na minha vida.[106]

Escrevi para meu irmão durante meu terceiro surto de depressão, antes de saber quão rapidamente tal surto passaria: "Não posso passar ano sim, ano não, desse modo. Enquanto isso, faço o melhor que posso para aguentar. Eu tinha comprado uma arma que guardava em casa e dei-a a um amigo para guardar porque não queria acabar usando-a num momento de impulsividade. Isso não é ridículo? Ter medo de acabar usando a própria arma? Ter que guardá-la em outra casa e dar instruções para que não a devolvam a você?". O suicídio é realmente mais uma resposta da ansiedade do que uma solução da depressão: não é a ação de uma mente nula, mas de uma mente torturada. Os sintomas físicos da ansiedade são tão agudos que parecem exigir uma resposta física: não simplesmente o suicídio mental do silêncio e do sono, mas o físico da autoaniquilação.

Minha mãe elaborara os detalhes, e meu pai, dado a planejamentos cuidadosos, repassou tudo como se um ensaio geral esgotasse de antemão parte da dor do próprio acontecimento. Planejamos como meu irmão e eu viríamos para casa, como minha mãe tomaria os antieméticos, qual a melhor hora do dia para isso; debatemos cada detalhe para a cerimônia do velório. Concordamos em fazer o velório dois dias depois da morte. Planejamos juntos como antes havíamos planejado com calma festas, férias de família, Natais. Descobrimos nisso, como em tudo mais, uma etiqueta pela qual muito seria determinado ou comunicado. Minha mãe começou com calma a tornar suas emoções completamente claras para todos nós, pretendendo, no decorrer de alguns meses, resolver cada diferença familiar até a transparência. Conversou a respeito de quanto nos amava a todos e falou da forma e da estrutura desse amor; resolveu velhos conflitos e articulou uma nova claridade de aceitação. Separou dias para cada um de seus amigos — e tinha muitos amigos — para se despedir; embora poucos deles soubessem de seus verdadeiros planos, ela se certificou de que cada um soubesse o lugar importante que ocupava para ela. Ria muitas vezes durante aquele período; seu senso de humor, caloroso e agregador, parecia se espalhar para incluir mesmo os médicos que a envenenavam mensalmente e as enfermeiras que testemunhavam sua extinção gradual. Ela me chamou certa tarde para ajudá-la a comprar uma bolsa para minha tia-avó de noventa anos, e, embora a expedição a deixasse exausta a ponto de ter um colapso que durou três dias, também nos renovou a ambos. Ela lia tudo que eu escrevia com uma mistura de acuidade e generosidade que nunca mais encontrei em ninguém, uma nova característica sua, mais suave do que o insight que aplicara previamente a meu trabalho. Deu coisas pequenas a algumas pessoas e ordenou que as coisas maiores não fossem dadas ainda. Determinou que toda a nossa mobília fosse reformada de modo a deixar a casa numa ordem razoável e escolheu o design de sua lápide.

Pouco a pouco, seus planos de suicídio passaram a ser uma realidade que parecia ter sido assimilada por nós. Posteriormente, ela disse que pensara em fazer a coisa toda sozinha, mas achara que o choque seria pior do que as lembranças de termos estado com ela durante essa experiência. Quanto a nós... Nós queríamos estar lá. A vida de minha mãe era de outras pessoas, e todos odiávamos a ideia de ela morrer sozinha. Foi importante, em seus últimos meses no mundo, que todos nos sentíssemos conectados, que nenhum de nós fosse deixado com uma sensação de segredos guardados e planos escondidos. Nosso segredo nos aproximou mais do que nunca.

Se você nunca tentou ajudar alguém a se matar, não consegue sequer imaginar como é difícil. Se a morte fosse uma coisa passiva, que ocorresse aos que não estão cansados de resistir a ela, e se a vida fosse algo ativo, que continuasse apenas em virtude de um compromisso diário consigo mesmo, o problema do mundo seria a carência de população, e não a superpopulação. Uma quantidade imensa de pessoas vive em desespero silencioso e não se mata por não conseguir os meios para fazê-lo.

Minha mãe decidiu se matar no dia 19 de junho de 1991, aos 58 anos de idade, porque se esperasse mais tempo ficaria fraca demais para tirar a própria vida. O suicídio exige força e um tipo de privacidade que não existe em hospitais. Naquela tarde, mamãe foi consultar um gastroenterologista que lhe disse haver grandes tumores bloqueando o seu intestino. Sem cirurgia imediata, ela não conseguiria digerir sua comida. Ela disse que entraria em contato para marcar a cirurgia e depois foi ao encontro de meu pai na sala de espera. Quando chegaram em casa, ela ligou para mim e meu irmão. "As notícias foram ruins", disse calmamente. Eu sabia o que aquilo significava, mas não consegui dizê-lo. "Acho que está na hora", disse. "É melhor você vir." Tudo ocorreu bem dentro do que havíamos planejado.

Dirigi-me para a casa de meus pais, parando no caminho para pegar meu irmão em seu trabalho. Estava chovendo a cântaros, o tráfego lento. A voz absolutamente calma de mamãe — ela usara o mesmo tom lógico que sempre usava para as coisas que planejava, como se estivesse nos chamando para jantar — fizera a coisa toda parecer muito simples, e, quando chegamos ao apartamento, nós a encontramos lúcida e relaxada, usando uma camisola de rosas cor-de-rosa e um longo roupão. "Você deveria tentar comer algo", disse meu pai. "Ajuda a manter os comprimidos no estômago." Então fomos para a cozinha e mamãe fez chá com torradas. Algumas noites antes, durante o jantar, ela e meu irmão competiram num jogo de azar com um osso de frango e mamãe ganhara. "O que foi que você desejou?", meu irmão agora perguntava, e ela sorriu. "Desejei que isso terminasse tão rapidamente e sem dor quanto possível", disse ela. "E meu pedido está se realizando." Baixou os olhos para sua torrada. "Meus desejos se realizaram muitas vezes." Naquele momento, meu irmão pegou uma caixa de biscoitos, e mamãe, com aquele tom de terna ironia que era bem seu, disse: "David. Pela última vez. Coloque os biscoitos num prato". Então ela me lembrou de pegar algumas flores secas que encomendara para o saguão da casa de campo. Essas questões práticas haviam se tornado intimidades. Acho que há um lado naturalmente dramático nas mortes de causas naturais: há sintomas súbitos e convulsões, ou, em sua ausência, o choque da surpresa e da interrupção. O que foi muito curioso nessa experiência foi que não havia nada de súbito ou não planejado. O drama jazia na ausência do drama, na sufocante experiência de não agir fora do personagem em momento algum.

De volta ao quarto, ela se desculpou de novo por ter nos envolvido. "Mas pelo menos vocês três vão ficar juntos", acrescentou. Minha mãe — que sempre acreditara em ter um suprimento adequado de tudo — tinha o dobro de Seconal de que precisava. Sentou-se na cama e derramou quarenta comprimidos no cobertor à sua frente. "Estou tão cansada de tomar remédios", disse secamente. "Disso não vou sentir falta." E começou a tomá-los com uma espécie de finura de quem sabe o que está fazendo, como se os milhares de comprimidos que tomara durante dois anos de tratamento contra o câncer fossem um longo ensaio para esse momento — como desde então aprendi a tomar antidepressivos aos punhados. "Acho que isto deve resolver", disse ela quando a pilha desapareceu.

264

Tentou tomar um copo de vodca, mas disse que a estava deixando nauseada. "Certamente isso é melhor do que vocês me verem gritando num quarto de hospital, não é?" E claro que foi melhor, exceto que aquela imagem ainda era apenas uma fantasia e o que estava acontecendo tornara-se realidade. A realidade nesses momentos é pior do que qualquer coisa.

Então tivemos cerca de quarenta e cinco minutos em que ela dizia todas as últimas coisas que tinha a dizer e nós fazíamos o mesmo. Pouco a pouco sua voz foi se tornando arrastada, mas para mim foi claro que até esse discurso havia sido planejado. E foi então que o drama de sua morte sobreveio, porque, à medida que se tornava mais evanescente, ela se tornava também mais clara e parecia dizer mais do que poderia ter planejado. "Vocês foram os filhos mais amados", disse, olhando para nós. "Até vocês nascerem, eu não tinha ideia de que era capaz de sentir algo como o que senti então. De repente, vocês estavam ali. Durante toda a minha vida, tinha lido livros sobre mães dizendo corajosamente que morreriam por seus filhos e foi exatamente o que senti. Eu teria morrido por vocês. Detestava quando eram infelizes. Me doía tanto. Queria envolvê-los com meu amor para protegê-los de todas as coisas terríveis do mundo. Eu queria que meu amor fizesse do mundo um lugar feliz, alegre e seguro para vocês." David e eu estávamos sentados na cama de meus pais. Mamãe estava deitada em seu lugar costumeiro. Ela segurou minha mão por um segundo, depois a de David. "Quero que sintam que meu amor está sempre aqui, que continuará envolvendo vocês mesmo depois de eu ter ido. Minha maior esperança é que o amor que dei a vocês fique com vocês a vida inteira."

Sua voz estava firme, como se o tempo não estivesse contra ela. Virou-se então para meu pai. "Eu teria alegremente dado décadas de minha vida para ser a primeira a partir", disse ela. "Não consigo imaginar o que teria feito se você morresse antes de mim, Howard. Você é a minha vida. Por trinta anos tem sido a minha vida." Ela olhou para mim e meu irmão. "E então você nasceu, Andrew. E depois você, David. Dois outros vieram, e então havia três pessoas que realmente me amavam. E eu amei vocês todos. Sentia-me tão arrebatada, tão fortalecida por isso." Ela me olhou — eu estava chorando, mas ela não — e assumiu um tom de gentil censura. "Não pense que estará me prestando uma grande homenagem se permitir que minha morte se torne o grande acontecimento de sua vida", disse. "A melhor homenagem que você pode me prestar como filho é continuar e ter uma vida boa e plena. Usufrua o que tem."

Então sua voz tornou-se onírica, apática. "Hoje estou triste. Estou triste por estar partindo. Mas mesmo com essa morte não trocaria minha vida por qualquer outra no mundo. Amei plenamente, e tenho sido amada plenamente, e me diverti muito." Fechou os olhos pelo que achamos ser a última vez, depois os abriu de novo e nos olhou um por um, seus olhos pousando em meu pai. "Procurei tantas coisas nesta vida", disse, a voz lenta como num disco tocado na rotação errada. "Tantas coisas. E o tempo todo o paraíso estava aqui neste quarto, com vocês três." Meu irmão acariciava os ombros dela. "Obrigada pela massagem, David", disse, e depois fechou os olhos de vez. "Carolyn!", disse meu pai, mas ela não se moveu de novo. Eu tinha presenciado outra morte — alguém alvejado por uma arma — e lembro-me de sentir que aquela morte não pertencia à pessoa que morrera: pertencia à arma e ao momento. A morte de mamãe era autenticamente sua.

O filósofo norte-americano contemporâneo Ronald Dworkin escreveu:

> A morte domina porque não é apenas o começo do nada, mas o fim de tudo, e o modo como pensamos e falamos sobre a morte — a ênfase que colocamos no "morrer com dignidade" — mostra como é importante que a vida termine *apropriadamente*, que a morte seja um reflexo do modo como desejamos ter vivido.[107]

Se há algo que posso afirmar sobre a morte de minha mãe, é que esteve à altura de sua vida. O que eu não imaginara é como esse fato me tentaria a cometer suicídio. Em seu *Réquiem*, Rilke escreveu: "No amor, precisamos praticar apenas isto: libertar um ao outro. Pois o apego ao outro vem facilmente, não precisamos aprendê-lo".[108] Se eu tivesse sido capaz de absorver tal ensinamento, talvez não tivesse caído em depressão — pois foi essa morte extraordinária que precipitou meu primeiro episódio. Não sei qual era o meu nível de vulnerabilidade, ou se eu teria um colapso se não tivesse passado por uma experiência tão desoladora. Minha ligação com minha mãe era tão forte, a união de nossa família, tão impermeável, que talvez eu tivesse sido preparado desde sempre para ser incapaz de tolerar perdas.

O suicídio assistido é um modo legítimo de morrer; na melhor das circunstâncias, é cheio de dignidade, mas continua sendo um suicídio, que é uma das coisas mais tristes do mundo. E, à medida que você desempenhou um papel na sua execução, ele passa a ser uma espécie de assassinato, e não é fácil conviver com assassinato. Ele volta para assombrá-lo, e nem sempre de modos agradáveis. Nunca li nada sobre eutanásia escrito pelos que tomaram parte nela que não fosse em um nível profundo um pedido de desculpas: escrever ou falar sobre a eutanásia ou seu envolvimento nela é, inevitavelmente, um apelo à absolvição. Depois da morte de minha mãe, assumi a tarefa de arrumar o apartamento de meus pais, separar as roupas dela, seus papéis pessoais e assim por diante. O banheiro estava cheio dos destroços característicos de uma doença terminal, inclusive instrumentos para cuidar das perucas, unguentos e loções para alergias, frascos e mais frascos de remédios. Num canto do fundo da caixa de remédios, atrás das vitaminas, dos analgésicos, dos medicamentos para acalmar o estômago, dos comprimidos para reequilibrar certos hormônios, das várias combinações de comprimidos para dormir que ela tomava quando a doença e o medo conspiravam para mantê-la acordada, atrás de tudo isso encontrei a última dádiva da caixa de Pandora, o resto do Seconal. Eu estava ocupado jogando fora frasco após frasco, mas, quando cheguei a esses comprimidos, parei. Com medo tanto da doença quanto do desespero, embolsei o frasco e o escondi no canto mais distante de minha própria caixa de remédios. Lembrei do dia de outubro em que mamãe me dissera: "Tenho os comprimidos. Quando chegar a hora, poderei fazê-lo".

Dez dias depois de ter terminado de arrumar o banheiro de mamãe, meu pai ligou enfurecido. "O que aconteceu ao resto do Seconal?", perguntou, e eu disse que jogara fora todos os comprimidos da casa que estavam com o nome de minha mãe. Acrescentei que ele parecia deprimido e que me incomodava a ideia de ele ter pronto acesso à substância. "Aqueles comprimidos", disse ele, a voz embargada, "você não tinha o direito de jogá-los fora." Depois de uma longa pausa, ele disse: "Eu os estava guardando para mim, no caso de algum dia ficar doente também. Para não ter que passar por todo aquele processo para consegui-los". Acho que para cada um de nós era como se minha mãe vivesse naqueles comprimidos vermelhos, como se quem possuísse o veneno que provocou sua morte retivesse também um estranho acesso à sua vida. Era como se, planejando tomar os comprimidos remanescentes, estivéssemos de algum modo nos vinculando de novo a mamãe, como se pudéssemos nos unir a ela morrendo da mesma forma. Entendi então a dinâmica das epidemias de suicídio. Nosso único conforto diante da perda de minha mãe era planejar repetir sua partida por nós mesmos.

Só alguns anos depois conseguimos reverter essa formulação, escrevendo uma história melhor para nós. Minha recuperação da depressão era para meu pai um triunfo de seu amor, da inteligência e da vontade: ele tentara salvar um membro da família e falhara, mas pôde salvar outro. Participáramos de um suicídio e evitáramos outro. Não sou intensamente suicida enquanto minha situação, seja ela psicológica ou física, parecer a mim ou àqueles ao meu redor permitir melhora. Mas os termos de meu próprio suicídio, se a questão mudasse a esse ponto, são inteiramente claros. Fico aliviado e mesmo orgulhoso por não ter cedido a terminar a vida quando me sentia tão desalentado. Pretendo enfrentar a adversidade de novo se necessário. Psicologicamente, não terei que procurar longe se decidir me matar, porque na mente e no coração estou mais pronto para isso do que para as atribulações cotidianas não planejadas que demarcam as manhãs e tardes. Neste meio-tempo, peguei minha arma de volta e tenho verificado as fontes para obtenção de mais Seconal. Tendo testemunhado o conforto que mamãe encontrou em seu controle final, posso entender, quando a infelicidade parece grande e a recuperação, impossível, como a lógica da eutanásia se torna indubitável. Não é politicamente correto colocar suicídio diante da doença psiquiátrica e suicídio diante da doença física no mesmo patamar, mas acho que há similaridades surpreendentes. Teria sido medonho se o jornal tivesse anunciado no dia depois da morte de mamãe que uma descoberta de ponta pudesse curar o câncer ovariano. Se sua única doença é a própria tendência suicida ou a depressão, então matar-se antes de tentar todos os expedientes é trágico. Mas quando você chega ao seu limite psíquico e sabe, com a concordância dos outros, que sua vida é horrível demais — o suicídio se torna um direito. Então (e é um momento tão frágil, tão difícil), torna-se uma obrigação para aqueles que estão vivendo aceitar a vontade daqueles que não desejam nem nunca desejarão viver.

A questão do suicídio como forma de controle não tem sido explorada o suficiente. Uma vinculação do suicídio ao controle motivou a morte de minha mãe, e essa motivação existe para muitas pessoas que se matam sob circunstâncias muito diferentes. Alvarez escreve:

> Afinal, o suicídio é fruto de uma opção. Por mais impulsivo que seja o ato e por mais confusos que sejam os motivos, no momento em que uma pessoa finalmente decide pôr fim à própria vida, atinge uma certa clareza temporária. O suicídio pode ser uma espécie de declaração de falência que condena a vida da pessoa como uma longa história de fracassos. Mas é uma história que desemboca pelo menos nessa decisão que, por seu próprio caráter irrevogável, não pode ser vista como um fracasso total. [...] Acredito que exista toda uma classe de suicidas [...] que põem fim à própria vida não para morrer, mas para escapar de uma confusão interna, para aclarar suas mentes. São pessoas que usam deliberadamente o suicídio para criar uma realidade descomplicada para si mesmas ou para transpor os padrões de obsessão e necessidade que elas próprias inadvertidamente impuseram a suas vidas.[109]

Nadezhda Mandelstam, mulher do grande poeta russo Osip Mandelstam, escreveu certa vez:

> Na guerra, nos campos de concentração e durante os períodos de terror, as pessoas pensam muito menos sobre a morte (e menos ainda sobre suicídio) do que quando estão levando vidas normais. Sempre que em algum lugar da Terra um terror mortal e a pressão de problemas insolúveis estão presentes de uma forma particularmente intensa, as questões gerais acerca da natureza da existência recuam para segundo plano. Como poderíamos contemplar e reverenciar as forças da natureza e as eternas leis da existência se um terror de caráter mundano era sentido de uma forma tão palpável em nossas vidas cotidianas? Talvez seja melhor falar em termos mais concretos como plenitude ou intensidade da existência, e, nesse sentido, talvez tenha havido algo de mais profundamente satisfatório no nosso apego desesperado à vida do que naquilo pelo qual as pessoas em geral lutam.[110]

Quando mencionei isso a um amigo que sobrevivera ao sistema punitivo soviético, ele o confirmou. "Nós nos opúnhamos àqueles que queriam tornar nossas vidas amargas", disse ele. "Tirar nossas próprias vidas significava sermos derrotados, e quase todos nós estávamos determinados a não dar essa satisfação aos opressores. Os mais fortes é que conseguiriam viver, e nossas vidas eram a oposição — era ela que nos impulsionava. As pessoas que queriam tirar nossas vidas eram os inimigos, e nosso ódio por eles e nossa resistência a eles nos mantinham vivos. Nosso desejo tornou-se mais forte ante o sofrimento. Enquanto estávamos lá, não quisemos morrer, mesmo que antes tivéssemos um ânimo instável. Depois de sairmos, a questão foi diferente; não era incomum sobreviventes dos campos de concentração se matarem quando voltavam à sociedade que haviam deixado. Então, quando não havia nada para nos opormos, nossos motivos para viver tiveram que vir do eu dentro de nós, e em muitos casos nossos eus haviam sido destruídos."

Escrevendo mais sobre campos de concentração nazistas do que sobre os soviéticos, Primo Levi observou:

> Na maior parte dos casos, a hora da liberação não foi nem alegre nem despreocupada: soava em geral num contexto trágico de destruição, massacre e sofrimento. Naquele momento, quando voltávamos a nos sentir homens, ou seja, responsáveis, retornavam as angústias dos homens: a angústia da família dispersa ou perdida; da dor universal ao redor; do próprio cansaço, que parecia definitivo, não mais remediável; da vida a ser recomeçada em meio às ruínas, muitas vezes só.[111]

Como os macacos e ratos que se desfiguram voluntariamente quando submetidos a separações inconvenientes, superpopulação e outras condições medonhas, as pessoas têm em si uma forma orgânica para expressar o desespero. Há coisas que podem ser feitas com uma pessoa para torná-la suicida, e tais coisas eram feitas nos campos de concentração. Uma vez atravessado o limite, é difícil sustentar um bom estado de ânimo. Os sobreviventes dos campos de concentração têm uma alta taxa de suicídio, e algumas pessoas se surpreendem por alguém sobreviver aos campos e depois se matar. Eu não acho que isso seja surpreendente. Dão-se muitas explicações para o suicídio de Primo Levi. Muitos disseram que a culpa é de seus remédios, uma vez que ele manifestara tanta esperança e luz nos últimos anos de sua vida.[112] Acho que seu suicídio sempre esteve fervilhando dentro dele, que nunca houve um êxtase de ser salvo, nunca nada comparável ao horror do que conhecera. Talvez os remédios ou o tempo ou qualquer outra coisa tenha afrouxado nele o mesmo impulso que levaria um rato a roer a própria cauda, mas acho que o capricho essencial esteve sempre lá, depois do horror do campo de concentração. As experiências podem facilmente ultrapassar a genética e fazer isso a uma pessoa.

O homicídio é mais comum do que o suicídio entre os destituídos de direitos civis, enquanto o suicídio é mais elevado do que o homicídio entre os poderosos. Ao contrário da crença popular, o suicídio não é o último recurso da mente depressiva. Não é o último momento da decadência mental. Na verdade, as chances de suicídio são mais altas entre pessoas que saíram recentemente de um hospital do que entre pessoas internadas em um hospital, e não apenas por causa da suspensão das restrições do ambiente hospitalar. O suicídio é a rebelião da mente contra si mesma, uma dupla desilusão de uma complexidade que a mente perfeitamente deprimida não consegue abarcar. É um ato voluntário para libertar-se de si mesmo. O tom menor da depressão dificilmente poderia imaginar o suicídio; é preciso o brilhantismo do autorreconhecimento para destruir o objeto desse reconhecimento. Por mais equivocado que seja o impulso, pelo menos é um impulso. Se não há outro conforto num suicídio não evitado, pelo menos há esse pensamento persistente de que ele foi mais um ato de coragem deslocada e força infeliz do que um ato de total fraqueza ou de covardia.

Minha mãe tomou Prozac, que tinha acabado de surgir, por um mês durante sua luta contra o câncer. Ela dizia que o remédio a entorpecia demais — e a deixava irrequieta, o que, combinado com os efeitos colaterais da quimioterapia, tornara-se insuportável. "Eu estava andando pela rua hoje", disse, "e pensei que provavelmente estava morrendo. E então fiquei imaginando se devíamos comer cerejas e peras no almoço. E as duas coisas pareciam ter o mesmo peso." Minha mãe tinha um motivo externo suficientemente forte para estar deprimida e acreditava muito na autenticidade. Como disse, acho que ela sofrera de uma depressão leve por anos: se tenho genes de depressão, suspeito que venham dela. Mamãe acreditava em ordem e estrutura. Não consigo lembrar — e na psicanálise procurei arduamente — uma única vez em que minha mãe tivesse quebrado uma promessa feita. Não consigo lembrar nem sequer um compromisso para o qual ela tivesse se atrasado. Acredito agora que mantinha essa lei marcial em sua vida não apenas por consideração aos outros, mas também porque isso circunscrevia uma melancolia que sempre estava dentro dela. Minha maior felicidade quando eu era garoto vinha de fazer minha mãe feliz. Eu era bom nisso, mesmo que isso não fosse um feito facilmente conquistado. Retrospectivamente, acho que ela sempre precisou se distrair da tristeza. Ela detestava ficar sozinha. Certa vez me disse que isso vinha do fato de ter sido filha única. Acho que havia nela um reservatório de solidão, algo que ia bem mais fundo do que ser filha única. Devido a seu extraordinário amor por sua família, ela manteve a situação sob controle e teve a sorte de conseguir fazê-lo. Apesar disso, a depressão estava lá. E acredito que por isso ela estava tão preparada para o rigor do suicídio.

Eu diria que o suicídio nem sempre é uma tragédia para a pessoa que morre, mas sempre chega cedo e rápido demais para os que ficam. Aqueles que condenam o direito de morrer estão cometendo um grave desserviço à sociedade. Todos nós queremos um controle maior sobre a vida do que de fato temos, e ditar os termos da vida dos outros faz com que nos sintamos seguros. Não há nenhuma razão para proibir às pessoas sua liberdade mais primordial. Apesar disso, acredito que aqueles que, ao apoiarem o direito de morrer, distinguem em termos absolutos alguns tipos de suicídio de outros, estão mentindo para alcançar um objetivo político. Depende de cada pessoa estabelecer limites para suas próprias torturas. Felizmente, os limites que a maioria estabelece para si próprio são altos. Nietzsche certa vez disse que a ideia do suicídio mantém muitos homens vivos na parte mais sombria da noite.[113] Eu diria que, quanto mais completamente alguém se conforma com a ideia do suicídio racional, mais protegido estará do suicídio irracional. Saber que se eu atravessar este minuto sempre poderei me matar no próximo torna possível atravessar este minuto sem ser totalmente destruído por ele. O suicídio pode ser um sintoma da depressão; é também um fator que a suaviza. A ideia do suicídio possibilita atravessar a depressão. Tenho esperança de que viverei enquanto puder dar ou receber coisa melhor do que dor, mas não prometo que nunca me matarei. Nada me aterroriza mais do que a ideia de que eu poderia, em algum estágio, perder a capacidade de cometer suicídio.

8. História

A história da depressão no Ocidente está estreitamente ligada à história do pensamento ocidental e pode ser dividida em cinco fases principais.[1] A visão da depressão no mundo antigo era surpreendentemente semelhante à nossa. Hipócrates declarava ser a depressão uma doença essencialmente cerebral, que deveria ser tratada com remédios orais, e a questão primordial entre os médicos que o seguiam era sobre a natureza humoral do cérebro e a formulação correta desses remédios orais. Na Idade Média, a depressão era vista como a manifestação da hostilidade de Deus, uma indicação de que o sofredor estava excluído do bem-aventurado conhecimento da salvação divina. Foi nessa época que a doença foi estigmatizada; em episódios extremos, os que sofriam dela eram tratados como infiéis. O Renascimento romantizou a depressão e nos deu o gênio melancólico, nascido sob o signo de Saturno, cuja apatia significava insight e cuja fragilidade era o preço pago pela visão artística e a complexidade da alma. Os séculos XVII a XIX foram a era da ciência, quando experimentos buscavam determinar a composição e função do cérebro e elaborar estratégias biológicas e sociais para refrear as mentes que saíam do controle. A era moderna começou no início do século XX com Sigmund Freud e Karl Abraham, cujas ideias psicanalíticas da mente e do eu nos deram boa parte do vocabulário ainda em uso para descrever a depressão e suas origens, e com as publicações de Emil Kraepelin, que propôs uma biologia moderna da doença mental como uma aflição que pode ser separada de uma mente normal ou sobreposta a ela.

Perturbações há muito chamadas de melancolia são agora definidas pelo termo estranhamente corriqueiro de *depressão*, inicialmente usado em inglês para descrever o desânimo em 1660 e que entrou para o uso comum em meados do século XIX.[2] Utilizo a palavra *depressão* aqui para descrever os estados para os quais usaríamos agora esse termo. Está na moda encarar a depressão como uma doença moderna, e isso é um erro grosseiro. Como Samuel Beckett certa vez observou: "As lágrimas do mundo são em quantidade constante".[3] A forma e a particularidade da depressão já passaram por mil reviravoltas, e o tratamento da doença alternou-se entre o ridículo e o sublime, mas o sono excessivo, alimentação inadequada, propensão ao suicídio, afastamento da interação social e o desespero incessante são tão antigos quanto as tribos das montanhas, se não tão antigos quanto as próprias montanhas. Desde que o homem atingiu a capacidade de autorreferência, a vergonha surgiu e desapareceu, os tratamentos para queixas corporais alternaram-se e cruzaram-se com tratamentos para queixas espirituais, súplicas a deuses externos ecoaram súplicas a demônios internos. Entender a história da depressão é entender a invenção do ser humano como agora o conhecemos e somos. Nossa pós-modernidade, cognitivamente focada, semialienada, em que se consome Prozac feito pipoca, é apenas uma fase na compreensão contínua e no controle do humor e da personalidade.

Os gregos, que valorizavam a ideia de uma mente sã num corpo são, partilhavam a ideia moderna de que uma mente pouco sã reflete um corpo pouco são, que toda doença da mente está conectada de algum modo à disfunção corporal. A prática médica grega era baseada na teoria dos humores, que considerava o temperamento uma consequência dos quatro fluidos corporais: fleuma, bile amarela, sangue e bile negra.[4] Empédocles descreveu a melancolia como a consequência de um excesso de bile negra, e Hipócrates, impressionantemente moderno, imaginara uma cura física no final do século V a.C., numa época em que a ideia da doença e de médicos acabava de surgir. Hipócrates localizava a sede da emoção, pensamento e doença mental no cérebro:

> É o cérebro que nos deixa louco ou delirante, nos inspira com horror e medo, seja noite ou dia, traz-nos a insônia, os equívocos inoportunos, as ansiedades sem alvo, a desatenção e os atos contrários ao hábito. Essas coisas de que todos sofremos vêm do cérebro quando este não está saudável, mas se torna anormalmente quente, frio, úmido ou seco.

Hipócrates achava que a melancolia mesclava fatores internos e ambientais, que "um longo trabalho da alma pode produzir melancolia"; e distinguia doenças que surgiam no rastro de terríveis eventos de doenças sem causa aparente. Classificava ambas como versões de uma doença única precipitada quando o excesso de bile negra — fria e seca — rompia o equilíbrio ideal dos quatro humores. Tal desequilíbrio, dizia ele, podia ter uma origem uterina — a pessoa podia nascer com uma tendência a isso — ou podia ser induzida pelo trauma. As palavras gregas para bile negra eram *melaina chole*, e os sintomas de sua ascendência maligna, associados por Hipócrates ao outono, incluíam "tristeza, ansiedade, depressão moral, tendência ao suicídio" e "aversão à comida, desânimo, insônia, irritabilidade e inquietação", acompanhados de "medo prolongado". Para reequilibrar os humores, Hipócrates propunha mudanças na dieta e a administração oral de mandrágora e heléboro, ervas catárticas e eméticas destinadas a eliminar o excesso das biles negra e amarela. Ele acreditava também nas propriedades curativas do conselho e ação; curou a melancolia do rei Pérdicas II analisando seu temperamento e persuadindo-o a se casar com a mulher que amava.[5]

As teorias sobre a temperatura, localização e outros detalhes da bile negra tornaram-se crescentemente complexas nos 1500 anos seguintes, o que é curioso porque a bile negra na realidade não existe. A bile amarela, produzida na vesícula biliar, pode adquirir tons marrons, mas nunca negros, e parece improvável que a bile amarela fosse o *melaina chole* descrito. A bile negra, hipotética ou não, era péssima; dizia-se que causava não apenas depressão, como também epilepsia, hemorroidas, dor de estômago, disenteria e erupções na pele. Alguns eruditos sugeriram que a palavra *chole*, que significa bile, era muitas vezes usada em associação com a palavra *cholos*, que significa raiva, e que a noção de bile negra pode ter vindo de uma crença na escuridão da raiva.[6] Outros propuseram que a associação da escuridão com a negatividade ou dor é um mecanismo humano incorporado, que a depressão tem sido representada por várias culturas em negro e que a noção de um estado de espírito negro é amplamente estabelecida em Homero,[7] que descreve "uma nuvem negra de angústia", como a que afligia Belerofonte: "Quando também Belorofonte foi odiado por todos os deuses/ Vagueou, só, pela planície de Aleia, devorando/ seu próprio coração e evitando as veredas humanas".[8]

A divisão entre o ponto de vista médico e o ponto de vista filosófico/ religioso da depressão era clara na antiga Atenas. Hipócrates denunciava os praticantes da "medicina sagrada", que invocavam os deuses para efetuar curas, como "trapaceiros e charlatães"; e afirmou que "tudo que os filósofos escreveram sobre ciência natural não tem mais a ver com a medicina do que com a pintura".[9] Sócrates e Platão resistiram às teorias orgânicas de Hipócrates e afirmavam que, embora disfunções suaves pudessem ser tratadas por médicos, disfunções profundas estavam no campo dos filósofos. Eles formularam conceitos do eu que exerceram uma poderosa influência na psiquiatria moderna. Em Platão se originou o modelo de desenvolvimento que sugeria que a infância de um homem pode determinar a qualidade de seu caráter adulto. Ele fala do poder da família em determinar para o bem ou para o mal as atitudes políticas e sociais do homem no decorrer de sua vida. Seu modelo tripartido da psique adulta — o racional, o libidinal e o espiritual — é estranhamente parecido com o de Freud.[10] Na verdade, Hipócrates é o avô do Prozac; Platão é o avô da terapia psicodinâmica. Durante os dois milênios e meio entre eles e o presente, surgiu todo tipo de variação dos dois temas, e genialidade e loucura parecem ter se alternado como pistões.

Os médicos logo começaram a propor remédios orais para a melancolia. No mundo antigo pós-hipocrático, Filotimo, por exemplo, tendo notado que muitos depressivos se queixavam de "uma cabeça leve, árida, como se nada existisse nela", pôs um capacete de chumbo em seus pacientes para que tivessem consciência de suas cabeças.[11] Crisipo de Cnido acreditava que a resposta para a depressão era o consumo maior de couve-flor, e advertia contra o manjericão, que ele afirmava causar loucura. Filiston e Plistônico, opondo-se a Crisipo, propuseram que o manjericão era um melhor tratamento para pacientes que haviam perdido toda a sensação de vitalidade. Filágrio acreditava que muitos sintomas da depressão vinham da perda excessiva de esperma em poluções noturnas e receitava uma mistura de gengibre, pimenta, pomadas e mel para controlá-los.[12] Antifilagrianos do período consideravam a depressão o resultado orgânico da abstinência sexual e mandavam seus pacientes de volta para os quartos.

Setenta anos depois da morte de Hipócrates, a escola de Aristóteles começou a exercer uma poderosa influência em nossa visão do pensamento. Aristóteles não aceitava nem a diminuição de importância da alma e de seus filósofos por parte de Hipócrates, nem o descarte do médico como mero artesão por parte de Platão. Em vez disso, Aristóteles propôs a teoria de um eu unido, no qual "uma perturbação do corpo afeta a alma; as doenças da alma vêm do corpo, exceto as que são nascidas na própria alma. A paixão muda o corpo". Sua sabedoria sobre a natureza humana não vinha acompanhada de um conhecimento da anatomia. Ao dizer que "o cérebro é um resíduo a que falta qualquer faculdade sensível",[13] Aristóteles propôs que o coração tinha um mecanismo regulador que controlava os quatro humores e que tanto o calor quanto o frio podiam perturbar esse equilíbrio. A visão de Aristóteles sobre a depressão, diferente da de Hipócrates, não era inteiramente negativa. Aristóteles tirou de Platão a noção da loucura divina e a medicalizou, associando-a à melancolia. Embora Aristóteles buscasse modos para entender e abrandar a doença, ele também sentia que uma certa quantidade de bile negra fria era necessária ao gênio: "Todos os que atingiram a excelência na filosofia, na poesia, na arte e na política, mesmo Sócrates e Platão, tinham características físicas de um melancólico; na verdade, alguns até sofriam da doença melancólica". Escreveu Aristóteles:

> Nos vemos frequentemente na condição de sentir dor sem podermos atribuir qualquer causa a ela; tais sensações ocorrem num grau leve a todos, mas aqueles que são inteiramente possuídos por elas adquirem-nas como parte permanente de sua natureza. Os que possuem um temperamento levemente melancólico são pessoas comuns, mas os que o têm em alto grau são bem diferentes da maioria das pessoas. Pois se a condição deles é muito completa, eles são muito deprimidos; mas se possuem um temperamento misto, são homens de gênio.[14]

Héracles foi o gênio clássico mais famoso afligido por doenças da bile negra. Mas tocaram Ajax ("os relampejantes olhos de Ajax em fúria, e sua mente pesada tocada por eles também foi", como está escrito em *A destruição de Troia*).[15] Essa noção de melancolia inspirada foi levada à frente por Sêneca, que disse que "nunca houve um grande talento sem um toque de loucura";[16] ela tornou a vir à tona no Renascimento e tem sido levantada regularmente desde então.

Do século IV ao I a.C., a ciência médica e a filosofia desenvolveram linhas estreitamente associadas, descrevendo a psiquiatria de um modo cada vez mais unificado. A melancolia era vista nesse período como um destino universal de uma forma ou de outra; no século IV, o poeta Menandro escreveu: "Sou um homem, e isso é motivo suficiente para ser infeliz".[17] Os céticos acreditavam que era importante estudar o mundo visível e por isso encaravam os sintomas sem teorizar sobre suas origens ou seu significado profundo.[18] Desinteressados das grandes e difíceis questões da natureza do eu físico e cerebral que preocupara Hipócrates e Aristóteles, eles tentaram categorizar sintomas para delinear a doença.

No século III a.C., Erasístrato separou o cérebro e o cerebelo, determinando que a inteligência sediava-se no cérebro e que a capacidade motora estava baseada no cerebelo;[19] e Herófilo de Calcedônia determinou então que do cérebro "o poder motor vai para os nervos", estabelecendo assim a ideia de um órgão controlador supervisionando o sistema nervoso. Menódoto de Nicomédia, que viveu no século I d.C., combinou toda a sabedoria prévia, incorporando os pensamentos dos empiristas, orientados pelos sintomas, com os dos grandes filósofos e dos primeiros médicos.[20] Ele recomendava para a depressão o mesmo heléboro descoberto por Hipócrates e o mesmo autoexame que viera de Aristóteles, introduzindo também o uso da ginástica, da viagem, da massagem e da água mineral para ajudar o depressivo. Esse tipo de programa abrangente é o que almejamos hoje em dia.

Rufo de Éfeso, contemporâneo de Menódoto, separava o delírio da melancolia do resto da mente, considerando-o uma aberração autônoma que ocorria em mentes que eram, em outros aspectos, robustas. Ele catalogou os delírios de alguns pacientes depressivos: Rufo tratara os vários estágios de loucura de um homem que acreditava ser um pote de barro, outro que pensava que sua pele estava ressecando e descascando de seu corpo e um outro que pensava não ter cabeça. Rufo anotava os sintomas físicos do que agora reconhecemos como hipotireoidismo, um desequilíbrio hormonal cujos sintomas são semelhantes aos da depressão. Ele achava que a melancolia era a princípio causada por carnes pesadas, exercício inadequado, excesso de vinho tinto e esforço intelectual desordenado, acrescentando que um gênio era especialmente propenso à doença. Alguns melancólicos "são assim por natureza, por virtude de seu temperamento congênito", enquanto outros "se tornam assim". Ele também falava de graus e tipos de melancolia: um no qual a bile negra infectava todo o sangue, outro que afetava apenas a cabeça e outro ainda que afetava "a hipocondria". Rufo descobriu que seus pacientes melancólicos também sofriam de acúmulo de fluidos sexuais não liberados, cuja putrefação infectava o cérebro.

Ele defendia a expulsão da doença depressiva antes que ela se estabelecesse. Propunha sangria e uma "purgação com cuscuta de tomilho e aloé, porque essas duas substâncias, tomadas diariamente numa pequena dose, ocasionam uma moderada e aliviante abertura dos intestinos". Isso poderia ser complementado com heléboro negro. Sugeriam-se também caminhadas regulares, assim como viagem e lavar-se antes das refeições. Rufo também formulou o seu "remédio sagrado", o Prozac de seu tempo, que continuou amplamente popular pelo menos durante o Renascimento, e era usado ocasionalmente mesmo depois. Tratava-se de um líquido composto de colocíntida, búgula amarela, germândrea, cássia, agárico, assa-fétida, uma umbelífera, aristolóquia, pimenta branca, canela, espicanardo, açafrão e mirra, misturados com mel e ministrados em doses de quatro dracmas em hidromel e água salgada.[21] Outros médicos da época propunham todo tipo de tratamento: correntes e punições, um cano pingando água ao lado do melancólico para levá-lo ao sono, uma rede, uma dieta de alimentos úmidos de cores claras, como peixe, aves, vinho diluído e leite humano.[22]

O período romano tardio foi um tempo de considerável aprendizado nessas questões. Areteu da Capadócia estudou a mania e a depressão como doenças associadas e separadas, durante o século II d.C.[23] Ele acreditava numa alma física que viajava pelo corpo, que irrompia acalorada de dentro de homens raivosos (cujos rostos, por isso, ficavam vermelhos) e recolhia-se em homens temerosos (cujos rostos, por isso, tornavam-se pálidos). Propunha que entre os melancólicos o nível de bile negra "podia ser agitado pelo desalento e a raiva imoderada", e que os humores tinham uma relação circular com as emoções, de modo que um esfriamento da energia vital da alma podia conduzir à depressão severa, ao mesmo tempo que a depressão servia para esfriar a bile. Areteu foi o primeiro a traçar um retrato convincente do que agora chamamos depressão agitada — uma doença que a filosofia popular recente atribui erradamente à vida pós-industrial. Ela é tão orgânica e eterna quanto a tristeza. Areteu escreveu:

> O melancólico se isola; tem medo de ser perseguido e aprisionado; atormenta-se com ideias supersticiosas; sente-se aterrorizado; transforma suas fantasias em verdade; queixa-se de doenças imaginárias; amaldiçoa a vida e deseja morrer. Acorda subitamente e é preso de um grande cansaço. Em certos casos, a depressão parece ser uma espécie de semimania: os pacientes estão sempre obcecados com a mesma ideia e podem ser deprimidos e enérgicos ao mesmo tempo.

Areteus enfatizava que a depressão severa frequentemente ocorria em pessoas propensas à tristeza, especialmente os velhos, obesos, fracos ou solitários; e sugeria que "o médico Amor" era a cura mais poderosa para a doença. Seu remédio oral preferido era o consumo regular de amoras e alho-poró; também encorajava a prática psicodinâmica de verbalizar os sintomas e afirmava que podia ajudar os pacientes a liberar seus medos ao descrevê-los.

Cláudio Galeno, nascido no século II d.C., médico pessoal de Marco Aurélio, provavelmente o médico mais importante depois de Hipócrates, tentou chegar a uma síntese neurológica e psicológica do trabalho de todos os seus antecessores.[24] Ele descreveu os delírios melancólicos — um de seus pacientes acreditava que Atlas ficaria cansado de segurar o mundo e o deixaria cair, enquanto outro pensava ser um caracol de concha frágil — e identificou por trás deles uma mistura de medo e desalento. Ele viu "tremores nos corações de jovens saudáveis e adolescentes fracos e magros por ansiedade e depressão". Os pacientes de Galeno sentiam "um sono escasso, turbulento e interrompido, palpitações, vertigem [...] tristeza, ansiedade, falta de confiança em si e a crença de ser perseguido, de ser possuído por um demônio, odiado pelos deuses". Galeno também partilhava a crença de Rufo sobre as consequências desastrosas da liberação sexual deficiente. Uma paciente de Galeno cujo cérebro, acreditava ele, era perturbado pelos vapores nocivos de seus fluidos sexuais não liberados que apodreciam, foi tratada pelo médico "através do estímulo manual da vagina e do clitóris, e a paciente retirou grande prazer disso, muito líquido saiu dela e ela foi curada". Galeno também tinha suas próprias receitas registradas, muitas das quais incluíam os ingredientes de Rufo, embora ele recomendasse um antídoto feito de banana-da-terra, mandrágora, flores de tília, ópio e rúcula para o tratamento da ansiedade combinada com depressão. É interessante notar que, enquanto Galeno formulava seu elixir cordial, a um continente de distância os astecas começavam a usar fortes drogas alucinógenas para prevenir a depressão entre prisioneiros, pois eles acreditavam ser ela um mau presságio.[25] Aos cativos que deviam ser sacrificados dava-se uma beberagem especial para impedi-los de se desesperarem, evitando assim que ofendessem os deuses.

Galeno acreditava numa alma física, o que poderíamos chamar de psique, localizada no cérebro; essa alma estava sujeita ao governo de um eu tão poderoso no corpo quanto Deus no mundo. Mesclando a ideia dos quatro humores com noções sobre temperatura e umidade, Galeno formulou a ideia dos nove temperamentos, cada qual um tipo de alma. Um era dominado por uma melancolia concebida não como patologia, mas como parte do eu: "Há pessoas que são por natureza ansiosas, deprimidas, angustiadas, sempre pensativas; o médico pode fazer pouco por elas". Galeno observou que a melancolia podia ser o resultado de uma lesão do cérebro ou podia seguir-se a elementos externos que alteravam o funcionamento de um cérebro intacto. No caso de um desequilíbrio hormonal, a bile negra poderia subir ao cérebro, secando-o e danificando o eu.

> O humor, como a escuridão, invade a sede da alma, onde se situa a razão. Como crianças que temem a escuridão, assim se tornam os adultos quando são presas da bile negra, que sustenta o medo: eles têm no cérebro uma noite contínua, vivem num medo incessante. Por essa razão, os melancólicos têm medo da morte e ao mesmo tempo a desejam. Evitam a luz e amam a escuridão.

A alma podia, de fato, ter sua luz diminuída.

> A bile negra envelopa a razão como a lente cristalina do olho, se é límpida, permite uma visão clara, mas se se torna doente e opaca, não permite uma visão distinta. Os espíritos dos animais podem, deste mesmo modo, tornar-se pesados e opacos.

Preferindo a psicobiologia à filosofia, Galeno era agudamente crítico dos que atribuíam a melancolia a fatores abstratos, emocionais; mas acreditava que tais fatores podiam acentuar a sintomatologia de uma mente já afetada pelo desequilíbrio humoral.

* * *

A fase seguinte na história de medicina busca suas raízes nos filósofos estoicos.[26] Sua crença de que agentes externos causavam doenças mentais era dominante na Idade Média que se seguiu à queda de Roma. O surgimento do cristianismo foi altamente nocivo para os depressivos. Embora Galeno fosse a maior autoridade médica medieval, sua noção de tratamentos psicofarmacêuticos entrava em conflito com o paradigma da Igreja. Seus tratamentos entraram em exílio filosófico e foram usados cada vez menos.

Santo Agostinho declarou que o que separava os homens dos animais era o dom da razão; e assim a perda da razão reduzia o homem a um animal.[27] Partindo dessa posição, foi fácil concluir que a perda da razão era uma marca da hostilidade de Deus, Sua punição para uma alma pecadora. A melancolia era uma doença especialmente nociva, uma vez que o desespero do melancólico sugeria que ele não estava embebido de alegria ante o conhecimento certo do amor e da misericórdia divinos. A melancolia era, desse ponto de vista, um afastamento de tudo que era sagrado. Mais ainda: a depressão profunda era frequentemente vista como prova de uma possessão demoníaca; um tolo miserável continha dentro de si um demônio e, se esse demônio não pudesse ser exorcizado, ora, então o próprio homem devia sumir. Os clérigos logo encontraram apoio para essa ideia na Bíblia. Judas cometera suicídio e assim, segundo o raciocínio que se desenvolveu, ele devia ser melancólico; então todos os melancólicos, em sua carnalidade, deviam ser como Judas. A descrição de Nabucodonosor em Daniel 4, 33 era citada para demonstrar que Deus enviara a insanidade para punir o pecador.[28] No século V, Cassiano escreve sobre o "sexto combate" contra o "abatimento e a angústia do coração", dizendo que "este é 'o demônio do meio-dia' citado no 90º salmo", que "produz desagrado quanto ao lugar onde se está, desgosto, desdém e desprezo pelos outros homens, e apatia". O trecho em questão ocorre nos Salmos e seria literalmente traduzido da Vulgata: "A verdade dele vos englobará com um escudo: não tereis medo do terror da noite./ Da seta que voa durante o dia, das coisas que caminham pelo escuro; de invasão, ou do demônio do meio-dia" — *ab incrusus, et daemonio meridiano*. Cassiano presumia que "o terror da noite" se referia ao mal; "a seta que voa durante o dia", ao ataque dos inimigos humanos; "as coisas que caminham pelo escuro", a demônios que vêm durante o sono; "a invasão", à possessão; e "o demônio do meio-dia", à melancolia, o que se pode ver claramente na parte mais clara do dia mas que, apesar disso, vem arrancar sua alma de Deus.[29]

Outros pecados podem assolar a noite, mas esse, audacioso, consome dia e noite. O que dizer em favor de um homem desprotegido pelo escudo da verdade de Deus? A punição talvez possa redimir um caso tão sem esperança. Cassiano insistia que o homem melancólico poderia ser colocado para fazer trabalhos manuais e que todos os seus companheiros deviam se afastar dele e abandoná-lo. Evágrio, usando a mesma frase, disse que o desalento melancólico era um "demônio do meio-dia" que atacava e tentava o ascético; ele o punha na lista das oito principais tentações a que precisamos resistir na Terra.[30] Tomei a frase como título deste livro porque descreve exatamente o que se experimenta na depressão. A imagem serve para conjurar a terrível sensação de invasão que acompanha a situação difícil do depressivo. Há algo duro e afrontoso na depressão. A maioria dos demônios — a maioria das formas de angústia — apoia-se na escuridão da noite. Vê-los claramente é derrotá-los. A depressão apresenta-se ao fulgor total do sol, não se sentindo desafiada pelo reconhecimento. Pode-se conhecer todos os seus porquês e mesmo assim sofrer tanto quanto se estivesse mergulhado na ignorância. Não há praticamente qualquer outro estado do qual se possa dizer o mesmo.

Na época da Inquisição, no século XIII, alguns depressivos eram multados ou aprisionados por seu pecado.[31] Nesse período, são Tomás de Aquino, cuja teoria de corpo e alma colocava a alma hierarquicamente acima do corpo, concluía que a alma não poderia ser sujeita às doenças corporais.[32] Contudo, uma vez que a alma estava abaixo do divino, era sujeita à intervenção de Deus ou de Satã. Dentro desse contexto, uma doença tinha que ser do corpo *ou* da alma, e a melancolia era atribuída à alma. A Igreja medieval definia nove pecados mortais (foram posteriormente compactados em sete). Entre esses estava *acedia* (traduzida como "preguiça" no século XIII). A palavra parece ter sido usada quase tão amplamente quanto a palavra *depressão* nos tempos modernos e descreve sintomas familiares a todos que viram ou sentiram depressão — sintomas que não haviam sido previamente definidos como vício. O pároco dos *Contos da Cantuária*, de Chaucer, a descreve como algo que

> priva o pecador da busca por todo o bem. *Acedia* é um inimigo do homem porque é hostil ao esforço de qualquer tipo, e é também um grande inimigo da subsistência do corpo, pois não faz provisão para as necessidades temporais e até mesmo desperdiça, estraga e arruína todos os bens terrenos pela negligência. Ela faz com que homens vivos [sejam] como os que já sofrem as dores do inferno. Torna o homem rabugento, um peso para os outros.

O trecho continua, tornando-se mais desagradável e crítico a cada frase. A *acedia* é um pecado composto cujos elementos o pároco enumera.

> É tão delicado, segundo disse Salomão, que não aguentará nenhuma dificuldade ou penitência. O homem, assustado, teme até mesmo realizar um trabalho bom. Desespero e perda de esperança na misericórdia de Deus surgem de um remorso pouco razoável e às vezes do medo excessivo, que faz o pecador imaginar que pecou tanto que o arrependimento não lhe fará bem algum. Se isso persiste até seu último momento, é enumerado entre os pecados contra o Espírito Santo. Então vem a apática sonolência que torna o homem desanimado e indolente de corpo e alma. Por último vem o pecado do Cansaço do Mundo, chamado tristeza, que produz a

morte tanto da alma quanto do corpo. Devido a isso, o homem torna-se irritado com sua própria vida. Assim, a vida do homem com frequência termina antes que seu tempo tenha realmente chegado por meio da natureza.[33]

Os monges eram especialmente propensos a desenvolver *acedia*, que entre eles se manifestava através de exaustão, apatia, tristeza ou desalento, inquietação, aversão à cela e à vida ascética e anseio pela família e pela vida anterior. A *acedia* era diferente da tristeza (*tristia*), que leva o homem de volta a Deus e ao arrependimento.[34] Fontes medievais não são claras sobre o papel desempenhado pela volição. Era um pecado deixar a *acedia* se desenvolver dentro de si? Ou a *acedia* era uma punição que caía sobre os que cometiam algum outro pecado? Seus oponentes mais apaixonados a igualam ao pecado original; a eloquente freira Hildegard von Bingen escreveu: "No momento em que Adão desobedeceu à lei divina, naquele exato instante, a melancolia coagulou-se em seu sangue".[35]

A ordem era um tanto precária na Idade Média, e a desordem da mente, portanto, era especialmente assustadora para a sensibilidade medieval. Uma vez que a razão de alguém era danificada, todo o mecanismo humano desmoronaria; e então a ordem social se desintegraria. A loucura era um pecado; a doença mental era um pecado ainda muito mais sério. A razão é necessária para permitir que um homem escolha a virtude. Sem ela, ele não tem suficiente autocontrole para tal escolha. A psique, como era entendida pelos pensadores clássicos, não podia ser destacada do corpo; a alma, como era entendida pelos cristãos medievais, raramente coincidia com o corpo.

É dessa tradição que cresceu o estigma ainda hoje ligado à depressão. A alma, sendo um dom divino, devia ser perfeita; deveríamos nos esforçar para sustentar sua perfeição, e suas imperfeições são principal fonte de vergonha na sociedade moderna. Desonestidade, crueldade, cobiça, egotismo e lapsos de julgamento são todos falhas na alma, e assim automaticamente tentamos suprimi-los. À medida que a depressão está agrupada com essas "aflições da alma", ela nos parece abominável. Há muitas histórias de como essas associações mostram a depressão sob o pior viés. O pintor do século XV Hugo van der Goes, por exemplo, entrou num mosteiro na década de 1480, mas continuou, por virtude de seu grande talento, a ter contato regular com o mundo exterior. Há registros de que certa noite, ao voltar de uma viagem, Hugo "foi atingido por uma estranha desordem da sua imaginação. Gritava incessantemente que estava perdido e condenado à danação eterna. Ele teria até machucado a si mesmo, com fantasmagorias nublando sua mente doente". Segundo seus irmãos de mosteiro, que tentaram um tratamento com terapia musical, "sua condição não melhorou; ele continuou a falar irracionalmente e a se considerar um filho da perdição". Os monges ponderaram se Hugo passava por um frenesi artístico ou se estava possuído por um mau espírito, e decidiram que ele tinha as duas doenças, talvez agravadas pelo consumo de vinho tinto. Hugo ficou aterrorizado com o trabalho que concordara em fazer e não conseguia imaginar que terminaria suas encomendas. Com tempo e com grandes rituais de contrição, ele mais tarde recobrou seu comedimento por algum tempo; mas teve uma recidiva posterior e morreu em mau estado.[36]

Se a Idade Média moralizou a depressão, o Renascimento a glamorizou. Retornando aos filósofos clássicos (mais do que aos médicos clássicos), os pensadores do Renascimento postulavam que a depressão indicava profundidade. A filosofia humanista desafiou cada vez mais a doutrina cristã (embora em outros casos tenha fortalecido as crenças e os dogmas cristãos). A dor irracional que na Idade Média fora descrita como pecado e maldição era agora considerada uma doença (cada vez mais chamada de melancolia) e uma característica inerente a um tipo de personalidade (cada vez mais chamada de melancólica). Entre todos os escritores do Renascimento que discutiram a depressão — e foram muitos — Marsílio Ficino foi seu maior filósofo.[37] Ele acreditava que a melancolia, presente em todos os homens, é a manifestação de nosso anseio pelo grande e o eterno. Ele escreveu sobre aqueles para os quais a melancolia é um estado subjacente:

> É estarrecedor como sempre que estamos em momentos de lazer mergulhamos na dor como exilados, embora não conheçamos a causa de nossa dor nem, certamente, pensemos nela [...] em meio a momentos prazerosos às vezes suspiramos, e quando esses momentos terminam, partimos cada vez mais tristes.

A melancolia aqui descrita é a que se revela sob o atropelo da vida diária, uma característica constante da alma. Ficino retorna à ideia aristotélica da tristeza divinamente louca e continua dizendo que o filósofo, o pensador profundo ou o artista necessitam estar mais em contato com sua melancolia do que o homem comum, que a própria profundidade de sua experiência de melancolia refletirá seu sucesso em elevar sua mente acima das distrações da vida comum. Para Ficino, a mente torturada é a mais valorosa, como se fosse catapultada em direção à inadequação melancólica de seu conhecimento de Deus. Isso se torna um credo sagrado quando ele explica a natureza da melancolia divina: "À medida que somos representantes de Deus na Terra, somos continuamente perturbados pela nostalgia de nossa terra natal celestial". O estado de conhecimento é a insatisfação, e a sua consequência é a melancolia. Ela separa a alma do mundo e assim a impele em direção à pureza. A mente "se aperfeiçoa quanto mais se afasta do corpo, e assim a mente será mais perfeita quando estiver inteiramente desvencilhada dele". A descrição de Ficino para a divindade da melancolia reconhece que seu estado é muito próximo da morte.

Ficino propôs posteriormente que a criação artística repousava numa musa que descia durante a insanidade temporária: a melancolia era um pré-requisito para a inspiração. Contudo, Ficino reconhecia que a depressão era uma doença terrível e recomendava tratamentos para ela, inclusive exercícios, alterações na alimentação e música. O próprio Ficino era um depressivo que, quando se sentia muito mal, não conseguia invocar todos esses argumentos atraentes em favor da depressão. Quando seus amigos vinham vê-lo, frequentemente tinham que apresentar seus próprios argumentos para ele. A filosofia de Ficino, como boa parte do pensamento pós-renascentista sobre o tema da melancolia, parte de sua própria vida — e assim ele fala de pilotar o curso entre a fleuma não melancólica de um lado e a desesperada doença melancólica de outro, intitulando o sexto capítulo de seu primeiro livro de "Como a bile negra torna as pessoas inteligentes".

O Renascimento tentou conciliar sua compreensão do pensamento clássico com certo "conhecimento" aceito, vindo da Idade Média. Ao unir a ideia clássica do temperamento com o fascínio medieval com a astrologia, Ficino descreveu Saturno como o planeta pesado, isolado e ambivalente que reinava sobre a melancolia. Saturno é "o próprio autor da contemplação misteriosa", segundo o alquimista e cabalista Agrippa, "não dado a lidar com o público, o mais elevado dos planetas, que primeiro convoca a alma de seus ofícios externos para seu âmago, fazendo-a então ascender das questões baixas, levando-a às mais altas e concedendo-lhe as ciências".[38] Tais opiniões são defendidas em textos de Giorgio Vasari sobre os grandes artistas dessa época.[39]

O Renascimento inglês ateve-se mais a opiniões medievais sobre a melancolia do que o italiano, mas a influência do sul começou a se alastrar no final do século XV. Assim, por exemplo, os ingleses continuaram a acreditar que a melancolia vinha das "relações com anjos maus ou de suas intromissões",[40] mas aceitavam que os afligidos com tal intromissão não eram responsáveis por ela. Para o pensador do Renascimento inglês, a sensação de pecado experimentado pelo melancólico é mais um infortúnio perigoso do que um sinal da ausência do amor de Deus, e ela não deve ser confundida com o verdadeiro pecado experimentado pelo verdadeiro pecador. Claro que nem sempre foi fácil distinguir entre o delírio e o real. Um aluno de "constituição melancólica, disperso pela dor", afirmou que realmente sentira um "Espírito mau entrar por suas nádegas com o vento, e assim arrastar-se por seu corpo até lhe possuir a cabeça".[41] Embora ele tenha sido curado da presença do demônio, outros não tiveram tanta sorte. George Gifford cogitou: "Quais tipos de pessoas são mais propícias para que o demônio faça delas seus instrumentos em feitiçaria e bruxedos", e encontrou como resposta que o demônio busca

> pessoas sem Deus que são cegas, cheias de infidelidade, esmagadas e afogadas em sombria ignorância. Se houver acima de tudo nessas pessoas uma constituição melancólica do corpo, as marcas do demônio se imprimirão mais profundamente em suas mentes.[42]

A ideia do norte, de uma relação entre bruxas e melancolia, competia acirradamente com a ideia do sul, de uma relação entre gênio e melancolia. O médico da corte holandesa Johannes Wier (cujo *De praestigiis daemonum* era considerado por Freud um dos dez maiores livros de todos os tempos) foi um grande defensor das bruxas como vítimas de sua própria melancolia;[43] sua afirmativa de que as desafortunadas senhoras eram doentes da cabeça salvou um número delas da execução. Ele defendeu seu ponto de vista mostrando que as vítimas das bruxas eram geralmente delirantes, dando atenção ao grande número de homens no norte da Europa que acusavam as feiticeiras de lhes roubar o pênis. Wier insistia que os outros geralmente viam os órgãos supostamente roubados fisicamente presentes exatamente no lugar onde sempre haviam estado e propunha que os indivíduos raramente eram abandonados por suas "agulhas". Se os homens considerados "vítimas" de feiticeiras sofriam de delírios, então certamente os que supunham que elas fossem feiticeiras eram apenas mais delirantes.[44] Esse modelo foi recuperado pelo inglês Reginald Scot, que em seu livro de 1584 sobre feitiçaria propôs que as bruxas eram apenas velhas tolas e deprimidas, picadas pelo mal como se este fosse um mosquito, que ineptamente assumiam a culpa pelos problemas que viam em torno de si. Em suas "mentes perturbadas, o diabo arranjou uma ótima sede; de modo que elas são facilmente persuadidas de que todo infortúnio, má sorte, calamidade ou assassinato que ocorre é feito seu". Esse ponto de vista, de que o que fora considerado verdade religiosa era meramente um delírio conectado com a doença mental melancólica, teve fortes oponentes, que continuaram a defender a posição medieval. Embora o livro de Scot fosse amplamente lido na Inglaterra elisabetana, o rei James ordenou que todos os volumes da obra fossem queimados — como se os próprios livros fossem bruxas.[45]

A doença gradualmente sobrepujou a possessão. Em determinado caso na França desse período, os médicos perceberam em uma feiticeira "um certo rumor sob suas costelas inferiores no lado esquerdo, próprio daqueles que são sujeitos ao *spleen*",[46] e isso fez com que o sínodo de 1583 ordenasse aos padres que "inquirissem diligentemente sobre a vida dos possessos" antes do exorcismo, "pois frequentemente os que são Melancólicos, Lunáticos e Enfeitiçados pelas Artes Mágicas [...] têm mais necessidade de Remédio dos Médicos do que das Ministrações dos Exorcistas".[47] O racionalismo do Renascimento triunfava sobre a superstição medieval.

Os franceses foram os primeiros a tratar com eficácia sintomas que podiam refletir doença primária ou aflição da imaginação. Montaigne, ele próprio um tanto melancólico, foi um grande crente na filosofia como medicina e criou um teatro de ilusão antimelancólico. Ele conta, por exemplo, de uma mulher que estava aterrorizada porque acreditava que engolira uma agulha; então ele a fez vomitar e colocou uma agulha em seu vômito, e assim a mulher foi curada.[48]

O *Discours des maladies mélancoliques* [Discurso das doenças do tipo melancólico], de Andreé du Laurens,[49] foi publicado em inglês em 1599. Du Laurens declarava que a melancolia era "uma perturbação fria e seca de temperatura do cérebro" que podia proceder "não da disposição do corpo, mas da maneira de viver" dos pacientes "e dos estudos aos quais eram mais ligados". Du Laurens dividia a mente em três partes: razão, imaginação e memória. Concluindo que a melancolia era uma doença da imaginação, ele deixou ao melancólico uma razão intacta, significando que aos olhos da Igreja o melancólico não era privado de sua humanidade (sua "alma imortal e racional") e por isso não era amaldiçoado por Deus. Ele assumiu a ideia de que a melancolia pode se dar em diversos graus, separando "as constituições melancólicas que se mantinham dentro das fronteiras e limites da saúde" das que ultrapassavam esses limites. Como a maioria dos outros escritores sobre o assunto, seu livro é cheio de descrições anedóticas de indivíduos, inclusive "um cavalheiro de Siena que resolvera consigo mesmo não mijar, mas antes disso morrer, pois imaginara que a primeira vez que mijasse, toda a cidade seria afogada". Aparentemente, o homem estava paralisado por uma ansiedade depressiva e pelo sentimento de sua própria destrutividade, causando um trauma à sua bexiga. Por fim, seus médicos fizeram uma fogueira junto à porta da casa vizinha, persuadiram o homem que a cidade estava pegando fogo e que só a sua urina poderia salvá-la; assim, acabaram com sua ansiedade específica.

Du Laurens é talvez mais conhecido por seu conceito complicado de que as pessoas veem de fora para dentro, que os olhos rolam para dentro e fitam o cérebro. Ele falha em esclarecer que arco-íris espetacular o indivíduo poderia encontrar ao olhar para dentro do cérebro, mas estipula que, já que o cérebro do melancólico é embebido de bile negra, os olhos do melancólico, quando rolam para dentro, veem escuridão em toda parte. "Os espíritos e vapores negros passam continuamente pelos tendões, veias e artérias, do cérebro para o olho, o que faz com que este veja muitas sombras e aparições não verdadeiras no ar, e do olho as formas são transmitidas à imaginação." Então a sensação desagradável realmente toma vida, com tais visões negras continuando a espocar no olho mesmo quando ele é dirigido para o mundo exterior, e o melancólico vê "muitos corpos voando, como formigas, moscas e pelos longos, da mesma forma como acontece quando se está prestes a vomitar".

Começou a ser um lugar-comum nessa época a distinção entre a dor normativa e a melancolia, procurando-se as proporções apropriadas da perda em relação à dor e medindo de que forma algumas pessoas excediam essas proporções — um princípio que Freud desenvolveria três séculos mais tarde e que continua a ser usado no diagnóstico da depressão hoje em dia. Um médico do início do século XVII escreveu que um paciente chegara ao ponto de "não ter alegria com nada" depois da morte de um ente querido; outro era "perturbado pela melancolia, como sobreviver à morte da mãe que falecera já havia três meses. Chora, grita, perambula e não consegue fazer trabalho algum". Outro médico escreveu que o descontentamento ou o sofrimento comuns "abrem caminho para o maior inimigo da natureza, isto é, a melancolia".[50] A melancolia, então, torna-se uma coisa comum levada longe demais, assim como algo anormal; essa definição dupla rapidamente tornou-se um padrão único.

No final do século XVI e ao longo do XVII, a melancolia "comum" tornara-se uma aflição universal que podia ser tão prazerosa quanto desprazerosa. Os argumentos de Ficino e de seus pares na Inglaterra ecoavam cada vez mais por todo o continente. Levinus Lemnius na Holanda, Huarte e Luis Mercado na Espanha, Giovanni Battista Selvatico em Milão e André du Laurens na França escreveram todos sobre a melancolia,[51] que torna um homem melhor e mais inspirado do que suas contrapartidas não melancólicas. As concepções aristotélicas românticas do melancólico pareceram varrer a Europa, e a melancolia entrou na moda. Na Itália, onde Ficino tinha definitivamente identificado a melancolia com a genialidade, todos aqueles que acreditavam serem gênios esperavam ser melancólicos. Embora homens de verdadeiro brilho sofressem de fato, os que esperavam ser tomados por homens brilhantes fingiam o sofrimento. Em torno de Ficino, reunia-se em Florença um grupo de cosmopolitas intelectuais saturnianos. Ingleses que viajavam à Itália e viam aquele ambiente voltavam para casa gabando-se de uma sofisticação manifesta através de seus atributos melancólicos. E uma vez que só os ricos podiam arcar com despesas de viagens, a melancolia logo se tornou, aos olhos dos ingleses, uma doença da aristocracia. O descontentamento da classe alta — de olhos sombrios, cheio de sofrimento, taciturna, descabelada, irritável, imperiosa, austera — torna-se, no final do século XVI, um protótipo social, descrito e caricaturado na literatura da época de modo especialmente brilhante na figura do "melancólico Jacques", em *Como quiserem*.

A mestria de Shakespeare com a melancolia — que é abordada com maior transparência no personagem de Hamlet — mudou para sempre a compreensão do tema. Nenhum outro autor descreveu a questão com tanta empatia ou com tal complexidade, tecendo-a tão intimamente na animação e na tristeza, mostrando-a como tão essencial para a sabedoria e tão básica para a loucura, atribuindo-lhe tanto astúcia quanto autodestruição. Antes de Shakespeare, a melancolia de um homem fora uma entidade discreta. Depois de Shakespeare, ela não era mais facilmente separável do resto do eu do que os raios cor de índigo do resto do espectro da luz branca. O que um prisma pode revelar por um instante não pode alterar a realidade cotidiana do sol.

Na época em que *Hamlet* foi encenado, a melancolia era quase tanto um privilégio quanto uma doença. Numa peça de meados do século XVII, um barbeiro moroso queixa-se de sentir melancolia e é severamente repreendido. "Melancolia? Nossa, que absurdo, *melancolia* é palavra para a boca de um barbeiro? Você devia dizer pesado, obtuso e tolo: melancolia é o penacho das armas do cortesão!"[52] Segundo as anotações de um médico do período, 40% de seus pacientes melancólicos tinham títulos — apesar do fato de que boa parte de sua clínica era dedicada a cuidar dos lavradores e de suas esposas.[53] Dois terços dos aristocratas que vinham a ele queixavam-se de humores melancólicos, e esses homens e mulheres estavam bem informados, falando não apenas de ondas de tristeza, mas de queixas específicas com base no conhecimento científico e na moda da época. Um dos pacientes estava "desejoso de ter algo para evitar os vapores vindos do baço". Beberagens baseadas em heléboro ainda eram as favoritas; o médico que tratou desse homem receitou *hiera logadii*, lápis-lazúli, heléboro, cravo, pó de alcaçuz, *diambra* e *pulvis sancti*, tudo isso dissolvido em vinho branco e borragem. Consultavam-se mapas astrais (para informação independente e para determinar os horários de tratamento); considerava-se também a possibilidade de sangria. E, claro, aconselhamento religioso era habitualmente visto também como uma boa ideia.

Assim como nos primeiros dias do Prozac, todo mundo parecia estar ficando deprimido, combatendo a depressão e falando sobre combater a depressão; no início do século XVII, o homem não melancólico começou a se encontrar na ideia de melancolia. Tanto na década de 1630 quanto na de 1990, o significado da palavra associada à doença — *melancolia* ou *depressão* — tornou-se confuso. Quando a *acedia* era pecado, somente os que estavam doentes a ponto de não conseguirem viver ou que sofriam de ansiedade delirante admitiriam sua doença. Agora que a palavra *melancolia* era usada também para significar grande profundidade da alma, complexidade e mesmo gênio, as pessoas assumiam os comportamentos de um depressivo sem explicação médica. Logo descobriram que, embora a depressão verdadeira pudesse ser dolorosa, o comportamento depressivo podia ser prazeroso. Passaram a ter o hábito de se alongar durante horas em sofás compridos, olhando para a lua, fazendo perguntas existenciais, confessando medo de qualquer coisa que fosse difícil, deixando de responder às perguntas que lhes faziam e comportando-se no geral exatamente como a proibição contra a *acedia* procurava impedir. Contudo, era a mesma estrutura básica da doença, a mesma a que chamamos agora depressão. Essa melancolia era uma doença louvável que estava constantemente sendo analisada. Os doentes de verdade com melancolia grave recebiam solidariedade e respeito e,[54] com os vários avanços médicos, passaram por menos dificuldade do que teriam passado em qualquer período desde a Roma de Galeno. O estado mental que merecia tantas elegias era o que podia ser chamado de *melancolia branca*, algo mais brilhante do que sombrio. "Il Penseroso", de Milton, descreve requintadamente a ideia do século XVII:

> [...] *hail thou Goddess, sage and holy,*
> *Hail, divinest Melancholy,*
> *whose saintly visage is too bright*
> *To hit the sense of human sight**

Até que, na celebração do isolamento monástico, do humor sombrio e da velhice, Milton registra de forma grandiosa:

---

* ... salve Deusa, sábia e sagrada,/ Salve, diviníssima Melancolia,/ Cujo santíssimo rosto é tão brilhante/ Que ofusca o sentido da visão humana. (Tradução livre)

Find out the peaceful hermitage,
The hairy gown and mossy cell,
[...]
Till old experience do attain
To something like prophetic strain.
These pleasures, Melancholy, give,
And I with thee will choose to live.[55]

O século XVII encontrou o maior defensor da causa da melancolia de toda a história. Robert Burton misturou um milênio de reflexão e um fornecimento contínuo de intuições pessoais em *A anatomia da melancolia*, o volume ao qual dedicou toda a vida.[56] Esse livro, mais frequentemente citado sobre o assunto antes da publicação de *Luto e melancolia*, de Freud, é um volume sutil, contraditório, mal organizado, tremendamente sábio, que sintetiza e tenta conciliar as filosofias de Aristóteles e Ficino, os personagens de Shakespeare, os insights médicos de Hipócrates e Galeno, os impulsos religiosos da Igreja medieval e renascentista e as experiências pessoais de doença e introspecção. A habilidade de Burton em localizar vínculos reais entre a filosofia e a medicina e entre a ciência e a metafísica, abriu caminho para uma teoria unificadora da mente e da matéria. Contudo, o valor de Burton não está em ter conciliado opiniões conflitantes, mas em tolerar suas contradições. Ele é capaz de dar seis explicações discrepantes para um único fenômeno, sem nunca sugerir que o fenômeno possa ser sobredeterminado. Para o leitor moderno, isso às vezes parece bizarro; no entanto, o mesmo leitor, examinando textos publicados recentemente pelo Instituto Nacional de Saúde Mental, descobrirá que a complexidade das doenças depressivas está precisamente no fato de serem sobredeterminadas — que a depressão é o destino comum ao qual muitos caminhos conduzem e que, em qualquer indivíduo, um certo conjunto de sintomas pode ser o resultado de apenas um ou de vários desses caminhos.

Burton apresenta uma explicação física para a melancolia: "Nosso corpo é como um relógio, se uma peça está faltando, todo o resto fica desordenado, todo o instrumento sofre". Ele reconhece que "assim como os Filósofos estipulam oito graus de calor e frio; podemos determinar 88 graus de Melancolia, já que as partes afetadas são diversamente capturadas por ela, ou foram mergulhadas em maior ou menor profundidade nesse golfo infernal". Depois diz: "O próprio Proteus não é tão diverso; pode-se fazer um novo casaco para a *Lua* com maior ou menor facilidade do que descobrir a verdadeira personalidade de um homem melancólico; é mais fácil capturar o movimento de um fiapo de grama no ar do que o coração de um melancólico". Burton faz uma distinção geral entre a "me-

---

* Encontre a apaziguante ermida,/ A túnica desfiada e a musgosa cela,/ .../ Até que a velha experiência atinja algo como a tensão profética./ Tais prazeres, Melancolia, dás,/ E contigo escolherei viver. (Tradução livre)

lancolia da cabeça", baseada no cérebro, a "melancolia do corpo inteiro" e a que vem dos "Intestinos, Fígado, Baço ou Membrana", o que ele chama de "melancolia ventosa". A essa ele divide e subdivide, criando um mapa da aflição.

Burton diferencia a melancolia do estar apenas "apático, triste, sofrido, letárgico, maldisposto, solitário, emocionado de algum modo ou descontente". Tais características, diz, estão dentro do que qualquer homem vivo pode esperar e não devem ser tomadas como evidência da doença. "Homem que é nascido de mulher", diz, citando o *Livro de oração comum*, "é de curta duração e cheio de problemas." Isso não significa que somos todos melancólicos. De fato, Burton diz:

> Essas infelicidades abrangem nossa vida. E é completamente absurdo e ridículo para qualquer mortal procurar uma condição perpétua de felicidade nesta vida. Nada é tão monstruoso, e aquele que não sabe isso e não está armado para suportá-lo não está preparado para viver neste mundo. Desapareça deste mundo, se não encontra modo de tolerá-lo não há como evitá-lo, além de armar-se de magnanimidade, opor-se a ele, sofrer aflição, constantemente suportá-lo.

Não é possível viver no mundo a não ser que se tolere o infortúnio, e o infortúnio chega a todos nós. Mas o infortúnio facilmente sai do controle. Embora uma simples tosse seja tolerável, "uma tosse contínua e inveterada causa pneumonia nos pulmões; assim ocorre também com nossos desafios à Melancolia". E Burton identifica o princípio moderno de que cada um tem um nível de tolerância para o trauma, e que é a interação do nível de trauma com o nível de tolerância que determina a doença.

> Pois o que é uma picada de pulga para um, causa insuportável tormento a outro, e o que um, por sua singular moderação e atitude bem-composta, pode com felicidade superar, um segundo é incapaz de sustentar, e em cada pequena ocasião de abuso mal concebido, injúria, dor, desgraça, perda, aborrecimento, boato etc., cede tão completamente à paixão que a sua tez fica alterada, sua digestão perturbada, seu sono desaparece, seu espírito se obscurece e seu coração fica pesado [...] e ele próprio é tomado de *Melancolia*. E como acontece com um homem aprisionado por dívida, uma vez que está na Prisão, cada Credor trará uma ação contra ele, e provavelmente lá o manterá: Se qualquer descontentamento cai sobre um paciente, num instante todas as outras perturbações cairão sobre ele, e então, como um cão manco ou um ganso de asa quebrada, ele cai e definha, sendo levado finalmente à doença da melancolia em si.

Burton recapitula a experiência de ansiedade também, corretamente incluindo-a em sua descrição da depressão:

> Durante o dia eles ficam atemorizados por algum terrível objeto e dilacerados de suspeita, medo, sofrimento, desaprovação, cuidados, vergonhas, angústia etc., co-

mo se fossem cavalos selvagens que não conseguem ficar quietos uma hora, um minuto sequer.

Descreve os melancólicos variadamente como "desconfiados, invejosos, malévolos, cobiçosos", "lamurientos, descontentes" e "inclinados à vingança". Também escreve que "os melancólicos são, de todos, os mais espirituosos, e [sua disposição melancólica] causa muitas vezes um arrebatamento divino, e uma espécie de *enthusiasmus* [...] que faz com que sejam excelentes Filósofos, Poetas, Profetas etc.". Ele se curva aos censores de seu tempo falando dos tópicos religiosos em torno da doença de um modo cheio de tato — mas também afirma que o excessivo entusiasmo religioso pode ser um sinal de melancolia ou engendrar um louco desespero; e afirma que pessoas tristes que recebem de Deus ordens assustadoras para as quais se sentem inadequadas estão provavelmente sofrendo delírios melancólicos. E diz, finalmente, que a melancolia é realmente uma doença tanto do corpo quanto da alma, mas, como Du Laurens, evita sugerir qualquer perda da razão (o que torna seus objetos de estudo inumanos e, portanto, animais), dizendo que a doença é "uma falha da Imaginação", não da própria razão.

Burton classifica os tratamentos para a depressão efetuados na época. Havia os ilegais, oriundos "do Diabo, Magos, Feiticeiros etc., através de encantamentos, magias, feitiços, Imagens etc.", e os legais, "imediatamente vindos de Deus *a Jove principium*, através da Natureza, que diz respeito e funciona por meio de 1. Médico; 2. Paciente; 3. Medicação". Embora discorra por dúzias de categorias de tratamento, no final diz que o "principal deles" consiste em tentar tratar diretamente as "paixões e perturbações da mente", e recomenda "abrir-se" com os amigos e buscar "alegria, música e companhia alegre". Recomenda seu próprio catálogo de tratamentos: cravo-de-defunto, dente-de-leão, freixo, salgueiro, tamarisco, rosas, violetas, maçãs doces, vinho, tabaco, xarope de papoula, matricária, erva-de-são-joão, se "colhida numa sexta-feira na hora de Júpiter", e o uso de um anel feito da pata dianteira de um asno.

Burton fala também do difícil problema do suicídio. Embora a melancolia estivesse em voga no final do século XVI, o suicídio era proibido por lei e pela Igreja, e a proibição era fortalecida por sanções econômicas. Se um homem na Inglaterra daquela época cometesse suicídio, sua família teria que desistir de todos os seus bens móveis, inclusive arados, ancinhos, mercadoria e outros pertences necessários para qualquer tipo de trabalho. O moleiro de uma pequena cidade na Inglaterra, no leito de morte, após ter desferido em si próprio um golpe fatal, lamentou-se: "Eu perdi meu espólio para o rei, deixei na mendicância minha mulher e meus filhos". Mais uma vez cuidadoso com os censores da época, Burton discute as implicações religiosas do suicídio, mas, reconhecendo como a ansiedade aguda é intolerável, ele cogita "se não seria legal, nesse caso de melancolia, um homem desferir violência em si mesmo". Mais adiante, escreve: "Em meio a esses dias esquálidos, feios e tão aborrecidos, eles buscam finalmente, não encontrando nenhum conforto, nenhum remédio nessa vida miserável, serem libertados de tudo pela morte [...] ser seus próprios carrascos e se executarem a si mesmos". Isso é surpreendente porque, até Burton, a questão da depressão havia sido distinguida do crime desferido contra Deus através da própria morte: e de fato a palavra *suicídio* parece ter sido cunhada pouco depois da publicação da obra maior de Burton. O livro inclui histórias dos que terminaram suas vidas por razões políticas ou morais, que fizeram a escolha mais por prudência aflita do que por doença. Passa então a falar dos suicídios de pessoas que não são racionais, colocando juntas, assim, essas duas questões, previamente consideradas um anátema, para fazer do suicídio um único tópico de discussão.

Burton descreve uma sequência cativante de delírios melancólicos — um homem que pensa ser um crustáceo, alguns que acreditam

> serem feitos de vidro, e portanto não suportam que ninguém se aproxime deles; outros, que pensam ser de cortiça, leves como penas, outros, pesados como chumbo, alguns têm medo que suas cabeças caiam dos ombros, que tenham rãs nos ventres etc. Outro não ousa atravessar uma ponte, chegar perto de um lago, rocha, colina íngreme, deitar num aposento onde existam vigas cruzadas, por medo de ser tentado a se enforcar, se afogar ou precipitar-se.

Tais delírios eram característicos da melancolia daquela época, e relatos sobre eles abundam na literatura médica e em geral. O escritor holandês Gaspar Barléu acreditou, em vários estágios de sua vida, ser feito de vidro e palha, que podia a qualquer momento pegar fogo. Cervantes escreveu uma novela, *O licenciado Vidraça*, sobre um homem que se acredita feito de vidro. Na realidade, tal mal-entendido era tão comum que é citado por alguns médicos da época simplesmente como "o delírio do vidro". Ocorre como um fenômeno na literatura popular de cada país ocidental nessa época. Alguns holandeses estavam convencidos de que tinham nádegas de vidro, tendo assim grandes problemas para sentar com medo de se quebrarem; um insistia que podia viajar somente se fosse guardado numa caixa com palha. Ludovicus Casanova escreveu a longa descrição de um padeiro que se acreditava feito de manteiga e mostrava-se apavorado de derreter, insistindo sempre em ficar completamente nu e coberto com folhas para se manter fresco.[57]

Tais delírios geravam sistemas de comportamento melancólico — fazendo as pessoas temerem circunstâncias comuns, viverem num medo constante e resistirem a qualquer contato humano. Os que sofriam disso pareciam invariavelmente ter sentido os sintomas habituais — tristeza injustificada, exaustão constante, falta de apetite e assim por diante — que hoje associamos à depressão. Essa tendência ao delírio, que existira até certo ponto em períodos anteriores (o papa Pio II conta que Carlos VI da França, chamado "o Tolo", já acreditara no século XIV que era feito de vidro, fazendo com que costelas de ferro fossem costuradas por dentro de sua roupa para que ele não quebrasse caso caísse; delírios antigos parecidos com esses haviam sido registrados por Rufo) e que chegou ao auge no século XVII, não é desconhecida hoje. Há relatos recentes de uma holandesa deprimida que acreditava que seus braços eram feitos de vidro e não se vestia para não quebrá-los, e pacientes com estados esquizoafetivos que frequentemente ouvem vozes e têm visões; obsessivo-compulsivos são impelidos também a medos irracionais, tais como o terror pela falta de limpeza. Entretanto, com o avanço da modernidade, a natureza delirante da depressão tende a ser menos específica. Todos esses delirantes do século XVII estão na verdade manifestando paranoias, temores de conspiração e a sensação de que as demandas comuns da vida estão além de seu alcance. Tais sensações são absolutamente características da depressão moderna.

Consigo me lembrar, em minha própria depressão, de ser incapaz de fazer coisas comuns. "Não consigo ficar em um cinema", disse num certo estágio, quando alguém tentava me animar convidando-me para ver um filme. "Não consigo sair", disse depois. Eu não tinha uma razão específica para tais sensações, não achava que ia derreter nos cinemas ou me transformar em pedra com a brisa da rua e sabia em princípio que não havia motivo para não poder sair; mas sabia que não podia fazê-lo com a mesma certeza com que sei agora que não posso pular de um edifício alto para outro num único movimento. Eu poderia pôr a culpa (e o fiz) na serotonina. Não acho que exista qualquer relato convincente do motivo dos delírios da depressão tomarem uma forma tão concreta no século XVII, mas parece que até as explicações científicas e tratamentos para a depressão começarem a surgir, as pessoas inventavam couraças que explicassem seus temores. Somente numa sociedade mais madura alguém pode ter medo de ser tocado, ficar em pé ou sentar sem concretizar o medo, atribuindo-o a um esqueleto de vidro; e somente num contexto sofisticado alguém pode sentir um medo irracional do calor sem de fato descrever o medo de derreter. Tais delírios, que podem parecer intrigantes aos médicos modernos, são mais facilmente entendidos se forem contextualizados.

O grande transformador da medicina do século XVII, pelo menos do ponto de vista filosófico, foi René Descartes. Embora seu modelo de consciência mecanicista não estivesse tão longe da tradição agostiniana de separar alma e corpo, ele teve ramificações específicas para a medicina e especialmente para o tratamento das doenças mentais.[58] Descartes colocava considerável ênfase na influência da mente sobre o corpo e vice-versa, e descreveu em *As paixões da alma* como o estado da mente pode afetar imediatamente o corpo. Seus seguidores, contudo, normalmente trabalhavam a partir da pressuposição de que havia uma divisão total entre mente e corpo. De fato, uma biologia cartesiana passou a dominar o pensamento da época, e essa biologia estava, de uma maneira geral, errada. A biologia cartesiana provocou uma reviravolta enorme no destino dos deprimidos. O esmiuçar sem fim sobre o que é corpo e o que é mente — se a depressão é um "desequilíbrio químico" ou "uma fraqueza humana" — é nosso legado vindo de Descartes. Apenas em anos recentes começamos a resolver essa confusão. Mas como a biologia cartesiana assumiu tanto poder? Conforme disse um psicólogo da Universidade de Londres: "Na minha experiência, nenhum corpo, nenhuma mente, nenhum problema".

Thomas Willis, procurando provar a suscetibilidade corporal da mente, publicou em meados do século *Two Discourses Concerning the Soul of Brutes* [Dois discursos referentes à alma dos brutos], a primeira teoria química coerente para explicar a melancolia e que não dependia das antigas teorias humorais da bile negra, do baço ou fígado. Willis acreditava que uma "chama não acesa" no sangue era sustentada por "comidas sulfurosas" e "ar nítrico", e que o cérebro e os nervos direcionavam os espíritos resultantes para guiar sensações e movimentos. Para Willis, a alma é um fenômeno físico, a "bruxa sombria" do corpo visível que "depende do temperamento da massa sanguínea". Willis achava que várias circunstâncias poderiam deixar o sangue salgado e assim limitar sua chama, o que diminuiria a iluminação no cérebro e faria surgir a escuridão cerebral da melancolia. Ele acreditava que essa salinização do sangue poderia ser causada por todo tipo de circunstâncias externas, incluindo o clima, o uso excessivo do pensamento e exercícios insuficientes. O cérebro do melancólico fixa-se em suas visões de escuridão e as incorpora à personalidade. "Então, quando a chama vital é tão pequena e lânguida que sacode e treme a cada movimento, não é de espantar que o melancólico esteja, como se diz, com a mente deprimida e meio demolida, sempre triste e medrosa." O efeito desse tipo de problema, se contínuo, seria uma transformação orgânica do cérebro. O sangue melancólico pode "cortar novas porosidades nos corpos vizinhos"; a "disposição avinagrada dos espíritos" e as "impurezas *melancólicas*" alteram "a própria conformação do cérebro". Então os espíritos "observam não seus antigos caminhos e modos de expansão, mas criam densamente para si mesmos espaços novos e não usuais". Embora as origens desse princípio sejam confusas, a realidade indicada é confirmada pela ciência moderna; a persistente depressão de fato altera o cérebro, escavando "espaços não usuais".[59]

No final do século XVII e início do XVIII, a ciência deu grandes passos. Os relatos de melancolia passaram por mudanças significativas como consequência de novas teorias sobre o corpo, o que trouxe uma série de novas teorias sobre a biologia da mente e suas disfunções. Nicholas Robinson propôs um modelo de corpo fibroso e, em 1729, disse que a depressão era causada pelo fracasso da elasticidade das fibras. Robinson não confiava no que chamamos hoje de psicoterapias. "É tão difícil tentar aconselhar um homem a sair de uma febre violenta", escreveu ele, "quanto esforçar-se para produzir qualquer alteração em suas faculdades pelas impressões do som, por mais eloquentemente que sejam aplicadas."[60] Aqui começa o abandono da figura do melancólico como um indivíduo cuja capacidade de se explicar podia ser considerada em sua cura.

Em 1742, Herman Boerhaave perseguiu essa ideia e surgiu com o assim chamado modelo iatromecânico, segundo o qual todas as funções do corpo podiam ser explicadas através de uma teoria hidráulica; ele tratava o corpo "como uma máquina viva e animada". Boerhaave postulava que o cérebro é uma glândula e que os sucos nervosos dessa glândula viajam pelo sangue. Este é composto de muitas substâncias diferentes misturadas, e quando o equilíbrio está confuso, sustentava ele, os problemas surgem. A depressão ocorre quando as matérias oleosas e gordurosas do sangue se acumulam e os sucos nervosos estão em falta. Em tais circunstâncias, o sangue para de circular nos locais apropriados. Boerhaave argumentava que um motivo frequente para isso era que a pessoa gastara suco nervoso demais em pensamento (que exigia muito do cérebro); a solução era pensar menos e agir mais, produzindo assim um melhor equilíbrio entre os componentes do sangue.[61] Como Willis, Boerhaave defendia o seguinte: o fornecimento reduzido de sangue para certas áreas do cérebro pode resultar em depressão ou delírio; e o estabelecimento da depressão no idoso senil baseia-se frequentemente na circulação incorreta do sangue no cérebro, onde certas áreas se espessaram (como se coaguladas) e não absorvem mais os nutrientes sanguíneos.[62]

Toda essa teoria levou à desumanização do humano.[63] Julien Offray de La Mettrie,[64] um dos heróis de Boerhaave, escandalizou os devotos quando publicou seu *L'Homme machine* [O homem-máquina] em 1747; ele foi expulso da corte francesa e foi para Leiden, foi expulso de Leiden e morreu aos 42 anos na remota Berlim. Ele sugeria que o homem era nada mais do que uma associação de substâncias químicas engajadas em ações mecânicas — a teoria de pura ciência que chegou até nós. De La Mettrie sustentava que a substância viva era por natureza irritável, e que de sua irritação derivava toda a ação. "A irritabilidade é a fonte de todo o nosso sentimento, de todo o nosso prazer, de toda a nossa paixão e de todos os nossos pensamentos." Essa visão dependia de uma ideia da natureza humana que era, acima de tudo, ordenada. Desordens tais como a depressão derivavam do mau funcionamento da máquina maravilhosa — um afastamento de sua função, em vez de um elemento da máquina.

Dali, foi apenas um pequeno passo para a concepção da melancolia como um aspecto do problema geral da doença mental. Friedrich Hoffman foi o primeiro a sugerir coerente e assertivamente o que viria a ser a teoria genética. "A loucura é uma doença hereditária", escreveu ele, "e com frequência continua durante a vida; às vezes tem longos intervalos, nos quais o paciente parece perfeitamente dono de seus sentidos; e volta em períodos regulares." Hoffman propôs algumas curas convencionais para a melancolia, depois afetuosamente disse que "para a loucura em moças carentes de amor, o remédio mais eficaz é o casamento".[65]

Explicações científicas do corpo e da mente desenvolveram-se num ritmo bastante acelerado através do século XVIII. Mas, vivendo em uma Idade da Razão, os sem razão estavam em grande desvantagem social e, embora a ciência desse grandes saltos para a frente, a posição social dos deprimidos dava grandes saltos para trás. Espinosa dissera no final do século XVII, prevendo o triunfo da

Razão, que "uma emoção está mais sob nosso controle, e a mente é menos passiva com relação a ela, na proporção em que seja mais conhecida por nós", e que "cada qual tem o poder de compreender clara e nitidamente a si mesmo e suas emoções, e fazer por onde para tornar-se menos sujeito a elas".[66] Portanto, o melancólico seria agora não uma figura demoníaca, mas uma figura autoindulgente, recusando a autodisciplina disponível da saúde mental. Com exceção dos tempos da Inquisição, o século XVIII foi provavelmente a pior época para sofrer de uma grave disfunção mental. Enquanto Boerhaave e De La Mettrie teorizavam, os doentes mentais graves, uma vez categorizados dessa forma por seus parentes, eram tratados ora como se fossem espécimes de laboratório, ora como animais selvagens saídos da selva que precisavam ser domados. Obcecado com maneiras e costumes, hostil aos que não concordavam com suas ideias e pululando de estrangeiros trazidos de territórios coloniais, o século XVIII impôs punições severas àqueles cujo comportamento errático parecia ameaçar a convenção, a despeito de classe social ou nacionalidade. Segregados da sociedade, eles eram colocados no mundo só de lunáticos de Bedlam (na Inglaterra) ou no pavoroso hospital de Bicêtre (na França), lugares que levavam os seres mais implacavelmente racionais à loucura.[67] Embora tais instituições existissem havia muito tempo — Bedlam foi fundada em 1247 e se tornara um lar para os lunáticos pobres por volta de 1547 —, elas ganharam reconhecimento no século XVIII. O conceito de "razão" implica uma concordância natural entre os seres humanos e é essencialmente uma noção conformista; "razão" é definida pelo consenso. A ideia de incorporar extremos à ordem social é antagônica a tal razão. Pelos padrões da Era da Razão, extremos de doença mental não são pontos remotos num contínuo lógico: são pontos inteiramente fora de uma coerência predefinida. No século XVIII, os mentalmente doentes eram marginais sem direitos ou lugar social. Os delirantes e deprimidos eram tão restritos socialmente que William Blake queixava-se: "Fantasmas não são reconhecidos pela lei".[68]

Entre os mentalmente doentes, os deprimidos tinham a vantagem de ser relativamente dóceis e por isso sofriam violências um pouco menos atrozes que os maníacos e os esquizofrênicos. Sujeira, esqualidez, tortura e miséria eram o quinhão do melancólico na Era da Razão e na Regência.[69] A sociedade passava por cima da noção de que aqueles com graves doenças psicológicas poderiam se recuperar delas; uma vez que alguém parecesse esquisito, entrava no hospital mental e lá ficava, pois a probabilidade de que emergisse para a razão humana era igual à de um rinoceronte cativo. O médico-chefe de Bedlam, dr. John Monro, dizia que a melancolia era intratável e que "a cura da disfunção depende tanto *do modo de lidar* quanto do medicamento".[70] Os que sofriam das formas mais graves de melancolia eram muitas vezes submetidos aos tratamentos mais aterrorizantes. O próprio Boerhaave propusera causar grande dor física em pacientes para distraí-los da dor em suas mentes. Afogar os depressivos não era incomum, e criavam-se dispositivos mecânicos altamente complexos para fazer o melancólico desfalecer e vomitar alternadamente.[71]

Aqueles com depressão mais moderada (mas ainda severa) frequentemente levavam vidas quase clandestinas em consequência da doença. James Boswell escreveu extensamente para seus amigos sobre suas experiências com a depressão;[72] da mesma forma o poeta William Cowper, depois dele. Seus relatos dão uma impressão do sofrimento ligado à depressão nessa época. Em 1763, Boswell escreveu:

Não espere encontrar nesta carta nada senão infelicidade de seu pobre amigo. Tenho estado melancólico em um grau extremamente chocante e atormentador. Afundei totalmente. Minha mente estava repleta das ideias mais negras, e todos os meus poderes da razão me abandonaram. Você acredita? Eu corria freneticamente pelas ruas para cima e para baixo, gritando, rompendo em lágrimas e gemendo do mais profundo do meu coração. Ó bom DEUS!, o que tenho suportado! Ó meu amigo, como eu merecia piedade! O que poderia fazer? Não tinha inclinação para coisa alguma. Todas as coisas pareciam servir para nada, todas sem vida.

Posteriormente, naquele ano, ele acrescentou, ao escrever para outro amigo: "Uma melancolia profunda me capturou. Pensei em mim como velho, miserável e desesperado. Todas as ideias horríveis que se pode imaginar me ocorreram. Assumi uma visão especulativa das coisas; tudo parecia cheio de escuridão e desgraça". Boswell dispôs-se a escrever dez linhas por dia para si mesmo e descobriu que, ao escrever o que estava sentindo, conseguia manter alguma sanidade, embora enchesse suas linhas com elipses. Assim, encontramos entradas como: "Você estava medonhamente melancólico e teve os pensamentos mais finais e tenebrosos. Veio para casa e rezou...", e alguns dias depois: "Ontem você estava muito mal depois do jantar e estremecia com ideias lúgubres. Sentia-se incerto, confuso e inculto, falou em ir para a cama e mal pôde ler grego...".

Samuel Johnson, cuja vida Boswell registrou, era também dado à depressão severa, e a experiência mútua da depressão uniu por algum tempo os dois homens. Johnson afirmava que *A anatomia da melancolia*, de Burton, era o único livro que o punha de pé "duas horas mais cedo do que ele desejava". Johnson estava sempre consciente de sua mortalidade e aterrorizado de desperdiçar tempo (embora em sua depressão mais negra ele ficasse improdutivo por longos períodos). "Ao Cão negro", escreveu Johnson, "sempre espero resistir, e com o tempo superá-lo, embora eu esteja privado de quase todos os que costumavam me ajudar. Quando levanto, meu desjejum é solitário, o cão negro espera para compartilhá-lo, do desjejum ao jantar ele continua latindo." E, como Boswell certa vez lhe disse, brincando com a expressão de Dryden: "A melancolia, como 'a grande esperteza', pode ter uma ligação próxima com a loucura; mas há, na minha opinião, uma nítida separação entre elas".[73]

William Cowper poetizou sua dor, mas ela talvez tenha sido mais desesperadora que a de Boswell. Para um primo, Cowper escreveu, em 1772: "Eu me esforçarei para não lhe responder em notas de dor e desalento, embora todos os meus acordes alegres pareçam quebrados". No ano seguinte, ele teve um grave colapso e ficou completamente incapacitado por algum tempo. Durante esse tempo, escreveu uma série horripilante de poemas, inclusive um que assim termina: "Eu, nutrido de discernimento, num túmulo de carne, estou/ Enterrado acima do chão".[74] Cowper não encontrava muita salvação no ato de escrever; dez linhas por dia provavelmente não abrandavam seu desespero. De fato, embora soubesse ser um grande poeta, sentia que sua capacidade com as palavras era quase irrelevante frente a sua experiência com a depressão. Em 1780, escreveu a John Newman:

> A mim foi confiado o Meu Próprio Eu Secreto Terrível, mas não o poder de Comunicá-lo com qualquer propósito. Carrego um fardo que nenhum Ombro poderia Sustentar, a não ser que fosse reforçado, como o meu, por um coração singularmente & sobrenaturalmente endurecido.

Edward Young, escrevendo de um modo asperamente contemporâneo, falou do "estranho dentro de ti" e descreveu a aridez do mundo: "Tal é o mapa da melancolia da terra! Porém bem/ Mais triste! esta terra é um verdadeiro mapa do homem!".[75] E Tobias Smollett escreveu: "Tenho vivido com um hospital dentro de mim nesses catorze anos e estudei meu próprio caso com a mais dolorosa atenção".[76]

A parte reservada às mulheres era especialmente dura. A marquesa du Deffand escreveu a uma amiga na Inglaterra: "Você não pode sequer imaginar o que é pensar e mesmo assim não ter nenhuma ocupação. Acrescente a isso um gosto que não é facilmente satisfeito e um grande amor pela verdade. Eu sustento que teria sido melhor jamais ter nascido". Em outra carta, ela escreveu com desgosto em relação a si própria: "Diga-me por que, detestando a vida, eu ainda temo a morte".[77]

Os ascéticos protestantes do final do século XVIII atribuíram a depressão à decadência da sociedade e atribuíam as altas taxas da doença à nostalgia da aristocracia por seu passado. O que fora outrora marca de uma sofisticação aristocrática era agora a marca de fraqueza e decadência moral, e a solução era eviscerar a complacência. Samuel Johnson disse que as dificuldades impedem o *spleen* e observou que "na Escócia, onde os habitantes em geral não são nem opulentos nem luxuosos, a Insanidade, segundo me informam, é muito rara".[78] John Brown sustentava que "nossa Vida efeminada e pouco viril, trabalhando juntamente com o Clima da nossa Ilha, tem notoriamente produzido um Aumento de baixos Espíritos e Disfunções nervosas". Edmund Burke argumentou que "a melancolia, o desalento, o desespero e frequentemente o suicídio são consequência da visão sombria que temos das coisas no estado relaxado do corpo. O melhor remédio para todos esses males é exercício ou *trabalho duro*".[79] Cândido, o personagem de Voltaire, luta mesmo depois de seus problemas terminarem; finalmente sua amante deprimida pergunta:

Eu gostaria de saber o que é o pior, ser violada cem vezes por piratas negros, ter uma nádega cortada, passar por açoite de varas na terra dos búlgaros, ser chicoteado e enforcado num auto de fé, ser dissecado, remar nas galeras, experimentar enfim todas as misérias pelas quais todos nós passamos, ou ficar sem fazer nada?[80]

O problema é resolvido quando ela e Cândido se dedicam a cuidar da horta; cultivar o solo tem um efeito tremendamente positivo no ânimo. Contudo, a ideia contrária, de que uma vida luxuosa poderia levantar os espíritos e o trabalho, levá-los ao fundo, também estava em circulação — Horace Walpole escreveu uma receita a um amigo: "Prescrição: CCCLXV dias de Londres", para levantar o peso de uma doença que nenhum elixir do campo pôde curar.[81]

No final do século XVIII, o espírito do romantismo começava a se agitar, e a desilusão com a secura da razão pura a se estabelecer. As mentes começaram a se voltar para o sublime, ao mesmo tempo magnífico e comovedor. Mais uma vez, permitiu-se que a depressão se fizesse presente, mais amada do que fora desde Ficino. Thomas Gray capturou o ânimo de uma época que olharia ainda uma vez para a depressão mais como fonte de conhecimento do que como uma loucura afastada dele. Sua "Elegy Written in a Country Churchyard" [Elegia escrita em cemitério de aldeia] tornou-se um texto padrão de sabedoria obtida por uma tristeza próxima da verdade, através da qual se aprende que "os caminhos da glória só levam ao túmulo". Olhando para os campos de lazer de Eton, ele diz:

> To each his suff'rings: all are men,
> Condemn'd alike to groan,
> The tender for another's pain,
> The unfeeling for his own.
> [...]
> No more; where ignorance is bliss,
> 'Tis folly to be wise.*[82]

S. T. Coleridge escreveu em 1794 que sua vontade estava paralisada pela "Alegria da Dor! Um misterioso Prazer paira com Asa escura sobre a tumultuosa mente".[83] Immanuel Kant sustentou que "distanciar-se melancolicamente do rumor do mundo, em virtude de um bem fundado tédio, é *nobre*" e que "a virtude autêntica a partir de princípios possui em si algo que parece condizer mormente com a constituição melancólica da mente".[84] Era nesse estado de espírito que o século XIX saudaria a depressão.

---

* A cada um seu sofrimento: todos os homens estão/ Igualmente condenados a gemer,/ O terno pela dor de outro,/ O insensível por sua própria dor./ [...] Chega; onde a ignorância é bênção,/ É loucura ser sábio. (Tradução livre)

Antes de deixar o século XVIII, vale a pena olhar para o que aconteceu nas colônias da América do Norte, onde a força moral do protestantismo foi até mais forte que na Europa.[85] O problema da melancolia tinha aborrecido os colonizadores, e uma escola do pensamento norte-americano sobre o tema surgiu logo depois de tais colonizadores chegarem a Massachusetts. Claro que eles tendiam a ser conservadores em comparação com suas contrapartidas na Europa; e já que, com frequência, representavam opiniões religiosas extremas de um tipo ou de outro, favoreciam as explicações religiosas da depressão.[86] Ao mesmo tempo, tinham que lidar com inúmeros casos de depressão. Suas vidas eram demasiado duras, suas sociedades sustentavam certas formas de rigidez formal, as taxas de mortalidade eram extremamente altas e a sensação de isolamento, especialmente intensa. As receitas de Horace Walpole não estavam à sua disposição, não havia muito glamour ou diversão para dissipar os espíritos melancólicos. O foco na salvação e seus mistérios impelia as pessoas ao desalento, uma vez que o único enfoque de suas vidas era por definição incerto.

Nessas sociedades, os melancólicos eram quase sempre considerados vítimas da interferência do demônio, presas dele por sua própria fraqueza ou desatenção para com o Deus redentor. Cotton Mather foi o primeiro a comentar extensamente esses problemas. Embora na juventude fosse inclinado a um julgamento moral extremo, sua posição se suavizou e de certa forma mudou quando Lydia, sua esposa, passou a ter uma depressão "à curta distância de uma Própria Possessão Satânica".[87] Nos anos subsequentes, Mather dedicou tempo e atenção consideráveis ao problema da melancolia, começando a esculpir uma teoria na qual o divino e o biológico, o natural e o sobrenatural, agiam numa complexa sincronia.

Em 1724, Mather publicou *The Angel of Bethesda* [O anjo de Bethesda], o primeiro livro sobre depressão escrito na América. Concentrou-se mais em tratamentos do que nas causas diabólicas da doença.

> Que os Amigos desses pobres Melancólicos não se Fatiguem muito cedo das Coisas Aborrecidas, que agora eles precisam Suportar com Paciência, Seus Absurdos e Loucuras devem ser suportados com Paciência, Nós que somos Fortes precisamos aguentar as Enfermidades dos Fracos; e com uma Generosidade paciente, prudente e Viril, ter piedade deles e levantar-lhes o Humor como Crianças, e lhes dar apenas Bons Olhares e Boas Palavras. E se eles emitirem Falas muito Dolorosas (e como Punhais) para nós, Não devemos nos Ressentir com eles como se fossem essas Pessoas que as pronunciassem; não são Elas que falam; É o seu Destempero! Elas ainda são Exatamente o que eram antes.[88]

Os tratamentos sugeridos por Mather são uma mistura esquisita do exorcismo, do biologicamente eficaz ("o cozimento do morrião de flores Púrpura; como também a Parte de Cima da erva-de-são-joão; como um Específico para a *Loucura*") e do muito duvidoso (a aplicação de "andorinhas vivas, cortadas em duas, e depositadas quentes e exalantes na Cabeça raspada" e "o Xarope de Aço, quatro Onças, uma colherada a ser tomada duas vezes por dia num Veículo Conveniente").

Henry Rose, publicando na Filadélfia em 1794, atribuiu às paixões a capacidade de "aumentar ou diminuir o poder das funções vitais e naturais". Ele sustentava que quando "excedem sua ordem e limites, as paixões se tornam dissolutas e devem ser evitadas; não porque perturbam a tranquilidade só da mente, mas porque danificam o temperamento do corpo". Na melhor tradição puritana, ele recomendava a ausência de paixão — o aniquilamento de sentimentos fortes e do eros — como o melhor meio de proteção para não ultrapassar os limites.[89] Essa noção puritana se enraizou na imaginação popular norte-americana muito depois de se ter dissipado em outros lugares. Mesmo em meados do século XIX, os Estados Unidos exibiam um interesse religioso renovado estreitamente associado à doença. O país era o local para a "anorexia nervosa evangélica", em que as pessoas que se acreditavam indignas de Deus se privavam de comida (e frequentemente de sono) até a inanição, até ficarem doentes ou mesmo morrer; os que sofriam desse mal eram chamados de "perfeccionistas famintos" por seus contemporâneos.[90]

Se a Era da Razão foi especialmente ruim para a depressão, o período romântico, que ocorreu do final do século XVIII ao florescimento do período vitoriano, foi especialmente bom. Nele, a melancolia era considerada não uma condição que levava ao insight, mas o próprio insight. As verdades do mundo não eram felizes, Deus se manifestava na natureza mas havia alguma dúvida quanto a seu status preciso e as agitações da indústria criaram os primeiros estragos da alienação modernista, distanciando o homem de sua própria produção. Kant sustentava que o sublime sempre fora "acompanhado de certo assombro ou também de melancolia".[91] Na essência, essa era a época em que um positivismo sem qualificações era considerado mais ingênuo que santo. No passado, sobretudo no passado distante, o homem estivera nitidamente mais perto da natureza, e a perda dessa relação imediata com o campo resultou na perda de uma alegria irrecuperável. Nesse período, as pessoas choravam explicitamente a passagem do tempo — não apenas o fato de envelhecerem, não simplesmente a perda da energia da juventude, mas a impossibilidade de deter o tempo. Esta é a era do Fausto de Goethe, que dizia para o momento: "Fica! Tu és amável!",[92] e para isso vendeu sua alma à danação eterna. A infância recapitulava a inocência e a alegria; o fato de ela passar levava a uma maturidade de sombras e dor. Como dizia Wordsworth: "Nós Poetas em nossa juventude começamos em alegria;/ Mas eis que chegam no final a languidez e a loucura".[93]

John Keats escreveu: "Tenho sido seduzido pela suave morte" — pois o próprio exercício da vida era requintadamente doloroso de suportar. Em sua paradigmática "Ode sobre melancolia" e em "Ode sobre uma urna grega", ele fala da tristeza insuportável de uma temporalidade que faz da coisa mais querida a mais triste, de modo que no final não há nenhuma separação entre a alegria e o sofrimento. Da própria melancolia ele diz:

> *She dwells with Beauty — Beauty that must die;*
> *And Joy, whose hand is ever at his lips*
> *Bidding adieu; and aching Pleasure nigh,*
> *Turning to Poison while the bee-mouth sips:*
> *Aye, in the very temple of Delight*
> *Veil'd Melancholy has her sovran shrine.**[94]

Shelley conjura também a mutabilidade da experiência, a rapidez do tempo, a noção de que uma trégua do sofrimento é seguida apenas por um sofrimento maior:

> *The flower that smiles today*
> *Tomorrow dies;*
> *All that we wish to stay,*
> *Tempts and then flies.*

> [...]

> *Whilst yet the calm hours creep,*
> *Dream thou — and from thy sleep*
> *Then wake to weep.***[95]

Na Itália, Giacomo Leopardi ecoou o sentimento escrevendo: "O destino não legou à nossa raça/ nenhum dom exceto o de morrer".[96] Um conceito muito distante do clima de Thomas Gray ponderando sobre a beleza num cemitério de aldeia; é um niilismo primordial, uma visão da completa futilidade das coisas, mais como o Eclesiastes ("Vaidade das vaidades; tudo é vaidade")[97] do que o *Paraíso perdido*. Na Alemanha, o sentimento ganhou mais um nome, além do de melancolia: *Weltschmerz*, ou tristeza do mundo. Isso se tornaria uma lente através da qual todos os outros sentimentos teriam que ser percebidos. Goethe, o maior expoente do *Weltschmerz*, esforçou-se talvez mais do que qualquer outro autor para definir a natureza tempestuosa e trágica da existência. Em *Werther*, ele narra a impossibilidade da entrada no verdadeiro sublime:

---

* Ela mora com a Beleza — Beleza que fenecerá;/ E com a Alegria, cuja mão nos lábios sempre/ Se despede; junto ao doloroso Prazer,/ Virando Veneno enquanto a boca-abelha sorve:/ Sim, e no próprio templo do Deleite/ A velada Melancolia tem seu santuário supremo.

** A flor que hoje sorri/ Morre amanhã;/ Tudo cuja permanência queremos,/ Tenta-nos e então se vai./ .../ Enquanto as calmas horas ainda se arrastam,/ Sonhe — e de teu sono/ Então acorda para chorar. (Tradução livre)

Naquele tempo, numa feliz inocência, desejava lançar-me ao mundo desconhecido, onde esperava que o meu coração encontrasse tantos prazeres, consolidando minhas metas e anseios. Agora, regresso desse mundo, oh, meu amigo, com quantas esperanças desfeitas, com quantos planos fracassados! [...] Que é o homem, esse semideus tão enaltecido? Não lhe faltam forças precisamente quando lhe são mais necessárias? Seja quando manifeste a alegria ou mergulhe na dor, não é bruscamente detido, bruscamente levado de volta ao sentimento frio e limitado de si mesmo, no momento em que aspirava perder-se na vastidão do infinito?"[98]

Aqui, a depressão é a verdade. Charles Baudelaire introduziu a palavra *spleen* e sua emoção correspondente no romantismo francês. Seu mundo frio de um mal triste seria tão incapaz de transcender a melancolia quanto a luta de Goethe para alcançar o sublime:

Quand le ciel bas et lourd pèse comme un couvercle
Sur l'esprit gémissant en proie aux longs ennuis,
Et que de l'horizon embrassant tout le cercle
Il nous verse un jour noir plus triste que les nuits;

[...]

— Et de longs corbillards, sans tambours ni musique
Défilent lentement dans mon âme. l'Espoir,
Vaincu, pleure, et l'Angoisse atroce, despotique,
Sur mon crâne incliné plante son drapeau noir[99]

Ao lado dessa linha poética, corre uma filosófica que volta para antes do racionalismo romântico de Kant, do otimismo de Voltaire e do relativo distanciamento de Descartes, até uma impotência temerosa e o desamparo enraizados no personagem de Hamlet ou mesmo em *De Contemptu Mundi*. Hegel, no princípio do século XIX, nos diz: "A história não é o solo no qual cresce a felicidade. Nele, os períodos de felicidade são páginas vazia de história. Há certos momentos de satisfação na história do mundo, mas tal satisfação não deve ser igualada à felicidade".[100] Esse descarte da felicidade como um estado natural ao qual as civilizações poderiam razoavelmente aspirar inicia o cinismo moderno. A nossos ouvidos é quase óbvio, mas em seu tempo era uma posição herética de desalento: a *verdade* é que nascemos na aflição e na aflição prosseguimos, e os que enten-

---

* Quando o céu baixo e hostil pesa como uma tampa/ Sobre a alma que, gemendo, ao tédio ainda resiste,/ E, do horizonte todo enleiando a curva escampa,/ Destila um dia escuro e mais que as noites triste//[...] — E enterros longos, sem tambor e sem trombeta,/ Desfilam lentamente em minha alma; a Esperança,/ Vencida, chora, e a Angústia prepotente avança/ E em meu crânio infeliz planta a bandeira preta. (Tradução livre)

dem a aflição e vivem intimamente com ela são os que mais conhecem o passado e o futuro da história. E, apesar do desalento, Hegel declara em outra parte que ceder ao desespero é estar perdido.

Entre os filósofos, Søren Kierkegaard é o garoto-propaganda da depressão. Livre do compromisso de Hegel de resistir ao desespero, Kierkegaard seguiu cada verdade até seu ponto final ilógico, esforçando-se para evitar qualquer tipo de concessão. Ele tirou um curioso conforto de sua dor porque acreditava na honestidade e realidade dela. "Meu sofrimento é meu castelo", escreveu. "Em minha grande melancolia, eu amava a vida, pois amava minha melancolia." É como se Kierkegaard acreditasse que a felicidade o debilitaria. Incapaz de amar as pessoas em torno dele, voltava-se para a fé como uma expressão de algo tão remoto que estaria além do desespero. "Eu fico aqui", escreveu, "como um arqueiro cujo arco está esticado ao máximo e a quem pedem que acerte um alvo a cinco passos de distância. Isso eu não posso fazer, diz o arqueiro, mas coloque o alvo duzentos ou trezentos passos mais longe e você verá!" Embora filósofos e poetas anteriores estivessem falando do homem melancólico, Kierkegaard via a humanidade como melancólica. "Não é ser desesperado que é raro", escreveu ele, "o raro, o raríssimo, é realmente não o ser."[101]

Arthur Schopenhauer era um pessimista maior ainda que Kierkegaard, pois não acreditava que a dor fosse de modo algum enobrecedora; e mesmo assim era também irônico e mordaz, para quem a continuidade da vida e da história era mais absurda do que trágica. "A vida é um negócio cujo retorno está longe de cobrir o custo", escreveu ele.

> Vamos simplesmente encarar o seguinte; este mundo de criaturas constantemente necessitadas que continuam por algum tempo meramente por devorar uns aos outros, passam sua existência em ansiedade e carência, e frequentemente suportam terríveis pesares até caírem por fim nos braços da morte.

O depressivo, na visão de Schopenhauer, vive simplesmente porque tem o instinto básico de fazê-lo, "o que é primordial e não condicionado, a premissa de todas as premissas". Ele respondeu à sugestão ancestral de Aristóteles, de que homens de gênio são melancólicos, dizendo que um homem que tem qualquer inteligência verdadeira reconhecerá "a infelicidade de sua condição". Como Swift e Voltaire, Schopenhauer acreditava no trabalho — não porque o trabalho produza alegria, mas porque distrai os homens de sua depressão essencial. "Se o mundo fosse um paraíso de luxo e facilidade", escreveu, "os homens morreriam de tédio ou se matariam." Mesmo o prazer corporal, que deveria tirar o desespero das pessoas, é apenas a distração necessária introduzida pela natureza para manter a raça viva. "Se as crianças fossem trazidas ao mundo apenas por um ato de pura razão, a raça humana continuaria a existir? Não teria o homem tanta solidariedade com a geração vindoura a ponto de poupá-la do fardo da existência?"[102]

Foi Friedrich Nietzsche quem realmente tentou remeter de novo esses pontos de vista à questão específica de doença e insight.

Perguntei a mim mesmo se não se podem comparar todos esses valores supremos da filosofia, da moral e da religião, até agora, com os valores dos debilitados, dos *doentes do espírito* e dos neurastênicos: eles apresentam, de forma mais branda, os *mesmos males...*

Saúde e *doença* não são essencialmente diferentes, como acreditavam os antigos médicos e ainda hoje alguns práticos. [...] De fato, entre ambas as espécies há uma diferença de gradação: o exagero, a desproporção, a desarmonia dos fenômenos normais constituem o estado doentio.[103]

Os mentalmente perturbados e os mentalmente doentes voltaram a ser pessoas no século XIX. Tendo passado os cem anos anteriores como animais, seriam agora imitadores dos bons costumes da classe média — querendo ou não. Philippe Pinel estava entre os mais antigos defensores de uma reforma no tratamento dos mentalmente doentes, publicando seu *Tratado* em 1806. Ele introduziu a noção do "tratamento moral da loucura", o que, dado que "a anatomia e patologia do cérebro estão ainda envolvidos em extrema obscuridade", parecia-lhe o único caminho para uma evolução. Pinel instalou seu hospital conforme seus altos padrões. Persuadiu seu chefe de equipe a

exercer com todos aqueles sob sua proteção a vigilância de um pai amável e afetuoso. Nunca perdeu de vista os princípios da mais genuína filantropia. Prestava grande atenção à dieta da casa e não deixava nenhuma oportunidade para murmúrio ou descontentamento da parte dos mais fastidiosos. Exercia uma disciplina rígida sobre a conduta dos empregados e punia com severidade qualquer exemplo de maus-tratos e qualquer ato de violência que proferissem contra aqueles a quem tinham meramente o dever de servir.[104]

A principal conquista do século XIX foi o estabelecimento do sistema de asilo para cuidados dos doentes psiquiátricos. Samuel Tuke, que administrava uma instituição assim, disse:

Em relação aos melancólicos, descobriu-se que conversa sobre o assunto de sua languidez é muito pouco aconselhável. Busca-se exatamente o método oposto. Todos os meios são utilizados para seduzir a mente para fora de suas ruminações queridas mas infelizes, com exercício corporal, caminhadas, conversa, leitura e outras recreações inocentes.[105]

Esse tipo de programa (oposto aos punitivos e às bizarras técnicas de "domesticação" do século anterior) fez, segundo o chefe de outro asilo,[106] com que a "melancolia", não aprofundada pela falta de todas as consolações comuns, perdesse o caráter exagerado em que era anteriormente mantida.

Os asilos pulularam como rãs depois de uma tempestade. Em 1807, 2,26 pessoas em cada 10 mil da população da Inglaterra eram consideradas insanas (uma categoria que teria incluído os gravemente deprimidos); em 1844, o número era de 12,66 e, por volta de 1890, de 29,63. Que houvesse treze vezes mais loucos no final do período vitoriano do que na aurora do século explica-se apenas parcialmente pelo aumento real da doença mental. Na verdade, nos dezesseis anos entre os dois Decretos dos Lunáticos [Lunatic Acts] do Parlamento (de 1845 e 1862), o número de pobres identificados como doentes mentais dobrou. Isso se devia em parte pela disposição crescente das pessoas em identificar seus parentes como doidos, em parte por padrões mais rigorosos de sanidade e em parte pelas depredações do industrialismo vitoriano. O mesmo depressivo, que, não suficientemente doente para ser internado em Bedlam, contaria outrora suas dores silenciosamente na cozinha, era agora removido do alegre círculo familiar da Inglaterra dickensiana e isolado, colocado onde não interrompesse a interação social. O asilo deu-lhe uma comunidade em que viver, mas também o afastou da companhia daqueles que tinham algum motivo natural para amá-lo. O crescimento do asilo também estava estreitamente ligado ao aumento do número de taxas de "cura" — se a doença de algumas pessoas podia realmente melhorar com uma temporada no asilo, então era quase um dever colocar qualquer um que estivesse no limite de uma infeliz em algum lugar onde ele pudesse ser salvo.

O princípio do asilo era passar por uma longa sequência de pequenas melhorias. Já era um tópico de debate nos seletos comitês parlamentares em 1807. O primeiro Decreto dos Lunáticos emitido pelo Parlamento exigia que cada condado fornecesse asilo aos loucos pobres, inclusive aos gravemente deprimidos; e, no Decreto de Emenda à Lei Relativa aos Lunáticos, de 1862, abriu-se a possibilidade do confinamento voluntário, de modo que os que sofressem de tais sintomas poderiam, com a aprovação das autoridades médicas, dar entrada nos asilos.[107] Esse abastecimento demonstra bem claramente como o asilo evoluíra; a pessoa teria que ser muito mais que maluca para internar-se por si mesma num dos hospitais para doentes mentais do século XVIII. Nessa época, os asilos dos condados estavam sendo administrados com fundos públicos, os asilos privados tinham o lucro como objetivo e hospitais registrados (como Bedlam, que em 1850 abrigava uns quatrocentos pacientes)[108] para os doentes mais agudos sustentavam-se com uma mistura de fundos públicos e contribuições particulares de caridade.

O século XIX foi o período das classificações. Todos debatiam a natureza da doença e seus parâmetros e todos redefiniam o que antes fora simplesmente identificado como melancolia em categorias e subcategorias. Grandes teóricos da classificação e cura sucederam-se uns aos outros rapidamente, cada qual certo de que alguns ajustes menores na teoria do predecessor melhorariam extraordinariamente o tratamento. Thomas Beddoes se perguntava já no primeiro ano do século "se não é necessário confinar a insanidade a uma espécie ou dividi-la em quase tantas quantos os casos que existem".[109]

Nos Estados Unidos, Benjamin Rush acreditava que toda forma de loucura era uma febre que se tornara crônica. Essa doença, contudo, estava sujeita à influência externa. "Certas ocupações predispõem à loucura mais do que outras. Poetas, pintores, escultores e músicos são mais sujeitos a ela. Tais estudos exercitam a imaginação e as paixões." A depressão delirante era forte entre os pacientes de Rush. Por exemplo, um era um capitão de um navio que acreditava absolutamente ter um lobo em seu fígado. Outro pensava ser uma planta. O homem-planta estava convencido de que precisava ser molhado, e um de seus amigos, dado a truques e brincadeiras, passou a urinar na cabeça dele, dessa forma enfurecendo o paciente a ponto de efetuar uma cura. Embora Rush, diferente dos outros, não chegasse ao nível de solidariedade de Pinel para com os pacientes,[110] acreditava, à diferença de seus predecessores, em ouvi-los. "Por mais errônea que seja a opinião do paciente sobre seu caso, sua doença é verdadeira. Será necessário, por isso, que o médico ouça com atenção os tediosos e desinteressantes detalhes de seus sintomas e causas."[111]

Trabalhando na Alemanha, W. Griesinger voltou sua atenção a Hipócrates e declarou de uma vez por todas que "as doenças mentais são doenças do cérebro".[112] Embora não fosse capaz de identificar a origem dessas doenças cerebrais, ele insistia firmemente que havia uma, e que a falha no cérebro devia ser localizada e então tratada, de forma preventiva ou curativa. Ele aceitava o movimento de uma doença mental para outra, o que podemos chamar de diagnóstico duplo, como parte de *Einheitspsychose* — o princípio que defende que toda doença mental é uma única doença e que, uma vez que o seu cérebro sai do prumo, qualquer coisa pode acontecer com ele. Esse princípio levou à aceitação da doença maníaco-depressiva, à compreensão de que pacientes que flutuavam entre estados extremos poderiam ter uma única doença em vez de duas que se alternavam fatalmente. Com base nesse trabalho, as autópsias do cérebro se tornaram comuns, especialmente nos casos de suicídio.

Griesinger foi o primeiro a apresentar a ideia de que algumas doenças mentais são apenas tratáveis, enquanto outras são curáveis, e com base em seu trabalho a maioria dos asilos começou a dividir seus pacientes: separando os que tinham uma chance de recuperação e de retorno à vida funcional dos casos mais desesperados. Embora a vida dos verdadeiramente insanos continuasse horrível, a vida dos outros pacientes começava a tomar uma aparência de normalidade maior. Tratar de pessoas deprimidas mais uma vez *como pessoas* impediu-as de mergulhar em um nível de dependência completa. Enquanto isso, pesquisas que seguiam o modelo de Griesinger começaram a sobrepujar a religião; a mudança nos padrões sociais que começou no final do período vitoriano pode de algum modo estar ligada ao surgimento do modelo médico do cérebro.

Nas mãos de Griesinger, a depressão veio a ser completamente medicalizada. Na mais influente história da doença mental do século XX, Michel Foucault sugeriu que isso fazia parte de um grande plano de controle social relacionado ao colonialismo e ao entrincheiramento da riqueza dominante contra uma classe inferior pisoteada.[113] Ao classificar aqueles que consideravam a vida difícil demais como "doentes" e removê-los da sociedade, a classe dominante podia impor níveis de dificuldade genuína e tensão social, contra os quais a classe dos miseráveis, menos contida, poderia ter-se rebelado. Para que o proletariado da Revolução Industrial fosse oprimido com eficácia, aqueles que dentre eles estavam de fato à beira da autodestruição tinham que ser removidos. Caso contrário, serviriam como advertência para aqueles ao seu redor e fomentariam a revolução.

Ler Foucault é interessante, mas a influência que ele teve é muito mais louca do que as pessoas sobre as quais escreve. Os deprimidos não podem liderar uma revolução, porque gente deprimida mal consegue sair da cama e calçar sapatos e meias. Era tão provável ter me juntado a um movimento revolucionário durante minha depressão quanto eu me coroar rei da Espanha. Os verdadeiros deprimidos não foram tornados invisíveis pelos asilos; eles *sempre* foram invisíveis porque sua própria doença faz com que cortem os contatos e ligações humanos. A reação geral de outros membros do proletariado (ou, na realidade, de qualquer outra classe) às pessoas que estão gravemente deprimidas é de rejeição e desconforto. Os que não estão tomados pela doença não gostam de vê-la, porque ela os enche de insegurança e provoca ansiedade. Dizer que os gravemente doentes foram "retirados" de seu contexto natural é negar a realidade de que seu contexto natural os rejeitou, como fez sempre que pôde até então. Nenhum parlamentar conservador foi para as ruas das cidades solicitando pacientes para os asilos; os asilos transbordavam de pessoas sendo entregues a essas instituições por suas próprias famílias. A tentativa de apontar conspiradores sociais parece um interminável romance de Agatha Christie em que todos acabam morrendo de fato de causas naturais.

Asilos cheios eram em parte uma consequência da alienação geral do período vitoriano tardio, que era articulada de uma forma ou de outra por todos, desde os pilares da ordem social (Alfred Lord Tennyson, por exemplo, ou Thomas Carlyle) aos reformistas ardentes (Charles Dickens[114] ou Victor Hugo)[115] e àqueles às margens decadentes da sociedade (Oscar Wilde[116] ou Joris-Karl Huysmans).[117] O *Sartor Resartus* de Carlyle conta a alienação de um mundo superpovoado, uma espécie de depressão universal, antecipando Brecht e Camus. "Para mim o Universo era a voz da Vida, do Propósito, da Volição, até da Hostilidade: era um Motor a vapor gigantesco, morto e imensurável, movimentando-se em sua morta indiferença, para me moer membro a membro." E mais adiante:

> Eu vivia num medo contínuo, indefinido e sofrido: trêmulo, pusilânime, apreensivo, eu não sabia de quê: parecia que todas as coisas nos Céus acima e na Terra abaixo me feririam; como se os Céus e a Terra fossem apenas garras ilimitadas de um monstro devorador, pelo qual eu, palpitando, esperava ser devorado.[118]

Como suportar a vida, em si tão pesada nessa época tão cheia de sofrimentos? O filósofo norte-americano William James tratava diretamente desses problemas e corretamente identificava a aparente fonte da alienação moderna inicial como a decadência de uma fé inquestionável num Deus supremo benevolente diante de sua criação. Embora o próprio James fosse fervoroso num credo pessoal, era também um leitor agudo do processo da descrença.

> Nós, do século XIX, com nossas teorias evolucionárias e nossas filosofias mecanicistas, já conhecemos a natureza imparcialmente demais e bem demais para cultuar sem reservas qualquer Deus de cujo caráter ela possa ser uma expressão adequada. A tal prostituta, não devemos nenhuma aliança.

Dirigindo-se a um grupo de alunos de Harvard, ele disse: "Muitos de vocês são estudantes de filosofia e já sentiram em suas próprias peles o ceticismo e a irrealidade gerados por meter demais o nariz na raiz abstrata das coisas". E, do triunfo da ciência, ele escreveu: "Não se pode esperar que a ordem física da natureza, tomada simplesmente como a ciência a conhece, revele qualquer intenção espiritual harmoniosa. É mero *clima*".[119] Essa é a essência da melancolia vitoriana. Períodos de maior ou menor fé se haviam alternado ao longo da história humana, mas esse abandono da noção de Deus e de significado abria caminho para agonias que temos suportado desde então, muito mais pungentes que o sofrimento dos que achavam que um Deus onipotente os havia abandonado. Acreditar-se objeto de um ódio intenso é doloroso, mas descobrir-se objeto da indiferença de um grande nada é estar sozinho de modo quase inconcebível para as gerações anteriores. Matthew Arnold deu voz a esse desespero:

> *The world, which seems*
> *To lie before us like a land of dreams,*
> *So various, so beautiful, so new,*
> *Hath really neither joy, nor love, nor light,*
> *Nor certitude, nor peace, nor help for pain;*
> *And we are here as on a darkling plain*
> *Swept with confused alarms of struggle and flight,*
> *Where ignorant armies clash by night.**[120]

Essa é a forma que toma a depressão moderna: a crise de perder Deus é muito mais comum do que a crise de ser amaldiçoado por Ele.

Se William James definiu a brecha filosófica entre o que fora considerado

---

* O mundo, que parece/ Jazer ante nós como uma terra de sonhos,/ Tão variada, tão bela, tão nova,/ Na verdade não oferece alegria, amor ou luz,/ Nem certeza, nem paz, nem auxílio à dor;/ E aqui estamos nós numa obscura planície/ Varrida por confusos alarmes de combate e fuga,/ Onde ignorantes exércitos se defrontam à noite. (Tradução livre)

verdadeiro e o que a filosofia revelara, então o eminente médico Henry Maudsley definiu a consequente brecha médica. Foi ele o primeiro a descrever uma melancolia que se reconhece, mas não consegue se explicar:

> Não é pouco natural chorar, mas não é natural irromper em lágrimas porque uma mosca pousa numa testa, como vi um melancólico fazer. [É] como se um véu baixasse entre ele e [os objetos]. E nenhum véu mais espesso poderia ser na verdade interposto entre ele e eles do que o interesse paralisado. Seu estado é, para si mesmo, perturbador e inexplicável. As promessas da religião e as consolações da filosofia, tão inspiradoras quando não necessárias e incapazes de ajudar quando sua ajuda é mais necessária, não são melhores do que palavras sem significado para ele. Não há verdadeiro desarranjo da mente; há apenas uma profunda dor da mente paralisando suas funções. Entretanto, eles são assolados com pior sofrimento do que o que assola a loucura real, porque, sendo a mente suficientemente inteira para sentir e perceber seu estado abjeto, eles são mais propensos a terminar em suicídio.[121]

George H. Savage, que escreveu sobre loucura e neurose, falou da necessidade de, finalmente, fechar-se o espaço entre a filosofia e a medicina. Escreveu:

> Pode ser conveniente, mas não é filosófico tratar o corpo separado da mente, e os sintomas físicos separadamente dos mentais. A melancolia é um estado de depressão mental no qual a infelicidade é irracional em relação à sua causa aparente ou na forma peculiar que assume. A dor mental depende das mudanças físicas e corporais, e não diretamente do meio ambiente. Uma solução saturada de sofrimento faz com que o delírio se cristalize e tome uma forma definitiva.[122]

O século XX viu dois importantes movimentos no tratamento e compreensão da depressão. Um foi o psicanalítico, que em anos recentes deu origem a todos os tipos de teorias científico-sociais da mente. O outro, o psicobiológico, tem sido a base para categorizações mais totalizantes. Ambos se alternam em parecer ter encontrado explicações convincentes. Ambos se alternam em parecer positivamente ridículos. Cada um tem obtido certo grau de insight e de explorações absurdas a partir dele. E ambos empreendem uma automistificação quase religiosa que, se tivesse ocorrido na antropologia, na cardiologia ou na paleontologia, seria motivo de chacota. A realidade sem dúvida incorpora elementos das duas escolas de pensamento, embora a combinação delas dificilmente implique a soma total da verdade. A competitividade com que cada escola olha para a outra tem sido a base de declarações excessivas que são, em muitos casos, menos precisas do que a *Anatomia* de Robert Burton no século XVII.

A época moderna para o pensamento sobre depressão começou de verdade quando Freud publicou os documentos para Fliess, de 1895. O inconsciente, segundo Freud, substituiu a noção corrente da alma, estabelecendo um novo local e uma nova causa para a melancolia. Ao mesmo tempo, Emil Kraepelin publicou sua classificação das doenças mentais, definindo depressão como a conhecemos hoje em dia. Esses dois homens, que representam as explicações psicológicas e bioquímicas da doença, abriram a brecha que o campo da saúde mental está agora tentando fechar. Embora a separação entre essas duas versões da depressão tenha sido prejudicial ao pensamento moderno sobre a doença, cada ideia tem significado considerável, e sem o desenvolvimento paralelo delas não poderíamos sequer ter começado a buscar uma sabedoria que as unisse.

A base imaginativa para a psicanálise vigorara por anos, embora numa forma distorcida. A psicanálise tem muito em comum com a sangria, que havia sido popular algum tempo antes. Em cada método de tratamento, pressupõe-se que algo dentro do paciente está impedindo o funcionamento normal da sua mente. A sangria devia remover humores malignos retirando-os fisicamente do corpo; as terapias psicodinâmicas têm como princípio anular o poder de traumas esquecidos ou reprimidos, retirando-os do inconsciente. Freud declarou que a melancolia é uma forma de luto e que surge de uma sensação de perda da libido, do desejo por comida ou sexo. "Enquanto os indivíduos potentes adquirem facilmente neuroses de angústia", escreveu Freud, "os impotentes tendem à melancolia." Ele chamava a depressão de "efeito de sucção sobre as quantidades de excitação contíguas", que cria "uma hemorragia interna", "uma ferida".[123]

A primeira descrição psicanalítica coerente da melancolia veio não de Freud, mas de Karl Abraham, cujo ensaio de 1911 sobre o tema permanece um ponto central de referência. Abraham começou declarando categoricamente que a ansiedade e a depressão "se correlacionavam do mesmo modo que medo e sofrimento. Tememos um mal futuro; sofremos por um mal que já ocorreu". Assim, a ansiedade é desalento sobre o que acontecerá, e a melancolia é desalento sobre o que aconteceu. Para Abraham, uma condição levava à outra; localizar o desalento neurótico exclusivamente no passado ou no futuro era impossível. Abraham disse que a ansiedade ocorre quando você quer algo que sabe que não devia ter e por isso não tenta obter, enquanto a depressão ocorre se você quer algo, tenta obtê-lo e falha. A depressão, diz Abraham, ocorre quando o ódio interfere na capacidade de amar do indivíduo. As pessoas que têm seu amor rejeitado acreditam, paranoicamente, que o mundo se voltou contra elas e assim odeiam o mundo. Sem desejar reconhecer tal ódio nem mesmo para si, elas desenvolvem um "sadismo imperfeitamente reprimido".

"Onde há uma grande quantidade de sadismo reprimido", segundo Abraham, "haverá uma gravidade correspondente no ataque depressivo." O paciente, geralmente sem perceber, tira um certo prazer de sua depressão, como resultado de suas atitudes sádicas. Abraham encetou o tratamento psicanalítico de um número de pacientes deprimidos e relatou melhoras substanciais neles, embora não seja claro se tais pacientes foram curados por um verdadeiro insight ou confortados pela ideia do conhecimento. No final, Abraham admitiu que o tipo de trauma que leva à depressão pode levar também a outros sintomas, e, "neste ponto, não temos a mínima ideia por que um grupo de indivíduos toma um caminho e outro grupo toma outro". Este, em suas palavras, é "o *impasse* do niilismo terapêutico".[124]

Seis anos depois Freud escreveu seu breve e fundamental ensaio, *Luto e melancolia*, que provavelmente tem mais efeito na compreensão contemporânea da depressão do que qualquer outro trabalho escrito. Freud questionou a coerência do que é chamado de melancolia; a definição da depressão "é oscilante, mesmo na psiquiatria descritiva". E o que, perguntou Freud, devemos concluir do fato de que muitos sintomas da melancolia, que estamos tão ansiosos para minorar, ocorrem também na dor?

> Nunca nos ocorre considerar o luto como estado patológico, nem encaminhá-lo para tratamento médico. [...] consideramos inadequado e até mesmo prejudicial perturbá-lo [...] é só porque sabemos explicá-lo tão bem que esse comportamento não nos parece patológico.

(Esse não é necessariamente o caso ainda; *The New England Journal of Medicine* publicou recentemente um trabalho que sugeria que "uma vez que a dor de uma perda real pode levar à depressão severa, deve-se oferecer aos pacientes em luto que têm sintomas de depressão durante mais de dois meses uma terapia com antidepressivos".)[125] Os depressivos, contudo, comprometem sua autoestima. "No luto", escreveu Freud, "é o mundo que se tornou pobre e vazio; na melancolia é o próprio ego." O enlutado é afligido por uma morte real; o melancólico, pela experiência ambivalente do amor imperfeito.

Nenhum homem desiste voluntariamente do objeto de seu desejo. Uma perda de autoestima deve resultar de uma perda involuntária, que Freud imaginava ser também inconsciente — como a dor da perda consciente melhora em geral com o tempo. Freud sugeriu que as acusações que o melancólico faz contra si mesmo são realmente suas queixas contra o mundo, e que o eu foi dividido em dois: num eu acusador, que ameaça; e num eu acusado, que se acovarda. Freud viu esse conflito nos sintomas melancólicos: o ego acusado deseja dormir, por exemplo, mas o ego ameaçador o pune com a ausência de sono. A depressão aqui é realmente um colapso do ego ou do ser humano coerente. Com raiva ante a ambivalência de seu objeto de amor, o melancólico inicia sua vingança. Ele volta sua raiva para dentro para evitar punir o ser amado. "Só esse sadismo", escreveu Freud, "resolve para nós o enigma." Mesmo a propensão ao suicídio é um impulso sádico contra o outro que foi redirecionado para o eu. A divisão do ego é um modo de internalizar o ser amado. Se você censura a si mesmo, o objeto de seu sentimento está sempre presente; se você precisa censurar outra pessoa, que pode morrer ou partir, você é deixado sem o objeto de seus sentimentos. "Desse modo, o amor deixou de ser eliminado", escreveu Freud, "por sua fuga para o ego."[126] O narcisismo autoacusatório é o resultado da perda e da traição intoleráveis e causa os sintomas da depressão.

Abraham, respondendo a *Luto e melancolia*, propôs que a depressão tem duas fases: a perda do objeto amoroso e a ressuscitação do objeto amoroso através da internalização. Ele descreve a disfunção como resultado de um fator hereditário, uma fixação da libido naquele peito perdido da mãe, um ferimento primordial na autoestima devido a uma rejeição real ou percebida, por parte da mãe, e um padrão de repetição daquele desapontamento primário. "Um ataque de depressão melancólica é trazido por uma decepção no amor", escreveu ele; e o melancólico se torna "insaciável" por atenção.[127]

É bastante fácil aplicar os insights de Freud e Abraham à vida, embora em termos um tanto redutivos. Na época de meu primeiro colapso, eu estava destruído pela morte de minha mãe e, em sonhos, visões e escrita eu certamente a incorporava a mim. A dor de perdê-la me deixou furioso. Lastimei também toda a dor que eu já havia causado a minha mãe e sentia remorsos sobre a miscelânea de sentimentos complexos que persistiam dentro de mim. Sua morte impediu uma resolução completa dessa relação. Acredito que sistemas internos de conflito e autocensura desempenharam um grande papel em meu colapso — e se centraram na publicação de meu livro. Lastimei a privacidade sabotadora que eu desenvolvera porque minha mãe priorizava tanto a reticência. Eu resolvera publicar meu livro de qualquer forma, e isso me deu uma certa sensação de libertação de meus demônios. Mas também me fez sentir que estava deliberadamente desafiando minha mãe, e me senti culpado por isso. Quando chegou a hora de ler o livro em voz alta, declarar publicamente o que eu estava fazendo, minha autocensura começou a me devorar, e quanto mais eu tentava não pensar em minha mãe, mais o "objeto amoroso internalizado" de minha mãe se interpunha. Uma causa secundária de meu primeiro colapso foi uma decepção com o amor romântico; meu terceiro colapso foi desencadeado pelo fracasso de uma relação em que eu investira toda a minha fé e esperança. Dessa vez não havia tantos fatores complicantes. Enquanto amigos me diziam que eu devia estar furioso, o que eu sentia era desespero e dúvida de minhas atitudes e sentimentos. Acusava-me sem parar como um modo de acusar o outro. Minha própria atenção fixava-se na pessoa cuja atenção eu verdadeiramente desejava e que estava ausente, mas viva dentro de mim. Minha ansiedade parecia seguir de perto demais meus comportamentos da infância e a história da perda de minha mãe. Ah, não faltava sadismo internalizado ali!

Os grandes expoentes da psicanálise ofereceram um refinamento adicional a tais temas. Melanie Klein propôs que toda criança tinha que passar pela triste experiência de perder o seio que a alimenta. A certeza daquele desejo infantil por leite e a total satisfação dele são edênicos. Quem algum dia já escutou um bebê chorando por comida sabe que a falta do leite no momento em que é desejado pode resultar numa fúria catastrófica. Observando meu sobrinho em seu primeiro mês de vida, nascido enquanto eu escrevia este livro, vi (ou projetei) lutas e satisfações muito parecidas com meus próprios estados de espírito e descobri algo semelhante à depressão instalando-se nele, mesmo durante os segundos que sua mãe levava para erguê-lo até o seio. E, ao me encaminhar para o fim deste livro, meu sobrinho tampouco parecia contente por abrir mão do seio ao ser desmamado. "Em minha opinião", escreveu Klein, "a posição depressiva infantil ocupa um lugar central no desenvolvimento da criança. O desenvolvimento normal da criança e sua capacidade de amar parecem depender em grande parte da maneira como o ego passa por essa posição crucial."[128]

Os analistas franceses deram um passo a mais. Para Jacques Hassoun, que levou o conceito de depressão à desconstrução cifrada do ser humano por Jacques Lacan, a depressão era uma terceira paixão, tão poderosa e urgente quanto o amor e o ódio que podiam desencadeá-la.[129] Para Hassoun, não existia autonomia sem ansiedade. Na depressão, disse ele, não estamos devidamente separados do outro e nos percebemos como contíguos ao mundo. É próprio da natureza da libido desejar o outro; e, uma vez que não percebemos um outro separado na depressão, não temos nenhuma base para o desejo. Somos deprimidos não porque estamos tão distantes do que queremos, mas porque estamos incorporados a ele.

Sigmund Freud é o pai da psicanálise; Emil Kraepelin é o pai da psicobiologia.[130] Kraepelin separava doenças mentais adquiridas das hereditárias. Ele acreditava que toda doença mental tinha uma base bioquímica interna. Dizia que algumas doenças eram permanentes e algumas eram degenerativas. Kraepelin introduziu ordem ao mundo caótico da doença mental, sustentando que havia doenças específicas, distintas, facilmente definidas, e que cada uma delas tinha características diferentes e, mais importante, um resultado previsível que poderia ser compreendido em relação ao tempo. Essa afirmativa básica provavelmente não é verdadeira, mas foi extremamente útil ao oferecer aos psiquiatras alguma base para abordar as doenças enquanto elas se manifestavam.

Ele separava a depressão em três categorias, estabelecendo uma relação entre elas. Na mais suave, escreveu ele,

aparece gradualmente uma espécie de lerdeza mental; o pensamento se torna difícil; os pacientes encontram dificuldade em tomar uma decisão, em se expressar. Para eles, é difícil seguir o pensamento numa leitura ou numa conversa comum. Não veem o interesse habitual no que os rodeia. O processo de associação de ideias é extraordinariamente retardado; eles não têm nada a dizer; há uma morte de ideias e uma pobreza de pensamento. Eles parecem sem vida e lerdos, explicam que se sentem realmente cansados, exaustos. O paciente vê apenas o lado escuro da vida,

e assim por diante. Kraepelin concluiu: "Essa forma de depressão tem um curso uniforme com poucas variações. A melhora é gradual. A duração varia de alguns meses a mais de um ano". A segunda forma inclui má digestão, pele sem brilho, entorpecimento da cabeça, sonhos ansiosos e assim por diante. "O curso dessa forma de depressão mostra variações com remissões parciais e uma melhora muito gradual. A duração se estende de seis a dezoito meses." A terceira forma inclui "delírios incoerentes e oníricos e alucinações". É com frequência um estado permanente.

No cômputo geral, sugeriu Kraepelin, "o prognóstico não é favorável, considerando-se que apenas um terço dos casos se recupera e os remanescentes dois terços sofrem uma deterioração mental". Ele receitava uma "cura de repouso", "o uso de ópio ou morfina em doses crescentes" e várias restrições de dieta. Catalogava as causas da depressão: "Hereditariedade defeituosa é a mais importante, ocorrendo em 70% a 80% dos casos", e concluía que, "das causas externas, além da gestação, excessos alcoólicos são talvez a mais importante; outras são choques mentais, privações e doenças agudas". Há pouco espaço aqui para princípios tão imbricados como o ego dividido ou fixação oral no seio. Kraepelin trouxe total clareza para o diagnóstico, o que um de seus contemporâneos chamou de "uma necessidade lógica e estética". Por mais reconfortante que fosse essa clareza, era frequentemente errada, e em 1920 o próprio Kraepelin teve que admitir que suas suposições deviam ser encaradas em termos limitados. Começou a abrir espaço para a noção cada vez mais forte de que a doença era sempre complexa. O médico canadense sir William Osler sintetizou um modo mais novo de pensar quando escreveu: "Não me diga que tipo de doença o paciente tem; diga-me que tipo de paciente tem a doença!".[131]

Adolf Meyer, um imigrante suíço radicado nos Estados Unidos, muito influenciado por filósofos norte-americanos como William James e John Dewey, adotou uma abordagem pragmática e, impaciente tanto com Kraepelin quanto com Freud, conciliou o que havia se tornado visões opostas da mente e do cérebro. Seus princípios, uma vez articulados, eram tão racionais que pareciam quase lugar-comum.[132] De Kraepelin, Meyer disse: "Tentar explicar um acesso histérico ou um sistema de delírio pelas hipotéticas alterações celulares que não podemos observar ou provar é, no presente estágio da histofisiologia, um esforço gratuito". Ele caracterizava a falsa precisão de tal ciência como "tautologia neurologizante". Por outro lado, sentia também que a propensão da psicanálise ao culto era excessiva e tola; "qualquer tentativa de inventar um número excessivo de nomes novos se depara com uma pronta vingança", disse ele, acrescentando: "Meu bom senso não me permite aderir sem críticas a sistemas completos de teorias de como o ser humano deve ser e como deveria funcionar". Observando que "ficar longe de enigmas inúteis libera uma massa de energia nova", ele pergunta finalmente: "Por que devemos insistir tanto na 'doença física', se esta é uma mera fórmula de alguns vagos obstáculos, enquanto as dificuldades funcionais nos oferecem um conjunto de fatos simples e controláveis para trabalhar?". Esse é o começo da psiquiatria como uma terapia dinâmica. Meyer acreditava que o homem tinha capacidade infinita de adaptação, materializada na plasticidade do pensamento. Ele não acreditava que a experiência de cada novo paciente levaria a definições absolutas e a grandiosos insights: acreditava que o tratamento tinha que funcionar na base da compreensão de cada paciente *específico* e dizia a seus pupilos que cada paciente era uma "experiência *in natura*". Pacientes poderiam muito bem ter predisposições hereditárias, mas que algo fosse herdado não significava que fosse imutável. Meyer tornou-se o diretor de psiquiatria da Universidade Johns Hopkins, a maior escola de medicina dos Estados Unidos naquela época, e treinou toda uma geração de psiquiatras norte-americanos; sua esposa, Mary Brooks Meyer, tornou-se a primeira assistente social psiquiátrica do mundo.[133]

Meyer trabalhou com a ideia de Freud de que a experiência infantil era determinante e com a ideia de Kraepelin de que a genética era determinante, e surgiu com a ideia do controle comportamental, que era nitidamente norte-americana. A maior contribuição de Meyer foi a crença de que as pessoas são capazes de mudança — não apenas que podem ser liberadas das concepções equivocadas e medicadas com o objetivo de mudar a predeterminação biológica, mas que podem aprender a viver de um modo que fiquem menos propensas à doença mental. Ele era muito interessado no ambiente social. Esse país novo estranho, Estados Unidos da América, aonde as pessoas chegavam e se reinventavam, era eletrizante para ele. Perto do fim de sua vida, ele disse: "O objetivo da medicina é estranhamente o de se fazer desnecessária: de influenciar a vida a fim de transformar a medicina de hoje no senso comum de amanhã".[134] Foi isso que Meyer fez. Lendo seus muitos ensaios, descobre-se neles uma definição da experiência humana que é a percepção médica de um ideal cujos expoentes políticos eram Thomas Jefferson e Abraham Lincoln, e cujos campeões artísticos incluíam Nathaniel Hawthorne e Walt Whitman. É um ideal de igualdade e simplicidade, no qual todo tipo de rebuscamento é retirado para revelar a humanidade essencial de cada indivíduo.

As revelações da verdade psicanalítica e bioquímica da depressão, mescladas com a teoria da evolução, deixaram a humanidade novamente isolada e alienada. O trabalho de Meyer com os pacientes norte-americanos foi altamente produtivo, mas na Europa suas ideias não encontraram uma aceitação tão imediata. Em vez disso, o velho continente produzia novas filosofias baseadas na desolação de meados do século XX, especialmente o pensamento existencialista de Camus, Sartre e Beckett. Enquanto Camus retrata o absurdo que não traz motivos nem para continuar a vida nem para acabar com ela, Sartre mergulha numa esfera mais desesperada. Em seu primeiro livro sobre a instalação do desespero existencial, ele descreve muitos dos sintomas típicos da depressão moderna. "Alguma coisa me aconteceu", diz o herói de *A náusea*.

Já não posso mais duvidar. Isso veio como uma doença, não como uma certeza comum, não como uma evidência. Instalou-se pouco a pouco, sorrateiramente:

senti-me um pouco estranho, um pouco incomodado, e foi tudo. Uma vez no lugar, não mais se mexeu, ficou quieto e consegui me persuadir de que não tinha nada, de que era um alarme falso. E eis que agora a coisa se expande.

Um pouco mais tarde, ele continua:

Agora eu sabia: as coisas são inteiramente o que parecem — e *por trás delas*... não existe nada. [...] Existo — o mundo existe — e sei que o mundo existe. Isso é tudo. Mas tanto faz para mim. É estranho que tudo me seja tão indiferente: isso me assusta.

E finalmente: "Um pálida lembrança de mim vacila em minha consciência [...] e de repente o Eu esmaece, esmaece e, pronto, se apaga".[135] Isso é um fim do significado, do significado de alguém ser alguma coisa a mais. Que melhor maneira de explicar a diminuição do eu do que dizer que o "eu" desaparece? *A náusea* pinta um quadro absolutamente alegre em confronto com os textos seminais de Beckett, em que nem o trabalho nem coisa alguma podem oferecer mesmo uma redenção temporária. Para Beckett, o sentimento é um anátema. Em um de seus romances, ele escreve: "Aliás, pouco importa que eu tenha nascido ou não, que eu tenha vivido ou não, que eu esteja morto ou apenas moribundo, vou fazer do jeito que sempre fiz, na ignorância do que faço, de quem sou, donde estou, se é que sou". Em outro romance, ele descreve:

As lágrimas escorrem ao longo das minhas faces sem que eu experimente a necessidade de piscar os olhos. O que me faz chorar assim? De tempos em tempos. Não há nada aqui que possa entristecer. Talvez seja cérebro liquefeito. A felicidade passada em todo caso já me saiu completamente da memória, se é que jamais esteve presente nela. Se desempenho outras funções naturais, é à minha revelia.[136]

É possível ser mais sombrio?

Em meados do século XX, duas perguntas incomodaram a neurociência da depressão. A primeira foi se os estados de ânimo viajavam pelo cérebro em impulsos elétricos ou químicos. A suposição inicial fora que, se havia reações químicas no cérebro, eram subsidiárias às elétricas, mas nenhuma evidência apoiava isso. A segunda pergunta era se haveria uma diferença entre depressão neurótica endógena, que vinha de dentro, e depressão reativa exógena, que vinha de fora. Todas as depressões endógenas pareciam ter fatores externos precipitadores; depressões reativas geralmente surgiam depois de uma vida de reações perturbadas a circunstâncias, sugerindo uma predisposição interna. Vários experimentos "mostravam" que uma espécie de depressão reagia a um tipo de tratamento, outra a outro. A ideia de que toda depressão envolve uma interação gene-ambiente não era nem cogitada até o último quarto de século.

Embora isso seja em parte consequência da natureza dividida do pensamento moderno sobre a questão, é também o legado de um problema muito mais antigo. Pacientes com depressão não gostam de pensar que desmoronaram diante de dificuldades que outros conseguem aguentar. Há um interesse social em dizer que a depressão é causada por processos químicos internos que estão de algum modo além do controle do doente. Os deprimidos da segunda metade do século XX ecoam a reação dos que viviam durante o período medieval, ao esconder a sua doença atrás de um muro de vergonha — a não ser que reivindiquem depressão endógena, algo que ocorreu sem qualquer razão externa, que é simplesmente o desdobrar de um plano genético no qual nenhum regime de ideias poderia ter o mais leve efeito. É nesse contexto que os remédios antidepressivos se tornam tão populares. Se sua função é interna e relativamente incompreensível, devem afetar algum mecanismo impossível de controlar através da mente consciente. É como ter um motorista; você simplesmente se senta relaxado no banco de trás e deixa alguém ou algo enfrentar por você os desafios dos sinais de trânsito, policiais, mau tempo, regras e desvios.

Os antidepressivos foram descobertos no início dos anos 1950.[137] A versão mais encantadora da história é que um grupo de pacientes tuberculosos em quarentena foi tratado com iproniazida, um novo combinado que supostamente ajudava os pulmões, e ficou curiosamente exultante. Pouco tempo depois, a substância estava sendo usada por pacientes não tuberculosos (quase não teve eficácia contra a tuberculose), e assim sua descoberta precedeu a descoberta de seu modo de ação. Na verdade, há um extenso debate egoico se os grandes insights vieram primeiro de Nathan Kline (que, nos Estados Unidos, descobriu a iproniazida, um inibidor de MAO) ou de Lurie e Salzer (que, também nos Estados Unidos, chegaram a bons resultados iniciais com a isoniazida, mais uma vez sem conhecer seu mecanismo) ou de Roland Kuhn (que, trabalhando na Alemanha, descobriu a imipramina, um tricíclico).[138] Uma vez que a iproniazida causava icterícia, seu fabricante retirou-a do mercado pouco depois de sua distribuição. A isoniazida nunca foi amplamente distribuída. Por outro lado, a imipramina é hoje o antidepressivo oficial da Organização Mundial de Saúde e, até o aparecimento do Prozac, era o medicamento antidepressivo mais popular no mundo. O interesse de Kuhn nessas drogas teve sua origem na classificação; ele achava que poderiam ser usadas na catalogação que obcecara os pesquisadores psiquiátricos alemães desde Kraepelin. Por outro lado, Kline, que teve sua formação em psicanálise, descobrira a substância enquanto tentava provar uma teoria sobre a localização da energia do ego. Lurie e Salzer eram pragmáticos. Embora a substância de Kuhn tenha se tornado muito bem-sucedida, seu projeto falhou: não havia nenhuma lógica aparente governando a reação ao medicamento, e assim ele não definia categoria alguma da depressão. Kline, por sua vez, queria ajudar os pacientes a lidar com seus traumas passados e ficou surpreso ao descobrir que muitos deles deixaram de se importar com tais traumas. Lurie e Salzer, que só queriam diminuir a depressão dos deprimidos, chegaram próximo a seu objetivo.

* * *

Descobrir antidepressivos era excitante, mas entender como e por que eles funcionavam era uma questão inteiramente diferente. A teoria do neurotransmissor foi introduzida em 1905; a acetilcolina, isolada em 1914, e em 1921 sua função foi demonstrada. Em 1933, a serotonina foi isolada, e em 1954 pesquisadores propuseram que a serotonina cerebral poderia estar ligada a funções emocionais.[139] Em 1955, um artigo publicado na revista *Science* afirmou que o comportamento era, em alguns casos, o resultado imediato da biologia.[140] Drogas que aparentemente *baixavam* o nível da serotonina no cérebro faziam animais ficarem sedados ou terem espasmos.[141] Mais tarde, naquele ano, outro pesquisador descobriu que a mesma substância causava também a baixa de níveis de outro neurotransmissor, a norepinefrina. Tentativas de estimular a norepinefrina pareciam normalizar o comportamento dos animais — mas não tinham nenhum efeito na própria norepinefrina, que permanecia em baixa. Revelou-se que a droga de estímulo estava agindo na dopamina, ainda outro neurotransmissor. Norepinefrina, epinefrina, dopamina e serotonina são todas monoaminas químicas (assim chamadas porque têm um único anel de amina como parte de sua estrutura química), e os novos medicamentos que começavam a ser usados eram inibidores da monoaminooxidase (inibidores MAO), que efetivamente aumentavam os níveis das monoaminas na corrente sanguínea (a oxidação reduz as monoaminas; os IMAOs impedem a oxidação).[142]

Os tricíclicos, cuja eficácia havia sido demonstrada, deveriam ter realizado as mesmas funções, mas os testes mostraram que eles *baixavam* o nível de norepinefrina na corrente sanguínea. Experiências posteriores mostraram que, embora a norepinefrina não fluísse livremente na corrente sanguínea, ela ainda estava presente no corpo, e posteriormente Julius Axelrod, um cientista norte--americano trabalhando no recém-formado Instituto Nacional de Saúde Mental (National Institute of Mental Health, NIMH), propôs a teoria da reapreensão. A norepinefrina era liberada, fazia algo na terra de ninguém chamada fenda sináptica (parte dela chegava mesmo a sair da fenda e ser metabolizada), e então era reabsorvida pelo mesmo nervo através do qual fora liberada.[143] Axelrod, que ganhara o Prêmio Nobel em 1970, disse mais tarde que, se tivesse mais informações, nunca teria chegado a uma hipótese tão maluca. E mesmo assim ela funcionou. Logo demonstrou-se que os remédios tricíclicos bloqueavam o mecanismo da reapreensão, aumentando a norepinefrina na fenda sináptica sem aumentar seu nível no corpo em geral e na corrente sanguínea.

Nos vinte anos seguintes, os cientistas debateram quais neurotransmissores eram realmente importantes. A ideia original de que a serotonina era o que mais importava foi substituída pela nova descoberta de que o ânimo era fortemente afetado pela norepinefrina. O artigo de 1965 de Joseph Schildkraut, no *American Journal of Psychiatry*, reuniu toda essa informação e propôs uma teoria coerente: que a emoção era regulada pela norepinefrina, epinefrina e dopamina (um grupo coletivamente chamado de catecolaminas), que os inibidores de MAO impediam o colapso dessas substâncias e assim aumentavam a quantidade delas no cérebro e, portanto, na fenda sináptica, e que os tricíclicos, ao inibirem a reapreensão, também aumentavam as catecolaminas na fenda sináptica.[144]

A publicação dessa teoria marcou definitivamente a divisão entre psicanalistas e neurobiólogos. Embora as teorias da fenda sináptica não fossem totalmente incompatíveis com as da sublimação do ego, elas eram tão diferentes entre si que, para a maioria das pessoas ligadas a uma ou a outra, parecia que elas não podiam ser concomitantemente verdadeiras. Estudos recentes questionam de modo convincente a maioria de nossas suposições sobre a ação de medicamentos antidepressivos e analisam as lacunas no argumento de Schildkraut. Muitos dos novos argumentos são elaborados e técnicos, mas eles postulam essencialmente que, embora seja verdade que alguns compostos afetam os níveis de catecolamina e sejam antidepressivos eficazes, não está claro como esses dois fatos se ligam; e um estudo mais extenso mostra que muitas substâncias que afetam o nível de catecolamina no cérebro *não* têm efeitos antidepressivos.[145]

Do pensamento de Schildkraut deriva diretamente a teoria da serotonina, que é essencialmente a mesma, mas com um neurotransmissor diferente. As teorias da reapreensão sobre a quantidade de transmissor na fenda sináptica produziram as teorias do receptor, que são mais sobre o destino dos transmissores do que sobre os próprios transmissores. Tais teorias sugerem que, se o receptor não está funcionando corretamente, o cérebro pode agir como se tivesse uma carência de neurotransmissores, mesmo quando tem um amplo suprimento deles. Desde então, descobriu-se que altos níveis de neurotransmissores podem fazer os receptores se dessensibilizarem. Inicialmente articuladas por um grupo de cientistas escoceses em 1972,[146] as teorias do receptor têm quase tantas lacunas quanto as da reapreensão: algumas substâncias que se ligam aos receptores não têm nenhuma qualidade antidepressiva, e algumas drogas antidepressivas altamente eficazes (mianserina e iprindole, por exemplo) não se ligam aos receptores ou afetam os níveis transmissores. Mais ainda, receptores não são entidades estáveis, portos aos quais os navios retornam de vez em quando. Estão constantemente mudando, e o número deles no cérebro pode ser alterado facilmente. Dentro de meia hora depois de tomar uma medicação, pode-se alterar tanto o nível de neurotransmissores nas fendas sinápticas quanto o número e localização de receptores.

Uma teoria publicada em 1976 defendia que o atraso na resposta aos primeiros antidepressivos se devia a um grupo de receptores, os beta-adrenérgicos, que eram dessensibilizados pela maioria dos antidepressivos depois de algumas semanas. Essa é outra teoria que não foi provada ou desacreditada; na verdade, foi principalmente ignorada desde o advento dos ISRSs e da tentativa de redefinir a depressão como um problema no sistema da serotonina. Já em 1969, Arvid Carlsson sugeriu que a eficácia dos antidepressivos existentes poderia se dever a seus efeitos periféricos na serotonina mais do que a seus efeitos primários na norepinefrina, epinefrina e dopamina. Ele levou essa ideia à Geigy, um dos maiores fabricantes de antidepressivos, mas eles disseram que a ideia de um antidepressivo tendo como alvo o sistema de serotonina não os interessava. Enquanto isso, na Suécia, um grupo de cientistas começou a testar a alteração da estrutura dos antidepressivos existentes e desenvolveu o primeiro medicamento de serotonina, em 1971. Após nove anos de testes, ele foi distribuído na Europa em 1980. Infelizmente, como várias medicações promissoras antes dela, a substância teve sérios efeitos colaterais e, apesar dos sucessos clínicos, foi logo tirada do mercado. Carlsson estava trabalhando com pesquisadores dinamarqueses e eles distribuíram a citalopram (Celexa), a primeira substância ligada à serotonina utilizável e ainda a mais popular na Europa em 1986. Enquanto mais teorias sobre o modo de ação dessas medicações entravam e saíam de circulação, o cientista norte-americano David Wong, trabalhando na Eli Lilly, desenvolveu em 1972 outra droga ligada à serotonina chamada fluoxetina.[147] A Lilly queria usá-la inicialmente para combater a hipertensão, mas a droga não foi particularmente eficaz, e no início da década de 1980 eles começaram a considerar a possibilidade de usá-la como antidepressivo. Em 1987, ela foi lançada como Prozac. Seguiram-se rapidamente outros ISRSs. A fluvoxamina (Luvox/ Faverin) já tinha sido lançada na Europa e logo se tornou disponível nos Estados Unidos. Sertralina (Zoloft/ Lustral), paroxetina (Paxil/ Seroxat) e venlafaxina (Efexor) foram todas lançadas em dez anos. Essas combinações, todas bloqueando a reapreensão da serotonina, são estruturalmente diversas e são todas multifuncionais.[148]

A última palavra da ciência sobre a depressão ecoa a sugestão de Hipócrates, colocando a enfermidade como uma doença do cérebro, que pode ser tratada com remédios orais; cientistas do século XXI d.C. têm mais recursos para formular os remédios do que os do século V a.C., mas as percepções básicas se uniram, fechando o círculo. Enquanto isso, as teorias sociais se configuram em um modo de pensamento aristotélico, embora o desenvolvimento dos tipos específicos de psicoterapia sejam mais sofisticados do que seus antepassados distantes. O mais frustrante é ver que esses dois tipos de insight ainda estão sendo debatidos como se a verdade se situasse em algum lugar que não entre eles.

9. Pobreza

A depressão atravessa a barreira de classes, mas o tratamento da depressão não. Isso significa que a maioria dos deprimidos pobres continua pobre e deprimida; na verdade, quanto mais tempo permanecem pobres e deprimidos, mais pobres e deprimidos se tornam. A pobreza é deprimente e a depressão é empobrecedora, levando à disfunção e ao isolamento. A humildade da pobreza é uma forma de relação passiva com o destino, uma condição que nas pessoas de maior poder denuncia a necessidade de tratamento imediato. Os pobres deprimidos se veem como extremamente desamparados, tão desamparados que não buscam nem aceitam apoio. O resto do mundo se distancia dos pobres deprimidos, e eles se distanciam de si mesmos: perdem a principal qualidade humana, o livre-arbítrio.[1]

É relativamente fácil reconhecer a depressão que atinge alguém da classe média. Você vive sua vida essencialmente boa e de repente começa a se sentir mal o tempo todo. Não tem vontade de ir trabalhar, não tem nenhuma sensação de controle sobre sua vida, tem a impressão de que jamais realizará algo e que a própria experiência é destituída de significado. À medida que você se torna mais retraído, ao se aproximar da catatonia, começa a atrair a atenção de amigos, colegas de trabalho e família, que não conseguem entender por que você está desistindo tanto de tudo que sempre lhe deu prazer. Sua depressão não é coerente com sua realidade pessoal e é inexplicável em sua realidade pública.

No entanto, se você está no degrau mais baixo da escada social, os sinais podem não ser tão visíveis. Para os miseráveis e oprimidos, a vida sempre foi péssima, e eles jamais se sentiram ótimos; nunca conseguiram ou mantiveram um emprego decente; nunca tiveram expectativa de realizar muita coisa e certamente nunca lhes passou pela cabeça ter controle sobre o que lhes acontecia. A condição normal dessas pessoas é muito semelhante à depressão, sendo assim difícil de identificar os seus sintomas. O que é sintomático? O que é racional e não sintomático? Há uma grande diferença entre simplesmente ter uma vida difícil e ter uma alteração do humor e, embora seja comum pressupor que a depressão é o resultado natural de uma vida assim, a realidade é frequentemente o inverso. Afligido pela depressão incapacitante, você deixa de fazer algo com sua vida e permanece ancorado no escalão mais baixo, esmagado pela própria ideia de se ajudar. Tratar a depressão de indigentes geralmente lhes permite descobrir dentro de si a ambição, a competência e o prazer.

A depressão é um campo amplo cheio de subcategorias, muitas das quais têm sido estudadas extensamente: depressão entre mulheres,[2] depressão entre artistas,[3] depressão entre atletas,[4] depressão entre alcoólatras.[5] A lista continua. E mesmo assim poucos trabalhos são feitos sobre a depressão entre os pobres. Isso é curioso, porque a depressão ocorre com mais frequência entre pessoas vivendo abaixo da linha de pobreza do que na população mediana; na verdade, os que recebem ajuda da previdência social têm uma taxa de depressão aproximadamente três vezes maior do que a população em geral.[6] Está na moda falar sobre depressão isolada dos acontecimentos da vida. Na verdade, a maioria dos deprimidos pobres se enquadra em vários perfis de instauração inicial da depressão. Suas dificuldades econômicas são apenas o começo de seus problemas. Eles geralmente têm relações ruins com os pais, filhos, namorados, namoradas, maridos ou mulheres. Frequentemente não têm instrução. Não encontram com facilidade distrações para a sua dor ou sofrimento, como empregos satisfatórios ou viagens interessantes. Não têm a expectativa fundamental de sentir coisas boas. Em nosso desespero por medicalizar a depressão, acabamos sugerindo que a depressão "verdadeira" ocorre independentemente da realidade externa. Isso não é verdade. Milhares de pobres nos Estados Unidos sofrem de depressão — não apenas da sensação sórdida e desprezível de estar no fundo do poço, mas da doença clínica cujos sintomas incluem retraimento social, incapacidade de sair da cama, perturbações do apetite, ansiedade ou medo excessivo, intensa irritabilidade, agressão errática e incapacidade de cuidar de si e dos outros. Praticamente todos os indigentes dos Estados Unidos são, por motivos óbvios, descontentes com sua situação; mas muitos são, além disso, paralisados por ela, fisiologicamente incapazes de conceber ou tomar medidas para melhorar sua situação. Nessa era de reforma da previdência social, pedimos que os pobres se levantem com suas próprias pernas, mas os indigentes que sofrem de depressão severa não têm como fazê-lo. Uma vez que se tornam sintomáticos, nem programas de reeducação nem iniciativas de cidadania podem ajudá-los. Precisam de intervenção psiquiátrica com medicação e terapia. Está sendo amplamente demonstrado em diversos estudos independentes nos Estados Unidos que tal intervenção é relativamente pouco cara e altamente eficaz e que a maioria dos indigentes deprimidos, liberada de sua depressão, mostra-se ansiosa para melhorar de vida.

A indigência é um desencadeador óbvio da depressão; alívio da indigência é um desencadeador óbvio da recuperação. O foco da política liberal tem sido a melhoria das terríveis condições de vida dos indigentes, com a suposição de que isso tornará as pessoas mais felizes. Tal objetivo jamais deveria ser ignorado. Às vezes, contudo, é mais viável aliviar a depressão do que resolver o problema da indigência. A sabedoria popular defende que o desemprego precisa ser remediado antes que se cuide da saúde mental dos desempregados. Esse raciocínio é falho; consertar o problema da saúde mental pode ser o modo mais confiável de devolver alguém à força de trabalho. Enquanto isso, alguns defensores dos destituídos se preocupam com a possibilidade de o Prozac ser acrescentado à água da torneira para fazer com que os miseráveis tolerem o intolerável. Infelizmente, o Prozac não torna os miseráveis felizes nem os mantém felizes, e assim o cenário totalitário-paternalista esboçado pelos alarmistas sociais não tem base na realidade. Tratar as consequências dos problemas sociais nunca substituirá a solução deles. Os indigentes que receberem tratamento apropriado podem, contudo, ser capazes de trabalhar, em conjunto com políticas liberais, para mudar suas próprias vidas, e essas mudanças podem acarretar uma modificação na sociedade como um todo.[7]

Argumentos humanitários a favor do tratamento de depressão dos indigentes são sólidos; os argumentos econômicos são no mínimo igualmente sólidos. Os deprimidos são um enorme fardo para a sociedade: de 85% a 95% das pessoas nos Estados Unidos com algum tipo de doença mental grave estão desempregadas.[8] Embora muitas lutem para levar vidas socialmente aceitáveis, outras se perdem em uso de drogas e comportamentos autodestrutivos. Às vezes são violentas. Passam tais problemas para os filhos, que tendem a ser mentalmente lentos e emocionalmente perturbados. Quando uma mãe deprimida pobre não é tratada, seus filhos normalmente passam a integrar o sistema penitenciário e o do auxílio-desemprego; os filhos de mães com depressão não tratada são muito mais propensos a se tornar delinquentes juvenis que outras crianças. Filhas de mães deprimidas entram na puberdade mais cedo do que outras meninas,[9] e isso está quase sempre associado a promiscuidade, gravidez precoce e instabilidade emocional.[10] O custo-dólar de tratar a depressão nessa comunidade é modesto quando comparado ao custo-dólar de não tratá-la.

É extremamente difícil encontrar qualquer pobre que tenha recebido um tratamento contínuo para a depressão, porque não há nenhum programa coerente nos Estados Unidos para localizar ou tratar a depressão inerente a esse grupo.[11] Os que têm direito a cuidados extensos, mas têm que exigi-lo, raramente exercem seus direitos ou reivindicam o que deveria ser deles, mesmo se têm a sofisticação de reconhecer sua condição. Programas *outreach* agressivos — que procuram os necessitados e levam o tratamento até eles, mesmo que eles não pareçam inclinados a persistir no tratamento — são moralmente justificáveis, porque os que aceitam se tratar quase sempre ficam contentes por terem recebido tal atenção; a resistência é um sintoma da doença.[12] Muitos estados oferecem programas de tratamento mais ou menos adequados para aqueles indigentes deprimidos que conseguem chegar aos locais corretos, preencher os papéis necessários, esperar nas filas certas, fornecer três tipos de fotos para identificação, se inscrever em programas e assim por diante. Poucas pessoas nessas condições conseguem fazer tudo isso. A posição social e os sérios problemas dos indigentes com depressão fazem com que todos esses passos sejam impossíveis na prática. Essa população só pode ser tratada se a doença for atacada antes de atacar a passividade que resulta dessa doença. Ao falar dos programas de intervenção na saúde mental, Steven Hyman, diretor do NIMH, diz: "Não é como a KGB rodando a cidade num caminhão e puxando as pessoas para dentro. Mas é preciso ir atrás dessas pessoas. Pode-se fazer isso com programas específicos. Se quisermos uma transição mais eficaz do auxílio-desemprego para o trabalho, esse é um ponto de partida. É provavelmente uma experiência sem precedentes na vida dessas pessoas ter alguém realmente interessado nelas". A maioria das pessoas se sente a princípio desconfortável com experiências novas. Pessoas desesperadas que não gostam de ajuda são geralmente incapazes de acreditar que a ajuda as libertará. Só podem ser ajudadas através da exortação muscular do zelo missionário.

É difícil fazer estimativas específicas do custo ligado ao atendimento a essa população, mas 13,7% dos norte-americanos estão abaixo do limiar da pobreza[13] e, de acordo com um estudo recente, cerca de 42% dos chefes de famílias recebendo Auxílio para Famílias com Filhos Dependentes (Aid to Families with Dependent Child, AFDC) se enquadram nos critérios da depressão clínica — mais do que o dobro da média nacional.[14] Incríveis 53% das mães grávidas que recorrem aos serviços de bem-estar se enquadram nos mesmos critérios.[15] Por outro lado, aqueles que sofrem de distúrbios psiquiátricos apresentam uma probabilidade 38% maior de receber auxílio do sistema de bem-estar social do que aqueles sem tal problema.[16] Além de cruel, nosso fracasso em identificar e tratar os deprimidos indigentes é caro. A Mathematica Policy Research., organização que reúne estatísticas ligadas às questões sociais, confirma que "uma proporção substancial da população que recorre aos serviços de bem-estar social [...] apresenta condições de saúde mental sem tratamento ou diagnóstico", e que a oferta de serviços a esses indivíduos poderia "melhorar sua empregabilidade". Os governos federal e estadual gastam cerca de 20 bilhões de dólares por ano em transferências de dinheiro para adultos pobres não idosos e seus filhos. Gastamos aproximadamente a mesma quantia em cupons de alimento para famílias desse tipo. Se seguirmos a estimativa conservadora, segundo a qual 25% das pessoas que usam o sistema de bem-estar sofrem de depressão, que metade delas poderia ser tratada com sucesso, e que, desse percentual, dois terços poderiam retomar o trabalho produtivo, ao menos em meio período, levando-se em consideração o custo do tratamento, isso ainda reduziria o custo do sistema de bem-estar em até 8% — uma economia de aproximadamente 3,5 bilhões de dólares por ano. Como o governo dos Estados Unidos também oferece atendimento de saúde e outros serviços a essas famílias, a quantia realmente poupada pode ser substancialmente maior.[17] No momento, os funcionários do sistema de bem-estar social não buscam sistematicamente sinais de depressão entre os solicitantes; os programas são essencialmente administrados por gestores que prestam pouco serviço social. Aquilo que tende a ser descrito nos relatórios de bem-estar como aparente recusa em cooperar é, em muitos casos, motivado por problemas psiquiátricos.[18] Enquanto os políticos liberais tendem a enfatizar que uma classe de pobres miseráveis é a consequência inevitável de uma economia *laissez-faire* (não sendo, portanto, passível de retificação por meio de intervenções de saúde mental), os defensores da direita tendem a enxergar o problema como sendo a preguiça (não sendo, portanto, passível de retificação por meio de intervenções de saúde mental). Na verdade, para muitos pobres, o problema não é a ausência de oportunidades de emprego nem a ausência de motivação para trabalhar, e sim limitações sérias na saúde mental que tornam o trabalho impossível.

Alguns estudos-piloto vêm sendo realizados sobre a depressão entre os indigentes.[19] Alguns médicos que trabalham em órgãos de saúde pública estão acostumados a lidar com essa população, demonstrando que os problemas dos indigentes deprimidos são administráveis. Jeanne Miranda, psicóloga da Universidade Georgetown, defende há vinte anos um atendimento de qualidade em saúde mental para os moradores dos centros das cidades. Recentemente, ela concluiu o estudo de tratamento envolvendo mulheres no condado de Prince George, em Maryland, um distrito empobrecido nos arredores da capital, Washington. Como os serviços das clínicas de planejamento familiar são o único atendimento médico disponível para a população indigente de Maryland, Jeanne selecionou uma delas para fazer monitoramentos aleatórios em busca de casos de depressão. Em seguida, ela matriculou aquelas que julgou deprimidas num protocolo de tratamento para avaliar suas necessidades relacionadas à saúde mental. Emily Hauenstein, da Universidade da Virgínia, realizou recentemente um estudo de tratamento para a depressão entre mulheres da zona rural. Ela começou pesquisando crianças com problemas e passou então a tratar suas mães. O trabalho dela teve como base o condado de Buckingham, no interior da Virgínia — onde a maior parte dos empregos está em prisões ou nas poucas fábricas, boa parte da população é analfabeta, um quarto da população não tem acesso ao telefone, muitos vivem em habitações subsidiadas sem isolamento térmico, sem banheiro interno e, com frequência, sem água encanada. Tanto Jeanne quanto Emily tiraram de seus protocolos os envolvidos com uso de drogas, encaminhando-os para programas de reabilitação. Glenn Treisman, do hospital da Universidade Johns Hopkins, estuda e trata há décadas a depressão entre as populações indigentes de Baltimore portadoras do HIV e de aids, cuja maioria também faz uso de drogas. Ele se tornou tanto um clínico experiente no tratamento dessa população quanto um de seus mais tenazes defensores. Cada um desses médicos usa técnicas persistentes de tratamento. Em todas essas obras e pesquisas, o custo anual por paciente fica bem abaixo de mil dólares.[20]

Os resultados de alguns estudos-piloto realizados entre os indigentes nos Estados Unidos são surpreendentemente consistentes. Tive acesso total aos pacientes em todos esses estudos e, para minha surpresa, todos que conheci acreditavam que sua vida tinha melhorado pelo menos um pouco durante o tratamento. Todos os que haviam se recuperado de depressão severa, por mais medonhas que fossem suas circunstâncias, haviam começado a lenta ascensão em direção à produtividade. *Sentiam-se* melhor com suas vidas e também viviam melhor. Mesmo quando se defrontavam com obstáculos quase insuperáveis, eles progrediam — geralmente rápido, e às vezes iam muito longe. As histórias horríveis de suas vidas estavam bem além de qualquer coisa que eu pudesse imaginar, tanto que eu repetidamente as checava com os médicos que os tratavam, não acreditando que fossem verdadeiras. Também assim eram suas histórias de recuperação, tão adoráveis quanto o conto de Cinderela, com sua carruagem-abóbora e sapatinho de cristal. Por diversas vezes, à medida que eu conhecia pessoas pobres sendo tratadas de depressão, ouvia exclamações de assombro e maravilha: como era possível que, após tantos desastres, essas pessoas conseguissem se reerguer com uma ajuda que mudara totalmente suas vidas? "Eu pedi ao Senhor para me enviar um anjo", disse uma mulher, "e Ele atendeu minhas preces."

Quando Lolly Washington — que fazia parte de um desses estudos — tinha seis anos, um deficiente físico amigo de sua avó alcoólatra começou a abusar sexualmente dela. No final da oitava série, "senti que não tinha razão para continuar. Eu fazia meus deveres da escola, mas estava muito infeliz". Lolly começou a se retrair. "Eu só queria ficar comigo mesma. Durante um tempo, todos achavam que eu não sabia falar, porque por alguns anos eu não dizia nada pra ninguém." Como muitas vítimas de abuso, Lolly se achava feia e desengonçada. Seu primeiro namorado era agressivo física e verbalmente, e depois do nascimento de seu primeiro filho, quando tinha dezessete anos, ela conseguiu "fugir dele, não sei como". Alguns meses depois, ela saiu com a irmã, a prima, o filho da prima e um velho amigo da família, "que sempre foi só um amigo, um amigo muito bom. Todos nós estávamos na casa dele, e eu sabia que a mãe dele tinha uns arranjos de flores muito bonitos em cima da cômoda. Fui dar uma espiada neles porque adorava flores. E então de repente, de alguma maneira, todos na casa tinham sumido sem eu saber. Ele me estuprou violentamente. Eu gritava e berrava, mas ninguém me acudiu. Então descemos para a garagem e entramos no carro com minha irmã. Eu não conseguia falar, estava com muito medo e sangrando".

Lolly engravidou com esse estupro. Pouco depois conheceu outro homem e, sob pressão da família, casou-se, embora ele também a tratasse mal. "Toda a cerimônia de casamento foi errada", contou ela. "Foi como ir a um velório. Mas ele era minha melhor opção." Lolly teve mais três filhos dele nos dois anos e meio que se seguiram. "Ele também maltratava as crianças, embora tenha sido ele quem as quis. Xingava e berrava o tempo todo, e os espancamentos, eu não podia aguentar aquele tipo de comportamento contra uma criança tão pequena, mas não conseguia protegê-los."

Ela começou a sofrer de depressão severa. "Eu tinha um emprego, mas tive que largar porque não conseguia fazer nada. Não queria sair da cama e sentia que não tinha razão para fazer nada. Eu já sou pequena e estava emagrecendo cada vez mais. Não me levantava para comer, para nada. Simplesmente não me importava. Às vezes me sentava e chorava, chorava, chorava. Por nada. Só chorava. Só queria ficar sozinha. Minha mãe ajudava com as crianças, mesmo depois de ter a perna amputada por causa de um tiro que recebeu, por acidente, de sua melhor amiga. Eu não tinha nada para dizer aos meus próprios filhos. Depois de eles saírem, eu deitava na cama com a porta trancada. Tinha medo de quando voltavam para casa, às três horas, o tempo passava tão rápido. Meu marido vivia me dizendo que eu era burra, idiota, feia. Minha irmã tinha problema com crack e tinha seis filhos, e eu tinha que cuidar dos dois mais novos, um deles nasceu doente por causa das drogas. Eu estava cansada. Estava muito cansada." Lolly começou a tomar remédios, principalmente analgésicos. "Podia ser Tylenol ou qualquer coisa para a dor, quanto mais, melhor, ou qualquer coisa que me fizesse dormir."

Finalmente, um dia, numa demonstração pouco habitual de energia, Lolly foi à clínica de planejamento familiar para fazer uma ligação das trompas. Com 28 anos, era responsável por onze crianças, e a ideia de que pudesse ter outra a petrificava. Por acaso ela entrou quando Jeanne Miranda, a coordenadora de um dos estudos, fazia uma triagem de possíveis objetos de estudo. "Ela estava definitivamente deprimida", lembra Miranda, que rapidamente colocou Lolly numa terapia de grupo. "Eles me disseram que eu estava 'deprimida'. Foi um alívio saber que eu tinha uma coisa errada de verdade", diz Lolly. "Eles me pediram para ir a um encontro. E isso foi tão difícil. Eu não falei durante o encontro, só chorei o tempo todo." A sabedoria psiquiátrica sustenta que você só pode ajudar quem quer ser ajudado e comparece às consultas, mas isso não é de forma alguma verdadeiro para essa população. "Continuaram telefonando, me dizendo para ir até lá, me atormentando e insistindo, como se não fossem desistir de mim. Uma vez chegaram até mesmo a me buscar em casa. Eu não gostei dos primeiros encontros. Mas ouvi as outras mulheres, percebi que tinham os mesmos problemas que eu e comecei a contar coisas pra eles, coisas que nunca tinha contado para ninguém. E a terapeuta nos fazia todas aquelas perguntas para mudar o jeito da gente pensar. E senti que estava mudando, comecei a ficar mais forte. Todos começaram a notar que eu estava ficando com um jeito diferente."

Dois meses depois, Lolly disse ao marido que ia embora de casa. Tentou colocar a irmã no programa de reabilitação e, quando ela recusou, Lolly afastou-se. "Eu tinha que me livrar dos dois. Eles estavam me puxando para baixo. Não teve discussão porque eu não respondi às provocações dele. Meu marido tentou me tirar do grupo porque não gostou da minha mudança. Eu só disse: 'Vou embora'. Eu estava tão forte, tão feliz. Saí para dar uma volta, pela primeira vez em muito tempo, dando espaço só para minha felicidade." Foram precisos mais dois meses para Lolly encontrar um emprego numa creche da Marinha norte-americana. Com seu novo salário, ela alugou um apartamento onde foi morar com as crianças, que tinham de dois a quinze anos. "Meus filhos estão muito mais felizes. Agora eles querem fazer coisas o tempo todo. A gente conversa durante horas todo dia, e são os meus melhores amigos. Assim que entro em casa, ponho meu casaco e bolsa em algum lugar, puxamos os livros, lemos, fazemos os trabalhos da casa juntos. E brincamos. A gente fala sobre carreiras, e antes eles nem sequer pensavam em carreiras. Meu filho mais velho quer ir para a Força Aérea. Um quer ser bombeiro, outro pastor e uma das meninas vai ser advogada! Converso com eles sobre drogas, e eles visitaram minha irmã, e agora não usam mais nada. Não choram como costumavam fazer e não brigam como brigavam. Já disse a eles, podem falar comigo sobre qualquer coisa, não importa o quê. Assumi os filhos da minha irmã e o único com problema de drogas está superando. O médico disse que nunca esperou que aquele garoto pudesse começar a falar tão cedo. Agora está tentando tirar as fraldas, ele está sempre mais adiantado do que pensavam que estaria.

"No novo apartamento, há um quarto para os meninos, um para as meninas e um para mim, mas todos gostam de vir para a minha cama e ficamos ali à noite. É tudo que eu preciso agora, meus filhos. Nunca pensei que fosse chegar tão longe. É bom ser feliz. Eu não sei quanto tempo vai durar, mas sem dúvida espero que seja para sempre. E as coisas continuam mudando: o jeito de me vestir. A minha aparência. O jeito como me sinto. Não tenho mais medo. Posso sair porta afora sem ter medo. Acho que aquelas sensações más não vão voltar." Lolly sorriu e sacudiu a cabeça, maravilhada. "E se não fosse pela dra. Miranda e todo o resto, eu ainda estaria em casa na cama, se é que estaria viva."

O tratamento de Lolly não incluía intervenção psicofarmacêutica e não era estritamente baseado em modelos cognitivos. O que possibilitou tal metamorfose? Em parte, foi simplesmente o calor de uma atenção afetuosa dos médicos que trabalharam com ela. Como Phaly Nuon observou no Camboja, o amor e a confiança podem ser grandes suportes, e simplesmente saber que outras pessoas se preocupam com o que lhe acontece é em si suficiente para afetar profundamente o que você faz. Fiquei impressionado quando Lolly disse que o fato de chamar sua doença de depressão lhe trouxera alívio. Miranda descreveu Lolly como "nitidamente" deprimida, mas isso não era claro para a própria Lolly mesmo quando passara por sintomas extremos. A rotulação de sua doença foi um passo essencial para sua recuperação. O que pode ser nomeado e descrito pode ser contido: a palavra depressão separou a doença de Lolly de sua personalidade. Se todas as coisas de que não gostava em si pudessem ser agrupadas como aspectos de uma doença, isso deixava as boas qualidades de Lolly como a Lolly "verdadeira", e era muito mais fácil para ela gostar dessa pessoa real e colocar essa pessoa real contra os problemas que a afligiam. Ao compreender o conceito da depressão, ela recebeu um instrumento linguístico valioso e socialmente poderoso, que a ajudou a separar e fortalecer esse eu melhor a que as pessoas deprimidas aspiram. Embora o problema da articulação seja universal, é especialmente agudo entre os indigentes, que são carentes desse vocabulário — razão pela qual instrumentos básicos como terapia de grupo podem ser tão completamente transformadores para eles.

Como os pobres têm acesso limitado à linguagem da doença mental, sua depressão não é em geral manifesta cognitivamente. Raramente experimentam a culpa intensa e articulam para si mesmos a percepção de fracasso pessoal que desempenha um papel tão amplo na depressão da classe média. A doença deles é geralmente evidente em sintomas físicos: insônia, exaustão, terror, incapacidade de se relacionar com os outros.[21] Isso por sua vez os torna vulneráveis à doença física; e estar doente é geralmente a gota d'água, fazendo alguém com depressão leve transpor a fronteira. Quando os indigentes deprimidos dão entrada nos hospitais, suas doenças em geral são físicas, muitas das quais são sintomas de sua angústia mental. "Se uma mulher latina pobre parece deprimida", diz Juan López, da Universidade de Michigan, que tem desenvolvido trabalho extenso em saúde mental entre as populações carentes, deprimidas, de língua espanhola, "eu a faço tomar antidepressivos. Digo que são tônico para suas doenças gerais e, quando funcionam, ela fica encantada. Ela própria não experimenta sua doença como psicológica." Lolly também sofria de sintomas que não teria percebido como maluquice, e a maluquice (psicose alucinatória aguda) era o seu único modelo de doença mental. A ideia de uma doença mental debilitante que não a tornasse incoerente estava fora de seu léxico.

Ruth Ann Janesson nasceu num trailer na zona rural da Virginia e era gorda e usava óculos quando criança. Aos dezessete anos, ficou grávida de um homem quase analfabeto. Ruth Ann interrompeu seus estudos para se casar com ele. Tiveram um casamento desastroso. Por um tempo ela trabalhou e eles conseguiram sobreviver, mas, depois do nascimento do segundo filho, ela o deixou. Alguns anos depois, ela se casou com um trabalhador que operava máquinas num pátio de construção. Ela conseguira tirar carteira para dirigir caminhões, mas em seis meses seu marido lhe disse que o lugar dela era em casa cuidando dele e da família. Tiveram dois filhos. Ruth Ann estava tentando sobreviver, "o que é difícil para uma família de seis com duzentos dólares por semana, mesmo com a ajuda do governo".

Logo ela começou a se afundar e, no terceiro ano do segundo casamento, estava perdendo todos os sinais de vitalidade. "Eu pensei, bem, estou aqui, eu existo, mas é só isso. Estava casada e com filhos, mas não tinha vida nenhuma e me sentia mal o tempo todo." Quando o pai de Ruth Ann morreu, ela "perdeu o chão completamente". "Foi o fundo do poço. Meu pai nunca nos bateu, não era a questão física, era a mental. Mesmo se você fazia uma coisa boa, jamais recebia um elogio, e era criticada o tempo inteiro. Acho que eu sentia que, já que não conseguia agradá-lo, não era capaz de fazer nada. E sentia que jamais conseguiria agradá-lo o suficiente, e agora eu não ia sequer ter outra chance." Relatando-me esse período de sua vida, Ruth Ann começou a chorar e, quando terminou sua história, tinha usado uma caixa inteira de lenços de papel.

Ruth Ann ia para a cama e ficava lá a maior parte do tempo. "Eu sabia que algo estava errado, mas não sabia colocar a coisa em termos médicos. Não tinha energia. Comecei a ganhar cada vez mais peso. Eu me movimentava dentro de nosso trailer, mas jamais saía. Parei de me comunicar totalmente. Então percebi que estava negligenciando meus próprios filhos. Eu tinha que fazer alguma coisa." Ruth Ann tinha doença de Crohn e, embora não estivesse fazendo quase nada, começou a ter o que pareciam ser sintomas relacionados ao estresse. Seu médico, que conhecia um estudo coordenado por Emily Hauenstein, recomendou-a a ele. Ruth Ann começou a tomar Paxil e a se consultar com Marian Kyner, uma terapeuta que trabalhava em tempo integral com as mulheres do estudo de Emily. "Se não fosse por Marian, eu provavelmente teria ficado no mesmo buraco que estava até parar de viver, parar de existir. Se não fosse por ela, eu não estaria aqui hoje", disse-me Ruth Ann, e mais uma vez irrompeu em lágrimas. "Marian me fez olhar para dentro de mim mesma, fez com que eu me conhecesse por inteira. Por dentro e por fora. Descobri quem eu sou. Não gostei disso, não gostei de mim."

Ruth Ann se acalmou. "E então as mudanças começaram", disse. "Elas disseram que eu tinha um grande coração. Eu achava que não tinha coração nenhum, mas agora sei que ele está lá em algum lugar, e no futuro vou achá-lo por inteiro." Ruth Ann começou a trabalhar de novo, por meio período. Logo se tornou gerente do escritório e passou a diminuir gradualmente seus antidepressivos. Em janeiro de 1998, ela e uma amiga compraram o negócio, uma franquia de uma empresa nacional. Ela começou a assistir cursos noturnos de contabilidade para poder cuidar bem do negócio e gravou um anúncio para a TV a cabo. "Trabalhamos com um escritório de desemprego", contou, "conseguindo emprego para as pessoas que estão sem trabalho, colocando-as no setor privado. Nós as treinamos em nosso próprio escritório, onde elas nos ajudam, e então as mandamos para outras empresas. Estamos cobrindo agora dezessete regiões." Ela chegou a pesar 95 quilos. Agora vai a uma academia regularmente e, com uma dieta rígida, seu peso chegou a 61 quilos.

Ruth Ann largou o marido, que a queria na cozinha esperando por ele, deprimida ou não, mas está lhe dando tempo para que ele se adapte à sua nova personalidade e na última vez que a vi ainda tinha esperanças de uma reconciliação. Ela estava radiante. "Às vezes tenho uma nova sensação", diz ela, "e me assusta. Preciso de alguns dias para entender o que é. Mas pelo menos agora sei que meus sentimentos estão ali, que eles existem." Ruth Ann passou a ter uma relação nova e profunda com os filhos. "Eu os ajudo com os deveres de casa à noite, e meu filho mais velho, que acha os computadores o máximo, agora está me ensinando a usá-los. Isso realmente ajudou na sua autoconfiança. Ele está fazendo um estágio durante o verão e está ótimo. Há pouco tempo ele se queixava o tempo todo de estar cansado e perdia a maioria dos dias de escola. Até então, a única coisa que parecia motivá-lo era assistir TV e ficar deitado no sofá." Durante os dias, ela deixa os filhos menores com sua mãe, que é deficiente física, mas capaz de cuidar das crianças. Ruth Ann conseguiu uma hipoteca para uma casa nova. "Sou a proprietária de um negócio e uma detentora de bens", disse ela, sorrindo. Quando nossa entrevista estava perto do fim, Ruth Ann tirou algo do bolso. "Ah, meu Deus", reclamou, apertando os botões de seu bipe. "Dezesseis chamadas enquanto estou sentada aqui!" Desejei-lhe sorte enquanto ela disparava pelo pátio na direção de seu carro. "Conseguimos, sabe", gritou ela antes de entrar. "Fui até o fundo do poço e saí de lá!" Ligou o carro e desapareceu.

Embora a depressão seja um fardo terrível, é ainda mais traumática para aqueles com várias doenças físicas e psicológicas. A maioria dos indigentes deprimidos sofre de sintomas físicos e é propensa a ataques em seus sistemas imunológicos. Se é difícil fazer alguém acreditar que sua depressão e sua vida infeliz são coisas distintas, é mais difícil ainda convencer alguém com uma doença mortal de que seu desalento pode ser tratado. De fato, a aflição da dor, a aflição perante as difíceis circunstâncias da vida e uma aflição sem objeto podem ser separadas, e a melhora numa dessas áreas, por sua vez, melhora as outras.

Quando Sheila Hernandez chegou ao Johns Hopkins, estava, segundo seu médico, "praticamente morta". Tinha HIV, endocardite e pneumonia. Uso constante de heroína e cocaína haviam afetado tanto sua circulação que ela não conseguia usar as pernas. Os médicos lhe aplicaram um cateter Hickman, esperando que através da alimentação intravenosa ela conseguisse juntar força física suficiente para aguentar o tratamento de suas infecções. "Eu disse a eles para tirarem aquilo de mim, eu não ia ficar", ela contou quando nos conhecemos. "Eu disse: 'Vou embora com isso pendurado em mim, se tiver que ser, e o usarei para me entupir de drogas'." Naquele momento, Glenn Treisman foi vê-la. Ela lhe disse que não queria falar com ele já que ia morrer logo e deixar o hospital mais rápido ainda. "Ah, não vai não", disse Treisman. "Não vai sair daqui para morrer de um modo estúpido e inútil nas ruas. Essa é uma ideia maluca sua. É a coisa mais doida que já ouvi. Você vai ficar aqui, deixar as drogas e superar essas infecções, e se o único modo de mantê-la aqui é declará-la perigosamente louca, eu farei isso."

Sheila ficou. "Dei entrada no hospital em 15 de abril de 1994", disse, com uma risadinha irônica e áspera. "Nem chegava a me ver como um ser humano naquela época. Mesmo quando criança, eu me lembro de me sentir sozinha. As drogas apareceram à medida que eu tentava me livrar da dor interna. Quando eu tinha três anos, minha mãe me deu para uns estranhos, um homem e uma mulher e, quando eu estava com uns catorze, o homem me molestou. Muitas coisas dolorosas me aconteceram, e eu só queria esquecer. Eu acordava de manhã e ficava com raiva de ter acordado. Sentia que não havia nenhuma salvação para mim, que eu estava nesse mundo desperdiçando espaço. Eu vivia para usar drogas e usava drogas para viver, e como as drogas me deixavam mais deprimida, eu só queria morrer."

Sheila Hernandez ficou no hospital durante 32 dias e passou por uma reabilitação física e tratamentos para seu vício. Passou a tomar antidepressivos. "Descobri que tudo que eu sentia antes de entrar ali era errado. Os médicos me disseram que eu tinha coisas a oferecer, e que se as tinha queria dizer que eu valia alguma coisa, afinal de contas. Foi como nascer de novo." Sheila abaixou a voz. "Não sou uma pessoa religiosa, nunca fui, mas aquilo foi uma ressurreição, como a que aconteceu com Jesus Cristo. Me senti viva pela primeira vez. No dia em que fui embora, ouvi pássaros cantando. Sabe que eu jamais os tinha ouvido antes? Não tinha percebido até aquele dia que os pássaros cantam. Pela primeira vez senti o cheiro da grama e das flores e… até o céu era novo. Sabe, eu nunca prestara atenção nas nuvens."

A filha mais moça de Sheila, de dezesseis anos e já com um filho, tinha abandonado a escola alguns anos antes. "Vi que ela estava seguindo uma estrada dolorosa que eu já conhecia", diz Sheila. "Salvei-a disso, pelo menos. Ela terminou o supletivo e agora é caloura na faculdade, e é também ajudante de enfermagem diplomada, trabalhando no hospital Churchill. Com a mais velha não foi tão fácil, ela já estava com vinte anos, mas agora também está na faculdade." Sheila Hernandez nunca mais usou drogas. Em poucos meses, ela voltou ao Johns Hopkins — em um cargo administrativo. Ajudou durante um estudo clínico de tuberculose e conseguiu abrigo permanente para os participantes do estudo. "Minha vida está tão diferente. Faço essas coisas para ajudar os outros o tempo todo, e eu realmente *gosto* disso." A saúde física de Sheila agora está excelente. Embora seja ainda soropositiva, suas células T dobraram e sua carga viral é indetectável. "Não sinto que haja nada de errado comigo", anunciou alegremente. "Tenho 46 anos e estou planejando ficar por aqui um bom tempo. A vida é sempre a vida, mas eu diria que, na maior parte do tempo pelo menos, estou feliz, e cada dia agradeço a Deus e ao dr. Treisman por estar viva."

Depois de conhecer Sheila Hernandez, fui à sala de Glenn Treisman para ver a primeira ficha de entrada dela: "Disfunções múltiplas, traumatizada, autodestrutiva, suicida, depressão ou doença bipolar, ruína física total. Improvável que viva muito tempo; problemas profundamente enraizados podem impedir uma reação a estratégias de tratamento existentes". O que ele escrevera parecia completamente desmedido em relação à mulher que eu conhecera. "A situação parecia bastante desesperadora então", disse ele, "mas achei que era preciso tentar."

Apesar dos extensos debates na última década sobre as causas da depressão, parece bastante claro que ela é geralmente consequência de uma vulnerabilidade genética ativada por estresse externo. Procurar depressão entre os indigentes é como procurar enfisema entre os trabalhadores de minas de carvão. "Os traumas dessa classe social são tão terríveis e frequentes", explica Jeanne Miranda, "que mesmo a mais suave vulnerabilidade tende a ser desencadeada. Essas pessoas estão expostas a violência frequente, invasora, súbita, inesperada, e têm recursos muito limitados para lidar com ela. O que é surpreendente quando se examina vidas tão cheias de fatores de risco psicossociais é ver que pelo menos um quarto da população *não* é deprimida." *The New England Journal of Medicine* tem reconhecido uma conexão entre "dificuldade econômica contínua" e depressão; e a taxa de depressão entre os indigentes é a mais alta de qualquer classe nos Estados Unidos.[22] As pessoas que não têm recursos são menos capazes de superar as situações adversas da vida. "A depressão é intimamente relacionada aos contrastes sociais", diz George Brown, que tem estudado os fatores sociais determinantes de estados mentais perturbados. "A privação e a pobreza são letais." A depressão é tão comum em comunidades indigentes que muitos não reparam nela e sequer a questionam. "Se todos os seus amigos são assim", diz Miranda, "a situação adquire um terrível ar de normalidade. E você atribui sua dor a coisas externas e, acreditando que elas não podem mudar, supõe que nada pode mudar por dentro." Como todas as outras pessoas, os pobres desenvolvem, após episódios repetidos, uma disfunção orgânica que segue suas próprias regras e seu próprio curso. Um tratamento que não dê a devida atenção à realidade dessa população provavelmente não terá êxito. Pouco adianta retirar alguém do caos biológico oriundo de traumas repetidos se essa pessoa vai passar pelos mesmos traumas constantemente pelo resto da vida. Embora os não deprimidos sejam às vezes capazes de juntar alguns parcos recursos necessários para mudar sua posição e escapar de algumas das dificuldades que marcam suas vidas, os deprimidos têm grande dificuldade em manter seu lugar na ordem social, que dirá melhorá-lo. Os pobres, portanto, necessitam de novas abordagens.

O trauma entre os indigentes norte-americanos em geral não está diretamente ligado à falta de dinheiro. Relativamente poucos norte-americanos pobres passam fome, mas muitos sofrem de desamparo aprendido, um estado precursor da depressão. O desamparo aprendido, estudado no mundo animal, ocorre quando o animal é sujeito a um estímulo doloroso numa situação em que é impossível fugir ou lutar. O animal entra num estado dócil muito semelhante à depressão humana. A mesma coisa acontece a pessoas com pouca volição; a condição mais perturbadora da pobreza americana é a passividade.[23] Como diretora de serviços para os pacientes internos do hospital da Universidade de Georgetown, Joyce Chung trabalhava muito próximo a Miranda. Chung ja estava tratando de um grupo difícil. "As pessoas de quem eu geralmente trato podem pelo menos marcar uma consulta e prosseguir no tratamento. Elas entendem que precisam de ajuda e a buscam. As mulheres em nosso estudo jamais entrariam em meu consultório sozinhas." Chung e eu estávamos discutindo o fenômeno no elevador da clínica no condado de Prince George onde o tratamento estava sendo conduzido. Descemos até o térreo e encontramos uma das pacientes de Chung em pé do lado de dentro das portas de vidro da clínica, esperando pelo táxi que fora chamado para ela três horas antes. Não lhe ocorrera que o táxi não viria, não lhe ocorrera tentar ligar para a empresa de táxis, não lhe ocorrera ficar zangada ou frustrada. Chung e eu demos uma carona a ela até sua casa. "Por necessidade financeira", diz Chung, "ela mora com o pai, que a violentou repetidas vezes. Perde-se a vontade de lutar por algum tipo de mudança quando se esbarra em realidades como essas. Não podemos fazer nada para lhe arranjar outro abrigo, não podemos fazer nada quanto às realidades de sua vida. É um peso grande demais."

As coisas mais simples são bastante difíceis para a população indigente. Emily Hauenstein disse: "Uma mulher me explicou que, quando tem que ir à clínica na segunda-feira, pede à sua prima Sadie, que pede ao irmão dela para levá-la, enquanto a irmã de sua cunhada toma conta dos filhos. Se ela arranja um emprego naquela semana, sua tia pode assumir, se estiver na cidade. Então, ela tem que encontrar outra pessoa para vir buscá-la, porque o irmão de Sadie vai trabalhar logo depois de deixar a paciente na clínica. Se nos encontramos numa quinta--feira, há todo um elenco diferente de pessoas envolvidas. De qualquer modo, elas têm que cancelar cerca de 75% das vezes." Também é assim nas cidades. Lolly Washington perdeu uma consulta num dia de tempestade porque, depois de arranjar quem cuidasse das onze crianças, conseguir uma brecha em seu horário e resolver todo o resto, descobriu que não tinha guarda-chuva. Caminhou cinco quarteirões sob o aguaceiro, esperou cerca de dez minutos por um ônibus e, quando começou a tremer de frio, virou as costas e voltou para casa. Miranda e seus terapeutas às vezes vão até a casa de suas pacientes e as levam para a terapia de grupo; Marian Kyner combinou de ver as mulheres em suas casas para lhes poupar a dificuldade de vir até ela. "Às vezes você não consegue dizer se é resistência ao tratamento, como presumiria com um paciente da classe média", diz Kyner, "ou apenas uma dificuldade excessiva de conseguir coordenar as coisas e manter as consultas."

Joyce Chung disse que uma de suas pacientes "ficou bem aliviada quando liguei e fiz uma consulta por telefone com ela. E mesmo assim, quando lhe perguntei se teria me telefonado, ela disse que não. Chegar até ela, fazer com que retorne meus telefonemas — isso é tão difícil, e já estive prestes a desistir mais de uma vez. O remédio dela acaba e ela não faz nada a respeito. Tenho que ir à sua casa e lhe dar novas receitas. Foi preciso muito tempo para eu entender que sua conduta não significava falta de vontade de comparecer. Sua passividade é na realidade típica de uma pessoa que sofreu abusos repetidos quando criança".

A paciente em questão, Carlita Lewis, foi ferida até seu âmago. Parece que, na casa dos trinta anos, ela não consegue alterar substancialmente a própria vida; o tratamento mudou apenas a impressão que ela tem da vida, mas o efeito dessa mudança de humor nas pessoas ao redor dela é substancial. Na infância e na adolescência, ela teve momentos terríveis com o pai, até se tornar grande o bastante para reagir. Largou o ensino médio quando engravidou; a filha, Jasmine, nasceu com anemia falciforme. É provável que Carlita tenha sofrido de transtornos de comportamento desde criança. "Os menores detalhes eram simplesmente *irritantes* para mim, a ponto de eu perder o controle", ela me disse. "Eu procurava brigas. Às vezes, chorava, chorava, chorava até sentir dor de cabeça, e a dor de cabeça era tão terrível que eu tinha vontade de me matar." Seu temperamento se tornava violento com facilidade; certa vez, durante o jantar, ela atingiu um dos irmãos na cabeça com um garfo e quase o matou. Teve overdoses de comprimidos várias vezes. Mais tarde, a melhor amiga a encontrou após uma tentativa de suicídio e disse: "Você sabe o quanto sua filha se importa com você. Jasmine não tem pai na vida, e agora vai ficar sem mãe. Como acha que ela vai ficar? Vai acabar igual a você se cometer suicídio".

Jeanne Miranda concluiu que os problemas de Carlita iam muito além do situacional e lhe receitou Paxil. Desde o início da medicação, Carlita falou com a irmã sobre aquilo que o pai fez a elas, sendo que uma jamais soube que a outra passara pelo mesmo. "Minha irmã não tem nada a ver com meu pai", explicou Carlita, que nunca deixa a filha sozinha em casa com o avô. "Antes eu não podia ver minha filha, às vezes por dias, por medo de descarregar nela meus humores", disse Carlita. "Não quero que ninguém jamais bata nela, e muito menos eu, mas, na época, estava sempre prestes a bater nela."

Quando a tristeza dá as caras, Carlita consegue suportar. "Jasmine pergunta: 'O que foi, mamãe?', e eu respondo: 'Nada, está tudo bem, só estou cansada'. Ela tenta me obrigar a contar mais, mas então diz: 'Vai ficar tudo bem, mamãe, não precisa se preocupar', então ela me beija, me abraça e me dá tapinhas nas costas. Agora há muito amor entre nós o tempo todo." Levando em consideração o fato de Jasmine aparentemente ter uma disposição natural semelhante à de Carlita, essa habilidade de ser carinhosa sem raiva indica um imenso salto para a frente. "Jasmine diz, 'Serei igualzinha à mamãe', e eu respondo: 'Espero que não seja', e acho que ela vai ficar bem."

Os mecanismos pelos quais alguém consegue promover mudanças positivas em sua vida são inacreditavelmente básicos, e a maioria de nós os aprende na infância em interações maternais que demonstram um vínculo entre causa e efeito. Venho observando meus cinco afilhados, cujas idades vão de três semanas a nove anos. O menor chora para conseguir atenção e comida. O de dois anos quebra as regras para descobrir o que pode ou não fazer. A de cinco foi avisada de que pode pintar o quarto de verde se o deixar arrumado por seis meses. O de sete coleciona revistas de automóveis e aprendeu enciclopedicamente tudo sobre eles. O de nove anunciou que não queria ir para uma escola distante como fez seu pai, apelou para o sentimento e a razão paterna e está agora matriculado numa escola local. Todos eles têm volição e crescerão com uma sensação de controle sobre suas vidas. Essas afirmações precoces bem-sucedidas terão muito mais efeito do que a relativa riqueza e inteligência dessas crianças. A ausência de uma pessoa que possa responder a tais afirmações, mesmo negativamente, é cataclísmica. Marian Kyner diz: "Tivemos que dar a alguns pacientes listas de sentimentos e ajudá-los a entender o que é sentir, para que pudessem conhecer e não apenas reprimir sua vida emocional. Então tivemos que convencê-los de que podiam mudar seus sentimentos. E finalmente traçamos objetivos. Para alguns, até mesmo a ideia de apontar o que você quer e declará-lo a si mesmo é revolucionária". Pensei em Phaly Nuon, então, que trabalhara no Camboja ensinando pessoas a sentir depois da paralisia do período do Khmer Vermelho. Pensei na dificuldade dos sentimentos não reconhecidos. Pensei em sua missão de sintonizar pessoas com suas próprias mentes. "Às vezes tenho a sensação de estarmos fazendo grupos de conscientização dos anos 1960 no novo milênio", diz Jeanne, que cresceu entre os "pobres trabalhadores" da zona rural de Idaho, mas não teve a "desmoralização de longo prazo" que ela vê agora diariamente entre pessoas que "não têm emprego nem orgulho".

Danquille Stetson faz parte de uma dura cultura criminosa no sul rural. É uma afro-americana vivendo em meio ao preconceito racial e à violência, sentindo-se ameaçada por todos os lados. Anda armada. É analfabeta funcional. A casa de Danquille, onde conversamos, é um trailer antigo e meio destruído, com as janelas vedadas e todas as peças de mobília cheirando a decadência. Quando estive lá, a única luz vinha da TV, que exibia *Planeta dos Macacos* enquanto conversávamos. Ainda assim, o lugar estava arrumado e não era desagradável.

"É como uma dor", disse ela assim que entrei, dispensando as apresentações. "É como se estivessem tentando arrancar o coração do meu corpo, sem parar, como se alguém pegasse uma faca e me ferisse o tempo todo." Danquille foi abusada sexualmente pelo avô paterno quando era criança e contou aos pais. "Eles nem se importaram, varreram o caso para baixo do tapete", disse, e o abuso prosseguiu por anos.

Na cabeça de Danquille, era muitas vezes difícil distinguir entre o que era obra de Marian Kyner, o que era efeito do Paxil e o que tinha sido obra do Senhor. "Ao me aproximar de Deus", disse, "Ele me trouxe a depressão e também me afastou dela. Orei ao Senhor pedindo ajuda e Ele me mandou a dra. Marian, e ela me disse para pensar positivo e tomar esses comprimidos, e assim eu poderia ser salva." Controlar os pensamentos negativos como forma de provocar mudanças comportamentais é a essência da terapia cognitiva. "Não sei por que meu marido vive me batendo", disse Danquille, batendo no próprio braço ao contá-lo, "mas, depois dele, saí correndo de homem em homem procurando pelo amor nos lugares mais errados."

Os filhos de Danquille têm agora 24, dezenove e treze anos. A maior revelação que lhe sobreveio durante o tratamento foi de fato bastante fundamental. "Percebi que as coisas que os pais fazem afetam seus filhos. Entende? Eu não estava entendendo isso. E fiz muita coisa errada. Fiz da vida do meu filho um inferno, meu próprio menino. Se tivesse sido mais compreensiva — mas, na época, não sabia disso. Agora eu sento com meus filhos e falo: 'Se um dia alguém chegar em vocês e disser que sua mãe fez isso e sua mãe fez aquilo, digo desde já que é verdade. Não façam o que eu fiz'. E disse: 'Não há nada tão terrível que vocês não possam vir me contar'. É porque, se eu tivesse alguém que me ouvisse e me dissesse que tudo ia ficar bem, isso teria feito uma diferença enorme, vejo isso agora. Os pais não percebem que quase todos os problemas dos filhos vêm deles, e são *eles* os responsáveis quando começamos a procurar amor em tudo quanto é lugar errado. Tenho um grande amigo, paguei a fiança dele quando resolveu atirar no sobrinho — ele via a mãe com outros homens, eles faziam sexo no carro bem diante dele, e isso influenciou sua vida. A mãe nem sabe disso até hoje. Aquilo que fazemos no escuro acaba vindo à luz em algum momento."

Danquille se tornou uma espécie de conselheira da comunidade, ensinando a amigos e desconhecidos seus métodos para controlar a depressão. "Um monte de gente fica me perguntando: 'Como você fez para mudar?'. Como eu penso positivo, estou sempre rindo, sempre sorrindo. Agora me aconteceu isso de o Senhor me mandar pessoas em busca de ajuda. Eu disse: 'Senhor, pode me dar o que elas precisam ouvir e me ajudar a escutá-las?'." Agora Danquille ouve os filhos e as pessoas que conhece na igreja que frequenta. Quando alguém a procurou pensando em suicídio: "Eu disse a ele: 'Você não está sozinho. Eu também era assim'. E disse: 'Sobrevivi. Não há nada tão ruim que não possamos superar'. Eu disse: 'Comece a pensar positivo agora mesmo, e prometo que aquela moça que está te deixando vai telefonar'. Ontem ele me disse: 'Se não fosse você, estaria morto'." Danquille assumiu um novo lugar na família. "Estou mais ou menos rompendo um padrão. Minhas sobrinhas vêm me procurar em lugar dos pais delas, e o padrão de não dar ouvidos se rompe. Elas me dizem, desde que comecei a falar com você, tenho vontade de viver. E eu digo isso a todos, se estiver com um problema, procure ajuda. Foi para isso que Deus botou os médicos no mundo, para ajudar. Digo isso bem alto para essa gente, são apenas cães devorando uns aos outros. E todos podem ser salvos. Tinha uma mulher que bebia, fumava, ficou com o meu marido, bem ele, nem disse que sentia muito nem nada, e depois com meu novo amigo, mas, se ela me procurar, vou ajudá-la porque, para que ela melhore, é preciso que alguém a ajude."

Os deprimidos afetados pela pobreza não são representados nas estatísticas da depressão porque as pesquisas que dão origem a essas estatísticas têm como base principalmente o trabalho com pessoas dentro de planos de saúde existentes, que já são uma população de classe média — ou no mínimo trabalhadora. Melhorar as expectativas entre populações desfavorecidas é uma questão complicada, e é verdade que plantar metas falsas na cabeça das pessoas pode ser perigoso. "Nunca vou parar de ver o dr. Chung", confidenciou-me uma mulher, embora os reais parâmetros do estudo tivessem sido explicados a ela repetidas vezes. É de cortar o coração saber que, se ela tiver outro colapso posteriormente em sua vida, dificilmente conseguirá o tipo de ajuda que a fez superar o problema — embora todos os terapeutas envolvidos nesses estudos sintam uma obrigação ética de prestar serviços básicos continuamente aos seus pacientes — com ou sem pagamento. "Negar-se a tratar pessoas que estão sofrendo gravemente porque isso vai aumentar as expectativas", diz Emily, "bem, me parece que estamos ignorando a questão ética maior em nome da menor. Nós nos esforçamos para dar às pessoas um conjunto de capacidades que elas possam usar sozinhas em outra situação — fazemos tudo que podemos para ajudá-las a não afundar." O custo da medicação de uso contínuo é um grande problema. Ele é resolvido em parte por programas da indústria que distribuem antidepressivos aos pobres, mas isso não chega a começar a atender às necessidades. Uma médica espirituosa da Pensilvânia que conheci me disse que obtinha "baciadas de amostras" dos agentes de vendas da indústria farmacêutica para dar aos pacientes indigentes. "Digo a eles que usarei seu produto como meu tratamento de primeira linha para os pacientes que podem pagar e que provavelmente usarão aquilo a vida inteira", disse ela. "Em troca, digo que vou precisar de um suprimento mais ou menos ilimitado do produto deles para medicar meus pacientes de baixa renda gratuitamente. Eu passo muitas e muitas receitas. O vendedor esperto sempre diz sim."

A esquizofrenia ocorre com frequência duas vezes maior entre a população de baixa renda se comparada à classe média.[24] Inicialmente, os pesquisadores pensaram que a dificuldade seria algum tipo de fator de ativação da esquizofrenia; mas pesquisas mais recentes mostram que a esquizofrenia leva a dificuldades: os distúrbios mentais são caros e confusos, e uma doença crônica que prejudica a produtividade e ocorre durante a juventude tende a puxar a família inteira da pessoa para um ou dois degraus abaixo na escala social. Essa "hipótese da deriva descendente" parece ser verdadeira também no caso da depressão. Glenn Treisman diz, a respeito da população com HIV: "Muitas dessas pessoas nunca tiveram um único momento de sucesso em toda a vida. Não conseguem manter um relacionamento nem um compromisso de longo prazo com um trabalho". As pessoas pensam na depressão como consequência do HIV, mas, na verdade, esta é com frequência um antecedente. "Aqueles com transtornos de comportamento são muito menos cuidadosos em se tratando de sexo e agulhas", diz Treisman. "Pouquíssimas pessoas contraem aids por causa de um preservativo rasgado. Muitas pessoas contraem o HIV quando não conseguem mais reunir energia suficiente para se importar. Essas são as pessoas que foram completamente desmoralizadas pela vida e não enxergam mais sentido nela. Se a disponibilidade de tratamentos para a depressão fosse mais ampla, imagino que, com base em minha experiência clínica, o ritmo de avanço da doença neste país seria reduzido pela metade, no mínimo, tendo como consequência uma enorme economia para a saúde pública." Para a saúde pública, o custo de uma doença que possibilita a infecção pelo HIV e então impossibilita que as pessoas cuidem adequadamente de si (e dos outros) é absolutamente gigantesco. "O HIV consome todo o seu dinheiro e seus bens e, com frequência, também seus amigos e sua família. A sociedade nega seus direitos. Então, essas pessoas despencam até o fundo." Os pesquisadores que conheci destacaram a necessidade de tratamento, mas também falaram na necessidade de *bom* tratamento. "Há na verdade um número muito pequeno de pessoas a quem eu confiaria o cuidado dessas pessoas", diz Emily. O padrão de qualidade do atendimento em saúde mental para os poucos indigentes doentes o bastante para receberem tratamento — fora desses estudos — é terrivelmente baixo.

Os únicos homens indigentes deprimidos que conheci eram portadores do HIV. Estão entre os poucos que foram obrigados a enfrentar a realidade de sua depressão — pois a depressão de homens indigentes se manifesta de maneiras que os levam à prisão ou ao necrotério com uma frequência superior à dos protocolos de tratamento para depressão. Certamente os homens são mais resistentes do que as mulheres ao serem atraídos para a terapia de combate à depressão quando seus distúrbios de comportamento são notados. Perguntei às mulheres que entrevistei se os seus maridos ou namorados poderiam sofrer de depressão, e muitas responderam sim; e todas me contaram a respeito de seus filhos deprimidos. Uma das mulheres do estudo de Jeanne disse que o namorado, que tinha dado a ela alguns hematomas avermelhados, tinha confessado o desejo de encontrar um grupo que pudesse frequentar — mas a ideia de ir adiante com aquilo lhe parecia "constrangedora demais".

Fiquei pasmo quando Fred Wilson veio conversar comigo certa tarde no Hopkins. Tinha quase dois metros de altura e usava anéis de ouro, um imenso medalhão de ouro e um par de óculos escuros, a cabeça era quase raspada, tinha músculos impressionantes e parecia ocupar cinco vezes mais espaço do que eu. Era exatamente o tipo de pessoa que me levaria a atravessar a rua e, enquanto conversávamos, percebi que isso seria de fato sensato. Ele fora um usuário pesado de drogas e, para alimentar o vício, tinha roubado pessoas, invadido lojas e casas, derrubado senhoras para tomar suas bolsas. Vivera como sem-teto por algum tempo e era durão. Embora provocasse indignação, esse homem assustador tinha um ar de solidão e desespero.

A revolução terapêutica de Fred ocorreu quando ele admitiu que tinha um transtorno de comportamento que provavelmente o tinha levado às drogas, que ele não era "simplesmente estragado pelo bagulho". Quando o vi, ele estava procurando um antidepressivo que pudesse ajudá-lo. Fred era carismático e tinha sorriso de esportista; conhecia a sensação de estar no topo. "Sempre tive a habilidade de conseguir o que queria. Quem tem essa habilidade nunca precisa trabalhar nem nada, é só mandar ver. Eu não sabia o que era ser paciente. Não havia limites", disse ele. "Não havia precauções, está me entendendo? Era só conseguir o que eu queria e ficar doidão. Ficar doidão, sabe? Com isso eu consegui um pouco de aceitação. Me ajudou a superar a culpa e a vergonha." Fred fez o teste do HIV depois de ter sido "detido nas ruas" e, pouco depois, descobriu que a mãe também era soropositiva. Depois que ela morreu de aids, "parecia que nada mais importava, porque o resultado final da vida sempre será a morte. Eu cumpro alguns objetivos, cara, fico de olho em outras coisas que preciso fazer, sabe? Mas enfim, simplesmente começo a gostar ainda menos de mim mesmo. Então, numa das vezes em que fui preso, quando estava morando nas ruas, percebi que estava vivendo daquela maneira por causa das escolhas que fazia. Eu mudei para enfrentar isso, entende o que eu digo? Porque eu estava sozinho aquele tempo todo. E ninguém vai nos dar as drogas de que precisamos a não ser que tenhamos dinheiro para pagar por elas".

Fred foi receitado com medicamentos para o HIV, mas parou de tomá-los há algum tempo porque não faziam com que se sentisse bem. Os efeitos colaterais foram fracos e a inconveniência dos remédios também era pequena, mas, "antes de morrer, é melhor aproveitar", disse-me ele. Desapontados, os médicos que cuidavam do seu HIV o convenceram a insistir nos antidepressivos; eles torcem para que esse medicamento desperte nele o desejo de permanecer vivo, de tomar os inibidores de protease.

A força de vontade costuma ser o melhor escudo contra a depressão e, nessa população, o desejo de continuar e a tolerância ao trauma costumam ser bastante extraordinários. Muitos indigentes deprimidos têm personalidades tão passivas que são desprovidos de aspirações, e tais pessoas devem ser as mais difíceis de ajudar. Outros retêm um zelo pela vida mesmo durante a depressão.

Theresa Morgan, uma das pacientes de Emily Hauenstein e Marian Kyner, é uma mulher de natureza doce, cuja vida foi pontilhada com uma dose surreal de horror. Ela mora numa casa do tamanho de um trailer de largura dupla, bem no meio do condado de Buckingham, na Virgínia, oito quilômetros ao sul da estrada da Congregação da Fé e oito quilômetros ao norte da Igreja Batista Mina de Ouro. Quando nos conhecemos, ela me contou sua história com um ar de muita especificidade, como se tivesse feito anotações durante toda a vida.

A mãe de Theresa engravidou aos quinze anos, deu à luz aos dezesseis e tinha dezessete quando o pai de Theresa a surrou tanto que ela teve de sair de casa rastejando. O avô de Theresa disse à mãe que fosse embora e se escondesse e que, se fosse vista no condado novamente, se algum dia tentasse entrar em contato com Theresa, ele a levaria para a cadeia. "Meu pai tinha 22 na época, ele é o grande babaca — mas eles costumavam me dizer que ela era uma vadia e que eu seria uma vadia igual a ela. E meu pai dizia que eu tinha arruinado a vida dele simplesmente por ter nascido", disse Theresa.

Ainda nova, Theresa foi diagnosticada com um tumor benigno inoperável, um hemangioma, localizado entre o reto e a vagina. Foi abusada sexualmente por parentes próximos todas as noites entre os cinco e os nove anos, quando um dos perpetradores se casou e deixou a casa. A avó disse a ela que os homens lideram a família e que ela deveria ficar de boca fechada. Theresa ia à igreja e à escola, e esse era o raio de abrangência de sua vida. A avó acreditava numa disciplina rigorosa, o que significava ataques diários com o que estivesse ao alcance: chibatadas com extensões elétricas, surras com cabos de vassoura e frigideiras. O avô era exterminador de pragas e, a partir dos sete anos, Theresa passou boa parte do tempo debaixo de casas tentando apanhar serpentes. No oitavo ano da escola, Theresa teve uma overdose do remédio da avó para o coração. No hospital, os médicos limparam seu estômago e recomendaram terapia, mas o avô disse que ninguém da família dele precisava de ajuda.

No 11º ano do colégio, Theresa saiu pela primeira vez, com um sujeito chamado Lester, que tinha "meio que tocado minha alma, pois podíamos conversar sinceramente um com o outro". Quando Lester veio deixá-la em casa, o pai apareceu e teve um acesso de fúria. Ele tinha apenas 1,55 metro, mas pesava mais de 150 quilos, e sentou-se sobre Theresa (que tem 1,40 metro e, na época, pesava apenas cinquenta quilos) e bateu a cabeça dela contra o chão durante horas, até o sangue escorrer entre seus dedos. A testa e o couro cabeludo de Theresa ainda são cobertos por cicatrizes tão extensas que parecem ter sido resultado de queimaduras. Ele também quebrou duas costelas suas, a mandíbula, o braço direito e quatro dedos do pé naquela noite.

Enquanto Theresa me contava essa história, sua filha Leslie, de nove anos, brincava com um dachshund de estimação. Todos aqueles detalhes pareciam ser para ela tão conhecidos quanto a Paixão para um frequentador da igreja. Mas ela os estava registrando: Leslie se tornava agressiva com o cão diante da menção de algum horror real. Mas ela nunca chorava e em nenhum momento nos interrompeu.

Depois da grande surra, Lester convidou Theresa para vir morar com ele e a família, "e, por três anos, tudo foi ótimo. Mas então ele começou a querer que eu fosse como a mãe dele, sem trabalhar, nem mesmo dirigir, apenas ficando em casa e lavando as cuecas dele. Eu não queria aquilo". Theresa engravidou e eles se casaram. Lester provou sua independência "pulando a cerca por aí" enquanto Theresa cuidava do bebê. "Lester tinha gostado de mim porque eu era inteligente", disse Theresa. "Ele gostava quando eu lhe contava coisas. Eu o fiz gostar de jazz do bom, diferente de todo aquele Lynyrd Skynyrd e afins. Conversava com ele sobre arte e poesia. E agora ele me queria em casa, e com a mãe dele, pois a casa era dela."

Um ano mais tarde, pouco depois do nascimento de Leslie, Lester teve um derrame terrível que destruiu a maior parte do lado direito do seu cérebro. Ele tinha 22 anos, era um operador de maquinário pesado para a construção de estradas e agora estava com metade do corpo paralisada e era incapaz de falar. Nos meses seguintes, antes de os médicos descobrirem sua queixa subjacente — uma forma de lúpus que provoca coágulos —, outra obstrução destruiu a perna, que foi amputada; outros coágulos afetaram os pulmões. "Eu podia ter ido embora", disse Theresa.

Leslie parou de brincar e olhou para ela, com uma expressão vazia e curiosa.

"Mas Lester era o amor da minha vida, ainda que estivéssemos vivendo momentos difíceis, e eu não desisto das coisas com facilidade. Fui vê-lo no hospital, e ele estava com um olho aberto e o outro fechado. O rosto tinha começado a inchar e a expressão estava caída num dos lados. Eles tinham tirado o osso do lado esquerdo da cabeça dele por causa do inchaço, simplesmente serraram o crânio dele. Mas ele ficou feliz ao me ver." Theresa ficou no hospital, ensinando-o a usar a comadre, ajudando a fazer xixi, começando a aprender os gestos com os quais eles agora se comunicavam.

Theresa fez uma pausa no seu relato. Leslie se aproximou e me entregou

341

uma foto. "É o seu aniversário de dois anos, não é, querida?", disse Theresa, com a voz doce. Na foto, um homem gigantesco e bonito, todo coberto de curativos feito uma múmia, ligado a monitores, abraça uma menininha contra si. "Isso foi quatro meses após o derrame", disse Theresa, e Leslie levou a foto embora novamente, solene.

Lester voltou para casa ao fim de seis meses. Theresa conseguiu um emprego em período integral numa fábrica, cortando roupas infantis. Ela tinha que trabalhar perto de casa para poder visitar Lester a cada intervalo de poucas horas. Quando tirou a carteira de motorista, ela a mostrou a Lester, que chorou. "Agora você pode me deixar", disse ele. Theresa riu ao contar a cena. "Mas ele viu que as coisas não eram assim."

A personalidade de Lester se quebrou. Ele ficava acordado a noite inteira, chamando Theresa de hora em hora para que o ajudasse a defecar. "Eu chegava em casa, preparava o jantar, lavava a louça e algumas baciadas de roupas e arrumava a casa, e então dormia, às vezes desmaiava ali mesmo na cozinha. Lester telefonava para a mãe e, quando ela o ouvia respirando na linha, ela me ligava de volta e o barulho do telefone me acordava. Ele tinha se recusado a jantar e agora queria que eu lhe fizesse um sanduíche. Eu tentava me manter animada e otimista o tempo todo, para que ele não se sentisse mal." Lester e Leslie brigavam muito pela atenção de Theresa; arranhavam um ao outro e puxavam o cabelo. "Comecei a perder o juízo", disse Theresa. "Lester nem tentava fazer os exercícios, perdeu mais mobilidade e engordou, ficou enorme. Acho que eu estava num período egoísta e não pude demonstrar por ele a compaixão que deveria."

O estresse fez com que o hemangioma de Theresa, que ela tinha podido ignorar por algum tempo, se expandisse, começando a sangrar bastante pelo reto. Theresa tinha se tornado líder de equipe de trabalho, mas o emprego envolvia permanecer de pé de oito a dez horas diárias. "Aquilo, mais o sangramento, mais os cuidados com Lester e Leslie — bem, acho que eu deveria saber lidar com a pressão, mas eu meio que perdi as forças. Temos uma pistola Remington calibre 22 com tambor de nove milímetros. Sentei-me no chão do quarto, girei o tambor, pus o cano na boca e apertei o gatilho. E fiz isso de novo. Era tão boa a sensação de ter aquela arma na boca. Então Leslie bateu na porta e disse: 'Não me deixe, mamãe, por favor'. Pus a arma no chão e prometi que jamais iria a lugar algum sem ela."

"Eu tinha quatro anos", disse Leslie, orgulhosa. "Depois disso, vim dormir com você todas as noites."

Theresa ligou para o centro de valorização da vida e ficou quatro horas falando ao telefone. "Eu só berrava. Lester estava com uma infecção de estafilococos. Então tive pedras nos rins. Aquilo foi tão doloroso fisicamente que eu disse ao médico que arrancaria o rosto dele se não me ajudasse. Quando o corpo desiste, parece que a cabeça quer uma folga também. Não conseguia comer; fazia um mês que não dormia, estava tão ligada, sentindo tanta dor, sangrando tanto que ainda por cima fiquei anêmica. Eu andava por aí espalhando ódio." O médico disse a ela que visitasse Marian Kyner. "Marian salvou minha vida, sem dúvida. Ela me ensinou a pensar novamente." Theresa começou tomando Paxil e Xanax.

Marian disse a Theresa que não havia nenhuma força obrigando-a a fazer tudo aquilo e que tudo tinha que ter valor para ela. Certa noite, pouco depois, quando as coisas com Lester saíram do controle, Theresa calmamente largou a frigideira. "Vamos, Leslie", disse ela. "Pegue algumas roupas, vamos." Subitamente Lester se lembrou de que ela podia deixá-lo e desabou no chão, chorando, implorando. Theresa levou Leslie para fora e as duas andaram de carro por três horas, "apenas para dar uma lição no papai". Quando voltaram, ele se mostrou penitente, e suas novas vidas tiveram início. Ela conseguiu que ele tomasse Prozac. E explicou o preço que estava pagando por aquela vida. Os médicos disseram a Theresa que, para evitar novo sangramento do hemangioma, ela deveria evitar andar, fazer exercício ou se mover sem necessidade. "Ainda ajudo Lester a sair do carro e ainda carrego a cadeira de rodas dele. Ainda limpo a casa. Mas Lester teve de aprender depressa a ser independente." Por motivos de saúde, Theresa teve de largar o emprego.

Lester trabalha agora dobrando aventais numa lavanderia. Há um ônibus especial para pessoas com mobilidade reduzida que o busca e ele vai ao trabalho todos os dias. Lava a louça em casa e às vezes ajuda até com o aspirador. Por sua invalidez, ele recebe 250 dólares por semana, com os quais eles vivem.

"Eu jamais o abandonei", disse Theresa. O orgulho pareceu voltar subitamente a ela. "Disseram que o desgaste seria demais para mim, mas agora estamos juntos e fortes. Podemos falar sobre qualquer coisa. Ele era um caipira dos infernos e agora virou liberal. Dei um jeito em parte do ódio e preconceito com os quais ele cresceu." Lester aprendeu a urinar sozinho e quase consegue se vestir com uma mão. "Conversamos todos os dias e todas as noites", disse Theresa. "E sabe de uma coisa? Ele é o verdadeiro amor da minha vida e, mesmo que me lamente muito do que aconteceu, não quero abrir mão de nada na nossa vida e na nossa família. Mas, se não fosse por Marian, eu teria esperado para sangrar até a morte, e esse teria sido o fim."

Diante dessa declaração, Leslie subiu no colo de Theresa. A mãe a embalou. "E, neste ano", disse Theresa, subitamente alegre, "encontrei minha mãe. Procurei o sobrenome dela na lista telefônica e, depois de umas cinquenta tentativas, descobri um primo e investiguei um pouco e, quando ela atendeu o telefone, disse que esperou por mim todos esses anos, esperando que eu ligasse. Agora ela é como uma melhor amiga. Nós a vemos o tempo todo."

"Nós amamos a vovó", anunciou Leslie.

"É, amamos mesmo", confirmou Theresa. "Ela e eu sofremos o mesmo tratamento duro por parte do meu pai e da família dele e, por isso, temos muito em comum." Theresa disse que dificilmente poderá ficar de pé num emprego de fábrica novamente. "Algum dia, quando Leslie puder cuidar de Lester à noite, e se permitirem que eu me locomova um pouco mais, se conseguirem conter o hemangioma, vou concluir o ensino médio com aulas noturnas. Aprendi sobre arte, poesia e música com uma professora negra, a sra. Wilson, na minha escola. Vou voltar e estudar mais a respeito dos autores de que mais gosto, Keats, Byron, Edgar Allan Poe. Li para Leslie 'O Corvo' e 'Annabel Lee' na semana passada, não foi, querida, quando pegamos o livro na biblioteca." Olhei para os cartazes nas paredes. "Adoro Renoir", disse. "Não pense que sou pretensiosa, mas eu amo aquele, e aquele outro com o cavalo, de um artista inglês. E também adoro música, gosto de ouvir Pavarotti quanto toca."

"Sabe o que eu queria ser quando era garotinha naquela casa horrível? Eu queria ser arqueóloga e viajar para o Egito e a Grécia. Conversar com Marian fez com que eu parasse de surtar e tudo o mais, e também me fez voltar a *pensar*. Sentia tanta falta de usar a cabeça! Marian é muito inteligente e, depois de anos com apenas Leslie e um marido que nunca concluiu o ensino fundamental e não pode falar..." Ela perdeu o fio da meada por um instante. "Rapaz, há coisas maravilhosas nos esperando lá fora. Vamos encontrá-las, não é, Leslie? Vamos encontrar todas elas, assim como encontramos esses poemas." Comecei a recitar "Annabel Lee" e Theresa se juntou a mim. Leslie olhava atenta para nós enquanto eu e a mãe entoávamos os primeiros daqueles versos americanos. "'Mas amamos com um amor que era mais do que amor'", disse Theresa, como se descrevesse uma jornada sua.

Parte da dificuldade em conseguir melhores tratamentos para essas pessoas vem da barreira da descrença. Escrevi uma primeira versão deste capítulo como um artigo para uma revista de ampla circulação, e eles me disseram que eu precisava reescrevê-lo por duas razões. Primeiro porque as vidas que eu descrevia eram horríveis demais para ser verdade. "Chega a ser cômico", um editor me disse. "Ninguém pode ter passado por todas essas coisas e, se for verdade, não é de espantar que elas estejam deprimidas." O outro problema era a recuperação rápida e dramática demais. "Essa história de mulheres sem-teto suicidas tornando-se administradoras de fundos", disse o editor um tanto acidamente, "é bem ridícula." Tentei explicar que aí estava a força da história: pessoas em situações desesperadas que tiveram suas vidas mudadas a ponto de ficarem irreconhecíveis; mas não consegui convencê-lo. A verdade que eu descobrira era muito mais estranha e intolerável do que a ficção.

Quando os cientistas viram pela primeira vez o buraco na camada de ozônio da Antártica, eles presumiram que seu equipamento de observação estava com problemas porque o buraco era tão gigantesco a ponto de ser inacreditável. Soube-se então que o buraco era real.[25] O buraco da depressão indigente nos Estados Unidos é também real e gigantesco, mas, à diferença da camada de ozônio, pode ser preenchido. Não posso imaginar o que foi a vida de Lolly Washington, Ruth

Ann Janesson, Sheila Hernandez e as dezenas de outras pessoas que entrevistei longamente entre os indigentes deprimidos. Mas sei de uma coisa: temos tentado resolver o problema da pobreza por intervenção material pelo menos desde os tempos bíblicos, e na última década nos cansamos dessa intervenção, percebendo que o dinheiro não é antídoto suficiente. Temos agora a revisão do seguro-desemprego com a alegre expectativa de que, se não sustentarmos os pobres, eles terão que trabalhar mais duro. Será que não valeria mais a pena dar a eles o apoio, médico e terapêutico, que lhes permitisse produzir, que pudesse libertá-los para fazer algo com suas vidas? Não é fácil encontrar os assistentes sociais que possam transformar a vida dessa população; mas, sem programas de conscientização e aplicação de fundos, os que têm o dom e a devoção para trabalhar com essas pessoas contam com meios escassos para fazê-lo, e o sofrimento terrível, desperdiçado e solitário vai continuar indefinidamente.

10. Política

A política desempenha um papel tão grande quanto a ciência nas descrições correntes da depressão. Quem pesquisa a depressão, o que é feito a respeito dela, quem é tratado e quem não é, quem é censurado e quem é protegido, o que se paga por isso, o que é ignorado: todas essas perguntas são estabelecidas nos santuários do poder. A política também estabelece modas no tratamento. As pessoas devem ser colocadas em instituições? Devem ser tratadas na comunidade? O tratamento dos deprimidos deve continuar nas mãos dos médicos ou ser assumido por assistentes sociais? Que tipo de diagnóstico é necessário para justificar uma intervenção com fundos do governo? O vocabulário da depressão, que pode ser tremendamente fortalecedor para os destituídos, sem qualquer modo de descrever ou entender suas experiências, pode ser manipulado de infinitas maneiras. Os membros das classes mais privilegiadas vivenciam sua doença através desse vocabulário, que é tecido de forma não conspiratória pelo Congresso, pela Associação Médica Americana e pela indústria farmacêutica.

Definições de depressão influenciam fortemente as decisões políticas, que por sua vez afetam os depressivos. Se a depressão é uma "simples doença orgânica", então deve ser tratada como tratamos outras simples doenças orgânicas — companhias de seguro devem fornecer cobertura para a depressão severa como fornecem cobertura para o tratamento de câncer. Se a depressão está enraizada na personalidade, então é um defeito dos que sofrem dela e não recebe mais cobertura do que a estupidez. Se a doença pode afligir qualquer um a qualquer momento, então é preciso considerar a prevenção; se é algo que atingirá apenas os pobres, sem instrução ou politicamente sub-representados, a ênfase na prevenção será muito mais baixa em nossa sociedade desigual. Se os deprimidos machucam outras pessoas, sua condição precisa ser controlada para o bem da sociedade; se simplesmente ficam em casa ou desaparecem, sua invisibilidade os torna fáceis de serem ignorados.

A política do governo norte-americano sobre depressão mudou na última década e ainda está mudando.[1] Houve modificações substanciais em muitos outros países também. Em nível governamental, quatro fatores principais influenciam a percepção da depressão — e portanto a implementação de políticas relacionadas a ela. O primeiro é a medicalização. Está profundamente arraigada na cultura norte-americana a ideia de que não precisamos tratar de uma doença que alguém trouxe para si ou desenvolveu pela fraqueza de caráter, embora cirrose e câncer de pulmão sejam cobertos pelo seguro. Persiste na percepção pública geral que se consultar com um psiquiatra é autoindulgente, como visitar um cabeleireiro, e não um oncologista. Tratar uma disfunção do ânimo como uma doença médica se contrapõe a essa tolice, afasta a responsabilidade da pessoa que tem a doença e torna mais fácil "justificar" o tratamento. O segundo fator que ajuda a moldar a percepção é uma ampla supersimplificação (curiosamente, em desacordo com 2500 anos de pouca clareza sobre a natureza da depressão), especialmente a crença popular de que a depressão é o resultado da baixa serotonina, do mesmo modo que a diabete é um resultado de baixa insulina — uma ideia que tem sido substancialmente reforçada tanto pela indústria farmacêutica quanto pela Food and Drug Administration (FDA). O terceiro fator é a técnica de imagem. Ao se comparar o retrato de um cérebro deprimido (colorizado para indicar a taxa de metabolismo) com o retrato de um cérebro normal (similarmente colorizado), o efeito é surpreendente: gente deprimida tem cérebro cinzento e gente feliz tem cérebro em tecnicolor. A diferença é ao mesmo tempo tocante e de aparência científica, e embora ela seja completamente artificial (as cores refletem mais técnicas de imagem do que cores e tons reais), tal retrato vale por 10 mil palavras e tende a convencer as pessoas da necessidade de um tratamento imediato. O quarto fator é o lobby fraco da saúde mental. "Gente deprimida não reclama o suficiente", diz a deputada Lynn Rivers. A atenção para determinadas doenças geralmente é o resultado dos esforços organizados de grupos lobistas para conscientizar os outros dessas doenças: a tremenda reação ao HIV/ aids foi estimulada pelas táticas dramáticas da população que tinha a doença ou corria o risco de contraí-la. Infelizmente, os deprimidos tendem a achar a vida cotidiana esmagadora, e por isso são lobistas incompetentes. Mais do que isso, muitos dos deprimidos, mesmo se estão melhorando, não querem falar sobre depressão: este é um segredo obscuro, e é difícil fazer lobby sobre segredos obscuros sem revelá-los. "Ficamos estarrecidos quando as pessoas procuram seus deputados para proclamar a gravidade de uma determinada doença", diz John Porter, que, como presidente do subcomitê de Dotações para Trabalho, Saúde e Serviços Humanos, domina os debates da Câmara dos Deputados sobre o orçamento para saúde mental. "Tenho que combater emendas trazidas ao plenário que refletem a animação de alguém sobre uma história que lhe contaram, reservando uma determinada soma de dinheiro a uma determinada doença. Membros do Congresso geralmente tentam fazer isso — mas raramente para doença mental." Entretanto, vários grupos de lobby de saúde mental nos Estados Unidos defendem a causa dos deprimidos.

O maior impedimento ao progresso é provavelmente ainda o estigma social, que se agarra à depressão como a nenhuma outra doença, e que Steven Hyman, diretor do Instituto Nacional de Saúde Mental (National Institute of Mental Health, NIMH), descreveu como um "desastre de saúde pública". Muitas pessoas com quem falei enquanto escrevia este livro pediram-me que não usasse seus nomes, não revelasse suas identidades. Perguntei o que achavam exatamente que aconteceria se fosse revelado que tiveram depressão. "Saberiam que sou fraco", disse um homem cujo registro do fantástico sucesso na carreira, apesar da terrível doença, parecia-me uma indicação de extraordinária força. Pessoas que haviam "saído do armário" e falado publicamente sobre ser gay, ser alcoólatra, ser vítima de doenças sexualmente transmissíveis e, em um caso, de ser vítima de abuso na infância, ainda estavam embaraçadas demais para falar a um gravador de quando estiveram deprimidas. Foi preciso um esforço considerável para encontrar as pessoas cujas histórias aparecem neste livro. Não porque a depressão seja rara, mas porque os que são francos a respeito disso consigo mesmos e com o mundo lá fora são uma exceção. "Ninguém confiaria em mim", disse um advogado deprimido que tirara algum tempo de licença do trabalho no ano anterior para "fazer planos para o futuro". Ele inventara toda uma história para preencher os meses em que faltara e usava de energia considerável (inclusive algumas fotos de férias falsas) para que suas invenções tivessem crédito. Esperando pelo elevador no grande edifício de escritórios onde eu acabara de entrevistá-lo, fui abordado por um dos membros jovens da equipe. Meu álibi era que eu tinha que ver um advogado sobre um contrato, e o jovem empregado me perguntou no que eu trabalhava. Eu disse que estava trabalhando neste livro. "Ah!", respondeu ele, e deu o nome do homem que eu acabara de entrevistar. "Ali está um cara", disse espontaneamente, "que passou por um colapso total, verdadeiro. Depressão, psicose, o nome que for. Completamente doido por um tempo. Ele ainda é meio esquisito; ele tem essas fotos bizarras tiradas na praia, no escritório, e meio que inventa histórias sobre si mesmo. Uma espécie de mistureba total. Mas ele voltou a trabalhar e, profissionalmente falando, está a mil. Você precisa mesmo encontrar com ele e descobrir mais sobre a questão se puder." Nesse caso, o advogado parecia gozar de mais prestígio por sua habilidade em combater a depressão do que ser marcado pelo estigma da doença; e sua dissimulação era a mesma enganação sem sucesso que se obtém com um transplante de cabelo — um fato bem mais ridículo do que qualquer coisa que a natureza poderia ter fabricado. Mas o sigilo é ubíquo. Depois de meu artigo ter sido publicado no *New Yorker*, recebi cartas assinadas "De Alguém Que Sabe" e "Sinceramente, Nome Retido" e "Um Professor".

Nunca trabalhei com um tema que propiciasse tantas confidências quanto este; as pessoas me contavam as histórias mais surpreendentes em jantares, trens e qualquer outro lugar onde eu mencionasse o assunto de meu livro. Mas quase todos diziam: "Por favor, não conte a ninguém". Uma pessoa que entrevistei me telefonou e disse que a sua mãe ameaçara parar de falar com ela se seu nome fosse incluído no livro. O estado natural da mente é fechado, e sentimentos profundos são geralmente mantidos em segredo. Só conhecemos as pessoas pelo que elas nos contam. Nenhum de nós pode penetrar a insondável barreira de silêncio do outro. "Nunca menciono a questão", alguém certa vez me contou em relação à sua luta, "porque não vejo utilidade nisso." Estamos cegos para as proporções epidêmicas da depressão porque a realidade é tão raramente expressa; e a realidade é tão raramente expressa em parte porque não percebemos como essa doença é comum.

Tive uma experiência extraordinária durante um fim de semana que passei na casa de uns amigos na Inglaterra. Perguntaram-me o que eu estava fazendo e obedientemente confessei estar escrevendo um livro sobre depressão. Depois do jantar, uma linda mulher com longos cabelos louros presos num coque apertado me abordou no jardim. Colocando gentilmente a mão em meu braço, ela perguntou se podia falar comigo por um momento. Passeamos pelo jardim durante a hora seguinte, quando ela me contou sobre sua terrível infelicidade e suas batalhas contra a depressão. Estava sob medicação e isso a ajudava até certo ponto, mas ainda se sentia incapaz de lidar com muitas situações e temia que seu estado mental acabasse por destruir seu casamento. "Por favor", disse quando terminamos a conversa, "não conte nada disso a ninguém. Especialmente a meu marido. Ele não pode saber. Ele não entenderia e não toleraria." Dei minha palavra. Foi um bom fim de semana de sol e lareiras agradáveis à noite, e o grupo, inclusive a mulher que me fizera confidências, era bastante brincalhão e encantador. No domingo, depois do almoço, fui cavalgar com o marido da mulher deprimida. A meio caminho dos estábulos, ele subitamente se virou para mim e disse constrangido: "Eu não falo muito". E então deteve tanto o cavalo quanto a frase. Achei que ia me perguntar algo sobre a esposa, com quem me vira conversando em várias ocasiões. "Acho que a maioria dos meus amigos entenderia", tossiu. Sorri encorajadoramente. "É depressão", ele disse finalmente. "Você está escrevendo sobre depressão, não é?" Confirmei e esperei mais um momento. "Por que alguém como você se dedicou a esse tópico?", perguntou. Eu disse que eu mesmo tivera depressão e comecei minha explicação habitual, mas ele me interrompeu. "Teve? Você teve depressão e agora está escrevendo sobre isso? Pois saiba de uma coisa, e não gosto de falar tanto, mas a verdade é essa. Tenho passado por um período horrível. Não sei por quê. Boa vida, bom casamento, bons filhos, tudo isso, muito próximo de todos, mas tive na verdade que consultar um psiquiatra, e ele me receitou esses comprimidos desgraçados. Agora estou me sentindo um pouco mais eu mesmo, mas será que sou mesmo eu? Jamais diria à minha mulher ou a meus filhos, porque eles não entenderiam, não achariam que sou grande coisa como *pater familias* e tudo o mais. Vou parar de tomar os remédios em breve, mas quem sou eu?" No final de nossa pequena conversa, ele me fez jurar sigilo.

Eu não disse ao homem que sua mulher tomava o mesmo remédio que ele; nem contei à mulher que o marido poderia entender a situação dela muito bem. Não contei a nenhum deles que viver em segredo é oneroso e que sua depressão era provavelmente exacerbada pela vergonha. Não disse que um casamento em que informações básicas não são trocadas é frágil. Contudo, disse a eles que a depressão é frequentemente hereditária e que deviam prestar atenção nos filhos. Recomendei a abertura como uma obrigação para com a próxima geração.

Declarações dramáticas recentes de um amplo círculo de celebridades certamente vêm ajudando a desestigmatizar a depressão. Se personalidades como Tipper Gore,[2] Mike Wallace[3] e William Styron[4] podem dizer que estão deprimidos, talvez gente menos visível possa falar também. Com a publicação deste livro, abandonei uma privacidade conveniente. É preciso dizer, porém, que falar sobre minha depressão tem tornado a doença mais fácil de aguentar, e seu retorno, mais fácil de impedir. Eu recomendaria falar livremente sobre a depressão. Ter segredos é oneroso e exaustivo, e decidir exatamente quando comunicar a informação guardada é perturbador.

É também assustador, mas comum que, não importa o que você diga sobre sua depressão, as pessoas não acreditam, a não ser que você pareça agudamente deprimido. Sou bom em disfarçar meus estados de ânimo; como um psiquiatra certa vez me disse, sou "dolorosamente supersocializado". Contudo, fiquei espantado quando um conhecido me ligou para dizer que estava frequentando reuniões de um grupo de AA e queria me dar satisfações sobre sua eventual frieza que era, disse ele, a consequência não de esnobismo, e sim de uma profunda inveja de minha vida "aparentemente perfeita". Não entrei nas inúmeras imperfeições da minha vida, mas lhe perguntei como é que ele podia ao mesmo tempo dizer que invejava meu artigo no *New Yorker*, mostrar interesse no progresso deste livro e achar que minha vida parecia perfeita. "Sei que esteve deprimido num determinado período", disse ele, "mas isso não parece ter causado nenhum efeito em você." Disse-lhe que de fato aquilo modificara e determinara todo o resto de minha vida, mas eu sentia que minhas palavras não estavam sendo assimiladas. Ele jamais me vira encolhido na cama e essa imagem não fazia sentido algum para ele. Minha privacidade era perturbadoramente inviolável. Um editor do *New Yorker* disse-me recentemente que eu na verdade nunca fora deprimido. Protestei que as pessoas que nunca sofreram de depressão não fingem tê-la, mas ele não se convenceu. "Ora, que diabo você tem para ser deprimido?" Eu fora engolido pela minha recuperação. Minhas histórias e meus episódios intermitentes pareciam muito irrelevantes; e o fato de eu declarar publicamente que tomava antidepressivos não o desconcertou. Esse é o estranho lado do estigma. "Não me convenço de todo esse negócio de depressão", disse ele. Era como se eu e as pessoas sobre as quais escrevo conspirássemos para arrancar solidariedade extra do mundo. Deparei com essa paranoia vezes sem conta, e ela ainda me deixa atônito. Ninguém nunca disse à minha avó que ela realmente não sofria do coração. Ninguém diz que taxas crescentes de câncer de pele estão na imaginação pública. Mas a depressão é tão assustadora e desagradável que muita gente simplesmente renega a doença e repudia os que sofrem dela.

Mesmo assim, há uma linha tênue entre se abrir e ser cansativo. Falar sobre depressão põe as pessoas para baixo, e nada é mais chato do que alguém que fala sobre seu próprio sofrimento o tempo todo. Quando se está deprimido, perde-se o autocontrole, e a depressão torna-se a sua única realidade; mas isso não significa que ela tenha que ser o tópico primordial de sua conversa pelo resto da vida. Frequentemente ouço as pessoas dizerem: "Precisei de anos para poder contar a meu psiquiatra que...", e penso que é loucura repetir em coquetéis as coisas que se contam ao psiquiatra.

O preconceito, enraizado amplamente na insegurança, ainda existe. Durante um passeio de carro recente com alguns conhecidos, passamos por um hospital famoso. "Ah, olhem", disse um deles. "Foi ali que Isabel foi eletrocutada." E moveu o indicador esquerdo em torno da orelha num sinal de maluquice. Com todos os meus impulsos ativistas à tona, perguntei o que acontecera exatamente com Isabel e descobri, como previra, que ela recebera TEC no hospital em questão. "Ela deve ter passado por um período difícil", eu disse, tentando defender a pobre garota sem ser sincero demais. "Pensem como deve ser chocante receber choques." Ele deu uma gargalhada. "Eu mesmo quase me dei um eletrochoque outro dia, tentando consertar o secador de cabelo de minha mulher", disse. Acredito piamente em senso de humor e não fiquei ofendido, mas tentei — e falhei — nos imaginar passando por um hospital em que Isabel tivesse recebido quimioterapia e fazendo piadas semelhantes.

A Lei para Americanos com Deficiência (Americans with Disabilities Act, ADA), que garantiu auxílio significativo aos deficientes, exige que os empregadores não estigmatizem os doentes mentais.[5] Isso traz à tona questões duras, muitas delas sob consideração pública desde o livro *Ouvindo o Prozac*. Seu patrão deveria poder exigir que você tome antidepressivos se você não está trabalhando com a velocidade necessária? Se você fica retraído, ele deveria poder despedi-lo por você não fazer o que é apropriado à situação? É verdade que as pessoas com a doença sob controle não deviam ser impedidas de fazer um trabalho para o qual são capacitadas. Por outro lado, a dura verdade é que os paraplégicos não podem trabalhar como carregadores de bagagem e moças gordas não podem ser supermodelos. Se eu empregasse alguém que caísse regularmente em depressão, ficaria mais do que um pouco frustrado. O preconceito e a pragmática conspiram para a desvantagem dos deprimidos, flagrantemente em certas áreas e menos flagrantemente em outras. A Associação Federal de Aviação (Civil Aeromedical Institute, CAMI)[6] norte-americana não permite que pessoas sofrendo de depressão pilotem aviões comerciais; se um piloto passa a tomar antidepressivos, deve se aposentar. Isso provavelmente faz com que um grande número de pilotos deprimidos evite tratamento, e minha impressão é que os passageiros estão muito menos seguros com eles do que estariam com pilotos tomando Prozac. Dito isso, pode-se sair das crises mais agudas; muita força foi dada à medicação, mas há limites na capacidade de recuperação. Eu não votaria num presidente frágil. Gostaria que não fosse assim. Seria bom ver o mundo governado por alguém que soubesse por experiência pessoal o que eu e outros temos passado. Eu não poderia ser presidente, e seria um desastre para o mundo se tentasse sê-lo. As poucas exceções a essa regra — Abraham Lincoln ou Winston Churchill, que sofreram de depressão — usam sua ansiedade e sua capacidade de envolvimento como base de sua liderança, mas isso requer uma personalidade verdadeiramente extraordinária e um tipo particular de depressão que não seja incapacitante em momentos cruciais.

Por outro lado, a depressão não deixa ninguém inútil. Logo que Paul Bailey Mason e eu entramos em contato, ele vinha sofrendo de depressão a maior parte de sua vida; na verdade, era o quinquagésimo aniversário de suas primeiras sessões de TEC. Ele tivera uma vida traumatizada; quando apresentou "problemas disciplinares" na adolescência, sua mãe conseguiu que alguns amigos seus da Klu Klux Klan o atacassem. Mais tarde, ele foi internado involuntariamente num asilo e enquanto esteve lá foi espancado quase até a morte; finalmente conseguiu escapar durante uma rebelião de pacientes. Ele tem um auxílio integral de incapacidade na segurança social há quase vinte anos. Durante esse tempo, obteve dois mestrados. Com sessenta e tantos anos, afligido pela carga dupla de sua idade e histórico médico, buscou ajuda para encontrar trabalho. Contudo, funcionários de todos os níveis lhe disseram que não havia trabalho para alguém como ele, e que não devia nem tentar procurar. Sei o quanto Mason era produtivo porque li a grande quantidade de cartas que ele enviou para serviços de reabilitação na Carolina do Sul, onde mora, para o escritório do governador e para quase qualquer um em que conseguiu pensar. Sob medicação, ele parecia funcionar bem a maior parte do tempo. O simples número de palavras era esmagador. Disseram a Mason que os empregos disponíveis para pessoas na sua situação eram trabalhos manuais e que, se quisesse um emprego usando a mente, teria que encontrá-lo sozinho. Aceitando empregos eventuais como professor, a maior parte dos quais envolvendo deslocamentos horríveis entre sua casa e o trabalho, ele conseguiu sobreviver enquanto escrevia centenas e centenas de páginas sobre seu caso, explicando-se, pedindo ajuda — e conseguindo em troca punhados de formulários. Lendo-as, duvido que as cartas de Paul fossem sequer passadas a alguém que pudesse ajudá-lo. "A depressão cria sua própria prisão", escreveu a mim. "Fico aqui num apartamento que mal posso pagar e luto por ajuda para encontrar um emprego. Quando não consigo suportar ficar sozinho, como no Natal do ano passado, pego o metrô e passeio por Atlanta. É o mais próximo que posso chegar de outras pessoas nas presentes circunstâncias." Seus sentimentos foram ecoados por muitos outros que conheci. Certa mulher que se sentia socialmente isolada por seus fracassos profissionais escreveu: "Estou finalmente sufocando sob o peso de não ter emprego".

Richard Baron é há algum tempo membro do conselho da Associação Internacional dos Serviços de Reabilitação Psicossocial (International Association of Psychosocial Rehabilitation Services, IAPSRS), a organização para profissionais psiquiátricos não médicos, que atualmente tem quase 2 mil membros. Os próprios deprimidos, escreve ele, começaram a expressar preocupações profundas sobre o vazio de suas vidas na comunidade sem a construção egoica, a vinculação social e os benefícios de produzir renda de um emprego, demonstrando quão solidamente o trabalho é uma parte fundamental do processo de recuperação.[7]

Uma análise dos correntes programas de ajuda revela um terrível problema com eles. Os deprimidos que podem ser classificados como deficientes nos Estados Unidos são qualificados para o Seguro de Deficiência da Segurança Social (Social Security Disability Insurance, SSDI) e Renda de Segurança Complementar (Supplemental Security Income, SSI); eles também se qualificam, em geral, para o Medicaid, que paga pelos tratamentos contínuos geralmente caros. Pessoas que recebem SSDI e SSI temem assumir um emprego com medo de perder os benefícios; de fato, menos de 0,5% dos que recebem SSDI ou SSI abre mão deles para voltar ao mercado de trabalho. "A subcultura da doença mental grave não tem nenhuma 'sabedoria popular'", escreve Baron, "tão inabalável (e completamente errada) como a noção de que as pessoas que voltam a trabalhar perderão imediatamente todos os benefícios de SSI e nunca poderão tê-los de volta. O sistema de doença mental reconhece a importância do emprego como um objetivo, mas continua paralisado em sua capacidade de fornecer fundos a serviços de reabilitação."

Embora as pesquisas de aplicação mais imediata em saúde mental tenham sido realizadas pela indústria farmacêutica, nos Estados Unidos os mecanismos mais primitivos do cérebro são descobertos no Instituto Nacional de Saúde Mental, localizado num campus imenso em Bethesda, em Maryland. Trata-se de um dos 23 itens do orçamento dos Institutos Nacionais da Saúde (National Institutes of Health, NIH); outro item corresponde à Administração para Serviços de Saúde Mental e Uso de Drogas (Substance Abuse and Mental Health Services Administration, SAMHSA), que realiza trabalhos ligados à depressão, mas não faz parte do NIMH.[8] Tanto no NIMH quanto na SAMHSA, o benefício instantâneo da pesquisa aplicada é subsidiário de um aumento no conhecimento humano por meio da pesquisa básica. "Quando desvendamos os segredos da doença", diz o deputado John Porter, pragmático, "podemos fazer muito para prevenir a doença. Se investirmos dinheiro em pesquisa, salvaremos vidas e reduziremos o sofrimento. As pessoas começam a perceber que os benefícios são imensos se comparados ao investimento feito".

No início dos anos 1990, o Congresso norte-americano pediu a seis proeminentes vencedores do Prêmio Nobel de ciências que indicassem dois temas para pesquisa importante.[9] Cinco dos seis escolheram o cérebro. O Congresso declarou o período de 1990 a 2000 a "Década do Cérebro" e dedicou vastos recursos à pesquisa do cérebro. "Isso será lembrado como um dos mais importantes decretos aprovados pelo Congresso para o avanço do conhecimento humano sobre si mesmo", diz o deputado Bob Wise. Durante a década do cérebro, os fundos para a doença mental aumentaram enormemente, e "as pessoas começaram a entender que a doença mental é uma doença como as outras", diz Porter. "As pessoas costumavam ver a doença mental como um poço sem fundo que sugava dinheiro, exigindo tratamento psiquiátrico interminável, o taxímetro sempre correndo, o progresso duvidoso. Os novos medicamentos mudaram tudo isso. Agora, porém, temo que comecemos a não prestar atenção nas pessoas que não são ajudadas ou não possam ser ajudadas pela medicação."

Dentro do governo norte-americano, o senador democrata Paul Wellstone, de Minnesota, e o senador republicano Pete Domenici, do Novo México, têm sido os principais defensores de melhorias na legislação de saúde mental. No momento, o foco da luta política no governo diz respeito à paridade do seguro. Mesmo os americanos que têm uma cobertura de saúde abrangente costumam ter provisões limitadas para a saúde mental; na verdade, mais de 75% dos planos de saúde nos Estados Unidos oferecem menos cobertura para doenças mentais do que para outras doenças.[10] Tanto no plano vitalício quanto no anual, os benefícios do seguro saúde para distúrbios mentais podem ser limitados num patamar inferior a 5% daquele aplicado para doenças "comuns". Desde o início de 1998, as empresas norte-americanas com mais de cinquenta funcionários que oferecem planos de saúde estão proibidas de estipular limites menores para a cobertura de problemas de saúde mental, mas essas empresas ainda podem estabelecer uma contribuição do segurado (a parte do tratamento paga pelo paciente, e não pela seguradora) mais alta para distúrbios mentais do que para outras queixas, de modo que os dois tipos de doença ainda são cobertos de maneira diferente. "O fato de a maioria das apólices não oferecer cobertura para minha filha com depressão assim como ofereceriam se ela tivesse epilepsia é simplesmente inacreditável", diz Laurie Flynn, diretora da Aliança Nacional para os Pacientes Mentais, principal grupo de defesa da categoria no país. "Tenho um pedido de reembolso aceito para artrite reumatoide porque essa é considerada uma doença 'real', mas a doença da minha filha, não? A saúde mental é muito difícil de definir; poucas pessoas gozam de saúde mental perfeita. Nossa sociedade não tem nenhuma obrigação de me oferecer cobertura de saúde para minha alegria pessoal, e nem pode arcar com esse custo. Mas a doença mental é algo muito mais direto. É algo que está entrando para o conjunto de grupos lesados que estão se unindo para reivindicar direitos mais justos." A Lei para Americanos com Deficiência (ADA) protege aqueles com "deficiências físicas e mentais", mas a doença mental ainda é um sério obstáculo para a empregabilidade e carrega um estigma pesado. "Ainda é comum pensarem que, se a pessoa fosse mesmo forte", diz Laurie, "aquilo não teria acontecido com ela. Se fosse mesmo uma pessoa asseada, bem--criada e devidamente motivada, isso não aconteceria."

Como todos os movimentos políticos, este depende das simplificações exageradas. "Trata-se de um desequilíbrio químico, como no rim ou no fígado", diz Laurie. Na verdade, existe um certo desejo de ter ambas as coisas: o desejo de ser tratado e o desejo de ser protegido. "Desenvolvemos uma campanha de cinco anos para acabar com a discriminação, fazendo com que essas doenças sejam entendidas como distúrbios do cérebros, nada mais." Algo difícil, já que são distúrbios do cérebro *e* algo mais. Robert Boorstin é bipolar e, dentre as pessoas que declaram abertamente sofrer de doenças mentais, é uma das mais destacadas do país. Tornou-se um porta-voz público para a questão das doenças mentais. "Há pessoas no 'movimento'", diz ele, "que perdem literalmente o controle quando veem a palavra *louco* ser usada incorretamente."

As organizações para a manutenção da saúde (Health Maintenance Organizations, HMOs) não têm boas notícias para os deprimidos. Sylvia Simpson, que confronta as HMOs com regularidade no seu trabalho como clínica do hospital Johns Hopkins, só conta histórias terríveis. "Passo cada vez mais tempo no telefone com representantes de empresas de administração de cuidados, tentando justificar a estadia de meus pacientes. Quando os pacientes ainda estão muito, muito mal, se não apresentarem um quadro suicida agudo naquele dia, dizem-me para liberá-los. Eu digo que precisam ficar aqui, mas eles simplesmente respondem: 'Pois eu acho que não'. Eu digo aos parentes para pegar o telefone, chamar advogados, lutar. Obviamente, os pacientes estão doentes demais para fazê-lo. Acreditamos que temos de manter as pessoas aqui até que seja seguro irem a outro lugar. Assim, a família acaba recebendo a conta; se não puderem pagar, perdoamos a dívida. Não podemos sustentar essa política e, além disso, as seguradoras se aproveitam da situação. E isso também deprime ainda mais os pacientes; é simplesmente terrível." Nos hospitais com menos recursos, com uma liderança menos determinada, esse perdão da dívida do paciente é com frequência impossível; e pessoas deprimidas não estão em condições de defender seus casos diante de suas seguradoras. "Sabemos de inúmeros casos", declara Laurie, "de pessoas que receberam alta por causa de uma decisão da HMO, quando não estavam prontas para isso e, consequentemente, cometeram suicídio. Há mortes causadas por tais políticas." "Aqueles que estão com a arma apontada para a cabeça talvez consigam que seu tratamento seja coberto", diz Jeanne Miranda. "Basta guardar a arma e a cobertura desaparece."

A depressão é uma doença muito cara. Meu primeiro colapso custou a mim e ao seguro cinco meses de trabalho, 4 mil dólares de visitas ao psicofarmacologista, 10 mil de psicoterapia, 3500 de remédios.[11] Eu economizava muito, é claro, já que não falava ao telefone, não ia a restaurantes, não comprava ou usava roupas; e morar no apartamento de meu pai baixava minha conta de eletricidade. Mas a questão econômica não era fácil. "Digamos que sua apólice de seguro cubra 50% de vinte visitas por ano a um psiquiatra", diz Robert Boorstin. "Além disso, depois de mil dólares, ela cobre 80% dos remédios. E isso é considerado um bom plano. Quem pode arcar com isso? Quando dei entrada em minha segunda hospitalização, minha seguradora disse que eu não tinha cobertura, e meu irmão teve que colocar 18 mil dólares de seu cartão American Express para que eu fosse *admitido* no hospital." Boorstin posteriormente processou a seguradora e conseguiu um acordo, mas os recursos para empreender tais ações são poucos e muito espaçados. "Agora gasto cerca de 20 mil dólares por ano na manutenção de minha saúde mental, sem hospitalização. Mesmo a depressão mais simples exige pelo menos 2 mil ou 2500 dólares por ano, e uma hospitalização de três semanas parte de 14 mil dólares."

Na verdade, a *Journal of the American Medical Association* estimou recentemente o custo anual da depressão nos Estados Unidos em 43 bilhões de dólares: 12 bilhões em custos diretos e 31 bilhões em custos indiretos. Dessa quantia, 8 bilhões de dólares são perdidos por causa da morte prematura de membros potencialmente produtivos da força de trabalho; 23 bilhões se perdem com a ausência ou perda de produtividade no ambiente de trabalho. Isso significa que o empregador médio perde cerca de 6 mil dólares por ano por funcionário deprimido.[12] "O modelo usado nesse estudo", diz o artigo da JAMA, "subestima o verdadeiro custo para a sociedade, porque não inclui os efeitos adversos da dor e do sofrimento e outras questões ligadas à qualidade de vida. Além disso, tais estimativas são conservadoras, porque o estudo não levou em consideração outros custos importantes, como as despesas adicionais pagas pelas famílias com os próprios recursos, a hospitalização excessiva para condições não psiquiátricas decorrentes da depressão e exames excessivos em busca de diagnósticos médicos gerais quando a depressão é a causa dos sintomas do paciente".

Desde que se envolveu com a legislação sobre saúde mental em 1996, o senador Wellstone tem liderado a batalha para tornar ilegal a discriminação entre doença mental e física. Embora a paridade de legislação esteja pendente, a noção de que *há* uma separação entre doenças físicas e mentais está deixando de existir, e é politicamente adequado, talvez mesmo necessário, aderir à visão biológica, deixar a química minorar a responsabilidade pessoal, criando um paralelo entre a doença mental e doenças físicas importantes. "Seria interessante abrir algum dia uma ação contra uma seguradora que recusasse a paridade e dizer, com base na proteção da igualdade, que as disfunções mentais *são* disfunções físicas e que não se pode excluir doença mental se seu objetivo é cobrir todas as doenças físicas definidas e descritas pelos médicos", diz o senador Domenici. Há uma legislação inicial sobre a paridade que foi aprovada recentemente,[13] mas são "tantos furos que mais parece um escorredor de macarrão", conforme afirmou a deputada democrata Marcy Kaptur, de Ohio. Embora o espírito da lei seja animador, ela é pouco para alterar o status quo. Wellstone e Domenici esperam apresentar um projeto de lei mais rigoroso.

É difícil encontrar alguém no Congresso que se oponha em princípio à cura dos mentalmente doentes; "a oposição é a competição", diz Porter. Embora declarações sobre a natureza trágica do suicídio e o perigo das doenças psiquiátricas se acumulem no *Congressional Record*, a legislação pertinente a essas estatísticas não é aprovada facilmente. Quando se aumenta a extensão de cobertura, o custo do plano sobe, e no sistema norte-americano atual isso significa que menos pessoas têm cobertura médica. Quatrocentas mil pessoas abandonam os planos de saúde a cada 1% de aumento no seu custo.[14] Assim, se a paridade de cobertura para a saúde mental representasse um aumento no custo do atendimento médico da ordem de 2,5%, 1 milhão de norte-americanos seria excluído do sistema. Experimentos com a paridade demonstram que ela não aumenta necessariamente os custos em mais de 1%; pessoas que recebem cuidados de saúde mental adequados são muito mais capazes de regular sua alimentação e seus exercícios e de ir a médicos a tempo para que a medicina preventiva seja eficaz, e assim o seguro de saúde mental paga amplamente a si mesmo. Mais ainda, com a crescente evidência de que as pessoas com depressão severa são muito mais vulneráveis a uma variedade de doenças (inclusive infecções, câncer e doença cardíaca) do que a população em geral, os cuidados de saúde mental se tornam parte de um programa de saúde física econômica e socialmente equilibrado.[15] Nesses locais em que a paridade foi introduzida, o custo agregado geral no primeiro ano é inferior a 1% por seguro familiar.[16] Mas o lobby das seguradoras sempre teme que os custos fujam ao controle, e os debates que ocorrem no Senado mostram que, na cabeça de muitas pessoas, a dinâmica econômica do tratamento de saúde mental ainda é altamente problemática.

"Adiar a intervenção por causa de restrições do seguro *não resulta* em gastos menores", disse enfaticamente a deputada republicana Marge Roukema, de New Jersey. "Na verdade, custos maiores são incorporados." A Câmara formou a Comissão de Trabalho para a Saúde Mental (depois que foi decidido que uma Comissão de Trabalho para a Doença Mental soava mal), presidida pela deputada Marge e pela deputada Kaptur. Os debates no Senado envolveram a paridade enquanto questão dos direitos civis. "Na verdade, sou o tipo de sujeito que prefere o mercado", diz o senador Domenici. "Mas acho que há uma violação dos direitos civis quando dizemos a um grupo tão grande quanto esse: 'Bem, virem-se'. Não podemos tratar os doentes mentais como se fossem aberrações." O senador democrata Harry Reid, de Nevada, diz: "Agora vejo uma jovem que tem problemas com a menstruação e nós a levamos ao médico imediatamente; ou um jovem com asma que recebe tratamento rápido. Mas, se esses jovens não falam com ninguém, se pesam 140 quilos com um metro e meio de altura, e daí? 'Sr. presidente da comissão', eu disse recentemente, 'acho que deveríamos realizar uma audiência para a questão do suicídio.' Gastamos muito dinheiro garantindo que as pessoas dirijam com segurança. Fazemos muito para garantir a segurança dos aviões. Mas o que fazemos a respeito das 31 mil vidas por ano que se tornam suicídios?"

O foco da Câmara dos Deputados tem sido a ideia de que os doentes mentais são perigosos. Vários episódios de violência relacionada à doença mental tornaram-se icônicos: John Hinckley alvejando Ronald Reagan, o Unabomber, os tiros de Russell Weston Jr. que atingiram dois policiais em Capitol Hill, o episódio no qual um esquizofrênico diagnosticado, Andrew Goldstein, empurrou uma mulher sob um trem do metrô em Nova York, os disparos em agências do correio e, sobretudo, os terríveis tiroteios em escolas em Littleton, Atlanta, Kentucky, Mississipi, Oregon, Denver e Alberta. Segundo notícias recentes da imprensa, em 1998 mais de mil homicídios foram atribuídos a pessoas com doenças mentais.[17] A depressão está implicada com muito menos frequência do que a psicose maníaco-depressiva ou a esquizofrenia, mas a depressão agitada leva a atos violentos. O foco em pessoas mentalmente doentes que são perigosas aumenta o estigma e reforça a percepção pública negativa de pessoas sofrendo de doença mental.[18] Contudo, é extremamente eficaz para levantar fundos; muitos que não pagariam para ajudar estranhos pagam contentes para se proteger, e o argumento "pessoas como essas é que matam pessoas como nós" capacita a ação política. Um estudo britânico recente mostrou que embora apenas 3% dos doentes mentais sejam considerados perigosos para os outros, quase 50% de toda a cobertura da imprensa sobre eles se focam no perigo que eles representam. "Membros bastante inteligentes do Congresso estão dispostos a desenvolver uma mentalidade extremamente defensiva, em vez de tentar compreender as condições que motivam atos horrendos", disse a deputada Kaptur, "e, com isso, erguem cercas de arame farpado e aumentam o policiamento para evitar problemas que deveriam ser abordados com um aumento nos recursos para a saúde mental. Estamos gastando bilhões de dólares para nos defender dessas pessoas quando, por muito menos, poderíamos ajudá-las." O presidente Clinton, que tinha um sólido histórico de defesa dos direitos dos doentes mentais e apoiou a Conferência da Casa Branca para a Doença Mental, de Tipper Gore, me disse: "Bem, só podemos torcer para que as pessoas comecem a prestar atenção na urgência desse problema após a tragédia em Littleton, depois de Atlanta, depois do ataque contra aqueles policiais no Capitólio. Grandes mudanças legislativas nessa área — é tragédia após tragédia."

"Sejam elas simpáticas ou não, as pessoas daqui não tomam decisões simplesmente por estarem certas de acordo com alguma ideia abstrata de moral", destaca a deputada Lynn Rivers. "É preciso fazer a população em geral perceber que isso é do interesse de *todos*." Ela é enfática em sua defesa da lei proposta por Marge e Kaptur, e, como essas deputadas, critica a linguagem empregada no texto da lei. Não são usados os termos morais da responsabilidade ética. Proposta após o tiroteio de Weston no Capitólio, ela fala em autoproteção. "*É claro* que desejamos ajudar os doentes mentais não violentos tanto quanto queremos controlar aqueles que são violentos", disse-me Marge. "Mas nós é que estamos em posição de agir. Para apresentar algum tipo de relatório substancial, temos que mostrar às pessoas que fazer algo a respeito disso serve ao seu próprio interesse *urgente*. Temos que falar de impedir crimes atrozes que poderiam atingir a eles e aos seus representantes a qualquer momento. Não podemos falar simplesmente num estado mais próspero, melhor e mais humano." Os argumentos econômicos raramente foram usados, em comparação, e a ideia de afastar as pessoas da assistência social e trazê-las para o capitalismo ainda parece obscura para o Congresso — embora um estudo recente realizado pelo MIT tenha mostrado que, quando as pessoas sofrem uma grande depressão, sua capacidade de trabalhar cai dramaticamente, mas retorna ao nível base com o tratamento usando antidepressivos.[19] Dois outros estudos mostram que empregos monitorados para os doentes mentais são a maneira mais economicamente benéfica de lidar com eles.[20]

Pesquisa recente vinculando depressão a outras doenças está começando a ter peso com os legisladores. Se a depressão não tratada deixa alguém mais propenso à infecção, câncer e doença cardíaca, então é uma doença cara demais para ser ignorada. Por uma ironia dos políticos, quanto mais cara for a depressão não tratada, mais dinheiro será disponibilizado para tratar a doença. John Wilson, um ex-candidato a prefeito de Washington, DC, que cometeu suicídio, disse certa vez: "Acredito que mais pessoas estão morrendo de depressão do que de aids, problemas cardíacos, pressão alta, qualquer outra coisa, simplesmente porque acredito que a depressão faz todas essas doenças surgirem".

Embora os debates envolvendo a paridade de seguro sejam acirrados, ninguém discute o que deve ser feito a respeito da depressão entre aqueles que não têm seguro. Os programas Medicare e Medicaid oferecem vários níveis de serviço em diferentes estados, mas não proporcionam programas de identificação de doentes, e a maioria dos deprimidos indigentes não consegue se organizar a ponto de buscar ajuda. Os debates em favor do tratamento dos indigentes deprimidos me parecem excessivos e, por isso, fui ao Capitólio para compartilhar as experiências relatadas no capítulo anterior. Eu estava ali numa posição estranha, um ativista acidental e também um jornalista. Quis saber o que vinha sendo feito, mas queria também convencer o governo a insistir em reformas que serviriam aos interesses da nação e do povo cujas histórias tinham me comovido tanto. Quis compartilhar meu conhecimento íntimo da questão. O senador Reid parecia compreender bem: "Alguns anos atrás, eu me disfarcei, como um sem-teto, com chapéu de beisebol e roupas de mendigo velho, e passei uma tarde e uma noite num abrigo para moradores de rua em Las Vegas e, no dia seguinte, fiz o mesmo em Reno. Podem escrever quantas reportagens quiserem a respeito do Prozac e de todos os remédios modernos e milagrosos que detêm a depressão. Nada disso ajuda esse grupo de pessoas". O próprio Reid cresceu na pobreza e seu pai se matou. "Entendi que, se meu pai tivesse alguém com quem pudesse conversar e tomasse algum remédio, ele dificilmente teria se matado. Mas, no momento, nossas preocupações legislativas não têm sido essas."

Quando me reuni com o senador Domenici, copatrocinador da Lei de Paridade para a Saúde Mental, apresentei a ele as informações casuais e estatísticas que tinha reunido e então propus que fossem plenamente documentadas tendências que pareciam obviamente implicadas nessas histórias. "Suponhamos", disse eu, "que conseguíssemos reunir dados inquestionáveis, e que a questão do preconceito, das informações inadequadas e do partidarismo pudessem ser todas integralmente resolvidas. Suponhamos que pudéssemos dizer que um tratamento coerente para a saúde mental voltado para a população indigente com depressão aguda beneficiaria a economia americana, o gabinete de assuntos de veteranos de guerra e o bem social — o bem dos contribuintes que hoje pagam preços altíssimos pelas consequências da depressão não tratada e daqueles que recebem esse investimento, que vivem no limiar do desespero. Qual seria, então, o caminho para a reforma?"

"Se está me perguntando se podemos esperar grandes mudanças simplesmente porque essas mudanças seriam benéficas a todos em termos econômicos e humanos", disse Domenici, "sinto dizer que a resposta é não." Quatro fatores impedem o desenvolvimento de programas federais para oferecer cuidados para os indigentes. O primeiro, e talvez o mais formidável, é simplesmente a estrutura do orçamento nacional. "Estamos agora ocupando um nicho de programas e custos de programas", disse Domenici. "A questão que precisamos enfrentar é se o programa que acaba de descrever vai crescer e exigir novos recursos, e não se o Tesouro dos Estados Unidos poderá poupar algo com ele." Não é possível reduzir imediatamente outros custos: não se pode tirar o dinheiro do sistema prisional ou do sistema de bem-estar social num ano para pagar por um novo serviço de identificação de pacientes com problemas de saúde mental, porque as vantagens econômicas desse serviço se manifestam lentamente. "Nossa avaliação dos sistemas de prestação de serviços médicos simplesmente não é orientada pelo resultado", confirmou Domenici. O segundo é o fato de a liderança do Partido Republicano no Congresso americano não gostar de passar diretrizes à indústria da saúde. "Seria um mandado", disse Domenici. "Há pessoas que apoiariam esse tipo de legislação em todos os níveis, mas que, do ponto de vista ideológico, opõem-se a mandados contra estados, contra seguradoras, contra qualquer um." A legislação federal, na Lei McCarran-Ferguson,[21] torna as regras para as seguradoras de saúde uma questão estadual. O terceiro é a dificuldade em fazer com que pessoas eleitas para mandatos limitados se concentrem na melhoria da infraestrutura social no longo prazo, em vez do rápido espetáculo de efeitos imediatamente visíveis na vida dos eleitores. E o quarto é que, nas palavras tristes e irônicas do senador Wellstone: "Estamos vivendo numa democracia representativa. As pessoas defendem as causas que mais importam para seus eleitores. Os indigentes e deprimidos ficam na cama no dia da eleição, com o cobertor sobre a cabeça — e isso significa que é pequena a representação deles aqui. Os indigentes deprimidos não são aquilo que chamaríamos de um grupo empoderado".

É sempre estranho passar de experiências intensas com uma população completamente desprovida de direitos para experiências intensas com uma população poderosa. Fiquei tão animado com as conversas com membros do Congresso quanto tinha ficado ao conversar com os indigentes deprimidos. O tema da paridade para a saúde mental ultrapassa as divisões partidárias; nas palavras de Domenici, republicanos e democratas estão "disputando lance a lance para ver quem ama mais o NIMH". O Congresso aprova consistentemente mais dinheiro para o NIMH do que o estipulado no orçamento; em 1999, o presidente Clinton destinou 810 milhões de dólares;[22] o Congresso, liderado pelo deputado John Porter, o presidente da subcomissão de dotações orçamentárias extremamente competente, que está em seu 11º mandato consecutivo no Congresso e é um grande fã da pesquisa científica elementar, elevou o número para 861 milhões.

Para o ano de 2000, o Congresso aumentou os recursos para Dotação Combinada para os Serviços Comunitários de Saúde Mental em 24%,[23] chegando a 359 milhões de dólares. O presidente pediu ao seu gabinete pessoal que fizesse concessões a pessoas que sofrem de doenças mentais e estejam buscando emprego. "Se vamos ser conservadores cheios de compaixão", disse Marge, "podemos começar aqui mesmo." Todas as leis importantes envolvendo a saúde mental receberam apoio de republicanos e democratas.

A maioria das pessoas que luta no Congresso por quem sofre de doenças mentais tem histórias pessoais que as trouxeram para essa arena. O pai do senador Reid se matou; o senador Domenici tem uma filha esquizofrênica muito doente; o senador Wellstone tem um irmão esquizofrênico; a deputada Rivers sofre de um distúrbio bipolar agudo; a deputada Roukema é casada com um psiquiatra há quase cinquenta anos; o deputado Bob Wise decidiu servir ao povo após passar um verão trabalhando numa ala psiquiátrica, onde desenvolveu relacionamentos com pacientes que sofriam de distúrbios mentais. "As coisas não deveriam ser assim", disse Wellstone. "Gostaria de ter adquirido meu entendimento desse tema exclusivamente por meio de pesquisas e inquéritos éticos. Mas, para muitas pessoas, os problemas dos distúrbios mentais continuam sendo completamente abstratos, e sua urgência só se torna aparente por meio dessas intensas imersões involuntárias neles. Precisamos de uma iniciativa de educação que possa abrir caminho para uma iniciativa legislativa." Quando a lei de paridade de 1996 foi ouvida no Senado, Wellstone, que fala dos doentes mentais com tal compaixão que mais parece um parente deles, discursou diante do Congresso e, com palavras eloquentes de tirar o fôlego, descreveu suas próprias experiências. Domenici, que está longe de ser um sujeito sentimental, fez uma exposição mais breve de sua experiência, e alguns outros senadores tomaram a palavra e contaram histórias de seus amigos e parentes. Aquele dia no Senado pareceu mais uma sessão de treinamento para seminários do que um debate político. "As pessoas me procuraram antes da votação", recordou Wellstone, "e disseram: 'Isso é muito importante para você, não?'. Eu disse a eles: 'Sim, mais importante do que qualquer outra coisa'. Foi assim que conseguimos os votos." Desde o início, aquele foi mais um ato simbólico do que algo que pudesse resultar em grandes mudanças, porque a decisão de aumentar ou não o custo geral do tratamento permanecia na mão das seguradoras. A qualidade do atendimento oferecido aos pacientes não foi melhorada.

Os programas comunitários de saúde, em sua maioria reduzidos com os cortes orçamentários do final dos anos 1990, costumam ser culpados pelos atos violentos daqueles que deveriam estar sob seus cuidados; de acordo com o critério seguido por boa parte do mundo, se esses programas conseguissem manter todos quietos, eles estariam fazendo seu trabalho. Sua incapacidade em proteger os saudáveis dos doentes faz com que sejam vilipendiados pela imprensa. Com frequência vem à tona a questão de estarem ou não servindo ao bem geral; raramente fala-se na possibilidade de estarem ou não ajudando sua comunidade alvo.

"Muitos dólares do contribuinte são destinados a esses programas", disse a deputada Roukema, "e há fortes indícios de que o dinheiro está sendo desviado para todo o tipo de projeto local irrelevante." O deputado Wise descreveu o debate envolvendo o sistema de saúde na era Clinton, em 1993, como "uma experiência deprimente sob todos os aspectos", e disse que o NIH não estava oferecendo as informações concretas que mostrariam às câmaras locais do comércio os motivos pelos quais a paridade universal seria vantajosa para elas. Quando existem, as clínicas comunitárias de saúde mental tendem a se concentrar em condições relativamente pouco complicadas, como o divórcio. "Eles deveriam defender a distribuição gratuita de medicamentos, o acompanhamento e continuidade do tratamento e a orientação verbal para uma ampla gama de queixas", disse a deputada Kaptur.

A institucionalização é um ponto de discórdia entre uma comunidade legal que apoia liberdades civis e a assistência social que vê pessoas loucas e em sofrimento e considera criminoso não intervir. "Os que defendem as liberdades civis e assumem posições extremas nessa questão são tão incompetentes quanto inconsequentes", disse a deputada Roukema. "Sob o disfarce de liberdades civis, estão infligindo uma punição cruel e pouco habitual às pessoas, apesar do fato de a sociedade saber que pode traçar um caminho melhor. É crueldade; se fizéssemos isso aos animais, as organizações de proteção aos animais estariam atrás de nós. Se as pessoas não tomam os remédios e não continuam seu tratamento, talvez devesse ser obrigatório que fossem reinstitucionalizadas." Há precedentes para tal política. O tratamento de tuberculose é um desses exemplos. Se alguém tem a doença e não é suficientemente disciplinado para tomar os remédios nas horas certas, em alguns estados uma enfermeira vai até o paciente e lhe dá sua isoniazida todos os dias.[24] Claro que a tuberculose é contagiosa e, não sendo contida, pode sofrer mutação e causar uma crise de saúde pública; mas, se a doença mental é perigosa para a sociedade, a intervenção pode ser racionalizada no modelo da tuberculose.

As leis de internação involuntária foram o grande tema dos anos 1970, durante o período áureo da instituição. Hoje em dia, a maioria das pessoas que deseja tratamento enfrenta dificuldade para obtê-lo, grandes instituições estão sendo fechadas e as instalações para cuidados de curto prazo expulsam precocemente pessoas que ainda não estão preparadas para enfrentar o mundo sozinhas. "A realidade", disse a *New York Times Magazine* no primeiro semestre de 1999, "é que os hospitais não conseguem se livrar dos [pacientes] suficientemente rápido." Entretanto, enquanto ocorre tudo isso, há também pessoas sendo detidas contra sua vontade. Sempre que possível, é melhor seduzir as pessoas e fazê-las aceitar o tratamento do que mantê-las compulsoriamente. Além disso, é importante criar critérios universais com base nos quais a força possa ser usada. As piores violências ocorreram quando indivíduos não qualificados ou mal-intencionados atribuíram a si mesmos o poder de julgar quem está doente e quem não está, encarcerando pessoas sem o devido processo.

É possível ser hospitalizado numa instituição de portas abertas. A maioria dos pacientes nas instalações de cuidados de longo prazo tem liberdade para caminhar pelo caminho até a rua e também por elas; apenas um pequeno número de pacientes fica sob supervisão 24 horas por dia ou em unidades forenses. O contrato entre uma instituição de cuidados e seus moradores é voluntário. Especialistas em direito tendem a defender que as pessoas conduzam as próprias vidas, ainda que possam conduzi-las à destruição, enquanto assistentes sociais psiquiátricos e outras pessoas que tenham realmente lidado de perto com os doentes mentais tendem a defender o intervencionismo. Quem deve decidir quando dar a alguém a liberdade sobre a própria consciência e quando negá-la? Definida de maneira geral, a opinião da direita diz que os loucos devem ser levados e trancafiados para não arrastarem consigo o restante da sociedade — ainda que não representem uma ameaça ativa. Na opinião da esquerda, ninguém deve ter suas liberdades civis infringidas por pessoas agindo fora das estruturas primárias de poder. Para o centro, algumas pessoas precisam ser levadas ao tratamento, e outras, não. Como a resistência ao diagnóstico e o desespero na busca por uma cura estão entre os sintomas de doença mental, a internação involuntária continua sendo uma parte necessária do tratamento.

"Temos que tratar essas pessoas como pessoas, respeitar sua individualidade, mas conectá-las ao fluxo da vida", explica a deputada Kaptur. A União Americana das Liberdades Civis (American Civil Liberties Union, ACLU) adota a posição moderada.[25] Ela publicou uma declaração dizendo que "a liberdade de vagar pelas ruas, num estado psicótico, doente, deteriorado e sem tratamento, quando há uma perspectiva razoável de tratamento, não é liberdade; é abandono". O problema é que, com frequência, a escolha é entre intervenção total ou abandono total: o atual sistema se baseia na psicose categórica e, grosseiramente, carece das soluções de cuidados intermediários das quais a maioria dos deprimidos necessita. Precisamos examinar as pessoas que falam sozinhas em nossas ruas, avaliar as flutuações em suas tendências suicidas, determinar o risco potencial que representam para os outros — e então tentar prever quais deles ficariam agradecidos por receber a cura à força depois de terem resistido a ela e se recuperado.

Ninguém quer ficar deprimido, mas alguns não querem ficar bem, da forma como definiríamos *bem*. Que opções deveriam ter? Devemos deixá-los se retrair na própria doença? Devemos pagar a despesa social de tal retraimento? Através de que processo devemos definir essas questões? O potencial para a burocracia é aterrorizante, e a delicada negociação de quem precisa do quê nunca estará bem resolvida. Se aceitamos que o equilíbrio perfeito é impossível, devemos assumir que temos duas opções: aprisionar algumas pessoas que deviam estar livres ou libertar algumas pessoas que destruirão a si mesmas. A questão de fato não é tanto *se* o tratamento deve ser impingido às pessoas e sim *quando* deve ser impingido a elas e por *quem*. Não consigo olhar para esse problema e não pensar em

Sheila Hernandez, a pobre mulher soropositiva que lutou contra seu aprisionamento no hospital Johns Hopkins, pois queria ser deixada livre para morrer — e que está agora encantada por estar viva e tem seu telefone celular tocando a cada minuto. Mas lembro-me também do rapaz coreano com paralisia cerebral, um paciente com múltiplas disfunções agudas, inclusive deficiências físicas que o impedem de cometer suicídio, forçado a levar uma vida em que não haverá nenhuma felicidade e da qual não lhe é permitido escapar. Apesar de muitas ponderações e considerações, não consigo encontrar a resposta certa para essa pergunta.

O problema da agressão deu origem a leis defensivas; embora poucos deprimidos sejam violentos, eles são enquadrados nas legalidades da esquizofrenia. Os doentes mentais são um corpo diversificado, e a abordagem monolítica para leis relativas aos distúrbios mentais causa intenso sofrimento. Desde o processo marcante de 1972 contra a Willowbook, uma instituição para retardados mentais que realizava experimentos em pacientes não informados, entre outras coisas, a política de oferecer o "alojamento menos restritivo possível" predominou.[26] Embora os doentes mentais possam ser privados de seus direitos por causa de seus comportamentos agressivos, eles também perdem direitos porque o Estado assume poderes de *parens patriae*, uma posição protetora de maneira semelhante ao que ocorre com os menores de idade. A ACLU não acredita que o *parens patriae* deva ser estendido e, sem dúvida, abusou-se do conceito de *parens patriae* em lugares como a União Soviética; trata-se de uma expressão comumente associada a um poder policial paternalista. Mas até que ponto é possível suportar o sofrimento em defesa de um princípio do direito?

O Centro de Defesa do Tratamento (Treatment Advocacy Center, TAC), com sede em Washington, DC, é a entidade mais conservadora em termos de tratamento, e sua posição determina que as pessoas sejam encarceradas mesmo que não representem um perigo real e imediato. Jonathan Stanley, diretor assistente do centro, se queixa de apenas o elemento criminoso receber tratamento. "As pessoas prestam muito mais atenção na probabilidade de serem empurradas para o vão do metrô, de uma em 2 milhões, do que na possibilidade de encontrar vinte psicóticos por dia no Central Park, de 100%." Para Stanley, o distanciamento dos manicômios foi o infeliz resultado da defesa das liberdades civis das pessoas "erradas" enquanto o governo cortava gastos com selvageria. O esvaziamento dos manicômios deveria se traduzir numa gama diversificada de tipos de cuidado na comunidade, mas nada do tipo ocorreu. A consequência disso tem sido o desaparecimento de um sistema de tratamento com diferentes patamares, resultando na gentil devolução forçada das pessoas às suas comunidades; com grande frequência, os pacientes são submetidos ao encarceramento completo ou se veem abandonados à própria sorte. A ideia de oferecer uma força de serviço social para facilitar a transição do desespero a um alto nível de funcionalidade ainda não pegou entre os círculos do governo. O TAC defendeu enfaticamente propostas legislativas como a Lei de Kendra, uma lei de Nova York permitindo que doentes mentais sejam processados caso deixem de tomar seus remédios, criminalizando os doentes. Pessoas deprimidas são levadas ao tribunal, multadas e em seguida soltas novamente nas ruas para lutarem pela sobrevivência, já que não há espaço nem recursos para oferecer um tratamento mais extenso. Se causam problemas demais, são encarcerados como criminosos: em muitas instâncias, o resultado do esvaziamento dos manicômios foi a transferência das pessoas de hospitais para prisões. E, nas prisões, onde recebem tratamento inadequado e equivocado, eles causam muitíssimos problemas. "Ninguém deseja um sistema de saúde mental excelente mais do que o carcereiro", diz Stanley.

O Centro Bazelon, de Washington, DC, no extremo liberal do espectro, acredita que o compromisso deve sempre ser voluntário e define a doença mental como algo aberto à interpretação. "Uma suposta falta de perspectiva por parte do indivíduo", disseram eles, "não costuma ser mais do que discordar com o profissional encarregado do tratamento." Às vezes, sim; mas nem sempre.

A Administração dos Veteranos, ainda convencida de que as queixas psiquiátricas não são coisa para os fortes homens do Exército, gasta em psiquiatria menos de 12% do seu orçamento de pesquisa.[27] Na verdade, os distúrbios psiquiátricos podem ser o problema de maior incidência entre os veteranos,[28] que apresentam uma alta proporção de casos de transtorno de estresse pós-traumático, uso de drogas e falta de moradia. Levando em consideração que uma grande parte do dinheiro do contribuinte já foi gasta no treinamento desses homens e mulheres, a relativa negligência em relação a eles é particularmente preocupante e revela ainda mais a ingenuidade das políticas para a saúde mental. Os veteranos deprimidos, em particular aqueles que combateram na Guerra do Vietnã, formam grande parte da população de norte-americanos sem teto. Essas pessoas passaram por dois traumas seguidos. O primeiro foi a guerra em si, o horror de matar pessoas, de ver a desolação por toda parte, e de lutar pela própria vida numa situação de grande perigo. O outro é a intimidade e a dinâmica de grupo policiadas; muitos veteranos se tornam quase viciados nos padrões de estrutura do Exército e se perdem quando são jogados de volta à vida normal, dependendo dos próprios recursos e entregues à necessidade de definir as próprias atividades. A Comissão dos Veteranos estimou que cerca de 25% dos veteranos que chegam nos hospitais têm um diagnóstico primário de doença mental.[29] Considerando que mais da metade dos médicos dos Estados Unidos recebeu algum tipo de treinamento nos hospitais dos veteranos,[30] o preconceito nessas instituições espalha seu contágio para hospitais civis e salas de emergência.

A deputada Kaptur conta a história de quando foi a um hospital da Administração dos Veteranos, perto de Chicago. Ela estava na sala de emergência quando a polícia trouxe um homem em más condições, e a funcionária do serviço social que estava de plantão disse: "Ah, é uma das pessoas que vejo com regularidade". Kaptur perguntou a ela o que queria dizer, e ela explicou que aquela era a 17ª internação daquele homem por causa de problemas mentais. "Nós o trazemos para cá; damos-lhe um banho; fazemos com que tome o remédio; deixamos que vá; e, poucos meses depois, ele volta para cá." O que dizer de um sistema de saúde mental no qual coisas desse tipo ocorrem? "Dezessete internações de emergência", diz Kaptur. "Tem ideia de quanto dinheiro teríamos se evitássemos dezessete internações ao oferecer os cuidados comunitários adequados? O custo do tratamento inadequado é muito mais alto do que o custo do bom tratamento."

Parece que estamos avançando novamente em direção à internação involuntária, que completamos o círculo. Saímos de um sistema de saúde mental maligno e monolítico para os deprimidos e chegamos a outro, fragmentado e limitado. "As coisas estão melhores do que no sistema antigo, que deixava as pessoas trancadas num quarto, apodrecendo", diz Beth Haroules, da União de Liberdades Civis de Nova York. "Mas, considerando o quanto a gente sabe agora sobre as origens e o tratamento da doença mental, o sistema público está até mais atrasado do que há vinte anos." A verdade é que alguns não são capazes de tomar suas próprias decisões e de fato exigem internação involuntária; outros, embora doentes, não exigem isso. Seria melhor fornecer um sistema graduado de cuidados que possa oferecer serviços extensos em vários níveis e que incorpore um tratamento agressivo de longo alcance para pacientes externos propensos a desistir de seus regimes medicamentais. É necessário estabelecer linhas orientadoras para o devido processo e fazer passar todos os que requerem compromisso pelos mesmos exames, aos quais precisamos incorporar supervisionamentos e escalas. O devido processo deve levar em conta tanto a ameaça que o doente pode significar para a sociedade quanto a dor que o doente sofre sem necessidade. Devem ser estabelecidos padrões pelos quais pessoas serão colocadas na prisão, em internação psiquiátrica involuntária, em tratamento psiquiátrico involuntário ou em tratamento psiquiátrico voluntário. Deve-se criar espaço para os que, com informação completa e nenhum custo significativo para os demais, desejem recusar o tratamento. Um sistema eficiente e desinteressado deve ser estabelecido para supervisionar tais questões.

Lynn Rivers é o único membro do Congresso que tornou suas próprias lutas com a doença mental públicas. Casada aos dezoito anos, quando engravidou, trabalhou primeiro em preparação de comida e como vendedora ambulante para sustentar a família. Começou a desenvolver sintomas pouco depois do nascimento da primeira filha. Quando a doença foi piorando, ela quis consultar um médico. Seu marido, um operário na indústria de automóveis, tinha um plano de seguro conjunto Blue Cross/ Blue Shield. "Acredito que ele cobriu seis visitas a um psiquiatra", disse-me ela sarcasticamente. Na década seguinte, metade dos proventos recebidos por ela e o marido foram para as contas psiquiátricas. Aos 21 anos, ela estava com dificuldade de trabalhar e tinha medo de atender o telefone. "Foi horrível. Longo. Os episódios depressivos continuaram por meses. Passei meses na cama. Eu dormia 22 horas por dia. As pessoas geralmente pensam que a depressão é tristeza: por mais que eu diga o contrário a outros legisladores, eles não compreendem. Não entendem como é vazia, como é um vasto nada."

Defrontando-se com os custos do tratamento, o marido de Lynn teve que trabalhar em dois empregos de tempo integral e parte do tempo num terceiro, mantendo seu lugar numa fábrica de carros, trabalhando na universidade e entregando pizzas à noite. Durante um tempo ele trabalhou num serviço de entregas de jornal e numa loja de brinquedos. "Não sei onde ele encontrava forças", diz Rivers. "Nós simplesmente fazíamos o que tínhamos de fazer. Não consigo imaginar o que seria passar por uma doença mental grave sem apoio familiar. De qualquer modo foi horrível, e se a família, se a raiva...", Rivers faz uma pausa. "Não sei como alguém poderia sobreviver. Ele tomava conta de mim também. Tínhamos dois filhos pequenos. Eu podia cuidar um pouquinho deles, mas não muito. De algum modo nós superamos a realidade e fizemos a coisa funcionar." Rivers ainda sente culpa quanto às crianças, "se eu tivesse quebrado a coluna num acidente de carro, não estaria mais incapacitada, e teria me sentido no direito de precisar de tanto tempo para me curar. Mas, assim como foi, cada vez que meus filhos tinham problemas na escola ou passavam por qualquer problema, eu pensava 'é por minha causa, é porque eu não estava lá; e eu não fui isso e não fui aquilo'. A culpa era minha companheira constante, culpa sobre coisas que eu não podia controlar".

No início dos anos 1990, ela finalmente descobriu "a combinação perfeita" de remédios; ela agora toma lítio (sua dose chegou a 2200 miligramas por dia, embora agora esteja estabilizada em novecentos), desipramina e BuSpar. Assim que ficou suficientemente bem, ela iniciou uma carreira no serviço público. "Sou um anúncio ambulante e falante para a pesquisa de saúde mental. Eu sou a prova. Se vocês investirem em mim, eu retribuirei. E isso é verdade em relação à maior parte das pessoas sofrendo dessa disfunção: elas só querem uma chance de serem produtivas." Rivers formou-se na faculdade estudando parte do tempo enquanto cuidava da família; formou-se com distinção, concluindo depois a escola de direito. Com vinte e tantos anos e tendo a doença relativamente sob controle, ela foi eleita para o Conselho de Educação em Ann Arbor. Dois anos depois, por motivos alheios à depressão, sofreu uma histerectomia e, como teve anemia, faltou por seis meses ao trabalho. Quando decidiu concorrer ao Congresso, "meu oponente descobriu que eu tive doença mental e tentou sugerir que eu faltara àquele período no trabalho porque tivera um colapso nervoso". Rivers estava dando uma entrevista no rádio aberta a perguntas dos ouvintes e um ouvinte que fora "plantado" perguntou se era verdade que ela tivera um problema de depressão. Rivers imediatamente reconheceu que sim, e que precisara de dez anos para estabilizá-lo. Depois da entrevista, ela foi para uma reunião do conselho dos democratas locais. Quando entrou, um figurão local do partido disse: "Lynn, escutei você no rádio. O que você fez, ficou maluca?". E ela disse calmamente: "Claro, o programa de rádio era sobre isso". Sua abordagem serena e digna da questão eliminou o problema. Lynn venceu a eleição.

Vários outros membros da Câmara têm contado a Rivers sobre suas depressões, mas têm medo de assumi-las para seus eleitores. "Um colega disse que queria contar às pessoas, mas não conseguia. Não conheço seu eleitorado. Talvez ele não possa. A maioria das pessoas que têm depressão não faz tais julgamentos muito bem porque está mergulhada na culpa. É uma doença muito solitária. Mas, do mesmo modo que meus amigos gays dizem que 'sair do armário' os alivia de um grande fardo, me senti liberada: minha depressão não é mais uma questão." O deputado Bob Wise chama a doença mental de "o segredo de família que todo mundo tem".

"É preciso descobrir tudo sozinho", diz Lynn Rivers. "É preciso encontrar os serviços de saúde mental de sua comunidade. Que fique registrado na ata que eu ri à menção de 'saúde mental comunitária'. Ouça, se esperam que um operário atravesse o pátio da montadora para procurar o representante do sindicato e dizer: 'Meu filho tem esquizofrenia, minha mulher é maníaco-depressiva, minha filha tem episódios de psicose' — isso não vai acontecer." "Esse país", afirma ela, "não avançou o bastante para podermos reivindicar o tipo de cuidado do qual necessitamos. Além disso, os tratamentos são com frequência receitados por médicos que não conhecem o bastante; e, na tentativa de poupar dinheiro, as HMOs lhes dão formulários que limitam o número de remédios que podem ser receitados. "Se a sua resposta idiossincrática não puder ser enquadrada naquela lista de medicamentos, é o fim da linha para você!", diz Lynn. "Mesmo quando a doença se estabilizou, é necessário substituir os mecanismos de compensação que faziam sentido no contexto da doença e que não fazem sentido num contexto de boa saúde." Ela fica indignada com os cortes no financiamento para o apoio psicodinâmico contínuo, algo que, de acordo com ela, deve aumentar o custo social geral. "É uma bagunça", disse.

Joe Rogers, diretor-executivo da Associação de Saúde Mental do sudeste da Pensilvânia, é um homem extremamente afável, com um ar curioso de autoridade desajeitada e um modo de falar fluente e agradável. Ele pode ser animado e filosófico, mas é também astucioso e pragmático, com um olho que não se afasta de seu objetivo sequer por um momento. Quando nos conhecemos, num almoço num hotel na Filadélfia, ele usava um terno azul e uma gravata listada e carregava uma pasta que exalava hábitos executivos. Enquanto eu examinava o cardápio, Rogers disse que morara em Nova York por um tempo. "Ah, onde?", perguntei. "Washington Square", disse, pegando um pãozinho da cesta na mesa. "Eu moro perto da Washington Square. É um bairro bom", repliquei, fechando o cardápio. "Em que ponto você morava?" Ele sorriu um tanto palidamente: "Na Washington Square. *Na rua*. Num banco. Por nove meses. Num período em que eu não tinha casa."

Joe Rogers, como Lynn Rivers, deslocou-se da ponta "consumidora" da rede de saúde mental para a ponta "fornecedora". Ele cresceu na Flórida com três irmãos, uma mãe alcoólatra e um pai que vivia armado e era geralmente ausente e intermitentemente suicida. Embora seus pais viessem de famílias que gozavam de relativo conforto, a disfunção deles os mergulhou na pobreza. "Morávamos numa casa que estava literalmente caindo aos pedaços e tinha baratas correndo por toda parte", lembra Rogers. "Havia épocas em que o dinheiro do supermercado desaparecia, e mais tarde descobri que meu pai era viciado em jogo, portanto nem chegávamos a ver nada do salário que ganhava. Não morríamos de fome, mas, em comparação com o ambiente de onde meus pais haviam saído, vivíamos em verdadeira pobreza." Rogers deixou a escola aos treze anos. Seu pai costumava puxar uma Luger e dizer ao filho que estava pronto para se matar, e Rogers desenvolveu uma certa sutileza em lidar com a situação. "Quando eu tinha doze anos, aprendi a afastar a arma de meu pai e escondê-la." Enquanto isso, o alcoolismo de sua mãe piorava cada vez mais, e ela passou por hospitalizações frequentes; ela também fez tentativas de suicídio, embora Rogers as descreva como não muito sérias. O pai de Rogers morreu quando ele tinha dezesseis anos; a mãe, quando ele estava com vinte.

"Olhando retrospectivamente, acho que meu pai teria respondido ao tratamento", diz Rogers. "Minha mãe eu não sei." O próprio Rogers foi bastante inativo dos treze aos dezoito anos, mas aos dezoito começou a fazer supletivo; conheceu uma mulher de quem gostou e tentou construir uma vida para si. Numa reunião qualquer, conheceu um psicólogo que tentou lhe ajudar. Depois teve uma crise; um dia, no carro, viu-se frente a um sinal vermelho sem conseguir decidir se ia para a frente, para trás, para a esquerda ou para a direita. "Fiquei ali, totalmente perdido." Logo depois, tornou-se agudamente suicida. Seu amigo quacre o ajudou a dar entrada num hospital, onde ele foi diagnosticado e o fizeram tomar lítio. Era 1971, e Rogers não tinha nenhum lugar para ir. Sua namorada fora embora, seus pais estavam mortos e ele vivia da previdência social.

Rogers passou por várias hospitalizações. A terapia antidepressiva naquela época era primitiva, e ele vivia à base de psicotrópicos que o sedavam, "fazendo com que eu me sentisse morto". Ele detestava o hospital. "Comecei a me comportar melhor porque queria dar o fora daquele lugar." Ele ainda não consegue falar dos hospitais estaduais sem um estremecimento de horror. "Passei seis meses num deles e — só o cheiro... Eles gastam cerca de 125 mil dólares por paciente ao ano, podiam pelo menos ter instalações físicas decentes. Você divide um quarto com duas ou três pessoas. Fica ali trancado com elas numa área pequena. Não há muita gente na equipe dos funcionários e as pessoas não são bem treinadas, não ouvem coisa alguma do que você diz. São frequentemente violentas. E muito autoritárias, o que não combina nada com meu lado rebelde. Esses lugares são prisões. Se a grana está entrando, ninguém pensa em dar alta aos pacientes — ninguém se dá ao trabalho de tentar tirar as pessoas da burocracia em que foram embrulhadas. Ficar num lugar desses por muito tempo destrói a pessoa." Nos hospitais, ele era colocado sob uma forte sedação, que o tornava mais "manobrável", embora muitas vezes deixasse de tratar seus problemas de modo substancial; irritabilidade e ansiedade sedadas sem tratamento antidepressivo simplesmente jogam a pessoa em uma névoa de infelicidade. Rogers não concorda em forçar ninguém a se tratar com a ideia de que elas depois serão gratas por isso. "Se você entrasse num bar, agarrasse um homem bebendo demais, o pusesse num centro de desintoxicação e aconselhasse a mulher dele, ele poderia ficar contente por você tê-lo feito, mas seria uma espécie de violação de nossas normas sociais e das liberdades civis desse indivíduo", diz.

Achei chocante a experiência de visitar hospitais psiquiátricos estaduais. Ser completamente louco num mundo de relativa sanidade é desorientador e desagradável, mas ser preso num lugar onde a loucura é a norma é absolutamente medonho. Desencavei todo tipo de história de violência no sistema estadual. Numa pesquisa brilhante e corajosa, o jornalista Kevin Heldman deu entrada voluntariamente numa unidade psiquiátrica no hospital Woodhull do Brooklyn, afirmando ser suicida. "O ambiente geral era mais de custódia do que terapêutico", escreve ele, e a seguir cita Darby Penney, assistente especial do diretor do Escritório Estadual de Saúde Mental de Nova York, que disse: "Por minha própria experiência, o último lugar em que eu gostaria de ficar se estivesse emocionalmente dilacerada seria numa unidade [psiquiátrica] para pacientes internos [num hospital estadual]".[31] Nenhuma das políticas oficiais do estado sobre cuidados de saúde mental era observada em Woodhull. Os pacientes não tinham nenhuma oportunidade de conversar ou interagir com psiquiatras; seus dias não tinham estrutura; os pacientes simplesmente assistiam à TV por dez horas seguidas; seus quartos eram imundos; não sabiam que remédios lhes eram dados. Eram submetidos a uma sedação e restrição totalmente desnecessárias e involuntárias. A única enfermeira com quem Heldman teve uma interação significativa lhe disse que ter um filho podia ajudar a depressão dele. Por tais serviços, o estado de Nova York pagava 1400 dólares por dia.

Meu interesse ao analisar instituições estava mais voltado para a qualidade de um bom hospital do que para grandes falhas de um hospital ruim. Meu objetivo não era tanto procurar abusos quanto ver se o próprio modelo do hospital estatal era errado. A questão da institucionalização é tremendamente difícil, e não encontrei uma solução. As dependências de curto prazo para os doentes mentais podem ser boas ou ruins; passei um tempo considerável nesses pavilhões e não hesitaria em dar entrada, por exemplo, no Johns Hopkins, se eu precisasse de tais cuidados. Mas as dependências públicas de longo prazo, onde as pessoas vão para ficar anos ou para sempre, são completa e devastadoramente diferentes. Passei vários períodos longos visitando o hospital Norristown, perto da Filadélfia, uma instituição dirigida por pessoas que estão fortemente comprometidas em ajudar seus pacientes. Fiquei muito bem impressionado com os médicos que encontrei, os assistentes sociais que interagem diariamente com os pacientes e com o superintendente do lugar. Gostei de alguns pacientes que conheci. Apesar de tudo, Norristown me fez ranger os dentes e tive um calafrio; visitar o lugar foi uma das tarefas mais perturbadoras e difíceis que empreendi em minha pesquisa. Eu preferiria enfrentar meus desesperos particulares a passar um tempo longo no Norristown. A institucionalização pode não ser o melhor que temos no presente, e os problemas colocados pelo Norristown podem não ser totalmente solucionáveis, mas precisam ser reconhecidos se queremos desenvolver o elo perdido na lei intervencionista.

O hospital Norristown tem um campus que inicialmente lembra o de uma faculdade. Está situado no topo de uma colina verdejante e possui uma vista panorâmica. Árvores grandes e frondosas lançam suas sombras em gramados bem cuidados; os edifícios de tijolos vermelhos são cobertos de hera e seus portões ficam abertos durante o dia. Esteticamente falando, os pacientes estão muito melhor no hospital do que fora dele. A realidade do lugar, contudo, é tão infernal como uma versão sem encanto do País das Maravilhas de Alice, onde a aparência de uma lógica inacessível contém o colapso total da lógica. O lugar tem um vocabulário inteiramente próprio, que aprendi lentamente. "Ah, ela não está indo tão bem", me confidenciou um paciente a respeito de outra. "Vai acabar voltando para o edifício 50 se não prestar atenção." Perguntar a alguém o que acontecia no "edifício 50" não adiantava; aos olhos dos pacientes, o edifício 50 — os serviços de emergência — era uma maldição. Quando posteriormente entrei no edifício 50, ele não era tão ruim quanto parecia ser, mas o edifício 30, por outro lado, era realmente horrível. A maioria das pessoas estava lá sob restrição física e constante supervisão para impedi-las de se ferirem. Alguns deles estavam em redes para que não tentassem o suicídio. Não vi muita intervenção inadequada; a maioria das pessoas tratadas precisava dos tratamentos, mas apesar disso eram horríveis de se ver, e piores ainda por estarem agrupadas como as estátuas de cera dos criminosos no subsolo do museu de Mme. Tussaud. A hierarquia de edifícios e números, o medo e o embargo da liberdade, tudo sussurrado pelo campus, só podiam exacerbar o estado de alguém já sofrendo de depressão.

Detestei estar lá. Era próximo demais de minha realidade. Se fosse pobre e solitário, se minha doença não tivesse sido tratada, eu teria terminado num lugar desses? A possibilidade em si me deu vontade de sair correndo e gritando pelos simpáticos portões e voltar à minha cama segura. Aquelas pessoas não tinham nenhum lugar seguro lá fora que constituísse um lar. Mesmo quando havia toda uma equipe de médicos e assistentes sociais presentes, os doentes eram superiores em número, e senti uma sensação horrível de divisão: nós e eles. Uma vez que disfunções afetivas são o segundo diagnóstico mais comum nos hospitais psiquiátricos estaduais, eu não conseguia imaginar se fazia parte de "nós" ou "deles". Vivemos nossas vidas pelas normas de consenso e nos agarramos à razão porque ela é afirmada repetidamente. Se você estivesse num lugar onde tudo estivesse cheio de hélio, poderia deixar de acreditar na gravidade porque haveria poucas provas de sua existência. Em Norristown, descobri que meu controle sobre a realidade ia ficando tênue. Naquele lugar, você não tem certeza absoluta de coisa alguma, e a sanidade se torna tão estranha dentro do contexto quanto a insanidade para o mundo lá fora. Todas as vezes que fui a Norristown, senti minha psique perder peso e começar a se desintegrar.

Minha primeira visita, negociada com a administração, foi num adorável dia de primavera. Sentei com uma mulher deprimida que se oferecera para conversar comigo. Estávamos numa espécie de mirante e tomamos um café intragável em copos plásticos que quase derretiam com a bebida morna. A mulher que eu entrevistava era articulada e "apresentável", mas eu me sentia pouco à vontade, e não só pelo café com gosto de plástico. Enquanto começamos a conversar, indivíduos não versados em convenções sociais colocaram-se entre nós ou interrompiam para perguntar quem eu era e o que estava fazendo. Um deles chegou a dar uns tapinhas no meu pescoço como se eu fosse um cachorro de raça. Uma mulher que eu nunca vira antes ficou a uns três metros de distância olhando-nos fixamente durante um tempo, depois irrompeu em lágrimas e chorou continuamente apesar de minhas tentativas de acalmá-la. "Ah, ela vive gritando", alguém me explicou para me reconfortar. Pessoas que não eram malucas só podiam enlouquecer enquanto não chegasse a hora de ir embora. A população de Norristown é muito reduzida em relação ao que era no auge dos hospitais psiquiátricos com acomodações para pacientes, e por isso mais da metade dos edifícios no campus está abandonada. Esses edifícios vazios, muitos dos quais construídos nos anos 1960 com o vocabulário utilitarista e modernista das escolas dos subúrbios, transmitem uma ameaça demoníaca; fechados por correntes, abandonados por anos a fio, eles sugerem um excesso verde de vida pululando entre as vigas e em seu silêncio vazio.

Pacientes esquizofrênicos perambulam pelo hospital Norristown falando com marcianos que o resto de nós não vê. Um rapaz zangado batia nas paredes com os punhos, enquanto pacientes à beira da catatonia olhavam fixamente com rostos envernizados e vazios, impassíveis, deprimidos ou sedados. O mobiliário de tipo "você não se machucará com ele" era gasto, tão fatigado quanto as pessoas que o usavam. Decorações desbotadas de cartolina feitas para festividades passadas enfeitavam um saguão como se estivessem lá desde que os pacientes estavam no jardim de infância. Ninguém lembrava de conferir maturidade àquelas pessoas. Cada vez que fui a Norristown (e fiz isso aproximadamente uma dúzia de vezes), alguém que insistia que eu era sua mãe me bombardeava com perguntas cujas respostas me seria impossível saber; outra pessoa, parecendo ansiosa e altamente irritável, disse que eu fosse embora, imediatamente, simplesmente desse o fora antes que houvesse encrenca. Um homem com uma grave deformidade facial pensava ser meu amigo e me disse para não prestar nenhuma atenção, que eu não devia ir embora; todo mundo se acostumaria comigo depois de um mês. "Você não está tão mal, não é tão feio, fique por aí, vai se acostumar", disse ele absortamente, numa espécie de monólogo monótono do qual eu era apenas um acessório. Uma mulher obscenamente gorda me pediu dinheiro e continuou agarrando meu ombro com força. Em nenhum momento consegui fugir do *basso continuo* do clamor não verbal em Norristown, que se ouvia incessantemente sob as palavras: gente socando as coisas, gente gritando, gente roncando alto, gente chorando, gente fazendo estranhos ruídos estrangulados ou peidando sem nenhuma vergonha, as tosses ásperas de homens e mulheres cujo único prazer era fumar. O ambiente é tenso nesses lugares; discussões e discussões transpiram das paredes e pisos. Não há espaço suficiente em Norristown, apesar dos edifícios fechados e dos hectares cobertos de relva. Seus pacientes estão aprisionados na infelicidade. Quarenta por cento deles estão lá por depressão;[32] e para se recuperar foram para um dos lugares mais deprimentes do mundo.

E mesmo assim Norristown foi a melhor instalação pública que visitei, e as pessoas que o dirigem me causaram boa impressão não apenas por seu engajamento, mas também por serem inteligentes e amáveis. A maioria dos pacientes estava em seu melhor estado de saúde possível. O lugar não era de modo algum Bedlam; todos estavam bem alimentados e sob medicação apropriada, e uma equipe de especialistas mantinha uma vigilância benévola e paternal sobre todos. As pessoas raramente se machucam em Norristown. Todo mundo é limpo e corretamente vestido. As pessoas em geral sabem qual é sua doença e por que estão lá. A equipe, heroicamente, distribui um grau surpreendente de amor pelos pavilhões, e, embora o local pareça lunático, também parece seguro. Ali, os pacientes estão protegidos tanto do mundo lá fora quanto de seus assustadores eus interiores. As falhas do local são apenas aquelas endêmicas no tratamento de longo prazo.

Depois de alguns anos num hospital, recebendo cuidados de longo prazo, Joe Rogers foi transferido para uma casa na Flórida, onde conseguiu melhor tratamento e alguns remédios decentes. "Mas comecei a me perceber de modo diferente — passei a me ver como um paciente mental. Eles me disseram que eu era incurável e não viam nenhum sentido em minha ida à escola. Eu estava com vinte e poucos anos. Diziam que eu devia continuar com a previdência social, ficar nela. Fiquei muito doente e perdi totalmente meu sentido de eu." Quando Rogers foi embora, ficou na rua, onde passou a maior parte do ano. "Quanto mais eu procurava juntar as coisas, mais elas desmoronavam. Tentei uma cura geográfica. Era tempo de deixar meus hábitos e minhas relações. Resolvi que seria ótimo estar na cidade de Nova York. Eu não tinha ideia do que estava fazendo lá. Terminei encontrando um banco de parque que não era muito ruim — não havia tantos sem-teto em Nova York então, e eu era um garoto de boa aparência, jovem, branco. Era descabelado, mas não nojento, e as pessoas se interessavam por mim."

Rogers contava sua história a estranhos que lhe ofereciam dez centavos, mas retinha qualquer informação que pudesse mandá-lo de volta ao hospital. "Eu achava que se voltasse, jamais sairia. Achava que iam me pegar. Eu abandonara toda a esperança, mas tinha um medo grande demais da dor para me matar." Era 1973. "Lembro de muito barulho uma vez, um monte de gente celebrando, e quando perguntei o motivo, eles me disseram que a guerra do Vietnã terminara. E eu disse: 'Ah, que legal'. Mas não conseguia entender o que era ou o que estava acontecendo, embora lembrasse de certa vez ter participado de uma marcha contra aquela guerra." Então começou a ficar cada vez mais frio, e Rogers não tinha casaco. Ele dormia nos grandes cais do rio Hudson. "Naquela época, eu acreditava que me tornara tão alienado do resto da humanidade que, se abordasse alguém, a pessoa ficaria horrorizada. Não tomava banho ou mudava de roupa havia muito tempo. Provavelmente estava nojento. Então algumas pessoas de uma igreja vieram a mim, eu soube que tinham me visto engatinhando por ali, e disseram que eu podia entrar para a Associação Cristã de Moços em East Orange. Se tivessem dito que iam me levar para um hospital, eu teria saído correndo e jamais me veriam de novo. Mas não fizeram isso; ficaram de olho em mim e esperaram que eu estivesse pronto, e então me ofereceram algo que eu pudesse fazer. Eu não tinha nada a perder."

Foi assim que Rogers experimentou pela primeira vez a ação de programas *outreach*, de instituições que estabelecem contatos para indivíduos na sua situação, o que se tornaria o marco de sua política social. "As pessoas isoladas e perdidas geralmente estão desesperadas por um pouco de contato humano", diz ele. "Esse tipo de ajuda pode funcionar. Você tem que querer ir até essas pessoas, atraí-las e tornar a atraí-las até que estejam prontas para irem com você." Joe Rogers estava deprimido; a depressão é uma doença que se deposita em cima da personalidade, e a personalidade encoberta de Rogers era muito insistente. "O senso de humor talvez tenha sido a coisa mais fundamental", diz ele agora. "No meu período mais maluco e deprimido, eu ainda encontrava algo com que brincar." Rogers mudou-se para a Associação Cristã de Moços de East Orange por alguns meses e arranjou um emprego num lava a jato. Depois, mudou-se para a Associação Cristã de Moços de Montclair, onde conheceu sua mulher. O casamento foi "um fator estabilizador enorme". Rogers resolveu entrar na faculdade. "Nós funcionávamos por turnos. Ela passava por períodos deprimidos e eu tomava conta dela, e então trocávamos os papéis." Rogers começou a fazer trabalho voluntário no campo da saúde mental — "a única área sobre a qual eu conhecia alguma coisa naquele momento" — quando tinha 26 anos. Embora detestasse hospitais estaduais, "as pessoas com sérias necessidades precisavam de algo, e pensei que podia reformar hospitais e transformá-los em lugares melhores".

A Associação de Saúde Mental do Sudeste da Pensilvânia é uma organização sem fins lucrativos fundada por Rogers. Dedica-se a aumentar o poder dos doentes mentais. Rogers ajudou a tornar a Pensilvânia um dos estados mais progressistas dos Estados Unidos em termos de saúde mental, supervisionou pessoalmente o fechamento de hospitais estaduais e propôs para a saúde mental comunitária iniciativas notavelmente inspiradas, que operam atualmente com um orçamento anual de aproximadamente 1,4 bilhão de dólares.[33] Para aqueles que estão perdendo o juízo, a Pensilvânia é um ótimo lugar para fazê-lo, e muitas pessoas de estados vizinhos de fato vão à Pensilvânia para usar o sistema do estado. O problema dos sem-teto afeta tradicionalmente a Filadélfia e, quando o prefeito atual foi eleito, ele defendeu a reabertura dos manicômios que tinham sido fechados e a lotação daqueles que ainda estavam funcionando. Rogers o convenceu a fechar instituições em favor de outros sistemas de tratamento.

O princípio orientador do sistema atual da Pensilvânia diz que as pessoas não devem ser colocadas em hospitais nos quais a loucura é a regra dada, vivendo em vez disso com a comunidade mais ampla, expostos continuamente aos efeitos salutares da sanidade.[34] Os pacientes da Pensilvânia com doenças sérias permanecem em serviços residenciais estruturados de longo prazo. São lugares pequenos, com talvez quinze leitos em cada um, oferecendo apoio intensivo, cuidados rigorosos e uma ênfase contínua na integração. Apoiam gestão de caso intensiva, permitindo que um funcionário psiquiátrico do serviço social estabeleça um relacionamento individual com o paciente. "Trata-se de alguém que acompanha um pouco a vida do paciente, descobre o que está havendo e se intromete um pouco", diz Rogers. "O programa tem que ser agressivo. Uma pessoa com quem trabalhei no início da carreira me ameaçou dizendo que obteria uma ordem judicial para me afastar. Recusei-me a aceitar não como resposta; encontrava maneiras de me meter na vida da pessoa e, se tivesse, teria derrubado a porta da casa dela." Esses lugares oferecem também programas de reabilitação psicossocial, que buscam ajudar as pessoas com o aspecto pragmático da vida "normal". Cerca de 80% dos pacientes hospitalizados com depressão na Pensilvânia parecem se sentir melhor nessas circunstâncias. A intervenção plena — incluindo até o abrigo e o tratamento compulsórios — é realizada quando alguém representa um perigo aos demais e a si mesmo, como quem sai para a rua no frio extremo, por exemplo. As únicas pessoas que se mostram consistentemente resistentes ao tratamento desse tipo são os doentes mentais usuários de drogas, em especial da heroína; tais pacientes precisam passar pela desintoxicação antes que o sistema estadual de saúde mental possa oferecer-lhes cuidados.

Rogers também criou uma cadeia daquilo que ele chama de "centros de chegada", quiosques de rua que muitas vezes são administrados por pessoas em fase de recuperação da doença mental. Isso cria emprego para aqueles que estão apenas começando a lidar com um ambiente estruturado e dá a pessoas em má situação um lugar para onde ir, permanecer, e receber conselhos. Depois de serem apresentados a tais lugares, os sem-teto que têm pânico de intervenções mais ativas passam a voltar a eles de novo e de novo. Os centros de chegada oferecem uma zona de transição entre o isolamento mental e a companhia. A Pensilvânia estabeleceu agora um grande sistema de rastreamento que lembra um estado policial, mas isso impede que as pessoas escorreguem pelas frestas e desapareçam. Um banco de dados inclui todos os tratamentos oferecidos pelo sistema estadual, incluindo cada visita à sala de emergência feita por cada paciente. "Digitei meu nome no sistema", diz Rogers, "e fiquei chocado com o resultado." Se um paciente do sistema da Pensilvânia abandonar o tratamento, os funcionários do serviço social vão buscá-lo e continuarão a acompanhar seu estado. A única forma de escapar dessa atenção é recuperando-se.

O problema desse programa todo está na sua fragilidade. No nível mais pragmático, não há estabilidade fiscal: os grandes manicômios são coisas elefantinas com custos estabelecidos, enquanto programas não institucionais podem ser facilmente reduzidos em momentos de crise orçamentária. Além disso, a inserção de pessoas com distúrbios mentais numa comunidade exige tolerância, mesmo em áreas prósperas e de mentalidade aberta. "Em relação ao esvaziamento dos manicômios, todos são liberais até verem o primeiro sem-teto na varanda de sua casa", diz o deputado Bob Wise. O maior problema é que, para alguns doentes mentais, toda essa interdependência e imersão na comunidade é um exagero. Alguns deles não conseguem funcionar fora de um ambiente totalmente insular como um hospital. Tais pessoas são expulsas com regularidade para um mundo cujo funcionamento as sobrecarrega, e isso não ajuda a elas e nem àqueles que as encontram e que ajudam a cuidar delas.

Nada disso desencoraja Rogers. Ele obrigou hospitais a fecharem usando a abordagem da cenoura e do porrete, cortejando os favores de funcionários do governo de alto escalão e também processando-os em ações coletivas que citam a Lei de Americanos com Deficiência. Rogers inspirou seus esforços no movimento dos Agricultores Unidos, de Cesar Chavez; na prática, ele tentou formar um sindicato dos doentes mentais, conferindo a esse corpo extremamente difuso uma voz coletiva. Nos anos 1950, durante o período áureo da internação, cerca de 15 mil pacientes foram colocados em instalações perto da Filadélfia. Rogers fechou duas delas, e Norristown, a última que restou, tem centenas de pacientes. A oposição primária aos processos coletivos de Rogers veio por parte dos funcionários sindicalizados (principalmente da manutenção) dos hospitais. O fechamento dos hospitais foi atingido com a transferência dos pacientes quando estes alcançam um grau suficiente de saúde para ingressar nas instituições de cuidados comunitários de longo prazo. "Nós os fechamos gradualmente e por meio do atrito", diz Rogers.

Se os hospitais mais importantes forem locais de violência, há chances de que os programas com base na comunidade tornem-se locais de violência comparável ou pior. É difícil manter os direitos e deveres nesses programas. Grande número de funcionários e trabalhadores de saúde mental governa minúsculos feudos que oferecem cuidados, cada qual com seu próprio funcionamento interno. Como as operações de tais centros podem ser completamente visíveis para os que em princípio os supervisionam, gente que geralmente aparece só para visitas rápidas e ocasionais? É possível sustentar altos padrões de vigilância quando a autoridade passou por tal decadência?

A definição do que constitui doença mental e quem deve ser tratado depende em grande parte das percepções públicas sobre sanidade. Existe uma coisa que é sanidade e outra que é loucura, e a diferença é tanto de categoria quanto de dimensão, de espécie e grau. Finalmente, há uma política do que se pede ao próprio cérebro e ao cérebro de outros. Não há nada de errado com essa política. É uma parte essencial de nossa autodefinição, uma pedra de toque da ordem social. É errado enxergar uma trama por trás dela; a não ser que se acredite que o consenso em assuntos complexos possa resultar imaculado, precisa-se trabalhar com essa curiosa mistura de opinião pessoal e história pública que determina todos os nossos caminhos como animais sociais. O problema não é tanto a política da depressão como nossa falha em reconhecer que *há* uma política da depressão. Não há como escapar dessa política. Os que não têm dinheiro tem menos liberdade do que os que têm as prerrogativas do recurso financeiro; a política da depressão é um eco dos outros aspectos da vida. Aqueles com a doença suave têm mais liberdade do que os bastante doentes, e isso provavelmente é como deve ser. No final dos anos 1970, Thomas Szasz, especialmente famoso por sua defesa do direito ao suicídio, apresentou argumentos contra o uso de medicamentos, afirmando que não havia lei natural segundo a qual o psiquiatra tenha poderes para intervir com receitas na vida pessoal do paciente.[35] É interessante saber que existe o direito de ficar deprimido. Também é bom saber que, sob as circunstâncias racionais certas, pode-se decidir não tomar remédio. Contudo, Szasz excedeu seu mandato e fortaleceu a crença entre os pacientes de que estavam definindo os rumos de sua vida ao abrir mão de seus remédios. É um ato político fazer isso? Alguns pacientes de Szasz acreditavam que sim. Nossas definições de "comportamento responsável" dos psiquiatras são também políticas. Como sociedade, fazemos objeção ao ponto de vista de Szasz, que foi obrigado a pagar 650 mil dólares à viúva de um de seus pacientes quando ele se matou de um modo especialmente brutal e doloroso.[36]

É mais importante proteger alguém de sua própria morte ou lhe garantir a liberdade civil de evitar tratamento? O problema tem sido muito debatido. Um artigo especialmente perturbador do *New York Times*, escrito pela psiquiatra de um comitê conservador de pesquisas em Washington em resposta ao novo Relatório sobre Saúde Mental do Surgeon General [órgão do governo para assuntos de saúde pública], defendia que ajudar os levemente doentes prejudicaria os seriamente doentes, como se cuidados de saúde mental fossem uma fonte mineral finita.[37] Ela declarava categoricamente que não era possível fazer com que pessoas não supervisionadas tomassem seus remédios, defendendo que esses doentes mentais ("com doenças debilitantes como a esquizofrenia e a disfunção bipolar") que acabavam na prisão provavelmente precisavam estar lá. Ao mesmo tempo, propunha que os 20% de cidadãos norte-americanos que carregam o fardo de alguma doença mental (inclusive, aparentemente, todos os que têm depressão severa) em muitos casos não necessitam de terapia e por isso não deviam obtê-la. A palavra-chave aqui é *necessidade* — porque a questão da necessidade volta-se mais para a qualidade do que para a existência de vida. É verdade que muitas pessoas podem continuar vivas com uma depressão incapacitante, mas também continuam vivas, por exemplo, sem dente algum. Que a pessoa consiga lidar bem com uma alimentação baseada em iogurte e bananas pelo resto da vida não é motivo para deixar as pessoas sem dentes. Pode-se também viver com um pé aleijado, mas nos tempos que correm é habitual tomar medidas para reconstruir o pé com defeito. O argumento na verdade deriva do que se ouve repetidamente fora do mundo da doença mental, defendendo que só *devem* ser tratados os doentes que acarretem uma despesa ou ameaça imediata para os outros.

Os médicos, em especial aqueles que não são ligados a hospitais de ensino, costumam ficar sabendo dos avanços na medicina pelos representantes de laboratórios farmacêuticos. Trata-se de uma bênção ambígua. Isso garante que os médicos continuem a aprender e que fiquem sabendo dos benefícios de novos produtos conforme estes se tornam disponíveis. Não é uma forma adequada de continuar o aprendizado. A indústria dá mais importância a remédios do que a terapias.[38] "Isso ajudou a formar em nós um preconceito contra os remédios", diz Elliot Valenstein, professor emérito de psicologia e neurociência da Universidade de Michigan. "Os remédios são excelentes e somos gratos às empresas por fabricá-los, mas é uma pena que o processo educacional não seja mais bem equilibrado." Além disso, como a indústria financia muitos dos maiores e mais abrangentes estudos, há estudos melhores envolvendo substâncias patenteáveis do que com a erva-de-são-joão; há mais estudos com novos tratamentos usando remédios do que envolvendo novos tratamentos como o EMDR (dessensibilização e reprocesssamento por meio dos movimentos oculares).[39] Não temos programas nacionais em quantidade suficiente para criar um equilíbrio com o trabalho patrocinado pelas empresas farmacêuticas. Num artigo recente publicado na *The Lancet*, uma importante revista médica, o professor Jonathan Rees propôs uma reconceitualização completa do processo de patentes com o objetivo de incluir o lucro como motivação para terapias que atualmente não podem ser patenteadas, incluindo o que ele chama de "genômica e informática". Mas, no momento, ainda é pequeno o incentivo financeiro nessa área.

Os membros da indústria farmacêutica sabem que, no mercado livre, as melhores curas têm a probabilidade de serem as mais bem-sucedidas. Sua busca por bons tratamentos está, é claro, entrelaçada com a sua busca pelo lucro; mas acredito, ao contrário de alguns políticos que gostam de fazer pose, que os executivos farmacêuticos são menos cruéis na sua exploração da sociedade do que as pessoas da maioria das demais indústrias. Muitas das descobertas que distinguem a medicina moderna só se tornaram possíveis graças aos imensos programas de pesquisa do setor farmacêutico, que gasta no desenvolvimento de novos produtos cerca de sete vezes mais do que as outras indústrias. Tais programas têm o lucro como objetivo; mas talvez seja mais nobre buscar o lucro inventando curas para os doentes do que criando armamentos poderosos ou produzindo revistas apelativas. "Tinha que ser na indústria", disse David Chow, um dos três cientistas da Eli Lilly que inventaram o Prozac. William Potter, também conhecido na Lilly depois de deixar o NIMH, disse: "Foram os cientistas deste laboratório aqui que impulsionaram o desenvolvimento do Prozac. A pesquisa importante é financiada pela indústria. A sociedade fez essa escolha e nos deu esse sistema de imenso progresso". Tremo ao pensar onde estaria se a indústria não tivesse desenvolvido os medicamentos que salvaram a minha vida.

Mas, apesar de tudo que essa indústria possa ter feito de bom, ela *é* uma indústria, afetada por todas as complexidades bizarras do capitalismo moderno. Já participei de inúmeras sessões educativas preparadas por empresas divididas entre a pesquisa e a sedução material. Numa delas, realizada no Aquário de Baltimore, podia-se optar entre "Neurobiologia e tratamento do distúrbio bipolar" e "Alimentando e apresentando arraias para convidados especiais e suas famílias". Cheguei a participar do lançamento nos Estados Unidos de um dos principais antidepressivos, um produto que rapidamente conquistou uma fatia de mercado significativa. Embora o lançamento tenha se dado sob os auspícios que um rigoroso órgão regulador, a FDA, que decidia aquilo que poderia ser dito a respeito do produto, a situação foi uma espécie de circo no qual as emoções eram ajustadas com tal deliberação que nenhum equilibrista seria capaz de alcançar. Foi, além disso, uma festa incongruentemente animada, repleta de pistas de dança, grelhas de churrasco e formação de casais. Era a epítome dos Estados Unidos corporativos, enfeitiçado com as próprias commodities. É assim que os vendedores de qualquer produto são motivados a vender no mercado americano promocional, de intensa concorrência, e toda aquela ostentação era inofensiva, ao que me parece; mas foi um pouco estranho vê-la associada à promoção de um produto destinado a pessoas que sofrem de um terrível mal.

Para as palestras, os representantes se reuniram num imenso centro de conferências. O tamanho do público — mais de 2 mil pessoas — era impressionante. Quando todos se sentaram, surgiu no palco uma orquestra inteira, como os gatos de *Cats*, tocando "Get Happy" e, em seguida, "Everybody Wants to Rule the World", do Tears for Fears. Nesse clima, uma voz ao estilo Mágico de Oz nos dava as boas-vindas ao lançamento de um fantástico novo produto. Fotografias gigantes do Grand Canyon e um córrego silvestre eram projetadas em telas de seis metros, e as luzes se ergueram para revelar um palco criado para se assemelhar a um canteiro de obras. A orquestra começou a tocar trechos de *The Wall*, do Pink Floyd. Uma parede de tijolos gigantes se levantou lentamente no fundo do palco, com o nome de produtos concorrentes aparecendo nos tijolos. Enquanto um coro de bailarinos usando capacetes de mineração e carregando picaretas fazia contorcionismos atléticos num andaime controlado eletronicamente, um arco-íris de lasers com a forma do logotipo do produto foi disparado de uma espaçonave cenográfica no fundo da sala, derrubando os outros antidepressivos. Os bailarinos pegaram suas botinas e fizeram um estranho passo de dança irlandesa enquanto os tijolos, aparentemente feitos de gesso e massa, despencavam com um ruído surdo, levantando uma nuvem de pó. O diretor da força de vendas passou por cima das ruínas para contemplar o próprio triunfo enquanto números apareciam na tela; ele discorreu a respeito de lucros futuros como se tivesse acabado de ganhar um prêmio de programa de auditório.

A extravagância incomodou. Mas aquilo pareceu deixar todos animados. Os esquadrões de animadoras de torcida nos intervalos esportivos não provocam tanto entusiasmo entre os espectadores. Quando aquele espetáculo burlesco chegou ao fim, o público estava pronto para dar um soco na cara da infelicidade. Depois das cerimônias de abertura, houve um sério apelo à humanidade da equipe de vendas. As luzes ficaram mais fracas para a exibição de um curta-metragem produzido especificamente para a ocasião, mostrando pessoas que tinham tomado o produto durante a fase três dos estudos. Eram pessoas de verdade que tinham emergido de um sofrimento terrível; algumas delas tinham encontrado naquele produto um alívio para a depressão refratária que as tinha acompanhado por metade da vida. As imagens seguiam o mesmo estilo distorcido condizente com outros aspectos do lançamento, mas eram reais, e vi os funcionários ficarem profundamente comovidos com o horror que as pessoas tinham de fato suportado. Nas pessoas que deixavam o imenso auditório, o sentimento de cumprir uma missão era autêntico. Nos dias que se seguiram, o teor contraditório do lançamento se manteve; a agressão e empatia do representante eram incentivadas de maneira coordenada. Mas, no fim, todos receberam uma enxurrada de produtos: voltei para casa com uma camiseta, uma camisa polo, uma jaqueta, um caderno de anotações, um boné, uma bolsinha para viagens de avião, vinte canetas e uma série de outros artigos que tinham o logotipo do produto estampado do tamanho de uma etiqueta Gucci.

David Healey, ex-secretário da Associação Britânica de Psicofarmacologia, questionou o processo de aprovação para tratamentos da depressão. Em sua opinião, a indústria tem usado a expressão "inibidores seletivos da recaptação de serotonina" (ISRSs) para sugerir uma falsa simplicidade de função. Healey escreve:

> Drogas que bloqueiam a reapreensão da serotonina podem ser antidepressivas, assim como os compostos que bloqueiam seletivamente a reapreensão da catecolamina. De fato, há uma forte indicação de que, em casos severos de depressão, alguns dos mais antigos compostos que agem em sistemas múltiplos podem ser mais eficazes do que os compostos mais novos. A TEC é quase certamente o tratamento menos específico para um sistema neurotransmissor determinado, mas muitos clínicos acreditam que ela seja o tratamento atual mais rápido e eficaz. Isso não sugere que a depressão seja uma disfunção de um neurotransmissor ou de um determinado receptor, mas sim que nas disfunções depressivas um número de sistemas fisiológicos é comprometido, parado ou dessincronizado de algum modo.[40]

Isso indica que as características que muitas empresas farmacêuticas anunciam de seus medicamentos não são na verdade úteis para os consumidores deles. Baseado num modelo de doença bacteriana, o sistema federal de regulação estabelecido nos anos 1960 supõe que cada doença tem um antídoto específico e que cada antídoto funciona numa doença específica. Inquestionavelmente, o discurso corrente da FDA, do Congresso norte-americano, das empresas farmacêuticas e do público em geral reflete a noção de que a depressão toma conta do indivíduo e o tratamento apropriado pode expulsá-la. A categoria "antidepressão", que pressupõe a doença "depressão", faz sentido?

Se a depressão é uma doença que afeta 25% das pessoas no mundo,[41] pode ser de fato uma doença? É algo que suplanta a "verdadeira" personalidade dos afligidos por ela? Eu poderia ter escrito este livro duas vezes mais rápido se conseguisse funcionar com quatro horas de sono por noite. Sou significativamente incapacitado por minha necessidade de sono. Não poderia ser secretário de Estado, pois tal emprego requer mais atividade do que é possível encaixar em dias de quinze horas. Um dos motivos pelos quais escolhi me tornar um escritor é poder regular meu horário, e todos com quem já trabalhei sabem que não faço reuniões pela manhã, exceto quando sou obrigado. Às vezes, tomo uma droga vendida sem prescrição médica — chama-se café —, para me ajudar a aguentar com menos horas de sono do que eu precisaria. É uma droga imperfeita; é muito eficaz para tratamento de curto prazo de minha disfunção, mas tomada no longo prazo como um substituto para o sono provoca ansiedade, náusea, tontura e redução de eficiência. Por isso, não funciona suficientemente bem para mim se eu quisesse assumir o horário de um secretário de Estado. Parece provável que, se a Organização Mundial de Saúde fizesse um estudo para apurar quantas horas úteis são perdidas por homem ao ano por gente que precisa de mais de seis horas de sono, o preço cobrado por essa necessidade poderia ser até maior do que o cobrado pela depressão.

Conheço gente que precisa dormir catorze horas por noite. Da mesma forma que gente com depressão severa, essas pessoas enfrentam dificuldades para funcionar no mundo social e profissional de nossos tempos. Elas sofrem de uma tremenda desvantagem. Qual é a fronteira da doença? E se uma droga melhor do que a cafeína aparecer, quem seria classificado como doente? Estabeleceríamos um ideal de horário de sono do secretário de Estado e passaríamos a recomendar a medicação para todos que dormem mais de quatro horas por noite? Seria ruim fazer isso? O que aconteceria a quem recusasse a terapia da droga e dormisse suas horas naturais? Elas seriam incapazes de se manter no páreo; o ritmo veloz da vida moderna seria muito mais rápido se a maioria das pessoas pudesse fazer uso dessa medicação hipotética.

Healey escreve que

> durante os anos 1970, as disfunções psiquiátricas graves foram definidas como disfunções de sistemas de neurotransmissor único e seus receptores. Uma evidência que apoiasse qualquer dessas proposições nunca surgiu, mas essa linguagem foi uma das maiores causas da transição da psiquiatria de uma disciplina que se compreendia em termos dimensionais para outra que se preocupava com termos categóricos.[42]

De fato, talvez isso seja o mais alarmante do conhecimento atual sobre a depressão: ele descarta a ideia de um continuum e defende que um paciente tem ou não tem depressão, é ou não deprimido, como se estar um pouquinho deprimido fosse o mesmo que estar um pouquinho grávida. Os modelos categóricos são atraentes. Numa época em que somos cada vez mais alienados de nossos sentimentos, a ideia de que um médico pode fazer um exame de sangue ou uma varredura do cérebro e dizer se temos depressão e de que tipo é nos conforta. Mas a depressão é uma emoção que existe em todas as pessoas, entrando e saindo do controle; a doença depressão é o excesso de algo comum, não a introdução de algo exótico. Difere de uma pessoa para outra. O que deixa alguém deprimido? Pode-se da mesma forma perguntar o que deixa alguém contente.

Um médico pode ajudar na escolha de dosagem, mas algum dia pode ser tão simples tomar um ISRS como se tomam vitaminas antioxidantes,[43] cujos benefícios a longo prazo são óbvios e cujos efeitos colaterais são mínimos, não letais e facilmente controlados. Esses ISRSs ajudam a saúde mental, que é frágil; eles mantêm a mente em forma. Tomar doses erradas ou tomar os remédios sem rigor os impedirá de funcionar como deveriam, mas, como aponta Healey, as pessoas tomam remédios sem prescrição com razoável cuidado. Geralmente não tomamos doses excessivas deles. Fazemos tentativas e erros em nós mesmos para compreender quanto devemos tomar (o que é mais ou menos o que os médicos fazem em suas receitas com os ISRSs). Os ISRSs não são fatais ou perigosos mesmo em doses extremas.[44] Healey acredita que a glamourização de medicamentos pelo status da receita é especialmente surpreendente com os antidepressivos, que têm relativamente poucos efeitos colaterais e são usados para tratar uma doença que no momento existe apenas na explicação fornecida pelo paciente, uma doença que não pode ser testada em quaisquer termos médicos a não ser os relatos do próprio paciente. Não há nenhum modo de determinar se um remédio antidepressivo é necessário ou não, exceto perguntando ao paciente.

Minha rotina de remédios é agora especificamente equilibrada, e eu não teria o conhecimento especializado para atravessar meu último colapso sem a consulta constante a um especialista. Mas muitas pessoas que conheço que tomam Prozac simplesmente foram a um médico e pediram o medicamento. Já haviam feito um autodiagnóstico, e o médico não via razão para duvidar do insight delas em relação à própria mente. Tomar Prozac desnecessariamente não parece ter qualquer efeito especial, e aqueles para quem o remédio é inútil provavelmente param de tomá-lo. Por que as pessoas não devem ser livres para assumir tais decisões totalmente sozinhas?

Muita gente que entrevistei toma antidepressivos por "depressão leve" e leva uma vida mais feliz e melhor por causa disso. Eu faria o mesmo. Talvez o que queiram mudar seja de fato a personalidade, como Peter Kramer sugeriu em *Ouvindo o Prozac*. A informação de que a depressão é um problema químico ou biológico é uma proeza de relações públicas; pelo menos em teoria, seria possível encontrar a química do cérebro para a violência e mexer com isso, se quiséssemos. A ideia de que a depressão é uma doença invasiva repousa numa amplificação da palavra *doença* para incluir todo o tipo de características (do sono à antipatia e à estupidez) numa ficção moderna conveniente. Entretanto, a depressão severa é uma doença devastadora que agora é tratável e deve ser tratada tão vigorosamente quanto possível, para o bem de uma sociedade justa na qual as pessoas tenham vidas ricas e saudáveis. Ela deve ser coberta pelas seguradoras, protegida por leis do Congresso, estudada por grandes pesquisadores como uma questão da máxima importância. Há um aparente paradoxo aqui apontando para perguntas existenciais sobre o que constitui a pessoa e o que constitui suas aflições. Nosso direito à vida e à liberdade é comparativamente óbvio; nosso direito à procura da felicidade torna-se mais enigmático a cada dia.

Uma amiga minha, mais velha, me disse certa vez que o sexo foi destruído por sua existência pública. Quando era jovem, disse, ela e seus primeiros amantes descobriam uma coisa nova tendo como guia apenas seus instintos. Não tinham nenhuma expectativa específica, nenhum padrão. "Hoje se leem tantos artigos sobre quem deve ter quantos orgasmos, onde e como", disse ela. "Já determinam o que fazer, em que posições ficar e como sentir. Já explicaram o modo certo e o errado de tudo. Que chance de descobrir alguma coisa você tem agora?"

A disfunção do cérebro também era uma questão privada, apesar da história contada neste livro. Chegava-se a ela sem qualquer expectativa, e o modo como as coisas haviam dado errado era bastante pessoal. A maneira como as pessoas em torno do deprimido lidavam com essa depressão também era pessoal. Agora entramos na dor psíquica com linhas mestras. Florescemos em categorizações artificiais e fórmulas redutoras. Quando a depressão saiu do armário coletivo, se transformou em uma sequência ordenada de fora. É aí que a política se encontra com a depressão. Este livro também está impotentemente intrincado na política da doença. Se o leitor ler estas páginas atentamente, pode aprender o que é estar deprimido: o que sentir, o que pensar, o que fazer. Apesar disso, a individualidade da luta de cada pessoa é impenetrável. A depressão, como o sexo, mantém uma aura inesgotável de mistério. É nova a cada momento.

11. Evolução

Já se falou muito sobre quem, o quê, quando e onde da depressão. Os evolucionistas têm voltado sua atenção para o porquê. O interesse no porquê começa com a história: a biologia evolucionária explica como as coisas são como são. Por que uma doença tão obviamente desagradável e essencialmente improdutiva ocorreria numa parte tão grande da população? Que vantagens poderia proporcionar? Seria simplesmente um defeito na humanidade? Por que não foi extinta há muito tempo? Por que sintomas particulares tendem a se somar? Qual é a relação entre a evolução biológica e a social da disfunção? É impossível responder a essas perguntas sem olhar para as que precedem a questão da depressão. Por que, em termos evolucionários, temos estados de espírito? Por que temos emoções? O que exatamente fez a natureza selecionar desespero, frustração e irritabilidade, e selecionar, relativamente falando, tão pouca alegria? Encarar as questões evolucionárias sobre a depressão é encarar o que significa ser humano.

É evidente que as alterações do humor não são doenças simples, singulares, discretas. Michael McGuire e Alfonso Troisi, no livro *Darwinian Psychiatry* [Psiquiatria darwinista], destacam que a depressão pode ocorrer

> com e sem precipitadores conhecidos, pode às vezes ser uma característica de família e às vezes não, pode mostrar diferentes taxas de concordância entre gêmeos univitelinos, pode às vezes durar uma vida inteira e em outras vezes ter remissão espontânea.

> Mais ainda: a depressão é obviamente o resultado comum de muitas causas;

> algumas pessoas com depressão crescem e vivem em contextos socialmente adversos, enquanto outras não; algumas vêm de famílias em que a depressão é comum, enquanto outras não; e há relatos dos mais diversos quanto aos sistemas fisiológicos causadores de depressão (isto é, norepinefrina, serotonina). Além disso, alguns respondem a um tipo de medicamento antidepressivo, mas não a outro; alguns não

respondem a nenhum tipo de medicamento, mas respondem ao tratamento eletro-convulsivo; e alguns não respondem a qualquer intervenção conhecida.[1]

Acredita-se que o que chamamos de depressão seja um conjunto específico de condições para os quais não há fronteiras evidentes. É como se tivéssemos uma doença chamada "tosse" que incluísse uma tosse que responde a antibióticos (tuberculose), uma tosse que reage a mudanças na umidade (enfisema), uma que reage a tratamentos psicológicos (a tosse pode ser um comportamento neurótico), uma que exija quimioterapia (câncer de pulmão) e uma que pareça intratável. Determinada tosse é fatal se não tratada, outra crônica, outra temporária e outra sazonal. Uma vai embora sozinha. Outra está relacionada à infecção viral. O que é tosse? Decidimos definir a tosse mais como um sintoma de várias doenças do que uma doença em si, embora possamos também examinar o que poderíamos chamar de os sintomas consequentes da tosse: dor de garganta, dificuldade de dormir, dificuldade no falar, coceira na garganta, perturbações respiratórias e assim por diante. A depressão não é uma categoria de doença racional; como a tosse, é um sintoma com sintomas. Se não conhecêssemos o espectro de doenças que causam a tosse, não teríamos nenhuma base para compreender a "tosse refratária" e surgiríamos com todo tipo de explicação sobre por que algumas tosses resistem a tratamento. Não temos, neste momento, um sistema claro para classificar os diferentes tipos de depressão e suas diferentes implicações. É pouco provável que ela tenha uma explicação única. Se ocorre por inúmeras razões, precisaremos usar sistemas múltiplos para examiná-la. Há um certo descuido, próprio dos modos correntes de classificação, que pega uma pitada de pensamento psicanalítico, um pouquinho de biologia e algumas circunstâncias externas e os mistura numa salada maluca. É preciso desemaranhar depressão, sofrimento, personalidade e doença antes de poder realmente entender os estados mentais deprimidos.

A reação animal mais básica é a sensação. Sentir fome é desagradável e a sensação de saciedade é agradável para todas as criaturas vivas, razão pela qual fazemos o esforço de nos alimentarmos. Se a fome não fosse uma sensação desagradável, morreríamos de fome. Temos instintos que nos levam à comida, e quando tais instintos são contrariados — pela falta de disponibilidade da comida, por exemplo — sofremos uma fome extrema, uma sensação que faremos quase tudo para aliviar. Sensações tendem a desencadear emoções: quando estou infeliz por estar faminto, estou tendo uma resposta emocional a uma sensação. Parece que até mesmo os insetos e muitos animais invertebrados têm sensações e reagem diretamente a elas. É difícil dizer em que ponto na hierarquia animal começa a emoção. Ela não é uma característica exclusiva dos mamíferos mais elevados; mas não é também uma palavra apropriada para descrever o comportamento de uma ameba. Somos afligidos por uma falácia patética e temos uma tendência antropomórfica a dizer, por exemplo, que uma planta sem muita água está infeliz quando murcha — ou, até mesmo, que o carro está rabugento quando engasga. Não é fácil distinguir entre essas projeções e a emoção verdadeira. Um enxame de abelhas está zangado? Um salmão subindo a corrente é resoluto? O conceituado biólogo Charles Sherrington escreveu, no final dos anos 1940, ao observar uma pulga picando através de um microscópio, que

> o ato, reflexo ou não, parecia carregado da mais violenta emoção. Pondo-se de lado sua escala liliputiana, a cena comparava-se à do leão predador de *Salammbô*. Era um pequeno vislumbre sugestivo de um vasto oceano de "afeto" que permeia o mundo dos insetos.[2]

O que Sherrington descreve é como a ação parece refletir emoção ao olho humano.

Se a emoção é um conceito mais sofisticado do que a sensação, o ânimo (ou humor) é uma ideia mais sofisticada ainda. O biólogo evolucionário C. U. M. Smith diz que a emoção é como o tempo em um determinado momento (chuva, sol, frio etc.), e ânimo é como o clima (uma parte úmida e chuvosa do mundo).[3] O ânimo é um estado emocional prolongado que colore nossas respostas à sensação. É feito de uma ou várias emoções que adquiriram vida própria fora de seus precipitadores imediatos. Por exemplo, pode-se estar infeliz por causa da fome e passar para um estado de ânimo irritável que não será necessariamente atenuado com a comida. A disposição de ânimo existe em todas as espécies; em geral, quanto mais desenvolvida a espécie, mais poderosamente o humor ocorre independentemente de circunstâncias externas imediatas. Isso é bem verdadeiro nas pessoas. Mesmo os que não sofrem de depressão entram num estado melancólico às vezes, quando pequenas coisas parecem lembrar a nossa mortalidade, quando a falta dos que se foram ou dos tempos passados é sentida súbita e profundamente, quando o simples fato de existirmos num mundo transitório parece paralisante, de tão triste. Às vezes as pessoas ficam tristes sem qualquer motivo aparente. E mesmo os que estão quase sempre deprimidos experimentam às vezes estados de espírito bons quando o sol parece brilhar mais do que o normal, tudo tem um sabor delicioso e o mundo está cheio de possibilidades; quando o passado parece uma pequena introdução para o esplendor do presente e do futuro. O motivo disso é um enigma tanto bioquímico quanto evolucionário. As vantagens seletivas da emoção são muito mais fáceis de ver do que a necessidade dos estados de ânimo.

A depressão seria uma desordem, como o câncer, ou um mecanismo de defesa, como a náusea? Os evolucionistas argumentam que boa parte das vezes ela é apenas uma disfunção. Parece provável que a capacidade para a depressão esteja vinculada a mecanismos que em algum estágio proporcionaram alguma vantagem reprodutiva. Podemos enumerar quatro possibilidades, cada qual com pelo menos uma parcela de verdade. A primeira é que nos tempos pré-humanos da evolução a depressão tinha um objetivo que já não tem mais. A segunda é que os estresses da vida moderna são incompatíveis com os cérebros que desenvolvemos, e a depressão é a consequência de estarmos fazendo coisas que vão além das nossas possibilidades fisiológicas. A terceira é que a depressão tem uma utilidade em si nas sociedades humanas, que às vezes a depressão é uma coisa boa. A última é que os genes e as consequentes estruturas biológicas implicados na depressão também estão relacionados a outros comportamentos ou sensações mais úteis — que a depressão é um resultado secundário de uma variante útil na fisiologia do cérebro.

A ideia de que a depressão teve uma função útil no passado que já não tem mais — de que é na verdade uma relíquia — é sustentada por muitas outras respostas emocionais vestigiais. Como indicou o psicólogo Jack Kahn: "As pessoas não têm um medo natural dos verdadeiros perigos, como carros e tomadas de luz, mas desperdiçam seu tempo e energia com medo de aranhas e cobras inofensivas",[4] já que em tempos diferentes e num estágio diferente de nosso desenvolvimento como espécie foi útil temer esses animais. Seguindo esse padrão, a depressão muitas vezes se coloca em torno de questões que parecem totalmente sem importância. Anthony Stevens e John Price propuseram que algumas formas de depressão eram necessárias para a formação das sociedades hierárquicas primitivas.[5] Embora os organismos inferiores e alguns mamíferos superiores, como o orangotango, sejam solitários,[6] os animais mais avançados formam agrupamentos sociais, que permitem melhor defesa contra predadores, melhor acesso aos recursos, oportunidades reprodutivas melhores e mais prontamente acessíveis e a perspectiva de uma caçada cooperativa. Não há dúvida de que a seleção natural favoreceu a coletividade. O impulso de viver em coletividade é extremamente forte nos seres humanos. Formamos sociedades, e a maioria de nós tira grande alento na sensação de pertencer a um grupo. Ser querido é um dos grandes prazeres da vida; ser excluído, ignorado ou de alguma outra maneira ser impopular é uma das piores experiências que podemos ter.

Sempre há um líder; uma sociedade sem líder é caótica e logo se dissolve. Geralmente as posições dos indivíduos dentro de um grupo estão sujeitas a mudanças ao longo do tempo, e o líder tem que defender continuamente sua posição contra os desafiantes até ser finalmente derrotado.[7] A depressão é crítica para resolver conflitos de dominância em tais sociedades. Se um animal de hierarquia baixa desafia o líder e não é desencorajado, ele continuará desafiando o líder e não haverá paz no grupo, que não conseguirá funcionar como grupo. Se, ao perder, tal animal sofre um abalo na sua autoconfiança e se retira para um estado mais ou menos depressivo (caracterizado mais pela passividade do que pela crise existencial), reconhece assim o triunfo do vencedor, aceitando forçosamente a estrutura de dominação. Essa figura subdominante, ao ceder à autoridade, libera o vencedor da obrigação de matá-lo ou expulsá-lo do grupo. Assim, através da ocorrência apropriada de depressão leve a moderada, pode-se conseguir harmonia social numa sociedade baseada em hierarquias.[8] O fato de que os deprimidos frequentemente têm recidivas pode indicar que os que lutaram e perderam devem evitar lutar de novo, minimizando assim o dano para si próprios. O evolucionista J. Birtchnell disse que os centros cerebrais estão constantemente monitorando o status de alguém em relação aos outros e que todos nós funcionamos segundo noções internalizadas de hierarquia.[9] O resultado de uma luta determina como a maioria dos animais se situa dentro dessa hierarquia. A depressão pode ser útil para impedir tais animais de desafiar sua colocação na hierarquia quando não têm chances reais de subir. Frequentemente, mesmo que não estejam buscando melhorar sua posição social, as pessoas sofrem críticas e ataques de outros. A depressão as tira do ambiente em que estão sujeitos a críticas; elas se desestimulam para que não sejam diminuídas (essa teoria me parece um pouco exagerada). A ansiedade oriunda da depressão é então vinculada ao medo de ser objeto de ataques vigorosos ou de ser excluído do grupo, um desenvolvimento que nas sociedades animais e nas humanas mais primitivas teria consequências fatais.

Esse argumento para as estruturas evolucionárias da depressão não é tão relevante para a depressão como agora a experimentamos, em sociedades com um número enorme de princípios estruturantes externos. Em sociedades de animais, a estrutura grupal é determinada pela força física expressa em lutas nas quais um lado triunfa sobre o outro, diminuindo-o ou derrotando-o. Russell Gardner, por muitos anos diretor da Sociedade de Comparações e Psicopatologia entre Espécies (Across-Species Comparisons and Psychopathology, ASCAP), tem estudado como a depressão humana está ligada a modelos animais.[10] Ele sugere que, nos humanos, o sucesso é menos ligado à diminuição do outro do que à capacidade de produzir do próprio indivíduo. As pessoas não são bem-sucedidas apenas ao impedir que qualquer outro o seja: elas têm sucesso devido às suas próprias realizações. Isso não quer dizer que a pessoa está inteiramente livre da competição e de causar danos a outras, mas a competição que caracteriza a maior parte dos sistemas sociais humanos é mais construtiva do que destrutiva. Em sociedades animais, o tema essencial do sucesso é "eu sou mais forte que você", enquanto nas sociedades humanas é, num grau muito maior, "eu sou incrivelmente bom".

Gardner sugere que enquanto a força real, passível de ser testada, determina a ordem social animal, com os fracos apresentando estados parecidos com a depressão, nas sociedades humanas a opinião pública determina a ordem social. Assim, enquanto um babuíno pode agir de modo deprimido porque todos os outros babuínos podem espancá-lo (e o fazem), um ser humano fica deprimido porque ninguém o tem em alta conta. Mesmo assim, a hipótese hierárquica básica confirma a experiência contemporânea — indivíduos que descem na hierarquia tornam-se deprimidos, e isso às vezes pode fazer com que aceitem uma posição hierárquica inferior na sociedade. Contudo, é preciso observar que mesmo aqueles que se recusam a aceitar uma posição hierárquica mais baixa não são geralmente expulsos das sociedades contemporâneas — alguns na verdade se tornam revolucionários respeitados.

A depressão é uma prima agitada da hibernação, um silêncio e um retraimento que conserva energia, uma lentidão maior de todos os sistemas — o que parece sustentar a ideia de que a depressão é uma relíquia. O fato de os deprimidos quererem ficar na cama e não sair de casa evoca a hibernação: um animal deve hibernar não no meio de um campo, mas na segurança relativa de sua confortável toca. Segundo uma hipótese, a depressão é uma forma natural de retraimento que precisa ser levado a termo num contexto seguro. "Pode ser que a depressão esteja associada ao sono", sugeriu Thomas Wehr, o homem do sono no NIMH, "porque está associada ao lugar onde o sono ocorre, ao estar em casa." A depressão pode também ser acompanhada de níveis alterados de prolactina, o hormônio que faz os pássaros ficarem sentados sobre seus ovos por semanas a fio. Isso é também uma forma de retraimento e letargia. Sobre a depressão mais suave, diz Wehr:

> Os membros da espécie que eram ansiosos demais para lidar com multidões, não iam a lugares altos, não entravam em túneis, não se destacavam, fechavam-se ante estranhos, iam para casa quando sentiam perigo — provavelmente eles viveram mais tempo e tiveram montes de filhos.[11]

É importante ter em mente a suposta singularidade de propósito da evolução. A seleção natural não elimina disfunções nem caminha rumo à perfeição. A seleção natural favorece a expressão de certos genes sobre outros. Nossos cérebros evoluem menos rapidamente do que nosso modo de vida. McGuire e Troisi chamam isso de "a hipótese da defasagem do genoma".[12] Não há dúvida de que a vida moderna obriga a fardos incompatíveis com os cérebros que desenvolvemos. A depressão pode então ser uma consequência de estarmos fazendo o que não evoluímos para fazer. "Acho que, numa espécie planejada para viver em grupos de cinquenta a setenta membros", diz Randolph Nesse, um grande nome da psicologia evolucionária, "viver num grupo de vários bilhões é desgastante para todo mundo. Mas quem sabe? Talvez seja culpa da alimentação, talvez da falta de exercício, talvez das mudanças na estrutura da família, talvez das mudanças nos padrões de acasalamento e acesso sexual, talvez do sono, talvez de ter que confrontar a própria morte como uma mente consciente, talvez nenhuma dessas coisas." James Ballenger, da Universidade de Medicina da Carolina do Sul, acrescenta: "Os estímulos da ansiedade simplesmente não existiam no passado. Você ficava a uma distância segura de casa, e a maioria das pessoas aprende a lidar com um só lugar. A sociedade moderna provoca ansiedade". A evolução desenvolveu um padrão em que uma resposta específica funcionava em uma circunstância específica — a vida moderna provoca essa resposta, uma série de sintomas, em muitas circunstâncias nas quais não são úteis. As taxas de depressão tendem a ser baixas em sociedades de caça ou puramente agrícolas, mais altas em sociedades industriais e mais altas ainda em sociedades em transição. Isso apoia a hipótese de McGuire e Troisi. Há mil dificuldades nas sociedades modernas que as sociedades mais tradicionais não tinham que enfrentar. Ajustar-se a elas sem ter tempo para incorporar estratégias para lidar com elas é quase impossível. Dessas dificuldades, a pior é provavelmente o estresse crônico. No ambiente selvagem, os animais tendem a sofrer uma situação de perigo momentânea e logo a resolvem, sobrevivendo ou morrendo. Exceto pela fome persistente, não há nenhum estresse crônico. Animais selvagens não aceitam empregos dos quais se arrependem, não se forçam a interagir calmamente, ano após ano, com aqueles de quem não gostam, não brigam pela custódia do filho.

Talvez a fonte primária do nível extremamente alto de estresse em nossa sociedade não sejam as aflições evidentes, mas a liberdade na forma de um número absurdo de escolhas sobre as quais conhecemos pouco. O psicólogo holandês J. H. van den Berg, que publicou seu *Metablética* em 1961,[13] argumenta que sociedades diferentes têm diferentes sistemas de motivação e que cada época requer novas teorias — portanto, o que Freud escreveu podia muito bem ser verdade para os homens do final do século XIX e início do XX em Viena e Londres, mas não dizia mais necessariamente respeito aos homens de meados do século XX, nem algum dia disse respeito às pessoas de Pequim. Van den Berg sugere que não existe algo como uma escolha informada sobre um modo de vida na cultura moderna. Ele fala da invisibilidade das profissões, cuja contínua diversificação resulta numa gama de possibilidades além da nossa compreensão. Nas sociedades pré-industriais, uma criança podia caminhar por sua aldeia e ver os adultos trabalhando. Escolhia (onde a escolha era possível) seu próprio trabalho com base em uma compreensão bastante completa do que acarretava cada uma das opções disponíveis — o que era ser um ferreiro, um moleiro ou um padeiro. Talvez os detalhes da vida do padre fossem pouco claros, mas o modo de vida do padre era totalmente visível. Isso não é verdade em nossa sociedade pós-industrial. Poucas pessoas sabem desde a infância o que faz exatamente um gerente de fundos ou um administrador de cuidados de saúde ou um professor-adjunto, ou como seria ter essas profissões.

A esfera pessoal é igual. Até o século XIX, as opções sociais eram limitadas. À exceção de alguns aventureiros e heréticos, as pessoas cresciam e morriam no mesmo lugar. Eram mantidas em rígidas estruturas de classe. Um camponês em Shropshire tinha poucas opções de casamento: escolhia entre as mulheres que eram da classe, idade e local certos. Talvez a que ele realmente amava não estivesse disponível e ele tivesse que se estabelecer com outra, mas pelo menos passara em revistas as opções, sabia o que podia ser feito e o que estava fazendo. Membros das classes altas ocupavam um mundo um pouco menos constrito geograficamente, mas eram numericamente poucos. Também tendiam a conhecer todas as pessoas com quem poderiam casar e estavam conscientes do arco completo de opções. Isso não quer dizer que casamentos entre as classes não ocorriam ou que as pessoas não se locomoviam de um local para outro, mas tais ações eram pouco frequentes e refletiam uma rejeição consciente da convenção. Sociedades altamente estruturadas que não apresentam oportunidades ilimitadas podem engendrar a aceitação da pessoa pelo que lhe cabe na vida, numa porcentagem relativamente grande da população — embora, é claro, uma aceitação total própria da situação obtida através da introspecção seja rara em qualquer sociedade e em qualquer época. Com o maior desenvolvimento do transporte, o crescimento das cidades e o advento da mobilidade de classe, o número de pretendentes possíveis subitamente aumentou em proporções incomensuráveis. As pessoas que em meados do século XVIII podiam dizer que tinham passado em revista todos os elementos disponíveis do sexo oposto e escolhido o mais bonito, têm sido forçadas, em tempos mais recentes, a se contentar com a noção menos reconfortante de que escolheram a melhor pessoa que conheciam até então. A maioria de nós conhece milhares de outras pessoas na vida. Portanto, a perda da certeza básica — de sentir que escolheu a profissão certa ou o cônjuge certo — nos deixou abalados. Não conseguimos aceitar que simplesmente não sabemos o que fazer: agarramo-nos à ideia de que é preciso escolhas com base no conhecimento.[14]

Em termos políticos, a liberdade é frequentemente um fardo, razão pela qual as transições ao final de uma ditadura muitas vezes causam depressão. Em termos pessoais, escravidão e liberdade excessivas são ambas realidades opressivas, e enquanto uma parte do mundo está paralisada pelo desespero da pobreza inescapável, os países mais desenvolvidos estão paralisados pela própria mobilidade de suas populações, pelo nomadismo do século XXI e seu desenraizamento constante a fim de buscar novos empregos, relações e mesmo caprichos. Um escritor falando desse problema conta a história de um rapaz, cuja família mudou-se cinco vezes num curto período, que se enforcou em um carvalho no quintal deixando na árvore um bilhete espetado que dizia: "Isto é a única coisa por aqui que tem raízes".[15] A sensação de interrupção eterna assola o executivo que visita de avião em média trinta países num ano; o cidadão de classe média cujo emprego é sempre redefinido a cada vez que sua empresa é comprada, e que não sabe de ano para ano quem trabalha para ele ou para quem ele trabalha; ou a pessoa que vive sozinha e encontra alguém diferente no caixa do supermercado cada vez que faz compras. Em 1957, um supermercado norte-americano médio tinha 65 itens na seção de vegetais: os consumidores conheciam todos os frutos e legumes e já os haviam comido antes. Em 1997, um supermercado norte-americano médio tinha mais de trezentos produtos na seção de frutas e legumes, com muitos supermercados chegando a mil itens.[16] Você é invadido pela incerteza mesmo quando escolhe seu próprio jantar. Esse nível de aumento de escolhas não é conveniente: é estonteante. Quando escolhas semelhantes se apresentam em cada área de sua vida — onde você vive, o que faz, o que compra, com quem casa —, o resultado é um desconforto coletivo que, na minha opinião, é muito esclarecedor quanto às taxas crescentes de depressão no mundo industrializado.

Além disso, vivemos em uma época de tecnologias ofuscantes e perturbadoras e não sabemos concretamente como a maioria das coisas em torno de nós funciona. Um micro-ondas, por exemplo. O que é um chip de silicone? Como se faz engenharia genética num pé de milho? Como minha voz viaja quando uso um telefone celular em comparação com um telefone comum? O que o caixa eletrônico de um banco no Kuait deduz de minha conta em Nova York é dinheiro real? Pode-se pesquisar qualquer dessas questões particulares, mas aprender as respostas de todas as pequenas perguntas científicas que inundam nossas vidas é uma tarefa esmagadora. Mesmo para alguém que entende como o motor de um carro funciona e de onde vem a eletricidade, os mecanismos da vida diária ficaram cada vez mais obscuros.

Há muitos estresses específicos com os quais não conseguimos lidar. O colapso da família é, com certeza, um deles, e o advento da vida solitária é outro. A perda de contato, e às vezes de intimidade, entre mães que trabalham e seus filhos é outra. Levar uma vida de trabalho que não inclui nenhuma atividade física ou exercício também. Viver sob luz artificial. A perda do conforto da religião. Incorporar a explosão de informações inerentes a nossa época. A lista quase não tem fim. Como nossos cérebros podem se preparar para processar e tolerar tudo isso? Por que isso não seria desgastante para eles?

Muitos cientistas concordam com a ideia de que a depressão tem uma função útil em nossa sociedade. Os evolucionistas gostariam de provar que a presença da depressão favorece a reprodução de certos genes — mas, se examinarmos as taxas reprodutivas dos depressivos, descobrimos que a depressão na verdade diminui a reprodução. Como a dor física, a depressão tem como principal função evitar que participemos de certas atividades ou tenhamos alguns comportamentos perigosos, tornando-os desagradáveis demais para suportarmos — assim, é a capacidade de ter depressão que nos parece mais obviamente útil. Os psiquiatras evolucionários Paul J. Watson e Paul Andrews sugeriram que a depressão é um meio de comunicação e moldaram cenários evolutivos segundo os quais a depressão é uma doença social, que existe por seu papel interpessoal.[17] A depressão leve, na visão deles, provoca introspecção e autoexame intensos, e com isso podemos tomar decisões sofisticadas sobre como realizar mudanças em nossas vidas, de modo a adaptá-las melhor às nossas personalidades. Esse tipo de depressão pode ser e muitas vezes é mantida em segredo, e sua função é privada. Ansiedade — angústia diante de um evento — é geralmente um componente da depressão e pode ser útil para prevenir problemas. Depressão leve — um estado de espírito melancólico que domina uma vida, separado da circunstância que o desencadeou — pode motivar uma volta ao que havia sido tolamente descartado, que adquiriu valor somente depois de sua perda. Ela pode fazer com que a pessoa se arrependa de alguns erros e evite cometê-los de novo.[18] As decisões que tomamos a respeito de nossas vidas geralmente seguem a velha regra usada para investimentos: decisões de alto risco podem trazer altas recompensas, mas a um custo potencialmente alto demais para a maioria de nós. Uma situação em que não conseguimos nos desligar de um objetivo infrutífero ou impossível pode ser resolvida através da depressão, que força o desligamento. As pessoas que perseguem seus objetivos com tenacidade excessiva e não conseguem desapegar de vínculos obviamente problemáticos são especialmente sujeitas à depressão. "Elas estão tentando fazer algo que não terá êxito, mas não conseguem desistir porque investiram muito nisso emocionalmente", diz Randolph Nesse. Um ânimo baixo serve para impor limites à persistência.

A depressão pode certamente proibir comportamentos negativos que de outro modo poderíamos tolerar. Níveis excessivos de estresse, por exemplo, provocam depressão, e a depressão pode fazer com que evitemos o estresse. A falta de sono pode causar depressão, a depressão pode nos obrigar a dormir mais. Uma das funções primárias da depressão é mudar comportamentos não produtivos. A depressão é frequentemente um sinal de que nossos recursos estão sendo mal investidos e precisam ter seu foco ajustado. Exemplos práticos disso abundam na vida moderna. Fiquei sabendo de uma mulher que, apesar dos desencorajamentos de seus professores e colegas, vinha tentando obter sucesso como violinista profissional e sofria de uma depressão aguda que reagia minimamente à medicação e outras terapias. Quando ela desistiu da música e voltou suas energias para atividades mais compatíveis com suas habilidades, sua depressão desapareceu.[19] Por mais paralisante que pareça, a depressão pode ser um motivador.

Uma depressão mais séria pode despertar a atenção e o apoio de outros. Watson e Andrews sugerem que fingir precisar da ajuda de outros não garante necessariamente essa ajuda: os outros são espertos demais para serem iludidos por falsas necessidades. A depressão é um mecanismo conveniente porque fornece uma realidade convincente: se você está deprimido, então está realmente desamparado e consegue a atenção dos outros. A depressão é uma forma cara de comunicação, mas é ainda mais atraente por ser cara. É seu horror real que faz com que os outros fiquem motivados, dizem Watson e Andrews: a disfunção causada pela depressão pode ser útil no sentido de funcionar como "um dispositivo para o surgimento do altruísmo".[20] Pode também convencer os que são responsáveis por nossas dificuldades a nos deixar em paz.

Minha depressão provocou diversos tipos de comportamento de ajuda em minha família e meus amigos. Ganhei muito mais atenção do que poderia esperar se não estivesse doente, e as pessoas à minha volta tomaram medidas para me aliviar de certos fardos — financeiros, emocionais e comportamentais. Fui liberado de qualquer obrigação com relação a meus amigos por estar simplesmente doente demais para procurá-los. Parei de trabalhar: não tive nenhuma escolha quanto a isso. Usei minha doença até mesmo para obter permissão para atrasar o pagamento de minhas contas, e várias pessoas irritantes foram obrigadas a parar de me incomodar. De fato, quando sofri meu terceiro episódio depressivo, adiei o prazo de entrega deste livro e o fiz com firmeza. Por mais frágil que me sentisse, consegui declarar categoricamente que não, não podia continuar trabalhando, e que era preciso levar em conta minha situação.

O psicólogo evolucionário Edward Hagen vê a depressão como um jogo de poder: envolve a retirada dos serviços prestados a outros até que estes se adaptem às necessidades da pessoa deprimida.[21] Eu discordo. Os deprimidos exigem muito das pessoas ao seu redor, mas... se não estivessem deprimidos, não precisariam exigir tanto. As chances de essas demandas serem completamente contempladas são relativamente escassas. A depressão pode ser uma chantagem útil, mas é em geral desagradável demais para o chantagista e inconsistente demais em seus resultados para ser um modo escolhido para obter fins específicos. Embora possa ser gratificante receber apoio quando você está se sentindo péssimo e isso possa de fato ajudar a construir relações mais profundas que de outro modo seria inimaginável, é muito melhor não se sentir tão péssimo e não precisar de tanto apoio. Não — eu acredito que um ânimo deprimido tem a mesma função da dor física, fazendo com que a pessoa evite certos comportamentos por causa de suas consequências desagradáveis, mas a ideia em voga de que a depressão é um meio para conquistar objetivos *sociais* faz pouco sentido para mim. Se a depressão é uma estratégia da natureza para fazer seres independentes buscarem ajuda, é no mínimo uma estratégia arriscada. O fato é que a maioria das pessoas fica horrorizada com a depressão. Embora algumas reajam à exibição da doença com crescente solidariedade e altruísmo, muito mais gente reage com aversão e afastamento. É comum descobrir durante uma depressão que pessoas que você achava confiáveis na verdade não o são — uma informação valiosa que você pode preferir não ter. Minhas depressões têm separado o joio do trigo entre meus amigos, mas a um custo muito alto. Será que vale a pena abandonar relações que me dão prazer simplesmente porque não foram confiáveis durante uma época terrível? Que espécie de amigo devo ser para essas pessoas? Em que medida a confiabilidade é sinônimo de amizade? De que maneira o fato de ser confiável numa crise tem a ver com o fato de ser amável, generoso ou bom?

A ideia de que a depressão é uma disfunção de certos mecanismos que também são úteis talvez seja a teoria evolucionária mais convincente de todas. A depressão surge frequentemente da dor e é uma aberração dela. Não é possível entender a melancolia a não ser através do luto: o padrão básico da depressão existe na dor. A depressão pode ser um mecanismo útil que emperra. Temos um espectro de ritmos cardíacos que nos permite funcionar em várias circunstâncias e climas. A verdadeira depressão é como um coração que não bombeia sangue para os dedos das mãos e dos pés, um extremo no qual não há virtualmente nenhuma vantagem inerente.

O sofrimento é profundamente importante para a condição humana. Acredita-se que sua função mais importante seja a formação de vínculos. Se não tememos a perda por não tê-la sofrido, não seremos capazes de amar com intensidade. A experiência do amor incorpora a tristeza em sua intensidade e alcance. O desejo de não machucar quem amamos — desejamos na realidade ajudá-los

— também tem a função de preservar a espécie. O amor nos mantém vivos quando reconhecemos as dificuldades do mundo. Se desenvolvêssemos autoconsciência e não desenvolvêssemos também o amor, não toleraríamos por muito tempo os paus e pedras que nos atiram pela vida. Nunca vi um estudo controlado acerca disso, mas acredito que as pessoas com a maior capacidade de amar são mais propensas a se apegar à vida, a permanecerem vivas, do que aquelas sem essa capacidade; são também mais propensas a serem amadas, e isso também as mantém vivas. "Muitas pessoas imaginam o céu como um lugar de intensidade e variedade infinitas", disse Kay Jamison. "Não um lugar livre de problemas. É normal que se queira eliminar alguns extremos, mas não cortar o espectro pela metade. Há uma linha muito tênue entre dizer que você quer que as pessoas sofram e dizer que você não quer que o prisma emocional seja negado às pessoas." Amar é ser vulnerável; rejeitar ou vilipendiar a vulnerabilidade é recusar o amor.

O amor nos impede de abandonarmos nossos vínculos prontamente. Fomos feitos para sofrer muito se nos afastamos das pessoas que amamos. Talvez a antecipação da dor seja fundamental para a formação dos vínculos emocionais. É a contemplação da perda que faz com que seguremos firme o que temos. Se não houvesse nenhum desespero em consequência da perda de uma pessoa, só gastaríamos tempo e energia emocional com aquela pessoa à medida que ela fosse motivo de prazer, e nem um minuto mais. "A teoria da evolução", disse Nesse, "é geralmente considerada uma prática cínica. Os biólogos evolucionários interpretam toda a complexidade do comportamento moral como um mero sistema a serviço dos genes da pessoa. Naturalmente, boa parte do comportamento de alguém é explicitamente norteado por esse objetivo. Mas com frequência as ações da pessoa ultrapassam esses parâmetros." Nesse estuda os compromissos. "Os animais não podem se fazer promessas complexas relativas ao futuro. Não podem negociar e dizer: 'Se você fizer isso para mim, no futuro eu farei aquilo para você'. Um compromisso é uma promessa no presente de fazer algo no futuro mesmo que ela não seja vantajosa para quem a faz. A maioria de nós vive por tais compromissos. Hobbes viu isso. Ele entendeu que nossa capacidade para tais compromissos é o que nos torna humanos."

A capacidade de estabelecer compromissos é evolucionariamente vantajosa para os genes de uma pessoa: é a base de uma unidade familiar estável que oferece o ambiente ideal para o desenvolvimento dos jovens. Mas, uma vez que temos essa capacidade, que tem um propósito evolucionário, podemos usá-la do modo que quisermos — e nessas escolhas está a bússola moral do animal humano. "As ideias reducionistas das pessoas sobre a ciência nos fizeram ver essas relações principalmente como manipulação e exploração mútuas", diz Nesse, "mas na verdade sentimentos de amor e ódio muitas vezes têm ramificações pouco práticas. Eles não se encaixam de modo algum ao nosso sistema racionalista. A capacidade de amar pode apresentar vantagens evolucionárias, mas como agimos em face do amor é um processo próprio. O superego nos impele a fazer coisas que beneficiam outros à custa de nosso próprio prazer." Ele nos leva à esfera das alternativas morais, uma esfera que perde seu significado se tentarmos eliminar o sofrimento e seu triste primo mais ameno, o remorso.

Alguns insetos nascem de sacos de ovos não chocados com um suprimento de comida necessário para a vida: eles precisam de impulso sexual, mas não de amor. Os precursores do vínculo emocional, porém, existem mesmo no mundo dos répteis e dos pássaros. O instinto de chocar um ovo e mantê-lo quente — ao contrário de botar um ovo e depois abandoná-lo, permitindo que fique frio, seja esmagado e devorado por outros animais — aumenta nitidamente as chances de reprodução. Na maioria das espécies pós-reptilianas, as mães que alimentam os filhotes, como fazem os pássaros benévolos, têm um maior número de filhotes sobreviventes. Isso aumenta seu sucesso em produzir rebentos que vão crescer, se tornar adultos e procriar. A primeira emoção, aquela que é mais significativa para a seleção natural, é uma versão do que chamamos de amor entre a mãe e seu filhote. É provável que o amor tenha surgido entre os primeiros mamíferos e motivado essas criaturas a cuidar dos filhotes relativamente desamparados, nascidos sem uma casca de ovo nesse mundo ameaçador. Uma mãe que tem fortes laços com os filhotes, que os protege dos saqueadores e prontamente cuida deles e os alimenta, tem uma chance muito maior de passar adiante seu material genético do que uma mãe que deixa o filhote ser atacado e comido por predadores. Os filhotes de mães protetoras têm uma chance muito maior de atingir a maturidade do que os filhotes de mães indiferentes. A seleção favorece a mãe amorosa.

Várias outras emoções têm funções específicas. O macho que alimenta raiva e ódio compete com maior eficácia contra outros machos; ele tenta destruí-los e, portanto, tem vantagem em suas próprias tendências reprodutoras. O macho que é protetor de sua fêmea também tem uma vantagem, e o macho que mantém os outros machos longe de sua fêmea preserva as chances de seus genes serem passados adiante cada vez que a fêmea se tornar fértil. A chance de levar adiante seu material, entre animais que produzem poucos filhotes, aumenta à medida que houver uma combinação de uma mãe atenta e amorosa com um pai ciumento e protetor (ou vice-versa). Animais apaixonados têm uma boa chance de se reproduzir com mais frequência. Animais energizados pela raiva tendem a vencer em situações competitivas. O amor — eros, ágape, amizade, vínculo filial, maternidade e todas as outras formas dessa emoção — age através de um modelo de punição e recompensa. Expressamos amor porque a gratificação provinda do amor é enorme e continuamos a expressá-lo e a protegê-lo porque a perda do amor é traumática. Se não tivéssemos sentido dor com a morte daqueles a quem amamos, se tivéssemos obtido prazer do amor, mas não sentíssemos nada quando o objeto desse amor fosse destruído, seríamos consideravelmente menos protetores do que somos. O sofrimento faz o amor ser autoprotetor: cuidaremos dos que amamos para evitar a dor intolerável para nós mesmos.

Esse argumento parece o mais plausível para mim: a depressão em si tem poucas funções úteis, mas a amplitude emocional é suficientemente valiosa para justificar todos os seus extremos.

A evolução social e a evolução bioquímica da depressão estão ligadas, mas não são a mesma coisa. Nosso mapeamento genético não é suficientemente específico neste momento para que conheçamos as funções exatas dos genes que levam à depressão, mas parece que a doença está ligada à sensibilidade emocional, que é uma característica útil.[22] É também possível que a própria estrutura da consciência abra um caminho para a depressão. Os evolucionistas contemporâneos trabalham com a ideia do cérebro trino (ou de três camadas). A parte mais interna do cérebro, a reptiliana, que é semelhante à que encontramos em animais inferiores, é a sede do instinto. A camada do meio, a límbica, que existe em animais mais avançados, é a sede da emoção. A camada de cima, encontrada apenas em mamíferos superiores como primatas e humanos, é a cognitiva e está ligada ao raciocínio, às formas avançadas de pensamento e à linguagem. A maioria dos atos humanos envolve as três camadas do cérebro. A depressão, na visão do famoso evolucionista Paul Mac-Lean, é uma preocupação distintamente humana. É o resultado de disjunções de processamento nos três níveis, é a consequência inevitável de se ter instinto, emoção e cognição, todos funcionando simultaneamente em todos os momentos.[23] A tríade do cérebro às vezes falha em coordenar sua resposta à adversidade social. Idealmente, quando alguém sente um retraimento instintivo, ele deve experimentar uma negatividade emocional e um reajuste cognitivo. Se os três níveis estão em sincronia, pode-se experimentar um retraimento normal e não depressivo da atividade ou circunstância que está causando a desativação do cérebro instintivo. Mas às vezes os níveis mais altos do cérebro lutam contra o instinto. Por exemplo, a pessoa pode se retrair no nível instintivo, mas se sentir emocionalmente ativada e zangada. Isso causa uma depressão agitada. Ou a pessoa pode se sentir retraída no nível instintivo, mas tomar uma decisão consciente de continuar lutando pelo que quer, submetendo-se assim a um terrível estresse. Esse tipo de conflito é conhecido por todos nós e parece de fato resultar na depressão ou em outras perturbações. A teoria de MacLean se adapta nitidamente à ideia de que nosso cérebro está fazendo mais do que evoluiu para fazer.

Timothy Crow, em Oxford, foi além do princípio do cérebro trino. Suas teorias são bem particulares; verdadeiras ou não, são um descanso para mentes gastas pelas afirmações por vezes improváveis feitas pelos teóricos evolucionários da mente tradicional.[24] Ele sugere um modelo linguístico evolucionário no qual a fala é a origem da autoconsciência e a autoconsciência é a origem da doença mental. Crow começa rejeitando os sistemas de classificação modernos e situa as doenças mentais num espectro contínuo. Para ele, as diferenças entre infelicidade comum, depressão, doença bipolar e esquizofrenia são mais de grau do que de tipo — diferenças mais dimensionais do que de categorias. Em sua visão, toda doença mental provém das mesmas causas.

Crow acredita (enquanto os fisiólogos brigam a respeito) que o cérebro primata é simétrico e que o que humaniza o ser humano — o ponto de especiação — é o cérebro assimétrico (que, segundo sugere, baseado em alguns argumentos genéticos complexos, surgiu através de uma mutação do cromossomo X nos machos). Embora o tamanho do cérebro aumente em relação ao tamanho do corpo — na evolução dos primatas e depois do homem —, uma mutação permitiu que as duas metades do cérebro se desenvolvessem com certa independência. Assim, enquanto os primatas não podem, como se diz, olhar de uma parte de seu cérebro para outra, o ser humano pode. Isso abriu caminho para a autoconsciência, para um relacionamento do próprio eu. Vários evolucionistas acreditam que isso pode ser consequência de uma simples mutação — relacionada a fatores de crescimento de cada lado do cérebro —, que no decorrer da evolução se tornou uma assimetria importante.

A assimetria do cérebro é por sua vez a base da linguagem, que é a expressão ou processamento do cérebro esquerdo dos conceitos e percepções do direito.[25] Essa noção de que a linguagem está localizada nos dois lados do cérebro parece sustentada pelas vítimas de derrame. Os pacientes que tiveram derrames limitados ao cérebro esquerdo entendem conceitos e percebem objetos, mas não conseguem nomear coisa alguma e não têm acesso à linguagem ou à memória linguística.[26] Isso não é simplesmente uma questão vocal. Pessoas surdas com derrames no hemisfério esquerdo podem transmitir emoções através da expressão e da gesticulação (como fazem todas as pessoas e os primatas), mas não conseguem usar a linguagem dos sinais ou entender a gramática profunda[27] que todos usamos para juntar palavras em frases e frases em parágrafos. Por outro lado, pacientes com derrame no hemisfério direito preservam as capacidades intelectuais, mas perdem os conceitos e sensações que essas capacidades podem normalmente expressar. Eles não conseguem processar abstrações complexas e suas capacidades emocionais ficam muito comprometidas.[28]

Quais são as estruturas anatômicas que nos tornam inclinados a alterações do ânimo? Crow sugeriu que a esquizofrenia e os transtornos de afeto podem ser o preço que pagamos por um cérebro assimétrico — o mesmo desenvolvimento neurológico a que ele atribui a sofisticação, cognição e linguagem humanas.[29] Ele então propõe que toda doença mental é consequência de uma perturbação da interação normal entre as duas metades do cérebro. "Pode ser comunicação de mais ou de menos entre elas; se o funcionamento dos hemisférios não estiver afinado, o resultado será uma doença mental", explica. Crow sugere que a assimetria fornece "uma interação cada vez mais flexível", "uma capacidade significativa para o aprendizado" e "uma crescente capacidade de se comunicar com membros da mesma espécie". Tais desenvolvimentos, contudo, tornam mais lenta a maturação do cérebro, que é mais demorada em seres humanos do que nas outras espécies. Os seres humanos parecem reter mais plasticidade cerebral como adultos do que a maioria das outras espécies — é difícil ensinar novos truques a um cão velho, mas pessoas velhas podem aprender novos sistemas de atividade motora enquanto se ajustam a deficiências da vida idosa.

Nossa flexibilidade nos permite atingir novos insights e nova compreensão. Ela também significa, contudo, alongar demais. Para Crow, a mesma elasticidade faz com que oscilemos para fora do espectro normal da personalidade e para dentro da psicose. A mudança pode muito bem ser desencadeada por eventos externos. O que a evolução teria selecionado, nesse modelo, não são as expressões da plasticidade e sim a própria plasticidade.

O estudo da assimetria cerebral é o assunto quente do momento, e o trabalho mais impressionante nos Estados Unidos está sendo feito pelo neurocientista Richard J. Davidson na Universidade de Wisconsin, em Madison. O trabalho de Davidson foi possível graças a equipamentos cada vez mais modernos de varredura do cérebro. Os cientistas agora podem ver todo tipo de coisas dentro do cérebro, algo impossível há cinco anos. E, ao que tudo indica, em cinco anos poderão ver muito mais. Usando uma combinação de TEP (tomografia por emissão de pósitron) e IRM (imagem por ressonância magnética), os especialistas obtêm instantâneos tridimensionais do cérebro inteiro a cada 2,5 segundos em média, com informação espacial de até 3,5 milímetros de precisão. A IRM tem um tempo e uma resolução espacial melhores, enquanto a TEP é melhor no mapeamento das reações neuroquímicas no cérebro.

Davidson começou mapeando a atividade neural e química no cérebro em resposta a estímulos "normais" — que áreas fazem o quê quando um indivíduo vê uma foto erótica ou ouve um ruído assustador. "Queremos examinar os parâmetros da reatividade emocional", diz ele. Uma vez que se descobre o local no cérebro onde ocorre uma reação a um determinado tipo de imagem, pode-se medir quanto tempo o cérebro permanece ativado. O que se constata é que isso varia de pessoa a pessoa. Alguns indivíduos expostos a uma foto horripilante recebem uma enxurrada neuroquímica que desaparece rápido; outros recebem a mesma enxurrada, mas ela leva um longo tempo para desaparecer. Isso acontece com qualquer paciente: alguns de nós têm esse aspecto do cérebro mais aguçado, outros são mais lentos. Davidson acredita que as pessoas com um tempo lento de recuperação são muito mais vulneráveis à doença mental que as que têm uma recuperação rápida. O grupo de Davidson tem mostrado mudanças detectáveis na velocidade da recuperação do cérebro depois de seis semanas de tratamento com medicação antidepressiva.

Essas mudanças parecem estar no córtex pré-frontal e não são simétricas — quando alguém está se recuperando de uma depressão, a velocidade da ativação e desativação aumenta no lado esquerdo do córtex pré-frontal.[30] Sabe-se que os antidepressivos alteram níveis de neurotransmissores. É possível que os neurotransmissores controlem o fluxo sanguíneo para várias áreas do cérebro. Sejam lá quais forem os mecanismos, explica Davidson, "assimetrias de ativação" — diferenças na atividade do lado esquerdo e do lado direito — "do córtex pré-frontal estão relacionadas à disposição, ao estado de espírito e aos sintomas de ansiedade e depressão.[31] As pessoas com mais ativação do lado direito são mais propensas a sofrer depressão e ansiedade". E Davidson, como Crow, questiona a pureza da depressão como uma doença. "Uma das coisas que distingue o comportamento humano do comportamento das outras espécies é a nossa maior capacidade de regular as emoções. Mas há também o outro lado da moeda: temos uma maior capacidade de desregular as emoções. Acredito que os dois mecanismos se provarão intimamente ligados à atividade no córtex pré-frontal." Em outras palavras, nossos problemas são consequência de nossa força.

Esse tipo de trabalho, além de mostrar como a genética das alterações de ânimo pode ter se desenvolvido, tem enormes implicações práticas. Se os pesquisadores conseguirem localizar a área exata de atividade alterada num cérebro deprimido, eles podem desenvolver aparelhos para estimular ou inibir essa área. Trabalhos recentes sugerem que há anormalidades no metabolismo da serotonina no córtex pré-frontal de pacientes com depressão. O estímulo assimétrico do cérebro pode ser resultado disso, ou pode ser que haja uma assimetria física — da distribuição capilar e portanto do fluxo sanguíneo, por exemplo — em alguns cérebros.

Certos padrões da atividade cerebral são estabelecidos cedo na vida. Outros mudam. Descobrimos há pouco que as células cerebrais podem se reproduzir e se reproduzem em humanos adultos.[32] Pode ser que estejamos ganhando células em algumas áreas ou perdendo células em outras quando passamos por uma depressão. Novas tecnologias finalmente nos permitem estimular o crescimento de certas áreas do cérebro e provocar lesões em outras. Alguns estudos iniciais mostram que a EMTr (estimulação magnética transcraniana repetitiva), que usa o magnetismo intensamente focado para aumentar a atividade cerebral de um local determinado, pode, quando dirigida para o córtex pré-frontal esquerdo, provocar melhora dos sintomas da depressão.[33] Pode ser possível, através de intervenção externa ou de um trabalho internalizado cuidadoso, aprender a ativar o cérebro esquerdo.[34] A própria resistência pode ser aprendida,[35] especialmente por jovens. É possível fazer varreduras em cérebros, detectar cedo a falta de atividade em seus córtices frontais esquerdos e tomar medidas preventivas —"o que pode incluir a meditação, por exemplo", diz Davidson — para, em primeiro lugar, ajudar as pessoas a evitar a depressão.

Alguns têm córtices pré-frontais esquerdos e outros, córtices pré-frontais direitos mais ativados. (Isso não tem nada a ver com a questão do domínio hemisférico que determina se a pessoa é destra ou canhota, o que ocorre em outras áreas do cérebro.) A maioria das pessoas tem uma ativação maior do lado esquerdo.[36] Gente com maior ativação do lado direito tende a sentir mais emoção negativa do que gente com maior ativação do lado esquerdo. A ativação do lado direito também prevê a facilidade com que o sistema imunológico de alguém se deprime. A ativação do cérebro direito também está relacionada com altos níveis básicos de cortisol, o hormônio do estresse.[37] Embora os padrões da ativação cerebral não se estabilizem até a idade adulta, bebês com maior ativação cerebral do lado direito ficam muito agitados quando as mães deixam seus quartos; bebês com forte ativação cerebral esquerda são mais propensos a explorar o quarto sem aparente desalento. Contudo, nos bebês, o equilíbrio está sujeito à mudança. "A probabilidade", diz Davidson, "é que haja maior plasticidade neste sistema durante os primeiros anos de vida, mais oportunidade para o meio ambiente esculpir seus circuitos."

Há ideias bastante interessantes a se deduzir da combinação desse pensamento com algumas ideias de Crow sobre a linguagem. "Uma das primeiras coisas que se pode observar quando os bebês começam a engatinhar e a falar suas primeiras palavras é que eles apontam", diz Davidson. "A emissão é um rótulo para o objeto. E eles apontam quase invariavelmente, no início, com a mão direita. O bebê que engatinha está tendo uma experiência positiva e está claramente interessado no objeto, movendo-se em direção a ele. O uso inicial da linguagem é muito prazeroso para a maioria dos bebês. Minha intuição, que não foi estudada de nenhum modo sistemático, é que a lateralização do hemisfério esquerdo para a linguagem pode realmente ser um subproduto da lateralização do hemisfério esquerdo para a emoção positiva."[38]

Essa intuição parece ser a base da neuroanatomia da catarse. A fala é positiva e continua positiva. A fala é um dos maiores prazeres da vida, e a vontade de se comunicar é muito poderosa em todos nós (inclusive nos que não conseguem produzir um som vocal coerente e por isso usam a linguagem dos sinais, gestos ou escrita para se expressar). As pessoas deprimidas perdem interesse em falar; as maníacas falam incessantemente. Para além das fronteiras culturais, o meio mais consistente de melhorar o estado de espírito é a fala. Discorrer sobre acontecimentos negativos pode ser doloroso, mas falar sobre a dor ajuda a aliviá-la. Quando me perguntam, como acontece frequentemente, qual é a melhor maneira de tratar a depressão, sugiro que falem sobre ela — não falar até ficarem histéricos, mas simplesmente continuar articulando seus sentimentos. Falar sobre a depressão com a família, se ela ouvir. Com os amigos. Com um terapeuta. É bem provável que Davidson e Crow tenham descoberto o mecanismo que explica por que a fala ajuda no tratamento de pessoas com depressão: pode ser verdade que certos tipos de fala ativem as mesmas áreas do cérebro esquerdo cujo baixo desempenho cause doenças mentais. A ideia da articulação como liberação é absolutamente fundamental para nossa sociedade. Hamlet lamenta que "qual meretriz sacie com palavras meu coração" —[39] e mesmo assim, aquilo em que evoluímos, juntamente com nossa capacidade para a doença mental, é a capacidade para abrir nossos corações (ou, possivelmente, nossos córtices pré-frontais esquerdos) com a ajuda das palavras.

Embora existam tratamentos eficazes mesmo para doenças que ainda nem começamos a entender, saber como os componentes de uma doença se relacionam nos ajuda a discernir seus gatilhos imediatos e a prestar atenção neles. Isso nos auxilia a entender uma série de sintomas e ver de que modo um sistema pode influenciar outro. A maioria dos sistemas de explicação para uma doença — o bioquímico, o psicanalítico, o comportamental e o sociocultural — são fragmentários e deixam muitas coisas inexplicadas, indicando que mesmo as abordagens combinatórias agora em voga são bastante irregulares e não sistemáticas. Por que determinadas sensações e ações se relacionam na doença, mas não na saúde? McGuire e Troisi dizem que

> a mais premente necessidade da psiquiatria é abraçar a teoria evolucionária, começar o processo de identificar seus dados mais importantes e testar novas explicações das doenças. Tentativas para explicar o comportamento, normal ou qualquer outro, sem ter uma compreensão em profundidade das espécies que se está estudando é um convite à interpretação errada.[40]

Não tenho certeza de que conhecer a evolução da depressão seja especialmente útil para tratá-la. Contudo, é fundamental tomar decisões a respeito de como tratá-la. Sabemos que as amídalas têm um uso limitado, compreendemos o que estão fazendo no corpo, sabemos que combater infecção nas amídalas é mais problemático do que removê-las e que removê-las causa pouco dano ao corpo. Sabemos que o apêndice pode mais facilmente ser removido que curado. Por outro lado, sabemos que uma infecção do fígado precisa ser tratada, porque, se removermos o fígado de um indivíduo, ele morrerá. Sabemos que é necessário extirpar o câncer de pele, mas que espinhas não causam inflamação sistêmica. Entendemos os mecanismos dessas diferentes áreas do eu físico, e aos poucos sabemos que tipo e grau de intervenção é apropriado no caso de disfunção.

Está bastante claro que não há nenhum consenso sobre quando tratar a depressão. Ela deve ser removida como uma amídala, tratada como um fígado ou ignorada como uma espinha? É importante identificar se a depressão é leve ou severa? Para responder corretamente a essas perguntas, precisamos saber, em primeiro lugar, por que a depressão existe. Se ela teve uma função útil durante a época em que éramos caçadores mas é irrelevante para a vida moderna, então provavelmente deve ser removida. Se a depressão é um mau funcionamento do cérebro que envolve circuitos necessários para outras funções cerebrais cruciais, então deve ser tratada. Se uma depressão leve é um mecanismo autorregulador, deve ser ignorada. A evolução pode oferecer uma teoria que una as disciplinas, revelando relações estruturais entre outras escolas de pensamento usadas para estudar a depressão: isso nos permitirá tomar decisões a respeito de se, quando e como tratar a doença.

12. Esperança

Angel Starkey tem passado por momentos difíceis. A caçula de sete filhos, ela cresceu em uma família onde raramente era tocada ou abraçada; sofreu abusos sexuais do zelador de sua escola; foi violentada aos treze anos. "Estou deprimida desde os três anos de idade", diz ela. Quando criança, costumava trancar-se no armário debaixo da escada e desenhar lápides de túmulos na parede. Seu pai morreu de câncer pancreático quando Angel tinha sete anos. Aos 38, "às vezes ainda posso ouvi-lo gritando. Quando estou deitada em casa ou sentada em meu quarto, ouço seus gritos de novo, e isso me apavora". Sua melhor amiga quando criança era uma vizinha que se enforcou, como se soube depois, enquanto Angel batia na porta de sua casa. Ela esteve hospitalizada por tempo quase integral desde que terminou a oitava série há dezessete anos, com breves mudanças para abrigos comunitários supervisionados. Ela tem um transtorno esquizoafetivo, o que significa que, além da profunda depressão, sofre de alucinações e ouve vozes instigando-a a se destruir. O pânico a bloqueia, impedindo-a de interagir normalmente com o mundo. Ninguém consegue lembrar quantas vezes ela tentou o suicídio — mas ela já passou a maior parte da vida adulta internada numa instituição, foi salva diversas vezes, mesmo quando se jogou na frente de um carro. Seus braços são encaroçados pelas cicatrizes de inúmeros cortes; um médico lhe disse recentemente que ela não tinha mais flexibilidade na carne e que, se continuasse a se cortar, os ferimentos não cicatrizariam. A pele da barriga de Angel é uma colcha de retalhos, devido às diversas vezes em que ela ateou fogo em si mesma. Já tentou se estrangular (com sacolas de plástico, cadarços de sapatos, manguito do aparelho para tirar pressão) — até "meu rosto ficar roxo" — e tem marcas no pescoço para prová-lo. Suas pálpebras são enrugadas onde ela as queimou com cigarros acesos. Seu cabelo é escasso porque ela o arranca, e seus dentes apodreceram parcialmente devido ao efeito colateral dos medicamentos — a secura crônica da boca pode levar à gengivite. No momento, os medicamentos receitados a ela são Clozaril, 100 mg, cinco por dia; Clozaril, 25 mg, cinco por dia; Prilosec, 20 mg, um por dia; Seroquel, 200 mg, dois por dia; Ditropan, 5 mg, quatro por dia; Lescol, 20 mg, um por dia; BuSpar, 10 mg, seis por dia; Prozac, 20 mg, quatro por dia; Neurontin, 300 mg, três por dia; Topamax, 25 mg, um por dia; e Cogentin, 2 mg, dois por dia.

Conheci Angel quando ela estava internada no hospital Norristown, as dependências estatais que visitei na Pensilvânia. Fiquei chocado com as cicatrizes, com o inchaço que os remédios lhe causavam, com sua simples existência. Mas, num local onde os olhos são tão vazios quanto o vidro, ela parecia a mais promissora. "Ela é muito carente", me disse uma de suas enfermeiras, "mas também tem uma natureza muito doce. Angel é especial." Sem dúvida, todas as pessoas são especiais, mas Angel tem um traço de esperança comovente, extraordinário em alguém com a sua biografia. Sob todo esse sofrimento e suas consequências, há uma pessoa calorosa, criativa e generosa. Tão atraente que você acaba esquecendo a superfície brutalizada. A personalidade de Angel está obscurecida pela doença, mas não destruída.

Acabei ficando próximo de Angel e de seus padrões de automutilação. Seu objeto de corte preferido é a tampa de uma lata. Certa vez, ela retalhou de tal modo os braços que precisou levar quatrocentos pontos. "Me cortar é a única coisa que me dá algum prazer", disse-me ela. Quando não há latas disponíveis, ela consegue desenrolar a parte de baixo do tubo de pasta de dente e a usa para cortar tiras da própria carne. Ela conseguia fazer isso até mesmo enquanto passava por um desbridamento — a remoção cirúrgica de tecidos desvitalizados — por queimaduras autoinfligidas. No pequeno mundo do hospital Estadual de Doenças Mentais Norristown, "eu entro e saio do edifício 50, o centro de emergência", contou ela. "Tenho que ir para lá quando me corto. Costumava ser o edifício 16, mas agora é o edifício 50. Estou morando no edifício 1, o residencial comum. Para me distrair, vou às vezes nas noites de karaokê do edifício 33. Desta vez, tive que vir ao hospital por causa de uns acessos físicos de pânico constantes. Minha cabeça não funcionava bem, sabe? Ela tinha uns brancos o tempo todo; isso me assustou. E eu vivia correndo para o banheiro — é muito esquisito como meu corpo reage à menor ansiedade! Fomos ao shopping center ontem e foi apavorante. Mesmo as lojas pequenas. Tive que tomar um monte de Ativan, mas não adiantou. Fico tão paranoica de perder o remédio. Ontem, entrei e saí das lojas rapidamente e fui ao banheiro dez vezes. Não conseguia engolir. Quando eu estava saindo daqui para ir para lá, fiquei com medo de ir; mas quando chegou a hora de voltar, tive medo de voltar para o hospital."

A dor física é indispensável para ela. "Digo a eles para não me darem pontos e fazer tudo ficar tão fácil", contou-me Angel. "Façam ficar pior. Eu me sinto melhor quando é duro. Se tiver que sentir dor, prefiro a dor física à dor emocional. Ficar exausta a ponto de não conseguir respirar para mim é purgativo. A grampeação é melhor do que os pontos porque dói mais, mas não dói por bastante tempo. Quando me corto, quero morrer — quem vai cuidar de mim quando eu estiver retalhada, queimada e tudo mais? Veja, eu não sou uma boa pessoa." Angel esteve sob supervisão individual — sem privacidade para usar o banheiro — por três anos durante um período especialmente grave. Por vezes, teve que ser amarrada à cama. Foi trancada em pavilhões e passou um bom tempo presa numa grande rede que envolve o paciente violento, imobilizando-o totalmente. Ela descreve essa experiência como inexprimivelmente aterrorizante. Aprendeu tudo sobre os remédios que toma. É uma paciente informada. "Se eu pensar mais uma vez em Clozaril", disse, "vou começar a vomitar o remédio, sabe?" Já foi submetida à TEC repetidas vezes.

Durante uma recente estada em Norristown, Angel me contou que telefonava para a mãe todos os dias e ia para a casa dela uns dois fins de semana por mês. "Amo minha mãe mais do que tudo no mundo. Muito mais do que me amo, sabe. É duro para ela. Às vezes penso, ela teve sete filhos, talvez fique bem só com seis. Não é como se eu a deixasse sozinha. Já a torturei por tempo suficiente. Ela não precisa de mim estragando as coisas. Eu a magoei com o peso, o peso e o constrangimento. Minha depressão, a depressão dela, a depressão de minhas irmãs, a de meus irmãos, sabe? Isso nunca vai terminar, acho que não, até todos nós morrermos. Eu gostaria de arranjar um emprego e dar dinheiro a ela. Eles dizem que eu me preocupo demais com minha mãe, mas, sabe, ela tem 73 anos. Eu vou lá e limpo as coisas. Vou para casa num frenesi e limpo. Fico limpando, limpando, limpando e enlouquecendo. Fico fanática. Gosto de lavar coisas. E mamãe não gosta disso."

A primeira vez que nos encontramos, Angel estava nitidamente tensa, e os problemas de memória, endêmicos para ela em consequência da TEC de longo prazo (passou por trinta rodadas de tratamento) e altas dosagens de remédio, eram especialmente incapacitantes. Ela esquecia o que estava falando no meio de uma frase. Conversou sobre os pequenos confortos de seu mundo reduzido. "Não entendo por que as pessoas são tão simpáticas comigo", disse. "Eu costumava me odiar tanto. Detestava tudo que fazia. Deus deve ter alguma consideração comigo, porque, quer dizer, fui atropelada por dois carros, me cortei até perder todo o sangue e ainda continuo viva. Sou feia. Sou muito gorda. Não consigo… Minha mente está bagunçada demais até para pensar, às vezes. O hospital é a minha vida, sabe? Mas os sintomas não acabam. A depressão, a sensação de solidão."

Muito consciente das dificuldades em nossa comunicação, ela me mandou uma carta, algumas semanas depois, "para esclarecer as coisas". Nela, escreveu: "Tenho feito muitas coisas para me matar e me machucar. Tudo está ficando muito cansativo. Acho que não sobrou nada do meu cérebro esquerdo. Às vezes, se eu começo a chorar, tenho medo de não parar nunca. Tenho perdido incessantemente. Há tantas pessoas que eu adoraria ajudar, mesmo se fosse só para dar um abraço. Só isso já me deixaria feliz. Às vezes escrevo poesia. A poesia diz a mim e aos outros como tenho estado doente. Mas mostra que há Esperança. Com amor, Angel".

No ano seguinte, Angel mudou-se de Norristown. Primeiro para instalações de cuidado e assistência intensiva, e depois para um local menos intensivo em Pottstown, na Pensilvânia. Por mais de catorze meses não cortou os braços. Sua série de remédios parecia funcionar, mantendo longe as temíveis vozes. Antes de deixar Norristown, Angel me dissera: "O que realmente me assusta é que não vou ser capaz de ficar suficientemente bem para fazer coisas tipo compras, e os degraus, três lances de escada. E as pessoas também. Tudo". Mas ela fez a transição com graça surpreendente. "Neste momento", contou-me cerca de um mês depois da mudança, "estou me saindo melhor do que nunca." Ela foi melhorando pouco a pouco, adquirindo uma autoconfiança que jamais imaginara. Continua a ouvir uma voz chamando o seu nome, mas já não é a voz torturante e demoníaca de antes. "E principalmente não ouço nenhuma orientação para me machucar. Era uma compulsão. Ainda penso a respeito, mas não como antes. Não como antes, quando, se alguém espirrasse, eu me cortava. Agora sinto que quero ficar por aqui, espero que pelo resto da minha vida!", disse.

Fiquei surpreso que Angel, ao contrário de muitos pacientes autodestrutivos, nunca tentasse machucar os outros. Ela nunca bateu em alguém em todos os seus anos de hospital. Contou como certa vez se incendiou ateando fogo no próprio pijama. Depois entrou em pânico imaginando que, caso se queimasse, podia incendiar o edifício. "Pensei nas pessoas que queimaria e apaguei o fogo rapidinho." Chegou a se envolver com o grupo interno que defende direitos dos pacientes no hospital. Ela saiu com os médicos, embora achasse isso aterrorizante, para falar em escolas sobre a vida no hospital. Quando fui passar um tempo com Angel em seu abrigo supervisionado, observei que era ela quem ensinava aos outros a fazer coisas: ela lhes ensinava a cozinhar (sanduíches de pasta de amendoim e bananas) com uma paciência quase infinita. "Tenho que viver a vida", disse. "Quero tanto ajudar as pessoas. E talvez com o tempo eu faça algo para mim também. Essa mulher que divide o quarto comigo agora tem um coração tão bom. Quando você chama e ela responde, sua voz não é doce? Ela teve um monte de problemas; não cozinha nem limpa. Não faz muita coisa. Mas é tão doce que a gente não pode ser má com ela. Venho tentando ensinar a ela há uns dois meses como descascar o diabo de um pepino, mas ela não aprende."

Angel escreve poemas, e é extremamente dedicada a dar voz às suas experiências:

I wish I could cry
as easy as the sky. The tears don't come
as easily now. They're
stuck inside my soul.

It's empty and I am afraid
Do you feel the emptiness? I guess
it's my own fear from within. I should
be brave and battle that fear
but it's a war that's gone on
for so damned long. I'm tired.

*

The children are growing and the tears
in my eyes are flowing. Missing the
growth of them is like missing the seasons
change, missing the roses that bloom
in spring and missing snowflakes falling
in winter. How many more years
do I have to miss? The years won't
stop for me or for them and why
should they? They will continue to
blossom and
bloom and my life will continue
*to stand still like a silent pond.**

Fui visitar Angel pouco antes de ela se mudar de seu abrigo supervisionado para outro com menos supervisão. Ela me fizera um presente — uma gaiola pintada de azul vivo com um bilhete pregado nela que dizia: "Aluguel a ser pago". Fomos almoçar em um restaurante chinês num shopping em Pottstown. Ela falou sobre *Pippin*, o espetáculo que vira quando esteve em Nova York. Conversamos sobre a possibilidade de conseguir um emprego de meio período, ajudando a fazer sanduíches numa delicatéssen. Ela tinha sido recusada e estava triste; ficara tão animada com a ideia de trabalhar, embora tivesse medo da caixa registradora e de ter que fazer as contas para dar troco às pessoas. "Minha aritmética é do nível de uma criança da terceira série", confidenciou. "É horrível. E presto muito pouca atenção também, como uma criança de três anos. Acho que é por causa dos remédios." Falamos sobre seu livro favorito — *O apanhador no campo de centeio*. Falamos sobre os sonhos que vinha tendo. "Sonho com o oceano o tempo todo", disse. "É como essa sala, e há uma parede. E atrás da parede tem um oceano. E eu nunca consigo atravessar a areia lá e chegar até a água. Luto muito para chegar na água, e não consigo. Outras vezes sonho com o calor. O sol está começando a me queimar, e meu cabelo está ficando com as pontas queimadas. Tenho medo do calor do sol. Sabe, mesmo na vida real, procuro ir a lugares que não tenham janelas durante o pôr do sol, quando o sol fica vermelho. Ele me

* Eu gostaria de poder chorar/ com a facilidade do céu./ As lágrimas não vêm/ tão facilmente agora. Estão/ coladas ao interior da minha alma.// Tudo é um vácuo e tenho medo/ Sente o vazio? Acho/ que é meu próprio medo lá dentro. Eu devia/ ser corajosa e combater tal medo/ mas é uma guerra que existe/ por um tempo danado de longo. Estou cansada.// As crianças vão crescendo e as lágrimas/ transbordam de meus olhos. Não ver/ o crescimento delas é como não ver a mudança das estações,/ as rosas que florescem/ na primavera e os flocos de neve caindo/ no inverno./ Quantos outros anos/ terei que perder? Os anos não/ vão se deter por mim ou por elas e por que/ deveriam? Continuarão a/ florescer e/ florescer e minha vida permanecerá/ imóvel como um lago silencioso. (Tradução livre)

aterroriza." Falamos um pouquinho sobre suas falhas de memória. "Sou madrinha de uma de minhas sobrinhas", disse, "mas não consigo lembrar qual delas, e fico constrangida demais para perguntar."

Depois disso, estive em contato com ela intermitentemente por seis meses, e quando voltamos a nos ver Angel me perguntou o que acontecera. Contei que tinha tido uma pequena recaída. Não muito tempo depois do ombro deslocado e de meu terceiro colapso. Voltamos ao restaurante chinês. Angel rearrumou o nirá desmilinguido em seu prato. "Sabe, eu estava muito preocupada com você", disse ela depois de um minuto. "Quer dizer, achei que você tivesse se matado ou coisa assim."

Tentei reconfortá-la. "Não foi bem isso, Angel. Foi horrível, mas não acho que fosse perigoso. Ou pelo menos não parecia perigoso. Tomei Zyprexa, mudei um monte de coisas nos remédios e eles funcionaram rapidamente." Sorri e abri os braços. "Estou bem agora, tá vendo."

Angel ergueu os olhos e sorriu. "Que bom. Eu estava tão preocupada." Então comemos. "Nunca vou ficar boa", comentou ela resolutamente. Eu lhe disse que tinha que dar um passo de cada vez e que ela estava indo extremamente bem, mil vezes melhor agora do que quando eu a conhecera, dois anos antes. "Olhe", comentei, "há um ano você não conseguia nem pensar em sair do hospital e morar no lugar para onde vai agora." Ela concordou, e por um minuto mostrou-se timidamente orgulhosa. "Às vezes odeio tanto esses remédios, mas eles me ajudam."

Tomamos sorvete e fomos a uma loja de pechinchas perto do restaurante. Angel comprou café e algumas outras coisas de que precisava. Entramos no carro para voltar para sua casa. "Estou muito contente que você tenha vindo", disse ela. "Não achei que viria aqui hoje. Espero que não sinta que eu tenha arrastado você para cá." Eu disse que era empolgante ver o que estava acontecendo com ela e que eu também estava contente de ter ido. "Sabe", comentou ela, "se eu conseguisse ficar bem o suficiente para fazer alguma coisa, gostaria de participar de um dos grandes programas de TV, talvez o da Oprah. Seria meu sonho."

Perguntei por que queria participar de um programa de entrevistas.

"Só quero que minha mensagem chegue às pessoas", disse ela quando voltamos para o carro. "Quero dizer a todo mundo: não se corte, não se machuque e não se odeie. Sabe, é tão, tão importante. Gostaria de ter sabido disso mais cedo. Quero contar a todo mundo." Rodamos de carro por algum tempo em silêncio. "Você vai contar isso às pessoas quando escrever seu livro?", perguntou. E riu um tanto nervosamente.

"Vou contar às pessoas exatamente o que você disse", respondi.

"Promete? É muito importante."

"Prometo."

Então fomos para sua nova casa, o abrigo supervisionado, e passeamos lá por dentro. Olhamos pelas janelas e eu subi um lance de escadas para apreciar a vista de uma varanda na parte de trás do edifício. Era tão diferente do lugar levemente destruído onde ela tinha morado. Remobiliado recentemente, o novo lugar parecia um hotel: cada apartamento de dois quartos era todo acarpetado, tinha uma TV grande, uma poltrona, um sofá, uma cozinha equipada. "Angel, esse lugar é fantástico", disse, e ela concordou. "É, sim, é bom mesmo. É muito melhor."

Voltamos para o local que em breve ela deixaria. Saímos do carro e dei um abraço demorado em Angel. Desejei-lhe boa sorte e ela me agradeceu novamente por ter ido vê-la e me disse quanto minha visita significara para ela. Agradeci a gaiola. "Nossa, como está frio", disse ela. Voltei ao carro e observei-a se arrastar lentamente do estacionamento até a porta de sua casa. Comecei a me afastar. "Até logo, Angel", disse eu, e ela se virou e acenou. "Lembre do que você prometeu", ela disse enquanto o carro partia.

Parecia um quadro feliz e continua assim na minha lembrança — mas seis meses depois, Angel lacerou os pulsos e a barriga, voltando ao hospital para os cuidados psiquiátricos intensivos. Quando fui a Norristown para vê-la, seus braços estavam cobertos de bolhas de sangue de aparência vulcânica. Ela derramara café nos cortes para aliviar um surto de ansiedade. Enquanto falávamos, ela se balançava para a frente e para trás em seu lugar. "Eu não quero viver, só isso", repetia continuamente. Extraí todas as frases úteis deste livro em que consegui pensar. "Não vai ser sempre assim", eu disse, embora suspeitasse que para ela será assim boa parte do tempo. Heroísmo e luz em seus olhos não são suficientes quando se trata de depressão.

Uma esquizofrênica continuava entrando em nossa conversa, protestando que matara uma joaninha [*ladybug*] e não uma senhora [*lady*] e que sua família a tinha estuprado porque entendera mal e pensado que tivesse sido uma senhora. Queria que registrássemos tudo direitinho. Um homem de pés estranhamente grandes continuava a sussurrar teorias de conspiração em meu ouvido. "Vão *embora*", berrou Angel finalmente para eles. Então enlaçou-se com os braços desfigurados. "Não consigo aguentar isso", disse zangada, infeliz e abjeta. "Nunca vou ficar livre deste lugar. Só quero bater minha cabeça na parede até ela se abrir e derramar meus miolos, sabe?"

Antes de eu ir embora, um dos atendentes disse: "Você está otimista?". Sacudi a cabeça. "Eu também não", disse ele. "Fiquei otimista por algum tempo, porque ela não tem o comportamento maluco da maioria. Mas estava errado. Por mais que esteja em contato com a realidade no momento, ela ainda está muito doente."

Angel disse: "Eles me tiraram do pior uma vez, então acho que vão fazer isso de novo".

Em seis meses a tempestade passara. Novamente livre, Angel voltara ao simpático apartamento, cheia de animação. Finalmente tinha um emprego — empacotar compras — e se sentia muito orgulhosa. O pessoal do restaurante chinês pareceu contente de nos ver. Evitamos palavras como *sempre* e *nunca* durante nossa conversa.[1]

As pessoas sempre me perguntam por que estou escrevendo um livro sobre depressão. Parece incompreensível que eu mergulhe nesse tópico desagradável, e devo dizer que, enquanto encetava a pesquisa, a decisão frequentemente me parecia idiota também. Pensei em várias respostas que pareciam combinar com a ocasião. Eu disse que achava que tinha coisas a dizer que não haviam sido ditas. Que escrever é um ato de responsabilidade social, que queria ajudar as pessoas a avaliar a depressão e entender que era melhor cuidar dos que tinham a doença. Admiti que tinha recebido um adiantamento generoso pelo livro, que achara que o assunto poderia captar o interesse do público e que eu queria ser famoso e amado. Mas só quando já havia escrito três quartos do livro meu objetivo se revelou por completo.

Não previra a vulnerabilidade imensa dos deprimidos. Nem percebi de que maneira complicada essa vulnerabilidade específica interage com a personalidade. Enquanto trabalhava neste livro, uma amiga íntima ficou noiva de um homem que usava sua própria depressão como uma desculpa para seu comportamento autoindulgente. Ele a rejeitava sexualmente e era frio. Ao mesmo tempo, exigia de minha amiga comida, dinheiro e que ela cuidasse da vida pessoal dele, por ser doloroso demais para ele assumir essa responsabilidade. Ruminava por horas enquanto ela com muito carinho o tranquilizava — mas ele não conseguia lembrar de nenhum detalhe ou conversar sobre a vida dela. Por muito tempo, eu a incentivei a aguentar isso, achando que passaria com a doença, sem reconhecer que nenhuma cura no mundo poderia transformá-lo num homem de caráter. Depois, outra amiga me contou que estava sendo fisicamente agredida pelo marido, que chegava mesmo a bater a cabeça dela no chão. Ele vinha agindo de modo estranho havia semanas — reagira de forma paranoica a telefonemas comuns e comportara-se de modo odioso com os cachorros da casa. Depois da agressão física, ela chamou a polícia, aterrorizada; ele deu entrada num hospital de doentes mentais. É verdade que ele sofrera uma espécie de transtorno esquizoafetivo, mas mesmo assim é culpado. A doença psiquiátrica geralmente revela o lado medonho da pessoa, mas não a transforma por inteiro. Às vezes o lado medonho é patético, carente e faminto, qualidades que são tristes, mas tocantes; às vezes o lado medonho é brutal e cruel. A doença traz à luz as dolorosas realidades que a maioria das pessoas aprisiona na escuridão. A depressão intensifica a personalidade. A longo prazo, acho que melhora as pessoas boas e piora as ruins. Pode destruir o senso de proporção do indivíduo e lhe dar fantasias paranoicas e um falso senso de desamparo; mas é também uma janela para a verdade.

O noivo da primeira amiga e o marido da segunda têm pouco espaço neste livro. Nas minhas pesquisas e em outros lugares, conheci muita gente deprimida que me despertou sentimentos negativos ou nenhum sentimento em especial e aos poucos decidi não escrever sobre eles. Escolhi escrever sobre quem admiro. As pessoas neste livro são na maioria fortes, inteligentes, resistentes ou se destacam de algum modo. Não acredito que haja uma pessoa média, ou que ao contar uma realidade exemplar seja possível transmitir uma verdade abrangente. A busca pelo ser humano não individualizado, genérico, é a praga dos livros populares de psicologia. Ao ver quantos tipos de resistência, força e imaginação pode-se encontrar, passa-se a apreciar não apenas o horror da depressão, mas também a complexidade da vitalidade humana. Tive uma conversa com um idoso gravemente deprimido que me disse que "os deprimidos não têm histórias, não temos nada a dizer". Todos temos histórias, e os verdadeiros sobreviventes têm histórias interessantes. Na vida real, o ânimo tem que existir em meio à confusão dos brindes, bombas atômicas e campos de trigo. Este livro existe como um ambiente mais protegido para as histórias de pessoas extraordinárias e seus êxitos — histórias que acredito que podem ajudar a outros, como já me ajudaram.

Alguns sofrem de depressão leve e ficam totalmente incapacitados por ela, outros sofrem de depressão severa e mesmo assim transformam suas vidas. "Alguns conseguem ser produtivos passando por qualquer coisa", diz David McDowell, que trabalha com uso de drogas na Universidade Columbia. "Isso não significa que estão passando por uma dor menor." As mensurações absolutas são difíceis. "Infelizmente", observa Deborah Christie, uma psicóloga infantil do University College de Londres, "não existe um 'suicidômetro' ou um 'dorzômetro' ou 'tristezômetro'. Não conseguimos medir em termos objetivos até que ponto as pessoas estão doentes ou quais são seus sintomas. Pode-se apenas ouvir o que elas têm a dizer e aceitar que é assim que sentem a coisa." Há uma interação entre doença e personalidade: alguns conseguem suportar sintomas que destroem outros, alguns dificilmente suportam qualquer coisa. Alguns parecem ceder à sua depressão, outros parecem combatê-la. Uma vez que a depressão é altamente desmotivadora, é preciso um certo instinto de sobrevivência para prosseguir mesmo durante a depressão, não se enfiar debaixo dela. O senso de humor é o melhor indicador de que o indivíduo se recuperará; frequentemente, é o melhor indicador de que será amado. Cultive isso e há esperança para você.

Claro que pode ser duro manter o senso de humor durante uma experiência que pouco tem de engraçada. É urgentemente necessário fazê-lo. O mais importante a lembrar durante uma depressão é: não se recupera o tempo perdido. Ele não é somado ao final de sua vida para compensar os anos de desastre. O tempo devorado pela depressão está perdido para sempre. Os minutos que se vão com a doença são minutos que você não verá mais. Por pior que se sinta, terá que fazer tudo que for possível para continuar vivendo, mesmo que tudo que possa fazer no momento seja respirar. Aguente o tempo de espera e ocupe esse tempo tão plenamente quanto puder. Esse é o meu grande conselho para os deprimidos. Agarre-se ao tempo: não deseje que sua vida se desvaneça. Mesmo os minutos em que se sente que vai explodir são minutos de sua vida, e você jamais os terá de novo.

Acreditamos na química da depressão com um fanatismo absoluto. Ao tentar extrair a depressão do deprimido, nós nos lançamos no antiquíssimo debate sobre os limites entre o essencial e o fabricado. Ao tentar separar a doença da pessoa e o tratamento da pessoa, desconstruímos essa pessoa até o nada. Thomas Nagel escreve em *The Possibility of Altruism* [A possibilidade do altruísmo]:

> A vida humana não consiste primordialmente na recepção passiva de estímulos, agradáveis ou desagradáveis, satisfatórios ou insatisfatórios: consiste, num grau significativo, em atividades e tentativas de alcançar objetivos. [...] O indivíduo precisa viver sua própria vida — os outros não estão em posição de vivê-la por ele, nem ele em posição de viver a deles.[2]

O que é natural ou autêntico? Teríamos mais êxito em procurar a pedra filosofal ou a fonte da juventude do que buscar a verdadeira química da emoção, moralidade, dor, crença e retidão.

Isso não é um problema novo. Numa das últimas peças de Shakespeare, *Conto de inverno*, Perdita e Políxenes debatem os limites entre o real e o artificial — o autêntico e o criado — num jardim. Perdita questiona o enxerto das plantas como "arte que se mete na criação da natureza". Políxenes responde:

> *Porém se altera a natureza com meios*
> *Que a natureza cria; essa arte*
> *que diz embelezar a natureza,*
> *A natureza faz.*
> *[...]*
> *É uma arte*
> *Que corrige a natureza — ou a muda —*
> *Com artes da natureza.*[3]

Fico muito contente que tenhamos inventado todos os nossos modos de impor arte à natureza: que tenhamos pensado em cozinhar os alimentos e combinar ingredientes de cinco continentes num único prato, que tenhamos criado raças modernas de cães e cavalos, forjado metal de seus minerais, cruzado frutos selvagens para fazer pêssegos e maçãs como os conhecemos hoje. Fico contente também que tenhamos inventado o aquecimento central e o encanamento, desenvolvido a tecnologia para construir grandes edifícios, navios, aviões. Fico excitado com os meios de comunicação rápida; confio constrangedoramente no telefone, no fax e no e-mail. Fico contente por termos inventado tecnologias que impedem os dentes de cair, que evitam certas doenças físicas, que proporcionam a velhice para uma parte tão grande de nossa população. Não nego que tenha havido consequências adversas para toda essa arte, até e inclusive a poluição e o aquecimento global, a superpopulação, a guerra e armas de destruição em massa. Mas, no cômputo geral, nossa arte nos fez avançar, e à medida que nos ajustamos a cada novo desenvolvimento, este se torna um lugar-comum. Esquecemos que as rosas de muitas pétalas que amamos tanto foram, no passado, um desafio vergonhoso à natureza, que não produzira nenhuma flor desse tipo nos campos do mundo até a interferência dos horticultores. Quando o castor construiu pela primeira vez uma represa, foi natureza ou arte? Ou quando os macacos descascaram bananas com polegares opositores? O fato de Deus ter feito uvas que fermentam e viram uma bebida embriagante faz da embriaguez, de algum modo, um estado natural? Não somos mais nós mesmos quando estamos bêbados? Ou quando estamos famintos, ou superalimentados? Então, quem somos nós?

Se o enxerto foi a epítome do ataque à natureza no século XVII, os antidepressivos e a manipulação genética cada vez mais possíveis são a epítome do ataque à natureza no século XXI. Os mesmos princípios articulados há quatrocentos anos se aplicam às nossas mais novas tecnologias, que parecem similarmente rever a ordem natural das coisas. Se a humanidade faz parte da natureza, nossas invenções também o fazem. A força de vida original, qualquer que tenha sido ela, que produziu as primeiras amebas, produziu também um cérebro humano que podia ser afetado por substâncias químicas e fez seres humanos que conseguiram inventar a síntese de determinadas substâncias e seus efeitos. Quando emendamos a natureza ou a mudamos, nós o fazemos com técnicas disponíveis através de uma combinação nossa de ideias existentes no mundo natural. Quem é o meu eu verdadeiro? O eu verdadeiro é alguém que vive num mundo em que qualquer tipo de manipulação é possível e que tem aceitado algumas dessas manipulações. É isso que sou. O eu perturbado não é um *eu* mais ou menos autêntico; o eu terapizado não é um *eu* mais ou menos autêntico.

Ser bom é uma luta constante. Talvez o noivo de minha amiga não tivesse escolha, sendo obrigado a se comportar como um idiota; talvez seu cérebro esteja programado para um comportamento moralmente torpe. Talvez o marido de minha outra amiga tenha nascido cruel. Não acho que seja tão simples. Penso que todos recebemos da natureza uma coisa chamada vontade — rejeito a noção de predestinação química e rejeito a fuga moral que isso cria. Há uma unidade que inclui quem somos e como nos esforçamos para sermos bons e como ficamos acabados e como juntamos os pedaços de novo. Isso inclui tomar remédio, receber eletrochoques, nos apaixonarmos, cultuar deuses e ciências. Com um otimismo inflexível, Angel Starkey saiu para fazer apresentações públicas sobre a vida no hospital Norristown. Com uma ternura infinita e frustrada, ela passou horas sem conta tentando ensinar à companheira de quarto como descascar um pepino. Arranjou tempo para escrever seus pensamentos para mim a fim de me ajudar neste livro. Limpa a casa da mãe de alto a baixo. A depressão afeta seu funcionamento, mas não sua personalidade.

Seria bom demarcar nitidamente os limites do eu. Na verdade, nenhum eu essencial existe puro como um veio de ouro sob o caos da experiência e da química. O organismo humano é uma sequência de eus que sucumbem um ao outro ou escolhem um ou outro. Cada um de nós é a soma de certas escolhas e circunstâncias: o eu existe no pequeno espaço onde o mundo e nossas escolhas se encontram. Penso em meu pai ou nos amigos que ficaram comigo quando passei pela terceira depressão. Seria possível entrar num consultório médico, receber algum tratamento e sair de lá com uma capacidade para tal generosidade e amor? Generosidade e amor demandam um grande gasto de energia, esforço e vontade. Imaginamos que algum dia essas qualidades estarão disponíveis grátis, que teremos injeções de caráter, para fazer cada um de nós se transformar sem esforço em Gandhis e madres Teresas? As pessoas extraordinárias terão direito a seu próprio esplendor ou o esplendor é também apenas uma construção química ao acaso?

Leio os cadernos de ciência dos jornais cheio de esperança. Os antidepressivos darão lugar a outras poções mágicas. Não é mais inconcebível que venhamos a mapear o cérebro e possamos oferecer ao indivíduo um tratamento que o faça se apaixonar loucamente por outro determinado indivíduo, em circunstâncias determinadas. Não demorará muito para que se possa escolher entre recorrer a uma terapia em um casamento ruim ou renovar a paixão através da intervenção de um farmacologista. O que acontecerá se desvendarmos os segredos do envelhecimento e de todas as nossas falhas, se passarmos a criar uma raça de deuses em vez de homens, de seres que vivam eternamente livres de maldade, raiva e ciúme, que ajam com fervor moral e sejam comprometidos com um ideal de paz universal? Talvez tudo isso aconteça, mas, na minha experiência, toda a medicina do mundo não pode fornecer mais do que um caminho para que nos reinventemos. A medicina não nos reinventará. Jamais escaparemos da própria escolha. O eu de alguém reside em escolher, reside em cada decisão, a cada dia. Eu sou quem escolhe tomar remédio duas vezes por dia. Eu sou quem decide conversar com meu pai. Que escolhe ligar para meu irmão, ter um cachorro, sair da cama (ou não) quando o alarme dispara. E que também às vezes é cruel e às vezes absorto em si mesmo e às vezes negligente. Há uma química por trás de minha ação de escrever este livro, e talvez, se eu conseguisse dominar essa química, fosse possível atrelá-la para escrever outro livro, mas isso seria uma escolha. Pensar me parece uma prova menos convincente de minha existência do que decidir. Nossa qualidade humana não está em nossa química nem nas circunstâncias do mundo, mas em nossa vontade de lidar, com as tecnologias disponíveis, com o tempo em que vivemos, com nossa própria personalidade, com nossa idade e circunstâncias.

Às vezes eu gostaria de ver o meu cérebro. Gostaria de saber que marcas foram esculpidas nele. Imagino-o cinzento, úmido, elaborado. Penso nele instalado em minha cabeça e às vezes sinto como se ele fosse eu, vivendo minha vida, separado dessa coisa estranha grudada na cabeça que às vezes funciona, às vezes não. É muito esquisito. Isto sou eu. Isto é o meu cérebro. Isto é a dor que vive em meu cérebro. Olhe aqui e poderá ver onde a dor arranhou essa parte, que lugares estão encaroçados, que lugares são fulgurantes.

É discutível que os deprimidos tenham uma visão mais precisa do mundo à sua volta do que os não deprimidos. Os que se percebem como não muito queridos estão provavelmente mais perto da marca do que os que acreditam usufruir do amor universal. Um depressivo pode ter uma capacidade de julgamento melhor do que uma pessoa saudável. Estudos têm mostrado que deprimidos e não deprimidos são igualmente bons para responder a perguntas abstratas. Contudo, quando indagados quanto a seu controle sobre um acontecimento, os não deprimidos invariavelmente se acreditam com maior controle do que realmente têm, e os deprimidos fornecem uma avaliação precisa. Num estudo feito com um videogame, deprimidos que jogaram por meia hora sabiam exatamente quantos monstrinhos haviam matado; os não deprimidos pensavam ter derrubado de quatro a seis vezes mais do que realmente haviam feito.[4] Freud observou que o melancólico "capta a verdade apenas com mais agudeza do que que outros, não melancólicos".[5] Uma compreensão exata do mundo e do eu nunca foi uma prioridade evolucionária: não servia ao objetivo de preservação da espécie. Uma visão otimista demais resulta numa tola exposição ao risco, mas o otimismo moderado é uma forte vantagem seletiva. Shelley E. Taylor, em seu recente e surpreendente *Positive Illusions* [Ilusões positivas], escreveu que

> a percepção e o pensamento humanos normais são marcados não pela precisão, mas por ilusões positivas autoenaltecedoras com respeito ao eu, ao mundo e ao futuro. Além disso, essas ilusões parecem ser realmente adaptativas e promovem mais do que minam a saúde mental. [...] Os levemente deprimidos parecem ter visões mais precisas de si mesmos, do mundo e do futuro do que as pessoas normais [...] [eles] nitidamente não têm as ilusões que promovem a saúde mental das pessoas normais e as protege das contrariedades.[6]

O fato é que o existencialismo é muito verdadeiro quanto à tendência à depressão. A vida é inútil. Não sabemos por que estamos aqui. O amor é sempre imperfeito. O isolamento da individualidade corporal é impenetrável. Por melhor que você seja, sempre morrerá. É uma vantagem seletiva poder tolerar tais realidades, olhar para outras coisas e continuar — esforçar-se, buscar, encontrar e não ceder. Eu vejo filmes sobre os tutsis em Ruanda ou sobre hordas famintas em Bangladesh: pessoas sem qualquer perspectiva financeira de qualquer espécie, incapazes de conseguir comida e sofrendo de dolorosas doenças. São pessoas para as quais não há quase nenhuma expectativa de melhora. E continuam vivendo! Há nelas uma cegueira vital que as faz continuar a batalha da existência ou uma visão que está além de minhas capacidades. Os depressivos veem o mundo com clareza demais, perderam a vantagem seletiva da cegueira.

A depressão severa é um professor muito mais severo: você não precisa ir para o Saara a fim de evitar a necrose produzida pelo frio intenso. A maior parte da dor psicológica no mundo é desnecessária — e certamente as pessoas com depressão severa têm um sofrimento que seria melhor deter. Acredito, contudo, que há uma resposta à pergunta: queremos controle total sobre nossos estados emocionais, um perfeito analgésico emocional que torne o sofrimento tão desnecessário quanto uma dor de cabeça? Pôr um fim à dor seria abrir caminho para um comportamento monstruoso: se nunca nos arrependêssemos das consequências de nossas ações, logo destruiríamos a nós mesmos e o mundo. A depressão é consequência de um funcionamento errado do cérebro, e, se seu cortisol está fora de controle, você deve fazê-lo voltar ao normal. Mas não se deixe levar. Desistir do conflito essencial entre a nossa vontade e o que fazemos de fato, acabar com o ânimo sombrio que reflete tal conflito e suas dificuldades, é desistir do que é ser humano, do que é bom no ser humano. Provavelmente há pessoas para quem não há ansiedade e tristeza suficientes que as mantenham fora das encrencas, e é provável que não se saiam bem. São animadas demais, destemidas demais e não são amáveis. Que necessidade essas almas têm de ser amáveis?

Pessoas que passaram por uma depressão e estão estabilizadas costumam ter uma consciência aguda da alegria da existência cotidiana. Parecem capazes de uma espécie de êxtase imediato e de uma apreciação intensa por tudo que é bom em suas vidas. Em primeiro lugar, se são pessoas decentes, podem muito bem se tornar extraordinariamente generosas. O mesmo pode ser dito de sobreviventes de outras doenças, mas mesmo alguém que emergiu miraculosamente do pior câncer não tem a "meta-alegria" — a alegria de poder experimentar e dar alegria — que enriquece a vida dos que passaram por uma depressão severa. Essa ideia está elaborada no livro *Productive and Unproductive Depression* [A depressão produtiva e improdutiva], de Emmy Gut, que defende que a longa pausa forçada pela depressão e a ruminação durante essa pausa muitas vezes fazem com que as pessoas mudem suas vidas de modos úteis, especialmente depois de uma perda.[7]

Nossa norma como seres humanos não é a realidade. O que significa desenvolver remédios e técnicas que suavizem a depressão e que poderiam afetar até mesmo a tristeza? "Podemos agora controlar a dor física boa parte do tempo", observa o psicólogo evolucionário Randolph Nesse, "e em que medida realmente precisamos da dor física que sofremos? Talvez 5%? Precisamos da dor que nos alerta para o ferimento, mas precisamos realmente de uma dor persistente? Pergunte a alguém com artrite reumatoide crônica, colite ou enxaqueca! Isso é apenas uma analogia, mas em que medida realmente precisamos da dor psicológica que sofremos? Mais de 5%? O que significaria se você pudesse tomar uma pílula na manhã seguinte da morte de sua mãe, livrando-o da angústia agoniante e improdutiva da dor?" A psiquiatra francesa Julia Kristeva descobriu uma função psicológica profunda para a depressão. "A tristeza que nos submerge, o retardamento que nos paralisa também são uma muralha — às vezes a última — contra a loucura."[8] Talvez seja mais fácil dizer simplesmente que dependemos mais de nossos sofrimentos do que sabemos.

O uso de antidepressivos está aumentando, à medida que as pessoas buscam normalizar o que é atualmente classificado como aberrador, sendo os remédios "popularizados e trivializados", como destacou Martha Manning no eloquente texto sobre sua depressão extrema. Mais de 60 milhões de receitas de ISRSs foram prescritas em 1998 —[9] sem mencionar um número substancial de antidepressivos não ISRSs. Os ISRSs são agora receitados para pessoas com saudades de casa, disfunções alimentares, TPM, para animais de estimação que arranham demais, para dores crônicas nas juntas e mais do que tudo para tristezas suaves e sofrimentos comuns. São receitados não somente por psiquiatras, mas também por farmacêuticos formados, por ginecologistas-obstetras; o pedicuro de alguém que conheço receitou-lhe Prozac. Quando o voo 800 da TWA caiu perto de Nova York em 1996, drogas antidepressivas foram oferecidas às famílias que esperavam notícias dos entes queridos da mesma forma paliativa com que poderiam ter oferecido travesseiros e cobertores extras.[10] Não estou argumentando contra esse uso amplo, mas acho que isso deveria ser feito com ponderação, deliberada e refletidamente.

Já se disse que todos têm as virtudes de seus defeitos. Se eliminarmos os defeitos, as qualidades também irão embora? "Estamos apenas na aurora da exuberância farmacológica", diz Randolph Nesse. "Novos medicamentos que estão sendo desenvolvidos podem provavelmente tornar rápido, fácil, barato e seguro o bloqueio de muitas emoções indesejadas. Provavelmente chegaremos a esse ponto na próxima geração. E prevejo que iremos em busca deles, porque, se as pessoas puderem fazer algo para se sentirem melhor, elas o farão. Eu imagino o mundo daqui a algumas décadas como uma utopia farmacológica; do mesmo modo, imagino facilmente pessoas tão suavizadas que negligenciem todas as suas responsabilidades sociais e pessoais." Diz Robert Klitzman, da Universidade Columbia: "Desde Copérnico não nos defrontamos com uma transformação tão dramática. Nos séculos futuros, pode haver novas sociedades que olharão para nós como criaturas escravizadas e aleijadas por emoções descontroladas". Se for assim, muito será perdido; muito, sem dúvida, será ganho.

Pessoas que sofreram de depressão perdem um pouco do medo das crises. Tenho 1 milhão de defeitos, mas me tornei uma pessoa melhor do que era antes de ter passado por tudo isso. Precisei passar por uma depressão para ter vontade de escrever este livro. Alguns amigos tentaram me convencer a não me envolver com as pessoas sobre as quais estava escrevendo. Eu gostaria de dizer que a depressão me transformou em alguém triste e que passei a amar os pobres e os destituídos, mas não foi bem isso que aconteceu. Se você passou pela experiência, não consegue vê-la acontecer na vida de outro sem se sentir horrorizado. É mais fácil para mim, de muitos modos, mergulhar no sofrimento dos outros do que observar o sofrimento de fora. Detesto a sensação de ser incapaz de chegar até as pessoas. A virtude não é necessariamente sua própria recompensa, mas há uma certa paz em amar alguém que não existe quando você se distancia deste alguém. Quando vejo o sofrimento dos deprimidos, fico inquieto. Penso que posso ajudar. Não interferir é como assistir a alguém derramar um vinho bom sobre a mesa de jantar. É mais fácil levantar a garrafa e enxugar a poça do que ignorar o que está acontecendo.

A depressão, no seu pior estágio, significa a solidão mais pavorosa, e com ela aprendi o valor da intimidade. Quando minha mãe lutava contra o câncer, disse certa vez: "Tudo que as pessoas fazem por mim é maravilhoso, mas ainda assim é tão horrível estar sozinha neste corpo que se virou contra mim". Da mesma forma, é horrível estar sozinho numa mente que se virou contra você. O que se pode fazer quando se vê outra pessoa presa na armadilha da própria mente? Não se pode arrancar o deprimido de sua infelicidade apenas com amor (embora se possa às vezes distraí-lo). Pode-se, às vezes, estar com a pessoa no lugar em que ela mora. Não é agradável sentar-se imóvel na escuridão da mente do outro, embora seja quase sempre pior assistir à decadência da mente do lado de fora. Podemos ficar nos remoendo à distância ou nos aproximar, chegando o mais perto possível. Às vezes, a maneira de estar perto é ficar em silêncio ou mesmo distante. Não depende de nós, do lado de fora, decidir; depende de nosso discernimento. A depressão é solitária acima de tudo, mas pode provocar o oposto da solidão. Eu amo mais e sou mais amado devido à minha depressão, e posso dizer o mesmo de muita gente que entrevistei para este livro. Muitos me perguntam o que fazer para ajudar amigos e parentes deprimidos, e minha resposta é simples: procure mitigar o isolamento deles. Faça-o através de xícaras de chá ou com longas conversas, sentando-se num aposento próximo e ficando em silêncio ou de qualquer outro modo que se ajuste às circunstâncias, mas faça-o. E faça-o com boa vontade.

Maggie Robbins, que tem lutado tanto com a doença maníaco-depressiva, disse: "Eu costumava ficar muito nervosa e falava sem parar. Então comecei a fazer trabalho voluntário num abrigo para pessoas com aids. Lá eles organizavam chás, e eu era encarregada de ajudar a levar o chá, o bolo e o suco para os pacientes, sentar com eles e conversar, porque muitos não tinham ninguém que os visitasse. Eram solitários. Lembro que um dia, ainda cedo, sentei com algumas pessoas e tentei começar uma conversa perguntando o que haviam feito no Quatro de Julho. Eles me contaram, mas simplesmente não levaram a conversa adiante. Pensei que aquilo não era muito simpático ou útil da parte deles. Então me ocorreu: esses caras não vão ficar de papo-furado. Na verdade, depois das primeiras respostas curtas, não iam falar mais. Mas não queriam que eu fosse embora. Decidi que estava ali com eles e que ficaria com eles. Ia ser simplesmente uma ocasião em que havia uma pessoa sem aids, que não parecia doente e não estava morrendo, mas que poderia lidar com o fato de que eles estavam doentes e morrendo. Então fiquei ali com eles naquela tarde, sem falar. O ato de amar é estar lá, simplesmente prestando atenção, incondicionalmente. Se a pessoa está sofrendo naquele instante, é isso o que está fazendo, ponto. Você está participando daquilo — não tentando loucamente fazer algo a respeito. Aprendi a fazer isso".

Os sobreviventes continuam tomando comprimidos, esperando. Alguns estão em terapia psicodinâmica. Alguns recebem TEC ou submetem-se a cirurgias. Nós prosseguimos. Não é possível escolher ficar deprimido e não é possível decidir quando ou como melhorar, mas é possível escolher o que fazer com a depressão, especialmente quando se sai dela. Alguns saem por um curto período e sabem que vão continuar voltando a ela. Mas, quando estão fora dela, tentam usar a experiência da depressão para tornar suas vidas mais ricas e melhores. Para outros, a depressão não passa de uma infelicidade completa: jamais tiram alguma coisa dela. Pode fazer bem às pessoas deprimidas buscar modos de fazer sua experiência, depois do fato, conduzir à sabedoria. Em *Daniel Deronda*, George Eliot descreve o momento em que a depressão se inverte, a sensação miraculosa do momento. Mirah estivera pronta para se matar e se deixara salvar por Daniel. Ela diz: "Mas no último momento, ontem, quando esperava que a água se fechasse sobre mim, pois pensava que a morte era a melhor imagem da misericórdia, então a bondade veio até mim em forma humana e eu acreditei na vida".[11] A bondade não chega viva àqueles cujas vidas são totalmente plácidas.

Quando tive o terceiro colapso, o minicolapso, estava nas últimas fases deste livro. Uma vez que não podia lidar com comunicação de qualquer espécie durante aquele período, coloquei uma mensagem de resposta automática em meu e-mail que dizia que eu estava temporariamente indisponível e deixei uma mensagem semelhante na secretária eletrônica. Conhecidos que haviam sofrido de depressão sabiam o que essas mensagens significavam. E não perderam tempo. Recebi dúzias e mais dúzias de telefonemas de pessoas oferecendo qualquer coisa que pudessem e fazendo isso de uma maneira esplendorosa. "Vou ficar com você no minuto em que você chamar", escreveu Laura Anderson, que também mandou uma quantidade absurda de orquídeas, "e ficarei o tempo que for preciso para você melhorar. Se preferir vir para cá, sempre será bem-vindo, é claro; se precisar se mudar para cá por um ano, estarei à sua espera. Espero que saiba que sempre estarei aqui para você." Claudia Weaver escreveu com perguntas: "É melhor para você que alguém veja se está tudo bem com você todos os dias ou os recados são um fardo grande demais? Se são, não precisa responder a este, mas seja lá o que precisar, me ligue, a qualquer momento, dia ou noite". Angel Starkey ligou muitas vezes do telefone público de seu hospital para ver se eu estava bem. "Não sei do que você precisa", disse, "mas me preocupo com você o tempo todo. Por favor, se cuide. Venha me ver se estiver se sentindo muito mal, a qualquer momento. Eu gostaria muito de vê-lo. Se precisar de alguma coisa, tentarei consegui-la para você. Prometa que não vai se ferir." Frank Rusakoff me escreveu uma carta notável e lembrou da preciosa qualidade da esperança. "Anseio por notícias dizendo que você está bem e partiu em outra aventura", escreveu, e assinava a carta: "Seu amigo, Frank". Eu me sentira comprometido de muitas maneiras com todas essas pessoas, mas essa procura espontânea me deixou atônito. Tina Sonego disse que ligaria para o trabalho avisando que estava doente se eu precisasse dela — ou que me compraria uma passagem e me levaria para algum lugar relaxante. "Sou uma boa cozinheira também", disse. Janet Benshoof apareceu em casa com jacintos e versos otimistas de seus poemas favoritos escritos em sua letra e uma mochila, de modo a poder dormir no meu sofá para que eu não me sentisse só. Foi uma reação assustadora.

Mesmo no apelo do depressivo mais desesperado — "Por quê?" ou "Por que eu?" — estão as sementes da autoanálise, um processo que geralmente é frutífero. Emily Dickinson fala desse "Pálido Sustento — O Desespero",[12] e a depressão pode de fato justificar e sustentar uma vida. A vida não analisada não é uma opção para o deprimido. Esta talvez seja a maior revelação que tive: não que a depressão seja admirável, mas as pessoas que sofrem dela podem se tornar admiráveis por causa dela. Espero que esse fato básico ofereça apoio para os que sofrem e inspire paciência e amor nos que testemunham esse sofrimento. Como Angel, tenho a missão de trazer a cura da autoestima para aqueles que não a têm. Espero que eles aprendam talvez não apenas a ter esperança, mas também algum amor-próprio com as histórias deste livro.

Há um grande valor em alguns tipos de adversidade. Nenhum de nós escolheria aprender desse modo: a dificuldade é desagradável. Eu gostaria de ter uma vida fácil, e faria e tenho feito concessões consideráveis em minha busca por ela. Mas descobri que há coisas valiosas a tirar de meu sofrimento, que há valores a serem descobertos através dele, pelo menos quando as garras da depressão não me apertam com tanta força.

John Milton falou, em *Areopagitica*, sobre a impossibilidade de apreciar o bem sem conhecer o mal. "Aquela virtude, portanto, que se mostra bisonha na contemplação do mal, que desconhece as altas promessas que o vício faz aos seus seguidores, e que o repele, é virtude neutra, não pura. Sua alvura é apenas uma alvura excrescente." Dessa forma, o maior conhecimento do sofrimento se torna a base para uma apreciação completa da alegria: ele intensifica a própria alegria. Trinta anos mais tarde, foi um Milton mais sábio que escreveu em *Paraíso perdido* sobre a sabedoria alcançada por Adão e Eva depois da queda, quando vislumbraram o espectro total da humanidade:

> [...] *since our eyes*
> *Opened we find indeed, and find we know*
> *Both good and evil, good lost and evil got,*
> *Bad fruit of knowledge.**

Há um conhecimento que, por mais que ensine, seria melhor não adquirir. A depressão não apenas ensina muito sobre a alegria, mas também a apaga. É o mau fruto do conhecimento, um conhecimento que eu preferia jamais ter alcançado. Uma vez que o conhecimento é dado a alguém, contudo, pode-se buscar a redenção. Adão e Eva descobriram:

---

* Temos abertos desde então os olhos;/ Tanto o bem como o mal nos é patente,/ O mal por nós ganhado, o bem perdido./ Eis o fruto da ciência. (Tradução livre)

Strenght added from above, new hope to spring
Out of despair, joy.*

E, armados com essa forma nova e humana de alegria, partiram para viver suas vidas curtas e doces:

They looking back, all th'Eastern side beheld
Of Paradise, so late thir happy seat
[...]
Some natural tears they dropp'd, but wip'd them soon;
The World was all before them, where to choose
Thir place of rest, and Providence their guide:

They hand in hand with wand'ring steps and slow,
Through Eden took thir solitary way.**[13]

Assim jaz o mundo diante de nós, e com esses passos palmilhamos um caminho solitário, sobreviventes de um conhecimento empobrecedor, inestimável. Vamos em frente com coragem e sabedoria excessivas, porém determinados a encontrar o que é belo. Foi Dostoiévski quem disse: "No entanto a beleza salvará o mundo".[14] Aquele momento de retorno da triste crença é sempre miraculoso e pode ser belo. Quase vale a viagem ao desespero. Nenhum de nós teria escolhido a depressão dentre as qualidades que o céu nos oferece, mas quando ela nos é dada, aqueles de nós que sobreviveram descobrem algo nela. É isso que somos. Heidegger acreditava que a angústia era a origem do pensamento,[15] Schelling a considerava a essência da liberdade humana.[16] Julia Kristeva curva-se diante dela: "Eu tenho de minha depressão uma lucidez suprema, metafísica. [...] Um requinte no pesar ou luto são a marca de uma humanidade, com certeza não triunfante, mas sutil, combativa e criadora".[17]

Com frequência tiro minha temperatura mental. Mudei meu sono e meus hábitos. Desisto de coisas mais rápido. Sou mais tolerante com as outras pessoas. Mais determinado a não desperdiçar o tempo feliz que posso ter. Algo mais rarefeito e melhor aconteceu com o meu eu: eu não aceito mais o tipo de pancada que costumava levar, e pequenas janelas me atravessam totalmente, mas há também passagens que são boas, delicadas e luminosas. Lamentar minha depressão

---

* Acabavam as preces, alentados/ Por novas forças e esperança nova,/ Por alegria timorata ainda.

** Olhando para trás então observam/ Do Éden (há pouco seu ditoso asilo)// [...] De pena algumas lágrimas verteram, mas resignados logo as enxugaram;/ Diante deles estava inteiro o Mundo/ Para a seu gosto habitação tomarem, e tinham por seu guia a Providência.// Dando--se mãos os pais da humana prole, vagarosos lá vão com o passo errante/ Afastando-se do Éden solitários. (Tradução livre)

agora seria lamentar a parte mais fundamental de mim. Eu me ofendo muito facilmente e com frequência excessiva e imponho minha vulnerabilidade aos outros rápido demais, mas acho que também sou mais generoso com os outros do que costumava ser.

"A casa fica uma bagunça", me disse uma mulher que vem combatendo a depressão sua vida inteira, "e não consigo ler. Quando será que ela vai voltar? Quando vai me atingir de novo? Só meus filhos me mantêm viva. Agora estou estabilizada, mas a depressão nunca me deixa. Jamais se pode esquecê-la, por mais feliz que se esteja num determinado momento."

"Estou conformada com uma vida inteira tomando remédios", diz Martha Manning, de modo subitamente fervoroso durante uma conversa. "E sou grata. Sou grata por isso. Às vezes olho para aqueles comprimidos e fico pensando que aquilo é a única coisa que se coloca entre mim e o tormento. Quando era pequena, lembro-me que não era infeliz, mas não conseguia me impedir de pensar que tinha que viver minha vida inteira com aquilo, talvez oitenta anos ou coisa assim. Parecia um fardo. Eu quis ter outro filho recentemente, mas depois de dois abortos espontâneos percebi que não podia aguentar o estresse. Cortei minha vida social. Você não derrota a depressão. Aprende a administrá-la e faz concessões a ela. É preciso ser muito determinada, passar muito tempo sem ceder. Quando chegamos perto de tirar a própria vida e a temos de volta, é melhor lutar por ela, não é?"

Esforçando-nos para lutar por ela, agarramo-nos à ideia da depressão produtiva, algo vital. "Se eu tivesse que fazer tudo novamente, não o faria deste modo", disse Frank Rusakoff alguns meses depois de ter o cérebro lesado para efetivar sua cura. Eu passara a tarde com ele, seus pais e seu psiquiatra, e eles discutiam o fato sombrio de que a cingulotomia de Frank ainda não tinha funcionado e que ele talvez precisasse fazer uma segunda cirurgia. Contudo, a seu modo suavemente corajoso, Frank planejava estar recuperado e com força total em seis meses. "Mas acho que ganhei muito e cresci bastante por causa disso. Fiquei muito mais próximo de meus pais, de meu irmão, de meus amigos. Minha convivência com meu médico tem sido muito boa." A equanimidade duramente conquistada soava comoventemente verdadeira. "Há aspectos positivos na depressão — só que é difícil vê-los quando se está sofrendo." Mais tarde, depois do sucesso da cirurgia, ele escreveu: "Eu disse que faria isso tudo diferente se pudesse fazê-lo novamente. E acho que é verdade. Mas agora que sinto que o pior já passou, estou grato por ter passado o que passei. Acredito realmente que me saí melhor tendo estado no hospital trinta vezes e por fim tendo feito uma cirurgia no cérebro. Encontrei um monte de pessoas boas pelo caminho."

"Perdi grande parte de minha inocência quando entendi que eu e minha mente nunca nos daríamos bem", disse Kay Jamison dando de ombros. "Não consigo nem expressar o quanto estou cansada de experiências 'para formar a personalidade'. Mas essa parte de mim é valiosa: quem me ama tem que me amar com este aspecto."

"Minha mulher, com quem estou casado há alguns anos, nunca me viu deprimido", diz Robert Boorstin. "Nunca. Contei a ela a respeito da depressão e pedi a outras pessoas que contassem a ela como é. Fiz o melhor possível para prepará-la, porque sem dúvida eu terei outra depressão. Em algum momento, nos próximos quarenta anos, vou estar me arrastando pelo quarto de novo. E isso me apavora. Se alguém me dissesse: 'Eu livro você da doença mental se você cortar uma perna', eu não sei o que faria. E mesmo assim, antes de eu ficar doente, eu era muito intolerante, muito arrogante, sem nenhuma compreensão da fragilidade humana. Sou uma pessoa melhor por ter passado por tudo isso."

"O tema mais importante do meu trabalho é a redenção", diz Bill Stein. "Ainda não sei meu papel nas coisas. Sou atraído por histórias de santos e mártires. Acho que não poderia suportar o que passaram. Não estou pronto para fundar um hospício na Índia, mas a depressão me pôs no caminho certo. Conheço pessoas e sei que elas não têm o nível de experiência que eu tenho. O fato de ter atravessado uma doença tão catastrófica mudou permanentemente minha paisagem interior. Sempre fui atraído pela fé e a bondade, mas eu não teria o impulso, o propósito moral, sem meus colapsos."

"Nós atravessamos o inferno para encontrar o paraíso", diz Tina Sonego. "Minha recompensa é muito simples. Agora sou capaz de entender coisas que eu simplesmente não entendia antes; e as coisas que não entendo agora, entenderei com o tempo, se elas forem importantes. A depressão é responsável por fazer de mim o que sou hoje. O que ganhamos não passa de um sussurro, mas é muito intenso."

"Nossas necessidades são nossos maiores bens", diz Maggie Robbins. Se é através de nossas necessidades que passamos a nos conhecer, isso nos abre para os outros: carência cria intimidade. "Estou presente quando precisam de mim porque já precisei muito dos outros. Acho que aprendi a dar todas as coisas de que preciso."

"O ânimo é… outra fronteira, como o oceano ou o espaço sideral", diz Claudia Weaver. "Ter um estado de ânimo tão baixo molda o seu caráter: acho que lido com perdas melhor do que a maioria das pessoas porque tenho muita experiência com os sentimentos que vêm de tais perdas. A depressão não é um obstáculo no meu caminho — é uma espécie de parte de mim que carrego pelo caminho, e acredito que ela pode me ajudar em vários momentos. Como? Isso não sei. Mas acredito em minha depressão, em seu poder redentor, mesmo assim. Sou uma mulher muito forte, em parte por causa da depressão."

E Laura Anderson escreveu: "A depressão me trouxe mais bondade e capacidade de perdoar. Sou atraída por pessoas que podem ofender os outros com uma atitude errada, uma farpa sem propósito ou uma crítica explicitamente sem pé nem cabeça. Tive uma discussão com determinada pessoa sobre a pena de morte esta noite, e tentava explicar, sem ser autorreferente demais, que é possível entender ações horríveis — entender as relações horríveis entre o estado de ânimo, o emprego, as relações interpessoais e outros aspectos da vida. Eu não gostaria que a depressão fosse uma desculpa pública ou política, mas acho que, depois de se passar por ela, adquire-se uma compreensão maior e mais imediata da ausência temporária da capacidade de julgamento que faz as pessoas se comportarem tão mal — aprende-se até mesmo, talvez, a tolerar o mal no mundo."

No dia feliz em que nos livrarmos da depressão, perderemos muito com ela. Se a terra pudesse alimentar a si mesma e a nós sem a chuva, e se dominássemos o clima e estabelecêssemos um bom tempo permanente, não sentiríamos falta dos dias cinzentos e das tempestades de verão? Da mesma forma que o sol parece mais brilhante e mais claro quando surge num raro dia de verão inglês, depois de dez meses de céus tristonhos, mais claro ainda do que nos trópicos, a felicidade então também parece enorme, abarcante e além de qualquer coisa que eu já imaginara. Curiosamente, amo minha depressão. Não amo sofrer de minha depressão, mas amo a depressão em si. Amo quem eu sou após a sua passagem. Schopenhauer disse: "O homem sente-se [contente] quanto mais é obtuso e insensível";[18] quando pediram a Tennessee Williams que definisse a felicidade, ele respondeu: "insensibilidade".[19] Não concordo com eles. Desde que estive no gulag e sobrevivi, sei que, se for obrigado a ir para lá de novo, posso sobreviver outra vez. De um modo estranho, estou mais confiante hoje em dia do que jamais pude imaginar. Isso quase faz (mas não muito) a depressão valer a pena. Acho que jamais tentarei me matar de novo; acho que também não desistiria de minha vida com facilidade se me visse na guerra ou se meu avião caísse num deserto. Lutaria com unhas e dentes para sobreviver. É como se minha vida e eu, ocupando lugares opostos, odiando um ao outro, querendo fugir um do outro, estivéssemos agora unidos pelo quadril para sempre.

O oposto da depressão não é a felicidade, mas a vitalidade, e minha vida, enquanto escrevo isto, é vital, mesmo quando triste. Posso acordar de novo sem minha mente em algum dia do próximo ano: provavelmente ela não ficará por aí o tempo todo. Enquanto isso, porém, descobri o que tenho que chamar de alma, uma parte de mim que eu jamais teria imaginado até o dia, sete anos atrás, em que o inferno veio me visitar de surpresa. É uma descoberta preciosa. Quase todos os dias sinto de relance a desesperança, e cada vez que acontece me pergunto se estarei me desestabilizando de novo. Por um instante petrificador aqui e ali, um rápido relâmpago, quero que um carro me atropele e tenho que cerrar os dentes para continuar na calçada até o sinal abrir; ou imagino como seria fácil cortar os pulsos; ou experimento o metal do cano de uma arma na boca; ou penso em como seria dormir e nunca acordar de novo. Detesto essas sensações, mas sei que elas me impeliram a olhar a vida de modo mais profundo, a descobrir e agarrar razões para viver. A cada dia, às vezes combativamente e às vezes contra a razão do momento, eu escolho ficar vivo. Isso não é uma alegria rara?[20]

Epílogo

para T.R.K.

Vinte anos se passaram desde a minha primeira depressão grave. Tenho uma doença mental, diagnosticada há quase metade da minha vida, e não posso mais me imaginar sem ela. Parece menos alguma coisa que me aconteceu do que uma parte de quem eu sou; em alguns dias, é *a* coisa que me define, mas é sempre pelo menos *uma* coisa que me define. Já não fico pensando sobre quando estarei fora de tratamento, da mesma forma que não fico imaginando quando vou deixar de comer ou dormir. É difícil saber o quanto a depressão me define devido à minha experiência com a própria doença e o quanto ela está gravada na minha identidade em virtude da postura pública que assumi ao falar sobre ela. O fato de ter escrito *O demônio do meio-dia* me transformou em um depressivo profissional, o que é uma coisa esquisita de ser. Um curso da universidade que frequentei recomenda o livro e consequentemente fui convidado para dar uma palestra. Quando era estudante, eu sonhava em ser um escritor tão talentoso que os alunos daquela universidade estudariam minha obra. Mas, nessa fantasia, não antevia minha obra como um livro de memórias selecionado para um curso de psicologia anormal.

Para mim, qualquer pensamento sobre a depressão tornou-se uma questão dialética. Por um lado, minha vida é tão menos afetada pelo problema do que antes que às vezes a escuridão daqueles episódios originais parece um sonho distante. Por outro lado, sentir-me seguro é quase sempre o prelúdio para uma das minhas recaídas ocasionais, e, quando ela bate, sinto mais uma vez que jamais escaparei da escuridão. Por um lado, estou mais acostumado a esses mergulhos do que costumava estar; posso sentir a depressão incubando do mesmo modo que artríticos sentem a chuva iminente. Por outro lado, é chocante a cada vez que acontece; esqueço como ela é uma sensação física, como é implacável: o aperto no peito, a apatia. Esqueço o arrasamento de meu ego, a luta para não acreditar que cada pensamento distorcido é um insight. Quando não estou deprimido, tiro força e beleza da depressão; quando estou deprimido, não encontro nenhuma dessas coisas. Oculto isso melhor do que costumava; posso funcionar surpreendentemente bem, mesmo quando me sinto como se estivesse morrendo

— ou como se quisesse morrer. Mas a ansiedade continua sendo meu pior inimigo, e periodicamente acordo sentindo que o dia é mais do que consigo suportar. Uma rotina de terapia e medicação parece um preço pequeno a pagar por uma equanimidade relativa, mas odeio o tempo e o gerenciamento que tudo isso exige. Detesto ter um cérebro frágil e saber que, ao fazer algum plano, devo prever a possibilidade de que minha mente me traia no curto prazo. Não deixei a depressão para trás: apenas a mantenho à distância.

Tive um pouco de sorte nos últimos vinte anos. Casei com meu marido, John, a pessoa mais gentil que já conheci, e tive filhos que ao mesmo tempo exigem muito e proporcionam grande felicidade. É possível conquistar sozinho certos aspectos de estabilidade, mas ela também vem de outras pessoas, e John me deu um lastro. Ele é paciente e gentil quando estou deprimido. Mas já não estou sozinho na depressão, e essa é uma mudança fundamental. Posso ter a sensação subjetiva de que a vida é intolerável, mas sei que o que sinto é inconsistente com o que é verdadeiro: tenho uma vida boa. Encontrei uma psicofarmacologista brilhante que montou uma rotina de medicação surpreendentemente eficaz na maioria das vezes, com efeitos colaterais relativamente pequenos. Nós descobrimos como consertar quando o problema aparece. Na psicoterapia, frequento um psicanalista que é sábio e engraçado. Uma vez, quando me mostrei um tanto desdenhoso de alguns sinais de alerta precoces da depressão, ele comentou: "Nesta sala, Andrew, nunca esquecemos que você é totalmente capaz de tomar o caminho mais rápido para o porão de pechinchas da saúde mental".

Eu controlo minha vida. Nunca perco um único dia de medicação. Com a ajuda de meus dois médicos, ajusto as doses e tento modificar meu comportamento assim que reconheço o menor indício de uma recaída. O propranolol, um betabloqueador que posso usar quando me sinto especialmente ansioso, diminui o meu ritmo cardíaco e me permite respirar. Ele não tem os efeitos sedativos dos benzodiazepínicos. Algum tempo atrás, aumentei meu Zyprexa, depois diminuí um pouco a dose, e gostaria de cortar totalmente, mas, em bem mais de um ano, nunca encontrei o momento certo para enfrentar a possibilidade de uma escalada da ansiedade. Sou fanático quanto ao sono e disposto a adiar quase tudo para ter certeza de que durmo o suficiente; John é quem se levanta com nossos filhos no meio da noite, se isso for necessário. Faço exercícios regularmente, tanto para o bem-estar físico como mental. Consumo bebidas alcoólicas em mínimas quantidades e ainda menos cafeína (embora tenha um fraco por chocolate amargo, que não posso comer se estou me sentindo ansioso).

Ao mesmo tempo, não estou disposto a fazer algumas concessões. Levo uma vida fascinante e estressante, e não vou abrir mão disso. Vou a todos os lugares e me dedico a pessoas demais; adoro minhas próprias ideias e tenho curiosidade pelas ideias de outras pessoas; sou um malabarista desajeitado, mas entusiasmado entre a família, os amigos e o trabalho. Prefiro tomar meus remédios e viver no mundo do que reduzi-los e me fechar em mim mesmo. Quando estou bem, faço tudo o que posso, e às vezes isso parece bipolar II. Mas meu comportamento não é hipomaníaco; ao contrário, ele reflete a minha compreensão de que a capacidade de ser funcional pode me abandonar a qualquer momento e que devo explorar meus períodos funcionais ao máximo.

Às vezes, meus filhos são meus antidepressivos. Prometi a mim mesmo jamais pensar em suicídio depois que me tornei pai, e não agir de modo deprimido perto deles se puder evitar fazê-lo, e estar com eles fortalece essas obrigações benignas. O som da voz deles tem um efeito milagroso quando estou leve ou moderadamente deprimido. Embora eles também possam me deixar furioso e preocupado, nunca me fazem sentir menos envolvido no mundo. Contudo, tento protegê-los não só da minha depressão, mas também da capacidade deles de mitigá-la, porque não quero que tomem isso como uma obrigação. John é de uma grande ajuda sempre que estou mal; estarmos juntos em nosso quarto faz com que eu me sinta mais seguro do que me sentia em meu quarto sozinho, e não o afasto muito de minha realidade. O amor ajuda quando a depressão está em seus estágios iniciais. Mas, quando ela realmente se agrava, a maior parte dessa energia se esvai. Consigo dizer que as coisas estão ficando sérias quando minha ansiedade não responde ao riso de meus filhos. Nesse momento, meu trabalho é proteger as crianças de meu desligamento, agir do modo como eu gostaria de me sentir. Essa é a empreitada mais desgastante do mundo, embora haja certa satisfação sinistra em levá-la a cabo.

Minha vida no século XXI tem sido marcada por recaídas periódicas. Em 2002, tentei parar com o Zoloft por um tempo, para escapar dos efeitos colaterais relativos à sexualidade. De repente, me vi com uma enorme energia sexual — com uma quantidade ridícula dela, e com ilusões sobre os meus próprios encantos. Isso apimentou meu relacionamento com John; ao mesmo tempo, eu me sentia como se houvesse implicações sexuais em minhas interações com o carteiro, com o balconista da mercearia, com os pobres homens e mulheres do ônibus da rua 79 que atravessa a cidade. Havia conotação sexual em minhas interações com o passeador de cães; havia conotação sexual em minhas interações com o cão. Também comecei a sentir aquele desespero arrepiante que eu mantivera afastado por tanto tempo. Levei cerca de seis semanas para perceber que estava ficando completamente louco. Voltei ao meu Zoloft e as coisas se acalmaram.

No Natal de 2003, John mudou-se de Minneapolis para Nova York a fim de morar comigo. Havia tempos eu insistia para que ele fizesse isso, mas sua chegada despertou várias formas de ansiedade. A última pessoa que tinha morado comigo acabara por desaparecer da minha vida de uma forma particularmente angustiante, e a ansiedade desencadeada pela presença de John em casa foi maior do que eu conseguia suportar. Cerca de um mês antes, eu tomara a decisão equivocada de parar com o Zyprexa, porque ele estava me deixando gordo e apático. Em termos gerais, eu estava química e emocionalmente desestabilizado. Conseguir o que se quer para em seguida ficar deprimido parece grosseria, e fiquei preocupado que aquilo fosse destruir o relacionamento. Eu precisava descobrir um modo de entender que meu humor sombrio era causado por outra coisa. Quando a depressão chegou, bateu com força total; fiquei quase incapaz de falar. Eu havia visto um musical cativante mas entorpecente um mês antes, e agora eu ouvia sem parar aquela gravação, como se os ritmos adoráveis de suas canções inutilmente otimistas fossem minha tábua de salvação para a felicidade.

Logo depois do Natal, eu deveria ir para a Antártida numa missão jornalística que incluía um voo de três dias em avião militar, e depois iria à Turquia, para o aniversário de um amigo. Eu sempre, sempre, sempre quis ir à Antártida, e tinha comprado todas as roupas e provisões necessárias. Porém, logo ficou claro para mim que eu não faria nenhuma das duas viagens e que meus pagamentos anteci-pados e não reembolsáveis de hotéis e passagens aéreas seriam jogados fora — uma loucura econômica que me deixou quase louco de desânimo. Agora que estou bem, não consigo ver o que era tão difícil a respeito das viagens. Bastaria enfiar algumas roupas numa mala, sentar-me em um avião por um tempo e depois ver belas pai-sagens (Antártida) e velhos amigos (Turquia). Um ano antes, eu havia corajosa-mente viajado ao Afeganistão a fim de cobrir a guerra para o *New York Times*.[1] Agora, me sentia como se estivesse sufocando, sem conseguir recuperar o fôlego. Decepcionei meus editores, meus amigos e John; também desapontei a mim mes-mo, pois achava que tinha superado esse tipo de bobagem. Quando estou me sentindo bem, às vezes não me preocupo em fazer as coisas que deveria fazer ou planejei fazer. E, quando estou me sentindo bem, acho que a depressão está apenas cedendo a essa indolência, uma questão de não se preocupar com as coisas difíceis. Então a depressão ataca e zás — não consigo fazê-las. Eu não conseguiria voar para a Antártida em um avião militar, ou mesmo para a Turquia em um voo co-mercial, assim como não conseguiria nadar de Nova York para ambos os lugares. Então voltei ao Zyprexa. John e eu nos acostumamos com nossa nova intimidade e, pouco a pouco, eu rastejei de volta para o oxigênio da minha própria vida.

Meu episódio grave mais recente aconteceu quando publiquei meu último livro, *Longe da árvore: Pais, filhos e a busca da identidade*, no final de 2012. Senti aquela nudez implacável surgindo de novo: eu tinha levado mais de uma década para escrever o livro e a possibilidade de ele ser um fracasso me consumia. Minha primeira depressão atacou quando publiquei meu romance, *A Stone Boat* [Um barco de pedra], em 1994, e essa concomitância marcou todas as minhas expe-riências posteriores de publicação. Agora, eu temia que ninguém ligasse para meu novo livro. Preocupava-me que as pessoas que entrevistei pudessem encontrar defeitos em meus retratos. Temia que tivesse deixado passar alguma falha ou la-cuna terrível no que eu havia escrito. Mas, sobretudo, não estava preocupado com alguma coisa que eu fosse capaz de nomear; eu só estava preocupado. Durante todo o tempo, me sentia como se estivesse ligado a uma tomada elétrica da qual não conseguia me desligar sozinho. As pessoas não paravam de me dizer como eu deveria estar animado, e eu fazia o meu melhor para entrar no jogo. Declarei-me animado. Agi como se estivesse animado. Fui à televisão e ao rádio e falei animadamente. Mas, o tempo todo, sentia como se o mundo estivesse chegando ao fim; sentia como se as pessoas que eu amava fossem ter fins trágicos; sentia como se eu fosse esquecer como se faz para engolir ou respirar. Sentia que, se desistisse do compromisso mais insignificante, despencaria e morreria; sentia como se, caso continuasse no meu ritmo alucinante, explodiria e morreria.

Fiz minhas primeiras palestras sobre o livro e achei que não foram boas o suficiente, que minhas ideias estavam uma grande confusão. Senti-me de repente velho e desesperançado, e expor meus anos de trabalho ao mundo era como tirar minha pele e deitar no meio da rua. Meu nível de estresse não parava de subir e comecei a sentir aquele velho pânico familiar de que não conseguiria chegar ao fim do dia. Quando não conseguia dormir à noite, achava que a exaustão certamente minaria minha resistência no dia seguinte, mas, quando finalmente começava a cair no sono, temia dormir demais e perder meus compromissos da manhã. Eu acordava em um quarto de hotel incapaz de dobrar minhas roupas para guardá-las na mala. Estava sempre com pavor de que minha bagagem se perdesse, ou de que eu esquecesse onde daria minha próxima palestra.

No entanto, a publicação do livro também foi emocionante. Quando não sentia vontade de chorar, eu estava em um estado de alegre satisfação comigo mesmo. Foi um episódio misto bizarro: eu estava o tempo todo muito feliz e péssimo. A única coisa que parecia romper o ataque de febre eram meus filhos: com eles, sentia-me são e feliz. Mas, assim que eles saíam da sala — ou que eu saía, o que acontecia com mais frequência, tendo em vista tudo o que eu estava tentando fazer —, o efeito se rompia, meu desespero se agravava pelo sentimento de culpa por deixá-los.

Um dos problemas da doença mental é que ela te deixa permanentemente inseguro em relação ao que é "real" e o que está "só na sua cabeça". No primeiro dia da minha turnê de lançamento do livro, fui acometido por o que parecia ser uma infecção no ouvido. Fiquei na dúvida se deveria viajar de avião, mas essas excursões de lançamento envolvem aviões, e nós todos trabalhamos muito para organizá-las. Então fui embarcando em aviões enquanto me perguntava o que fazer com meu ouvido. Eu não conseguia ouvir as perguntas feitas pelo público. Minha psicofarmacologista sugeriu altas doses de Afrin, um spray nasal que se compra sem receita médica. Meu equilíbrio estava prejudicado, provavelmente por causa do congestionamento auricular, e eu me sentia inseguro de pé. Quase perdi um voo porque não consegui escutar os avisos repetidos de uma mudança no portão de embarque. Passei a ouvir um zumbido no meu ouvido esquerdo que parecia um ruído perpétuo de freios.

Por fim, na Feira do Livro de Miami, decidi que precisava fazer alguma coisa a respeito. Acabei numa clínica de emergência cheia de crianças gritando, onde um médico jovem me disse que meus ouvidos estavam bem, mas que eu poderia usar algumas gotas de antibiótico. Comecei a suspeitar que meus sintomas, que me distraíam da obsessão com as resenhas, poderiam ser histéricos; eu me perguntava se minha perda auditiva seria origem ou efeito de minha depressão. Naquela noite, fui convidado para jantar no apartamento de amigos na praia, e um deles, que era psiquiatra, me deu uma receita de antibióticos mais fortes, que tomei religiosamente durante uma semana.

Consultei um otorrinolaringologista quando voltei a Nova York para o dia de Ação de Graças, e ele me disse: "Você não precisa desses antibióticos. Você não está com uma infecção". Fiquei momentaneamente encantado. "Você tem perda auditiva neurossensorial", ele disse. Ele me explicou que eu simplesmente tinha perdido grande parte da audição em um dos ouvidos, provavelmente de forma permanente. Receitou-me esteroides e me pediu para voltar e fazer outro exame em algumas semanas. Disse que a chance de eu perder a audição no outro ouvido era quase a mesma que havia antes em relação ao ouvido já prejudicado, e sugeriu que eu havia possivelmente contraído um vírus que danificou as células ciliadas do meu ouvido interior. E acrescentou que eu também deveria fazer exames para ver se não havia tumores em meu nervo auditivo.

No dia de Ação de Graças, eu estava à beira das lágrimas e descobri que não conseguia ouvir o que estava acontecendo em uma mesa cheia de gente. Senti-me totalmente sozinho, mesmo entre familiares e amigos. Decidi cancelar o resto da minha turnê do livro; comecei a cancelá-la; decidi não cancelar. Meu editor conhecia um médico em Seattle que poderia examinar meu ouvido quando eu chegasse lá, depois dos feriados. Cheguei em Seattle, fiz alguns programas de rádio e fui para um instituto neurológico, onde me receitaram injeções de esteroides diretamente no tímpano. Assim, comecei uma nova rotina: chegar a uma nova cidade, visitar um novo hospital, refazer toda a papelada, ter agulhas enfiadas em meu tímpano e depois ir a programas de rádio e fazer palestras e outros eventos de autor. O tempo todo eu me perguntava se tinha realmente perdido a audição; eu imaginava que de algum modo havia feito aquilo comigo mesmo por causa da minha depressão, como se a depressão fosse algo que eu tivesse feito comigo mesmo.

Ninguém a quem eu mencionava a perda parecia compreender a enormidade do seu impacto. A resposta mais frequente era: "Mas seu outro ouvido ainda funciona bem?". Enquanto isso, eu descobria rapidamente por que as pessoas têm uma audição estereoscópica. Meu senso de equilíbrio estava agora completamente perdido e caí várias vezes, sem motivo aparente. E não era simplesmente que eu não conseguisse ouvir com o ouvido esquerdo: a sensação era que eu tinha uma bola de tênis no canal da audição, embora os médicos me garantissem que não havia nenhuma obstrução.

Ainda não sei o que houve de errado com meu ouvido. Tenho, de fato, uma perda permanente de audição no ouvido esquerdo e um zumbido aparentemente definitivo (mas mais suave), e esses são apenas sintomas físicos, muito incômodos. Nem de longe está tão ruim quanto no início, seja porque um pouco da minha audição voltou organicamente ou porque minha ansiedade a esse respeito diminuiu. Posso dar conta dos avisos em aeroportos. Às vezes tenho dificuldade em restaurantes barulhentos, mas acho que tenho esse problema há anos. Usei um aparelho auditivo por alguns meses, depois decidi que poderia viver sem ele, seja porque minhas células ciliadas auditivas ficaram melhores ou porque o humor negro passou. Eu estava bem de novo. Já não caía inexplicavelmente. Alguma coisa física havia dado errado, e alguma coisa psicológica também, e eu ainda não tenho ideia se e como elas estavam ligadas.

Esse é um dos legados da depressão: já não sei como minhas saúdes mental e física se enfrentam. Eu adoraria ter uma certeza cartesiana e clara sobre a mente e o corpo, mas não tenho. Nunca vomito sem me perguntar se o que atrapalhou minha digestão foi uma intoxicação alimentar ou um medo irracional. Quando não consigo dormir, me pergunto se minha mente está agitada, como acontece às vezes com todo mundo, ou se eu poderia estar chegando perto de um ataque de ansiedade clínica. Gostaria de saber com certeza quando estou enfrentando hostilidade de fato e quando estou sendo excessivamente paranoico. Com medo de sucumbir à depressão, quase nunca admito ser derrotado por qualquer coisa, exceto matemática avançada, dança folclórica e esportes coletivos. Experimento coisas temerárias porque sou obstinado em não perder nada em consequência da depressão. Quando estrago uma amizade, sempre tento consertá-la; atribuo o dano ao meu estado psiquiátrico e não ao desgaste inevitável que a vida impõe às amizades. Minha nostalgia assume a forma de tentar consertar o passado. Tenho a neurose da depressão e sou neurótico em relação à minha depressão.

A revelação mais surpreendente que tive por ser um depressivo profissional foi de como a depressão é lugar-comum. Quando digo às pessoas que sofri de depressão, a resposta quase universal é: "Estou tão preocupado com a minha irmã", ou "Meu melhor amigo se matou no ano passado e me sinto muito culpado por não compreender isso", ou "Estive deprimido durante anos". Raramente encontro alguém que não cai em confidência, que, se não fala sobre sua própria depressão, conta o sofrimento de um amigo, de uma mãe, de um marido. Às vezes, parecia que meu livro era um daqueles scanners de raio X nos aeroportos, que permitem ao pessoal ver o que as pessoas estão escondendo sob as roupas. Pessoas perfeitamente senhoras de si, muitas delas estranhas, me falam sobre a dormência ou a agonia que enfrentam todos os dias. Às vezes, gente que não conheço me abraça em lugares públicos porque as histórias deste livro sobre a depressão fizeram com que se sentissem muito menos sozinhas. Sinto-me honrado pela confiança e entusiasmo, embora possa ser difícil quando meu próprio estado de ânimo é demasiado frágil para me encarregar de outra pessoa.

Recebo um fluxo permanente de correspondência de pessoas deprimidas que procuram o meu conselho. Não tenho necessariamente algum conselho além do que está nestas páginas, mas as cartas são ao mesmo tempo maravilhosas e terríveis: maravilhosas quando indicam que alguma coisa que eu escrevi ou disse ajudou, e maravilhosas por causa da comunidade que estabelecem; terríveis porque me revelam diariamente a dor da vida, a angústia de pessoas que não receberam tratamento ou não reagiram a ele, ou que estão simplesmente perdidas na selva escura, no meio do caminho de suas vidas. Em alguns dias, sinto-me como um guru distribuindo sabedoria; em outros, como o depressivo que não consegue ajudar nem a si mesmo. Minha carta favorita veio de alguém que escreveu sem dar um endereço de resposta: "Eu ia me matar, mas li seu livro e mudei de ideia". Quando estou me sentindo péssimo, às vezes repito essa frase para mim mesmo. Aprendi que não há nada que eu tenha sentido ou pensado que não foi sentido e pensado por muitos, muitos outros. O infortúnio realmente adora companhia, como se vê. Descobrir a banalidade da própria dor pode ser um grande conforto.

As pessoas me perguntam se não foi muito difícil falar tão abertamente sobre a minha depressão. Eles supõem que sou ridicularizado por isso. Fico feliz em dizer que, se escarnecem de mim, é principalmente pelas costas, embora eu capte um flash ocasional de insulto no Twitter. As pessoas deprimidas devem ter em mente que os *bon-vivants* que menos toleram sua companhia talvez sejam eles mesmos depressivos e temem o contágio; a crueldade infantiloide que se recusa a tolerar a vulnerabilidade é uma defesa contra a vulnerabilidade. Mas, hoje em dia, acho de maneira geral que é fácil falar sobre depressão — desde que seja com o verbo no passado. Quando não estou deprimido, sou capaz de entrar em detalhes excruciantes, como fiz neste livro e em minhas palestras públicas, inclusive uma que já teve alguns milhões de visualizações no site do TED.[2] Mas, quando estou deprimido, não consigo falar sobre isso. Torna-se, de repente, vergonhoso.

Percebo o absurdo dessa reação. Este livro foi publicado em 24 idiomas; seria difícil ser ainda mais público a respeito da depressão do que fui. E, contudo, quando tenho de cancelar um plano por causa da minha saúde mental, invento um rosário de doenças somáticas, desculpando-me com casos míticos de gripe ou tornozelos torcidos fictícios. Seis semanas mais tarde, posso admitir para as pessoas a quem menti que eu estava realmente tendo uma crise de depressão, mas, no momento, parece impossível revelar. Em parte, isso se deve ao fato implícito de que você tem de estar em um estado de espírito vigoroso para se livrar do estigma da depressão. Eu sofro de uma espécie de selenofobia internalizada; quando estou deprimido, me desvalorizo e vejo a depressão como um fracasso, embora eu saiba que isso é uma bobagem, quando estou bem. Também me sinto esmagado pela compaixão de outras pessoas. A depressão é uma doença da solidão, e quando você está nela, sabe que sua solidão é inviolável. As pessoas que querem confortá-lo ficarão provavelmente angustiadas se não conseguirem oferecer qualquer conforto real. Você se sente culpado por fazê-las passar por isso.

Na reunião da Associação Americana de Psiquiatria de 2014, o vice-presidente Joe Biden contou que um amigo cujo filho estava gravemente deprimido o havia descrito como "flutuando no espaço preso por uma corda". O pai tinha dito que segurava a outra ponta da corda e queria usá-la para trazer o filho de volta, mas sabia que, se puxasse com muita força, a corda se romperia e seu filho estaria perdido para sempre. Então, ele apenas segurava o melhor que podia.

Biden expressou o compromisso de fortalecer a conexão, de tornar mais seguro e mais fácil para todos nós trazer de volta pessoas com doenças mentais. Melhores serviços de saúde mental, disse ele, deixariam a corda menos propensa a se romper.[3] Mais tarde, quando me encontrei com ele, Biden disse que acabar com o preconceito em torno da doença mental era uma das batalhas dos direitos civis da nossa geração e elogiou as pessoas que lutam contra esses problemas e tratam deles. Comentei que, sendo uma pessoa com diagnóstico de depressão, agradecia a ele, e disse que achava extremamente corajoso de um político no poder defender uma causa tão estigmatizada. "*Vocês* é que são os corajosos", ele retrucou.[4]

A incerteza de quem segura a corda assombra parentes ou amigos de pessoas com depressão, que muitas vezes me perguntam o que devem fazer. Sempre as aconselho a não deixar a pessoa deprimida ficar isolada de fato. Algumas pessoas deprimidas querem uma conversa animada. A maioria acha a interação penosa; é uma boa ideia sentar-se perto delas e ficar em silêncio. Outras não suportam ter alguém no quarto com elas. Sente-se do lado de fora da porta, mas não vá embora. A depressão só se intensifica nos casulos privados que tecemos quando estamos no fundo do poço. As pessoas deprimidas também devem se lembrar de evitar ficar sozinhas tanto quanto puderem. Meu outro conselho para amigos e parentes de pessoas que estão deprimidas é não parecer temeroso demais. O medo das outras pessoas pode ser um fardo terrível para quem o instiga. E, na verdade, não somos tão assustadores; eu sou a mesma pessoa, deprimido e não deprimido. Estado de ânimo não é caráter.

Se conhecer uma pessoa deprimida tem um efeito arrasador, pode ser pior não conhecer nenhuma delas. Gostamos de pensar que conseguimos identificar a depressão em pessoas que amamos e lhes oferecer ajuda quando precisam, mas a depressão é muitas vezes um segredo bem guardado, invisível até para o olho do entendido no assunto. Em 17 de outubro de 2009, meu colega de quarto de faculdade e amigo de longa data Terry Rossi Kirk se suicidou.[5] Sofro desde então pela perda daquela amizade e pela minha própria ingenuidade, que me fez supor que, com seu comportamento invariavelmente feliz, Terry não poderia estar também nas garras da depressão. Embora professasse ser especialista em depressão, li errado os sinais de Terry. Qualquer um que tenha conhecido uma pessoa que tirou sua própria vida tem muita dificuldade para superar a sombra de culpa. Um suicida equivale ao fracasso de mil chances de ajudar, da capacidade de todos de salvar a pessoa que morreu.

Os outros amigos de Terry e eu concordamos que não poderíamos ter mudado sua tristeza, mas gosto de pensar que poderia tê-lo ajudado a compreender o prazer que pode ser forjado a partir da tristeza, uma coisa que a sua alegria implacável o impediu de aprender. Todos nós poderíamos tê-lo lembrado de que é possível ser tomado pela tristeza e ainda assim encontrar um sentido nessa tristeza, uma razão suficiente para permanecer vivo. O estranho é que Terry foi uma das pessoas que me ensinou isso; nossa amizade foi uma longa lição de resiliência. Em meus tempos de escuridão, ele fazia parte do andaime que me segurava no mundo. Só me resta imaginar qual foi a biologia aleatória que fez com que Terry não sobrevivesse, enquanto eu ainda estou aqui. Nossas depressões eram fundamentalmente diferentes? Nossas atitudes em relação a elas? Os tratamentos que recebemos? Alguns de nós são capazes de seguir em frente, outros não. Nenhum de nós pode supor que vai morrer somente de causas naturais. Terry acreditou que no final não havia ninguém que choraria de verdade por ele, embora tenha deixado para trás um parceiro de vida devastado e um amplo círculo de amigos, alunos e colegas pesarosos. Gostaria de ter conseguido fazer Terry se sentir tão amado quando estava vivo quanto o amo morto. Gostaria que tivéssemos sido aliados na angústia, e não soldados em trincheiras separadas. Nunca se esqueça de que a depressão é a luta mais solitária que existe.

Desde a publicação deste livro, conheci milhares e milhares de pessoas deprimidas. Algumas estão recebendo tratamentos excelentes e passam bem; um pequeno número tem depressão genuinamente refratária e não pode ser ajudado; alguns evitam o tratamento porque não gostam nem mesmo da ideia de se tratar. O maior número, no entanto, deu o passo doloroso de admitir sua doença mental e procurar tratamento, mas ainda não está recebendo cuidados competentes. "Eu tentei muito", disse um deles para mim, depois de uma palestra em Denver. "Se eu me matar agora, ninguém pode dizer que não tentei." Ele estava seguindo uma rotina inadequada, tomando medicação estimulante para uma depressão agitada. Na mesma ocasião, alguém reclamou que tinha perdido a vontade de fazer qualquer coisa e depois revelou que estava tomando doses enormes de sedativos. Muitas pessoas recebem antidepressivos de seu clínico geral, e, enquanto alguns se dão bem com uma receita rápida de Zoloft ou Prozac, para muitos outros isso não funciona.

Nesse campo, a competência requer uma mistura singular de ciência e arte. O cérebro é o órgão mais complexo do corpo e seu tratamento exige expertise considerável. Mas nosso conhecimento dele continua primitivo, na melhor das hipóteses. Nossos tratamentos para doenças mentais não são muito eficazes, são muito caros e acarretam inúmeros efeitos colaterais. Dito isso, os progressos recentes na compreensão do cérebro e no tratamento de doenças mentais têm sido impressionantes. É um pouco como a exploração do espaço: sabemos exponencialmente mais do que sabíamos antes de conseguirmos decolar, mas nossos avanços ressaltaram o quanto há para aprender. O deputado Patrick Kennedy chama isso de "explorar o espaço interior, assim como John F. Kennedy enviou astronautas para explorar o espaço sideral".[6] Na posição de alguém que sofre de depressão, sou grato por viver agora, e não há cinquenta anos, quando os tratamentos que me ajudaram não estavam disponíveis. Espero, no entanto, que daqui a cinquenta anos as pessoas com meu perfil psicológico possam olhar para o meu tratamento e estremecer diante da ideia de que alguém teve de suportar uma coisa tão grosseira.

* * *

Todo mundo sempre quer saber sobre as novas abordagens do tratamento da depressão e eu gostaria de ter notícias mais animadoras sobre o que foi descoberto nos catorze anos decorridos desde a primeira publicação de *O demônio do meio-dia*. Alguns poucos medicamentos foram lançados e alguns deles ajudam as pessoas que não eram ajudadas pelos que estavam disponíveis anteriormente. Entre esses novos remédios estão Lexapro (escitalopram), um potente ISRS; Ixel (milnacipran), um INSRN (inibidor não seletivo da recaptação da noradrenalina), semelhante ao Efexor, que foi aprovado para o tratamento da fibromialgia; e Brintellix (vortioxetina), um ISRS com novos efeitos de receptores de serotonina que parece funcionar tão bem quanto outros medicamentos desse tipo. Há também o Symbyax (olanzapina e fluoxetina), uma combinação de Prozac e Zyprexa para a depressão resistente ao tratamento. Há Viibryd (vilazodona), que funciona de forma semelhante aos ISRSs existentes, embora se afirme que, além disso, ele estimula certos receptores fundamentais de serotonina. E há o Intuniv (guanfacine), usado principalmente para o transtorno do déficit de atenção com hiperatividade (TDAH) em crianças, e que pode ter algum efeito sobre a ansiedade, especialmente em pessoas com transtorno do estresse pós-traumático (TEPT). Latuda (lurasidona) é um antipsicótico atípico que tem sido útil para as pessoas na fase depressiva da doença bipolar. Houve interesse popular pelo 5-HTP (5-hidroxitriptofano), que é vendido como suplemento nutricional sem receita. Embora faltem pesquisas de apoio, recebi mensagens de pessoas que afirmam ter sido ajudadas pelo suplemento, que é um precursor da serotonina.[7]

A depressão que não melhorou depois de pelo menos duas séries de tratamentos antidepressivos com evidências de aplicação e duração adequadas é classificada como "resistente ao tratamento". O Instituto Nacional de Saúde Mental (National Institute for Mental Health, NIMH) anunciou uma iniciativa para identificar "tratamentos de ação rápida para a depressão resistente ao tratamento".[8] O trabalho mais interessante envolve o uso de cetamina, um anestésico e calmante veterinário há muito tempo vendido nas ruas com o nome de "Special K". Essa droga bloqueia o receptor do aminoácido NMDA no cérebro, alvo que nenhuma outra droga atingiu. Todos os antidepressivos anteriores trabalharam com dopamina, noradrenalina ou serotonina. A cetamina afeta o glutamato, o neurotransmissor mais comum do sistema nervoso humano.

A cetamina tem demonstrado ser altamente eficaz em indivíduos que não respondem a qualquer outro medicamento, dando alívio a mais de 70% deles. Enquanto os antidepressivos mais tradicionais demoram várias semanas para fazer efeito, a cetamina funciona dentro de poucas horas, alcançando eficácia plena dentro de um dia e mantendo seu efeito por vários dias; um em cada quatro pacientes ainda sente algum efeito um mês após o tratamento, embora o ponto médio de recaída seja em torno de duas semanas. As ideias suicidas tendem a ceder rapidamente com a cetamina. A droga é geralmente administrada por via intravenosa ou inalada como vapor; tomá-la por via oral não é eficaz para a depressão. As doses que atacam a depressão são consideravelmente menores do que aquelas utilizadas para fins anestésicos ou recreativos; porém, a cetamina é usada em doses mais elevadas como anestésico suplementar para os pacientes que recebem terapia eletroconvulsiva (TEC). Infelizmente, ela ainda não é um tratamento de amplo espectro viável. Pouca atividade do glutamato no receptor NMDA pode desencadear psicose, enquanto atividade demais pode matar neurônios cruciais; além disso, uma vez que o glutamato afeta o aprendizado, a memória, a cognição, a percepção e a emoção, sua manipulação deve ser cuidadosamente ponderada, e o potencial para efeitos colaterais indesejados é enorme. A cetamina também pode ter efeitos adversos nos rins e no fígado. Por fim, sendo uma droga já conhecida por suas propriedades recreativas, ela é particularmente propícia a excessos.[9]

Há esforços para a descoberta de outros medicamentos que explorem os mesmos caminhos da cetamina. Entre eles está o Rilutek (riluzol), uma droga previamente aprovada para o tratamento de esclerose lateral amiotrófica (ELA); há alguns indícios em favor da escopolamina, que é usada normalmente contra o enjoo. Outras pesquisas centraram-se no Glyx-13, que tem um modo de ação semelhante ao da cetamina, possivelmente sem o perigo de provocar alucinação e psicose; esse medicamento está em processo de aprovação acelerada da FDA.[10]

Mas a indústria farmacêutica abandonou em grande medida a pesquisa de novos medicamentos psiquiátricos. Muitos que pareciam promissores não passaram nos testes clínicos, e a enorme complexidade do cérebro mostrou-se cada vez mais intimidante. A onda de otimismo que se seguiu ao lançamento do Prozac perdeu ímpeto. Trinta anos atrás, tínhamos algumas ideias básicas sobre certos neurotransmissores, mas precisamos de mais um grande avanço antes de podermos começar a criar tratamentos alternativos; pesquisadores no campo da genômica, da epigenética e da eletrofisiologia estão trabalhando com psiquiatras clínicos na esperança de novas descobertas.[11] A fundação do Psychiatric Genomics Consortium em 2007, no entanto, indica um otimismo considerável fora do setor comercial; trata-se de um grupo que trabalha para identificar a genética da saúde mental, reunindo uma enorme quantidade de pesquisas para criar meta-análises que possam apontar para associações entre determinadas variações genéticas e as principais doenças mentais, inclusive a depressão.[12]

Enquanto a medicação estagnou, os tratamentos à base de eletricidade, luz e magnetismo avançaram, e tanto métodos antigos como novos estão sendo usados cada vez mais amplamente. Essa disparidade reflete tanto a falta de inovação farmacológica como a má cobertura da imprensa dada à medicação.

Há muito tempo que a terapia eletroconvulsiva (TEC) assusta as pessoas, pois pode provocar perda de memória. O uso de uma forma recentemente identificada de choque, largura de pulso ultrabreve, aliviou esse efeito colateral.[13] Tra-

436

balhos em andamento procuram maneiras de tornar esse tratamento — o mais eficaz que temos contra a depressão — menos desagradável. A terapia magnética convulsiva (TMC) é uma variante da TEC. Tal como ela, induz convulsões, mas, uma vez que o crânio não obstrui o magnetismo da maneira como faz com a eletricidade, os efeitos podem ser alcançados com mais precisão. Assim, enquanto a TEC tende a afetar áreas muito maiores do cérebro, a TMC pode atingir uma área mais específica, de modo a criar convulsões focais em vez de uma convulsão cerebral geral. Está claro, porém, que a indução de convulsão em uma área do cérebro afeta muitas outras áreas. Assim, mesmo que a convulsão seja contida, seus efeitos indiretos podem ser amplos. Os primeiros estudos comparativos parecem sugerir que a TEC e a TMC têm eficácia comparável.[14]

Ambos os procedimentos requerem internação e anestesia e incluem efeitos colaterais consideráveis. Na esteira desse avanço, a estimulação magnética transcraniana (EMT) voltou à cena. Trata-se de um procedimento ambulatorial que despolariza o tecido cerebral por exposição a ímãs. Há alguma dúvida a respeito da necessidade de sua repetição para manutenção depois que o paciente sai da depressão. Os aparelhos de EMT estão sendo modificados para permitir que os médicos controlem a forma do pulso, medida que se revelou importante na TEC. A coordenação desses tratamentos com o tratamento farmacológico ou a psicoterapia é uma área rica que aguarda uma maior exploração.[15]

Um trabalho experimental importante está sendo feito no campo da eletroestimulação craniana (EEC), às vezes chamado de "electroceuticals". Essa terapia envolve a aplicação de elétrodos na cabeça e o envio de uma corrente moderada através do cérebro. É receitada para depressão, ansiedade, insônia, dor crônica, fibromialgia, dependência química, disfunção cognitiva e uma série de outros males, muitos dos quais podem ser coincidentes. A teoria por trás da EEC tem mais de duzentos anos; a estimulação elétrica de baixa voltagem para o córtex foi usada contra a melancolia em 1804. Porém, os resultados eram contraditórios e, na década de 1930, essa técnica de baixa voltagem foi abandonada em favor da TEC que, por sua vez, foi amplamente eclipsada pela psicofarmacologia. As técnicas de baixa corrente continuaram a interessar os pesquisadores soviéticos, que permaneceram obstinados nesse campo. Em 1953, elas voltaram ao uso clínico ocasional na Europa e, em 1963, receberam aprovação nos Estados Unidos. Esses tratamentos permaneceram marginais até os recentes avanços em neuroimagem e modelos baseados em computação fornecerem dados sobre onde os elétrodos deveriam ser postos, qual deveria ser a intensidade da descarga e quanto tempo ela deveria durar, e isso confirmou que a técnica produz mudanças significativas na atividade cerebral.[16]

A EEC recebeu críticas díspares; há um volume de literatura que afirma que ela é ineficaz em determinadas condições, e outro igual que descreve seus efeitos positivos. Estudos de ambos os lados do debate foram publicados por cientistas importantes ligados a instituições de prestígio. Em 2014, quatro empresas diferentes estão produzindo aparelhos de EEC aprovados para uso doméstico nos Estados Unidos, e há empresas pedindo outras patentes. É preciso ter uma receita para comprar o aparelho, mas ela pode ser dada por qualquer profissional da saúde, inclusive um massagista terapêutico licenciado. A ideia é proporcionar alguns dos benefícios da TEC sem seus riscos e efeitos colaterais, ou conseguir os resultados da EMT sem o equipamento complicado (ao mesmo tempo que produz um campo elétrico de cem a mil vezes mais baixo do que o induzido pela EMT ou TEC).[17] A maioria dos seguros de saúde não cobre esses aparelhos, alegando que ainda são "experimentais e estão sob investigação".[18]

Embora varie um pouco, a maioria deles é composta por um aparelho movido a pilhas que transmite eletricidade através de grampos ligados aos lóbulos das orelhas ou esponjas molhadas postas na cabeça. Esses dispositivos não provocam convulsões. Há um debate considerável sobre o local exato onde os elétrodos devem ser colocados, sobre a duração do estímulo, o tamanho dos elétrodos e a densidade de corrente. A maior parte da eletricidade é absorvida pelo couro cabeludo. Parece que um pouco dela consegue chegar ao cérebro, embora os efeitos no cérebro possam ser, na verdade, reações ao couro cabeludo eletrificado, em vez de à eletricidade direta.[19]

Há dois tipos de EEC.[20] A estimulação transcraniana por corrente contínua (ETCC) afeta a excitabilidade cortical e visa pôr o cérebro a funcionar de volta através de sua polarização. É a única das técnicas "electrocêuticas" que não utiliza corrente pulsada. Cargas anódicas, que são positivas, aumentam a sinalização dentro do cérebro; cargas catódicas, que são negativas, a reduzem. A estimulação afeta diretamente áreas do cérebro perto dos elétrodos, o que por sua vez tem efeitos indiretos sobre outras partes do cérebro. Desse modo, se estimularmos por exemplo diretamente o córtex pré-motor, ele ativará o córtex motor. As imagens demonstram que esses efeitos são sustentados e generalizados dentro do cérebro.

A estimulação transcraniana por corrente alternada (ETCA) parece funcionar não por polarização do tecido cerebral, mas por estimulação rítmica que desse modo melhora as funções normais do cérebro, agindo sobre circuitos corticais. Parte da corrente alternada é administrada em ondas, com a corrente elétrica aumentando e diminuindo; parte é liberada em cargas pulsantes. A estimulação com essa corrente não constante é o método usualmente empregado na estimulação cerebral profunda e na TEC. Uma variante — chamada corrente de Limoge — é utilizada para aumentar os efeitos dos anestésicos, reduzindo assim as doses de narcóticos necessárias para manter um paciente inconsciente. Estudos mostram que a ETCA altera as ondas cerebrais tais como medidas em eletroencefalogramas, demonstrando relaxamento maior, mas há poucas provas de que essas mudanças durem para além da aplicação ativa da corrente. Mas alguns indícios sugerem que esse estímulo provoca a liberação de neurotransmissores e até mesmo de endorfinas. Estimula também o fluxo de sangue para o tronco cerebral e o tálamo.

Os aparelhos são prescritos para uma variedade desconcertante de diagnósticos, e ainda não existe uma teoria coerente sobre como eles funcionam.[21] Ao mesmo tempo, também não há nenhuma teoria coerente para a TEC, tampouco para a medicação antidepressiva. A teoria principal por trás da EEC é que as cargas elétricas aumentam a produção de serotonina, noradrenalina, betaendorfina e outros neurotransmissores e, de acordo com alguns cientistas, diminui os níveis de cortisol, o hormônio do estresse.[22] Estudos feitos com eletroencefalograma (EEG) e ressonância magnética (RM) sugerem que a EEC muda padrões de ativação neural do cérebro. Sabemos que a história da psiquiatria está cheia de terapias outrora respeitadas que se mostraram equivocadas: lobotomia, terapia de choque de insulina, terapia de febre da malária e assim por diante. Ao menos, a EEC parece ser menos tóxica do que esses tratamentos; se é mais eficaz, isso ainda está aberto ao debate, não obstante alguns protocolos excelentes.[23] Se for eficaz, ela representa uma alternativa maravilhosa para pessoas com depressão. Uma máquina de EMT custa 60 mil dólares e deve ser usada por um técnico especializado, e o tratamento com Latuda pode chegar a 2 mil dólares por mês. Um aparelho de EEC custa seiscentos dólares e pode ser utilizado indefinidamente em casa. Além disso, não está associado aos efeitos colaterais antissexuais ou ao ganho de peso que afligem muitos usuários de medicamentos psiquiátricos.

Igor Galynker, diretor do Centro de Convivência para Bipolares e diretor-associado do Departamento de Psiquiatria e Ciências do Comportamento do hospital Mount Sinai Beth Israel, em Nova York, fez um pequeno estudo cego com EEC para tratamento da depressão bipolar e descobriu que o aparelho foi útil para cerca de dois terços de seus pacientes. "Não é um milagre, mas é um tratamento válido", disse ele. "Ocorrem mudanças objetivas no cérebro." Galynker encontrou uma forte resposta placebo inicial para um aparelho falso, mas ao longo de duas semanas esse efeito sumiu e os pacientes que usavam o aparelho verdadeiro mantiveram a melhoria. Dois dos dezesseis pacientes precisaram ser retirados do tratamento porque começaram a desenvolver hipomania. "Minha opinião pessoal é que a EEC pode ser melhor para a ansiedade do que para a depressão", disse Galynker. "Eu a usei algumas vezes e, após trinta minutos, parecia que tinha tomado um Xanax; fiquei um pouco confuso e mais relaxado, embora talvez com o pensamento não tão claro." Galynker sugere que não tem havido muita pesquisa de qualidade sobre esse tratamento devido ao lucro comparativamente baixo que gera, e ele espera que alguém realize um grande estudo para compará-lo especificamente com a medicação antidepressiva.[24] Nesse meio-tempo, no entanto, alguns críticos trazem argumentos convincentes de que a depressão bipolar faz parte de um ciclo que pode aumentar muito depressa, tornando-se cada vez mais difícil de controlar. Eles temem que as pessoas que esperam por um bom resultado de um tratamento não comprovado possam retardar o uso de medicamentos eficazes.

Em seu estudo, Galynker testou um estimulador Fisher Wallace, um aparelho de EEC de corrente alternada (ETCA) que deve ser usado em casa por vinte minutos, duas vezes por dia.[25] O paciente põe uma bandana, pega dois elétrodos que estão fixados em esponjas e molha completamente as esponjas, enfia os elétrodos sob a bandana um pouco acima das costeletas e liga uma corrente alternada suave.

Eu queria entender melhor essa metodologia, então consegui um estimulador Fisher-Wallace e o usei duas vezes ao dia durante várias semanas. O aparelho estimulador é feito de plástico bege e assemelha-se ao controle remoto de um aparelho de ar-condicionado de um hotel de segunda categoria; ele pode ser preso ao próprio cinto durante o tratamento. A colocação dos elétrodos me fez sentir como um extra de *Um estranho no ninho*; quando me viu pela primeira vez com aquilo, meu filho de cinco anos disse que eu parecia um marciano mau. Luzes piscam no dispositivo durante os vinte minutos em que ele está ligado; depois ele se desliga automaticamente. Estou com um novo corte de cabelo que chamo de a "onda EEC": quando se apertam esponjas encharcadas sobre o cabelo, a forma do penteado se altera. Deve haver pessoas que ficam mais atraentes com esse estilo do que eu.

É difícil evitar a sensação de que se está caindo no conto de uma nova caixa orgônica ou um tabuleiro Ouija. Ao ligar e aumentar a potência do aparelho, há uma ligeira cintilação em sua visão periférica, como se alguém ligasse uma luz estroboscópica cerca de trinta metros atrás de você; isso me fez achar durante todo o tempo que as Supremes estavam se preparando para entrar na discoteca. O procedimento também dá formigamento nas têmporas, como se os elétrodos fossem feitos de lã de aço. O aparelho é fornecido com a informação tranquilizante de que "a voltagem de saída é variável de zero até quarenta volts e, depois, a voltagem é limitada, primeiro positiva, depois negativa. Portanto, as impedâncias de carga de até 10 mil ohms serão capazes de ter corrente constante de até quatro miliamperes. No entanto, além de 10 mil ohms, a corrente constante é limitada inversamente à carga (isto é: um paciente com uma impedância de 10 mil ohms será capaz de receber um máximo de dois miliamperes)". Em termos claros: você não vai se eletrocutar.

A FDA afirmou que os dados de segurança parecem bons, ainda que os dados de eficácia pareçam inconsistentes ou não convincentes.[26] Mas os aparelhos são destinados ao uso doméstico, e o uso doméstico é muitas vezes altamente problemático. Roland Nadler, pesquisador do Centro de Direito e Ciências Biológicas de Stanford e codiretor do Grupo Interdisciplinar em Neurociência e Direito de Stanford (Stanford Interdisciplinary Group on Neuroscience and Law, SIGNAL), menciona um estudo que mostra um aparelho de ETCC que, quando aplicado corretamente, ajudava nas habilidades matemáticas das pessoas, mas podia reduzir essas habilidades quando aplicado de forma incorreta. Ele continua:

> É possível que disparar eletricidade no cérebro não seja uma atividade para amadores. Sabemos que existem muitas coisas com que as pessoas podem se ferir, que controlamos minimamente ou não controlamos. Mas os *electroceuticals* são provavelmente muito mais parecidos com remédios prescritos, na medida em que exigem

440

expertise para que sejam usados de forma correta. No mínimo, deveríamos supor que o são, até que tenhamos um argumento convincente, apoiado por amplas provas, do contrário.[27]

Não percebi que minhas habilidades matemáticas (muito pobres, para começo de conversa) tenham diminuído enquanto usei meu estimulador Fisher-Wallace, mas sou agnóstico a respeito de sua eficácia. Eu não estava horrivelmente deprimido quando comecei a usá-lo, mas acho que me deu uma animada. Não parecia ser transformador, mas me punha em um estado (ou talvez fosse coincidência) agradavelmente hipomaníaco que eu às vezes, de qualquer forma, experimento. Ele definitivamente não me pôs para dormir; na verdade, me senti bastante energizado depois de usá-lo. Parecia ajudar em meu estado de ânimo matinal, sendo a manhã a hora do dia em que costumo me sentir mais sobrecarregado. Fiquei um pouco menos ansioso, um pouco mais impudente. Estou ciente de que intervenções psiquiátricas têm uma alta taxa de efeito placebo, o que torna especialmente difícil quantificar qual parte de minha experiência refletia a própria intervenção e qual parte se devia ao meu otimismo temperado. Talvez eu continue a usá-lo, pois, de qualquer maneira, continuarei parecendo estranho e constrangedor para os meus filhos à medida que ficarem mais velhos. Talvez seja loucura detonar o próprio cérebro, mas, quando se teve depressão grave, parece valer a pena tentar qualquer solução não invasiva que venha sem grandes efeitos colaterais. Esse é o meu raciocínio para tomar Namenda [memantina], um remédio para Alzheimer, fora da indicação aprovada, e pode ser o meu raciocínio para continuar a usar esse estimulador.

Uma terapia elétrica mais invasiva, a estimulação do nervo vago (ENV), anteriormente usada no tratamento da epilepsia, foi aprovada pela FDA para o trato da depressão, em 2005. O nervo vago, um dos dez pares de nervos cranianos, atravessa o pescoço e faz a comunicação entre o cérebro e muitos outros órgãos e sistemas. Na ENV, enrola-se um fio em torno desse nervo e ele é conectado a uma bateria inserida permanentemente sob a pele, perto da clavícula. Não está claro que efeito isso tem sobre a depressão, embora tenha se afirmado que modula a noradrenalina e os receptores GABA. Os resultados experimentais da ENV foram contraditórios, mas parece haver um possível benefício para algumas pessoas com uma depressão resistente ao tratamento. Como todas as intervenções cirúrgicas, implica risco. Os efeitos colaterais podem ser rouquidão, tosse, dor de garganta ou no maxilar, náuseas e apneia do sono.[28]

Mais invasiva, mas também mais eficaz, a estimulação cerebral profunda (ECP) para a depressão foi proposta por Helen Mayberg, da Universidade Emory.[29] Mayberg trabalhou por muitos anos com neuroimagem funcional. No início da década de 2000, ela encontrou irregularidades repetitivas nos cérebros de pacientes depressivos, na área 25 de Brodmann, do córtex subgenual. Até então ninguém havia notado essa correlação, pois a área 25 fora objeto de muito pouco estudo. Ao observar os cérebros de pacientes deprimidos e formular novas estratégias de imagem, Mayberg se convenceu de que a ligação entre a depressão e a área 25 não era aleatória e que a desregulação que havia identificado poderia ser essencial para os estados de ânimo de seus pacientes.

Ela procurou um cirurgião com quem pudesse criar um novo protocolo, na esperança de que seu insight se transformasse em um tratamento. Acreditava que os aparelhos eletrônicos já em uso para pacientes com mal de Parkinson poderiam ser usados para estimular a área 25, com o efeito de regularizar sua hiperatividade. Projetar um procedimento neurocirúrgico completamente novo não é fácil, porque a neuroanatomia é complexa e qualquer interferência precisa ser feita com enorme cuidado. Conseguir a aprovação de um procedimento desse tipo nos conselhos de revisão institucional e outros órgãos reguladores pode ser extremamente difícil. Mas em apenas dois anos, Mayberg montou o cenário para o tratamento de pacientes com ECP. O dispositivo é como um marca-passo para o cérebro. Usando orientação estereotáxica, o cirurgião posiciona fisicamente o dispositivo na área 25 e o conecta a uma bateria instalada sob a pele, perto da clavícula. A bateria envia um estímulo constante para o cérebro e dura cerca de dois anos até precisar ser substituída.

Trabalhando somente com pacientes refratários, em invalidez permanente decorrente de sua doença — e que não respondem a psicoterapias, medicamentos e terapia eletroconvulsiva, Mayberg devolveu várias pessoas a suas vidas. Os pacientes devem estar conscientes durante o procedimento e ela não lhes diz quando liga o aparelho, mas a resposta é muitas vezes imediata. Um paciente disse em poucos segundos: "O que você acabou de fazer?". "Por quê?", perguntou Mayberg. Ele respondeu: "É como se eu tivesse estado trancado em uma sala com dez crianças gritando; ruído constante, sem descanso, sem escapatória. O que quer que tenha acontecido, as crianças acabaram de sair do prédio". Cerca de 60% de seus pacientes responderam ao procedimento cirúrgico, e a maioria deles obteve remissão significativa. Os primeiros pacientes implantados usaram o dispositivo por mais de uma década, e aqueles que responderam inicialmente continuam bem. Quando, em caráter experimental, seus dispositivos foram desligados, eles voltaram para a depressão rapidamente. É claro que a maioria das pessoas com depressão não vai optar por uma cirurgia no cérebro; o protocolo será sempre utilizado de forma muito seletiva. Mas ela é importante por duas razões. Em primeiro lugar, ajuda pessoas que antes pareciam ser intratáveis e tem a melhor taxa de resposta de qualquer das terapias para pessoas com depressão refratária. Em segundo lugar, fez os pesquisadores notarem o papel crítico da área 25, e eles vão procurar maneiras menos invasivas de regularizar sua atividade.

Entre as outras tecnologias não farmacológicas em desenvolvimento estão o ultrassom focalizado, a terapia de luz quase infravermelha, a estimulação magnética de baixo campo e a estimulação optogenética. O ultrassom pode ser utilizado para ablações (tais como a cingulotomia feita por Frank Russakoff) sem cirurgia; também pode ser utilizado como estimulante parecido com o magnetismo. A luz infravermelha pode despolarizar neurônios e modular seu crescimento; as aplicações dessa tecnologia ainda precisam ser exploradas. Os pacientes bipolares que recebem certos tipos de ressonância magnética relataram melhora do estado de ânimo, um desdobramento fortuito que levou os médicos a explorarem a possibilidade de usar um magnetismo muito mais fraco do que o utilizado no EMT. Constatou-se que proteínas microbianas chamadas opsinas abrem canais de íons neuronais quando são expostas à luz. Essa sensibilidade poderia levar a uma variante de ECP em que a sonda emite luz em vez de corrente elétrica, ativando assim alvos profundos no cérebro. Há pesquisas promissoras com ratos com base nesse princípio.[30]

Para aqueles que não desejam fazer uma cirurgia no cérebro ou um tratamento à base de eletricidade, várias técnicas quase comportamentais entraram em uso, inclusive algumas que afetam o modo como nos expressamos e como dormimos. O Botox é usado comumente para fins cosméticos: ele paralisa músculos na testa e ao lado dos olhos e, desse modo, suaviza as rugas. Norman Rosenthal, o primeiro a identificar o transtorno afetivo sazonal (TAS), tentou usar o Botox em um grupo de pacientes deprimidos para paralisar os músculos usados para franzir a testa e descobriu que isso reduzia significativamente sua depressão. No estudo que Rosenthal empreendeu com um dermatologista cosmético, os pacientes receberam injeção de Botox ou de soro fisiológico; seis semanas mais tarde, aqueles que receberam Botox mostraram uma taxa de 52% de melhora, enquanto aqueles que tomaram injeções de solução salina mostraram apenas 15% de melhora. Essa pesquisa é replicável: estudos no Brasil e na Suíça produziram resultados semelhantes.[31] A ideia de que as expressões faciais não indicam apenas o estado de ânimo, mas também o criam ou sustentam, não é nova. Darwin propôs que as expressões faciais modulam os estados de ânimo e o psicólogo e filósofo do século XIX William James escreveu: "Sentimos tristeza porque choramos, raiva porque batemos, medo porque trememos, e não choramos, batemos ou trememos porque estamos tristes, raivosos ou temerosos, conforme o caso".[32]

Outro grupo de estudos sugere que resolver a insônia aumenta a eficácia do tratamento da depressão. Em um pequeno estudo, os pacientes cuja insônia foi resolvida mostraram uma taxa de resposta de 87% aos seus antidepressivos — o dobro do que aconteceu com aqueles que não conseguiram se livrar dela.[33] Parece que não somente dormimos mal porque estamos deprimidos, mas também temos depressão por causa do sono comprometido. As pessoas que participaram desses estudos receberam uma forma de terapia cognitivo-comportamental para insônia e aprenderam a regularizar a hora de dormir e a hora de acordar, ficar longe da cama durante o dia, evitar assistir TV e ler na cama e não cochilar. Grande parte dessa pesquisa foi dirigida por Andrew Krystal, na Universidade Duke. Ele descreve o sono como "essa enorme fronteira ainda inexplorada da psiquiatria", e acrescenta: "O corpo tem ciclos circadianos complexos, e nós os ignoramos, principalmente na psiquiatria. Nossos tratamentos são impelidos pela conveniência. Tratamos os pacientes durante o dia e fazemos poucos esforços para descobrir o que acontece durante a noite".[34]

* * *

Muitas dessas terapias são concebidas para o tratamento da depressão resistente. De longe, podem parecer marginais: ou de eficácia duvidosa, ou tão traumáticas que só seriam adequadas a um número pequeno de pacientes. Mas basta encontrarmos um paciente desse tipo para reconhecer sua urgência. A depressão resistente ao tratamento é surpreendentemente comum e, sem surpresa, angustiante. Esses pacientes têm muitas vezes saúde mental suficiente para querer manter a luta, e a própria superabundância de técnicas pode lhes transmitir algum otimismo.

Logo depois da publicação deste livro, restabeleci contato com um conhecido que vinha lutando havia muito tempo contra uma arquetípica depressão resistente ao tratamento e que experimentara ao longo dos quinze anos anteriores quase todas as novidades desse campo. Sua história ilustra a complexidade infernal do transtorno e a complexidade igualmente desconcertante de tratá-lo.

Rob Frankel tinha "déficit de crescimento" quando criança.[35] "Eu sinto como se este casaco estivesse pendurado em cima de mim", ele me disse no início de 2014. "Tenho isso há tanto tempo que nem me lembro quando começou." Durante toda a sua vida, ele teve depressão sazonal na terceira ou quarta semana de março. "Eu sempre percebo porque tudo tem um gosto diferente. Lembro-me de tê-la desde pelo menos a segunda ou terceira série. Lembro-me de ser forçado a sair de casa e brincar, quando, em todas as outras épocas do ano, fizesse muito calor ou muito frio, ninguém conseguia me pôr para dentro." Esse padrão persistiu durante o ensino médio e se intensificou na faculdade, à medida que os episódios se espalhavam para muito além do mês de março, mas Rob ainda não encontrara uma palavra para descrevê-lo. "Eu não fazia aquele trabalho ou aquela coisa porque simplesmente não conseguia. Na maior parte do tempo, parecia um fracasso. Eu andava para um lado e para outro, tentando descobrir 'por que não posso começar a fazer alguma coisa? Por que minha atenção está vagando? Por que não me preocupo com as pessoas, com as coisas ou comigo mesmo? Por que não estou envolvido com o mundo? Por que não falo com ninguém?'."

Depois de se formar, ele se mudou para a Costa Oeste, conseguiu um emprego de professor num centro de tratamento para crianças perturbadas, se casou com sua namorada da faculdade e teve um filho. Tinha dias ruins, mas no início eram administráveis. Depois, eles começaram a vir com mais frequência, com duração mais longa, e se tornaram mais incapacitantes. Em breve, ele estava vivendo em um estado de sofrimento psíquico quase constante. Consultou um psiquiatra que o diagnosticou com transtorno de déficit de atenção (TDA) e lhe receitou estimulantes, Dexedrina e Tegretol. O diagnóstico parecia explicar sua incapacidade de se concentrar em qualquer coisa. Com os medicamentos, ele perdeu muito peso e ficou em forma, mas se sentia como se estivesse se matando o tempo todo. Então, sua esposa conseguiu um emprego em Washington, D.C., e eles se mudaram para lá. Rob consultou um novo especialista em TDA que lhe disse que, na verdade, ele não tinha TDA, mas epilepsia do lobo temporal; assim, Rob deixou as drogas contra TDA e passou a tomar medicação para a epilepsia. A angústia de Rob continuava crescendo e ele foi parar em outro médico, que finalmente diagnosticou sua depressão e o internou. Rob começou a tomar imipramina (que não fez efeito), depois lítio (que acabou com seu apetite), depois Prozac (que ajudou), depois Zoloft (que ajudou ainda mais). "Seis semanas depois que comecei a tomar Zoloft, acordei um dia e disse 'ei, isso é incrível'", relembrou. Era 1996, ele estava com trinta anos e achou que estava fora de perigo. Com o que Rob descreveu como "uma vaga ironia", seu médico disse: "É um momento empolgante para estar deprimido, com todos os progressos que estamos fazendo".

Mas a eficácia do Zoloft não durou, e Rob logo ficou profundamente deprimido de novo. Seu médico acrescentou Efexor, depois Wellbutrin. Ele ficou perturbado por não sentir qualquer efeito secundário, o que "teria sido prova de que, pelo menos, os remédios estavam fazendo *alguma coisa*", disse. Enquanto tomava os medicamentos, também fazia psicoterapias de todo tipo. Como sua esposa ia atrás de empregos melhores, mudaram-se novamente, primeiro para Albuquerque, depois para Nova York. Ele mal podia funcionar e, por fim, ela pediu o divórcio.

Viver sozinho foi um alívio em alguns aspectos, mas o isolamento agravou sua depressão. Ele saltou de medicação em medicação. Os IMAOs não fizeram sua depressão ir embora, mas cortaram o imperativo suicida. Não obstante, ele relatou: "Eu pensava constantemente: 'Quantos anos posso me arrastar assim até meu filho ter idade suficiente para que eu possa me matar?'". Contudo, em última análise, a paternidade manteve Rob vivo. "É sempre melhor com o meu filho", disse ele, "mesmo agora, que ele está com catorze anos e prefere ver os amigos aos pais. Mesmo agora, isso ajuda."

Em anos recentes, o médico quis que ele entrasse na cetamina, mas não conseguiu incluí-lo no protocolo experimental, que tinha exclusões muito rígidas; ele brincou dizendo que ia obter o remédio no México. "Ele tentou de tudo", disse Rob. "Tudo mesmo. Um ionizador. Coisas muito distantes da indicação que haviam resultado em ligeira melhora para alguém. E, quanto mais ele tentava, menos eu respondia." Rob fez um tratamento de TEC. "Perdi cerca de oito meses de memória anterior e tive cerca de três semanas de puro nevoeiro após o tratamento, me arrastando." Mas não se sentiu muito mais feliz. Estava interessado em estimulação cerebral profunda e disse que a imaginava como uma moeda eletrificada enfiada por uma fenda em seu crânio. Mas também não se qualificou para esse protocolo porque tem apneia do sono, o que poderia complicar os resultados cirúrgicos.

"Eu sei como me levantar. Eu sei como conseguir um emprego. Eu sei tudo sobre família e carreira. Mas eu simplesmente não saio da cama. Saio da cama, mas não saio da cadeira ou do sofá. Ou passo o dia no chão. Levantar-me e sair de casa costumava ser uma única coisa. Agora, é como se até mesmo tomar um banho tivesse doze etapas, e a primeira é a mais difícil, mas a qualquer momen-

445

to eu posso ficar empacado. Vou atravessar o apartamento agora. Empaquei na mesa. Empaquei na geladeira. Empaquei no banheiro. Liguei a água e quinze minutos depois desliguei. Me molhei, mas sou incapaz de lidar com a toalha, e fiquei lá pingando por meia hora." Com seus movimentos tão reduzidos, engordou muito.

Ele contou que ia ao hospital sem parar e pediam-lhe que avaliasse seu estado de ânimo de um a dez. "Eu pus em 0,001", disse ele. "Minha depressão era como andar sobre o fundo de um lago de manteiga de amendoim. Eu não sabia para que lado estava a margem. Eu não sabia quão longe estava o ar, eu não sabia que direção tomar. Talvez, com uma força de vontade incrível, eu conseguisse começar, mas não ganho impulso de fato e, então, se eu parar, acabou-se."

Embora fosse difícil, Rob disse que "havia dias bons, havia horas boas. Mesmo quando as coisas estão na pior há bons minutos aqui e ali. Eu nunca perdi o desejo sexual por mais de um dia ou dois. Não importa o quão deprimido estou, consigo reagir a alguém quando estou falando com ele ou ela. Não importa o quão suicida estou, ainda consigo fazer piadas". Ele contou que em internações hospitalares lhe perguntaram se poderia garantir que não tentaria suicídio. "Sempre fui honesto. Então ficava em quartos com nada além de um colchão, e eu chorava, e tudo está horrível, e blá, blá, blá. Depois eu lia um livro de David Rakoff e ria. Ou dizia uma coisa engraçada. E eles pensavam que eu estava fingindo." Em sua busca sem fim para declarar-se uma ciência, a psicologia se prendeu a escalas numéricas e listas de sintomas, mas a depressão não é tão bem definida. Embora Rob esteja afastado por invalidez há anos, às vezes ele exibe um estado incongruente com a gravidade de sua doença. "Tenho *todos* os sintomas", disse ele, "mas nem sempre todos ao mesmo tempo. É uma espécie de rodízio: três dias são o.k. nesse período e os outros oito ou quantos sejam, não são. E então eles se alternam. Às vezes meu apetite está bem, às vezes consigo rir, às vezes consigo dormir, e então..."

O médico atual de Rob achou que valia a pena tentar EMT. "Estão bombeando ondas teta em mim", disse. "É eletricidade, mas está em ímãs." A primeira série centrou-se no lado esquerdo do cérebro e doeu. "Vai muito rápido e parece um martelo. Um milímetro fora e pode fazer minhas mandíbulas travarem ou de vez em quando atinge meus olhos." Isso não ajudou; então, depois de alguns meses, o médico trocou o alvo para o lado direito do cérebro. "Pareciam bolas de pingue-pongue saltando para fora de minha cabeça. Não doeu tanto. Mas não deu resultado." Um ano mais tarde, o médico de Rob disse que a máquina fora aperfeiçoada e sugeriu que Rob tentasse de novo. Aplicaram do lado direito, aplicaram do lado esquerdo: tudo em vão. "Não me restava mais nada. E fiquei burro. Tinha dificuldade para acompanhar conversas. Minha memória já é ruim; eles fazem testes de QI e eu estou dez níveis abaixo na seção de memória. Era óbvio para todos. Eu não conseguia seguir uma frase. Eu não conseguia construir uma frase."

Àquela altura, o médico fez contato com pesquisadores de Harvard que estavam trabalhando com EMT. Eles tinham muitas dúvidas, mas disseram que poderia valer a pena tentar o uso bilateral dos ímãs. "Então aplicamos na direita e depois na esquerda, alguns minutos mais tarde. E foi instantâneo. Não pude acreditar. Eu disse 'oh, isso é melhor'. Senti algo de imediato. Pude dizer imediatamente que aquilo ia funcionar." A última vez que falei com ele, Rob estava em um estado de semirremissão e fazia EMT bilateral havia catorze meses. "Quando houve fins de semana prolongados ou viajei e perdi uma semana ou algo assim, afundei", disse ele. "Fiquei na cama, completamente isolado, sem atender o telefone. E, geralmente, uma sessão me traz de volta para a vida, pelo menos." Pela primeira vez, ele quase não teve uma crise em março: "Senti a sombra na segunda-feira e na quinta-feira tinha ido embora". Rob me disse que sua resolução de Ano-Novo nos dez anos anteriores havia sido estar vivo no ano seguinte. "Minha resolução este ano era ter algo melhor para resolver em um ano", contou. Ele contratou uma amiga de uma amiga para vir à sua casa várias vezes por semana. "Ela realmente ajuda. Às vezes, ela diz: 'Saia da cama. Tome um banho. Estamos saindo'. Mas ela pode vir e não dizer nada, e assim mesmo ajuda. É como se de certa forma eu existisse no mundo porque alguém me vê."

Ele estava fazendo EMT seis dias por semana por apenas quatro minutos de cada lado de seu cérebro. Quando conversamos pela última vez, na primavera de 2014, tinha entrado em uma academia e perdera treze quilos, embora estivesse comendo com mais regularidade. Estava tomando um coquetel mais simples de remédios: Nardil (um IMAO), Lamictal e Synthroid, bem como óleo de peixe, ácido fólico e vitamina D. Conseguira finalmente ter acesso à cetamina, que o médico lhe aplicou por via intramuscular. Seu único efeito era deixá-lo cansado. Perguntei se pensava em tentar voltar ao ensino, mas ele disse que não podia. "Eu desaparecia demais da vida das crianças", disse. Ainda tinha medo de sair de seu bairro. "Eu sei que é só fazer uma mala", disse. "Mas não consigo nem chegar ao Brooklyn. Tenho medo de ir ao centro." Pensei na Antártida quando ele disse isso.

"Nos últimos doze anos, não importa quão bem eu estivesse no início, sempre despenquei e acabei no hospital", acrescentou. "Não acho que vá acontecer isso desta vez. Por algumas horas aqui e ali, sinto de verdade que não estou deprimido. Nunca quero acordar e sair da cama. Mas, às vezes, depois que levanto, quero fazer coisas. Houve um longo tempo em que não queria fazer nada. Eu estava simplesmente me desligando. Um pouco disso era apenas vergonha de que alguém me perguntasse 'Como foi o seu dia?', e eu não tivesse resposta. Agora, estive pensando: 'Ah, é hora de ligar para velhos amigos com quem não falo desde 1995'. Estou chegando lá. Ainda tenho 'déficit de crescimento', acho eu, mas tomo os comprimidos, sou magnetizado e faço o melhor que posso. Não estou mais no fundo daquele lago de manteiga de amendoim. Agora é mais como se eu tivesse subido numa plataforma de trapézio. A vida é esse trapézio, e eu vou tentar dar o salto e pegá-lo. Talvez erre e despenque de novo. Mas ao menos estou na plataforma."

* * *

Enquanto houve algum progresso em novos tratamentos, deu-se uma regressão preocupante nos antigos. Na década de 1990, tornou-se moda depreciar a psicanálise em geral e Freud em particular. Passamos a entender que as doenças mentais eram doenças do cérebro e já não precisávamos do blá-blá-blá mitificador do complexo de Édipo e das relações objetais. Mas, ainda que o paradigma freudiano precisasse certamente de revisão, como acontece com qualquer teoria ou ponto de vista ao longo do tempo, foi um erro abandonar seus insights. A compreensão do cérebro jamais deveria impedir a compreensão da complexidade do pensamento humano. A psicodinâmica é um dos muitos vocabulários úteis para a interpretação da consciência humana. Não se trata de um jogo de soma zero.

O uso da psicoterapia não psicanalítica também declinou, em parte porque as pessoas não estão convencidas de sua eficácia e julgam que pode ser um desperdício de tempo e dinheiro, mas mais porque as companhias de seguros estão cada vez menos dispostas a pagar por ela. Há uma percepção de que a medicação, receitada numa única consulta médica e acompanhada apenas ocasionalmente, é um investimento melhor. Do ponto de vista atuarial, a terapia é aberta demais e muito difícil de quantificar. Mas essa visão é uma loucura em vários níveis. Em primeiro lugar, algumas pessoas respondem melhor aos medicamentos do que outras, e propor remédios ou qualquer outra coisa como uma cura genérica é ingênuo. A terapia pode ajudar as pessoas a evitar recaídas graves, o que é economicamente preferível a ter alguém entrando e saindo do hospital. Por fim, a depressão é uma doença da solidão e há enormes provas de que o contato humano qualificado está entre suas melhores soluções. A percepção de que alguém presta atenção ao que você está enfrentando é enormemente fortalecedora. A necessidade de medicação faz com que as pessoas se sintam quebradas; a terapia faz com que as pessoas se sintam inteiras.[36]

Todos os tratamentos têm seus usos e abusos. Enquanto as terapias da fala foram minadas por uma espécie de desdém, as biológicas são muitas vezes contestadas por medo. São questões tanto da moda como da ciência. Depois que o bebê da psicoterapia foi jogado fora com a água do banho, o ataque à psiquiatria biológica ganhou pleno vapor. Antidepressivos são acusados por quase tudo o que há de errado no mundo. O fato de que Eric Harris, um dos autores do massacre de Columbine, tomava antidepressivos, levou a reportagens que sugeriam que eles haviam sido um fator causal. Em uma matéria, uma vítima disse: "Por que nos preocupamos com os terroristas em outros países quando os laboratórios são nossos maiores terroristas ao liberar essas drogas para um público desavisado? Como vamos nos sentir seguros se não podemos confiar que a FDA faça o que os pagamos para fazer?". Outro artigo trazia um médico dizendo: "Eu estou muito envergonhado por servirmos tão mal à nação em termos de educação a respeito dos perigosos efeitos colaterais de antidepressivos"; na sequência, ele pedia em tom melodramático desculpas pessoais a "todos cujos filhos foram afetados negativamente por antidepressivos".[37] Livros como *Legally Drugged*; *Pharmageddon*; *Mad Science*; e *Prozac: Panacea or Pandora?* [Legalmente drogado; Farmagedon; Ciência maluca; e Prozac: Panaceia ou Pandora?] acusam esses medicamentos não só de nos insensibilizar para nossa própria experiência de vida, mas também de iniciar carnificinas.

Em depoimento público na FDA, uma "expert" autoproclamada, particularmente exagerada (cujo diploma foi depois contestado) culpou os antidepressivos por uma longa e espantosa lista de males: "Durante décadas, pesquisas mostraram que prejudicar o metabolismo da serotonina produz pesadelos, sufocos, enxaquecas, dores em torno do coração, dificuldade de respirar, agravamento de queixas brônquicas, tensão e ansiedade que aparecem do nada, depressão, suicídio especialmente violento e com tentativas repetidas, hostilidade, crime violento, incêndio criminoso, uso de drogas, inclusive ânsia por álcool e outras drogas, psicose, mania, doença cerebral orgânica, autismo, anorexia, direção imprudente, Alzheimer, comportamento impulsivo sem preocupação com punição e comportamento argumentativo. Não entendo como alguém pensou que seria terapêutico induzir quimicamente essas reações, mas essas reações são exatamente o que testemunhamos em nossa sociedade ao longo da última década e meia em consequência do uso generalizado desses medicamentos".[38] A acusação de que medicamentos receitados são a origem de problemas sociais, do autismo ao mal de Alzheimer, seria risível se não corresse o perigo de ser levada a sério pelos legisladores e reguladores.

Entre os cientistas com mais credibilidade, há dois ramos principais da crítica aos antidepressivos. Em primeiro lugar, vários pesquisadores argumentaram que sua eficácia é inteiramente um efeito placebo. Em segundo lugar, muitos alegaram que esses medicamentos impelem pessoas ao suicídio. Eles propõem ainda que a medicalização de estados normais feita pela psiquiatria alimenta o desespero que ela professa tratar; que a popularidade da medicação psiquiátrica se deve quase inteiramente à voracidade da indústria farmacêutica; e que a nossa incapacidade de mapear doenças mentais no cérebro significa que não há nenhuma base para tratá-las. Essas alegações ludistas foram formuladas principalmente por Irving Kirsch em *The Emperor's New Drugs* [As novas drogas do imperador], e depois repetidas em *Anatomy of an Epidemic* [Anatomia de uma epidemia], de Robert Whitaker, *Unhinged* [Perturbado], de Daniel Carlat, em vários livros de Peter Breggin e ensaios influentes de Marcia Angell, ex-editora do *New England Journal of Medicine*. Algumas dessas obras conquistaram um público leigo; algumas causaram inflexões no discurso acadêmico.

Nenhum dos argumentos expressos nelas é totalmente convincente. O trabalho de Kirsch que mostra que placebos podem ser tão eficazes quanto medicamentos no tratamento da depressão foi reexaminado e contestado a partir de vários ângulos.[39] A alta taxa de resposta-placebo se deve muito ao modo como esses estudos são estruturados e como os pacientes são recrutados.[40] Uma análise de dados mais extensos que os de Kirsch feita por Pim Cuijpers e outros indica que os placebos são altamente eficazes, mas que os antidepressivos são consistentemente mais eficazes.[41] Konstantinos Fountoulakis mostrou que Kirsch calculou mal a diferença média droga-placebo.[42] Estudos sobre recaída revelam que, embora muitas pessoas manifestem uma forte resposta-placebo inicial — baseada, em parte, na atenção que recebem em qualquer teste clínico —, 41% tiveram uma recaída rápida, o que ocorreu apenas com 18% das que tomaram medicamentos.[43] Até mesmo Carlat observou "uma verdade inequívoca, ainda que desconcertante a respeito das drogas psiquiátricas — em geral, elas *funcionam*".[44] A pesquisa de Kirsch sugere que os antidepressivos funcionam bem para pessoas com depressão aguda, mas não para as pessoas com depressão mais leve. Robert Gibbons e seus colegas da Universidade de Chicago realizaram uma nova análise cuidadosa dos estudos que serviram de base para a afirmação de Kirsch e descobriram, ao contrário, que os antidepressivos foram úteis para muitas pessoas com depressão, independentemente da gravidade de seu transtorno. No *Journal of the American Medical Association*, Gibbons apontou as falhas metodológicas de estudos como o de Kirsch, analisou novamente dados de quase 5 mil pacientes e concluiu: "Pacientes em todas as faixas etárias e grupos de medicamentos tiveram melhora significativa em relação aos pacientes de controle que receberam placebo".[45]

Em uma resposta eloquente aos artigos de Angell, em que ela depreciava a eficácia do tratamento psiquiátrico, John Krystal, titular da cadeira de psiquiatria da Universidade Yale e presidente do American College of Neuropsychopharmacology, escreveu:

> Ao menosprezar os desafios do mundo real enfrentados pelos psiquiatras e seus pacientes, ignorando seletivamente o progresso científico que contesta suas afirmações, e apresentar informações tendenciosas e altamente selecionadas sobre o estado da neurociência psiquiátrica, Angell abusa de sua posição de ex-editora do *New England Journal of Medicine* para estigmatizar ainda mais o campo da psiquiatria e pacientes com transtornos mentais. Angell escreveu um artigo cheio de meias-verdades que parecem apelar à sociedade para abandonar diagnósticos psiquiátricos, medicamentos antidepressivos e a neurociência psiquiátrica. Angell mostra total desconsideração pelo impacto negativo de cada uma dessas medidas sobre indivíduos com transtornos psiquiátricos e sobre a sociedade. Ela não oferece alternativas ao status quo ou uma agenda construtiva que pudesse acelerar o alívio do sofrimento humano. Em vez disso, ataca o único caminho claro para melhores diagnósticos e terapias farmacológicas mais eficazes, a neurociência translacional.[46]

Em geral, os pacientes respondem ao placebo cerca de um terço das vezes e a uma determinada medicação cerca de metade das vezes — uma diferença considerável.[47] Mas mesmo essa estatística subestima a eficácia da medicação, porque inclui uma resposta tão significativa ao placebo. Sinto-me qualificado para comentar informalmente a resposta ao placebo, porque a tive. Em várias ocasiões, comecei a tomar uma medicação que parecia ser a resposta certa no início, mas que no final se mostrou inútil para mim. Cada vez que eu me sentia um pouco mais forte, algum resquício de otimismo me fazia pensar que eu estava em vias de recuperação. Depois de um ou dois meses, no entanto, tinha de reconhecer que aquele medicamento em particular não estava resolvendo meu problema. Assim, conheço o salto de esperança que vem com qualquer novo começo e sei como ele pode desaparecer.

A resposta ao placebo reflete o enorme alívio de ter finalmente tentado alguma coisa, a revelação que vem com ser proativo e a corrida inebriante das expectativas. Um estudo em que metade dos pacientes deprimidos foi informada de que estava efetivamente tomando medicação antidepressiva e a outra metade, de que tinha apenas uma chance de 50% de estar tomando antidepressivos em vez de placebos, mostrou que a reação à droga ativa foi modulada pelas expectativas dos pacientes. Aqueles que sabiam que estavam recebendo a droga mostraram quase o dobro de respostas em relação àqueles que tinham sido informados de que faziam parte de um experimento metade-metade. O estudo concluiu: "A expectativa de melhoria é afetada pela probabilidade de receber medicação antidepressiva ativa e parece influenciar a resposta antidepressiva".

O argumento de que os placebos funcionam tão bem quanto os medicamentos foi o tema de um segmento do programa de televisão *60 Minutes*.[48] Em *Psychiatric News*, John M. Oldham, então presidente da Associação Americana de Psiquiatria, observou que, em ampla medida, o público equipara placebo a uma "pílula de açúcar" de falsa magia, ao passo que os pacientes em estudos cuidadosamente projetados tomam placebos no contexto de "um programa de tratamento que envolve visitas a profissionais solidários, em um tecido de apoio e esperança".[49] Esse contexto de cuidado e atenção é uma parte importante, e com muita frequência ausente, da conversa. Sei por experiência própria que discutir nossos estados de ânimo e comportamentos com um médico muito interessado alivia consideravelmente os sentimentos de impotência e derrota. E isso é uma grande parte do chamado efeito placebo. Como destacou um artigo publicado em 2013 no *American Journal of Psychiatry*, precisamos entender a resposta ao placebo para que possamos minimizá-lo em ensaios clínicos, garantindo que ele não obscureça o sinal da medicação eficaz — e para que possamos maximizá-lo na prática clínica, onde um conhecimento mais aguçado de como e por que ele funciona possa ser usado para ajudar as pessoas deprimidas.[50] Estudos que usam placebos devem tentar evitar o contato humano e as mensagens de esperança que criam resposta a placebo. Aqueles que administram tratamentos devem reconhecer que o equivalente desse útil efeito placebo no mundo real é a psicoterapia: a conexão com um profissional formado e atencioso pode ajudar muitas pessoas com transtornos mentais.

Às vezes, os cruzados da antimedicação armam-se com o fato de que não entendemos os mecanismos dos medicamentos. O discurso deles ainda tem por alvo a teoria do "desequilíbrio químico", segundo a qual as pessoas com saúde mental comprometida têm um déficit de neurotransmissores, uma teoria que está fora de circulação há uma década.[51] O fato de que o aumento da serotonina nas sinapses ajuda a aliviar a depressão não indica que a depressão foi causada pelo baixo nível de serotonina — da mesma forma que, como observou com ironia o cientista alemão Werner Wöhlbier, o fato de uma dor de cabeça ceder com aspirina não significa que ela foi provocada por um déficit de aspirina.[52] Aqueles que argumentam contra a medicação ignoram evidências recentes de que alguns antidepressivos foram associados ao crescimento de neurônios, uma explicação possível para a sua eficácia.

A objeção desses críticos é, em parte, que não podemos compreender o tratamento quando não entendemos o mal de que estamos tratando, e isso é um autêntico enigma. Os psiquiatras se baseiam principalmente em relatos dos pacientes de como estão se sentindo, em vez de em biomarcadores, e há um movimento forte no NIMH para resolver a imprecisão dessa dependência esmagadora da subjetividade. Um novo programa dessa instituição, o projeto Critérios do Domínio de Pesquisa, tem por objetivo "definir as dimensões básicas de funcionamento (como o circuito do medo ou da memória ativa) a ser estudado por várias unidades de análise, de genes a circuitos neurais e comportamentos, abrangendo os transtornos tais como definidos tradicionalmente".[53] Em outras palavras, os pesquisadores precisam desbloquear a biologia dos sintomas e comportamentos sem recorrer à classificação familiar das doenças mentais. Por ora, no entanto, não compreendemos a etiologia da doença mental e não sabemos exatamente como os medicamentos agem contra ela. Mas isso não acontece somente na psiquiatria: também não entendemos completamente a etiologia da maioria dos cânceres, e só agora os estamos reclassificando por genótipo e não pelo órgão ou sistema em que se originam.

Particularmente complicadas são as alegações de que os antidepressivos, sejam ou não eficazes, podem em algumas circunstâncias instigar o pensamento suicida e levar pessoas vulneráveis a se matar. Os críticos argumentam que esse resultado costuma ser frequente em crianças e adolescentes e, em especial, que é provável nos estágios iniciais de tratamento. É verdade que 2 milhões de adolescentes norte-americanos, quase um em cada doze, tentam suicídio todo ano.[54] Isso equivale a cerca de um terço dos alunos do ensino médio com depressão. É inquestionável que a biologia do cérebro de jovens difere de várias maneiras da de pessoas mais velhas. Um estudo recente concluiu que o "uso de ISRSs pode estar associado a um risco reduzido de suicídio em adultos com depressão. Entre os adolescentes, o uso de ISRSs pode aumentar o risco de suicídio".[55] Uma meta-análise feita pela FDA, criticada desde então por sua metodologia, sugeriu que, enquanto os antidepressivos reduzem as taxas de suicídio na população adulta e idosa, eles podem causar um pequeno aumento de 2% em eventos suicidas (não havia suicídios nos 24 ensaios clínicos que a FDA examinou) na faixa etária de dezoito a 24 anos.[56]

Mesmo que a meta-análise da FDA fosse impecável, seria importante notar o poderoso efeito placebo que esses ensaios demonstram: a taxa de suicídio entre os jovens adultos não tratados é cinco vezes maior do que a taxa que a FDA encontrou entre pacientes tomando placebos.[57] Na vida real, é evidente que a escolha é entre tratamento e ausência de tratamento, não entre tratamento e placebos, o que sugere que os antidepressivos salvam muito mais vidas do que as tiram. Além disso, poucos suicidas adolescentes revelam níveis sanguíneos de antidepressivos na autópsia,[58] o que sugere que os adolescentes que conseguem se matar não estão em tratamento ou não tomaram os remédios que lhes foram receitados.

Está bem documentado que muitos medicamentos produzem um efeito paradoxal contrário em um pequeno número de pessoas — gente que não dorme tomando pílulas para dormir, ou cujas dores aumentam com analgésicos.[59] Assim, mesmo sem uma correlação geral entre ISRSs e suicídio (até mesmo suicídio juvenil), as reivindicações anedóticas merecem consideração. É por esse motivo que, em 2004, a FDA exigiu que os ISRSs exibissem uma advertência cercada por tarja preta, a mais forte que pode ser anexada nos Estados Unidos a medicamentos aprovados, dizendo que eles podem desencadear pensamentos suicidas em algumas crianças. Em 2007, a FDA expandiu o aviso para abranger adolescentes.[60] Esse box preto fez com que muitos médicos ficassem receosos de receitar antidepressivos; desde então, a taxa de prescrição para crianças caiu em quase dois terços. No ano decorrido após a colocação da advertência, houve uma queda de 22% em prescrições para esses medicamentos e um aumento de 12% em suicídio de jovens, o maior aumento registrado em um ano desde o começo da coleta de dados em 1979. Do mesmo modo, aumentos do número de suicídios juvenis e adolescentes coincidiram com a redução no uso de antidepressivos no Canadá e na Holanda.[61]

Em geral, Robert Gibbons escreveu na revista *Archives of General Psychiatry*, "o maior número de prescrições de ISRS está associado a taxas de suicídio mais baixas em crianças". E concluiu: "As taxas de prescrição de ISRS estão associadas a taxas de suicídio mais baixas em adolescentes muito jovens". Ele ainda afirmou:

> Portanto, os dados sugerem que a recente extensão para jovens adultos da advertência em tarja preta a respeito do risco de pensamentos e comportamento suicidas em pacientes pediátricos tratados com antidepressivos pode diminuir ainda mais o tratamento da depressão com antidepressivos nos Estados Unidos e aumentar o risco de suicídio em indivíduos com depressão.

Ele examinou os dados condado por condado e mostrou que aqueles em que a taxa de prescrições de ISRS foi maior tiveram menores taxas de suicídio juvenil.[62] (Deve-se notar, no entanto, que taxas de prescrição de ISRSs mais altas significam presumivelmente que mais pais também estão sendo tratados, o que ajuda na saúde mental das crianças.) Um trabalho realizado na Universidade Yale sugere que a diminuição dessas prescrições tem correlação com o aumento da delinquência juvenil, o insucesso escolar e o uso de drogas, embora a causalidade seja um tanto tênue.[63]

A preocupação com as crianças e adolescentes que tomam esses medicamentos afetou o diagnóstico e a prescrição para todas as faixas etárias, e há claramente riscos em ambas as direções. Se não percebemos o risco desses medicamentos, pomos em perigo as pessoas que os estão tomando; se superestimamos seu risco, desestimulamos as intervenções que podem salvar vidas.[64] A questão sobre o que gera a depressão severa e o que pode ajudar a resolvê-la está entre as mais urgentes da medicina. O que está em jogo não poderia ser mais importante. Estudos separados mostraram uma queda do suicídio nas últimas décadas na Dinamarca, Hungria, Suécia, Itália, Austrália e no Japão.[65] Nos Estados Unidos, as taxas de suicídio subiam progressivamente até a introdução dos ISRSs e caíram constantemente desde então. As áreas nos Estados Unidos com as maiores taxas de aumento na prescrição de ISRS (principalmente centros urbanos) apresentaram a maior queda em suicídio.[66] De todos os suicídios registrados em Nova York, onde as taxas de prescrição de antidepressivos são extremamente elevadas, apenas um quarto são cometidos por pessoas que tomam medicamentos antidepressivos, o que sugere que a depressão não tratada é de longe a causa mais importante de suicídio.[67] Na meta-análise feita por Gibbons de pessoas tratadas no sistema da Administração dos Veteranos, que analisou quase 250 mil casos, o risco de tentativas de suicídio entre aqueles que tomam ISRSs foi de cerca de um terço apenas em comparação com os sem tratamento, ainda que os tratados com ISRSs fossem, em geral, aqueles com depressão mais aguda.[68]

Também é importante lembrar que muitas pessoas que cometem suicídio começaram a medicação pouco tempo antes. Afinal, a maioria das pessoas que tomam antidepressivos começa a tomá-los quando está extremamente deprimida. Esses medicamentos levam algum tempo para começar a fazer efeito. O maior risco de suicídio parece ocorrer antes da medicação se tornar totalmente eficaz, o que sugere que as pessoas que estavam achando sua depressão insuportável passam a ter pensamentos suicidas mais ou menos na mesma época em que começam a tomar antidepressivos — o ponto de sua depressão mais grave e não resolvida.[69] De fato, os sentimentos suicidas são com frequência o fator que levou essas pessoas a procurar medicação. Gregory Simon, do Group Health Research Institute de Seattle, descobriu que a taxa de risco estatístico para essas pessoas é realmente mais alta no mês anterior ao começo da medicação, menor durante o primeiro mês de medicação e, depois, cada vez menor à medida que os medicamentos atingem sua eficácia ao longo dos meses seguintes. Ele afirmou que as taxas globais de tentativa de suicídio diminuíram em todo o primeiro mês de tratamento com um ISRS e continuaram a declinar durante o período em que o medicamento se tornou eficaz.[70] Significativamente, a mesma trajetória se aplica à psicoterapia: o risco de suicídio é maior no mês anterior ao início da terapia, um pouco reduzido no primeiro mês e significativamente mais baixo adiante.[71]

A probabilidade de pensamentos suicidas em alguém que começa a tomar um antidepressivo está fortemente relacionada com seus pensamentos suicidas antes do início da medicação. Isso ressalta a importância de se fazer as perguntas certas ao paciente deprimido: um histórico de pensamentos suicidas pode revelar mais do que simplesmente perguntar sobre o estado de alguém no tempo presente. Duas entrevistas recentes de avaliação — o Algoritmo de Classificação para Avaliação de Suicídio de Columbia (Columbia Classification Algorithm for Suicide Assessment, C-CASA), para análise retrospectiva, e a Escala de Classificação da Severidade do Suicídio de Columbia (Columbia Suicide Severity Rating Scale, C-SSRS), para análise prospectiva — medem o pensamento e o comportamento suicidas.[72] Até agora, porém, as taxas de pensamento suicida não foram analisadas nos ensaios clínicos, através dos quais os medicamentos são aprovados. Isso significa que os relatórios de suicídio foram oferecidos espontaneamente, em vez de sistematicamente obtidos.

Às vezes, há também confusão entre os profissionais e pacientes quanto ao que constitui uma tentativa de suicídio.[73] Os protocolos de Columbia o definem como um ato nocivo contra si mesmo, realizado com a intenção de acabar com a própria vida. O termo não deve ser aplicado a alguém que se corta sem nenhuma intenção de morrer. Não inclui a lesão autoinfligida para chamar a atenção (manipulação) ou para aliviar uma dor interior, sem a intenção de se aniquilar (gesto suicida). Não se aplica a alguém que diz que estaria melhor morto, se essa pessoa não está pensando em tomar medidas para se matar. Mas aplica-se a alguém que acredita incorretamente que pode morrer de uma overdose de comprimidos de vitaminas e toma uma dúzia deles de uma só vez. Alguns atos que não são tentativas de suicídio foram classificados como tais, enquanto outros atos que são suicidas ficaram de fora. Tampouco houve consenso sobre o que constitui o pensamento suicida; alguns médicos insistem que uma paciente que diz que estaria "melhor morta" é suicida; outros asseveram que não há nenhuma conexão imediata entre esse desespero e a ideia de tirar a própria vida para valer. Essas inconsistências causam obviamente muita distorção.

Uma vez que um efeito sobre o suicídio não foi definido como um ponto final em testes clínicos, os relatos de tendências ao suicídio são incidentais. Kelly Posner, que desenvolveu a Escala de Classificação da Severidade do Suicídio, acredita que os dados utilizados pela FDA superestimaram o pensamento suicida e subestimaram os atos suicidas.[74] Desde 2008, a FDA recomenda que os protocolos de Columbia sejam utilizados em testes de novos medicamentos.[75] Eles também estão sendo usados pelas forças militares norte-americanas e poderiam ser extremamente benéficos em situações de atenção básica para determinar quem precisa de serviços urgentes de saúde mental. Algumas campanhas de prevenção do suicídio incluíram o atendimento por telefone e até mesmo online, com acesso automático a conselheiros para quem mostra pontuação elevada. Esses processos econômicos de seleção expandem muito o alcance dos serviços de saúde mental.

* * *

Ainda se discute com veemência se os antidepressivos são ineficazes ou inseguros para a maioria das pessoas que os tomam, embora a ciência apoie sua utilidade e segurança. Enquanto isso, o uso de antidepressivos em mulheres grávidas está em ascensão; as taxas mais do que duplicaram entre 1999 e 2003 para as mulheres atendidas pelo programa Medicaid. Amostragens de sangue do cordão umbilical no momento do nascimento indicam que o nível desses medicamentos no sangue fetal é de 50% do nível da mãe; eles também estão presentes no líquido amniótico. A questão da segurança dos antidepressivos na gravidez é complicada porque, como com o suicídio, os riscos devem ser pesados contra os riscos alternativos de depressão e ansiedade não tratadas. A maioria dos dados não indica um risco de malformações fetais importantes, embora alguns estudos sugiram uma relação entre os ISRSs e certos tipos de defeitos cardíacos infantis (enquanto outros estudos relacionaram os ISRSs com uma incidência *menor* de determinados defeitos cardíacos). Do mesmo modo, há dados contraditórios sobre as taxas de aborto espontâneo, parto prematuro e baixo peso ao nascer, e há algum embasamento para um pequeno aumento do risco de hipertensão pulmonar persistente no recém-nascido. Em cerca de um terço dos casos, os bebês nascidos de mães que tomam ISRSs desenvolvem a síndrome de abstinência neonatal, que inclui nervosismo, refluxo e espirros, mas esses sintomas são geralmente leves e costumam se resolver dentro de 48 horas — embora, em certos casos, tenham sido relatadas convulsões neonatais. Em estudos com animais, camundongos expostos a altos níveis de ISRSs durante o início do desenvolvimento mostram redução da atividade sexual entre os machos, inibição do comportamento exploratório e sono REM alterado.[76]

Algumas autoridades sugeriram que ISRSs durante a gravidez podem aumentar a taxa de autismo da prole. Até o momento, cinco estudos sobre o assunto foram publicados. Os três primeiros encontraram alguma relação, mas não foram concebidos para separar os efeitos dos antidepressivos dos efeitos da depressão genética.[77] Uma literatura considerável oferece bases para o histórico parental ou familiar de depressão e outras doenças psiquiátricas como fator de risco para o autismo, por isso é difícil saber se as mães tratadas estavam produzindo crianças autistas porque tomavam medicação ou porque eram portadoras genéticas do autismo. O estudo mais recente, uma grande pesquisa populacional realizada na Dinamarca, tentou estabelecer controles para a depressão materna e não encontrou qualquer associação entre os medicamentos e o autismo.[78]

Elizabeth Fitelson, uma psiquiatra de Columbia que trabalha principalmente com mulheres grávidas, me escreveu: "A exposição a ISRSs causa de fato efeitos no desenvolvimento neurológico de alguns (mas certamente não todos) bebês expostos no útero, mas ainda não há um consenso de quais são os efeitos, se é que existem, sobre o desenvolvimento neurológico a longo prazo. Não sabemos se os efeitos do desenvolvimento neurológico relativamente sutis observados em bebês expostos continuam a ser significativos mais tarde na infância, quais são os bebês mais propensos a ser afetados por alguma medicação ou pelo estado de ânimo materno e como separar os efeitos de cada uma dessas coisas. Há ambivalência social a respeito da 'necessidade' de medicação antidepressiva das mulheres durante a gravidez. Mas há uma literatura clara sobre os efeitos adversos da depressão materna no desenvolvimento da criança. Quando falo com as mulheres sobre isso, trato como uma questão de equilibrar riscos conhecidos e desconhecidos. Na maioria dos casos, as próprias mulheres podem identificar que sua depressão interfere no cuidado maternal de seus filhos em aspectos importantes".[79]

Estudos em animais mostram que as mães mamíferas estressadas tendem a ter filhos com neurodesenvolvimento ruim.[80] As mulheres grávidas que sofrem de depressão ou ansiedade estão sob estresse maior e podem elas mesmas ter alterado a neurobiologia, o que poderia afetar o desenvolvimento do feto via mudanças no ambiente uterino. Com efeito, a depressão não tratada durante a gravidez pode aumentar as taxas de aborto espontâneo, parto prematuro e baixo peso ao nascer — alguns dos riscos associados ao uso de ISRSs pela mãe.[81] Pode ser difícil distinguir entre os sintomas da doença e os efeitos do tratamento. Um estudo reconhece que a "noção de que a perturbação do estado de ânimo da mãe ou os níveis de estresse durante a gravidez podem influenciar a criança em desenvolvimento tem uma história forte em todas as culturas e está amplamente incorporada à psicologia popular".[82] Há ainda alguns indícios de que as mães que estão indevidamente estressadas podem ser mais propensas a ter filhos que posteriormente desenvolvem esquizofrenia.[83]

Uma revisão de coautoria de Fitelson observa que a experiência de estresse das mulheres grávidas cria um risco maior de lateralidade mista, autismo, transtornos afetivos e redução da capacidade cognitiva.[84] Mostrou-se que ansiedade e depressão durante a gravidez apontam para o aumento do risco de doença mental da prole no futuro. Um estudo longitudinal recente de gestantes que moram no centro de cidades descobriu que os filhos de mães que estiveram deprimidas durante a gravidez tinham quase cinco vezes mais probabilidade de ficar deprimidos do que os não expostos à depressão no útero.[85] Outras pesquisas indicam que os recém-nascidos de mães deprimidas têm "menor tonicidade e resistência motora, são menos ativos, menos robustos, mais irritadiços e mais difíceis de acalmar".[86] Outro estudo recente mostrou que, enquanto filhos de mães tratadas com antidepressivos mostraram habilidades padrão de linguagem e cognitivas, filhos de mães deprimidas que não foram tratadas tinham linguagem e cognição reduzidas.[87] A escolha é difícil: ficar deprimido durante a gravidez, com consequências preocupantes, ou tomar medicação durante a gravidez, com ramificações obscuras.

A psiquiatria é profundamente falha, mas *falha* não significa *inútil*. Há muitas pessoas que estão sob tratamento e não precisam disso, mas muito mais pessoas não estão sob tratamento e poderiam se beneficiar dele. Os laboratórios farmacêuticos utilizaram dinheiro para influenciar médicos, criando uma teia de lealdades conflitantes que muitas vezes distorcem o tratamento. No entanto, eles também obedecem a padrões rigorosos, e as pessoas que desenvolvem medicamentos e os trazem para o mercado — o que custa demais a acontecer fora da esfera do comércio — são muitas vezes motivadas, pelo menos em parte, pela esperança de aliviar o sofrimento. Há um século, não iríamos longe ao buscar um diagnóstico para aflições mentais; tudo o que podia ser dito é que essa dor era endêmica à condição humana. Hoje em dia, ao reconhecermos o tumulto interior, temos acesso a tecnologias que podem aliviá-lo. Porque os diagnósticos são úteis, temos agora mais deles. E, enquanto muitos atacam a expansão do *Manual diagnóstico e estatístico de transtornos mentais* (o DSM-V), a Classificação Internacional de Doenças (CID) está se expandindo a uma taxa comparável, com novas doenças "físicas" sendo constantemente definidas. O cérebro e o eu são complicados demais para serem compreendidos através de um único vocabulário. No fim das contas, "Conhece-te a ti mesmo" é o conselho mais difícil que já se deu.

Está cada vez mais claro que a depressão tem causas inumeráveis, entre elas vulnerabilidades genéticas (que, por sua vez, estão sujeitas a fatores externos e à epigenética), tensões, doenças endócrinas, traumas cranianos, problemas inflamatórios (alguns dos quais causam efeitos adicionais sobre o cérebro), degeneração cerebral (como no mal de Parkinson ou Alzheimer), questões nutricionais (especialmente deficiências de folato ou vitamina D), diabetes e certos tipos de câncer. Do mesmo modo, é evidente que pessoas diferentes respondem a diferentes tratamentos, mas continuamos a batalhar para descobrir quem vai responder ao quê. Callie McGrath e Helen Mayberg, da Universidade Emory, estudaram por que alguns pacientes parecem responder melhor à psicoterapia e outros aos medicamentos, e elas conseguiram fazer uma imagem de uma variação cerebral que acreditam ser essencial para essa divergência. Usando ferramentas de imagens funcionais e estruturais, McGrath e Mayberg trabalharam na criação de algoritmos que ajudarão os médicos a delinear subgrupos de pacientes deprimidos, a fim de otimizar o tratamento para cada um deles. Em um estudo publicado recentemente no JAMA, outros pesquisadores identificaram um biomarcador que distingue as pessoas que irão responder melhor à medicação (atividade acima da média na ínsula anterior direita) daquelas que se darão melhor na psicoterapia (atividade abaixo da média na mesma região).[88] Idealmente, essa descoberta permitiria que os médicos avaliassem a depressão por tipo e evitassem receitar tratamentos que possam ser ineficazes para as pessoas. Entre os possíveis outros biomarcadores estão o cortisol no soro, na saliva ou cabelo, comprimento dos telômeros, níveis do hormônio DHEA, níveis de fator de crescimento de fibroblastos, testes de neuropeptídeo Y e níveis sanguíneos dos hormônios grelina e leptina.[89]

Embora os avanços médicos dos últimos vinte anos tenham melhorado nossa capacidade de ajudar a quem sofre de depressão, quatro graves problemas permanecem. Em primeiro lugar, somente uma pequena porcentagem de deprimidos que procuram ajuda recebem de fato o melhor tratamento possível. Em segundo lugar, a comunidade de pesquisa é extremamente difusa e, muitas vezes, as pesquisas definham sem se traduzir em intervenções úteis. Em terceiro lugar, o estigma continua a assombrar os depressivos, tornando suas vidas ainda mais difíceis e solitárias do que a própria doença já faz. Em quarto lugar, sem condições de igualdade na cobertura de seguros, muitas pessoas que sofrem dessa doença são abandonadas, sem apoio, à escalada do desespero.

Uma resposta viável para esses problemas é a criação de centros de depressão, com base no modelo dos centros de câncer criados nos Estados Unidos na década de 1970, e os centros do coração e de diabetes que vieram em seguida. O primeiro centro de depressão nacional foi proposto na Universidade de Michigan em 2001 e inaugurado em 2006, com mais de 135 especialistas em depressão e bipolaridade de dez escolas e institutos de Michigan. O centro tem um grande programa de tratamento clínico, está envolvido em várias iniciativas de políticas públicas e patrocina um amplo leque de pesquisas sociais e biológicas. Ele está, portanto, em excelente posição para montar um banco de dados genéticos com amostras de dezenas de milhares de pacientes deprimidos e bipolares. Acumular de uma amostra grande e diversificada é o pré-requisito necessário para a pesquisa genética útil — que permanece tristemente primitiva neste momento.[90] O centro também está patrocinando estudos de maior alcance do que aqueles realizados pela indústria farmacêutica. Como disse John Greden, "o câncer tem estudos de cinco anos; nós temos de doze semanas".[91]

O Centro de Depressão da Universidade de Michigan foi fundado sob a liderança de Greden; seu projeto incluía uma Rede Nacional de Centros de Depressão (National Network of Depression Centers, NNDC). Em 2007, representantes de dezesseis centros médicos se encontraram em Michigan para planejar a NNDC. Em 2008, eles formalizaram uma aliança nacional sem fins lucrativos. Existem agora 21 desses centros. A maioria das pesquisas existentes sobre depressão foi patrocinada pela indústria farmacêutica e boa parte dela está, portanto, amarrada aos estudos de doze semanas estipulados pela FDA. Os membros da NNDC colaboraram para desenvolver um registro de informações sobre doença, tratamento e biomarcadores de maior alcance. Eles colaboram para divulgar os avanços da medicina de forma mais ampla; declararam que seu objetivo é ter "expertise em depressão e bipolaridade a menos de trezentos quilômetros de cada residente". Médicos e pesquisadores importantes realizam reuniões anuais, e uma revista científica está sendo planejada. Uma federação foi recentemente formada com a nova Rede Canadense de Pesquisa e Intervenção da Depressão, que opera três centros padronizados conforme a NNDC. Greden está trabalhando para criar uma rede global.

Uma rede nacional que ajude a medicalizar a depressão na imaginação do público vai ajudar a diminuir a aura de vergonha dos que sofrem dela. Os centros de câncer são lugares muito movimentados, em que indivíduos com um problema comum se encontram e se envolvem uns com os outros, compreendendo que legiões de pessoas compartilham sua difícil jornada. As próprias salas de espera dos centros de depressão amenizam o sofrimento, porque atestam a onipresença da doença e abolem o isolamento, que é o corolário do preconceito.

Recentemente, tive uma conversa surpreendente com uma conhecida crítica cultural, que disse: "Foi muito corajoso da sua parte escrever tão abertamente sobre sua depressão quando você o fez. Não precisaria de tanta coragem agora". Suas palavras gentis continham o pressuposto de que o preconceito está em retirada, que as pessoas são capazes de ser mais abertas agora do que antes. Isso é provavelmente verdade. A ideia de que pessoas com doenças mentais deveriam sair do armário se tornou corrente. A mudança começou com a introdução do Prozac e se acelerou com muitas campanhas de saúde pública desde então. Programas sobre a doença mental se tornaram comuns nas escolas. Celebridades falam habitualmente sobre suas aventuras psiquiátricas, e programas de TV como *In Treatment* deram ao público mais amplo um vocabulário para discutir esses desafios. A atriz Glenn Close e seu grupo Bring Change 2 Mind criaram anúncios espirituosos que visam reconhecer e desestigmatizar a doença mental.[92] Ela me disse que, se descobrissem com que frequência lidam com homens e mulheres com doenças mentais, as pessoas teriam de ter menos medo. "O estigma é uma função da ignorância", explicou. "Não se pode temer uma coisa que afeta um em cada quatro de nós."[93]

No entanto, uma hostilidade desconcertante aparece regularmente na grande imprensa. Na primavera de 2014, o vociferante jornalista irlandês John Waters escreveu: "Eu não acredito em depressão. Não existe isso. É uma invenção. É conversa fiada. É uma desculpa para evitar responsabilidade".[94] Pode-se imaginar uma figura pública dizendo a mesma coisa a respeito do câncer, da doença cardíaca ou do HIV?

Mais preocupante do que qualquer espasmo individual de agressão é o fato de o preconceito contra os deprimidos permanecer no sistema de saúde e no governo federal. Em 2013, uma mulher canadense teve sua entrada como turista negada nos Estados Unidos porque estivera hospitalizada por depressão um ano e meio antes. Ellen Richardson não poderia visitar os Estados Unidos, disseram-lhe, a menos que obtivesse "autorização médica" de um dos três médicos de Toronto aprovados pelo Departamento de Segurança Interna dos Estados Unidos. O endosso de seu próprio psiquiatra, que ela poderia presumivelmente obter mais facilmente, "não seria suficiente". Ela estava a caminho de Nova York, onde pretendia embarcar em um cruzeiro para o Caribe. "Fiquei tão perplexa", disse Richardson. "Não entendo isso. Qual é o problema? Eu estava tão ansiosa para viajar. Trouxe até um pequeno fio de luzes de Natal que ia pendurar na cabine."[95]

A agente de fronteira lhe disse que estava agindo de acordo com a Lei da Nacionalidade e Imigração dos Estados Unidos, Seção 212, que permite que patrulhas impeçam pessoas de visitar o país se têm uma doença física ou mental que ameace "a propriedade, a segurança ou o bem-estar" de alguém. O *Star* de Toronto informou que a agente apresentou um documento assinado dizendo que Richardson precisaria de uma avaliação médica devido ao seu "episódio de doença mental". Uma porta-voz da Proteção de Fronteiras e Alfândega dos Estados Unidos disse posteriormente que a agência estava proibida de discutir casos específicos em virtude das leis de privacidade.

O incidente com Richardson não foi a primeira vez que tais medidas foram noticiadas. Em 2011, Lois Kamenitz, uma professora e bibliotecária canadense, foi impedida de entrar nos Estados Unidos porque já havia tentado suicídio.[96] Ryan Fritsch, ex-copresidente da Coalizão de Verificação do Comportamento da Polícia em relação à Saúde Mental de Ontário, disse que ouvira falar de oito casos semelhantes naquele mesmo ano. Após o incidente de Richardson, ele me escreveu: "Minha sensação é de que há um grande número de pessoas sendo mandadas de volta. Também fiquei sabendo que representantes de nível executivo de várias organizações de defesa e conscientização da saúde mental canadense e provincial foram barrados na fronteira quando estavam a caminho de conferências e outras funções e comparecimentos oficiais" — presumivelmente por causa de seus próprios históricos de saúde mental.[97]

As informações sobre a saúde de Richardson jamais deveriam estar à disposição das autoridades norte-americanas, e muitos canadenses ficaram indignados com a perspectiva de que seu governo poderia tê-las divulgado. Porém, não ficou claro o que a agente da alfândega havia visto. O fim das férias de Richardson poderia resultar do acesso pelas autoridades norte-americanas às bases de dados policiais. Richardson explicou-me que, quando foi hospitalizada, em junho de 2012, a polícia foi envolvida porque ela tentara suicídio, o que levara a uma chamada para o serviço de emergência. Mas, mesmo que tenha sido consequência de dados da polícia, em vez de dados médicos, sua utilização por parte das autoridades de imigração continua a ser preocupante. A ideia de que até mesmo informações legitimamente obtidas sobre a depressão de uma pessoa possam ter qualquer influência sobre sua capacidade de visitar os Estados Unidos é chocante.

Ridicularizar a depressão significa uma regressão a um período eugênico em que qualquer sinal de doença mental era motivo para exclusão social. A Lei para Americanos com Deficiências de 1990 impede os empregadores de discriminar pessoas que tenham uma doença mental.[98] Se defendemos o direito das pessoas com depressão de trabalhar em qualquer lugar, não deveríamos defender o direito delas de entrar no país? Consagrar o preconceito em qualquer parte da sociedade incentiva-o em outras. A maioria das pessoas que lutaram pelo direito dos gays de servir nas forças armadas não o fez porque esperava se tornar um soldado gay, mas porque qualquer programa de preconceito sancionado pelo governo afetava a dignidade de todas as pessoas homossexuais. Da mesma forma, a polícia de fronteiras que não aceitou Ellen Richardson não é somente injusta para com os estrangeiros, mas também constitui uma afronta aos milhões de norte-americanos que lutam contra os desafios da saúde mental.

Estigmatizar a moléstia é ruim; estigmatizar o tratamento é ainda pior. Richardson foi recusada devido a sua doença psiquiátrica, mas porque fora hospitalizada por isso. As pessoas que procuram ajuda têm muito mais probabilidade de estar no controle de seus demônios do que aquelas que não procuram. No entanto, o incidente de Richardson servirá apenas para alertar as pessoas contra a busca de tratamento para a doença mental. Se assustarmos os outros, dizendo que não procurem terapia, a fim de que isso não possa mais tarde ser usado contra eles, estamos incentivando a negação, a desobediência aos médicos e subterfúgios, e construindo uma sociedade mais doente, não uma mais saudável. Em 1993, o Congresso norte-americano aprovou uma lei que proibia pessoas com HIV de entrar no país. Os Estados Unidos foram um dos poucos países a tomar essa atitude intolerante; os únicos outros foram Arábia Saudita, Armênia, Brunei, Coreia do Sul, Iraque, Líbia, Moldávia, Oman, Qatar, Rússia e Sudão. Um lobby de militantes lutou contra a proibição, que finalmente caiu em 2009. O presidente Obama expressou sua crença de que a proibição levou ao preconceito contra pessoas com HIV/ aids, o que por sua vez impediu muita gente de fazer o teste e, indiretamente, causou a disseminação da doença.[99]

Ellen Richardson, que tentou o suicídio em 2001 e, em consequência disso, é paraplégica, afirmou que teve um tratamento adequado e agora leva uma vida com objetivo, gratificante. Deveríamos aplaudir as pessoas que procuram tratamento e conseguem viver bem, apesar de seus desafios. É ao mesmo tempo humano e do interesse de nós mesmos garantir que o maior número possível de pessoas aproveite a variedade de apoios que podem ajudá-las, sem desaprovação governamental.

Ainda estou em contato com a maioria das pessoas que entrevistei para *O demônio do meio-dia*. Alguns estão bem desde 2001; outros ainda estão lutando ativamente. A maioria entra e sai da dificuldade. Pedi-lhes para pensar sobre a trajetória de suas depressões, sobre como ela havia afetado suas vidas desde as nossas entrevistas daquela época.

Angel Starkey revelou uma coragem quase incansável. Sua mãe era seu principal contato com o mundo exterior; depois que ela morreu, Angel teve de se tornar mais independente.[100] Estava fora do hospital havia três anos — o mais longo período de sua vida. Preparava-se para sair do ambiente de apoio em que vivia para um mais independente e estava compreensivelmente nervosa com isso. Não estava de forma alguma livre dos demônios, mas estava vivendo a vida tão plenamente quanto sabia vivê-la. Recentemente, fora diagnosticada com uma doença pulmonar grave desencadeada pelo tabagismo, recebera ordens para abandonar o cigarro imediatamente. Fumar era um dos seus poucos prazeres. A dependência da nicotina não é incomum entre pessoas com tendência à psicose; ela funciona como uma forma de automedicação. Mas, com sua determinação habitual, Angel estava fazendo o seu melhor a esse respeito.

Bill Stein descreveu sua vida como "surpreendentemente estável" nos últimos treze anos, apesar de ter perdido a mãe e terminado seu relacionamento amoroso de muito tempo.[101] "A morte de minha mãe, o último remanescente que era o baluarte da família e uma força lapidar da natureza, foi um evento, na verdade, uma eventualidade que eu temia havia anos", contou ele. "No entanto, eu estava ao seu lado em seus últimos momentos de agonia e fui capaz de lidar com os telefonemas de condolências e as questões legais resultantes de seu falecimento de forma tão impassível quanto a de minha mãe tratar a perda de seu marido, dez anos antes. É uma sensação estranha, especialmente para uma pessoa solteira, sentir-se de repente tão solto, desprovido de pais. Não obstante, apesar da sensação de estar totalmente sozinho, mostrei-me à altura da situação e lidei com minha dor verdadeiramente real de uma maneira privada."

Perguntei sobre o seu trabalho no mercado editorial. "Minha carreira continua avançando, às vezes numa proporção que parece maníaca, em grande parte com o auxílio dos insights que coletei em períodos de terrível depressão. Essencialmente funcional desde o final de 1987, após um mergulho de quase dois anos no abismo, eu ainda tenho medo do reaparecimento de outro grande episódio, de modo que tais pensamentos nunca se afastam muito da superfície da consciência cotidiana, embora os detalhes específicos de minha depressão de meados dos anos 1980 já não pareçam tão ressoantes ou assustadores quanto eram quando concordei em ser entrevistado para o livro. A sanidade ou, neste caso, a ausência de ideações da depressão grave, é com demasiada frequência tida como certa, e somente aqueles que sofreram de uma doença mental tão incapacitante conseguem apreciar o quanto a sanidade é preciosa, ou talvez a mera funcionalidade."

Ele se perguntava se sobreviventes do câncer viviam com ansiedade semelhante. "O temor de outra depressão incapacitante continua sendo surpreendentemente forte, mesmo depois dos 28 anos que se passaram desde a erupção da minha última doença grave. Chegando perto dos sessenta anos, eu lembro particularmente de como meu pai, cujas depressões recorrentes foram o pano de fundo de sua juventude e adolescência, desabou aos 83, para não mais se recuperar nos últimos sete anos de sua vida, de modo que o pensamento de que esse ciclo pode ser genético e de que os idosos são mais vulneráveis ocorre-me de vez em quando. Acho impressionante o quanto continuamos a nos identificar com nossos pais (ou, em alguns casos, a nos rebelar contra eles) e a traçar nosso caminho de vida tendo a trajetória deles como pano de fundo. Mas, tal como minha mãe, eternamente hiperativa e apaixonada, eu funciono num nível muito elevado de produtividade e acredito que os exercícios podem ter um papel fundamental na longevidade física e, em especial, da saúde mental. Quanto a isso, me orgulho de ser agora um corredor decente de média distância e, nos últimos cinco anos, ter corrido distâncias que jamais teria pensado que fosse capaz. É difícil descrever a influência desse exercício sobre os estados de ânimo. Em retrospecto, com o passar de tantos anos desde a década de 1980, já não me vejo da mesma maneira como quando concordei em ser entrevistado, no início deste século. O tempo curou muito, mas as memórias continuam a ecoar com muita frequência."

Frank Russakoff tem esposa e dois filhos.[102] Ele vai de vento em popa como jornalista científico. Sua amizade foi uma das dádivas duradouras deste projeto para mim. Ele escreveu: "O que houve de novo comigo nos últimos anos é que cuidei de meus pais do jeito que eles cuidaram de mim. Depois que minha mãe foi diagnosticada com câncer terminal, morei a maior parte do tempo em Baltimore com ela e com meu pai, que tinha (e ainda tem) Alzheimer. Quando ela estava disposta, mamãe e eu fazíamos caminhadas juntos. Um dia, perguntei-lhe como ela e meu pai foram capazes de me fazer continuar de pé durante todos os anos de minha doença. Ela não tinha uma resposta pronta, mas lembrou que meu pai era bom em certas coisas, como levar-me para o hospital, e ela era boa em outras. Ela me contou pela primeira vez que, depois que eu fiquei bem por um tempo, meus médicos pediram que ela e papai falassem durante os *grand rounds** no hospital Johns Hopkins sobre minha doença e a experiência deles. Mamãe respondeu ao convite dizendo que 'nós só fizemos o que todos os pais fariam'. Mas os médicos não concordaram. 'O que vocês fizeram foi extraordinário, e a maioria dos pais não seria capaz de ter feito isso', disseram eles. No fim das contas, meus pais nunca deram a palestra, mas fiquei contente de saber dessa conversa tantos anos após o fato. Enquanto minha mãe compartilhava suavemente a história, parecia haver um tom de orgulho em sua voz."

Frank e eu conversamos sobre a morte de sua mãe. "Perto do fim de sua vida, eu dava morfina para ela. Assistíamos os Orioles na televisão enquanto ela adormecia. Eu segurava sua mão. Eu temia que a perda de minha mãe pudesse provocar uma depressão em mim, mas isso não aconteceu."

Perguntei-lhe o que pensava sobre os anos em que sua depressão era aguda e avassaladora. "Aquele foi um tempo diferente na minha vida, que quase parece ser de uma pessoa diferente", disse. "Aquele sou eu, com certeza. Mas tanta coisa boa veio depois daquilo. Acho que eu disse uma vez que algumas coisas positivas resultaram de minha doença. Eu iria mais longe agora e diria que sou grato por ter tido aquele tempo com meus pais. Tenho muita sorte. Sou realmente afortunado. Não apenas por ter tido o tempo, mas também por ter encontrado minha esposa e por termos construído uma vida juntos. Quando cheguei em casa hoje, minha filha estava praticando trompete no porão e meu filho desceu as escadas para me contar sobre o Dia da Terra em sua escola primária. Então eu li com eles. Ler com meus filhos é meu momento preferido do dia."

---

* Grand rounds: reuniões periódicas dos médicos de um hospital que fazem parte do período de residência, nas quais se apresentam e são discutidos casos clínicos dos pacientes. (N. T.)

O fato de cuidar do pai desde a morte de sua mãe definiu boa parte da vida de Frank; ele estava planejando se mudar para mais perto dele. "Hoje, depois do trabalho, fui de carro até Baltimore para ver meu pai", contou. "Ele estava dormindo, mas segurei sua mão por um tempo. Na unidade de cuidados de memória em que vive, ele passa seus dias quase inteiros em um único andar, com portas trancadas. Aconteceu a mesma coisa comigo durante minha internação. Quando eu estava doente, me confortava com a pequenez e a segurança da enfermaria trancada do hospital. Espero que o meu pai se sinta da mesma forma, e acho que ele se sente. Quando eu estava no hospital, meus pais me traziam um litro de sorvete Ben & Jerry sempre que me visitavam. Agora, quando visito meu pai, levo um milkshake do McDonalds."

Perguntei a Frank se ele ainda precisava de tratamento. "Ainda tomo os mesmos três medicamentos que tomava na época da cingulotomia", explicou ele. "Meu médico não quis mudar o que parecia funcionar. De manhã e à noite, eles são lembretes da doença, mas se parecem mais com escovar os dentes. Simplesmente tomo."

Tina Sonego me escreveu recentemente, dizendo que a companhia aérea para a qual trabalhava foi fechada, acabando efetivamente com sua carreira de comissária de bordo.[103] "Eu gostaria de poder dizer a todos que estou casada e feliz, com um cão no quintal, um belo emprego e um doutorado; em vez disso, começo a entender quando me vejo ficando louca e estou aprendendo maneiras de lidar com isso", ela explicou. "Aprendi a lecionar inglês como segunda língua, o que eu adoro, e trabalho no abrigo local. Ainda à procura daquele marido. As pessoas dizem que acontece quando você menos espera. Bem, eu não espero há dezoito anos, então talvez eu deva tentar esperar por ele? Fui diagnosticada como bipolar II. Na verdade, meu último ataque de depressão bipolar foi tão intenso que eu ainda sinto que estou saindo dele. Eu estava indo muito bem, e então, bangue, comecei a descer ladeira abaixo. Mas, graças a Deus, dessa vez eu tinha amigos e não precisei correr para outra unidade psiquiátrica. Eu entendo melhor a minha doença e estou tomando novos remédios. Mas, para mim, é um dia de cada vez."

Maggie Robbins publicou um livro brilhante de poemas sobre sua jornada bipolar chamado *Suzy Zeus Gets Organized*.[104] Em estrofes rimadas espirituosas, muitas vezes devastadoras, ela conta a história de Suzy, que se assemelha muito com a sua própria: uma viagem da sanidade ao colapso e a volta à sanidade mais sábia. É um romance em verso que eu recomendaria a todos que lutam contra alguma doença bipolar (e para quem não é bipolar). Poucos anos depois que o livro foi publicado, Maggie qualificou-se como psicanalista e montou um consultório particular em Manhattan. Uma de suas pacientes, que conheço, atribui a Maggie a salvação de sua vida.

Perguntei sobre sua batalha em curso com a doença bipolar. "Tenho sorte. Para mim, Wellbutrin e Depakote continuaram a funcionar — acompanhados de terapia. Para ser justa, talvez seja a terapia que funcione, acompanhada de remédios. No meu caso, a depressão vem sempre depois de um episódio maníaco, e meu médico e eu sabemos como interromper um episódio maníaco com apenas alguns dias de Zyprexa. Não tenho tido muito mais essa necessidade, mas, quando tenho, minha saúde mental se concentra na escolha de não ser maníaca. Nos anos 1980, descobri que isso era mais fácil de dizer do que fazer: a mania é muito excitante e, no meu caso, ela ainda costumava parecer estranhamente com 'estar em casa'. Não tenho certeza se diria que o início da experiência sempre parecia 'errado', mas agora eu sei que não posso de forma alguma lidar com o que possa estar vindo. É como ter a escolha de agarrar um relâmpago. É uma escolha muito fascinante, mas é uma ideia muito ruim."

A experiência de Maggie com a doença mental influenciou seu trabalho como psicanalista. "Quando fui entrevistada para a minha formação de pós-graduação, a presidente do instituto perguntou se eu achava que poderia manter minha 'coisa primordial' calma em face da possível agitação da 'coisa primordial' de alguns de meus clientes. Eu disse a ela que, àquela altura, se tratava simplesmente de escolher não ir até lá novamente. E, em termos de ser capaz de ajudar os outros, acho que não há nada como a experiência de ver sua coisa primordial ficar realmente caótica e depois recuperar lentamente seu controle. Isso aumenta sua força emocional. Eu não tenho de expor minha experiência nas sessões. Eu simplesmente sei — em meus ossos, em meu sangue — que estive em algum lugar parecido com aquele onde a pessoa diante de mim está agora, e eu saí de lá. Acho que as pessoas podem sentir isso quando estão comigo. Mas em minha própria vida, ainda fico triste e furiosa e sinto muitas vezes vergonha de coisas que não deveria sentir. O que você disse sobre o oposto da depressão não ser a felicidade, mas a vitalidade, está correto. O oposto da depressão é a vida."

Claudia Weaver teve três filhos e, no início de 2014, estava em processo de divórcio.[105] Há sempre tristeza no fim de um casamento, mas ela conseguiu aguentar sem recair na depressão. "Estou sem tomar medicamentos desde 2001", ela me escreveu. "Não me preocupei com opções alternativas, que ou não funcionam ou são muito sutis para eu notar qualquer diferença em como me sinto. Em 2004, pouco depois do nascimento de meu primeiro filho, meu melhor amigo se suicidou. Eu passei por um período de luto de dois anos. Dor e depressão são aliadas, é claro. Não fiz nenhum tratamento. Eu cheguei à aceitação por compreender sua história de vida, especialmente o fim de sua vida." O marido de Claudia estava desempregado havia oito anos, o que criou um estresse considerável. "Durante anos, tentei convencê-lo a ir ao aconselhamento de casais comigo, mas ele dizia que não precisávamos disso. Depois do nascimento de meu terceiro filho, eu disse que precisávamos de algum aconselhamento. Eu sentia como se estivesse tendo o mesmo tipo de desmoronamento causado por estresse que tivera no colégio interno na adolescência. Ele fez dez meses de terapia antes de conseguir um emprego, e depois largou o tratamento dizendo que não o ajudava."

Mas Claudia manteve-se na terapia e a considerou extremamente útil. "Entendo muito mais o motivo de me sentir deprimida por tanto tempo. Sofro de ansiedade, tal como toda a minha família; eu nunca tive ideia disso porque parecia normal, uma vez que todo mundo ao meu redor era igual. Isso me levou a buscar um diploma de assistente social (o caminho mais rápido para se tornar um psicoterapeuta nos dias de hoje, embora eu o quisesse principalmente por motivos pessoais, e não profissionais). Agora tenho uma educação formal sobre a importância das reações empáticas, dos estágios de desenvolvimento apropriados e do crescimento social e emocional. Consigo entender o que desencadeia a depressão em mim e sinto quando ela está vindo. Também estou melhor em reconhecer e lidar com a ansiedade. A psicoterapia foi inestimável para mim. Demora muito mais do que a medicina, mas fiz mudanças que estão tendo um efeito positivo sobre todos ao meu redor. No geral, estou muito, muito melhor. Parece que estou tendo uma segunda chance na vida."

Incapaz de tolerar antidepressivos, Laura Anderson concentrou-se na alimentação e descobriu que se sentia melhor com muitas proteínas e gorduras de alta qualidade.[106] Nos anos posteriores ao lançamento deste livro, ela se tornou cada vez mais estável. Quando soube que estava grávida, aos 35 anos, casou-se. "Meu marido era dinâmico e forte e queria muito uma família, e fiquei contente com isso", disse ela. Com cerca de oito semanas de gravidez, soube que teria gêmeos. "Naquele momento, eu ainda não tinha sentimentos de depressão *per se* — nada parecido com o que aconteceu em Austin. Eu estava totalmente envolvida na minha vida, sentia-me cheia de amigos, companhia, cães, um bom trabalho: tudo isso. Meu marido ficou entusiasmado em relação aos gêmeos; eu também estava — como você pode admitir que não está??? — mas a ansiedade estava lá, e o sentimento de culpa."

Laura estava com pavor da depressão pós-parto. "Sempre pergunto a quem está tendo um momento difícil uma coisa tão básica que mal posso acreditar que a ignorei por tanto tempo", ela me disse. "Eu pergunto: quais são os seus 'grupos de alimentos emocionais', as coisas que você precisa para ficar bem, para se sentir enriquecida, vital e conectada? Essas são para mim as verdadeiras barreiras contra a depressão. Amigos, música, um cachorro, comunicação. Amigos e comunicação são, é claro, o mais importante. Um antigo namorado adorável, ao ouvir minha tristeza naquela ocasião, disse: 'Sempre haverá noites de estrelas ruins para pessoas como eu e você, querida. É o nosso destino. O lance está em saber como ir em frente."

Embora o marido de Laura fosse um bom pai, ela o considerava insensível às suas amizades. Isso e a pressão de cuidar de gêmeos criaram uma tensão insuportável no casamento, e, por fim, Laura sentiu-se desmoronando novamente. Dessa vez, foi tudo em câmera lenta; num primeiro momento, ela acreditou que poderia controlar, mas, em seguida, a coisa tornou-se uma plataforma continental de desespero. Finalmente, ela sentiu como se estivesse sufocando.

Ela fugiu, deixando as filhas de cinco anos de idade com o marido. "Eu não podia suportar ver minhas filhas lutando com minha depressão", disse ela. "Sozinha, comecei a sentir um pouco de fôlego de volta. Foi um momento difícil, como se eu estivesse nadando contra a corrente em busca de ar, sem ter para onde ir, depois mergulhando de volta sob águas desconhecidas — mas minhas filhas me surpreenderam. Quando eu não estava mais casada, me peguei rindo com elas novamente, sem reserva ou hesitação, e nos divertimos em nossos próprios níveis e termos. Ann disse: 'Mamãe, você não está chorando o tempo todo!' — o que obviamente me levou às lágrimas. Você não sabe que sua vitalidade retornou até que seus filhos percebem. Demorou mais ou menos um ano para eu me dar conta de que tinha alguma Laura — alguma vitalidade — de volta. Acho que parte da tristeza e da desilusão da depressão é que nós simplesmente não nos damos conta da lenta perda de nós mesmos."

Eu encontrei uma comunidade na depressão. As pessoas que falam publicamente sobre doença mental tendem a acabar nos mesmos simpósios e muitos se tornaram amigos — meus amigos de depressão. As pessoas ficariam surpresas com o quanto eles são divertidos. Um de meus amigos mais engraçados e mais inteligentes é alguém que conheci quando abrimos juntos uma conferência sobre depressão em St. Louis. Tenho uma relação jovial com minha psicofarmacologista e seu marido. E conheci o meu marido quando ele me entrevistou numa turnê de lançamento de *O demônio do meio-dia*. Uma entrevista sobre a depressão em St. Paul, Minnesota, pode não parecer o início provável de uma grande história de amor, mas para nós foi.[107]

É incrível sentir-se tão amado por pessoas que te compreendem tão bem, e ainda assim se sentir tão isolado pela depressão de tempos em tempos; a solidão que ela carrega parece impermeável à bondade. Neste livro, falo sobre ser grato à minha depressão, e continuo agradecido enquanto ela permanece no passado, mas odeio seu ressurgimento, bem como a possibilidade inexorável de ressurgimento. É difícil escrever sobre a depressão sem adoçá-la ou demonizá-la e, em alguns aspectos, meu livro erra em ambas as direções. Mas essa é, talvez, a abordagem mais honesta. Não é que eu sinta algo entre gratidão e horror, e sim que sinto ambos, e de maneira extremada. Eu sou a minha depressão. Eu sou eu, e a depressão é uma intrusão ocasional. Ambas as afirmações são verdadeiras. Vivo com a eterna questão de como a depressão pode matizar uma tristeza futura. Quando meu pai morrer; se o meu casamento passar por um período difícil; se algo de ruim acontecer com um dos meus filhos — não posso imaginar como poderia tolerar esses eventos e temo que a depressão poderia se intrometer na minha tristeza, que eu estaria lidando com a Escala de Depressão de Hamilton, com médicos e dosagens de medicamentos, em vez de lidar com a tristeza e a perda. Não quero me sentir mal quando a vida é boa, mas também não quero a depressão turvando as águas quando a vida é ruim.

Nossa realidade atual parece muitas vezes eterna. Acho difícil comprar um casacão de inverno no verão e, da mesma forma, quando estou me sentindo bem — como estou no momento em que escrevo isto —, parece implausível que eu possa me sentir de novo tão mal quanto sei que me senti. Mas a depressão é uma estação, e eu passo por ela como pelo inverno, continuamente. Hoje em dia, me forço a estocar cachecóis e roupa de baixo térmica, mesmo nos dias em que todo mundo está à beira da piscina. Preparo-me a cada hora para o demônio que vem de vez em quando. Como as coisas mudaram para mim? Eu não só me organizo para o inverno no verão, como também aprendi a imaginar a primavera quando estou congelando. Minha luta a fim de estar pronto para o reaparecimento da depressão — para lembrar, mesmo quando estou bem, quão ruins as coisas podem ficar — me ajuda de alguma forma a estar alerta para o seu declínio complementar. O verão, tal como o inverno, voltará. Aprendi a imaginar que estou me sentindo bem mesmo quando estou no fundo do poço — e essa habilidade duramente aprendida infunde na escuridão demoníaca a luz do meio-dia.

Notas

Muitas obras excelentes sobre depressão influenciaram este livro. Entre elas, eu recomendaria especialmente o digno e acessível *A Mood Apart*, de Peter Whybrow, os comoventes *Uma mente inquieta* e *Quando a noite cai*, de Kay Redfield Jamison, o impenetrável, mas episodicamente brilhante *Sol negro*, de Julia Kristeva, *Born Under Saturn*, de Rudolph e Margot Wittkower, e o rigoroso *Melancholia and Depression*, de Stanley Jackson. Nomeei todas as citações diretas de fontes impressas. Todas as outras citações são de entrevistas pessoais realizadas entre 1995 e 2000.

EPÍGRAFE [p. 9]

1. A epígrafe é do parágrafo final de *The White Guard*, página 302, de Mikhail Bulgakov.

UMA NOTA SOBRE MÉTODO [pp. 11-4]

1. "Anatomy of Melancholy", *New Yorker*, n. 12, jan. 1998.
2. Graham Greene, *Ways of Escape*, p. 285.
3. A empresa de meu pai é a Forest Laboratories. Ela não participou do desenvolvimento do Celexa, embora eles tenham trabalhado na produção de seu enantiômero.
4. Kay Redfield Jamison, Martha Manning e Meri Danquah estão entre as autoras que debateram a toxicidade do tópico em questão.

1. DEPRESSÃO [pp. 15-37]

1. As palavras *depressão* e *melancolia* são usadas de modo geral e, apesar dos esforços de alguns autores para diferenciá-las, são sinônimas. O termo *depressão severa* [major depression], entretanto, refere-se à condição psiquiátrica definida sob a rubrica "Major Depressive Disorder" em *DSM-IV*, pp. 339-45.
2. Coletei a história de santo Antônio no deserto de uma palestra de Elaine Pagels.
3. Virginia Woolf, 1950, pp. 140-41 e p. 168. [Ed. bras., p. 153 e pp. 181-2]
4. Para uma discussão dos "legalmente mortos", ver Sherwin Nuland, 1997, p. 123.
5. *Anhedonia* é "a incapacidade de sentir prazer", segundo definição de Francis Mondimore, 1995, p. 22.

471

6. *Comprehensive Textbook of Psychiatry*, edição de 1989, p. 870.

7. Schopenhauer, 1970, pp. 42-43 e p. 43.

8. O número 19 milhões vem do site do NIMH, <www.nimh.nih.gov/depression/index1.htm>. Que aproximadamente 2,5 milhões de crianças sofrem de depressão pode ser citado da compilação de determinado número de estatísticas. "O Estudo MECA", de D. Shaffer et al. (*Journal of the American Academy of Child and Adolescent Psychiatry* 35, n. 7, 1996), descobriu que aproximadamente 6,2% das crianças de nove a dezessete anos tinham tido um transtorno de ânimo num período de até seis meses, e que 4,9% sofriam de uma disfunção depressiva grave. Esta última porcentagem, aplicada às estatísticas do censo de 1990 para crianças entre cinco e dezessete anos (grosso modo, 45 milhões), iguala-se a uma estimativa de aproximadamente 2,5 milhões. Agradeço a Faith Bitterolf e à biblioteca da Academia Sewickley por sua ajuda com esse tópico.

9. O número 2,3 milhões vem do site do NIMH, <www.nimh.nih.gov/publicat/manic.cfm>.

10. A informação de que a depressão unipolar é a causa principal da incapacitação nos Estados Unidos e no mundo para pessoas de cinco anos de idade para cima está no site do NIMH, <www.nimh.nih.gov/publicat/invisible.cfm>. A estatística colocando a depressão grave como segunda em magnitude no grupo de doenças no mundo desenvolvido também vem do NIMH, em <www.nimh.nih.gov/publicat/burden.cfm>.

11. Segundo *The World Health Report 2000*, da Organização Mundial de Saúde, disponível em <www.who.int/whr/2000/index.htm>. A informação foi retirada da Tabela Anexada 4 e é válida para câncer do pulmão e câncer de pele, em alguns dados sobre mortalidade nas Américas e no Mediterrâneo Oriental, e em todos os dados sobre mortalidade na Europa, sudoeste da Ásia e no Pacífico Ocidental. Para Tabela Anexada 4, ver < http://www.who.int/whr/2000/en/whr00_annex_en.pdf?ua=1 >.

12. A ideia de que a doença somática mascara a depressão é um lugar-comum. Jeffrey De Wester (1996) escreve que embora "tenha sido estimado que 77% de todas as visitas de saúde mental nos Estados Unidos ocorrem num consultório médico de primeiros cuidados [...] menos de 20% desses pacientes se queixam de sintomas psicológicos ou aflição" (p. 54). Elizabeth McCauley et al. (1991) escrevem que "a somatização tem sido bem documentada como um caminho através do qual a depressão se apresenta, especialmente naqueles indivíduos e/ou culturas nos quais reconhecimento e expressão de estados de afeto não são aceitáveis" (p. 631). Para mais, ver também Remi Cadoret et al., 1980.

13. As porcentagens podem ser encontradas em D. A. Regier et al., , 1993). O estudo declara: "Aqueles com Depressão Unipolar Grave tiveram uma taxa intermediária de uso de serviço de saúde mental, na qual quase a metade (49%) recebeu algum cuidado profissional, com 27,8% usando o setor [da especialidade de saúde mental/ dependência] e 25,3% o setor [de cuidados médicos gerais]" (p. 91).

14. "Prescriptions of Antidepressants by General Practitioners: Recomendations by FHSAS e Health Boards". *British Journal of General Practice* 46, 1996.

15. Que a depressão é reconhecida apenas 40% das vezes em adultos e apenas 20% das vezes em crianças foi apurado por Steven Hyman, diretor do Instituto Nacional de Saúde Mental (NIMH), numa entrevista em 29 de janeiro de 1997.

16. Joseph Glenmullen, 2000, p. 15.

17. As taxas de mortalidade para a depressão foram estudadas extensamente e os resultados não são completamente consistentes. O número de 15% foi originalmente estabelecido por S. B. Guze e E. Robbins (1970) e confirmado por Frederick Goodwin e Kay Jamison numa resenha abrangente de trinta estudos incluída em seu livro *Manic-Depressive Illness* (ver o gráfico nas páginas 152-53). As taxas mais baixas são baseadas no trabalho de G. W. Blair-West, G. W. Mellsop e M. L. Eyeson-Annan (1997). Esse estudo demonstrou que, pegando estimativas correntes de níveis de depressão e aplicando-se a cifra de 15%, o resultado seria um número global de suicídios pelo menos quatro vezes mais alto do que o documentado. Alguns pesquisadores recentes propuseram um número de 6%, mas isso é baseado numa amostragem de população que parece conter um número enganosa-

mente alto de pessoas tratadas como pacientes internados (ver H. M Inskip, E. Clare Harris e Brian Barraclough, 1998). O trabalho mais recente é o de J. M. Bostwick e S. Pancratz, "Affective Disorders and Suicide Risk: a Re-examination" (*American Journal of Psychiatry*, no prelo). Esse trabalho estabelece uma taxa de 6% para aqueles que foram hospitalizados por depressão, 4,1% para os que receberam tratamento de paciente interno e 2% para aqueles que não tiveram nenhum tratamento de paciente interno. Deve-se enfatizar que os problemas estatísticos envolvidos nesses cálculos são extremamente complicados e que diferentes métodos de calcular a mortalidade proporcional têm fornecido taxas variadas, na maioria mais altas do que as estabelecidas por Bostwick e Pancratz.

18. As taxas cumulativas de depressão foram tiradas do Cross-National Collaborative Group, 1992; ver Figura 1, p. 3100).

19. D. A. Regier et al., 1991.

20. Para uma exegese especialmente eloquente sobre os efeitos negativos da supermodelo nas mulheres, ver Naomi R. Wolf, 1990.

21. Em *The Raising of Intelligence*, Herman Spitz declara: "Nas Escalas de Inteligência Wechsler, um retardo suave é englobado por QIs de 55 a 69, e na Escala de Inteligência Stanford-Binet, por QIs de 52 a 67" (p.,4).

22. Ato I, Cena I de *O mercador de Veneza* [Ed. bras., p. 549].

23. Os comprimidos nessas cores são BuSpar e Zyprexa (branco); Efexor de liberação imediata (rosa); Efexor de liberação longa (vermelho-escuro) e Wellbutrin (turquesa).

24. Vários estudos indicam que o câncer de pele está aumentando: H. Irene Ball et al. (1999), declara: "Nas últimas décadas, o melanoma tornou-se muito mais comum; seu aumento tanto em incidência quanto em taxas de mortalidade tem estado entre os maiores de qualquer tipo de câncer" (p.,35).

25. A visão de Hipócrates sobre a depressão é discutida no cap. 8.

26. Os horrores do Khmer Vermelho estão extensamente documentados. Para uma vívida representação das atrocidades, recomendo o filme *Os gritos do silêncio*.

27. A citação de Ovídio vem de Kay Jaminson, 1999, p. 66. [Ed. bras., p. 64]

2. COLAPSOS [pp. 38-96]

1. A história da minha vida com os russos está em meu primeiro livro, *The Irony Tower*, e em três artigos subsequentes para *The New York Times Magazine*: "Three Days in August", (29 set. 1991), "Artist of the Soviet Wreckage" (20 set. 1992) e "Young Russia's Defiant Decadence" (18 jul. 1993).

2. A banda de rock era a Middle Russian Elevation.

3. Gerhard Richter, 1998, p. 122.

4. "Defiantly Deaf", *The New York Times Magazine*, 28 ago. 1994.

5. Essa ideia tem sido apresentada em muitas ocasiões e é explicada em Peter Whybrow, 1997, pp. 153-65.

6. Na minha opinião, as porcentagens são baseadas em ciência ainda difícil e incerta e por isso mostram grandes discrepâncias. No entanto, retiro essas estatísticas, que refletem o consenso geral, do ensaio de Eric Fombonne, "Depressive Disorders: Time Trends and Possible Explanatory Mechanisms" (ver Michael Rutter e David J. Smith, 1995, p. 576).

7. Não me debrucei sobre a doença maníaco-depressiva; é um assunto que merece livros dedicados exclusivamente a ele. Para uma análise especializada das especificidades da doença, ver Fred Goodwin e Kay Jamison, 1990.

8. Julia Kristeva, 1989, p. 53. [Ed. bras., p. 46 e p.55]

9. O poema de Emily Dickinson, que é um de meus preferidos entre todos os escritos no mundo, está em *The Complete Poems of Emily Dickinson*, pp. 128-29. [Ed. bras. (2011), p. 275]

10. Daphne Merkin, 2001, p. 37.

11. Poema inédito.

12. Leonard Woolf, 1964, pp. 163-64.

13. O inventário do que ocorre durante a depressão é retirado de múltiplas fontes, assim como de incontáveis entrevistas com cientistas, médicos e especialistas. Para descrições soberbas e vívidas do básico da maioria desses processos, ver Peter Whybrow, op. cit., pp. 150-67. A edição de abril de 1999 de *Psychology Today* oferece outro resumo das biologias da depressão. O resumo de Charles Nemeroff da neurobiologia da depressão (1998), fornece também um debate mais detalhado e não acadêmico sobre os muitos tópicos complexos levantados aqui.

14. Fred Goodwin e Kay Jamison, 1990, p. 465.

15. Uma grande quantidade de trabalhos apoia essa ideia. Discuti a questão em detalhes com Robert Post, do NIMH, e John Greden, da Universidade de Michigan.

16. Kay Jamison, 1999, p. 198. [Ed. bras., p. 181]

17. O insight sobre convulsões no cérebro animal vem basicamente do trabalho de Suzanne Weiss e Robert Post. Para informação do fenômeno "kindling" e seu uso como modelo para disfunções afetivas, ver o artigo conjunto deles (1998).

18. A informação sobre a lesão dos sistemas monoamino em cérebros animais vem de Juan López et al., 1997. Sobre depressão e sistema monoamino e cortisol, ver Juan López et al., 1999.

19. A explicação de reações de estresse na depressão se baseia no trabalho de Juan López e Elizabeth Young, da Universidade de Michigan, e Ken Kendler, da Faculdade de Medicina da Virginia, em Richmond. Há tantas explicações sobre a depressão quanto estrelas no céu, mas acho que o modelo baseado no estresse dos cientistas da Michigan é especialmente convincente.

20. Ver O. M. Wolkowitz et al., 1999.

21. Os estudos sobre babuínos foram realizados por Robert Sapolsky e descritos para mim por Elizabeth Young em entrevista. O trabalho sobre controladores de tráfego aéreo pode ser encontrado em R. M. Rose et al., 1982.

22. É amplamente conhecido que o coração fica enfraquecido após um infarto do miocárdio. No entanto, a severidade do dano feito ao coração depende do tamanho da área de tecido morto dentro do órgão. Embora os dados indiquem que lesões de isolamento não causam necessariamente uma taxa de recidiva maior do que o controle sobre ele, a doença coronária difusa quase certamente o faz. Contudo, deve-se prestar muita atenção às condições cardíacas de alguém que sofreu um ataque do coração, e terapias para impedir uma recidiva são indicadas para tal pessoa. Agradeço ao dr. Joseph Hayes, de Cornell, por sua ajuda com essa questão.

23. O trabalho de López com os sistemas de estresse de ratos pode ser encontrado em Juan López et al., 1998. O trabalho sobre níveis de cortisol e aumento da adrenalina pós-suicídio está em Juan López et al., 1997.

24. Pesquisas sobre os efeitos do estresse contínuo no cérebro podem ser encontradas em muitos artigos, a grande maioria deles liderados por Robert Sapolsky. Para informação sobre a reação do cérebro ao estresse, ver Robert Sapolsky et al., 1990. Para estudos concernentes à interação do estresse biológico com o status social, ver Robert Sapolsky, 1995. O debate de Greden sobre epidemiologia da depressão grave está em Barbara Burns et al., 2000.

25. A literatura de antidepressivos está baseada primordialmente em estudos de curto prazo, e indica que antidepressivos fazem efeito entre duas e quatro semanas e alcançam função ótima em seis semanas. Minha experiência sugere fortemente que são precisos meses para plenos resultados desses remédios.

26. Mary Whooley e Gregory Simon, 2000.

27. O amigo a quem me refiro aqui é Dièry Prudent, cuja história é contada no cap. 5.

28. O trabalho de George Brown sobre a relação entre depressão e perda está publicado em diversos periódicos acadêmicos; faço uma pequena seleção deles na Bibliografia. Para uma intro-

dução especialmente boa a seu trabalho, recomendo o ensaio "Loss and Depressive Disorders", em *Adversity, Stress and Psychopathology* (1997).

29. Que o primeiro episódio de depressão está altamente relacionado a eventos de vida, e que os episódios recorrentes são menos dependentes de tais acontecimentos, é uma ideia defendida inicialmente por Emil Kraepelin em *Manic-Depressive Insanity and Paranoia*. Essa ideia tem sido estudada extensivamente, com descobertas de grande consistência. Um dos mais recentes estudos (Ken Kendler et al., 2000) passa em revista a literatura sobre o assunto, enquanto descobre em sua própria pesquisa "evidência forte e consistente para uma interação negativa. Isto é, com cada novo episódio depressivo prévio, a associação entre eventos estressantes de vida e instalação de depressão grave torna-se progressivamente mais fraca".

30. Esse ponto importante de Kay Jamison está simpaticamente resumido em um trecho de *Night Falls Fast*: "A desesperança absoluta da depressão suicida é, por sua natureza, contagiosa e torna aqueles que poderiam ajudar impotentes para fazê-lo" (p. 294 [Ed. bras., p. 266]).

31. São Tomás de Aquino, *Summa theologiae* I-II, c. 25, a. 4, v. 6, p.187. Para uma tradução confiável na língua inglesa, ver *Summa Theologica: Complete English Edition in Five Volumes*, c. 25, a. 4, v. 2, pp. 702-3. Agradeço ao dr. John F. Wippel e ao dr. Kevin White, da Universidade Católica da América, pela ajuda em localizar, traduzir e interpretar os trechos mencionados.

32. A sobreposição dos transtornos afetivos, alcoolismo e genética é extremamente complicada. Para um excelente resumo das posições, estudos e conclusões correntes, ver Frederick Goodwin e Kay Jamison, "Alcohol and Drug Abuse in Manic-Depression Illness", em *Manic--Depressive Illness*, p. 120. Também recomendo fortemente *Substance Abuse*, de David McDowell e Henry Spitz, e *Textbook of Substance Abuse Treatment*, de Marc Galanter e Herbert Kleber.

33. Stephen Hall, 1999, p. 45.

34. Para uma discussão mais aprofundada sobre a ansiedade e o sono, ver T. A. Mellman e T. W. Uhde, 1990.

35. Sylvia Plath, 1971, p. 3. [Ed. bras., p. 9]

36. Jane Kenyon, "Having it Out with Melancholy", 1993, p. 25.

37. Daniil Kharms, 1993, p. 4.

38. A citação de Artaud é tirada do título de um de seus desenhos. Ver Antonin Artaud, 1996.

39. F. Scott Fitzgerald, 1953, p. 66. [Ed. bras.:, p. 128]

40. Jane Kenyon, "Back", 1993, p. 32.

41. O manual padrão de medicina de emergência intitula-se *Emergency Medicine: Concepts and Clinical Practice*, 4ª edição, 3 v., editado por Peter Rosen et al.

3. TRATAMENTOS [pp. 97-129]

1. T. M. Luhrmann, 2000, p. 7.

2. Ibid., p. 290.

3. Virginia Woolf, 1937, p. 378. [Ed. bras., p. 380]

4. Russ Newman, o diretor-executivo para a prática profissional na American Psychological Association, escreve numa carta ao editor do *U.S. News & World Report*, em 26 de abril de 1999: "A pesquisa tem apontado claramente que em muitos casos de depressão o tratamento de escolha é realmente 'tratamentos de escolha': uma combinação de psicoterapia e medicação" (p. 8). Um estudo recente encontrou resultados semelhantes. Ver Martin Keller et al., 2000. Para um resumo desse estudo na grande imprensa, ver Erica Goode, 2000. Ellen Frank tem feito vários estudos comparando psicoterapias e terapias farmacológicas com diferentes populações específicas. Seu estudo geriátrico intitulado "Nortriptyline and Interpersonal Psychotherapy as Maintenance Therapies for Recurrent Major Depression" (1999), conclui: "Tratamento combinado usando as duas [estratégias de tratamento] parece ser a estratégia clínica ótima para preservar a recupera-

ção". Estudos iniciais nessa área, tais como Gerald Klerman et al. (1974), e Myrna Weissman e Eugene Paykel (1974), também apontam para a melhor eficácia da terapia combinada.

5. A descrição básica da metodologia de TCC pode ser encontrada no trabalho seminal de Beck, *Depression*. Entre publicações mais contemporâneas, ver especialmente Mark Williams (1992).

6. A expressão de Martin Seligman é o título de seu livro de 1990.

7. A metodologia básica de TIP é descrita minuciosamente em Myrna Weissman et al., 1996.

8. Hans Strupp e Suzanne Hadley, 1979. Eles escrevem: "Os resultados dessa investigação foram consistentes e diretos. Pacientes sob terapia com professores de faculdade mostravam quantitativamente, em média, tanta melhora quanto pacientes tratados por experientes psicoterapeutas profissionais" (p. 1134).

9. Minha discussão sobre os níveis de neurotransmissores dos deprimidos foi retirada de livros, artigos e entrevistas numerosos demais para serem mencionados. Muitas dessas ideias, contudo, estão elucidadas claramente em Peter Whybrow, 1997.

10. Ver T. Delgado et al., 1990, e K. Smith et al., 1997.

11. Para uma análise excelente da síntese e função da serotonina, ver Peter Whybrow, op. cit., pp. 224-27.

12. A teoria do receptor é explicada no excepcional livro de David Healy, *The Antidepressant Era*, pp. 161-63 e pp. 173-77.

13. A noção de função indireta para as drogas que causam efeito nos neurotransmissores e o problema da homeostase são discutidos provocativamente em Peter Whybrow, op. cit., pp. 150-67.

14. Os efeitos dos ISRSs no sono REM foram descritos na apresentação de Michael Thase, "Sleep and Depression", na APA 2000, a conferência anual da American Psychiatry Association, em 14 de maio de 2000, em Chicago. Os efeitos dos ISRSs na temperatura do cérebro é parte da química mais ampla da depressão. Tem sido observado que, na depressão, a temperatura do corpo, especialmente à noite, é com frequência mais elevada. Contudo, essa elevação é apenas relativa; a temperatura do corpo simplesmente cai menos à noite na depressão do que o faria normalmente. Essa temperatura noturna mais elevada na depressão vai junto com outras medidas de um estado superdespertado, como a insônia. Que os antidepressivos reduzem essa temperatura elevada é provavelmente bom — uma normalização, digamos assim. Alguns desses pontos são discutidos por Michael Thase e Robert Howland, em "Biological Processes in Depression: An Uptadet Review and Integration", em E. Edward Beckham e William Leber (Eds.), 1995, pp. 213-79.

15. A maior parte da informação concernente aos estudos animais, separação maternal, agressão e neurobiologia alterada vem de "Suicide Research Workshop", patrocinado pelo NIMH e ocorrido em 14 e 15 de novembro de 1996. Contudo, muito tem sido publicado nessa área. Como introdução ao tópico, recomendo especialmente Gary Kraemer et al., 1996.

16. Há muitos estudos sobre as separações maternas e o cortisol. Ver Gayle Byrne e Stephen Suomi, 1999, e David Lyons et al., 1999. Que os antidepressivos podem aliviar essa condição é explicado em Pavel Hrdina et al., 1979.

17. Sobre macacos cercopitecos dominantes, ver Michael Raleigh et al., 1984. Que um aumento de serotonina diminuirá esses problemas é debatido em Michael Raleigh e Michael McGuire, 1991, e Michael Raleigh et al., 1991.

18. Ver P. T. Mehlman et al., 1994.

19. Ver Michael McGuire e Alfonso Troisi, 1998, pp. 93-94 e pp. 172-74.

20. Ver C. Sanchez et al., 1993.

21. Há alguma controvérsia com respeito à frequência de efeitos colaterais de muitos dos ISRSs, principalmente Prozac. A maioria de estudiosos e clínicos sente que a frequência de muitos dos efeitos colaterais, especialmente impulso sexual reduzido e anorgasmia, foi radicalmente subestimada pelas empresas farmacêuticas em seus testes iniciais.

22. A informação de Anita Clayton é retirada de sua apresentação "Epidemiology, Classi-

fication, and Assessment of Sexual Dysfunction", pronunciada a 13 de maio na APA 2000, em Chicago.

23. A estatística vem da apresentação do dr. H. George Nurnberg, "Management of Antidepressant-Associated Sexual Dysfunction", pronunciada a 13 de maio na APA 2000, em Chicago.

24. Para essa lista das drogas pró-sexuais, ver ibid.

25. Para o efeito do Viagra na tumescência noturna do pênis, ver ibid.

26. Para a ideia de tomar Viagra diariamente, ver ibid.

27. O dr. Andrew Nierenberg apresentou sua pesquisa em "Prevalence and Assessment of Antidepressant-Associated Dysfunction"; a dra. Julia Warnock apresentou sua pesquisa em "Hormonal Aspects of Sexual Dysfunction in Women: Improvement with Hormone Replacement Therapy". As duas apresentações foram realizadas no dia 13 de maio na APA 2000, em Chicago.

28. Deve-se tomar cuidado considerável ao receitar antidepressivos de qualquer espécie para pessoas com doença maníaco-depressiva. Em geral, elas precisam de um estabilizador de estado de ânimo — lítio ou um anticonvulsivo — com antidepressivos.

29. Agradeço ao dr. David McDowell da Universidade Columbia por seu debate sobre o problema da dependência de benzodiazepínicos.

30. Os números concernentes à eficácia da TEC variam: Peter Whybrow, em *A Mood Apart*, cita uma taxa de 85%-90% (p. 216); Francis Mondimore, em *Depression: The Mood Disease*, avalia uma taxa mais alta de mais de 90% (p. 65). Os números que ofereço refletem uma média aproximada de muitas taxas de eficácia publicadas.

31. Harold Sackein et al., 2000. Eles relatam que a TEC unilateral direita, quando dada a 500% do limiar da convulsão, é tão eficaz quanto a TEC bilateral, mas provoca menos que um sexto dos efeitos colaterais cognitivos causados pela TEC bilateral.

32. Para uma discussão geral dos métodos da TEC, ver Francis Mondimore, 1995, e Elliot Valenstein, 1986.

33. Stacey Patton, 1999.

34. Richard Abrams, 1992, p 75.

35. Manning me descreveu piquetes de grupos de pessoas que se organizavam e distribuíam panfletos contra "controle eletrônico da mente". Uma oposição desse tipo ocorreu num evento patrocinado por uma livraria particular de Northampton, em Massachusetts, realizado na biblioteca do Smith College.

36. A passagem do Unabomber, Ted Kaczynski, é tirada de seu manifesto. Gostaria de afirmar que admiro seus insights e deploro seus métodos.

37. Juliet Barker, 1994, p. 599. Agradeço à artista Elaine Reichek por chamar minha atenção para esse trecho.

4. ALTERNATIVAS [pp. 130-65]

1. A citação de Tchekhov vem da epígrafe do poema de Jane Kenyon "Having It Out with Melancholy", 1993, p. 21.

2. Há muitos estudos sobre exercício e depressão; um dos mais rigorosos é J. A. Blumenthal et al. (1999).

3. Um debate extremamente acessível sobre o papel da dieta no combate à depressão pode ser encontrado em Vicki Edgson e Ian Marber, 1999, pp. 62-65.

4. J. R. Calabrese, 1999.

5. EMT e EMTR têm sido perseguidas simultaneamente por taxas de baixa eficácia e taxas altas de recidiva depressiva. Para uma introdução geral ao processo, teoria e métodos de EMT, ver Eric Hollander, 1997. Para mais informação específica acadêmica e orientada por pesquisas, ver W. J. Triggs et al., 1999, e Alvaro Pascual-Leone et al., 1996.

6. Norman Rosenthal, 1993.

7. Michael J. Norden, 1995, p. 36. Cálculos se basearam em 300 lux para a iluminação do interior doméstico; 10 mil lux para as novas caixas de luz e 100 mil lux para um dia ensolarado.

8. A literatura sobre EMDR é escassa; o melhor livro sobre o assunto em sua relação com a depressão é *Extending EMDR*, de Philip Manfield (Ed.).

9. Meus tratamentos em Sedona foram no Enchantment Resort.

10. As interessantes ideias de Callahan aparecem resumidas em Fred Gallo, 1999. Para a discussão de Callahan sobre suas técnicas com referência ao trauma, ver Roger J. Callahan e Joanne Callahan, 2000. Não estou convencido de que seu trabalho tem um verdadeiro significado clínico, embora seu modo de pensar seja útil a pessoas praticando terapias mais convencionais.

11. A passagem de Kurt Hahn é de *Readings from the Hurricane Island Outward Bound School*, p. 7, um livro maravilhoso cheio de citações e comentários publicado por Hurricane Island Outward Bound e vendido em sua loja, a School Locker.

12. Michael Yapko escreveu uma monografia impressionante e útil sobre a hipnose e as disfunções de ânimo intitulada *Hypnosis and the Treatment of Depression*.

13. Para teorias sobre sono e depressão, ver o trabalho de Michael Thase da Universidade de Pittsburgh e David Dingle da Universidade da Pensilvânia. Thomas Wehr, do NIMH, é também um expert no campo. A descrição das fases de sono alterado vem de um número de fontes, tanto impressas quanto orais. Ver Thomas Wehr, 1979, 1990 e 1992, e M. Berger et al., 1997. Para mais sobre esse tópico, ver também Michael Thase e Robert Howland, "Biological Processes in Depression: An Updated Review and Integration", em E. Edward Beckham e William Leber (Eds.), 1995, pp. 213-79.

14. F. Scott Fitzgerald, 1993, p. 75. [Ed. bras., p. 44] Agradeço à sempre vigilante Claudia Swan por sugerir esse trecho.

15. Ver o material de A. S. Blix em André Malan e Bernard Canguilhem (Eds.), 1989.

16. Há uma vasta literatura sobre a erva-de-são-joão, a maioria repetitiva, parte dela sensacionalista e uma boa porção dela tola. Utilizei aqui o livro de Normal Rosenthal, *St. John's Wort*. A informação relativa ao hipérico e à interleucina foi tirada do site <www.nccam.nih.gov/nccam/fcp/factsheets/stjohnswort/stjohnwort.htm>, do National Center for Complementary and Alternative Medicine, dos National Institutes of Health.

17. Achei o texto de Andrew Weil extremamente irritante e não o recomendo. Seus pontos de vista sobre esses assuntos estão agradavelmente resumidos em Jonathan Zuess, pp. 66-67.

18. O dr. Thomas Brown, da Universidade Tulane, condenou a erva-de-são-joão, dizendo ser "olhada um tanto ilogicamente por muitos como natural e por isso segura". Ver Thomas Brown, 2000, p. 231. Como outros antidepressivos, a planta desencadeou episódios de mania aguda; ver Andrew Nierenberg et al., 1999. Há evidência de que a planta pode causar sensibilidade de pele em altas dosagens em vacas e ovelhas; ver O. S. Araya e E. J. Ford, 1981.

19. Para informação sobre a erva-de-são-joão e interações de drogas, ver o site do NIMH, <www. nimh.nih.gov/events/stjohnwort.cfm>. Um artigo recente também examina os dados correntes sobre o assunto; ver A. Fugh-Berman, 2000.

20. *Consumer Reports*, "Emotional 'aspirin'?", dez 2000, pp. 60-63.

21. Para estudos controlados de S-adenosilmetionina (SAME), ver G. M. Bressa, 1994.

22. *Consumer Reports*, op. cit.

23. Richard Brown, Teodoro Bottiglieri e Carol Colman, 1999, pp. 74-75.

24. Joseph Lipinski et al., 1984.

25. No site <www.nccam.nih.gov/nccam/fcp/factsheets/acupuncture/acupuncture.htm>.

26. Os tratamentos de homeopatia de Claudia Weaver foram receitados e administrados por Pami Singh.

27. O livro fundamental de Hellinger é *Love's Hidden Symetry*. Reinhard Lier dirige o Lin-

derhof Therapy Center na Baviera, onde realiza a maior parte de sua prática. A visita de Reinhard Lier aos estados Unidos foi organizada por Regine Olsen.

28. As citações dos textos de Frank Rusakoff são tiradas de manuscritos inéditos.

29. Para uma discussão da tradição de feitiçaria entre os senegaleses, ver William Simmons, 1971.

30. A reboxetina passou em todos os testes até essa data e espera aprovação da Food and Drug Administration (FDA). Num e-mail recente, a Pharmacia escreve: "Com relação à reboxetina, não recebemos a aprovação da Food and Drug Administration (FDA) nos Estados Unidos, e não podemos especular sobre a data de quando esse remédio pode estar disponível. Baseada na carta de aprovação que a Pharmacia recebeu da FDA em 23 de fevereiro de 2000, julgamentos clínicos adicionais devem ser realizados antes que o produto possa ser aprovado". Para maiores informações, recomendo visitar o site da Pharmacia, <www2.pnu.com>.

31. Para mais informação sobre a substância P, ver o site da Merck, <www.merck.com>. Uma introdução à substância P como antidepressivo é fornecida em David Nutt, 1998.

32. Recolho o número de "aproximadamente 30 mil" de Craig Venter et al., 2001, que dizia, em parte, que a "análise da sequência do genoma revelou transcrições em código de 26588 proteínas para as quais havia forte evidência corroboradora e adicionais 12 mil genes derivados computacionalmente com camundongos ou outras fracas evidências de apoio". Agradeço a Edward R. Winstead por ter chamado minha atenção para esse artigo. Agradeço Polly Shulman por seu conselho sobre o significado matemático de dez variações para cada um dos 30 mil genes.

5. POPULAÇÕES [pp. 166-206]

1. Isso é repetido por toda a literatura. O trabalho estatístico para apoiar essa afirmativa foi realizado e coletado internacionalmente por Myrna Weissman, da Universidade Columbia, e publicado como "Cross-National Epidemiology of Major Depression and Bipolar Disorder" (1996).

2. Essa ideia é bastante comum e prevalece na maior parte da literatura sobre o assunto. Ver Susan Nolen-Hoeksema, 1990.

3. Embora os argumentos sobre os componentes biológicos da depressão das mulheres sejam inconclusivos, é inegável que os efeitos do estado de ânimo resultam de flutuações de estrogênio e progesterona nos sistemas hormonais hipotalâmico e pituitário. Uma discussão sobre esses fenômenos pode ser encontrada em ibid., pp. 64-76.

4. E. Clare Harris e Brian Barraclough, 1994.

5. O número sobre depressão pós-parto reflete um conjunto de estatísticas extremamente variadas. Há dois problemas para se chegar a um número preciso: primeiro, a extensão do rigor com que se define a depressão pós-parto afeta radicalmente sua aparente frequência, segundo, muitos sintomas semelhantes aos que são encontrados na depressão podem na verdade ocorrer como repercussões fisiológicas do parto. Susan Nolen-Hoeksema escreve sobre um estudo no qual "as aparentemente altas taxas de depressão nas mães recentes resultavam do conhecimento por parte dessas das dores, sofrimentos e problemas para dormir que vêm com a gravidez e ter um novo bebê, mais do que a presença completa dos sintomas de depressão". Ela continua: "A estimativa da prevalência da depressão não psicótica em mulheres durante o período pós-parto vai de 3% a 33%". Ela fornece uma média de 8,2%. Essas citações estão em *Sex Differences in Depression*, pp. 62-65. Verta Taylor, em seu livro sobre depressão pós-parto intitulado *Rock-A-By Baby*, relata que 10% a 26% de mães recentes sofrem dessa doença.

6. Susan Nolen-Hoeksema, op. cit., pp. 62-64. A depressão da menopausa é descrita nas páginas 70-71.

7. Simeon Margolis e Karen L. Swartz, 1998, p. 14.

8. A questão da privação dos direitos de cidadania como fonte da depressão das mulheres é

amplamente discutida em vários livros e publicações, inclusive *Sex Differences and Depression*, de Susan Nolen-Hoeksema, *Crazy for You*, de Jill Astbury, e *Silencing the Self*, de Dana Crowley Jack.

9. Susan Nolen-Hoeksema, op. cit., p. 68. O trecho citado está em pp. 60-61.

10. Ibid., pp. 26-28.

11. A informação sobre a natureza da privação das mulheres de seus direitos não é tirada literalmente de nenhuma fonte. Vários autores descreveram e explicaram esses diversos fenômenos de modos diferentes. Minha lista não pretende ser definitiva ou esgotar o assunto. Para explicações mais profundas dessas ideias, recomendo *Sex Differences in Depression*, de Susan Nolen-Hoeksema, *Crazy for You*, de Jill Astbury, e *Silencing the Self*, de Dana Crowley Jack.

12. As feministas da depressão, assim como diversos resumos sobre a conexão entre depressão e status marital podem ser encontrados em Susan Nolen-Hoeksema, op. cit., pp. 96-101.

13. As estatísticas globais sobre as taxas de depressão feminina e masculina estão em Myrna Weissman, 1996, trabalhando com base em seus estudos epidemiológicos (ver a nota 1 do cap. 5). Que as mulheres têm taxas mais altas de disfunções de pânico e de alimentação, enquanto os homens têm incidências maiores de autismo, disfunção de hiperatividade com déficit de atenção e alcoolismo, foi discutido numa correspondência pessoal com Steve Hyman.

14. Brown tem feito também muitos trabalhos interessantes com relação ao "papel dos eventos da vida na instalação das disfunções depressivas". Vários estudos seus e de seus colegas descobriram que a humilhação e o aprisionamento são fatores-chave descritivos de eventos psicogênicos para as mulheres; ver George Brown, 1995. Outras descobertas dos cientistas sobre a importância de papéis na definição da depressão são relatados em numerosos artigos. Que a preocupação da mulher com seus filhos deve ser um típico evento psicogênico para ela é consistente com o tradicional papel de gênero. Contudo, um artigo declara: "Quando na prática o homem também teve um significativo envolvimento em papéis domésticos, essa diferença de gênero na instalação da depressão não ocorreu". Para mais informação sobre esse tópico, ver J. Y. Nazroo et al., 1997, p. 9.

15. As teorias evolucionárias de Myrna Weissman sobre depressão e mulheres vêm de uma entrevista.

16. Gemma Gladstone et al., 1999, pp. 431-37.

17. Para informação sobre anorexia e depressão, ver Christine Pollice et al., 1997, e Kenneth Altshuler et al., 1985.

18. A descrição de Dora feita por Freud ocorre em seu ensaio "Fragment of an Analysis of a Case of Hysteria", em *The Standard Edition of the Complete Psychological Works of Sigmund Freud*, v.7. Para uma discussão feminista de Dora, ver Jill Astbury, 1996, pp. 109-32.

19. Para uma discussão sobre ideias de feminilidade e depressão, ver Susan Nolen-Hoeksema, op. cit. Para uma discussão das expectativas da maternidade e depressão pós-parto, ver Verta Taylor, 1996, pp. 35-58.

20. Dana Crowley Jack, 1991, pp. 32-48.

21. Jill Astbury, op. cit., pp. 2-3.

22. Eric Marcus, 1996. Ele declara: "Das aproximadamente 30 mil pessoas por ano que se matam, 24 mil são homens e 6 mil são mulheres" (p. 15).

23. Myrna Weissman et al., 1996.

24. Bruce Bower, 1995, p. 346.

25. Para características de crianças com mãe deprimida, ver Marian Radke-Yarrow et al., 1993. Ver também o texto para pedido de bolsa de Anne Riley, "Effects on children of treating maternal depression", p. 32.

26. Bruce Bower, 1990, reporta-se a uma variedade de estudos que encontraram depressão infantil até em crianças de três meses de idade.

27. Os efeitos da depressão materna sobre o filho jovem parece imediato e grave. Tiffany Field, uma especialista no campo que vem publicando por mais de duas décadas, escreve com

relação a uma depressão quase "neonatal": "Crianças mostram um 'desregulamento' em seu comportamento, fisiologia e bioquímica que provavelmente deriva de exposição pré-natal a um desequilíbrio bioquímico em suas mães" (1998, p. 200). Infelizmente, esses efeitos malignos também parecem perdurar. Nancy Aaron Jones et al. (1997) descreve um estudo no qual os filhos de mães deprimidas foram acompanhados de três meses a três anos de idade. Sete das oito crianças que haviam mostrado assimetria de EEG quando bebês ainda mostravam esse padrão de desregulamento aos três anos de idade. Entretanto, estudos têm mostrado também que mesmo a atenção e a interação maternais mais básicas podem minorar boa parte do problema. Martha Peláez-Nogueras et al. (1996) afirma que a interação calma e íntima da mãe tocando seu filho pode ter efeitos drasticamente positivos no estado de ânimo e sociabilidade da criança. Outros estudos, como os de Sybil Hart et al. (1998) e Tiffany Field et al. (1982), demonstram que a educação dos pais pode melhorar parte dos danos causados pela depressão maternal.

28. Catherine Lee e Ian Gotlib, 1991.

29. Myrna Weissman et al., 1997.

30. Anne Riley, "Effects on children of treating maternal depression", p. 32.

31. Leonard Milling e Barbara Martin, "Depression and Suicidal Behavior in Preadolescent Children", in C. E. Walker e M. C. Roberts, 1992, pp. 319-39. Ver também David Fassler e Lynne Dumas, 1998.

32. O trabalho de Sameroff sobre crianças de dois a quatro anos filhas de mães deprimidas está em Sameroff et al., 1982.

33. A. C. Guyton et al., 1972, p. 12.

34. René Spitz, 1946. Para um exemplo de caso, ver René Spitz et al., 1965.

35. Minha descrição de "incapacidade de prosperar" é tirada de entrevistas com Paramjit T. Joshi no Johns Hopkins e Deborah Christie na Unidade Médica Adolescente no University College de Londres e no hospital Middlesex.

36. Para a estatística de 1%, ver E. Poznaski et al., 1970. Para a estatística de 60%, ver T. A. Petti, 1978.

37. Para os números de suicídio infantil, ver Leonard Milling e Barbara Martin, op. cit., p. 328. Segundo as estatísticas para 1997 do site do NIMH, o suicídio foi a terceira maior causa de morte de crianças entre dez e catorze anos.

38. Que os tricíclicos não são eficazes em crianças e adolescentes está em N. D. Ryan et al., 1986. Há menos estudos relativos aos IMAOS e à depressão infantil e adolescente porque, como escrevem Christopher Kye e Neal Ryan (1995), essas drogas "exigem uma sensibilidade especialmente alta para a impulsividade, aquiescência e maturidade do adolescente deprimido" (p. 276). A ideia geral sustentada pela maioria dos clínicos hoje está bem resumida em Paul Ambrosini, 2000. Ele escreve que os estudos até a presente data "poderiam sugerir que disfunções afetivas entre crianças e adolescentes representam uma entidade biológica distinta que tem um padrão de resposta diferente à farmacoterapia" (p. 632).

39. Myrna Weissman et al., 1999a, pp. 1707-713.

40. Somente no mundo pós-freudiano fizeram-se finalmente perguntas em relação à depressão infantil. Embora ela seja agora bem documentada como uma realidade clínica, os números parecem aumentar durante a adolescência. Myrna Weissman et al. (1999a) escrevem: "Agora está claro que a disfunção depressiva grave frequentemente instala-se na adolescência". Que aproximadamente 5% de adolescentes sofrem de depressão é uma estatística citada com frequência; eu a tirei de Patricia Meisol, 1999.

41. Recomendo fortemente o vídeo *Day for Night: Recognizing Teenage Depression*, produzido pela Associação para o Tratamento da Depressão e Distúrbios Afetivos Relacionados (Depression and Related Affective Disorders Association, DRADA) , em cooperação com a Escola de Medicina da Universidade Johns Hopkins. É um registro eloquente e inspirador dos tipos de depressão que afligem os jovens hoje.

42. Que pais subestimam a depressão de seus filhos pode ser deduzido de vários estudos e estatísticas. Um deles, de Howard Chua-Eoan (1999), atesta que "descobriu-se que 57% de adolescentes que haviam tentado suicídio estavam sofrendo de depressão grave. Mas apenas 13% dos pais de suicidas acreditavam que o filho estava deprimido" (p. 46-47).

43. George Colt, 1991, p. 39.

44. Trabalho pioneiro feito por Myrna Weissman e outros começou a jogar luz na realidade clínica da depressão infantil e adolescente. Muitos pesquisadores estão começando a olhar para os efeitos de longo prazo de diagnósticos prematuros. Weissman et al. (1999a) observam: "As descobertas importantes são um resultado ruim da Disfunção Depressiva Grave que se instala na adolescência e a continuidade e especificidade dessa disfunção surgindo em tal fase e continuando na idade adulta" (p. 1171).

45. Eric Fombonne, "Depressive Disorders: Time Trends and Possible Explanatory Mechanisms", in Michael Rutter e David J. Smith, 1995, p. 573.

46. Leonard Milling e Barbara Martin, op. cit., p. 325.

47. A ideia de que o abuso sexual provoca depressão é discutido em Jill Astbury, op. cit., pp. 159-91. Gemma Glastone et al. (1999) discutem o abuso sexual como causa indireta da depressão (pp. 431-37).

48. A história de adoção em orfanato russo foi recontada em Margaret Talbot, 1998.

49. Vários artigos e estudos, acadêmicos ou não, indicam que os idosos deprimidos são subtratados. Sara Rimer (1999) explora as diversas causas e consequências; no artigo, o dr. Ira Katz, diretor de psiquiatria geriátrica na Escola de Medicina da Universidade da Pensilvânia, é citado dizendo: "Mais de um em seis pacientes idosos que vão ao ambulatório médico têm um grau de depressão clinicamente significativo, mas apenas um em seis deles obtém tratamento adequado". George Zubenko et al. (1994) explicam: "Tem sido observado que o reconhecimento da depressão grave nos idosos é dificultado pelo fato de o ânimo deprimido parecer menos proeminente em pacientes mais idosos do que nos adultos jovens. Além disso, o crescente fardo das disfunções físicas com o aumento da idade complica o diagnóstico diferencial da depressão grave nos idosos, especialmente quando é feita uma avaliação cruzada".

50. Emil Kraepelin, 1992.

51. Ibid.

52. Ibid.

53. Sobre as dimensões sociais da depressão nos idosos e a importância de ter um bom amigo, ver Judith Hays et al. 1998.

54. C. G. Gottfries et al., 1992.

55. Ibid.

56. Diversos estudos propõem que a diminuição de serotonina ao longo do envelhecimento natural não tem necessariamente consequências imediatas terríveis. B. A. Lawlor et al. (1989) declaram eloquentemente: "O significado funcional das alterações na serotonina cerebral (5HT) associado com o envelhecimento normal tanto em animais quanto em humanos é amplamente desconhecido".

57. George Zubenko et al., 1994.

58. Ibid.

59. Ibid.

60. O termo "incontinência emocional" é usado em Nathan Herrmann et al., 1996.

61. Diego de Leo e René F. W. Diekstra, 1990, pp. 21-38.

62. O papel da depressão na previsão do Alzheimer e da senilidade é debatido em Myron Winer, 1994.

63. Ibid.

64. Alan Cross et al., 1984, e Alan Cross, 1990.

65. C. G. Gottfries et al., 1992.

66. M. Jackhuelyn Harris et al. (1989) é minha fonte sobre uso a longo prazo de baixas doses de ISRSs. Eles escrevem: "Geralmente os pacientes de Alzheimer requerem dosagens mais baixas de medicação e testes de tratamento mais extensos do que pacientes mais jovens tratados por depressão". (p. 26).

67. O uso de trazodona e benzodiazepínicos é descrito em Nathan Herrmann et al., 1996.

68. Ibid.

69. Para uma discussão sobre depressão e derrame e estatísticas relacionadas ao assunto, ver Allan House et al., 1996.

70. Ibid.

71. A história do homem com acessos de choro está em Grethe Andersen, 1995.

72. A história do homem que voltou a trabalhar depois de bastante tempo, ver ibid.

73. Ian Hacking, 1998, pp. 1-5.

74. Meri Nana-Ama Danquah, 1998, pp. 18-19.

75. Shawn Tan, 1999.

76. Os trechos sobre depressão entre os homossexuais foram retirados do trabalho de Richard C. Friedman e Jennifer Downey, especialmente de "Internalized Homophobia and the Negative Therapeutic Reaction" (1995) e "Internal Homophobia and Gender-Valued Self-Esteem in the Psychoanalysis of Gay Patients" (1999). Esse trabalho foi aumentado e reunido em *Psychoanalysis and Sexual Orientation: Sexual Science and Clinical Practice*. Consultei Richard Friedman e ele forneceu informação complementar antecipando o livro, e minhas citações em vários exemplos une os dois artigos com linguagem aprovada por Friedman e Downey.

77. R. Herrel et al., 1999. Eles usaram um registro que fora estabelecido durante a Guerra do Vietnã e comparavam os que eram exclusivamente heterossexuais aos que tinham tido parceiros do mesmo sexo. Além das chocantes taxas de tentativas de suicídio, o estudo indicava que, enquanto homens heterossexuais tinham uma taxa de 25,5% de fantasias de suicídio, entre os gays a proporção subia para 55,3%.

78. O estudo de 2000 com homens entre 17 e 39 anos foi chefiado por Cochran e Mays e na verdade considerava coortes de 3648 pessoas escolhidas ao acaso (S. D. Cochran e V. M. Mays, 2000). Os mesmos pesquisadores, usando bancos de dados diferentes de 9908 pessoas, consideraram disfunções de pânico em quem tinha feito sexo só com membros do sexo oposto e os que tinham tido parceiros do mesmo sexo durante o ano anterior (S. D. Cochran e V. M. Mays, 2000). Daqueles considerados para o último estudo, 2479 tiveram que ser recusados porque (um tanto deprimentemente, acho) não tinham tido nenhum parceiro sexual durante o ano anterior.

79. O estudo longitudinal da Nova Zelândia pediu aos envolvidos que comentassem sua orientação sexual e relações sexuais a partir dos dezesseis anos de idade e mostra fatores de risco para muitas doenças (D. M. Fergusson et al., 1999).

80. O estudo holandês realizado em 1999 utilizou um grupo de 5998 pessoas, e nele homens e mulheres homossexuais foram observados; tinham pelo menos um diagnóstico psiquiátrico *DSM-III-R* mais frequentemente do que heterossexuais. Homens gays tinham taxas aumentadas de depressão e ansiedade atuais e pela vida afora; mulheres gays tinham uma prevalência mais alta de depressão grave e dependência de álcool e droga. Ver T. G. Sandfort et al., 2001.

81. O estudo sobre a juventude em Minnesota com 36254 estudantes foi publicado por G. Remafedi et al. (1998). Ele não indicou nenhuma variação para fantasia de suicídio entre lésbicas e mulheres heterossexuais, mas mostrou que, enquanto os homens heterossexuais tinham uma taxa de 4,2% de fantasia de suicídio, os homens gays chegavam a 28,1%.

82. O estudo com 3365 homens pode ser encontrado em R. Garofalo et al., 1999.

83. O estudo incluía uma coorte de 1563 pessoas. Estudantes homossexuais/ bissexuais mostraram mais incidência de suicídio do que estudantes homossexuais; 12% de homossexuais tinham tentado suicídio e 2,3% de heterossexuais, e 7,7% de homossexuais tinham feito uma

tentativa de suicídio que exigiu atenção médica nos doze meses anteriores, em contrapartida a 1,3% de jovens heterossexuais. Ver A. H. Faulkner e K. Cranston, 1998. O estudo mostrou que estudantes gays corriam um risco elevado de ferimento, doença, morte por violência, uso de drogas e comportamento suicida.

84. C. L. Rich et al., 1986. Este foi um estudo não controlado. D. Shaffer et al. (1995) tentaram reproduzir esses resultados na área da cidade de Nova York e não foram capazes de fazê-lo, mas esses pesquisadores estavam trabalhando apenas com suicídio juvenil e informaram-se sobre orientação sexual com os membros da família e os colegas, que em muitos casos provavelmente não sabem e, em outros casos, não gostam de admitir nem para si mesmos os detalhes da orientação sexual de seus filhos.

85. Para a socialização de homens gays, a criação de filhos num meio ambiente homofóbico e a incorporação precoce de atitudes homofóbicas, ver A. K. Maylon, 1982.

86. R. Garofalo, 1998. Os autores descobriram que os homossexuais no grupo eram também mais propensos a se engajarem em uso de várias drogas, comportamento sexual e outros comportamentos de alto risco.

87. O fato de as taxas de suicídio serem especialmente altas entre os judeus em Berlim entre as guerras foi publicado em Charlotte Salomon (1998, p. 10), embora tenha recebido maior exposição em painéis de texto montados como parte da exposição do extraordinário trabalho de Salomon no Jewish Museum no início de 2001. Eu agradeço a Jennie Livingston por me monitorar quanto a esse material e por propor o vínculo entre os suicídios judeus na Alemanha pré-nazista e os suicídios gays nos Estados Unidos.

88. Hendrik Hertzberg, 1998.

89. Jean Malaurie (1982), embora muito criticado nos anos recentes, faz um relato especialmente comovente e apaixonante da vida dos tradicionais inuítes na Groenlândia.

90. Tine Curtis e Pter Bjerregaard, 1955, p. 31.

91. A. Alvarez, 1971, p. 103. [Ed. bras., p. 93]

92. Inge Lynge, 1997. Devo agradecer a John Hart pelo paralelo com "running amok".

93. Jean Malaurie, op. cit., p. 109.

6. VÍCIO [pp. 207-31]

1. Há cerca de 23 drogas normalmente usadas, segundo o site do Instituto Nacional de Uso de Drogas, <www.nida.nih.gov/DrugsofAbuse>.

2. David McDowell e Henry Spitz, 1999, p. 19.

3. Peter Whybrow (1997, p. 213) fornece um resumo conciso das interações entre cocaína e dopamina. Uma análise mais profunda pode ser encontrada em Marc Galanter e Herbert Kleber (1999, pp. 21-31).

4. Ibid., pp. 11-19.

5. Ibid., pp. 6-7 e pp. 130-31.

6. Craig Lambert, 2000.

7. Nora Volkow, 1999.

8. Id., 2000.

9. James Anthony et al., 1994.

10. David McDowell e Henri Spitz, op. cit., pp. 22-24.

11. H. D. Abraham et al., 1999.

12. O trabalho com TEP mostrando recuperação limitada mesmo no período de três meses vem sendo feito pela dra. Nora Volkow; ver, por exemplo, "Long-Term Frontal Brain Metabolic Changes in Cocaine Abusers" (1992). Alvaro Pascual-Leone et al. (1991) e Roy Mathew e William Wilson (1991) ilustram que o uso crônico de drogas tem consequências neurológicas persistentes.

Para informação sobre dano cognitivo, inclusive déficits de memória, atenção e abstração, ver Alfredo Ardila et al. (1991) e William Beatty et al. (1995).

13. Michael Charness (1993) faz uma análise minuciosa das múltiplas causas de lesões em alcoólatras. Para um exame mais geral e recente do álcool e dano cerebral, ver Marcia Barinaga, 2000. Andrey Ryabinin (1998) discute que a perda de memória é um problema nesse grupo.

14. David McDowell e Henry Spitz, op. cit., p. 220. Mark Gold e Andrew Slaby (1991) discordam dessa posição; eles escrevem que "a medicação antidepressiva não deveria ser receitada para alcoólatras ativos porque o tratamento apropriado provavelmente é um período de sobriedade" (pp. 210-11).

15. Latência aumentada do REM foi há muito estabelecida como uma marca assinalando depressão. Ver Francis Mondimore (1995, pp. 174-78) para uma boa discussão geral sobre depressão e sono. O trabalho sobre sono REM, alcoolismo e depressão vem de dois estudos: D. H. Overstreet et al. 1989, e P. Shiromani et al., 1987.

16. Mark Gold e Andrew Slaby, op. cit., pp. 7-10.

17. Para testes para diagnóstico primário *versus* depressão secundária, ver ibid., pp. 108-9.

18. Os números sobre a proporção de depressivos que sofrem de alcoolismo secundário e vice-versa tiro de Barbara Powell et al., 1987. Para mais sobre esse tópico complicado, ver Bridget Grant et al., 1996.

19. Boris Segal e Jacqueline Stewart, 1996. Eles escrevem lucidamente: "Considerando-se mais extensamente os fatores epidemiológicos, deve-se notar que a adolescência é o período de risco primordial para a iniciação ao uso de drogas: os que não experimentaram drogas lícitas ou ilícitas até a idade de 21 anos provavelmente não o farão depois" (p. 196).

20. Mark Gold e Andrew Slaby, op. cit.: "Alcoólatras que apresentam depressão em períodos de sobriedade voltam a beber mais frequentemente do que aqueles sem depressão" (p. 108).

21. R. E. Meyer, 1986, pp. 3-16.

22. A remissão dos sintomas aparentemente esquizofrênicos (paranoia, delírios, alucinações etc.) em pacientes com depressão e problemas de uso de estimulantes está relacionada ao fato de que a mania pode frequentemente ser precipitada pelo excesso de dopamina. A abstinência do uso de estimulantes pode ajudar a controlar tais excessos. Para mais sobre as relações entre estimulantes, mania e psicose, ver Robert Post et al., 1976, e John Griffith et al., 1972.

23. Mark Gold e Andrew Slaby, op. cit.

24. Ibid., pp. 105-15.

25. Abdu'l-Missagh A. Ghadirian e Heinz E. Lehmann (Eds.), 1993, p. 112. Mark Gold e Andrew Slaby (1991) dizem: "Taxas de tentativas de suicídio autorrelatadas aumentam progressivamente com o uso crescente de substâncias lícitas ou ilícitas" (p. 14).

26. Que a depressão geralmente desaparece por causa da abstinência pode ser concluído de um número de estudos. Mark Gold e Andrew Slaby (1991) dizem: "Para a maioria desses alcoólatras primários, os sintomas secundários depressivos tendem a refluir na segunda semana do tratamento e continuam a decrescer mais gradualmente com três a quatro semanas de abstinência" (pp. 107-8).

27. O álcool faz com que todos os medicamentos sejam absorvidos mais rapidamente; e é um princípio primário da terapia antidepressiva que os picos de absorção exacerbam efeitos colaterais.

28. Craig Lambert, 2000. Os comentários de Bertha Madras aparecem no mesmo artigo.

29. J. C. Aguirre et al., 1990.

30. David McDowell e Henry Spitz, op. cit.

31. As estatísticas sobre temperança irlandesa e israelense foram discutidas numa entrevista com o dr. Herbert Kleber, em 9 mar. 2000.

32. T. S. Eliot, "Gerontion", 1971, p. 22. [Ed. bras., p. 78]

33. As citações sobre substituição vêm de Mark Gold e Andrew Slaby, op. cit., p. 199.

34. A história de pimenta no olho do elefante vem de Sue Macartney-Snape, que tem passado muito tempo no Nepal e entrevistou numerosos motoristas *howdah*.

35. Marc Galanter e Herbert Kleber, 1999, p. 216.

36. David Gilbert, 1995, pp. 49-59.

37. Para um relato mais completo de minha vida com artistas russos, ver *The Ivory Rower: Soviet Artists in a Time of Glasnost*.

38. Que a razão fundamental por trás das taxas de álcool na Escandinávia inclui os benefícios de suicídio reduzido foi discutido com Håkan Leifman e Mark Ramstedt, do Instituto Sueco de Pesquisa Social sobre Álcool e Drogas (Swedish Institute of Social Research on Alcohol and Drugs, SoRAD). Informação estatística é fornecida num estudo de Mats Ramstedt, "Alcohol and Suicide in 14 European Countries", a ser publicado em suplemento vindouro de *Addiction*. Para mais informação sobre a relação entre o consumo de álcool e o suicídio, ver George Murphy (1992) e I. Rossow (1996).

39. David McDowell e Henry Spitz, op. cit., pp. 45-46.

40. Para os efeitos tóxicos do álcool no fígado, no estômago e no sistema imune, ver ibid., pp. 46-47.

41. Donald Goodwin, 2000, p. 52.

42. David McDowell e Henry Spitz, op. cit., pp. 41-42.

43. O papel da serotonina e do cortisol na resistência ao consumo do álcool é discutido em Mark Galanter e Herbert Kleber, op. cit., pp. 6-7 e pp. 130-31.

44. Tirei a informação sobre os receptores gaba da correspondência pessoal com Steven Hyman e David McDowell. Para uma discussão em profundidade sobre álcool, gaba e outros neurotransmissores cerebrais, ver Marc Galanter e Herbert Kleber, op. cit., pp. 3-8. O trabalho sobre o reforço da serotonina no consumo de álcool está em R. J. Niesink et al., 1998, pp. 134-37.

45. A superioridade das terapias psicodinâmicas para pacientes com diagnóstico duplo parece mais uma realidade clínica do que um fato bem estudado. A maioria dos médicos com que falei acreditava que para uma recuperação real um paciente de diagnóstico duplo precisa entender como o uso de drogas afeta a depressão e vice-versa. Marc Galanter e Herbert Kleber (1999) escrevem que para "pacientes para quem a regulação do afeto é uma questão, a psicoterapia psico-dinâmica pode ser especialmente valiosa" (p. 312).

46. Os métodos da Columbia estão no Programa S.T.A.R.S. (Substance Treatment and Research Service).

47. Muito tem sido publicado sobre o Antabuse. Para uma descrição detalhada de seu modo de ação, ver David McDowell e Henry Spitz, op. cit., pp. 217-19.

48. Ibid., pp. 48-51.

49. Para informação sobre a história da maconha, ver ibid., p. 68.

50. Marc Galanter e Herbert Kleber, op. cit., pp. 172-73.

51. Mark Gold e Andrew Slaby, op. cit., p. 18.

52. David McDowell e Henry Spitz, op. cit., p. 18.

53. R. A. Yokel et al., 1978. Há numerosos estudos envolvendo macacos rhesus com os mesmos resultados; ver por exemplo T. G. Aigner et al., 1978.

54. A neurofisiologia da ressaca de cocaína está em Mark Gold e Andrew Slaby, op. cit., pp. 109-10.

55. Os efeitos gerais das anfetaminas e cocaína nos neurotransmissores são descritos em R. J. M. Niesink et al., op. cit., pp. 159-65.

56. Mark Gold e Andrew Slaby, op. cit., p. 110.

57. Bruce Rounsaville et al., 1991.

58. Mark Gold e Andrew Slaby, op. cit., p. 110. Eles escrevem: "Estudos animais documentaram uma ocasional degeneração dopaminérgica neuronal com administração crônica de estimulante".

59. Thomas Kosten et al., 1998a.

60. Ghadirian e Lehmann, op. cit., pp. 110-11.

61. Mark Gold e Andrew Slaby, op. cit., pp. 110.

62. Craig Lambert, 2000, p. 67.

63. Para ecstasy e axônios de serotonina, ver R. J. M. Niesink et al., op. cit., pp. 164-65. Para a redução de níveis de serotonina de 30% a 35%, ver U. McCann et al., 1994. Para mais informação sobre ecstasy e as monoaminas, ver S. R. White et al., 1996. Para uma discussão vívida e variada sobre ecstasy e neurotoxicidade, ver J. J. D. Turner e A. C. Parrott, 2000.

64. Para minha discussão sobre as benzodiazepinas, apoiei-me no trabalho do dr. Richard A. Friedman de Cornell e em especial em entrevistas realizadas com ele na primavera de 2000.

65. Mark Gold e Andrew Slaby, op. cit., pp. 20-21.

66. Para uma descrição mais completa dos benzos vendidos na praça, ver David McDowell e Henry Spitz, op. cit., pp. 65-66.

67. Craig Lambert, 2000, p. 60.

68. David McDowell e Henry Spitz (1999, pp. 59-60) fornecem uma curta história do ecstasy.

69. Michael Pollan, 1999.

70. A observação de Keith Richard foi descoberta no brilhante livro de Dave Hickey, *Air Guitar*, antes da página do título. Agradeço ao antenado Stephen Bitterolf por compartilhá-la comigo.

7. SUICÍDIO [pp. 232-71]

1. Retirei a ideia de que geralmente não há um vínculo causal claro entre depressão e suicídios de alguns autores íntimos dos dois fenômenos. Como George Colt (1991) escreveu, o suicídio não é mais encarado como "o último ponto de parada da depressão" (p. 43).

2. Ibid., p. 312.

3. Que mais de 40% das pessoas do público em geral que cometeu suicídio tinham recebido cuidados psiquiátricos como pacientes internos é de Jane Pirkis e Philip Burgess, 1998, p. 463.

4. A. Alvarez, 1971, p. 96 e p. 75. [Ed. bras., p. 117 e p. 96]

5. Esses versos famosos de *Hamlet* estão no ato 3, cena 1, versos 79-80; a segunda citação é do ato 3, cena 1, versos 83-85. [Ed. bras., v. 1, p. 454] Não há, é claro, uma interpretação única e clara para essa fala de Hamlet. Eu sugiro aos leitores *Studies in Words*, de C. S. Lewis, por exemplo, que dedica um capítulo inteiro à relação entre "consciência" e "consciente". Enfatizo também a interpretação brilhantemente lúcida de Harold Bloom em *Shakespeare:The Invention of the Human*.

6. Albert Camus, 1991, p. 3. [Ed. bras., p. 17]

7. Schopenhauer, "On Suicide" in 1931, p. 437.

8. Glen Evans e Norman Farberow, 1988, p. ii.

9. Observação retirada de uma palestra em uma reunião da Sociedade Psicanalítica de Viena sobre o tema do suicídio, 20 e 27 de abril de 1910, citada em Litman, "Sigmund Freud on Suicide", in Edwin Shneidman (ed.), 1967, p. 330.

10. Albert Camus, op. cit., p. 3.

11. Schopenhauer, op. cit., p. 433.

12. John Donne, 1982, p. 39.

13. Schopenhauer, 1970, p. 78.

14. Thomas Szasz, 1973, p. 67.

15. Herbert Hendin, 1995, p. 216.

16. Edwin Shneidman, 1996, pp. 58-59.

17. George Howe Colt, op. cit., p. 341.

18. O número foi calculado usando estatísticas para o número total de suicídios por ano,

fornecida pelo NIMH (31 mil no ano 1996). O cálculo: 525600 minutos por ano, divididos por 31 mil suicídios por ano equivale a um suicídio a cada 16,9 minutos.

19. Que o suicídio se classifica em terceiro lugar entre as causas da morte para os jovens é tirado do site nim Suicide Facts (as estatísticas são sobre o ano de 1996). Que o suicídio se classifica em segundo entre os alunos de faculdade é tirado de Kay Jamison, 1999, p. 21 [Ed. bras., p.24]. A estatística comparativa sobre suicídio e aids e o número para hospitalizações relacionadas a tentativas de suicídio são ambos de Kay Jamison, ibid., p. 23 e p. 24, respectivamente [Ed.bras., p. 25 e p. 26].

20. A estatística sobre suicídio da Organização Mundial de Saúde vem de *The World Health Report*, 1999. O estudo que descobriu que o suicídio aumentou 260% dentro de uma área geográfica é U. Åsgård et al., 1987.

21. Kay Jamison, ibid., p. 110. [Ed. bras., p. 102]

22. M. Oquendo et al., 1997, p. 203.

23. George Colt, op. cit., p. 311.

24. Aaron Beck, 1967. Na página 57, num levantamento sobre pesquisa de suicídio, Beck cita dois estudos que afirmam descobertas radicalmente diferentes. As descobertas do primeiro estudo "sugerem que o risco de suicídio num paciente hospitalizado por depressão é cerca de quinhentas vezes maior que a média nacional". O segundo estudo, apresentado no parágrafo seguinte, declara: "A taxa de suicídio para pacientes deprimidos, por isso, foi 25 vezes maior do que a taxa esperada".

25. Site do NIMH, <www.nimh.nih.gov/publicat/harmaway.cfm>.

26. Eric Marcus, 1996, p. 23.

27. M. Gallerani et al., 1996.

28. David Lester, 1997, p. 153.

29. A relação entre uma taxa mais alta de suicídio e a primeira semana do ciclo menstrual é discutida em Richard Wetzel e James McClure Jr., 1972. Eles também examinaram estudos que apontam para taxas elevadas de suicídio durante a última semana (fase luteal) do ciclo menstrual. Contudo, há controvérsia com relação à validade metodológica de muitos desses estudos. Para um exame crítico da literatura, ver Enrique Baca-García et al., 2000. O efeito da gravidez e parto nos suicídios maternos está relatado em E. C. Harris e Brian Barraclough, 1994.

30. *O suicídio*, de Émile Durkheim, foi um divisor de águas, publicado em 1897. Minha discussão sobre as classificações de Durkheim é retirada do livro rigoroso de Steve Taylor, *Durkheim and the Study of Suicide*, 1982.

31. A citação de Charles Bukowski foi tirada de um cartaz em Sunset Boulevard. Não consegui descobrir sua localização precisa em sua obra. Não recomendo dirigir pelo Sunset Boulevard durante a hora do rush para localizar essa referência.

32. Alexis de Tocqueville, 1988, p. 296. [Ed. bras., Livro 1, p. 348]

33. Steve Taylor, op. cit., p. 21.

34. A ideia de que pessoas com doenças psiquiátricas que cometem suicídio têm pelo menos de duas a três vezes mais probabilidade de ter um histórico familiar de suicídio foi compilada de mais de trinta estudos e relatada em Kay Jamison, op. cit., página 169. [Ed. bras., p. 152]

35. Paul Wender et al. (1986) relatam taxas mais altas de suicídio entre famílias biológicas do que entre famílias adotivas. Para um exame de estudos sobre gêmeos idênticos e suicídio, ver Alec Roy et al., 1999.

36. A informação sobre suicídios em cascata está em Kay Jamison, op. cit.; para locais, pp. 144-53 [Ed. bras., pp. 131-40], e para epidemias recentes, pp. 276-80 [Ed. bras., pp. 250--52].

37. A epidemia de suicídio que se seguiu à publicação de *Os sofrimentos do jovem Werther* é descrito por Paolo Bernardini em manuscrito inédito, *"Melancholia gravis*: Robert Burton's *Anatomy* (1621) an the Links between Suicide and Melancholy".

38. O relato de que as taxas de suicídio sobem quando as histórias de suicídio aparecem na mídia e o salto nos suicídios logo após a morte de Marilyn Monroe estão em George Colt, op. cit., pp. 90-91.

39. Um debate de como os programas de prevenção ao suicídio podem inspirar suicídios ocorre em Kay Jamison, op. cit., pp. 273-75. [Ed. bras., p. 248]

40. Rise Goldstein et al., 1991. Eles escrevem: "Pudemos demonstrar que não apenas uma história das tentativas de suicídio anteriores mas também o *número* de tentativas é crucial, assim como o risco de suicídio aumenta com cada tentativa de suicídio subsequente" (p. 421).

41. Maria Oquendo et al., 1999, p. 193.

42. Kay Jamison, op. cit., pp. 239-41. [Ed. bras., p. 217]

43. Leonardo Tondo et al., "Lithium maintenance treatment reduzes risk of suicidal behavior in Bipolar Disorder patients", in Vincent Gallicchio e Nicholas Birch, 1996, pp. 161-71.

44. Jerome Motto, "Clinical Considerations of Biological Correlates of Suicide", in Ronald Maris (ed.), 1986.

45. A formulação de Freud sobre suicídio como um impulso assassino para com o eu é discutido em muitos de seus textos. Em "Luto e melancolia", ele escreve: "Há muito sabíamos que nenhum neurótico abriga propósitos de suicídio que não estejam voltados para si a partir do impulso de matar os outros". Ver *The Standard Edition of the Complete Psychological Works of Sigmund Freud*, v. 14, página 252. [Ed. bras., 2011, p. 69]

46. George Colt, op. cit., p. 196.

47. Robert Litman, "Sigmund Freud on Suicide", in Edwin Shneidman (ed.), op. cit., p. 336. [Ed. bras., "Esboço de psicanálise", in 1996, v. 23, p. 174]

48. George Colt, op. cit., p. 201.

49. Glen Evans e Norman L. Farberow, op. cit., p. II. [Ed. bras., Chesterton, 2008, p. 120]

50. Os efeitos do estresse crônico em esvaziar os neurotransmissores têm sido pesquisados por muita gente. Um excelente resumo dessas ideias está em Kay Jamison, op. cit., pp. 192-93 [Ed. bras., pp. 174-76] . Para mais informação sobre a reação do cérebro ao estresse, ver Robert Sapolsky et al., 1990.

51. O trabalho sobre suicídio e colesterol está resumido muito bem em Kay Jamison, op. cit., pp. 194-95 [Ed. bras., pp. 177-79].

52. O trabalho sobre baixos níveis de serotonina, altos números de receptores de serotonina, inibição e suicídio está resumido por John Mann (1988), um dos pioneiros na área. O ensaio de Hermann van Praag, "Affective Disorders and Aggression Disorders: Evidence for a Common Biological Mechanism", in Ronald Maris (op. cit.), passa também em revista de modo excelente as descobertas até a data. Para mais leituras, ver Alec Roy, "Possible Biologic Determinants of Suicide", in David Lester (ed.), 1990.

53. M. Virkkunen et al., 1994.

54. Há incontáveis estudos sobre a relação entre baixos níveis de serotonina e a assunção de risco animal. Um ensaio especialmente forte é P. T. Mehlman et al., 1994. Retirei também material de alguns artigos publicados nos boletins da Across Species Comparison and Psychopatology, ascap.

55. Níveis de norepinefrina e noradrenalina em cérebros pós-suicidas foram estudados por muitos pesquisadores. Kay Jamison, op. cit., fornece um excelente resumo (pp. 192-93) [Ed. bras., p. 175].

56. Para mais sobre baixos níveis de neurotransmissores essenciais, ver John Mann, 1998.

57. Marie Åsberg, 1997.

58. D. Nielsen et al., 1994.

59. Gary Kraemer têm estudado macacos criados sem mães. Consultei especificamente seu estudo de 1997, apresentado no Suicide Resarch Workshop of nimh, 14-15 nov. 1996.

60. Joan Kaufman et al., 1998.

61. Para mais sobre o dano neurológico fetal e suicídio, ver Kay Jamison, op. cit., p. 183. [Ed. bras., pp.166-67]

62. Simeon Margolis e Karen L. Swartz, 1998, p. 14. Para mais sobre gênero e sistemas de monoaminas cerebrais, ver Uriel Halbreich e Lucille Lumley, 1993.

63. Kay Jamison, op. cit., p. 184 [ed. bras., pp. 167-68].

64. O vínculo entre disponibilidade de armas e suicídio está publicado em diversos estudos. Consultei especificamente M. Boot et al., 1990.

65. George Colt, op. cit., p. 335.

66. Kay Jamison, op. cit., p. 284 [Ed. bras., p. 256]. As taxas de suicídio para cada estado segundo a rigidez do controle de armas, assim como a citação de David Oppenheim, são de George Colt, op. cit., p. 336.

67. Centers for Disease Control. Um jornal online ofereceu o seguinte total, cuja fonte não consegui descobrir no site do CDC: "Números liberados em 18 de novembro pelo CDC mostram que o número de suicídios usando armas de fogo [foi] 17 767 em 1997." Ver <www.stats.org/statswork/gunsuicide.htm>. Uma avaliação, grosso modo, pode ser também calculada usando informação prontamente disponível no site do CDC. Das 30 535 pessoas que cometeram suicídio em 1997, o CDC avalia que "quase três entre cinco" desses suicídios foram cometidos com uma arma de fogo. Cálculos usando essa fórmula encontram o número total de 18 321 suicídios por armas de fogo. Escolhi 18 mil como uma média aproximada desses dois números. Ver o site em <www.cdc.gov/ncipc/factsheets/suifacts.htm>.

68. Kay Jamison, op. cit., p. 140 [Ed. bras., p. 128].

69. Ibid., p. 137 [Ed. bras., p. 126].

70. Ibid., p. 181 [Ed. bras., p. 165].

71. George Colt, op. cit., p. 266.

72. Karl Menninger, 1983, p. 184.

73. Experiências realizadas por Juan López, Delia Vásquez, Derek Chalmers e Stanley Watson e apresentadas no Suicide Research Workshop do NIMH, 14-15 de novembro de 1996.

74. Gary Kraemer, op. cit, 1997.

75. Marie Åsber, op. cit.

76. L. Moss e D. Hamilton, 1956.

77. Os números sobre tentativas de suicídio e os que mostram que o suicídio é a terceira maior causa de morte entre pessoas de 15 a 24 anos nos Estados Unidos foram tirados de D. L. Hoyert et al., "Deaths: Final data for 1997. National Vital Statistcs Report", publicado pelo National Center for Health Statistics, disponível em <www.cdc.gov/ncipc/osp/states/101c97.htm>. Avaliaram-se tentativas de suicídio usando-se a estatística do NIMH de que "há de oito a 25 tentativas de suicídio para um suicídio concretizado". O número de 80 mil tentativas, assim, infelizmente é uma estimativa modesta. O relatório do NIMH pode ser encontrado em <www.nimh.nih.gov/publicat/harmaway/cfm>.

78. George Colt, op.cit., p. 49.

79. Herbert Hendin, 1995, p. 55.

80. Philip Patros e Tonia Shamoo, 1989, p. 41.

81. Diego de Leo e René F. W. Diekstra, 1990, p. 188.

82. Ibid.

83. Ibid.

84. Ibid., p. 24.

85. Sobre os idosos deprimidos e somatização, ver Laura Musetti et al., 1989, p. 330.

86. As taxas comparativas internacionais de suicídio, que colocam a Hungria no alto da lista, com uma taxa de suicídio de quarenta por 100 mil, e a Jamaica em último, como uma taxa de 0,4 por 100 mil, podem ser encontradas em Eric Marcus, op. cit., pp. 25-26.

87. Kay Jamison, op. cit., pp. 133-34 [Ed. bras., pp. 123-25].

88. OMS, *Prevention of Suicide*.

89. Kay Jamison, op. cit., p. 39 [Ed. bras., p. 39].

90. A. Alvarez, op. cit., p. 89 [Ed. bras., p. 110].

91. Albert Camus, op. cit., p. 5 [Ed. bras., p. 19].

92. Julia Kristeva, 1989, p. 4 [Ed. bras., p. 11].

93. Edwin Shneidman, 1996, pp. 58-59.

94. Kay Jamison, op. cit., p. 74 [Ed. bras., p. 70].

95. Ibid., p. 291 [Ed. bras., p. 263]. Kay Jamison também publicou memórias sobre suas batalhas com a doença maníaco-depressiva, *Uma mente inquieta*.

96. Ibid., p. 292 [Ed. bras., p. 264].

97. Edna St. Vincent Millay, "Sonnet in Dialectic", in 1988, p. 159.

98. Escrevi sobre a morte de minha mãe um tanto extensamente no passado. Descrevi-a num artigo na revista *New Yorker* sobre eutanásia, e ela foi a base para o 11º capítulo de meu romance, *A Stone Boat*. Escolhi escrever sobre ela pelo que espero tenha sido a última vez porque é parte de minha história como existe neste livro. Peço a indulgência dos leitores familiarizados com meu trabalho anterior.

99. Fiodor Dostoiévski, 1998, p. 96 [Ed. bras., p. 119].

100. A partir de entrevista com a dra. Deborah Christie, que trabalhou no caso. Ver Deborah Christie e Russel Viner, 2000.

101. Alfred Lord Tennyson, 1971, versos 66-71, p. 72.

102. A citação de Eliot está na epígrafe de seu poema "The Waste Land", in 1971: "Nam Sibyllam quidem Cumis ego ipse oculis meis vidi in ampulla pendere, et cum illi pueri dicerent: respondebat illa" (p. 37).

103. Emily Dickinson, 1960, p. 262 [Ed. bras., 1984, p. 83].

104. E. M. Cioran, 1990, p. 36 [Ed. bras., pp. 44-45].

105. Virginia Woolf, 1980b, pp. 486-87.

106. Id., 1980a, pp. 110-11.

107. Ronald Dworkin, 1993, p. 93 [Ed. bras., p. 280].

108. Reiner Maria Rilke, "Requiem for a Friend", in 1989, p. 85.

109. A. Alvarez, op. cit., p. 75. [Ed. bras., p. 96 e p. 136].

110. Ibid., pp. 151-52 [Ed. bras., p. 134].

111. Primo Levi, 1989, pp. 70-71 [Ed. bras., p. 61].

112. Isso está sugerido na introdução à edição britânica de *The Drowned and the Saved*, de Peter Bailey.

113. Nietzsche, 1990, máxima 157, página 103: "O pensamento do suicídio é um poderoso conforto: por meio dele pode-se atravessar muitas noites ruins."

8. HISTÓRIA [pp. 272-320]

1. Embora eu não conseguisse encontrar qualquer fonte secundária que amarrasse a história da depressão num modo totalmente convincente, quero reconhecer minha grande dívida para com Stanley Jackson, 1986.

2. A etimologia da palavra *depressão* é do *Oxford English Dictionary*, v. 3, p. 220.

3. Samuel Beckett, *Waiting for Godot*, in 1986, p. 31 [Ed. bras., 2005, p. 67].

4. Para uma descrição geral da teoria humoral entre os gregos, incluindo a visão de Empédocles sobre a melancolia, ver Stanley Jackson, op. cit., pp. 7-12.

5. As citações do Hippocratic Corpus, que para maior simplicidade coloquei sob a referência de Hipócrates, 1962, podem ser encontradas no livro 2, p. 175. A informação sobre sua cura do rei Pérdicas II está em Giuseppe Roccatagliata, 1986, p. 164.

6. Bennett Simon,1980, p. 235.

7. Ibid.

8. Homero, 1990, Canto VI, linhas 200-03, p. 202 [Ed. bras., p. 240].

9. Os ataques de Hipócrates sobre os praticantes da sagrada medicina está em Giuseppe Roccatagliata, op. cit., p. 162. A citação é de Iago Galdston, 1967, p. 12.

10. A oposição Sócrates e Platão a Hipócrates, assim como o modelo da psique humana de Platão, estão em Bennett Simon, op. cit., pp. 224-27. Para uma boa comparação entre as ideias de Platão e Freud, ver Iago Gladston, op. cit., pp. 14-16. As ideias de Platão concernentes à importância da infância e família no desenvolvimento da criança são discutidas em Bennett Simon, op. cit., pp. 171-72.

11. Giuseppe Roccatagliata, op. cit., p. 101.

12. Os exemplos do remédio de Crisipo de Cnido, a mistura de Filiston e Plistônico e Filagrio sobre a perda de esperma estão em ibid., pp. 102-3.

13. As formulações de Aristóteles estão em ibid., pp. 106-12.

14. Aristóteles, 1971, Livro 30, p. 953a e pp. 954a-b.

15. Bennett Simon, op. cit., p. 231.

16. Rudolph e Margot Wittkower, 1963, p. 99.

17. Menandro, 1888, fragmento 18.

18. Para mais sobre os céticos, inclusive informação especialmente relevante sobre Medio, Aristóxeno e Metrodoro, ver Giuseppe Roccatagliata, op. cit., pp. 133-35.

19. Para mais sobre Erasístrato de Juli ver ibid., pp. 137-38.

20. A citação de Herófilo de Calcedônia, assim como a política de Menódoto de Nicomédia, é de ibid., pp. 138-40.

21. Pode-se encontrar um capítulo adorável sobre Rufo de Éfeso em Stanley Jackson, op. cit., pp. 35-39. Ele fornece as citações que usei, assim como a receita para o "sagrado remédio".

22. Sobre o uso de canos pingando e redes, ibid., p. 35. A receita de alimentos de cores claras e leite humano está na dissertação inédita de Barbara Tolley, "The Language of Melancholy in *Le Phisophe Anglais*", p. 17.

23. Giuseppe Roccatagliata, op. cit., pp. 223-32.

24. Há uma grande quantidade de material sobre Galeno, tanto em livros sobre a história da medicina em geral quanto em relatos mais específicos sobre a psiquiatria antiga. Apoiei-me especialmente em Stanley Jackson, op. cit., e em Giuseppe Roccatagliata, op. cit. As citações aqui são do último, pp. 193-209.

25. Tzevetan Todorov, 1984, p. 68. Agradeço a Elena Phipps pela indicação desse material.

26. Os filósofos estoicos e seu papel na sabedoria médica estão em Giuseppe Roccatagliata, op. cit., pp. 133-43.

27. Para uma discussão de Santo Agostinho, inclusive sobre as implicações de suas posições, ver Judith Neaman, 1975, pp. 51-65.

28. Nabucodonosor é descrito em Daniel 4:33, na versão do rei James da Bíblia.

29. A frase "o demônio do meio-dia" ocorre na literatura sobre esse assunto e parece ter sido composta de várias fontes bíblicas primárias. A passagem em questão está na versão do rei James da Bíblia (Salmos 91:6), que se prende estreitamente a essa questão no original hebreu, como: "A destruição que ocorre ao meio-dia". Na versão católica de Douay do Velho Testamento (Salmos 90:6) temos a frase "o demônio de meio-dia", que é variante de uma tradução do latim *"daemonio meridiano"* da Vulgata (atribuída a são Jerônimo e comumente usada no Ocidente medieval latino). A frase latina, por sua vez, deriva do grego antigo ou Bíblia Septuaginta (Salmos 90:6), que tem o *"daimoniou mesembrinou"*. Este último foi a base para a tradução de Cassiano da frase como "o demônio do meio-dia" (citada por Stanley Jackson, op. cit., como vinda de *Institutes of the Conobia*, de Cassiano; o próprio Jackson usa a frase "demônio do meio-dia" em sua discussão sobre Cassiano). Agradeço ao dr. Kevin White, da Universidade Católica da América, por sua ajuda nesse assunto.

30. Sobre Evágrio e o uso do termo "demônio do meio-dia", Reinhard Kuhn (1976, p. 43) escreve que, "dos oito vícios que Evágrio discute em seu *Of Eight Capital Sins*, é dado à *acedia* o tratamento mais longo e detalhado [...] Como muitos de seus seguidores, Evágrio referiu-se à *acedia* como o '*daemon qui etiam meridianus vocatur*', isto é, como o 'demônio do meio-dia' dos Salmos". Kuhn parece ter feito surgir tanto o *demon of noontide* quanto o *noontide demon*; contudo, a expressão pode igualmente ser traduzida como "demônio do meio-dia". Stanley Jackson (op. cit., p. 66) escreve que *acedia*, como descrito por Evágrio, "era caracterizada pela exaustão, indiferença, tristeza ou abatimento, inquietação, aversão à cela e à vida ascética, e anseio pela família e pela antiga vida".

31. Iago Galdston, op. cit., pp. 19-22.

32. Para mais sobre Tomás de Aquino, ver ibid., pp. 31-34. Há uma grande quantidade de material — alguns poderiam dizer que mais do que o necessário — sobre Aquino e o dualismo.

33. Geoffrey Chaucer, 1979, pp. 588-92.

34. Stanley Jackson, op. cit., pp. 65-77.

35. Ibid., p. 326.

36. Rudolph e Margot Wittkower, op. cit., pp. 108-13.

37. Para uma extensa discussão sobre Marsílio Ficino, ver Paul Kristeller, 1943. Muitas das citações que usei são tiradas desse texto, pp. 208-14. Informações adicionais e citações são de Winfried Schleiner, 1991, pp. 24-26, assim como Raymond Klibansky et al., 1964, p. 159, da dissertação inédita de Barbara Tolley, op. cit., pp. 20-23, e Lawrence Babbs, 1951, pp. 60-61.

38. Sobre Agrippa, ver Winfried Schleiner, op. cit., pp. 26-27.

39. Os comentários de Vasari sobre depressão entre artistas (1987) são apresentados erraticamente e esotericamente nos dois volumes de sua obra. No v. 1, Vasari discute Paolo Ucello, a quem ele descreve como terminando "solitário, excêntrico, melancólico e pobre" devido ao "sufocamento de sua alma com problemas difíceis" (p. 95). Ele escreve que Correggio "era muito melancólico na prática de sua arte, na qual ele labutava incessantemente" (p. 278). Para uma excelente fonte secundária sobre a tradição da melancolia e gênio artístico, com respeito especialmente ao mais supremo deles, Albrecht Dürer, e ao Renascimento alemão, ver o inspirado Raymond Klibansky et al., op. cit.

40. André Du Laurens, *Discourse*, apud Lawrence Babb, op. cit., p. 49.

41. Ibid., p. 53.

42. Winfried Schleiner, op. cit., p. 182.

43. Ibid., pp. 181-87 e Lawrence Babb, op. cit., pp. 54-56.

44. Essas observações de Freud estão em 1953-74, v. 9, p. 245.

45. Lawrence Babb, op. cit., pp. 55-56 e Winfried Schleiner, op. cit., pp. 183-87.

46. Winfried Schleiner, op. cit., pp. 189.

47. Ibid., p. 190.

48. Montaigne sobre a melancolia é um tópico maravilhoso e justifica uma longa discussão só dedicada a ele. Para referências sobre esse material ver ibid., p. 179, p. 184. Uma discussão mais profunda pode ser encontrada em M. A. Screech, 1983.

49. André du Laurens é também conhecido como Laurentius. Para maior simplicidade, utilizei seu nome não latino. A discussão e as citações são de Stanley Jackson, op. cit., pp. 86-91, e T. H. Jobe, 1976, pp. 217-21.

50. O médico do princípio do século XVII a quem me refiro aqui é Richard Napier, e suas observações podem ser encontradas em Michael MacDonald, 1981, pp. 159-60. John Archer escreveu em seu manuscrito de 1673 que a melancolia é o "maior inimigo da natureza" (ibid., p. 160).

51. Sobre Levinus Lemnius, Huarte, Luis Mercado e Giovanni Battista Selvatico, ver Lawrence Babb, op. cit., p. 623.

52. O barbeiro está na peça *Midas*, de Lyly. Sua fala é citada em Michael MacDonald, op. cit., p. 151.

53. O médico de pacientes melancólicos nobres é Richard Napier. As estatísticas são de ibid., p. 151. O relato de Napier sobre sua clínica é incomumente minucioso e está entre os melhores materiais de seu período. Ele parece ter tido uma aguda sensibilidade às doenças mentais e é eloquente a respeito delas.

54. Segundo textos de Timothy Rogers. Em seu *A Discourse Concerning Trouble of the Mind and the Disease of Melancholy*, de 1691, ele escreve extensamente sobre a consideração e a compreensão que deve ser estendida aos deprimidos. "Não insista com seus amigos que estão sob a doença da melancolia para que façam coisa que não podem fazer", escreve ele. "São pessoas cujos ossos estão quebrados, e que estão em grande dor e angústia, e consequentemente incapacitados para a ação [...] se fosse possível inocentemente distraí-los por quaisquer meios, você lhes faria uma grande bondade." Ver trechos em Richard Hunter e Ida Macalpine, 1982, pp. 248-51.

55. John Milton, "Il Penseroso", 1957, versos 11-14, 168-69 e 173-76, pp. 72 e 76.

56. *A anatomia da melancolia*, de Robert Burton, é uma excelente leitura e contém uma grande quantidade de conhecimento que não fui capaz de reproduzir aqui. Os comentários sobre Burton são muitos. Para um resumo curto e conciso de sua vida e trabalho, ver Stanlay Jackson, op. cit., pp. 95-99. Para discussões mais extensas, ver Lawrence Babb, op. cit., Eleanor Vicari, 1989, de Vieda Skultan, 1979, e Rudolph e Margot Wittkower, op. cit. Também me apoiei bastante no manuscrito inédito de Paolo Bernardini. As citações reproduzidas no texto vêm de Robert Burton, 1997, pp. 129-39, pp. 162-71, pp. 384-85 e p. 391. As citações usadas na discussão de Burton e do suicídio são de Bernardini.

57. F. F. Blok, 1976, pp. 105-21.

58. Sobre Descartes e a saúde mental, ver Theodore Brown, 1985, pp. 40-62. Trechos de *A paixão da alma*, de Descartes, aparecem em Richard Hunter e Ida Macalpine, op. cit., pp. 133-34.

59. Os trechos de Willis podem ser encontrados em 1971, p. 179, pp. 188-201 e p. 209. T. H. Jobe (op. cit.) e Allan Ingram (1991) foram ambas fontes secundárias úteis.

60. Allan Ingram, op. cit., pp. 24-25.

61. Boerhaave rejeitou especificamente a teoria humoral e cultivou uma noção do corpo como uma massa fibrosa alimentada pela ação hidráulica do sangue. As causas primárias da melancolia eram, acreditava Boerhaave, "todas as coisas que fixam, exaurem e confundem os sucos nervosos do cérebro; como grandes, inesperados e temíveis acidentes, uma grande aplicação em qualquer objeto que seja; forte amor, inquietante solidão, medo e afeições histéricas". Outras causas a serem consideradas eram "imoderada lascívia; bebida; partes de animal secos na fumaça, ar ou sal; frutas não maduras; matérias não fermentadas de refeições". Os que se permitiam atividades ou consumo desregrados desequilibrando o sangue provavelmente produziriam materiais ácidos, que Boerhaave chamava de "ácridos", e então suas biles passariam por "acrimoniosa degeneração" para criar um péssimo líquido ardente causador de problemas no corpo. No cérebro, um "ácido coagulador" solidificaria o sangue, que deixaria de circular para certas áreas essenciais.

62. Fontes secundárias sobre as teorias de Boerhaave abundam. Entre as melhores estão o resumo de Stanley Jackson, op. cit., pp. 119-21, e T. H. Jobe, 1976, pp. 224-27. As citações são de Boerhaave, 1742, assim como citações selecionadas de T. H. Jobe, pp. 226-27.

63. Boerhaave teve muitos seguidores e discípulos. É interessante observar como ele influenciou Richard Mead, por exemplo. Em seu *magnum opus*, publicado em 1751, Mead insistiu na ideia da mecânica, mas transferiu-a do sistema sanguíneo para os "espíritos animais" que se movem ao longo dos nervos. "Nada desordena tanto a mente quanto o amor e a religião", observou ele. Para Mead, como para Boerhaave, o cérebro é "manifestamente uma glândula grande" e os nervos "um duto excretor", e seja lá o que for que percorre os nervos é um "licor fino e volátil de grande força e elasticidade". Mais uma vez, há sombras de precisão aqui: algo vem realmente do cérebro e num determinado sentido viaja ao longo dos nervos: são os neurotransmissores. As primeiras duas citações são de Richard Mead, 1751, p. 76 e p. 78; as últimas três citações, de Mead, 1760, p. XXI.

64. Julien Offray de La Mettrie é descrito com algum detalhe em Aram Vartanian, 1960; a citação é da p. 22.

65. Friedrich Hoffman disse em 1783 que o sangue tornava-se espesso através "da debilidade do cérebro, do longo sofrimento, do medo ou do amor". Mais adiante, ele propõe que a mania e a depressão, tratadas havia muito tempo como dois problemas não relacionados, "parecem ser mais estágios diferentes de uma só doença; a mania sendo propriamente uma exacerbação da melancolia, e deixando o paciente melancólico nos intervalos mais calmos". Ele colhe as ideias de Boerhaave ao dizer que a melancolia era "um retardamento da circulação" e a mania, "uma aceleração dela". As citações de Friedrich Hoffman estão em Hoffman, 1783, pp. 298-303.

66. Espinosa, 1995, pp. 139-40.

67. Para uma discussão de Bedlam, ver Marlene Arieno, 1989, especialmente pp. 16-19. Sobre Bicêtre e seu mais famoso dr. Philippe Pinel, ver Dora Weiner, 1994.

68. Roy Porter, 1987, p. 73.

69. Há uma série de livros sobre a loucura e o século XVIII e início do século XIX. Minha discussão foi influenciada por uma variedade deles, inclusive Andrew Scull, 1989, Michel Foucault, 1965, e Roy Porter, op. cit.

70. Andrew Scull, op. cit. p. 59.

71. Ibid., pp. 69-72.

72. Os comentários de Boswell sobre doença mental, assim como seus diários e correspondência, podem ser encontrados em Allan Ingram, op. cit., pp. 146-49.

73. Samuel Johnson a respeito de Burton está em Roy Porter, op. cit., pp 75-77. Johnson a respeito do "cão negro" está em Max Byrd, 1974, p. 127.

74. Para Cowper sobre sua depressão e as passagens citadas, ver Allan Ingram, op. cit., pp. 149-50. Os versos são de seu "Lines Written During a Period of Insanity", in Cowper, 1950, p. 290.

75. Edward Young, 1783, v. 1, p. 11.

76. Roy Porter, op. cit., notas finais, p. 345.

77. Jerome Zerbe e Ciryl Connolly, 1962, p. 21.

78. Max Byrd, op. cit., p. 126.

79. A adequada depreciação por parte de John Brown do clima britânico, assim como as observações de Edmund Burke estão em ibid., p. 126. Os comentários do século XVIII sobre a melancolia renderiam volumes. Johnathan Swift, ele próprio um melancólico, tinha pouca piedade com esses muitos relatos. Era alguém com uma mentalidade muito "vire-se sozinho": "Alguém inconveniente era às vezes dominado pelo capricho de se retirar para um canto, deitar e uivar, e gemer, e afastava a pontapés tudo que se aproximasse, e embora ele fosse jovem e gordo, não queria comida nem água; nem os criados podiam imaginar o que o atormentava. E o único remédio que encontravam era colocá-lo em trabalho árduo, após o que ele infalivelmente voltava a si." (Johnathan Swift, 1996, p. 199).

80. Voltaire, 1947, p. 140 [Ed. bras., pp. 124-25].

81. Roy Porter, op. cit., p. 241. A questão da geografia e depressão surgiu nesse período. William Rowley escreveu que a "Inglaterra, segundo seu tamanho e número de habitantes, produz e contém mais insanos do que qualquer outro país na Europa, e o suicídio ali é mais comum. As agitações das paixões, a liberdade de pensamento e ação com menores restrições do que em outras nações, forçará uma grande quantidade de sangue para a cabeça, e produz maiores variedades de loucura nesse país do que é observado em outros. A tolerância religiosa e civil são produtoras da loucura política e religiosa; mas onde não existe tal tolerância, também não aparece tal insanidade" (Max Byrd, op. cit., p. 129).

82. Thomas Gray, 1966, verso 36, p. 38 e pp. 9-10.

83. S. T. Coleridge, 1956, p. 123.

84. Immanuel Kant, 1960, p. 56 e p. 63 [Ed. bras., p. 29 e p. 35].

85. Sobre saúde mental nas colônias americanas, ver Mary Ann Jimenez, 1987.

86. Um exemplo da tendência dos Estados Unidos para as explicações religiosas da depressão está em William Thompson, um ministro em Massachusetts do século XVII, que ficou tão deprimido que teve que desistir de seu trabalho e se tornou "o retrato vivo da Morte/ Um Túmulo ambulante, um sepulcro vivo/ No qual a negra melancolia penetrou". Era o diabo que "vexava sua mente com ataques diabólicos e setas horríveis, infernais". O poema sobre William Thompson, escrito por sua "família e amigos", pode ser encontrado em ibid., p. 13.

87. Ibid., pp. 13-15.

88. Cotton Mather, 1972, pp. 130-33.

89. As observações de Henry Rose estão em Rose, 1794, p. 12. Outros norte-americanos proeminentes que publicaram tratados sobre o assunto da depressão incluem Nicholas Robinson, William Cullen e Edward Cutbush. Nicholas Robinson foi muito lido nas colônias, e suas explicações mecânicas da melancolia dominaram o pensamento lá em meados do século XVIII. Para mais, ver Mary Ann Jimenez, op. cit., pp. 18-20. William Cullen, publicando na Filadélfia em 1790, um humanista libertado de alguns constrangimentos da religião, descobriu que uma "textura mais seca e firme na substância medular do cérebro" de uma "certa falta de fluido naquela substância" causa a melancolia (Cullen, 1790, v. 3, p. 217). Edward Cutbush fala nas colônias da melancolia como de uma "loucura atônica" na qual "a mente está geralmente fixada num único objeto; muitas são cognitivas, silenciosas, morosas e fixas como estátuas; outras perambulam para fora de suas habitações em busca de lugares solitários, negligenciam a limpeza, seus corpos são geralmente frios, com uma mudança de cor e pele seca; todas as diferentes secreções são muito diminuídas, o pulso lento e lânguido". Ele via o cérebro como algo constantemente em movimento (muito como o coração ou pulmões) e pensava que toda loucura vinha de "um excesso ou defeito do movimento, em uma ou mais partes do cérebro". Ele então cogitou se tais defeitos do movimento vinham do sangue e do fluido nervoso, como disse Boerhaave, de matérias químicas, como Willis sugeriu, ou de "um fluido elétrico ou eletroide" que poderia causar "os periódicos ataques de insanidade" no caso de "um acúmulo dessa eletricidade no cérebro". Cutbush disse que a superexcitação do cérebro poderia estragá-lo: "A primeira impressão causa uma comoção tão grande no cérebro que excluirá, ou atrairá para um vasto vértice, qualquer outra emoção, e a insanidade com seu articulado trem de assistentes imporá seu modo sobre a soberana razão". Suas opiniões estão em Cutbush, 1794, p. 18, p. 24, pp. 32-33.

90. Sobre "anorexia nervosa evangélica", ver Julius Rubin, 1994, pp. 82-124 e pp. 156-76. A expressão "perfeccionistas famintos" está na p. 158.

91. Immanuel Kant, 1949, p. 4 [Ed. bras., 1993, p. 22].

92. A famosa frase é de Faust, de Johann Wolfgang von Goethe, parte I, cena 6, página 42.

93. Wordsworth, "Resolution and Independence", in 1954, p. 138.

94. John Keats, "Ode to a Nightingale", in 1992, verso 52, p. 202 [Ed. bras.: "Ode a um rouxinol", p. 39], e "Ode on Melancholy", ibid., versos 21-35, p. 214. [Ed. bras.: "Ode à melancolia", p. 49]

95. Percy Bysshe Shelley, "Mutability", in 1994, versos 1-4 e 19-21, p. 679.

96. Giacomo Leopardi, "To Himself", 1963, p. 115.

97. Eclesiastes 12:8.

98. J. W. von Goethe, 1957, p. 95 e p. 120 [Ed. bras., p. 82 e p. 103].

99. Charles Baudelaire, "Spleen", in 1989, pp. 92-93 [Ed. bras.: p. 77].

100. Wolf Lepenies, 1992, p. 75.

101. Claro que tudo que Kierkgaard escreveu parece ser sobre depressão num nível ou noutro, mas esses trechos vêm, respectivamente, de um segmento citado em Georg Lukács, 1971, p. 33, e Kierkegaard, 1989, p. 50 [Ed. bras., p. 38].

102. Os comentários de Schopenhauer sobre melancolia estão mais em seus ensaios do que em seus livros mais longos. Chamo a atenção especialmente para seus ensaios "On the Suffering of the World", "On the Vanity of Existence" e "On Suicide". As citações aqui são ambas de "On the Suffering of the World", in 1942, pp. 3-4.

103. Friedrich Nietzsche, 1967, p. 29 [Ed. bras., p. 47].

104. Philippe Pinel, 1806, p. 107, p. 132 e pp. 53-54, respectivamente.

105. Andrew Scull, 1989, p. 75.

106. Ibid., p. 77.

107. As estatísticas sobre o insano podem ser encontradas em Marlene Arieno, op. cit., p. 11. A história dos Decretos dos Lunáticos está no mesmo livro, pp. 15-17.

108. Ibid., p. 17.

109. Stanley Jackson, op. cit., p. 186.

110. J. E. D. Esquirol estava entre os que seguiram Pinel de perto. Ele bateu-se por asilos humanos ainda no início do século XIX, acrescentando que os pacientes deviam ser tratados com um "clima seco e temperado, um céu claro, uma temperatura agradável, uma localização agradável, um cenário variado", assim como com exercício, viagem e laxantes. Para as causas da melancolia, ele dá uma lista espantosa que inclui problemas domésticos, masturbação, autoestima ferida, quedas machucando a cabeça, predisposição hereditária e libertinagem, entre outras. Para os sintomas, ele disse que "essa não é uma doença que agita, provoca queixas, gritos e choro; é uma que silencia, que não tem lágrimas, que é imóvel". As citações de Esquirol vêm de 1965, p. 226, e da dissertação inédita de Barbara Tolley, op. cit., p. 11. Enquanto alguns se concentravam na humanidade do tratamento, outros focalizavam a natureza da própria doença. "Talvez seja impossível", escreveu ele, "determinar a linha que marca uma transição da predisposição para a doença; mas há um grau dessa afecção que certamente constitui doença da mente, que a doença existe sem qualquer ilusão impressa na compreensão da razão. A faculdade da razão não é manifestamente prejudicada, mas uma sensação constantemente sombria e de tristeza tolda todas as perspectivas da vida. Essa tendência à dor mórbida e melancólica, como não destrói a compreensão, é frequentemente sujeita a controle logo que surge, e provavelmente recebe uma característica peculiar do estado mental anterior do indivíduo." (James Cowles Prichard, 1835, p. 18.)

111. As ideias e palavras de Benjamin Rush estão em 1809, pp. 61-62, p. 78 e pp. 104-8.

112. As ideias de Griesinger podem ser encontradas numa variedade de fontes primárias e secundárias. Seu *Mental Pathology and Therapeutics* fornece uma excelente pesquisa de suas ideias. Stanley Jackson, op. cit., contém um esclarecedor sumário das ideias de Griesinger.

113. As ideias de Foucault estão expostas em seu famoso *Loucura e civilização*, um livro cuja eloquente especiosidade provocou um dano significativo à causa dos doentes mentais no final do século XX.

114. A maior parte da obra de Charles Dickens grita por reforma social. Ver por exemplo *Nicholas Nickleby*.

115. Para Victor Hugo sobre injustiça social e alienação, ver seu *Les Misérables*.

116. Oscar Wilde dá voz ao espírito de alienação de sua época em "The Ballad of Reading Gaol", in 1997, pp. 152-72.

117. Joris-Karl Huysmans parece indicar algo da qualidade alienada da decadência tardia em seu famoso *À Rebours* ou *Against Nature*.

118. Thomas Carlyle, 1937, p 164; William James, "Is Life Worth Living?", in 1979, p. 42.

119. As opiniões de William James sobre melancolia irrompem através de seu texto. As passagens citadas aqui vêm de ibid., p 43, p. 39 e p. 49, respectivamente. Ver também, é claro, James, 1985.

120. Matthew Arnold, "Dover Beach", in 1965, pp. 239-43.

121. Henry Maudsley, 1895, pp. 164-68. John Charles Bucknill e Daniel H. Tuke (1858) assumiram o tema de Maudsley nos Estados Unidos, observando que "uma disfunção do intelecto não é uma parte essencial da disfunção" (p. 152). Falaram também dos tratamentos externos para a melancolia, muitos deles velhos, como tendo um efeito direto no cérebro. "Em todos os órgãos do corpo, exceto no cérebro, têm sido feitos grandes avanços no conhecimento de suas leis psicológicas. Mas acontece o contrário com o nobre órgão que governa o resto do corpo. O prin-

cípio fisiológico sobre o qual temos que construir um sistema de patologia cerebral é que a saúde mental é dependente da devida nutrição, estímulo e repouso do cérebro; isto é, das condições de exaustão e reparação serem mantidas num estado saudável e regular" (pp. 341-42). E eles sugerem entusiasticamente que o ópio pode ser eficaz no relaxamento do cérebro. Richard von Krafft--Ebing (1904) também identificou essa doença suave. "Quando as inúmeras e leves causas que não chegam ao hospital para o insano são levadas em consideração, o prognóstico da melancolia é favorável. Numerosos casos dessa espécie se recuperam sem a ocorrência de delírios ou erros dos sentidos" (p. 309).

122. George H. Savage, 1984, p. 130 e pp. 151-152.

123. Essas observações de Freud são de "Extracts from the Fliess Papers", op. cit., v. 1, pp. 204-6 [Ed. bras., v. 1, pp. 226-27].

124. Karl Abraham, "Notes on the Psycho-analytical Investigation and Treatment of Manic--Depressive Insanity and Allied Conditions", in 1965, p. 137, p. 146 e p. 156, respectivamente.

125. Mary A. Wooley e Gregory E. Simmon, 2000.

126. As passagens de "Luto e melancolia" são de Freud, 1957, pp. 125-27, p. 133 e pp. 138-39. [Ed. bras., p. 45; p. 47 e 49; p. 53; p. 69; p. 83]

127. Sobre a reação de Abraham a "Luto e melancolia", ver "Development of the Libido", in 1965, p. 456.

128. Melanie Klein, "The Psychogenesis of Manic-Depressive States", in 1986, p. 145 [Ed. bras.: "Uma contribuição à psicogênese dos estados maníaco-depressivos", in 1996, p. 329]. Outros textos psicanalíticos sobre o tópico incluem o grande revisionista de Freud, Sandor Rado. Ele monta um perfil do tipo de pessoa que é sujeita à melancolia, que é "mais feliz vivendo numa atmosfera permeada pela libido", mas que também tem uma tendência a ser irracionalmente exigente com aqueles a quem ama. A depressão, segundo Rado, é "um grande grito de desespero por amor". Por isso, ela evoca mais uma vez aquela demanda inicial pelo seio materno, cuja satisfação Rado chama encantadoramente de "orgasmo alimentar". A pessoa deprimida, da infância em diante, quer amor de qualquer tipo — amor erótico ou maternal ou autoamor são todos preenchimentos razoáveis de suas necessidades. "O processo da melancolia", escreveu Rado, "representa uma tentativa de reparação (cura) numa grande escala, levada a efeito com uma consistência psicológica de ferro" (Sandor Rado, "The Problem of Melancholia", in 1956, pp. 49-60).

129. Hassoun, 1997.

130. Kraepelin é de leitura monótona. Os trechos aqui citados são de Stanley Jackson, op. cit., pp. 188-95. Um excelente debate sobre Kraepelin está em Myer Mendelson, 1974.

131. Peter Abrams, 1999, p. 67.

132. Adolf Meyer é uma leitura deliciosa. Reconheço minha dívida com Stanley Jackson, op. cit., assim como com Myer Mendelson, op. cit., e Jacques Quen e Eric Carlson, 1978, para boa parte de minha discussão sobre Adolf Meyer. As passagens citadas, na ordem em que aparecem no textos, são de Myer Mendelson, op. cit., p 6; Jacques Quen e Eric Carlson, op. cit., p. 24; Myer Mendelson, op. cit., p. 6; Adolf Meyer, 1957, p. 172; Adolf Meyer, 1951, v. 2, p. 598 e p. 599; Theodore Lidz, 1966, p. 326; e Adolf Meyer, 1957, p. 158.

133. Sobre Mary Brooks Meyer, ver Theodore Lidz, op. cit., p. 328.

134. Adolf Meyer, 1928.

135. Jean-Paul Sartre, 1964, p. 4, pp. 95-96, p. 122 e p. 170 [Ed. bras., p. 15; p. 123 e pp. 154--55; p. 210].

136. Samuel Beckett, *Malone Dies* e *The Unnamable*, in 1997, pp. 256-57 e pp. 333-34 [Ed. bras. (1986), p. 64 e ed. bras. (2005), p. 32].

137. A história da descoberta de antidepressivos é contada repetidamente. Uma boa versão dela está em Peter Kramer, 1993, e uma versão mais técnica está em Peter Whybrow, 1997. Baseei-me nos dois, assim como na história detalhada que forma a espinha dorsal de David Healy, 1997. Incorporei também informação de entrevistas.

138. O debate Kline/ Lurie-Salzer/ Kuhn está em David Healy, op. cit., pp. 43-77.

139. Tais descobertas são de ibid., pp. 145-47.

140. A. Pletscher et al., 1955.

141. David Healy, op. cit., p. 148.

142. Ibid., pp. 152-55.

143. Ibid., pp. 155-161.

144. Joseph Schildkraut, 1965, pp. 509-22.

145. Agradeço a David Healy por sua crítica de Schildkraut.

146. Os cientistas escoceses que trabalharam na teoria do receptor são George Ashcroft, Donald Eccleston e membros da equipe, como é explicado em David Healy, op. cit., p. 162.

147. Ibid., pp. 165-69.

148. A crônica do desenvolvimento de cada medicamento está nos sites de seus fabricantes. Para informação sobre o Prozac, ver o site da Lilly em <www.prozac.com>; para informações sobre o Zoloft, ver o site da Pfizer em <www.pfizer.com>; para informação sobre drogas em desenvolvimento na Du Pont, ver o site em <www.dupontmerck.com>; para informação sobre Luvox, ver o site da Solvay em <www.solvay.com>; para informação sobre drogas em desenvolvimento na Parke-Davis, ver o site em <www.parke-davis.com>; para informação sobre reboxetine e Xanax, ver o site de Pharmacia/Upjohn em <www2.pnu.com>; para informação sobre Celexa, ver o site do Forest Laboratories em <www.forestlabs.com>.

9. POBREZA [pp. 321-45]

1. Vários estudos indicam que o pobre deprimido tende a se tornar mais pobre e deprimido. O efeito da depressão na capacidade de ganhar a vida é examinado em Sandra Danziger et al., 1999. Esse estudo indica que, entre as populações mais pobres, aqueles com um diagnóstico sobre depressão grave não podem em geral trabalhar 24 horas ou mais por semana. Estudos que mostram os registros de tratamento do pobre para populações pobres e sem-teto indicam que eles se tornam crescentemente deprimidos, como mostram Bonnie Zima et al. (1996) e Emily Hauenstein (1996). Para uma excelente discussão sobre as relações entre pobreza e saúde mental, ver John Lynch et al., 1997.

2. Ver cap. 5.

3. Ver Kay Jamison, 1993.

4. Um exemplo de depressão entre atletas pode ser encontrado em Buster Olney, 1997.

5. Ver cap. 6.

6. Que o pobre tem uma taxa alta de depressão pode ser concluído da estatística de que os que recebem pensão-desemprego do governo americano têm uma incidência de depressão três vezes maior do que os que não recebem pensão-desemprego, segundo K. Olsen e L. Pavetti, 1996. Sandra Danziger et al. (op. cit.) indicam que os deprimidos que recebem pensão-desemprego são mais propensos à incapacidade de manter empregos, completando assim o círculo de pobreza e depressão. Robert Durant et al. (1994) indicam uma conexão entre depressão e violência. Ellen Bassuk et al. (1998) examinam um número de estudos indicando níveis elevados de uso de drogas entre os deprimidos.

7. A eficácia da maioria dos tratamentos farmacológicos e psicodinâmicos parece ser bastante consistente através dos grupos. A depressão entre os indigentes deve por isso ter as mesmas taxas de eficácia que para um grupo mais geral. A dificuldade com esse grupo, no atual sistema, é de conseguir tratamento para os pacientes.

8. W. A. Anthony et al., 1984 e 1982.

9. Bruce Ellis e Judy Garber, 2000.

10. Lorah Dorn et. al., 1999. Para mais sobre puberdade precoce, promiscuidade e atividade sexual, ver Jay Belsky et al., 1991.

11. Sobre programas para doentes mentais, ver Lillian Cain (1993), Ellen Hollingsworth (1994), Catherine Melfi et al. (1999) e Donna McAlpine e David Mechanic (2000).

12. Exemplos de programas agressivos de *outreach* podem ser encontrados em Carol Bush et al. (1990) e José Arana et al. (1991). Para informações sobre programas *outreach* para populações sem-teto, ver Gary Morse et al. (1992).

13. Segundo L. Lamison-White, *U.S. Bureau of the Census: Current Populations Report*, citado por Jeanne Miranda e Bonnie L. Green, manuscrito inédito, p. 4

14. K. Moore et al., 1995.

15. J. C. Quint et al., 1994.

16. R. Jayakody e H. Pollack, 1997.

17. Comitê sobre Modos e Meios da Câmara dos Deputados dos Estados Unidos, 1998. Ele cita gastos do governo federal de 11,1 bilhões de dólares e do estadual, de 9,3 bilhões de dólares com AFDC (p. 411). Isso não inclui custos adicionais de 1,6 bilhão para o governo federal e o mesmo valor para o estadual. Os gastos federais com Assistência Temporária para Famílias Necessitadas (Temporary Assistance for Needy Families, TANF) são contabilizados como 23,5 bilhões de dólares para cupons de alimentação e 2 bilhões de custos operativos (p. 927). O governo federal e estadual gasta 1,8 bilhão com custos operativos.

18. Sobre os problemas no sistema de bem-estar social, nesse caso, ligado a crianças, ver Alvin Rosenfeld et al., 1998. Eles escrevem: "Em contraste com o sistema de saúde mental, profissionais não médicos cuidando dos programas infantis [...] A maioria das crianças adotadas provavelmente precisa de uma avaliação psiquiátrica; poucas passam por uma" (p. 527).

19. Jeanne Miranda é pioneira nessa área. Entre suas publicações mais importantes, podemos citar: Kenneth Wells et al. (2000); Jeanne Miranda et al. (1998 e 1996) e Jeanne Miranda (1996).

20. Discuti o custo anual em uma série de correspondências com pesquisadores. É naturalmente muito difícil calcular e comparar o custo exato para tais programas por conta das diferenças entre tratamentos, protocolos e serviços. Jeanne Miranda estima que seus custos sejam de cem dólares por paciente; Emily Hauenstein usou 638 dólares por paciente para tratamento que incluía cerca de 36 encontros terapêuticos. O custo do trabalho de Glenn Treisman se baseia nos números que ela me enviou por email em 30 de outubro de 2000; ele estimou custos operacionais entre 250 mil e 350 mil por ano para um programa *outreach* que oferecia cuidados para um número entre 2500 e 3 mil pacientes. O custo médio por paciente é, portanto, de 109 dólares.

21. Marvin Opler e S. Mouchly Small, 1968.

22. John Lynch et al., 1997.

23. Sobre o fenômeno de desamparo aprendido, ver Martin Seligman, 1990.

24. Carl Cohen, 1993.

25. O "buraco" de ozônio antártico é definido como uma "área tendo menos que 220 unidades dobson (DU) de ozônio na coluna aérea (*i.e.*, entre o chão e o espaço)". Como assinala o site da Agência de Proteção Ambiental: "A palavra *buraco* é uma designação errada; o buraco é na verdade um significativo adelgaçamento, ou redução nas concentrações de ozônio, que resulta na destruição de até 70% do ozônio normalmente encontrado sobre a Antártica". Retiro de Cheryl Silver (1990, p. 135): "O primeiro sinal inequívoco da mudança induzida pelo homem no meio ambiente global chegou em 1985, quando uma equipe de cientistas britânicos publicou descobertas que estarreceram a comunidade mundial de químicos que estudam a atmosfera. Joseph Farman, da British Meteorological Survey, e colegas relataram no jornal científico *Nature* que concentrações de ozônio estratosférico acima da Antártica fizeram descer mais de 40% dos níveis da linha de base dos anos 1960 durante outubro, o primeiro mês inteiro no Hemisfério Sul, entre 1977 e 1984. A maioria dos cientistas recebeu as notícias com descrença". Ver o site do EPA dedicado ao buraco de ozônio em <www.epa.gov/ozone/science/hole/holehome.html>. A British Antarctic Survey publica anualmente atualizações sobre o estado do ozônio antártico. Para informação atual, ver <www.nbs.ac.uk/public/icd/jds/ozone/index.html>.

10. POLÍTICA [pp. 346-83]

1. Para uma apreciação geral das mudanças nas políticas de governo na área da saúde mental, há inúmeros sites informativos focalizados na defesa, apoio e educação da saúde mental. Recomendo especialmente os sites do National Institute of Mental Health (<www.nimh.nih.gov>), da National Alliance for the Mentally Ill (<www.nami.org>), do Treatment Advocacy Center (<www.psychlaws.org>), da National Depressive & Manic-Depressive Association (<www.ndmda.org>) e da American Psychiatry Association (<www.psych.org>).

2. Tipper Gore, 1999.

3. Uma constelação de artigos foi publicada sobre Mike Wallace e sua depressão. Ver Jolie Solomon (1996), Walter Goodman (1998) e Jane Brody (1997).

4. Para a descrição de William Styron de sua depressão, ver suas memórias, elegantemente escritas em primeira pessoa, *Darkness Visible*, um dos primeiros retratos públicos da doença depressiva.

5. A National Alliance for the Mentally Ill (NAMI) fornece excelente informação sobre a ADA, inclusive resumos, informação sobre consumidor e advogado e informação para contato. Isso pode ser encontrado em <www.nami.org/helpline/ada.htm>.

6. O CAMI é a ala de pesquisa, educação e certificação médica do Departamento de Tráfego Aéreo dos Estados Unidos (US Department of Transportation Federal Aviation Administration, FAA). Para os regulamentos completos do FAA, ver o site da CAMI em <www.cami.jccbi.gov/AAM-300/part67.html>.

7. Richard Baron, manuscrito inédito, pp. 5-6, p. 18 e p. 21.

8. Para informação sobre o NIH e seus departamentos e orçamentos, ver seu site em <www.nih.gov>.

9. Os seis ganhadores do prêmio Nobel compareceram a uma audiência anual do Subcomitê sobre Mão de obra, Saúde e Serviços Humanos, da Câmara dos Deputados, no início dos anos 1990. O deputado John Porter, entre outros, descreveu o evento em diversas entrevistas.

10. Jeffrey Buck et al., 1999.

11. Os números sobre os colapsos de minha própria doença são os seguintes: dezesseis visitas ao psicofarmacologista a 250 dólares cada; cinquenta visitas ao psiquiatra (aproximadamente três horas por semana) a duzentos dólares por hora, e contas de medicamentos que acrescentam pelo menos 3500 dólares por ano.

12. Robert Hirschfeld et al., 1997, p. 335.

13. O Mental Health Parity Act de 1996 entrou em vigor em 1º de janeiro de 1998.

14. Segundo carta de John F. Sheils, vice-presidente do Lewin Group, para Richard Smith, vice- presidente do Public Policy and Research, American Association of Health Plans, de 17 de novembro de 1997. A estimativa naturalmente varia dependendo do "tipo de política de saúde sendo analisado". A carta me foi fornecida pelo Lewin Group.

15. As consequências econômicas para a paridade na cobertura são bastante complicadas e dependem de variáveis muito diferentes para serem abarcadas em um único estudo. Se, por um lado, muitos estudiosos concordam que a paridade custa menos de 1% — essa estatística é citada frequentemente em artigos especializados e leigos —, por outro vários estudos chegaram a outros números. A Rand Corporation levantou que igualar os limites anuais "elevaria o custo em apenas um dólares por funcionário". Um relatório do Conselho Nacional para Consulta de Saúde Mental sobre custos da paridade chegou a algumas possibilidades — de diminuição de 0,2% a aumentos de menos de 1%. Em um estudo do Lewin Group com seguradoras de New Hampshire, não houve aumento de custo. Para mais informação sobre esses vários estudos, ver o site do NAMI em <www.nami.org/pressroom/costfact.html>.

16. Robert Pear, 1998.

17. E. Fuller Torrey e Mary Zdanowicz, 1998.

18. A discrepância entre a proporção dos doentes mentais que são perigosos e a cobertura da mídia dessas pessoas é relatada em *The Economist*, 1998, p. 116.

19. Ernst Berndt et al., 1998.

20. E. S. Rogers et al. (1995) e R. E. Clark et al. (1996).

21. A Lei McCarran-Ferguson Act é de 1945. Dr. Scott Harrington (2000) informa que, ao propor que "nenhuma lei do Congresso 'deve ser entendida de forma que invalide, distorça ou substitua' qualquer lei estudual, ela atua com o objetivo de regular e taxar os seguros".

22. Em <www.nimh.nih.gov/about/2000budget.cfm>. Segundo o NIMH, o orçamento final de 2000 não será definido antes do começo de 2001.

23. *NAMI E-News* 99-74, 2 fev. 1999.

24. Sugestões em nível nacional para o tratamento obrigatório da tuberculose são emitidas pelo programa do Tratamento Diretamente Observado (Directly Observed Treatment, DOT) da Divisão de Eliminação da Tuberculose do Centro para o Controle de Doença. Esse programa propõe reuniões semanais com trabalhadores em cuidados médicos da saúde pública que aplicam tratamento, e verifica os protocolos do tratamento. Para mais sobre as recomendações do Centro para o Controle de Doença, ver <www.cdc.gov/nchstp/tb/faqs/qa.htm>. Embora todos os cinquenta estados reconheçam o programa do DOT, ele é implementado em níveis estaduais e municipais segundo necessidades locais. No estado de Nova York, por exemplo, as regulamentações do tratamento obrigatório da tuberculose são emitidas e impostas pelo Departamento de Saúde do Estado de Nova York em conjunção com os governos municipal e local. O Departamento de Saúde do Estado de Nova York estipula um programa DOT que forneça "administração diretamente observada dos medicamentos antituberculose para pessoas recalcitrantes ou incapazes de se aterem a planos de substâncias receitadas". Para mais, ver <www.health.state.ny.us/nysdoh/search/index.htm>. No estado de Nova York, mais de 80% das pessoas com tuberculose são colocadas num programa do DOT. Na cidade de Nova York, as Ordens para Adesão ao Tratamento Anti-TB do Comissário declara que "o Departamento de Saúde trabalha com os fornecedores de saúde pública para facilitar a adesão de pacientes ao tratamento antituberculose e proteger a saúde pública. A maioria dos indivíduos adere ao tratamento quando é instruída sobre a tuberculose e recebe incentivos ou ajuda de assistentes, auxílio com problemas de alojamento, maiores serviços sociais e programas domésticos ou de campo de terapia diretamente observada (DOT). Entretanto, se tais medidas parecem falhar ou já falharam, o Comissário da Saúde está autorizado, pela Seção 11.47 (d) do Código de Saúde da Cidade de Nova York, a emitir uma ordem considerada necessária para proteger a saúde pública". Para mais informações, ver o site do Departamento de Saúde da Cidade de Nova York, <www.ci.nyc.ny.us/html/doh/html/tb/tb5a.html>. Para uma análise estatística do tratamento obrigatório da tuberculose na cidade de Nova York, ver Rose Gasner et al., 1999.

25. Robert M. Levy e Leonard Rubinstein, 1996, p. 25.

26. Para mais informações sobre Willowbook, ver David e Sheila Rothman, 1984.

27. Depoimento da Associação Psiquiátrica Americana da Administração de Veteranos de 13 de abril de 2000, disponível no site da APA em <www.psych.org>, clicando em "Public Policy and Advocacy" e em "apaTestimony".

28. Obtive essa informação anedótica da deputada Marcy Kaptur.

29. Depoimento da Associação Psiquiátrica Americana da Administração de Veteranos de 13 de abril de 2000, disponível no site da APA em <www.psych.org>, clicando em "Public Policy and Advocacy" e em "apaTestimony".

30. Informação do site da Administração de Veteranos. Eles informam: "A Administração de Veteranos é afiliada a 105 escolas de medicina, 54 escolas de odontologia e mais de 1104 outras escolas no país. Mais da metade de todos os médicos praticantes dos Estados Unidos tiveram parte de sua formação no sistema de saúde da Administração de Veteranos. A cada ano, cerca de 100 mil profissionais da saúde passam por treinamento nos centros médicos da Administração de Veteranos". De <www.va.gov/About_VA/Orgs/vha/index.htm>.

31. Kevin Heldman, 1998.

32. Estimativas da percentagem de pacientes com disfunções depressivas dentro das instalações de saúde pública do estado e do condado são de Joanne Atay et al., 2000. Eles relatam que disfunções afetivas são a segunda disfunção mais prevalecente entre residentes, de 12,7% (p. 53). Para não residentes, esse número aumenta para 22,7% (p. 3).

33. Informação fornecida pela Associação de Saúde Mental do Sudeste da Pensilvânia. Agradeço a Susan Rogers dessa instituição por seu esforço em obter esse e outros números.

34. Quanto à efetividade de programas baseados na convivência com a comunidade, um relatório declara que os serviços da comunidade "são potencialmente sempre mais eficientes que serviços institucionalizados em termos de resultados" (in National Mental Health Consumers' Self-Help Clearinghouse et al., 1998, p. 24). Esse relatório cita diversos estudos que confirmam essa declaração, dois deles bastante pertinentes: A. Kiesler (1982) e Paul Carling (1990).

35. Os pontos de vista de Thomas Szasz estão expressos em seus inúmeros textos. Seu livro *Cruel Compassion* e *Primary Values and Major Contentions* são um bom lugar para começar.

36. A história da ação contra Thomas Szasz é contada por Kay Jamison, 1999, p. 254 [Ed. bras., p. 229].

37. Sally L. Satel, 1999.

38. Os programas educacionais da indústria farmacêutica são abrangentes. No encontro anual da Associação de Psiquiatria Americana (APA), espaços patrocinados pela indústria incluem apresentações de alguns dos psiquiatras mais proeminentes dos Estados Unidos, muitos dos quais receberam orçamento de pesquisa de companhias farmacêuticas. Representantes dos laboratórios acabam sendo responsáveis pela maior parte da atualização dos médicos; seu trabalho mantém os médicos atualizados a respeito de novos tratamentos, mas essa atividade educativa é naturalmente enviesada.

39. Sobre pesquisa e "propriedade intelectual", ver Jonathan Rees, 2000.

40. David Healy, 1997, p.169.

41. Myrna Weissman et al., 1996.

42. David Healey, op. cit., p. 163.

43. Ibid., pp. 256-65.

44. J. T. Barbey e S. P. Roose (1998) escrevem: "Overdoses moderadas — trinta vezes a dose comum — estão associadas a sintomas fracos ou nenhum.". Somente em "doses muito altas — 75 vezes maior que a dose diária comum" — ocorrem acontecimentos mais sérios, "inclusive convulsões, mudanças no ECG e consciência diminuída".

11. EVOLUÇÃO [pp. 384-402]

1. Michael McGuire e Alfonso Troisi, 1998, p. 150 e p. 157.

2. C. S. Sherrington, 1947, p. 22.

3. C. U. M. Smith, 1993, p. 150.

4. Jack Kahn, "Job's Battle with God", ascap 10, n. 12 (1997). Para mais, ver Kahn, 1986.

5. Anthony Stevens e John Price, 1996.

6. Nancy Collinge, 1993, pp. 102-4.

7. Sobre o princípio básico do macho alfa, ver ibid., pp. 143-57.

8. Há uma grande quantidade de literatura sobre a questão geral da depressão e sociedades hierárquicas. Leon Sloman et al. (1994) é talvez uma das primeiras formulações sólidas de uma teoria coerente.

9. John Birtchnell, 1993.

10. As ideias de Russell Gardner sobre mecanismos de dominância alterada em mamíferos

superiores estão descritas em diversas publicações suas. Para uma descrição mais abrangente de suas ideias sobre depressão e interação social, ver John Price et al., 1994. Para discussões mais específicas, ver Russell Gardner, "Psychiatric Syndromes as Infraestructure for Intra-Specific Communication", in M. R. A. Chance, 1988, e Gardner, 1982.

11. Tom Wehr, 1990.

12. Michael McGuire e Alfonso Troisi, op. cit., p. 41.

13. As ideias expressas aqui são desenvolvidas através do texto.

14. Sobre as dificuldades da liberdade, ver o clássico Erich Fromm, 1941. Ernst Becker (1973) também tem uma argumentação pertinente sobre liberdade e sua relação com a depressão (p. 213 em diante).

15. George Colt, 1991, p. 50.

16. Regina Schrambling, 1995, p. 93.

17. Paul J. Watson e Paul Andrews, manuscrito inédito. Uma versão resumida desse trabalho foi publicada sob o título de "Niche Change Model of Depression" (1998).

18. Randolph Nesse, 1990. Para suas ideias atuais sobre depressão e evolução, ver seu Nesse, 2000.

19. Erica Goode, 2000.

20. Paul J. Watson e Paul Andrews, "An Evolutionary Theory of Unipolar Depression as an Adaptation for Overcoming Constraints of the Social Niche" e "Unipolar Depression and Human Social Life: An Evolutionary Analysis", manuscritos inéditos.

21. Edward Hagen, 1998.

22. Sobre o vínculo entre depressão e sensibilidade interpessoal, ver K. Sakado et al., 1999. Sobre a relação entre depressão e sensibilidade ansiosa, ver Steven Taylor et al., 1996.

23. Paul MacLean, 1990.

24. A visão de Timothy Crow está expressa num amplo espectro de trabalhos, cuja porção relevante é citada na bibliografia. A articulação mais direta de seus princípios linguísticos e suas teorias da assimetria do cérebro está em Crow, 1995a.

25. Sobre linguagem como uma função da assimetria do cérebro, ver Marian Annett (1985) e Michael Corballis (1991).

26. Ver Oliver Sacks, 1989.

27. Ver Noam Chomsky, 1975.

28. Ver Susan Egelko et al., 1988.

29. T. Crow, 1997.

30. Para informação geral sobre assimetrias do córtex pré-frontal e a depressão, ver Carrie Ellen Schaffer et al., 1983.

31. J. Soares e John Mann (1997) e M. George et al. (1993).

32. Ver, por exemplo, P. S. Eriksson, 1998.

33. Para uma boa discussão geral da EMTR, ver Eric Hollander, 1997.

34. Para ativação e desativação do córtex esquerdo, ver Richard Davidson et al., 1990. Para assimetria cerebral e o sistema imune, ver Duck-Hee Kang et al., 1991. Para o trabalho de Richard Davidson com bebês e separação maternal, ver Richard Davidson e Nathan Fox, 1989.

35. Sobre a capacidade de resistência aprendida, um campo ainda aberto em que os dados concretos apenas começam a se somar, ver Richard Davidson, "Affective style, psychology and resilience: Brain mechanisms and plasticity", cuja publicação estava programada para 2001 no *American Psychologist*.

36. Ver A. J. Tomarken, 1992.

37. N.H. Kalen et al., 1998.

38. Os trabalhos de Timothy Crow sobre o uso da mão discutem a conexão entre linguagem, habilidade manual e afeto. Ver Crow, 1996 e 1998.

39. A fala de Hamlet está no ato 2, cena 2, verso 551 [Ed. bras., v. 1, p. 449].

40. Que a evolução lançará luz no nevoeiro da psiquiatria moderna é um dos argumentos centrais de Michael McGuire e Alfonso Troisi, op. cit.; citação da p. 12.

12. ESPERANÇA [pp. 403-24]

1. A mudança de Angel tinha sido de Norristown, uma instalação residencial para cuidados de longo prazo ou hospital psiquiátrico, para a Pottstown Community Residential Rehab (CRR), e depois para a rua South Keim, definida como um Programa de Abrigo Intensivo ou Organização de Abrigos Apoiados, destinada aos que se formavam no programa da CRR.

2. Thomas Nagel, 1970, pp. 128-29.

3. Shakespeare, *Conto de inverno*, in 1968, ato 4, cena 4, versos 86-96 [Ed. bras., v. 2, p. 1441].

4. Ver Shelley E. Taylor, 1989. Também faço referência a uma série de experiências a mim relatadas pelo documentarista Roberto Guerra.

5. Freud, "Luto e melancolia", in 1957, p. 128 [Ed. bras., p. 55].

6. Shelley E. Taylor, op. cit., p. 7 e p. 213.

7. Emmy Gut, 1989, cap. 3.

8. Julia Kristeva, 1989, p. 42 [Ed. bras., p. 46].

9. Joseph Glenmullen, 2000, p. 15.

10. Segundo um amigo que perdeu um parente nesse voo em julho de 1996.

11. George Eliot, 1983, p. 251 [Ed. bras., p. 178].

12. Emily Dickinson, 1960, p. 318. Poema 640: "Eu não posso viver com Você". [Ed. bras. (2011), p. 189]

13. John Milton, 1993, p. 384 [Ed. bras., 1999, p. 93] e p. 266 (Livro IX, versos 1070-73); p. 263 (Livro XI, versos 137-40); p. 301 (Livro XII, versos 641-49) [Ed. bras.: p. 279, p. 331 e p. 379].

14. Dostoiévski, 1983, p. 363.

15. Para mais sobre Heidegger e a relação entre angústia e pensamento, ver sua monumental obra-prima *Being and Time* (*O ser e o tempo*).

16. Friedrich Wilhelm Joseph von Schelling, 1856, p. 399. Agradeço a Andrew Bowie pela ajuda na interpretação desse trecho. Para mais, ver Andrew Bowie, 1993.

17. Julia Kristeva, op. cit., p. 4 e p. 22 [Ed. bras., p. 12 e p. 28].

18. Schopenhauer, "On the Sufferings of the World", in 1970, p. 45.

19. Tennessee Williams, 1990. Agradeço à persistência estudiosa de Emma Lukic por encontrar essa citação para mim.

20. *The Oxford English Dictionary* define *alegria* como "uma viva emoção de prazer brotando de um senso de bem-estar ou satisfação; a sensação ou estado de estar altamente contente ou encantado; exultação do espírito; contentamento, encantamento" (v. 5, p. 612).

EPÍLOGO [pp. 425-69]

1. Minha viagem ao Afeganistão resultou no artigo "An Awakening from the Nightmare of the Taliban"; ver Solomon, 2002.

2. Solomon, 2013a.

3. David Levine, 2014.

4. Entrevista com Joe Biden.

5. Para meu tributo a Terry Kirk, ver Solomon, 2010.

6. A comparação do ex-deputado por Rhode Island e defensor da saúde mental Patrick Kennedy se deu na apresentação do vice-presidente Joe Biden na reunião anual da Associação Ameri-

cana de Psiquiatria, em maio de 2014. Ele já havia manifestado ideias semelhantes; ver Kathleen Kenna, 2012.

7. Para informações detalhadas sobre essas medicações, ver National Alliance on Mental Illness. Alguns especialistas examinam os medicamentos específicos listados aqui: ver Karly Garnock-Jones e Paul McCormack (2010), Chi-Un Pae et al. (2009), Erica Pearce e Julie Murphy (2014), Marcus Silva et al. (2013), Sheng-Min Wang et al. (2013), Suzanne M. Clerkin et al. (2009), Young Sup Woo, Hee Ryung Wang e Won-Myong Bahk (2013) e Nadia Iovieno et al. (2011).

8. O programa do NIMH está descrito em Bruce Cuthbert, 2010.

9. Para duas revisões úteis sobre o uso de cetamina no tratamento da depressão, ver Gerard Sanacora (2012) e Marie Naughton et al. (2014).

10. O Rilutek (riluzol) é analisado em Kyle Lapidus, Laili Soleimani e James Murrough (2013); a escopolamina, em Robert J. Jaffe, Vladan Novakovic e Eric D. Peselow (2013); e o Glyx-13, em Kenji Hashimoto et al. (2013). A concessão pela FDA de designação de via rápida para o Glyx-13 (também conhecido como (S)-N-[(2S,3R)-1-amino-3-hidroxi-1-oxobutano-2-il]-1- -[(S)-1-((2S,3R)-2-amino-3-hidroxibutanal)pirrolidina-2-carbonila]pirrolidina-2-carboxamida) foi anunciada no informe à imprensa da Naurex, Inc.; ver Naurex, 2014.

11. Para uma discussão mais detalhada da diminuição do ritmo no desenvolvimento de medicações psiquiátricas e dos esforços de pesquisa colaborativos, ver Richard A. Friedman, ago. 2013 e dez. 2013.

12. Para um exemplo do trabalho do Psychiatric Genomics Consortium, ver Seung-Hwan Lee et al., 2013.

13. Os progressos feitos com a TEC são examinados em Colleen K. Loo et al. (2012) e Esmée Verwijk et al. (2012).

14. Sarah H Lisanby et al. (2003) e Sarah Kayser et al. (2013).

15. Para mais informações sobre estimulação magnética transcraniana, ver Moacyr Rosa e Sarah Lisanby (2012), David H. Avery et al. (2008) e Angel V. Peterchev, D. L. Murphy e Sarah H. Lisanby (2010).

16. Entre os artigos de revisão úteis sobre EEC estão Mary Gunther e Kenneth D. Phillips (2010), Daniel L. Kirsch e Francine Nichols (2013) e Eugene A. DeFelice (1997). A estimulação de baixa voltagem do córtex foi descrita pela primeira vez em Giovanni Aldini, *Essai theorique et experimental sur le galvanisme* (1804), citado em Souroush Zaghi et al. (2010).

17. Estudos que confirmam a eficácia da EEC no tratamento da ansiedade e da depressão: Alexander Bystritsky, Lauren Kerwin e Jamie Feusner (2008) e David H. Avery et al. (op. cit). As preocupações com a tendenciosidade do estudo estão em Sidney Klawansky et al. (1995). Os aparelhos de EEC são vendidos com os nomes comerciais de Alpha-Stim, CES Ultra, Fisher Wallace e Sota BioTuner.

18. Para um exemplo da situação dos aparelhos de EMT ou para EEC nos seguros de saúde norte-americanos típicos, ver Aetna, 2013.

19. Supostos mecanismos de ação para EEC estão discutidos em Souroush Zaghi et al., op. cit.

20. ETCC e ETCA são comparadas em Laura Tadini et al. (2011) e Abhishek Datta et al. (2013).

21. Algumas alegações sem fundamento feitas pelos representantes da EEC estão descritas em Stephen Barrett, 2008.

22. O efeito da EEC sobre neurotransmissores é analisado em Lidia Gabis, Bentzion Shklar e Daniel Geva (2003). O trabalho sobre cortisol é pouco convincente; ele é citado por C. Norman Shealy (1989 e 1998), mas sem comprovação significativa.

23. Os protocolos de EEC estão detalhados em Harish C. Kavirajan, Kristin Lueck e Kenneth Chuang (2013).

24. Entrevista com Igor Galynker. O estudo do dr. Galynker está descrito em Samantha Greenman et al. (2014).

25. Para mais informações sobre o estudo, ver U.S. Department of Health and Human Services, National Institutes of Health, 2011.

26. As razões da FDA para classificar os aparelhos de EEC como Classe 3, o que significa que requerem aprovação antes de serem comercializados, e para determinar que evidências científicas válidas disponíveis não demonstram que a EEC proporcionará uma garantia razoável de eficácia para a indicação de insônia, depressão ou ansiedade, estão apresentadas no "Resumo executivo preparado para a reunião do Painel sobre Aparelhos Neurológicos em 10 de fevereiro de 2012 da agência, em http://www.fda.gov/downloads/AdvisoryCommittees/Committees MeetingMaterials/MedicalDevices/MedicalDevicesAdvisoryCommittee/Neurological DevicesPanel/UCM330887.pdf; e resumidos em Kenneth Bender, 2012.

27. Roland Nadler, 2013.

28. Para uma discussão mais detalhada da pesquisa sobre ENV, ver Pilar Cristancho et al., 2011.

29. Entrevista com Helen Mayberg. Os estudos recentes sobre estimulação cerebral profunda de coautoria de Mayberg são Paul E. Holtzheimer e Helen S. Mayberg (2011) e Patricio Riva-Posse et al. (2013). Considerações sobre o estabelecimento de diretrizes éticas para a pesquisa da ECP estão descritas em Peter Rabins et al., 2009.

30. O ultrassom focalizado, a terapia de luz quase infravermelha, a estimulação magnética de baixo campo e a estimulação optogenética estão descritas em Moacyr Rosa e Sarah Lisanby, op. cit. Para um estudo recente da relação entre fotorreceptores e ansiedade em ratos, ver Olivia A. Masseck et al., 2014.

31. O uso de Botox no tratamento da depressão é estudado em Eric Finzi e Normal E. Rosenthal (2014), Marc Axel Wollmer et al. (2012) e Doris Hexsel et al. (2013). Para a introdução de um leigo ao tema, ver Richard A. Friedman, 2014.

32. William James, 1884.

33. Benedict Carey, 2013. A respeito de dois estudos recentes patrocinados pelo NIMH sobre insônia e depressão, ver U.S. Department of Health and Human Services, National Institutes of Health, "Behavioral Insomnia Therapy for Those with Insomnia and Depression", e id., "Improving Depression Outcome by Adding CBT for Insomnia to Antidepressants".

34. Benedict Carey, 2013.

35. Entrevista com Rob Frankel.

36. Para mais discussões da política da companhias de seguro em relação à psicoterapia, ver Brandon A. Gaudiano e Ivan W. Miller (2013) e Brandon Gaudiano (2013).

37. Depoimentos de Mark Taylor e do dr. Alen J. Salerian na FDA; ver U.S. Food and Drug Administration, 2004b.

38. Ibid. Uma investigação interna dos Trustees da Universidade George Wythe concluiu que o título de doutorado de Tracy foi indevidamente concedido, resultando em sua revogação; ver Universidade George Wythe, 2012.

39. Irving Kirsch et al. (2008); e Arif Khan et al. (2012).

40. Richard A. Friedman trata do significado dos critérios de inclusão para o resultado de estudos sobre reação a placebos em Friedman, 2010.

41. Pim Cuijpers et al., 2014.

42. A metodologia de Kirsch é contestada em Konstantinos N. Fountoulakis e Hans-Jürgen Möller (2011 e 2012), Hans-Jürgen Möller e Konstantinos N. Fountoulakis (2011) e Konstantinos N. Fountoulakis, Myrto T. Samara e Melina Siamouli (2014).

43. Para uma discussão sobre a incidência de recaída, ver John R. Geddes et al., 2003.

44. Daniel Carlat, 2011.

45. Ver Robert D. Gibbons et al., 2012.

46. John Krystal, 2012.

47. Bret R. Rutherford e Stephen P. Roose, 2013; ver também B. Timothy Walsh et al., 2002.

48. Ver CBS News, 2012.

49. John M. Oldham, 2012.

50. Bret R. Rutherford e Stephen P. Roose, op. cit.

51. Para uma discussão da representação popular errada do estado das pesquisas científicas sobre depressão, ver Jonathan Leo e Jeffrey R. Lacasse, 2008.

52. A tirada do nutricionista alemão Werner Wöhlbier sobre "déficit de aspirina" é muito citada por seus alunos; ver, por exemplo, Hans-Georg Classen, Heimo Franz Schimatschek e Konrad Wink (2004, p. 43): "'Se uma dor de cabeça é aliviada por aspirina, isso não é prova da correção de um déficit de aspirina preexistente' é um teorema de W. Woehlbier (1899-84)".

53. Ver U.S. Department of Health and Human Services, National Institute of Mental Health, 2014.

54. David Brent (2003), U.S. Department of Health and Human Services, Centers for Disease Control (2012) e Alex E. Crosby et al. (2011).

55. Corrado Barbui, Eleonora Esposito e Andrea Cipriani, 2009.

56. Tarek A. Hammad (2004) e Tarek A. Hammad, Thomas Laughren e Judith Racoosin (2006).

57. Robert D. Gibbons et al., 2007b.

58. Andrew C. Leon et al. (2006) e Doug Gray et al. (2002).

59. Silas W. Smith, Manfred Hauben e Jeffrey K. Aronson, 2012.

60. U.S. Food and Drug Administration, 2004a e 2007.

61. O declínio na taxa de prescrições de antidepressivos está documentado em Anne M. Libby et al., 2007. O aumento na taxa de suicídio de adolescentes na Holanda encontra-se em Robert D. Gibbons et al., 2007a. Dados semelhantes vêm do Canadá; ver Laurence Y. Katz et al., 2008.

62. Robert D. Gibbons et al., 2007b.

63. Susan Busch, Ezra Golberstein e Ellen Meara, 2011.

64. Uma discussão do impacto negativo da advertência em tarja preta encontra-se em Robert J. Valuck et al., 2007.

65. Estudos que detectaram uma diminuição das taxas de suicídio na Dinamarca, Hungria, Suécia, Itália, Austrália e no Japão: Lars Søndergård et al. (2006), Zoltan Rihmer et al. (2013), Anders Carlsten et al. (2001), Giulio Castelpietra et al. (2008), Atsuo Nakagawa et al. (2007) e Wayne D. Hall et al. (2003). Estudos e revisões multinacionais com conclusões similares: Göran Isacsson (2000), Jens Ludwig, David E. Marcotte e Karen Norberg (2007), Ricardo Gusmão et al. (2013) e Marc Olfson et al. (2003).

66. Ver Robert D. Gibbons et al. (2005), Robert D. Gibbons et al. (2006) e Michael F. Grunebaum et al. (2004).

67. Andrew C. Leon et al., 2007.

68. Ver Robert D. Gibbons et al., 2007b.

69. Herschel Jick, James A. Jaye e Susan S. Jick (2004) e Charlotte Björkenstam et al. (2013).

70. Gregory E. Simon et al., 2006; ver também William O. Cooper et al., 2014.

71. Jeffrey A. Bridge et al. (2005) e Gregory E. Simon e James Savarino (2008).

72. Kelly Posner et al., 2007 e 2011.

73. O suicídio é definido e distinguido de outras formas de dano autoinfligido em Matthew K. Knock e Ronald Kessler (2006) e Diego de Leo et al. (2006).

74. Entrevista com Kelly Posner.

75. U.S. Food and Drug Administration, 2010 e 2012b.

76. O aumento no uso de antidepressivos por mulheres grávidas, a síndrome de abstinência neonatal e convulsões e estudos com camundongos são discutidos em Catherine Monk, Elizabeth M. Fitelson e Elizabeth Werner (2011); a presença de antidepressivos no sangue do cordão umbilical e no líquido amniótico e o risco de defeitos cardíacos estão discutidos em Shona Ray e Zachary N. Stowe (2014).

77. Estudos que descobriram uma associação entre uso de antidepressivos e autismo: Lisa A. Croen et al. (2011); Dheeraj Rai et al. (2013) e Rebecca A. Harrington et al. (2014).

78. Anders Hviid, Mads Melbye e Björn Pasternak (2013) e M.J. Sørensen et al. (2013).

79. Correspondência pessoal com Elizabeth Fitelson.

80. Jayson J. Paris et al., 2011.

81. Lori Bonari et al. (2004) e Tiffany Field et al. (2004).

82. Thomas G. O'Connor, Catherine Monk e Elizabeth M. Fitelson, 2014.

83. Ali S. Khashan, 2008.

84. Thomas G. O'Connor, Catherine Monk e Elizabeth M. Fitelson, op. cit.

85. Susan Pawlby et al., 2009.

86. Sonya M. Abrams et al., 1995.

87. Irena Nulman et al., 2002; ver também Tim F. Oberlander et al., 2007.

88. Callie L. McGrath et al., 2013.

89. Uma discussão mais aprofundada de biomarcadores encontra-se em Heath D. Schmidt, Richard C. Shelton e Ronald S. Duma, 2011.

90. Ver o site da Rede Nacional de Centros de Depressão, em <http://www.nndc.org>, do Centro de Depressão da Universidade de Michigan, em <http://www.depressioncenter.org>, e do Prechter Bipolar Genetics Repository, em <http://prechterfund.org/bipolar-research/repository>.

91. Entrevista com John Greden.

92. A missão da instituição de caridade Bring Change 2 Mind (<http://www.bringchange2mind. org>) está descrita em Korina Lopez, 2013.

93. Entrevista com Glenn Close.

94. John Waters, 2014.

95. A lamentável experiência de Ellen Richardson na fronteira está descrita em Valerie Hauch, 2013. Eu publiquei um artigo de opinião sobre o incidente; ver Solomon, 2013.

96. Isabel Teotonio, 2011.

97. Correspondência pessoal com Ryan Fritsch.

98. Para uma ampla discussão das provisões legais relativas à doença mental, ver Abigail J. Schopick, 2012.

99. Darlene Superville, 2009.

100. Entrevista com Angel Starkey

101. Entrevista com Bill Stein (pseudônimo).

102. Entrevista com Frank Russakoff (pseudônimo).

103. Correspondência com Tina Sonego.

104. Entrevista com Maggie Robbins.

105. Entrevista com Claudia Weaver (pseudônimo).

106. Entrevista com Laura Anderson.

107. Aquela história de amor começou com este artigo: John Habich, 2001.

Bibliografia

ABRAHAM, H. D. et al. "Order of onset of substance abuse and depression in a sample of depressed outpatients". *Comprehensive Psychiatry*, 40, 1, pp. 44-50, 1999.

ABRAHAM, Karl. *Selected Papers of Karl Abraham, M. D.* 6 ed. Trad. Douglas Bryan e Alyx Strachey. Londres: The Hogarth Press, 1965.

ABRAMS, Richard. *Electroconvulsive Therapy.* 2 ed. Nova York: Oxford University Press, 1992.

ABRAMS, Sonya M. et al. "Newborns of depressed mothers". *Infant Mental Health Journal* 16, n. 3, pp. 233-39, outono 1995.

ADAMS, Peter. *The Soul of Medicine: An Anthology of Illness and Healing.* Londres: Penguin Books, 1999.

AETNA. "Clinical policy bulletin: Transcranial magnetic stimulation and cranial electrical stimulation". Policy Bulletin 0469, 11 out. 2013. Disponível em: <http://www.aetna.com/cpb/medical/data/400_499/0469.html>.

AGUIRRE, J. C. et al. "Plasma Beta-Endorphin Levels in Chronic Alcoholics". *Alcohol* 7, n 5, pp. 409-12, 1990.

AIGNER, T. G. et al. "Choice Behavior in Rhesus Monkeys: Cocaine versus Food". *Science* 201, pp. 534-35, 1978.

ALBERT, R. "Sleep Deprivation and Subsequent Sleep Phase Advance Stabilizes the Positive Effect of Sleep Deprivation in Depressive Episodes". *Nervenarzt* 69, 1, pp. 66-69, 1998.

ALDRIDGE, David. *Suicide: The Tragedy of Hopelessness.* Londres e Filadélfia: Jessica Kingsley Publishers, 1998.

ALLEN, Hannah. "A Narrative of God's Gracious Dealings with That Choice Christian Mrs. Hannah Allen". In: INGRAM, Allan. *Voices of Madness.* Thrupp, Inglaterra: Sutton Publishing, 1997.

ALLEN, Nick. "Towards a Computational Theory of Depression". *ASCAP* 8, 7, 1995.

ALTSHULER, Kenneth et al. "Anorexia Nervosa and Depression: A Dissenting View". *American Journal of Psychiatry* 142, 3, pp. 328-32, 1985.

ALVAREZ, A. *The Savage God: A Study of Suicide.* Londres: Weidenfeld and Nicolson, 1971. [Ed. bras.: *O deus selvagem: Um estudo do suicídio.* Trad. Sonia Moreira. São Paulo: Companhia das Letras, 1999]

AMBROSE, Stephen E. *Undaunted Courage.* Nova York: A Touchstone Book, 1996.

AMBROSINI, Paul. "A Review of Pharmacotherapy of Major Depression in Children and Adolescents". *Psychiatric Services* 51, 5, pp. 672-33, 2000.

AMERICAN PSYCHIATRIC ASSOCIATION (Associação Americana de Psiquiatria). *Diagnostic and Statistical Manual of Mental Disorders.* 4 ed. Washington, DC: American Psychiatric Association, 1994.

ANDERSEN, Grethe. "Treatment of Uncontrolled Crying after Stroke". *Drugs & Aging* 6, 2, pp. 105-11, 1995.

ANDERSEN, Grethe et al. "Citalopram for postroke pathological crying". *Lancet* 342, pp. 837-39, 1993.

ANDREWS, Bernice; BROWN, George W. "Stability and Change in Low Self-Eesteem: The Role of Psychosocial Factors." *Psychological Medicine* 25, pp. 23-31, 1995.

ANGELL, Marcia. "The Epidemic of Mental Illness: Why?". *New York Review of Books*, 23 jun. 2011.

_____. "The Illusions of Psychiatry". *New York Review of Books*, 14 jul. 2011.

ANNETT, Marian. *Left, Right, Hand and Brain: The Right Shift Theory*. New Jersey: Lawrence Erlbaum Associates, 1985.

ANTHONY, James et al. "Comparative Epidemiology of Dependents on Tobbaco, Alcohol, Controlled Substances, and Inhalants: Basic Findings from the National Comorbidity Survey". *Experimental and Clinical Psychopharmacology* 2, n. 3, pp. 244-68, 1994.

ANTHONY, W. A. et al. "Supported Employment for Persons with Psychiatric Disabilities: An Historical Conceptual Perspective". *Psychosocial Rehabilitation Journal* 11, n. 2, pp. 5-24, 1982.

_____. "Predicting the Vocacional Capacity of the Chronically Mentally Ill: Research and Implications". *American Psychologist* 39, pp. 537-44, 1984.

AQUINO, São Tomás de. *Summa theologiae* I-II, q. 25, a. 4. In: _____. *Sancti Thomae de Aquino opera omnia*, v. 6. Roma: Comissão Leonina, 1882.

_____. *Summa Theologica: Complete English Edition in Five Volumes*. Trad. Padres da Ordem Dominicana Inglesa. Reimpressão, Westminter, Md.: Christian Classics, 1981, I-II, q. 25, a. 4. v. 2.

ARANA, José et al. "Continuous Care Teams in Intensive Outpatient Treatment of Chronic Mentally Ill Patients". *Hospital and Community Psychiatry* 42, n. 5, pp. 503-7, 1991.

ARAYA, O. S.; FORD, E. J. "An Investigation of the Type of Photosensitization Caused by the Ingestion of St. John's Wort (*Hypericum perforatum*) by Calves". *Journal of Comprehensive Pathology* 91, n. 1, pp. 135-41, 1981.

ARCHER, John. *The Nature of Grief*. Londres: Routledge, 1999.

ARDILA, Alfredo et al. "Neuropsychological Deficits in Chronic Cocaine Abusers". *International Journal of Neuroscience* 57, pp. 73-79, 1991.

ARIENO, Marlene A. *Victorian Lunatics: A Social Epidemiology of Mental Illness in Mid-Nineteenth- -Century England*. Sellinsgrove, Pa.: Susquehanna University Press, 1989.

ARISTÓTELES. "Problemata". In: _____. *The Works of Aristotle Translated into English*. Oxford: Clarendon Press, 1971. v. 7.

ARNOLD, Matthew. *The Poems of Matthew Arnold*. Ed. de Kenneth Allot. Londres: Longman's, 1965.

ARTAUD, Antonin. *Antonin Artaud: Works on Paper*. Ed. de Margit Rowell. Nova York: Museum of Modern Art, 1996.

ÅSBERG, Marie. "Neurotransmitters and Suicidal Behavioral: The Evidence from Cerebrospinal Fluid Studies". *Annals of the New York Academy of Sciences* 836, pp. 158-81, 1997.

ASELTINE, R. H. et al. "The Co-ocurrence of Depression and Substance in Late Adolescent". *Developmental Psychopathology* 10, n. 3, pp. 549-70, 1998.

ÅSGARD, U. et al. "Birth Cohort Analysis of Changing Suicide Risk by Sex and Age in Sweden 1952 a 1981". *Acta Psychiatrica Scandinavica* 76, pp. 456-63, 1987.

ASTBURY, Jill. *Crazy for You: The Making of Women's Madness*. Oxford: Oxford University Press, 1996.

ATAY, Joanne et al. *Additions and Resident Patients at End of Year, State and County Mental Hospitals, by Age and Diagnosis, by State, United States, 1998*. Washington, DC: Department of Health and Human Services, maio de 2000.

AVERY, David H. et al. "Transcranial Magnetic Stimulation in Acute Treatment of Major Depressive Disorder: Clinical Response in an Open-label Extension Trial". *Journal of Clinical Psychiatry* 69, n. 3, pp. 441-51, mar. 2008.

AXLINE, Virginia M. *Dibs in Search of Self.* Nova York: Ballantine Books, 1964.

BABB, Lawrence. *The Elizabethan Malady: A Study of Melancholia in English Literature from 1580 a 1642.* East Lansing: Michigan State College Press, 1951.

BACA-GARCÍA, Enrique et al. "The Relationship Between Menstrual Cycle Phases and Suicide Attemps". *Psychosomatic Medicine* 62, pp. 50-60, 2000.

BALDESSARINI, Ross J. "Neuropharmacology of S-Adenosyl-L-Methionine". *The American Journal of Medicine* 83, supl. SA, pp. 95-103, 1987.

BALL, H. Irene et al. "Update on the Incidence and Mortality from Melanoma in the United States". *Journal of the American Academy of Dermatology* 40, pp. 35-42, 1999.

BALL, J. R. et al. "A Controlled Trial of Imipramine in Treatment of Depressive States". *British Medical Jornal* 21, pp. 1052-55, 1959.

BARBEY, J. T.; ROSE, S. P. "ISRSs Safety in Overdose". *Journal of Clinical Psychiatry* 59, supl. 15, pp. 42-48, 1998.

BARBUI, Corrado; ESPOSITO, Eleonora; CIPRIANI, Andrea. "Selective Serotonin Reuptake Inhibitors and Risk of Suicide: A Systematic Review of Observational Studies". *Canadian Medical Association Journal* 180, n. 3, pp. 291-7, 3 fev. 2009.

BARINAGA, Marcia. "A New Clue to How Alcohol Damages Brains". *Science*, pp. 947-48, 11 fev. 2000.

BARKER, Juliet. *The Brontës.* Nova York: St. Martin's Press, 1994.

BARLOW, D. H.; CRASKE, M. G. *Mastery of Your Anxiety and Panic: Client Workbook for Anxiety And Panic.* San Antonio, Tex.: Graywind Publications Incorporated/The Psychological Corporation, 2000.

BARLOW, D. H. et al. "Cognitive-Behavioral Therapy, Imipramine, or their Combination for Panic Disorder: A Randomized Controlled Trial". *Journal of the American Medical Association* 283, pp. 2529-36, 2000.

BARON, Richard. "Employment Policy: Financial Support versus Promoting Economic Independence". *International Journal of Law and Psychiatry* 23, n. 3-4, pp. 375-91, 2000.

_____. *The Past and Future Career Patterns of People with Serious Mental Illness: A Qualitative Inquiry.* Apoiado por uma bolsa Switzer Fellowship do Instituto Nacional de Pesquisa sobre Deficiência e Reabilitação. Bolsa H133F980011.

_____. "Employment Programs for Persons with Serious Mental Illness: Drawing the Fine Line Between Providing Necessary Financial Support and Promoting Lifetime Economic Dependence." Manuscrito.

BARONDES, Samuel H. *Mood Genes.* Nova York: W. H. Freeman and Company, 1998.

BARRETT, Stephen. "Dubious Claims Made for NutriPax and Cranial Electrotherapy Stimulation". *Quackwatch*, 28 jan. 2008. Disponível em <http://www.quackwatch.org/01Quackery RelatedTopics/ces.html>.

BARTHELME, Donald. *Sadness.* Nova York: Farrar, Strauss and Giroux, 1972.

BASSUK, Ellen et al. "Prevalence of Mental Health and Substance Use Disorders Among Homeless and Low-Income Housed Mothers". *American Journal of Psychiatry* 155, n. 11, pp. 1561-64, 1998.

BATESON, Gregory. *Steps to an Ecology of Mind.* Chicago: University of Chicago Press, 1972.

BATTEN, Guinn. *The Orphaned Imagination: Melancholy and Commodity Culture in English Romanticism.* Durham, NC., e Londres: Duke University Press, 1998.

BAUDELAIRE, Charles. *The Flowers of Evil.* Ed. Marthiel Mathews and Jackson Mathews. Nova York: New Directions, 1989.

_____. *Les Fleurs du Mal.* Paris: Éditions Garnier Frères, 1961. [Ed. bras.: Guilherme de Almeida, *Flores das "Flores do Mal" de Baudelaire.* São Paulo: Editora 34, 2010]

BEATTY, William et al. "Neuropsychological Performance of Recently Abstinent Alcoholics and Cocaine Abusers." *Drug and Alcohol Dependence* 37, pp. 247-53, 1995.

BECK, Aaron T. *Depression: Causes and Treatment.* Filadélfia: University of Pennsylvania Press, 1967.

BECK, Aaron T.; WEISHAAR, Majorie. "Cognitive Therapy". In: FREEMAN, Arthur, SIMON, Karen M., BEUTLER, Larry E.; ARKOWITZ, Hal. *Comprehensive Handbook of Cognitive Theory.* Nova York: Plenum Press, 1989.

BECKER, Ernst. *The Denial of Death.* Nova York: Free Press, 1973.

BECKETT, Samuel. *The Complete Dramatic Works of Samuel Beckett.* Londres: Faber & Faber, 1986. [Ed. bras.: *Malone morre.* Trad. Paulo Leminski. São Paulo: Brasiliense, 1986] [Ed. bras.: *Esperando Godot.* Trad. Fábio de Souza Andrade. São Paulo: Cosac Naify, 2005]

_____. *Molloy, Malone Dies, the Unnamable.* Nova York: Alfred A. Knopf, 1997. [Ed. bras.: *O inominável.* Trad. Ana Helena Souza. São Paulo: Globo, 2009]

BECKHAM, E. Edward; LEBER, William (Eds.). *The Handbook of Depression.* 20 ed. Nova York: Guilford Press, 1995.

BELL, Kate M. et al. "S-Adenosylmethionine Treatment of Depression: A Controlled Clinical Trial". *American Journal of Psychiatry* 145, n. 9, pp. 1110-14, 1988.

_____. "S-Adenosylmethionine Blood Levels in Major Depression: Changes with Drug Treatment". *Acta Neurologica Scandinavica* 89, supl. 154,pp. 15-18, 1994.

BELSKY, Jay; STEINBERG, Laurence; DRAPER, Patricia. "Childhood Experience, Interpersonal Development, and Reproductive Strategy: An Evolutionary Theory of Socialization". *Child Development* 62, pp. 647-70, 1991.

BENDER, Kenneth. "FDA Panel Votes to Curtail Cranial Electrotherapy Stimulators". *Psychiatric Times*, jul. 2012.

BENJAMIN, Walter. *The Origin of German Tragic Drama.* Trad. para o inglês, John Osborne, Londres: Verso, 1985. [Ed. bras.: A origem do drama trágico alemão. Trad. e ed. João Barrento. Belo Horizonte: Autêntica, 2011]

BENSHOOF, Janet; CIOLKOSKI, Laura. "Psychological Warfare". *Legal Times*, 4 jan. 1999.

BERG, J. H. van den. *The Changing Nature of Man.* Trad. para o inglês, H. F. Croes. Nova York: Norton, 1961.

BERGER, M. et al. "Sleep Deprivation Combined with Consecutive Sleep Phase Advance as Fast-Acting Therapy in Depression". *American Journal of Psychiatry* 154, n. 6, pp. 870-72, 1997.

BERGMANN, Uri. "Speculations on the Neurobiology of EMDR". *Traumatology* 4, n. 1, 1998.

BERNARDINI, Paolo. "*Melancholia gravis*: Robert Burton's *Anatomy* (1621) and the Links between Suicide and Melancholy". Manuscrito.

BERNDT, Ernst et al. "Workplace Performance Effects from Chronic Depression and its Treatment". *Journal of Health Economics* 17, n. 5,pp. 511-35, 1998.

BERNET, C. Z. et al. "Relationship of Childhood Maltreatment to the Onset and Course of Major Depression". *Depression and Anxiety* 9, n. 4, pp. 169-74, 1999.

BICKERTON, Derek. *Language and Species.* Chicago: University of Chicago Press, 1990.

BIRTCHNELL, John. *How Humans Relate.* Westport, Conn.: Praeger, 1993.

BJÖRKENSTAM, Charlotte et al. "An Association Between Initiation of Selective Serotonin Reuptake Inhibitors and Suicide: A Nationwide Register-based Case-crossover Study". *PLoS One*, e73973, 9 set. 2013.

BLAIR-WEST, G. W.; MELLSOP, G. W.; EYESON-ANNAN, M. L. "Down-Rating Lifetime Suicide Risk in Major Depression". *Acta Psychiatrica Scandinavica* 95, pp. 259-63, 1997.

BLAKESLEE, Sandra. "Pulsing Magnets Offer New Method of Mapping Brain". *New York Times*, 21 maio 1996.

_____. "New Theories of Depression Focus on Brain's Two Sides." *New York Times*, 19 jan. 1999.

BLAZER, Dan G. et al. "The Prevalence and Distribution of Major Depression in a National Community Sample: The National Comorbidity Survey". *American Journal of Psychiatry* 151, n. 7, pp. 979-86, 1994.

BLOK, F. F. *Caspar Barleus: From the Correspondence of a Melancholic.* Trad. para o inglês, H. S. Lake e D. A. S. Reid. Assen, Holanda: Van Gorcum, 1976.

BLOOM, Harold. *Shakespeare: The Invention of the Human.* Nova York: Riverhead Books, 1998. [Ed. bras.: *Shakespeare: A invenção do humano.* Trad. José Roberto O'Shea. Rio de Janeiro: Objetiva, 2000]

BLUMENTHAL, J. A. et al. "Effects of Exercise Training on Older Patients with Major Depression". *Archives of Internal Medicine* 159, pp. 2349-56, 1999.

BODKIN, J. Alexander et al. "Treatment Orientation and Associated Characteristics of North American Academic Psychiatrists". *Journal of Nervous Mental Disorders* 183, pp. 729-35, 1995.

BOERHAAVE, Hermann. *Boerhaave Aphorisms: Concerning the Knowledge and Cure of Diseases.* Londres: W. Innys e C. Hitch, 1742.

BONARI, Lori et al. "Perinatal Risks of Untreated Depression During Pregnancy". *Canadian Journal of Psychiatry* 49, n. 11, pp. 726-35, nov. 2004

BOOR, M. et al. "Suicide Rates, Handgun Control Lawa, and Sociodemographic Variables". *Psychological Reports* 66, pp. 923-30, 1990.

BOSTWICK, J. M.; PANCRATZ, S. "Affective Disorders and Suicide Risk: A Re-examination". *American Journal of Psychiatry.* No prelo.

BOTTIGLIERI, T. et al. "S-Adenosylmethionine Levels in Psychiatric and Neurological Disorders: A Review". *Acta Neurologica Scandinavica* 89, supl. 154, pp. 19-26, 1994.

BOWER, Bruce. "Depressive Aftermath for New Mothers". *Science News*, 25 ago. 1990.

———. "Depression Therapy Gets Interpersonal". *Science News* 140, p. 404, 1991.

———. "Depression: Rates in Women, Men... and Stress Effects Across the Sexes". *Science News* 147, p. 346, 1995.

BOWIE, Andrew. *Schelling and Modern European Philosophy.* Londres: Routledge, 1993.

BOWLBY, John. *Attachment and Loss.* Londres: Hogarth Press, 1980. V. 3: *Loss: Sadness and Depression.*

BRAUN, Wilhelm Alfred. *Types of Weltschmerz in German Poetry.* Nova York: AMS Press, 1966.

BREGGIN, Peter. *Toxic Psychiatry.* Nova York: St. Martin's, 1994

———. *Brain Disabling Treatments in Psychiatry.* Nova York: Springer, 2007.

———. *Medication Madness.* Nova York: St. Martin's, 2008.

BREGGIN, Peter R.; BREGGIN, Ginger Ross. *Talking Back to Prozac.* Nova York: St. Martin's Paperbacks, 1994.

BREGGIN, Peter; COHEN, David. *Your Drug May Be Your Problem.* Nova York: Perseus Books, 2007.

BRENNA, Susan. "This Is Your Child. This Is Your Child on Drugs". *New York* 30, n. 45, pp. 46--53, 1997.

BRENT, David. "Suicide in Youth". National Alliance on Mental Illness, jun. 2003. Disponível em <https://www.nami.org/Content/ContentGroups/Illnesses/Suicide_Teens.htm>

BRESSA, G. M. "S-Adenosyl-l-Methionine (SAMe) as Antidepressant: Meta-analysis of Clinical Studies". *Acta Neurologica Scandinavica* 89, supl. 154, pp. 7-14, 1994.

BRIDGE, Jeffrey A. et al. "Emergent Suicidality in a Clinical Psychotherapy Trial for Adolescent Depression". *American Journal of Psychiatry* 162, n. 11, nov. 2005.

BRINK, Susan. "I'll Say I'm Suicidal". *U.S. News & and World Report*, 19 jan. 1998.

BRODY, Jane. "Changing Thinking to Change Emotions". *New York Times*, 21 ago. 1996.

———. "Despite the Despair of Depression, Few Men Seek Treatment". *New York Times*, 30 dez. 1997.

BROWN, George W. "Clinical and Psychosocial Origins of Chronic Depressive Episodes. 1. A Community Survey". *British Journal of Psychiatry* 165, pp. 447-56, 1994.

_____. "Clinical and Psychosocial Origins of Chronic Depressive Episodes. 2. A Patient Inquiry". *British Journal of Psychiatry* 165, pp. 457-65, 1994.

_____. "Life Events and Endogenous Depression". *Archives of General Psychiatry* 51, pp. 525-34, 1994.

_____. "Psychosocial Factors and Depression and Anxiety Disorders C Some Possible Implications for Biological Research". *Journal of Psychopharmacology* 10, n. 1, pp. 23-30, 1996.

_____. "Genetics of Depression: A Social Science Perspective". *International Review of Psychiatry* 8, pp. 387-401, 1996.

_____. "Loss and Depressive Disorders". In: DOHRENWEND, B. P. (Ed.). *Adversity, Stress and Psychopathology*. Washington, DC: American Psychiatric Press, 1997.

BROWN, George W. et al. "Aetiology of Anxiety and Depressive Disorders in an Inner-City Population. 1. Early adversity". *Psychological Medicine* 23, pp. 143-54, 1993.

_____."Aetiology of Anxiety and Depressive Disorders in an Inner-City Population. 2. Comorbidity and adversity". *Psychological Medicine* 23, pp. 155-65, 1993.

_____."Loss, Humiliation and Entrapment among Women Developing Depression: A Patient and Nonpatient Comparison". *Psychological Medicine* 25, pp. 7-21, 1995.

_____."Social Factors and Comorbidity of Depressive and Anxiety Disorders". *British Journal of Psychiatry* 168, supl. 30, pp. 50-57, 1996.

_____."Single Mothers, Poverty, and Depression". *Psychological Medicine* 27, pp. 21-33, 1997.

BROWN, Richard; BOTTIGLIERI, Teodoro; COLMAN, Carol. *Stop Depression Now: SAM-e*. Nova York: G. P. Putnam's Sons, 1999.

BROWN, Theodore M. "Descartes, Dualism, and Psychosomativ Medicine". In: BYNUM, E. F., PORTER, Roy; SHEPHERD, Michael (Eds.). *The Anatomy of Madness*, Londres: Tavistock Publications, 1985. V. 1.

BROWN, Thomas M. "Acute Sr. John's Wort Toxicity". *American Journal of Emergency Medicine* 18, n. 2, pp. 231-32, 2000.

BRUDER, G. E. et al. "Outcome of Cognitive-Behavioral Therapy for Depression: Relation to Hemispheric Dominance for Verbal Processing". *Journal of Abnormal Psychology* 106, n. 1, pp. 138-44, 1997.

BUCK, Jeffrey et al. "Behavioral Health Benefits in Employer-Sponsored Health Plans, 1997". *Health Affairs* 18, n. 2, pp. 67-78, 1999.

BUCKNILL, John Charles;. TUKE, Daniel H. *A Manual of Psychological Medicine*. Filadélfia: Blanchard and Lea, 1858.

BULGAKOV, Mikhail. *The White Guard*. Trad. para o inglês, Michael Glenny. Londres: The Harvill Press, 1996.

BURNS, Barbara et al. "General Medical and Specialty Mental Health Service Use for Major Depression" *International Journal of Psychiatry in Medicine* 30, n. 2, pp. 127-43, 2000.

BURTON, Robert. *The Anatomy of Melancholy*. Ed. de Thomas C. Faulkner, Nicolas K. Kiessling e Rhonda L. Blair. Oxford: Clarendon Press, 1997. 3 v. [Ed. bras.: *A anatomia da melancolia*. Trad. Guilherme Gontijo Flores. Curitiba: UFPR, 2011-2. 3 v.]

BUSCH, Susan; GOLBERSTEIN, Ezra; MEARA, Ellen. "The FDA and ABCs: The Unintended Consequences of Antidepressant Warnings on Human Capital". NBER Working Paper n. 17426, National Bureau of Economic Research, set. 2011.

BUSH, Carol et al. "Operation Outreach: Intensive Case Management for Severely Psychiatrically Disabled Adults". *Hospital and Community Psychiatry* 41, n. 6, pp. 647-51, 1990.

BYRD, Max. *Visits to Bedlam: Madness and Literature in the Eighteenth Century*. Columbia: University of South Carolina Press, 1974.

BYRNE, Gayle; SUOMI, Stephen. "Social Separation in Infant *Cebus Apella*: Patterns of Behavioral and Cortisol Response". *International Journal of Developmental Neuroscience* 17, n. 3, pp. 265-74, 1999.

BYSTRITSKY, Alexander; KERWIN, Lauren; FEUSNER, Jamie. "A Pilot Study of Cranial Electrotherapy Stimulation for Generalized Anxiety Disorder". *Journal of Clinical Psychiatry* 69, n. 3, pp. 412-17, mar. 2008.

CADORET, Remi et al. "Somatic Complaints. Harbinger of Depression in Primary Care". *Journal of Affective Disorders* 2, pp. 61-70, 1980.

_____. "Depression Spectrum Disease, I: The Role of Gene-Environment Interaction". *American Journal of Psychiatry* 153, n. 7, pp. 892-99, 1996.

CAIN, Lillian. "Obtaining Social Welfare Benefits for Persons with Serious Mental Illness". *Hospital and Community Psychiatry* 44 n. 10, pp. 977-80, 1993.

CALABRESE, J. R. et al. "Fish Oils and Bipolar Disorder". *Archives of General Psychiatry* 56, pp. 413-14, 1999.

CALLAHAN, Roger J.; CALLAHAN, Joanne. *Stop the Nightmares of Trauma: Thought Field Therapy.* Nova York: Professional Press, 2000.

CAMUS, Albert. *The Myth of Sisyphus and Other Essays.* Trad. para o inglês, Justin O'Brien. Nova York: Vintage International, 1991. [Ed. bras.: *O mito de Sísifo.* Trad. Ari Roitman e Paulina Watch. 5 ed. Rio de Janeiro: Record, 2008]

CAPLAN, Paula J. *They Say you're Crazy.* Reading, Mass.: AddisonWesley, 1995.

CAREY, Benedict. "Sleep Therapy Seen as an Aid for Depression". *New York Times*, 18 nov. 2013.

CARLAT, Daniel. *Unhinged: The Trouble with Psychiatry.* Nova York: Free Press, 2010.

_____. "'The Illusions of Psychiatry': An Exchange". *New York Review of Books*, 18 ago. 2011.

CARLING, Paul J. "Major Mental Illness, Housing, and Supports". *American Psychologist*, pp. 969-71, ago. 1990.

CARLSTEN, Anders et al. "Antidepressant Medication and Suicide in Sweden". *Pharmacoepidemiology and Drug Safety* 10, n. 6, pp. 525-30, out.-nov. 2001.

CARLYLE, Thomas. *Sartor Resartus.* Indianápolis: Odyssey Press, 1937.

CARNEY, Michael W. P. et al. "S-Adenosylmethionine and Affective Disorder". *American Journal of Medicine* 83, supl. 5A, pp. 104-6, 1987.

_____. "Switch Mechanism in Affective Illness and Oral S-Adenosylmethionine". *British Journal of Psychiatry* 150, pp. 724-25, 1987.

CASTELPIETRA, Giulio et al. "Antidepressant Use and Suicide Prevention: A Prescription Database Study in the Region Friuli Venezia Giulia, Italy". *Acta Psychiatrica Scandinavica* 118, n. 5, pp. 382-88, nov. 2008.

CATALÁN, José (Ed.) *Mental Health and HIV Infection.* Londres: UCL Press, 1999.

CBS NEWS. "Treating Depression: Is There a Placebo Effect?" Lesley Stahl, correspondente. *60 Minutes*, 19 fev. 2012.

CHAGNON, Napoleon A. *Yanomanö: The Last Days of Eden.* San Diego: Harcourt Brace-Jovanovich, 1992.

CHAISSON-STEWART, G. Maureen(Ed.) *Depression in the Elderly: An Interdisciplinary Approach.* Nova York: John Wiley & Sons, 1985.

CHANCE, M. R. A. (Ed.). *Social Fabrics of the Mind.* Londres: Lawrence Erlbaum Associates, Editores, 1988.

CHARNESS, Michael. "Brain Lesions in Alcoholics". *Alcoholism: Clinical and Experimental Research* 17, n. 1, pp. 2-11, 1993.

CHAUCER, Geoffrey. *Canterbury Tales Complete.* Trad./ed. James J. Donohue. Iowa: 1979. [Ed. bras.: *Contos da Cantuária.* Trad. José Francisco Botelho. São Paulo: Penguin Classics Companhia das Letras, 2013]

CHESTERTON, G. K. *Ortodoxia.* Trad. Almiro Pisetta. São Paulo: Mundo Cristão, 2008.

CHOMSKY, Noam. *Reflections on Language.* Nova York: Pantheon Books, 1975. [Ed. bras.: *Reflexões sobre a linguagem*. Trad. Carlos Vogt, Cláudia Tereza Guimarães de Lemos, Maria Berna-dete Abaurre Cnerre, Clarice Saboia Madureira e Vera Lúcia Maia de Oliveira. São Paulo: Cultrix, 1980]

CHRISTIE, Deborah. "Assessement". Manuscrito em progresso.

_____."Cognitive Behavioral Therapeutic Techniques for Children with Eating Disorders". Manuscrito.

CHRISTIE, Deborah; VINER, Russell. "Eating Disorders and Self-Harm in Adolescent Diabetes". *Journal of Adolescent Health* 27, 2000.

CHUA-EOAN, Howard. "How to Spot a Troubled Kid". *Time* 153, n. 21, pp. 44-49, 1999.

CIORAN, E. M. *A Short History of Decay*. Trad. para o inglês, Richard Howard. Nova York: Quarter Encounter, 1990. [Ed. bras.: *Breviário de decomposição*. Trad. José Thomaz Brum. Rio de Janeiro: Rocco, 1989]

_____. *Tears and Saint*. Trad. Ilinca Zarifopol-Johnston. Chicago: University of Chicago Press, 1995.

CLARK, R. E. et al. "A Cost-Effectiveness Comparison of Supported Employment and Rehabilitation Day Treatment". *Administration and Policy in Mental Health* 24, n. 1, pp. 63-77, 1996.

CLASSEN, Hans-Georg; SCHIMATSCHEK, Heimo Franz; WINK, Konrad. "Magnesium in Human Therapy". *Metal Ions in Biological Systems* 41, pp. 41-69, 2004.

CLERKIN, Suzanne M. et al. "Guanfacine Potentiates the Activation of Prefrontal Cortex Evoked by Warning Signals". *Biological Psychiatry* 66, n. 4, pp. 307-12, 15 ago. 2009

COCHRAN, S. D.; MAYS, V. M. "Lifetime Prevalence of Suicide Symptoms and Affective Disorders among Men Reporting Same-Sex Sexual Partners: Results from NHANES III". *American Journal of Public Health* 90, n. 4 pp. 573-78, 2000.

_____. "Relation between Psychiatric Syndromes and Behaviorally Defined Sexual Orientation in a Sample of the U.S. Population". *American Journal of Epidemiology* 151, n. 5, pp. 516-23, 2000.

COHEN, Carl. "Poverty and the Course of Schizophrenia: Implications for Research and Policy". *Hospital and Community Psychiatry* 44, n. 10, pp. 951-58, 1993.

COLERIDGE, Samuel Taylor. *The Collected Letters of Samuel Taylor Coleridge*. Ed. Earl Leslie Griggs. V. 1, carta 68. Oxford: Clarendon Press, 1956.

COLLINGE, Nancy C. *Introduction to Primate Behavior*. Dubuque, Iowa: Kendal-Hunt Publishing Company, 1993.

COLT, George Howe. *The Enigma of Suicide*. Nova York: Summit Books, 1991.

COLTON, Michael. "You Need it Like... A Hole in the Head?". *Washington Post*, 31 maio 1998.

COOPER, William O. et al. "Antidepressants and Suicide Attempts in Children". *Pediatrics* 133, n. 2, 6 jan. 2014. Online.

CORBALLIS, Michael. *The Lopsided Apes: Evolution of the Generative Mind*. Nova York: Oxford University Press, 1991.

COSTA, E.; RACAGNI, G. (Eds.). *Typical and Atypical Antidepressants: Clinical Practice*. Nova York: Raven Press, 1982.

COWPER, William, Esq. *Memoir of the Early Life of William Cowper, Esq*. Newburgh. NY: Philo B. Pratt, 1817.

_____. *The Poetical Works of William Cowper*. Ed. H. S. Milford. Oxford: Oxford University Press, 1950.

COYNE, James C., (Ed.). *Essential Papes on Depression*. Nova York: New York University Press, 1985.

CRASKE, M. G. et al. *Mastery of Anxiety and Panic: Therapist Guide for Anxiety, Panic, and Agoraphobia*. San Antonio: Graywind Publications/The Psychological Corporation, 2000.

CRELLIN, John K.; PHILPOTT, Jane. *Herbal Medicine Past and Present: A Reference Guide to Medicinal Plants*. Durham, NC.: Duke University Press, 1990. 2 v.

CRISTANCHO, Pilar et al. "Effectiveness and Safety of Vagus Nerve Stimulation for Severe Treatment-resistant Major Depression in Clinical Practice after FDA Approval: Outcomes at 1 Year". *Journal of Clinical Psychiatry* 72, n. 10, pp. 1376-82, out. 2011.

CROEN, Lisa A. et al. "Antidepressant Use during Pregnancy and Childhood Autism Spectrum Disorders". *Archives of General Psychiatry* 68, n. 11, pp. 1104-12, nov. 2011.

CROSBY, Alex E. et al. "Suicidal Thoughts and Behaviors among Adults Aged=18 Years: United States, 2008-2009". *Morbidity and Mortality Weekly Report Surveillance Summaries* 60, n. SS-13, 21 out. 2011.

CROSS, Alan. "Serotonin in Alzheimer-Type Dementia and Other Dementing Illnesses". *Annals of Academy of Sciences* 600, pp. 405-15, 1990.

CROSS, Alan et al. "Serotonin Receptor Changes in Dementia of the Alzheimer Type". *Journal of Neurochemistry* 43, pp. 1574-81, 1984.

CROSS-NATIONAL COLLABORATIVE GROUP. "The Changing Rate of Major Depression". *Journal of the American Medical Association* 268, n. 21, pp. 3098-105, 1992.

CROW, T. J. "Sexual selection, machiavellian intelligence and the origins of psychosis". *Lancet* 342, pp. 594-98, 1993.

_____. "Childhood Precursors of Psychosis as Clues to its Evolutionary Origins". *European Archives of Psychiatry and Clinical Neuroscience* 245, pp. 61-69, 1995.

_____. "Constraints on Concepts of Pathgenesis". *Archives of General Psychiatry* 42, pp. 1011-15, 1995.

_____. "A Darwinian Approach to the Origins of Psychosis". *British Journal of Psychiatry* 167, pp. 12-25, 1995a.

_____. "Location of the Handedness Gene on the X and Y Chromosomes". *American Journal of Medical Genetics* 67, pp. 50-52, 1996.

_____. "Sexual Selection as the Mechanism of Evolution of Macciav Ellian Intelligence: A Darwinian Theory of the Origins of Psychosis". *Journal of Psychopharmacology* 10, n. 1, pp. 77-87, 1996a.

_____. "Is Schizophrenia the Price the *Homo sapiens* Pays for Language?". *Schizophrenia Research* 28, pp. 127-41, 1997.

_____. "Schizoprenia as Failure of Hemiuspheric Dominance for Language". *Trends in Neuroscience* 20, pp. 339-43, 1997a.

_____. "Evidence for Linkage to Psychosis and Cerebral Asymmetry (Relative Hand Skill) on the X Chromosome". *American Journal of Medical Genetics* 81, pp. 420-27, 1998.

_____. "Nuclear Schizophrenic Symptoms as a Window on the Relationship between Thought and Speech". Manuscrito.

_____. "Relative Hand Skill Predicts Academic Ability." Manuscrito.

CUIJPERS, Pim et al. "Comparison of Psychotherapies for Adult Depression to Pill Placebo Control Groups: A Meta-Analysis". *Psychological Medicine* 44, n. 4, pp. 685-95, mar. 2014.

CULLEN, William. *The First Lines of the Practice of Physic*. Worcester, Mass.: Isaiah Thomas, 1790. 3 v.

_____. *Synopsis and Nosology, Being an Arrangement and Definition of Diseases*. Springfield, Mass.: Edward Gray, 1793.

CURTIS, Tine; BJERREGAARD, Peter. *Health Research in Greenland*. Copenhagen: DICE, 1955.

CUTBUSH, Edward. *An Inaugural Dissertation on Insanity*. Filadélfia: Zachariah Poulson Jr., 1794.

CUTHBERT, Bruce. "Rapidly-Acting Treatments for Treatment-Resistant Depression (RAPID)". National Institute of Mental Health, 14 maio 2010. Disponível em <http://www.nimh.nih.gov/research-priorities/research-initiatives/rapidly-acting-treatments-for-treatment-resistant-depression-rapid.shtml>.

Daedalus. "The Brain". Primavera 1988.

DAIN, Norman. *Concepts of Insanity in the United States, 1789-1865*. New Brunswick, NJ: Rutgers University Press, 1964.

DAMASIO, Antonio R. *Descartes' Error*. Nova York: A Grosset/Putnam Book, 1994. [Ed. bras.: *O erro de Descartes: Emoção, razão e o cérebro humano*. Trad. Dora Vicente e Georgina Segurado. São Paulo: Companhia das Letras, 2001]

DANQUAH, Meri Nana-Ama. *Willow Weeep for Me*. Nova York: W. W. Norton, 1998.

DANZIGER, Sandra et al. "Barriers to the Employement of Welfare Recipients". Ann Arbor: University of Michigan, Poverty Research and Training Center, 1999.

DARWIN, Charles. *The Expressions of the Emotions in Man and Animals*. 30 ed. Oxford: Oxford University Press, 1998. [Ed. bras.: *A expressão das emoções nos homens e nos animais*. Trad. Leon de Souza Lobo Garcia. São Paulo: Companhia das letras, 2000]

DATTA, Abhishek et al. "Cranial Electrotherapy Stimulation and Transcranial Pulsed Current Stimulation: A Computer Based High-resolution Modeling Study". *NeuroImage* 65, pp. 280--7, 15 jan. 2013.

DAVIDSON, Park O. (Ed.). *The Behavioral Management of Anxiety, Depression, and Pain*. Nova York: Brunner/Mazel Publishers, 1976.

DAVIDSON, Richard J. "Affective Style, Psychopathology and Resiliance: Brain Mechanisms and Plasticity". *American Psychologist*. No prelo.

DAVIDSON, Richard J.; FOX, Nathan. "Frontal Brain Asymmetry Predicts Infants C Response to Maternal Separation". *Journal of Abnormal Psychology* 98, n. 2, pp. 127-31, 1998.

DAVIDSON, Richard J. et al. "Approach-Withdrawal and Cerebral Asymmetry: Emotional Expression and Brain Physiology I". *Journal of Personality and Social Psychology* 58, n. 2, pp. 330-41, 1990.

DEAN, Laura et al. "Lesbian, Bisexual and Transgender Health: Findings and Concerns". Gay and Lesbian Medical Association (Disponível em: <www.glma.org>).

DE LEO, Diego; DIEKSTRA, René F. W. *Depression and Suicide in Late Life*. Toronto: Hogrefe & Huber Publishers, 1990.

DE LEO, Diego et al. "Definitions of Suicidal Behavior: Lessons Learned from the WHO/EURO Multicentre Study". *Crisis* 27, n. 1, pp. 4-15, jan. 2006.

DEFELICE, Eugene A. "Cranial Electrotherapy Stimulation (CES) in the Treatment of Anxiety and Other Stress-related Disorders: A Review of Controlled Clinical Trials". *Stress Medicine* 13, n. 1, pp. 31-42, jan. 1997.

DELGADO, T. et al. "Serotonin Function and the Mechanism of Antidepressant Action: Reversal of Antidepressant by Rapid Depletion of Plasma Tryptophan". *Archives of General Psychiatry* 47, pp. 411-18, 1990.

DEPAULO, J. Raymond Jr.; ABLOW, Keith Russel. *How to Cope with Depression*. Nova York: Fawcett Columbine, 1989.

DEROSIS, Helen A.; PELLEGRINO, Victoria Y. *The Book of Hope*. Nova York: Bantam Books, 1977.

DERUBEIS, R. J. et al. "Medications versus Cognitive Behavior Therapy for Severely Depressed Outpatients: Mega-analysis of Four Randomize Comparisons". *American Journal of Psychiatry* 156, n. 7, pp. 1007-13, 1999.

DEVANAND, D. P. et al. "Does ECT Alter Brain Structure?". *American Journal of Medicine* 151, n. 7, pp. 957-70, 1994.

DE WESTER, Jeffrey. "Recognizing and Treating the Patient with Somatic Manifestations of Depression". *Journal of Family Practice* 43, supl. 6, pp. S3-15, 1996.

DICKENS, Charles, *Nicholas Nickleby*. Nova York: Oxford University Press, 1987.

DICKINSON, Emily. *The Complete Poems of Emily Dickinson*. Ed. de Thomas H. Johnson. Boston: Little, Brown, 1960. [Ed. bras.: *Uma centena de poemas*. Trad. Aíla de Oliveira Gomes. São Paulo: T. A. Queiroz, Editora da Universidade de São Paulo, 1984] [Ed. bras.: *A branca voz da solidão*. Trad. José Lira. São Paulo: Iluminuras, 2011]

DIEFENDORF, A. Ross. *Clinical Psychiatry: A Text-Book for Students and Physicians*. Resumido e adaptado da sétima edição alemã de *Lehrbuch der Psychiatrie*, de Kraepelin. Nova York: Macmillan, 1912.

DIEPOLD, John H., Jr. "Touch and Breath (TAB)". In: Innovative and Integrative Approaches to Psycho: A Conference. Edison, NJ, 14-15 nov. 1998.

DONNE, John. *Biathanatos*. Ed. de Michael Rudick e M. Pabst Battin. Nova York: Garland Publishing, 1982.

DORN, Lorah et al. "Biopsychological and Cognitive Differences in Children with Premature vs. On-Time Adrenarche". *Archives of Pediatric Adolescent Medicine* 153, n. 2, pp. 137-46, 1999.

DOSTOIÉVSKI, Fiodor. *The House of the Dead*. Trad. para o inglês, David McDuff. Nova York: Penguin Classics, 1985. [Ed. bras.: *Recordações da casa dos mortos*. Trad. Nicolau S. Peticov. São Paulo: Nova Alexandria, 2006]

_____. *The Idiot*. Trad. Constance Garnett. Nova York: Modern Library, 1983. [Ed. bras.: *O idiota*. Trad. Paulo Bezerra. São Paulo: Ed. 34, 2002]

_____. *Notes from the Underground*. Trad. para o inglês, Andrew R. MacAndrew. Nova York: Signet Classic, 1961. [Ed. bras.: *Memórias do subsolo*. Trad. Boris Schnaiderman. São Paulo: Ed. 34, 2000]

_____. *The Possessed*. Trad. Constance Garnett. Nova York: Heritage Press, 1959.

DOZIER, Rush W., Jr. *Fear Itself*. Nova York: St. Martin's Press, 1998. [ed. bras.: *Os demônios*. Trad. Paulo Bezerra. São Paulo: Editora 34, 2004]

DUNN, Sara; MORRISON, Blake; ROBERTS, Michèle (Eds.). *Mind Reading: Writers' Journey through Mental States*. Londres: Minerva, 1996.

DUNNER, D. L. "An Overview of Paroxetine in the Elderly". *Gerontology* 40, supl. 1, pp. 21-27, 1994.

DURANT, Robert et al. "Factors Associated with the Use of Violence among Urban Black Adolescents". *American Journal of Public Health* 84, pp. 612-17, 1994.

DWORKIN, Ronald. *Life's Dominion*. Nova York: Alfred A. Knopf, 1993. [Ed. bras.: *Domínio da vida: Aborto, eutanásia e liberdades individuais*. Trad. Jefferson Luiz Camargo. São Paulo: Martins Fontes, 2009]

EBERT, D. et al. "Eye-blink Rates and Depression. Is the Antidepressant Effect of Sleep Deprivation Mediated by the Dompamine System?". *Neuropsychopharmacology* 15, n. 4, pp. 332-39, 1996.

The Economist. "Depression: The Spirit of the Age". 19 dez. 1998.

_____. "The Tyranny of Time". 18 dez. 1999.

EDGSON, Vicki; MARBER, Ian. *The Food Doctor*. Londres: Collins & Brown, 1999.

EDWARD, J. Guy. "Depression, Antidepressants, and Accidents". *British Medical Journal* 311, pp. 887-88, 1995.

EGELKO, Susan et al. "Relationship among CT Scans, Neurological Exam, and Neuropsychological Test Performance in Right-Brain-Damaged Stroke Patients". *Journal of Clinical and Experimental Neuropsychology* 10, n. 5, pp. 539-64, 1998.

ELIOT, George. *Daniel Deronda*. Londres: Penguin Books, 1983. [Ed. bras.: *Daniel Deronda*. Trad. Marisis Aranha Camargo. Rio de Janeiro: Paz e Terra, 1997]

ELIOT, T. S. *The Complete Poems and Plays*. Nova York: Harcourt, Brace & World, 1971. [Ed. bras.: *Poesia*. Trad. Ivan Junqueira. 5 ed. Rio de Janeiro: Nova Fronteira, 1981]

ELLIS, Bruce; GARBER, Judy. "Psychosocial Antecedents of Variation in Girls' Pubertal Timing: Maternal Depression, Stepfather Presence, and Marital and Family Stress". *Child Development* 71, n. 2, pp. 485-501, 2002.

EPICURO. *A Guide to Happiness*. Trad. para o inglês, J. C. A. Gaskin. Londres: A Phoenix Paperback, 1995.

ERIKSSON, P. S. et al. "Neurogenesis in the Adult Human Hippocampus". *Nature Medicine* 4, pp. 1313-17, 1998.

ESPINOSA, Baruch. *The Ethics of Spinoza*. Nova York: Citadel Press, 1995.

ESQUIROL, J. E. D. *Mental Maladies. A Treatise on Insanity*. Fac. símile da ed. inglesa de 1845. Nova York: Hafner Publishing, 1965.

EVANS, Dylan. "The Social Competition Hypothesis of Depression". *ASCAP* 12, n. 3, 1999.

EVANS, Glen. FARBEROW, Norman L. *The Encyclopedia of Suicide*. Nova York: Facts on File, 1988.

FASSLER, David; DUMAS, Lynne. *Help me, I'm Sad: Recognizing, Treating, and Preventing Childhood Depression*. Nova York: Penguin, 1998.

FAULKNER, A. H.; CRANSTON, K. "Correlates of Same-Sex Sexual Behavior in a Random Sample of Massachusetts High School Students". *American Journal of Public Health* 88, n. 2, pp. 262-66, 1998.

FAVA, Maurizio et al. "Folate, Vitamim B12, and Homocysteine in Major Depressive Disorders". *American Journal of Psychiatry* 154, n. 3, pp. 426-28, 1997.

FELD, Steven. *Sound and Sentiment*. 2 ed. Filadélfia: University of Pennsylvania Press, 1982.

FELMAN, Shoshana. *What Does a Woman Want? Reading and Sexual Difference*. Baltimore e Londres: Johns Hopkins University Press, 1993.

FERBER, Jane S.; LEVERT, Suzanne. *A Woman Doctor's Guide to Depression*. Nova York: Hyperion, 1997.

FERGUSSON, D. M. et al. "Is Sexual Orientation Related to Mental Health Problems and Suicidality in Young People?". *Archives of General Psychiatry* 56, n. 10, pp. 876-86, 1999.

FERRO, Tova et al. "Screening for Depression in Mothers Bringing Their Offspring for Evaluation or Treatment of Depression". *American Journal of Psychiatry* 157, pp. 375-79, 2000.

FIELD, Tiffany. "Maternal Depression: Effects on Infants and Early Intervention". *Preventive Medicine* 27, pp. 200-93, 1998.

FIELD, Tiffany et al. "Effects on Parent Training on Teenage Mothers and Their Infants". *Pediatrics* 69, n. 6, pp. 703-707, 1982.

_____. "Prenatal Depression Effects on the Fetus and the Newborn". *Infant Behavior and Development* 27, pp. 216-29, maio 2004.

FINZI, Eric; ROSENTHAL, Normal E. "Treatment of Depression with Onabotulinumtoxin: A Randomized, Double-blind, Placebo Controlled Trial". *Journal of Psychiatric Research* 52, pp. 1-6, maio 2014.

FISCHER, Joannie Schrof. "Taking the Shock Out of Eletroshock". *U.S. News & World Report*, 24 jan. 2000.

FITZGERALD, F. Scott. *The Crack-Up*. Ed. de Edmundo Wilson. Nova York: New Directions, 1993. [Ed. bras.: *A derrocada e outros contos e textos autobiográficos*. Trad. Álvaro Cabral. Rio de Janeiro: Civilização Brasileira, 1969]

_____. *The Great Gatsby*. Nova York: Charles Scribner's Sons, 1953. [Ed. bras.: *O grande Gatsby*. Trad. Vanessa Barbara. São Paulo: Penguin Classics Companhia das Letras, 2011]

FLOWERS, Arthur. *Another Good Loving Blues*. Nova York: Ballantine Books, 1993.

FLYNN, John. *Cocaine*. Nova York: A Birch Lane Press Book, 1991.

FOUCAULT, Michel. *Madness and Civilization*. Trad. para inglês, Richard Howard. Nova York: Vintage Books, 1965. [Ed. bras.: *História da loucura na Idade Clássica*. Trad. José Teixeira Coelho Netto. São Paulo: Perspectiva, 1978]

FOUNTOULAKIS, Konstantinos N.; MÖLLER, Hans-Jürgen. "Efficacy of Antidepressants: A Re--analysis and Re-interpretation of the Kirsch Data". *International Journal of Psychopharmacology* 14, n. 3, pp. 405-12, abr. 2011.

_____. "Antidepressant Drugs and the Response in the Placebo Group: The Real Problem Lies in Our Understanding of the Issue". *Journal of Psychopharmacology* 26, n. 5, pp. 744-50, maio 2012.

FOUNTOULAKIS, Konstantinos N.; SAMARA, Myrto T.; SIAMOULI, Melina. "Burning Issues in the Meta-analysis of Pharmaceutical Trials for Depression". *Journal of Psychopharmacology* 28, n. 2, pp. 106-17, fev. 2014.

FRANK, Ellen et al. "Nortriptyline and Interpersonal Psychotherapy as Maintenance Therapies for Recurrent Major Depression: A Randomized Controlled Trial in Patients Older than 59 Years". *Journal of the American Medical Association* 281, n. 1, pp. 39-45, 1999.

_____. "The Treatment Effectiveness Project. A Comparison of Paroxetine, Problem-solving Therapy, and Placebo in the Treatment of Minor Depression and Dysthymia in Primary Care Patients: Background and Research Plan". *General Hospital Psychiatry* 21, n. 4, pp. 260--73, 1999.

FREEMAN, Arthur; SIMON, Karen M., BEUTLER, Larry E.; ARKOWITZ, Hal (Eds.). *Comprehensive Handbook of Cognitive Theory*. Nova York: Plenum Press, 1989.

FREUD, Sigmund. *A General Selection from the Works of Sigmund Freud*. Ed. John Rickman. Nova York: Liveright, 1957. [Ed. bras.: *Luto e melancolia*. Trad. Marilene Carone. São Paulo: Cosac Naify, 2011]

_____. *The Standard Edition of the Complete Psychological Works of Sigmund Freud*. Trad. e ed. de James Strachey, Anna Freud et al. Londres: Hogarth Press, 1953-74. 24 v. [Ed. bras.: *Edição standard brasileira das obras psicológicas completas de Sigmund Freud*. Dir. da trad. Jayme Salomão. Rio de Janeiro: Imago, 1996. 24 v.]

FRIEDMAN, Richard A. "Before You Quit Antidepressants". *New York Times*, 11 jan. 2010.

_____. "A Dry Pipeline for Psychiatric Drugs". *New York Times*, 19 ago. 2013

_____. "A New Focus on Depression". *New York Times*, 23 dez. 2013.

_____. "Don't Worry, Get Botox". *New York Times*, 23 mar. 2014.

FRIEDMAN, Richard C.; DOWNEY, Jennifer. "Internalized Homophobia and the Negative Therapeutic Reaction". *Journal of the American Academy of Psychoanalysis* 23 n. 1, pp. 99-113, 1995.

_____. "Internal Homophobia and Gender-Valued Self-Esteem in the Psychoanalysis of Gay Patients". *Psychoanalytic Review* 86, n. 3, pp. 325-47, 1999.

_____. "Psychoanalysis and Sexual Orientation: Sexual Science and Clinical Practice". Manuscrito.

FRIEDMAN, Raymond J.; KATZ, Martin M. (Eds.). *The Psychology of Depression: Contemporary Theory and Research*. Washington, DC: V. H. Winston & Sons, 1974.

FRIEDRICH, William N. *Psychotherapy with Sexually Abused Boys*. Thousand Oaks, Calif.: Sage Publications, 1995.

FROMM, Erich. *Escape from Freedom*. Nova York: Farrar & Rinehart, 1941. [Ed. bras.: *O medo à liberdade*. Trad. Octavio Alves Velho. 10 ed. Rio de Janeiro: Zahar, 1977]

FUGH-BERMAN, A. "Herb-drug interactions". *Lancet* 355, n. 9198, pp. 134-38, 2000.

GABIS, Lidia; SHKLAR, Bentzion; GEVA, Daniel. "Immediate Influence of Transcranial Electrostimulation on Pain and Beta-endorphin Blood Levels: An Active Placebo-Controlled Study". *American Journal of Physical Medicine and Rehabilitation* 82, n. 2, pp. 81-85, fev. 2003.

GALANTER, Marc; KLEBER, Herbert D. *Textbook of Substance Abuse Treatment*. 2 ed. Washington. DC: American Psychiatric Press, 1999.

GALDSTON, Iago (Ed.). *Historic Derivations of Modern Psychiatry*. Nova York: McGraw-Hill, 1967.

GALLERANI, M. et al. "The Time for Suicide". *Psychological Medicine* 25, pp. 867-70, 1996.

GALLICCHIO, Vincent. BIRCH, Nicholas (Eds.). *Lithium: Biochemical and Clinical Advances*. Cheshire, Conn. Weidner Publishing Group, 1996.

GALLO, Fred P. *Energy Psychology*. Boca Raton, Fla.: CRC Press, 1999.

GAMWELL, Lynn; TOMES, Nancy. *Madness in America*. Ithaca, NY: Cornell University Press, 1995.

GARCIA-BORREGUERO, Diego et al. "Hormonal Responses to the Administration of M-Clororophenylpiperazine in Patients with Seasonal Affective Disordeer and Controls". *Biological Psychiatry* 37, pp. 740-49, 1995.

GARDNER, Russel, Jr. "Mechanisms in Manic-Depressive Disorder: An Evolutionary Model". *Archives of General Psychiatry* 39, pp. 1436-41, 1982.

_____. "Sociophysiology as the Basic Science of Psychiatry". *Theoretical Medicine* 18, pp. 335-56, 1997.

GARDNER, Russel, Jr. "Mati: The Angry Depressed Dog Who Fought On and Won". *ASCAP* 11, n. 12, 1998.

GARNOCK-JONES, Karly; MCCORMACK, Paul. "Escitalopram: A Review of its Use in the Management of Major Depressive Disorder in Adults". *CNS Drugs* 24, n. 9, pp. 769-96, set. 2010.

GAROFALO, R. et al. "The Association between Health Risk Behaviors and Sexual Orientation among a School-Based Sample of Adolescents". *Pediatrics* 101, pp. 895-902, 1998.

_____. "Sexual Orientation and Risk of Suicide Attempts among a Representative Sample of Youth". *Archives of Pediatrics and Adolescent Medicine* 153, pp. 487-93, 1999.

GASNER, Rose et al. "The Use of Legal Action in New York City to Ensure Treatment of Tuberculosis". *New England Journal of Medicine*, 340, n. 5, pp. 359-66, 1999.

GAUDIANO, Brandon A. "Psychotherapy's Image Problem". *New York Times*, 29 set. 2013.

GAUDIANO, Brandon A.; MILLER, Ivan W. "The Evidence-based Practice of Psychotherapy: Facing the Challenges that Lie Ahead". *Clinical Psychology Review* 33, n. 7, pp. 813-24, nov. 2013.

GAZZANIGA, Michael S. *The Mind's Past*. Berkeley: University of California Press, 1998.

GEDDES, John R. et al. "Relapse Prevention with Antidepressant Drug Treatment in Depressive Disorders: A Systematic Review". *Lancet* 361, pp. 653-61, 22 fev. 2003.

GEORGE, Mark et al. "SPTEC e PET Imagining Stimulation In Mood Disorders". *Journal of Clinical Psychiatry* 54, pp. 6-13, 1993.

_____. "Daily Repetitive Transcranial Magnetic Stimulation (rTMS) Iproves Mood in Depression". *Neuroreport* 6, n. 14, pp. 1853-56, 1995.

GHADIRIAN, Abdu'l-Missagh A.; LEHMANN, Heinz E. (Eds.). *Environment and Psychopathology*. Nova York: Springer Publishing, 1993.

GIBBONS, Robert D. et al. "The Relationship between Antidepressant Medication Use and Rate of Suicide". *Archives of General Psychiatry* 62, n. 2, pp. 165-72, fev. 2005.

_____. "The Relationship between Antidepressant Prescription Rates and Rate of Early Adolescent Suicide". *American Journal of Psychiatry* 163, n. 11, pp. 1898-1904, nov. 2006.

_____. "Early Evidence on the Effects of Regulators' Suicidality Warnings on SSRI Prescriptions and Suicide in Children and Adolescents". *American Journal of Psychiatry* 164, n. 9, pp. 1356- -63, set. 2007a.

_____. "Relationship between Antidepressants and Suicide Attempts: An Analysis of the Veterans Health Administration Data Sets". *American Journal of Psychiatry* 164, n. 7, pp. 1044-49, jul. 2007b.

_____. "Benefits from Antidepressants: Synthesis of 6-week Patient-level Outcomes from Double-blind Placebo-controlled Randomized Trials of Fluoxetine and Venlafaxine". *Archives of General Psychiatry* 69, n. 6, pp. 572-79, jun. 2012.

GILBERT, David. *Smoking*. Washington, DC: Taylor & Francis, 1995.

GILLIN, J. C. "Are Sleep Disturbances Risk Factors for Anxiety, Depressive and Addictive Disorders?". *Acta Psychiatrica Scandinavica Supplementum* 393, pp. 34-43, 1998.

GLADSTONE, Gemma; PARKER, Gordon; WILHELM, Kay; MITCHELL, Philip. "Characteristics of Depressed Patients who Report Childhood Sexual Abuse". *American Journal of Psychiatry* 156, n. 3, pp. 431-37, 1999.

GLADWELL, Malcom. "Damaged". *The New Yorker*, pp. 132-47, 24 fev e 3 mar. 1997.

GLANTZ, Kalman; PEARCE, John K.. *Exiles from Eden: Psychotherapy from an Evolutionary Perspective*. Nova York: W. W. Norton, 1989.

GLENMULLEN, Joseph. *Prozac Backlash*. Nova York: Simon & Schuster, 2000.

GLOAGUEN, V. et al. "A Meta-Analysis of Cognitive Therapy in Depressed Patients". *Journal of Affective Disorders* 49, n. 1, pp. 59-72, 1998.

GOETHE, Johann Wolfgang von. *Faust*. Trad. de Christa Weisman, atualizada por Howard Brenton. Londres: Nick Hearn Books, 1995. [Ed. bras.: *Fausto: Uma tragédia*. Trad. Jenny Klabin Segall. São Paulo: Editora 34, 2004. 2 v.]

GOETHE, Johann Wolfgang von. *The Sorrows of Young Werther*. Trad. para o inglês, Bayard Quincy Jones. Nova York: Frederick Ungar Publishing, 1957. [Ed. bras.: *Os sofrimentos do jovem Werther*. Trad. Leonardo César Lack. São Paulo: Nova Alexandria, 1999]

GOLD, Mark S.; SLABY, Andrew E. (Eds.). *Dual Diagnosis in Substance Abuse*. Nova York: Marcel Dekker, 1991.

GOLDSTEIN, Rise et al. "The Prediction of Suicide". *Archives of General Psychiatry* 48, pp. 418-22, 1991.

GOODE, Erica. "Federal Report Praising Electroshock Stirs Uproar". *New York Times*, 6 out. 1999.

_____. "Viewing Depression as a Tool for Survival". *New York Times*, 11 fev. 2000.

_____. "Chronic Depression Study Backs the Pairing of Therapy and Drugs". *New York Times*, 18 maio 2000.

GOODMAN, Walter. "In Confronting Depression the First Target Is Shame". *New York Times*, 6 jan. 1998.

GOODWIN, Donald W. *Alcoholism, the Facts*. 3 ed. Oxford: Oxford University Press, 2000.

GOODWIN, Frederick K.; JAMISON, Kay Redfield. *Manic-Depressive Illness*. Oxford: Oxford University Press, 1990.

GORE, Tipper. "Strip Stigma from Mental Illness". *USA Today*, 7 maio 1999.

GORMAN, Christine. "Anatomy of Melancholy". *Time*, 5 maio 1997.

GOTTFRIES, C. G. et al. "Treatment of Depression in Elderly Patients with and without Dementia Disorders". *International Clinical Psychopharmacology*, supl. 6, n. 5, pp. 55-64, 1992.

GRAND, David. *Defining and Redifining EMDR*. Bellmore, NY: BioLateral Books, 1999.

_____. "EMDR Performance Enhancement and Auditory Stimulation". Manuscrito.

_____. "Integrating EMDR into the Psychodynamic Treatment Process". In: EMDR International Conference, 1995. *Eye Movement Desensitization and Reprocessing International Association Newsletter*, jun. 1996.

GRANT, Bridget et al. "The Relationship between *DSM-IV* Alcohol Use Disorders and *DSM-IV* Major Depression: Examination of the Primary-Secondary Distinction in a General Population Sample". *Journal of Affective Disorders* 38, pp. 113-28, 1996.

GRAY, Doug et al. "Utah Youth Suicide Study, Phase I: Government Agency Contact before Death". *Journal of the American Academy of Child and Adolescent Psychiatry* 41, n. 4, pp. 427-34, abr. 2002.

GRAY, Thomas. *The Complete Poems of Thomas Gray*. Ed. de H. W. Starr e J. R. Hendrikson, Oxford: Clarendon Press, 1966.

GREDEN, John F. "Do Long-Term Treatments Alter Lifetime Course? Lessons Learned, Actions Needed". *Journal of Psychiatric Research* 32, pp. 197-99, 1998.

_____. "Serotonin: How Much We Have Learned! So Much to Discover...". *Biological Psychiatry* 44, pp. 309-12, 1998.

GREENE, Graham. *Ways of Escape*. Nova York: Simon and Schuster, 1980. [Ed. bras.: *Pontos de fuga*. Rio de Janeiro: Record, c. 1980]

GREENMAN, Samantha et al. "A Single Blind, Randomized, Sham Controlled Study of Cranial Electrical Stimulation in Bipolar II Disorder". Comunicação apresentada no 167º Encontro Anual da Associação Americana de Psiquiatria. Nova York, 4-6 maio 2014.

GRIAULE, Marcel. *Conversations with Ogotemmêli*. Londres: Oxford University Press, 1965.

GRIESINGER, W. *Mental Pathology and Therapeutics*. 2ª ed. Trad. para o inglês, C. Lockhart Robertson e James Rutherford. Londres: New Sydenham Society, 1867; Nova York: William Wood & Co., 1882.

GRIFFEN, Donald R. *Animal Minds*. Chicago: University of Chicago Press, 1992.

GRIFFITH, John et al. "Dextroamphetamine: Evaluation of Psychomimetic Properties in Man". *Archives of General Psychiatry* 26, pp. 97-100, 1972.

GROUP FOR THE ADVANCEMENT OF PSYCHIATRY. (Grupo para o Avanço da Psiquiatria) *Adolescent Suicide*. Washington, DC: American Psychiatric Press, 1996.

GRUNEBAUM, Michael F. et al. "Antidepressants and Suicide Risk in the United States, 1985-1999". *Journal of Clinical Psychiatry* 65, n. 11, pp. 1456-62, nov. 2004.

GUNTHER, Mary; PHILLIPS, Kenneth D. "Cranial Electrotherapy Stimulation for the Treatment of Depression". *Journal of Psychosocial Nursing and Mental Health Services* 48, n. 11, pp. 37-42, nov. 2010.

GUSMÃO, Ricardo et al. "Antidepressant Utilization and Suicide in Europe: An Ecological Multi-national Study". *PLoS One*, e66455, 19 jun. 2013.

GUT, Emmy. *Productive and Unproductive Depression*. Nova York: Basic Books, 1989.

GUYTON, A. C. et al. "Circulation: Overall regulation". *Annual Review of Physiology* 34, 1972. Ed. de J. M. Lucj e V. E. Hall. Palo Alto, Calif.: Annual Reviews.

GUZE, S. B.; ROBBINS, E. "Suicide and Affective Disorders". *British Journal of Psychiatry* 117, pp. 437-38, 1970.

HABICH, John. "Writing Out the Demons". *Star Tribune*, 4 ago. 2001.

HACKING, Ian. *Mad Travellers*. Charlottesville: University Press of Virginia, 1998.

HAGEN, Edward H. "Is Postpartum Depression Functional? An Evolutionary Inquiry". Parte do trabalho apresentado no Human Behavior and Evolutionary Society Annual Meeting, Northwestern University, jun. 1996.

_____. "The Defection Hypothesis of Depression: A Case Study". *ASCAP* 11, n. 4, pp. 13-17, 1998.

HALBREICH, Uriel; LUMLEY, Lucille. "The Multiple Interactional Biological Processes that Might Lead to Depression and Gender Differences in its Appearance". *Journal of Affective Disorders* 29, n. 2-3, pp. 159-73, 1993.

HALL, Stephen S. "Fear Itself". *New York Times Magazine*, 28 fev. 1999.

HALL, Thomas S. *Ideas of Life and Matter: Studies in the History of General Physiology, 600 a.C.-1900 d.C.* Chicago: University of Chicago Press, 1969. 2 v.

HALL, Wayne D. et al. "Association between antidepressant prescribing and suicide in Australia, 1991-2000: trend analysis". *British Medical Journal* 326, n. 7397, pp. 1008-12, 10 maio 2003.

HALLIGAN, Marion. "Melancholy". In FITZGERALD, Ross (Ed.). *The Eleven Deadly Sins*. Port Melbourne: William Heinemann Austrália, 1993.

HAMMAD, Tarek A. "Relationship between Psychotropic Drugs and Pediatric Suicidality: Review and Evaluation of Clinical Data". U.S. Food and Drug Administration, 16 ago. 2004.

HAMMAD, Tarek A.; LAUGHREN, Thomas; RACOOSIN, Judith. "Suicidality in Pediatric Patients Treated with Antidepressant Drugs". *Archives of General Psychiatry* 63, n. 3, mar. 2006.

HAMSUN, Knut. *Hunger*. Trad. para o inglês, Robert Bly,. Nova York: Noonday Press, 1967. [Ed. bras.: *Fome*. Trad. Carlos Drummond de Andrade. São Paulo: Geração editorial, 2009]

_____. *Night Roamers and Other Stories*. Trad. para o inglês, Tina Nunnally. Seattle: Fjord Press, 1992.

HANNA, E. Z. et al. "Parallels to Early Onset Alcohol Use in the Relationship of Early Onset Smoking with Drug Use and *DSM-IV* Drug and Depressive Disorders: Findings from the National Longitudinal Epidemiologic Survey". *Alcoholism, Clinical and Experimental Research* 23, n. 3, pp. 513-22, 1999.

HANNAY, Alastair; MARINO, Gordon M. (Eds.). *The Cambridge Companion to Kierkgaard*. Cambridge: Cambridge University Press, 1998.

HANTZ, Paul et al. "Depression in Parkinson's Disease". *American Journal of Psychiatry* 151, n. 7, pp. 1010-14, 1994.

HARRINGTON, Rebecca A. et al. "Prenatal SSRI Use and Offspring with Autism Spectrum Disorder or Developmental Delay". *Pediatrics*, 14 abr. 2014. Online.

HARRINGTON, Scott. "The History of Federal Involvement in Insurance Regulation: An Historical Overview". In WALLISON, Peter. *Optional Federal Chartering of Insurance*. Washington, DC: AEI Press, 2000.

HARRIS, E. Clare; BARRACLOUGH, Brian. "Suicide as an Outcome for Medical Disorders". *Medicine* 73, pp. 281-96, 1994.

_____. "Excess Mortality of Mental Disorder". *British Journal of Psychiatry* 173, pp. 11-53, 1998.

HARRIS, M. Jackuelyn et al. "Recognition and Treatment of Depression in Alzheimer's Disease". *Geriatrics* 44, n. 12, pp. 26-30, 1989.

HART, Sybil et al. "Depressed Mothers' Neonates Improve Fllowing the MABI and Brazelton Demonstration". *Journal of Pediatric Psychology* 23, n. 6, pp. 315-56, 1998.

HASHIMOTO, Kenji et al. "Glutamate Modulators as Potential Therapeutic Drugs in Schizophrenia and Affective Disorders". *European Archives of Psychiatry and Clinical Neuroscience* 263, n. 4, pp. 367-77, ago. 2013.

HASSOUN, Jacques. *The Cruelty of Depression: On Melancholia*. Trad. para o inglês de David Jacobson. Reading, Mass.: Addison-Wesley, 1997. [Ed. bras.: *A crueldade melancólica*. Trad. Renato Aguiar. Rio de Janeiro: Civilização Brasileira, 2002]

HAUCH, Valerie. "Disabled Woman Denied Entry to U.S. after Agent Cites Supposedly Private Medical Details". *Toronto Star*, 28 nov. 2013.

HAUENSTEIN, Emily. "A Nursing Practice Paradigm for Depressed Rural Women: Theoretical Basis". *Archives of Psychiatric Nursing* 10, n. 5, pp. 283-92, 1996.

HAYS, Judith et al. "Social Correlates of the Dimensions of Depression in the Elderly". *Journal of Gerontology* 53B, n. 1, pp. 31-39, 1998.

HEALY, David. *The Psychopharmacologists*. Londres: Champman and Hall, 1996.

_____. *The Antidepressant Era*. Cambridge: Harvard University Press, 1997.

_____. *Pharmageddon*. Berkeley: University of California Press, 2012.

HEIDEGGER, Martin. *Being and Time*. Trad. para o inglês, Joan Stambaugh. Nova York: State University of New York Press, 1996. [Ed. bras.: *Ser e tempo*. Trad., org. e notas Fausto Castilho. Campinas, SP/ Petrópolis, RJ: Ed. da Unicamp/ Vozes, 2012]

HELDMAN, Kevin. "7 1/2 Days". *City Limits*, jun./jul 1998.

HELLINGER, Bert et al. *Love's Hidden Symmetry*. Phoenix: Zeig, Tucker, 1998.

HENDIN, Herbert. *Suicide in America*. Nova York: W. W. Norton, 1995.

HERREL, R. et al. "Sexual Orientation and Suicidality: A Co-Twin Control Study in Adult Men". *Archives of General Psychiatry* 56, pp. 867-74, 1999.

HERRMANN, Nathan et al. "Behavioral Disorders in Demented Elderly Patients". *CNS Drugs* 6, n. 4, pp. 280-3000, 1996.

HERTZBERG, Hendrik. "The Narcissus Survey". *New Yorker*, 5 jan. 1998.

HEXSEL, Doris et al. "Evaluation of Self-esteem and Depression Symptoms in Depressed and Nondepressed Subjects Treated with OnabotulinumtoxinA for Glabellar Lines". *Dermatological Surgery* 39, n. 7, pp. 1088-96, jul. 2013.

HICKEY, Dave. *Air Guitar*. Los Angeles: Art Issues Press, 1997.

HIPÓCRATES. *Hippocrates*. Trad. e ed. de W. H. S. Jones e E. T. Withington. Londres: William Heinemman, 1962. 4 v.

HIRSCHFELD, Robert M. A. et al. "The National Depressive and Manic-Depressive Association Consensus Statemen on the Undertreatment of Depression". *Journal of the American Medical Association* 277, n. 4, pp. 333-40, 1997.

HOFFMAN, Friedrich. *A System of the Practice of Medicine*. Trad. para o inglês, William Lewis. Londres: J. Murray e J. Johnson, 1783. 2 v.

HOLICK, Michael J.; JUNG, Ernst G. (Eds.). *Biologic Effects of Light, 1995*. Nova York: Walter de Gruyter, 1996.

HOLLANDER, Eric (Ed.). "TMS". *CNS Spectrum* 2, n. 1, 1997.

HOLLINGSWORTH, Ellen Jane. "Use of Medicaid for Mental Health Care by Clients of Community Support Programs". *Community Mental Health Journal* 30, n. 6, pp. 541-49, 1994.

HOLLOWAY, Lynette. "Seeing a Link Between Depression and Homelessness". *New York Times*, 7 fev. 1999.

Holly Bible. Versão do rei James. Londres: Odham Press Limited, 1939.

Holly Bible. Versão de Douay do Velho Testamento da vulgata latina. Rockford, Ill.: Tan Books and Publisheers, 1989.

Holly Bible. Versão padrão revisada. Nova York: Thomas Nelson, 1972.

HOLTZHEIMER, Paul E.; MAYBERG, Helen S. "Deep Brain Stimulation for Psychiatric Disorders". *Annual Review of Neuroscience* 34, pp. 289-307, 2011.

HOMERO. *The Illiad*. Trad. para o inglês, Robert Fagles. Nova York: Viking, 1990. [Ed. bras.: *Ilíada*. Trad. Frederico Lourenço. São Paulo: Penguin Classics Companhia das Letras, 2013]

HOOLEY, Jill M. et al. "Predictors of Relapse in Unipolar Depressives: Expressed Emotion, Marital Distress, and Perceived Criticism". *Journal of Abnormal Psychology* 98, n. 3, pp. 229-35, 1989.

HOOPER, Judith. "A New Germ Theory". *Atlantic Monthly*, p. 41-53,. fev. 1999.

HORGAN, John. "Why Freud Isn't Dead". *Scientific American*, pp. 74-79, dez. 1996.

HOUSE, Allan et al. "Depression Associated with Stroke". *Journal of Neuropsychiatry* 8, n. 4, pp. 453-57, 1996.

HRDINA, Pavel et al. "Pharmacological Modification of Experimental Depression in Infant Macaques". *Psychopharmacology* 64, pp. 89-93, 1979.

HUGO, Victor. *Les Misérables*. Trad. para o inglês, Charles E. Wilbour. Nova York: Modern Library, 1992. [Ed. bras.: *Os miseráveis*. Trad. Frederico Ozanam Pessoa de Barros. São Paulo: 2012. 2 v.]

HUNTER, Richard; MACALPINE, Ida (Eds.). *300 Years of Psychiatry: A History 1535-1860. Presented in Selected English Texts*. Londres: Oxford University Press, 1982.

HUYSMANS, Joris-Karl. *Against Nature*. Trad. para o inglês, Robert Baldick. Suffolk, Inglaterra: Penguin Classics, 1997.

HVIID, Anders; MELBYE, Mads; PASTERNAK, Björn. "Use of Selective Serotonin Reuptake Inhibitors during Pregnancy and Risk of Autism". *New England Journal of Medicine* 369, n. 25, pp. 2406-15, 19 dez. 2013.

HYMAN, Steve E. "Statement on Fiscal Year 2000 President's Budget Request for the National Institute of Mental Health". Departamento de Saúde e Serviços Humanos, Washington, DC. Fotocópia.

_____. "Political Science". *The Economics of Neuroscience* 2, n. 1, pp. 6-7, 2000.

INGRAM, Allan. *The Madhouse of Language: Writing and Reading Madness in the Eighteenth Century*. Londres: Routledge, 1991.

INSKIP, H. M.; HARRIS, E.; BARRACLOUGH, Brian. "Lifetime Risk of Suicide for Affective Disorder, Alcooholism, and Schiizophrenia". *British Journal of Psychiatry* 172, pp. 35-37, 1998.

IOVIENO, Nadia et al. "Second-tier Natural Antidepressants: Review and Critique". *Journal of Affective Disorders* 130, n. 3, pp. 343-57, maio 2011.

ISACSSON, Göran. "Suicide Prevention: A Medical Breakthrough?". *Acta Psychiatrica Scandinavica* 102, n. 2, pp. 113–17, ago. 2000.

ISHITARA, K. et al. "Mechanism Underlying the Therapeutic Effects of Eletroconvulsive Therapy on Depression". *Japanese Journal of Pharmacology* 80, n. 3, pp. 185-89, 1999.

JACK, Dana Crowley. *Silencing the Self: Women and Depression*. Cambridge: Harvard University Press, 1991.

JACKSON, Stanley W. *Melancholia and Depression: From Hippocratic Times to Modern Times*. New Haven, Conn., e Londres: Yale University Press, 1986.

JACOBSEN, Neil S. et al. "Couple Therapy as a Treatment for Depression: II. The Effects of

Relationship Quality and Therapy on Depressive Relapse". *Journal of Consulting and Clinical Psychology* 61, n. 3, pp. 516-19, 1993.

JAFFE, Robert J.; NOVAKOVIC, Vladan; PESELOW, Eric D. "Scopolamine as an Antidepressant: A Systematic Review". *Clinical Neuropharmacology* 36, n. 1, pp. 24-26, jan./ fev. 2013.

JAMES, William. *The Will to Believe and Other Essays in Popular Philosophy.* Cambridge: Harvard University Press, 1979.

_____. "What is an Emotion?" *Mind* 9, n. 34, pp. 188-205, abr. 1884.

_____. *The Varieties of Religious Experience.* Cambridge: Harvard University Press, 1985.

JAMISON, Kay Redfield. *Touched with Fire.* Nova York: Free Press, 1993.

_____. *Un Unquiet Mind.* Nova York: Vintage Books, 1996. [Ed. bras.: *Uma mente inquieta: Memórias de loucura e instabilidade de humor.* Trad. Waldéa Barcellos. São Paulo: Martins Fontes, 2009]

_____. *Night Falls Fast.* Nova York: Alfred Knopf, 1999. [Ed. bras.: *Quando a noite cai: Entendendo a depressão e o suicídio.* Trad. Gilson B. Soares. Rio de Janeiro: Gryphus, 2010]

JAVORSKY, James. "An Examination of Language Learning Disabilities in Youth with Psychiatric Disorders". *Annals of Dyslexia* 45, pp. 215-31, 1995.

JAYAKODY, R.; POLLACK, H. "Barriers to Self-Suffiency among Low-Income. Single Mothers: Substance Use, Mental Health Problems, and Welfare Reform". In: Associação para Análise e Administração da Política Pública, Washington, DC, nov. 1997.

JENKINS, Philip. *Synthetic Panics.* Nova York: New York University Press, 1999.

JENSEN, Peter S. et al. "Evolution and Revolution in Chaild Psychiatry: ADHD as Disorder of Adaptations". *Journal of the American Academy of Child and Adolescent Psychiatry* 36, n. 12, pp. 1672-79, 1997.

JICK, Herschel; JAYE, James A.; JICK, Susan S. "Antidepressants and the Risk of Suicidal Behaviors". *JAMA: Journal of the American Medical Association* 292, n. 3, pp. 338-43, jul. 21, 2004.

JIMENEZ, Mary Ann. *Changing Faces of Madness: Early American Attitudes and Treatment of the Insane.* Hanover, N. H.: University Press of New England, 1987.

JOBE, T. H. "Medical Theories of Melancholia in the Seventeenth and Early Eighteenth Centuries". *Clio Medica* 11, n. 2, pp. 217-31, 1976.

JOHNSON, Richard E. et al. "Lithium Use and Discontinuation in a Health Maintenance Organization". *American Journal of Psychiatry* 153, pp. 993-1000, 1996.

JONES, Mary Lynn F. "Mental Health Lobbyists Say Capitol Shooting Avoidable". *The Hill*, 5 ago. 1998.

JONES, Nancy Aaron et al. "EEG Stability in Enfants/Children of Depressed Mothers". *Child Psychiatry and Human Development* 28, n. 2, pp. 59-70, 1997.

JOSEPH-VANDERPOOL, Jean R. et al. "Seasonal Variation in Behavioral Responses to m-CPP in Patients with Seasonal Affective Disorder and Controls". *Biological Psychiatry* 33, pp. 496--504, 1993.

KAFKA, Franz. *The Metamorphosis and Other Stories.* Trad. para o inglês, Donna Freed. Nova York: Barnes & Noble Books, 1996. [Ed. bras.: *A metamorfose.* Trad. Modesto Carone. São Paulo: Companhia das Letras, 1997]

KAHN, Jack. *Job's Illness: Los, Gief and Integration: A Psychological Interpretation.* Londres: Gaskell, 1986.

KALEN, N. H. et al. "Asymmetric Frontal Brain Activity, Cortisol, and Behavior Associated with Fearful Temperament in Rhesus Monkeys". *Behavioral Neuroscience* 112, pp. 286-92, 1998.

KANG, Duck-Hee et al. "Frontal Brain Asymetry and Immune Function". *Behavioral Neuroscience* 105, n. 6, pp. 860-69, 1991.

KANT, Immanuel. *Observation on the Feeling of the Beautiful and Sublime.* Trad. para o inglês, John T. Goldthwait. Berkeley: University of California Press, 1960. [Ed. bras.: *Observações sobre o sentimento do belo e do sublime; Ensaio sobre as doenças mentais.* Trad. Vinicius de Figueiredo. Campinas: Papirus, 1993]

_____. *The Philosophy of Kant.* Nova York: Modern Library, 1949.

KAPLAN, Bert. *The Inner World of Mental Illness.* Nova York: Harper & Row, 1964.

KAPLAN, Harold I.; SADOCK, Benjamin J. (Eds.). *Comprehensive Textbook of Psychiatry.* 5 ed. Baltimore: Williams & Wilkins, 1989.

KAREN, Robert. *Becoming Attached.* Oxford: Oxford University Press, 1998.

KARP, David A. *Speaking of Sadness.* Oxford: Oxford University Press, 1996.

KATZ, Jack. *How Emotions Work.* Chicago: University of Chicago Press, 1999.

KATZ, Laurence Y. et al. "Effect of Regulatory Warnings on Antidepressant Prescription Rates, Use of Health Services and Outcomes among Children, Adolescents and Young Adults". *CMAJ: Journal of the Canadian Medical Association* 178, n. 8, pp. 1005-11, 8 abr. 2008.

KATZ, Neal; MARKS, Linda. "Depression Staggering Costo". *Nation's Business,* jun. 1994.

KAUFMAN, Joan et al. "Serotonergic Functioning in Depressed Abused Children: Clinical and Familial Correlates". *Biological Psychiatry* 44, n. 10, pp. 973-81, 1998.

KAVIRAJAN, Harish C.; LUECK, Kristin; CHUANG, Kenneth. "Alternating Current Cranial Electrotherapy Stimulation (CES) for Depression". *Cochrane Library,* 5, 31 maio 2013.

KAYSER, Sarah et al. "Comparable Seizure Characteristics in Magnetic Seizure Therapy and Electroconvulsive Therapy for Major Depression". *European Neuropsychopharmacology* 23, n. 11, pp. 1541-50, nov. 2013.

KEATS, John. *The Poems.* Ed. de Gerald Bullet. Nova York: Alfred A. Knopf, 1992. [Ed. bras.: *Nas invisíveis asas da poesia.* Trad. Alberto Marsicano. São Paulo: Iluminuras, 1998]

KEE, Howard Clark. *Medicine, Miracle, and Magic in New Testament Times.* Cambdrige University Press, 1986.

KEITNER, Gabor I. et al. "Recovery and Major Depression: Factors Associated with Twelve-Month Outcome". *American Journal of Psychiatry* 149, n. 1, pp. 93-99, 1992.

KELLER, Martin et al. "A Comparison of Nefazodone, the Cognitive Behavioral-Analysis System of Psychotherapy, and their Combination for the Treatment of Chronic Depression". *New England Journal of Medicine* 342, n. 20, pp. 1462-70, 2000.

KELOSE, John R. "The Genetics of Mental Illness". Departamento de Psiquiatria, Universidade da Califórnia, San Diego. Manuscrito.

KENDLER, Kenneth S. "A Population-Based Twin Study of Major Depression in Women". *Archives of General Psychiatry* 49, pp. 257-66, 1992.

_____. "A Longitudinal Twin Study of 1-Year Prevalence of Major Depression in Women". *Archives of General Psychiatry* 50, pp. 843-52, 1993.

_____. "The Prediction of Major Depression in Women: Toward an Integrated Etiologic Model". *American Journal of Psychiatry* 150, pp. 1139-48, 1993.

KENDLER, Kenneth S. et al. "Stressful Life Events and Previous Episodes in the Etiology of Major Depression in Women: An Evaluation of the 'Kindling' Hypothesis". *American Journal of Psychiatry* 157, n. 8, pp. 1243-51, 2000.

KENNA, Kathleen. "Patrick Kennedy Aims for the Moon: A Cure for 'Brain Disease'". *Toronto Star,* 4 out. 2012.

KENYON, Jane. *Constance.* St. Paul, Minn.: Graywolf Press, 1993.

KESSLER, Ronald C. et al. "Lifetime and 12-Month Prevalence of *DMS-III-R* Psychiatric Disorders in the United States". *Archives of General Psychiatry* 51, pp. 8-19, 1994.

KETTLEWELL, Caroline. *Skin Game.* Nova York: St. Martin's Press. 1999.

KHAN, Arif et al. "A Systematic Review of Comparative Efficacy of Treatments and Controls for Depression". *PLoS One* 7, n. 7, e41778, 2012.

KHARMS, Daniil. *Incidences.* Trad. e ed. de Neil Cornwall. Cornwall, Londres: Serpent's Tail, 1993.

KHASHAN, Ali S. "Higher Risk of Offspring Schizophrenia Following Antenatal Maternal Exposure to Severe Adverse Life Events". *Archives of General Psychiatry,* 65, n. 2, pp. 146-52, fev. 2008.

KIERKEGAARD, Soren. *The Sickness Unto Death*. Trad. para o inglês. Alastair Hannay. Londres: Penguin Books, 1989. [Ed. bras.: *O desespero humano*. Trad. Adolfo Casais Monteiro. São Paulo: Unesp, 2010]

KIESLER, A. "Mental Hospitals and Alternative Care: Noninstitutionalization as Potential Public Policy for Mental Patients". *American Psychologist* 349, pp. 357-58, 1982.

KIRK, Stuart A.; GOMORY, Tomi; COHEN, David. *Mad Science: Psychiatric Coercion, Diagnosis, and Drugs*. Piscataway, Nova Jersey: Transaction Publishers, 2013.

KIRSCH, Daniel L.; NICHOLS, Francine. "Cranial Electrotherapy Stimulation for Treatment of Anxiety, Depression, and Insomnia". *Psychiatric Clinics of North America* 36, n. 1, pp. 169-76, mar. 2013.

KIRSCH, Irving. *The Emperor's New Drugs: Exploding the Antidepressant Myth*. Nova York: Basic Books, 2011.

KIRSCH, Irving et al. "Initial Severity and Antidepressant Benefits: A Meta-analysis of Data Submitted to the Food and Drug Administration". *PLoS Medicine* 5, n. 2, e45, fev. 2008.

KLAWANSKY, Sidney et al. "Meta-analysis of Randomized Controlled Trials of Cranial Electrostimulation: Efficacy in Treating Selected Psychological and Physiological Conditions". *Journal of Nervous and Mental Disease* 183, n. 7, pp. 478-84, jul. 1995.

KLEIN, Donald F.; WENDER, Paul H. *Understanding Depression*. Oxford: Oxford University Press, 1993.

KLEIN, Melanie. *The Selected Melanie Klein*. Ed. de Juliet Mitchell. Nova York: Penguin Books, 1986. [*Amor, culpa e reparação e outros trabalhos (1921-1945)*. Obras completas de Melanie Klein, v.1. Trad. André Cardoso. Rio de Janeiro: Imago, 1996]

KLEINMAN, Arthur; GOOD, Byron (Eds.). *Culture and Depression*. Berkeley: University of California Press, 1985.

KLERMAN, Gerald et al. "Treatment of Depression by Drugs and Psycotherapy". *American Journal of Psychiatry* 131, pp. 186-91, 1974.

KLIBANSKY, Raymond; PANOFSKY, Erwin; SAXL, Fritz. *Saturn and Melancholy: Studies in the History of Natural Philosophy, Religion, and Art*. Londres: Nelson, 1964.

KLINKENBORG, Verlyn. "Sleepless". *New York Times Magazine*, 5 jan. 1997.

KLITZMAN, Robert. *In a House of Dreams and Glass*. Nova York: Ivy Books, 1995.

KNISHINKY, Ran. *The Prozac Alternative*. Rochester, Vt.: Healing Arts Press, 1998.

KNOCK, Matthew K.; KESSLER, Ronald. "Prevalence of and Risk Factors for Suicide Attempts Versus Suicide Gestures: Analysis of the National Comorbidity Survey". *Journal of Abnormal Psychology* 115, n. 3, pp. 616-23, ago. 2006.

KOBLER, Arthur L.; SCOTLAND, Ezra. *The End of Hope: A Social-Clinical Study of Suicide*. Londres: Free Press of Glencoe, 1964.

KOCHANSKA, Grazyna. "Children of Normal and Affectively Ill Mothers". *Child Development* 62, pp. 250-63, 1991.

KOESTLER, Arthur. *The Ghost in the Machine*. Nova York: MacMillan, 1967.

KOLB, Elzy. "Serotonin: Is There Anything It Can't Do?". *College of Physicians and Surgeons of Columbia University*, primavera de 1999.

KOSTEN, Thomas R. et al. "Depression and Stimulant Dependence". *Journal of Nervous and Mental Disease* 186, n. 12, pp. 737-45, 1998a.

_____. "Regional Cerebral Blood Flow During Acute and Chronic Abstinence from Combined Cocaine-Alcohol Abuse". *Drug and Alcohol Dependence* 50, n. 3, pp. 187-95, 1998b.

KRAEMER, Gary. "The Behavioral Neurobiology of Self-Injurious Behavior in Rhesus Monkeys: Current Concepts and Relations to Impulsive Behavior in Humans". *Annals of the New York Academy of Sciences* 836, n. 363, pp. 12-38, 1997.

KRAEMER, Gary et al. "Rearing Experience and Biogenic Amine Activity in Infant Rhesus Monkeys". *Biological Psychiatry* 40, n. 5, pp. 338-52, 1996.

KRAEPELIN, Emil. *Manic-Depressive Insanity and Paranoia*. Ayer Co. Pub., 1921.

KRAFFT-EBING, R. von. *Text-Book of Insanity*. Trad. para o inglês, Charles Gilbert Chaddock. Filadélfia: F. A. Davis, editores, 1904.

KRAMER, Peter D. *Listening to Prozac*. Nova York: Viking Press, 1993. [Ed. bras.: *Ouvindo o Prozac*. Trad. Geni Hirata. Rio de Janeiro: Record, 1994]

KRISTELLER, Paul Oskar. *The Philosophy of Marsilio Ficino*. Trad. para o inglês, Virginia Conant. Nova York: Columbia University Press, 1943.

KRISTEVA, Julia. *Black Sun: Depression and Melancholia*. Trad. para o inglês, Leon S. Roudiez. Nova York: Columbia University Press, 1989. [Ed. bras.: *Sol negro: Depressão e melancolia*. Trad. Carlota Gomes. Rio de Janeiro: Rocco, 1989.]

KRYSTAL, John. "Dr. Marcia Angell and the Illusions of Anti-psychiatry". *Psychiatric Times*, 13 ago. 2012.

KUHN, Reinhard. *The Demon of Noontide: Ennui in Western Literature*. Princeton, NJ: Princeton University Press, 1976.

KUHN, Roland. "The Treatment of Depressive States with G22355 (Imipramine Hydrochloride)". Trabalho lido no Galesburg State Hospital, 19 maio 1958.

KYE, Christopher; RYAN, Neal. "Pharmacologic Treatment of Child and Adolescent Depression". *Child and Adolescent Psychiatric Clinics of North America* 4, n. 2, pp. 261-81, 1995.

LAMBERT, Craig. "Deep Cravings". *Harvard Magazine* 102, n. 4, pp. 60-68, 2000.

LAMISON-WHITE, L. *U.S. Bureau of the Census: Current Population Report*. Série P60-198. Washington. DC: U.S. Government Printing Office, 1997.

LAPIDUS, Kyle; SOLEIMANI, Laili; MURROUGH, James. "Novel Glutamatergic Drugs for the Treatment of Mood Disorders". *Neuropsychiatric Disease and Treatment* 9, pp. 1101-12, 7 ago. 2013.

LATTAL, K. A.;PERRONE, M. (Eds.). "Handbook of Research Methods in Human Operant Behavior". Manuscrito.

LAWLOR, B. A. et al. "Evidence for a Decline with Age in Behavioral Responsivity to the Serotonin Agonist, m-Chlorophenylpiperazine, in Healthy Human Subjects". *Psychiatry Research* 29, n. 1, pp. 1-10, 1998.

LEAR, Jonathan. *Love and Its Place in Nature*. Nova York: Noonday Press, 1990.

_____. *Open Minded*. Cambridge: Harvard University Press, 1998.

LEDOUX, Joseph. *The Emotional Brain*. Nova York: Touchstone, 1996. [Ed. bras.: *O cérebro emocional: Os misteriosos alicerces da vida emocional*. Trad. Terezinha Batista dos Santos. Rio de Janeiro: Objetiva, 1998]

LEE, Catherine M.; GOTLIB, Ian H. "Adjustement of Children of Depressed Mothers: A 10-Month Follow-Up". *Journal of Abnormal Psychology* 100, n. 4, pp. 473-77, 1991.

LEE, Seung-Hwan et al. "Genetic Relationship between Five Psychiatric Disorders Estimated from Genome-wide SNPs". *Nature Genetics* 45, n. 9, pp. 984-94, set. 2013.

LEE, Soong et al. "Community Mental Health Center Acessibility". *Archives of General Psychiatry* 31, pp. 335-39, 1974.

LEIBENLUFT, Ellen et al. "Is Sleep Deprivation Useful in the Treatment of Depression?". *American Journal of Psychiatry* 149, n. 2, pp. 159-68, 1992.

_____. "Relationship between Sleep and Mood in Patients with Rapid-Cycling Bipolar Disorder". *Psychiatry Research* 63, pp. 161-68, 1995.

LEMLEY, Brad. "Alternative Medicine Man". *Discover*, ago. 1999.

LEO, Jonathan; LACASSE, Jeffrey R. "The Media and the Chemical Imbalance Theory of Depression". *Society* 45, n. 1, pp. 35-45, fev. 2008.

LEON, Andrew C. et al. "Antidepressants and Youth Suicide in New York City, 1999-2002". *Journal of the American Academy of Child and Adolescent Psychiatry* 45, n. 9, pp. 1054-58, set. 2006.

_____. "Antidepressants in Adult Suicides in New York City: 2001-2004". *Journal of Clinical Psychiatry* 68, n. 9, pp. 1399-1403, set. 2007.

LEOPARDI, Giacomo. *Poems*. Trad. para o inglês, Jean-Pierre Barricelli. Nova York: Las Americas Publishing, 1963. [Alexei Bueno, *Cinco séculos de poesia*. Rio de Janeiro: Record, 2013]

LEPENIES, Wolf. *Melancholy and Society*. Trad. para o inglês, Jeremy Gaines e Doris Jones. Cambridge: Harvard University Press. 1992.

LESTER, David (Ed.). *Current Concepts of Suicide*. Filadélfia: Charles Press, 1990.

_____. *Patterns of Suicide and Homicide in the World*. Nova York: Nova Science Publishers, 1996.

_____. *Making Sense of Suicide*. Filadélfia: Charles Press, 1997.

LEVI, Primo. *The Drowned and the Saved*. Trad. para o inglês, Raymond Rosenthal. Nova York: Vintage International, 1989.

_____. *The Drowned and the Saved*. Introdução por Paul Bailey. Trad. para inglês, Raymond Rosenthal. Londres: Abacus, 1989. [Ed. bras.: *Os afogados e os sobreviventes*. Trad. Luiz Sérgio Henriques, 2 ed. São Paulo: Paz e Terra, 2004]

LEVINE, David. "VP Biden Addresses 15,000 Psychiatrists at #APA2014 Meeting". *Elsevier Connect*, 8 maio 2014. Disponível em < http://www.elsevier.com/connect/vp-joe-biden-addresses-the-american-psychiatric-association>.

LEVY, Robert M.; RUBINSTEIN, Leonard S. *The Rights of People with Mental Disabilities*. Carbondale: Southern Illinois University Press, 1996.

LEWINSOHN, Peter M.; STEINMETZ, Julia L.; LARSON, Douglas W.; JUDITA, Franklin. "Depression-related cognitions: Antecedent or consequence?". *Journal of Abnormal Psychology* 90, pp. 213-19, 1981.

LEWIS, C. S. *Studies in Words*. Cambridge: Cambridge University Press, 1967.

LEWIS, Ricki. "Manic-Depressive Illness". *FDA Consumer* 30, n. 5, pp. 26-29, 1996.

LIBBY, Anne M. et al. "Decline in Treatment of Pediatric Depression after FDA Advisory on Risk of Suicidality with SSRIs". *American Journal of Psychiatry* 164, n. 6, jun. 2007.

LIDZ, Theodore. "Adolf Meyer and the Development of American Psychiatry". *America Journal of Psychiatry* 123, 1966.

LIGHT, Luise. "How Energy Heals". *New Age Magazine*, fev. 1998.

LINDE, Klaus et al. "St. John's Wort for Depression C an Overview and Meta-Analysis of Randomized Clinical Trials". *British Medical Journal* 313, pp. 253-58, 1996.

LINDNER, Robert. *The Fifty-Minute Hour*. Nova York: Rinehart, 1955.

LIPINSKI, Joseph F. et al. "Open Trial of S-Adenosylmethionine for Treatment of Depression". *American Journal of Psychiatry* 143, n. 3, pp. 448-50, 1984.

LISANBY, Sarah H. et al. "Safety and Feasibility of Magnetic Seizure Therapy (MST) in Major Depression: Randomized Within-subject Comparison with Electroconvulsive Therapy". *Neuropsychopharmacology* 28 n. 10, pp. 1852-65, out. 2003.

LOO, Colleen K. et al. "A Review of Ultrabrief Pulse Width Electroconvulsive Therapy". *Therapeutic Advances in Chronic Disease* 3, n. 2, pp. 69-85, mar. 2012.

LÓPEZ, Juan F. et al. "Regulation of 5-HT Receptors and the Hypothalamic-Pituitary-Adrenal Axis: Implications for the Neurobiology of Suicide". *Annals of the New York Academy of Sciences* 836, pp. 106-34, 1997.

_____. "Regulation of 5-HT1A Receptor, Glucocorticoid and Mineralcorticoid Receptor in Rat and Human Hippocampus: Implications for the Neurobiology of Depression". *Biological Psychiatry* 43, pp. 547-73, 1998.

_____. "Neural Circuits Mediating Stress". *Biological Psychiatry* 46, pp. 1461-71, 1999.

LOPEZ, Korina. "Glenn Close, Family Work to End Stigma of Mental Illness". *USA Today*, 21 maio 2013.

LUDWIG, Jens; MARCOTTE, David E.; NORBERG, Karen. "Antidepressants and Suicide". NBER Working Paper N. 12906, National Bureau of Economic Research, fev. 2007.

LUHRMANN, T. M. *Of Two Minds*. Nova York: Alfred A. Knopf, 2000.

LUKÁCS, Georg. *Soul and Form*. Trad. para o inglês, Anna Bostock. Cambridge: MIT Press, 1971.

LYNCH, John et al. "Cumulative Impact of Sustained Economic Hardship on Physical, Cognitive, Psychological, and Social Functioning". *New England Journal of Medicine* 337, pp. 1889-95, 1997.

LYNGE, Inge. "Mental Disorders in Greenland: Past and Present". *Man & Society* 21, 1997.

LYONS, David et al. "Separation Induced Changes in Squirrel Monkey Hypothalamic-Pituitary--Adrenal Physiology Resemble Aspects of Hypercortisolism in Humans". *Psychoneuroendocrinology* 24, pp. 131-42, 1999.

MACDONALD, Michael. *Mystical Bedlam: Madness, Anxiety, and Healing in Seventeenth-Century England.* Cambridge: Cambridge University Press, 1981.

MACLEAN, Paul D. *The Triune Brain in Evolution: Role in Paleocerebral Functions.* Nova York: Plenum Press, 1990.

MADDEN, Pamela A. F. et al. "Seasonal Changes in Mood and Behavior". *Archives of General Psychiatry* 53, pp. 47-55, 1996.

MAJ, M.; STARACE, F.; SARTORIUS, N. *Mental Disorders in HIV-1 Infection and AIDS.* Seattle: Hogrefe & Huber, 1993.

MAJOR, Ralph H. *A History of Medicine.* Springfield, Ill.: Thomas, 1954. 2 v.

MAKANJUOLA, Roger O. "Socio-Cultural Parameters in Yoruba Nigerian Patients with Affective Disorders". *British Journal of Psychiatry* 155, pp. 337-40, 1989.

MALAN, André; CANGUILHEM Bernard (Eds.). *Symposium on Living in the Cold.* (2 ed., 1989, Le Hohwald, França) Londres: J. Libbey Eurotext, 1989.

MALAURIE, Jean. *The Last Kings of Thule.* Trad. para o inglês, Adrienne Foulke. Nova York: E. P. Dutton, 1982.

MALTSBERGER, John. *Suicide Risk: The Formulation of Clinical Judgement.* Nova York: New York University Press, 1986.

MANFIELD, Philip (Ed.). *Extending EMDR.* Nova York: W. W. Norton, 1998.

MANN, John. "The Neurobiology of Suicide". *Lifesavers* 10, n. 4, pp. 1-7, 1998.

MANN, John et al. "Toward a Clinical Model of Suicidal Behavior in Psychiatric Patients". *American Journal of Psychiatry* 156, n. 2, pp. 181-89, 1999.

MANNING, Martha. *Undercurrent.* San Francisco: HarperSanFrancisco, 1994.

_____. "The Legacy". *Family Therapy Networker,* pp. 34-41, jan. 1997.

MARCUS, Eric. *Why Suicide?* San Francisco: HarperSanFrancisco, 1996.

MARGOLIS, Simeon; SWARTZ, Karen L. *The Johns Hopkins White Papers: Depression and Anxiety.* Baltimore: Johns Hopkins Medical Institutions, 1998-2000.

MARINOFF, Lou. *Plato, not Prozac!* Nova York: HarperCollins, 1999. [Ed. bras.: *Mais Platão, menos Prozac.* Trad. Ana Luiza Borges. Rio de Janeiro: Record, 2001]

MARIS, Ronald (Ed.). *The Biology of Suicide.* Nova York: Guilford Press, 1986.

MARK, Tami et al. *National Expenditures for Mental Health, Alcohol and Other Drug Abuse Treatment.* Rockville, Md.: U.S. Department of Health and Human Services, 1996.

MARLOWE, Ann. *How to Stop Time: Heroin from A to Z.* Nova York: Basic Books, 1999.

MASSECK, Olivia A. et al. "Vertebrate Cone Opsins Enable Sustained and Highly Sensitive Rapid Control of Gi/o Signaling in Anxiety Circuitry". *Neuron* 81, n. 6, pp. 1263-73, 19 mar. 2014.

MATHER, Cotton. *The Angel of Bethesda.* Ed. de Gordon W. Jones. Barre, Mass.: American Antiquarian Society and Barre Publishers, 1972.

MATHEW, Roy; WILSON, William. "Substance Abuse and Cerebral Blood Flow". *American Journal of Psychiatry* 148, n. 3, pp. 292-305, 1991.

MAUDSLEY, Henry. *The Pathology of Mind.* 3 ed. Nova York: D. Appleton, 1882.

_____. *The Pathology of the Mind.* Londres: Macmillan, 1895.

MAUPASSANT, Guy de. *Selected Short Stories.* Trad. para o inglês, Roger Colet. Londres: Penguin Books, 1971. [Ed. bras.: *125 contos de Guy de Maupassant.* Org. de Noemi Moritz Kon. Trad. Amilcar Bettega Barbosa. São Paulo: Companhia das Letras, 2009]

MAY, Rollo. *The Meaning of Anxiety.* Nova York: W. W. Norton, 1977. [Ed. bras.: *O significado da ansiedade: As causas da integração e desintegração da personalidade.* Trad. Alvaro Cabral. Rio de Janeiro: Jorge Zahar, 1980]

MAYLON, A. K. "Biphasic Aspects of Homosexual Identity Formation". *Psychotherapy: Theory, Research and Practice* 19, pp. 335-40, 1982.

MAYS, John Bentley. *In the Jaws of the Black Dogs.* Nova York: HarperCollins, 1995.

MCALPINE, Donna; MECHANIC, David. "Utilization of Specialty Mental Health Case among Persons with Severe Mental Illness: The Roles of Demographics, Need, Insurance, and Risk". *Health Services Research* 35, n. 1, pp. 277-92, 2000.

MCCANN, U. et al. "Serotonin Neurotoxicity after 3.4-Methylenedioxymethamphetamine: A Controlled Study in Humans". *Neuropsychopharmacology* 10, pp. 129-38, 1994.

MCCAULEY, Elizabeth et al. "The Role of Somatic Complaints in the Diagnosis of Depression in Children and Adolescents". *Journal of American Academy of Child and Adolescent Psychiatry* 30, n. 4, pp. 631-35, 1991.

MCDOWELL, David M.; SPITZ, Henry I. *Substance Abuse: From Principles to Practice.* Nova York: Taylor & Francis Group, 1999.

MCGRATH, Callie L. et al. "Toward a Neuroimaging Treatment Selection Biomarker for Major Depressive Disorder". *JAMA Psychiatry* 70, n. 8, pp. 821-29, ago. 2013.

MCGUIRE, Michael; TROISI, Alfonso. *Darwinian Psychiatry.* Oxford: Oxford University Press, 1998.

MCHUGH, Paul R. "Psychiatric Misadventures". *American Scholar* 61, n. 4, pp. 497-510, 1992.

MCHUGH, Paul R.; SLAVNEY, Phillip R.. *The Perspectives of Psychiatry.* Baltimore: Johns Hopkins University Press, 1986.

MCKEOWN, L. A. "The Healing Profession on an Alternative Mission". *Medical World News*, pp. 48-60, abr. 1993.

MEAD, Richard, *Medical Precepts and Cautions.* Trad. Thomas Stack. Londres: J. Brindley, 1751.

_____. *The Medical Works of Richard Mead, M. D.* Londres: C. Hitch et al., 1760.

MEISOL, Patricia. "The Dark Cloud". *The Sun*, 11 maio 1999.

MEHLMANN, P. T. et al. "Low CSF 5-HIAA Concentrations and Severe Aggression and Impaired Impulse Control em Nonhuman Primates". *American Journal of Psychiatry* 151, pp. 1485-91, 1994.

MELFI, Catherine et al. "Access to Treatment for Depression in a Medicaid Population". *Journal of Health Care for the Poor and Underserved* 10, n. 2, pp. 210-15, 1999.

MELLMAN, T. A.; UHDE, T. W. "Sleep and Panic and Generalized Anxiety Disorders". In BALLENGER, James (Ed.). *The Neurobiology of Panic Disorder.* Nova York: Wiley-Liss, 1990.

MENANDRO. *Comicorum Atticorum fragmenta.* Ed. T. Kock. Leipzig: Teubner, 1888.

MENDELSON, Myer. *Psychoanalytic Concepts of Depression.* Nova York: Spectrum Publications, 1974.

MENNINGER, Karl. *Man Agains Himself.* Nova York: Harcourt, Brace & World, 1983.

MERKIN, Daphne. "The Black Season". *The New Yorker*, 8 jan. 2001.

MEYER, Adolf. "The 'Complaint' as the Center of Genetic-Dynamic and Nosological Thinking in Psychiatry". *New England Journal of Medicine* 199, pp. 360-70, 1928.

_____. *The Collected Papers of Adolf Meyer.* Ed. de Eunice E. Winters. Baltimore: Johns Hopkins Press, 1951. 4 v.

_____. *Psychobiology: A Science of Man.* Ed. de Eunice E. Winters e Anna Mae Bowers. Springfield, Ill.: Charles C. Thomas, 1957.

MEYER, R. E. (Ed.). *Psychopathology and Addictive Disorder.* Nova York: Guilford Press, 1986.

MILETICH, John J. *Depression in the Elderly: A Multimedia Sourcebook.* Westport, Conn.: Greenwood Press, 1997.

MILGRAM, Stanley. *Obedience to Authority.* Nova York: Harper Colophon Books, 1974.

MILLAY, Edna St. Vincent. *Collected Sonnets.* Nova York: Harper and Row, 1988.

MILLER, Alice. *The Drama of the Gifted Child.* Nova York: Basic Books, 1994.

MILLER, Ivan W.; KEITNER, Gabor I. et al. "Depressed Patients with Dysfunctional Families: Description and Course of Illness". *Journal of Abnormal Psychology* 101, n. 4, pp. 637-46, 1992.

MILLER, John (Ed.). *On Suicide: Great Writes on the Ultimate Question*. San Francisco: Chronicle Books, 1992.

MILTON, John. *Complete Poems and Major Prose*. Ed. Merritt Y. Hughes. Englewood Cliffs, NJ: Prentice-Hall, 1957. [Ed. bras.: *Aeropagítica*. Trad. Raul de Sá Barbosa. Rio de Janeiro: Topbooks, 1999]

_____. *Paradise Lost*. Ed. Scott Elledge. Nova York: W. W. Norton, 1993. [Ed. bras.: *Paraíso perdido*. Trad. Antônio José de Lima Leitão. São Paulo: W. M. Jackson Inc. Editores, 1956]

MIRANDA, Jeanne. "Introduction to the special section on recruiting and retaining minorities in psychotherapy research". *Journal of Consulting Clinical Psychologists* 64, n. 5, pp. 848-50, 1996.

_____. "One in Five Women Will Become Clinically Depressed...". Manuscrito.

MIRANDA, Jeanne et al. "Recruiting and Retaining Low-Income Latinos in Psychotherapy Research". *Journal of Consulting Clinical Psychologists* 64, n. 5, pp. 868-74, 1996.

_____. "Unmet Mental Health Needs of Women in Public-Sector Gynecologist Clinics". *American Journal of Obstetrics and Gynecology* 178, n. 2, pp. 212-17, 1998.

_____. "Current Psychiatric Disorders Among Women in Public Sector Family Planning Clinics". Georgetown University Medical Center. Manuscrito.

MIRANDA, Jeanne; GREEN, Bonnie L.. "Poverty and Mental Health Services Research". Manuscrito.

MIRMAN, Jacob J. *Demystifying Homeopathy*. New Hope, Minn.: New Hope Publishers, 1999.

MÖLLER, Hans-Jürgen; FOUNTOULAKIS, Konstantinos N. "Problems in Determining Efficacy and Effectiveness of Antidepressants". *Psychiatriki* 22, n. 4, pp. 298-306, out.-dez. 2011.

MONDIMORE, Francis Mark. *Depression: The Mood Disease*. Baltimore: Johns Hopkins University Press, 1995.

MONK, Catherine; FITELSON, Elizabeth M.; WERNER, Elizabeth. "Mood Disorders and their Pharmacological Treatment during Pregnancy: Is the Future Child Affected?" *Pediatric Research* 69, n. 5, pt. 2, 3R-10R, maio 2011.

MONTGOMERY, S. A. "Suicide Prevention and Serotonergic Drugs". *International Clinical Psychopharmacology* 8, n. 2, pp. 83-85, 1993.

MONTPLAISIR, J.; GODBOUT, R. (Eds.). *Sleep and Biological Rhytms*. Nova York: Oxford University Press, 1990.

MOORE, K. et al. "The JOBS Evaluation: How Well Are They Faring? AFDC Families with Preschool-Aged Children in Atlanta at the Outset of the JOBS Evaluation". Washington, DC: Departamento de Saúde e Serviços Humanos dos Estados Unidos, 1995.

_____. "The Association between Physical Activity and Depression in Older Depressed Adults". *Journal of Aging and Physical Activity* 7, pp. 55-61, 1999.

MOORE, Thomas. *Care of the Soul*. Nova York: HarperCollins, 1998.

MORA, George (Ed.). *Witches, Devils, and Doctors in the Renaissance: Johann Weyer, De praestigii daemonum*. [1583] Trad. para o inglês, John Shea. Binghamton, NY: Medical and Renaissance Texts and Studies, 1991.

MORSE, Gary et al. "Experimental Comparison of the Effects of Three Treatment Programs for Homeless Mentally Ill People". *Hospital and Community Psychiatry* 43, n. 10, pp. 1005-10, 1992.

MOSS, L.; HAMILTON, D. "The Psychotherapy of the Suicidal Patient". *American Journal of Psychiatry* 122, pp. 814-19, 1956.

MUFSON, Laura et al. "Efficacy of Interpersonal Psychotherapy for Depressed Adolescents". *Archives of General Psychiatry* 56, pp. 573-79, 1999.

MURPHY, Elaine (Ed.). *Affective Disorders in the Elderly*. Londres: Churchill Livingstone, 1986.

MURPHY, George. *Suicide in Alcoholism*. Nova York: Oxford University Press, 1992.

MURRAY, Albert. *Stomping the Blues*. Nova York: A De Capo Paperback, 1976.

MURRAY, Michael T. *Natural Alternatives to Prozac*. Nova York: Oxford University Press, 1996.

MUSETTI, Laura et al. "Depression Before and After Age 65: A Reexamination". *British Journal of Psychiatry* 155, pp. 330-36, 1989.

MUTRIE, Tim. "Aspenite Helps Spread ord on Teen Depression". *Aspen Times* 12, n. 169, 1999.

NADLER, Roland. "'Electroceutical' Ads Are Here: What Will Regulators Say?" Stanford Center for Law and the Biosciences, 24 out. 2013. Disponível em <http://blogs.law.stanford.edu/lawandbiosciences/2013/10/24/electroceutical-ads-are-here-what-will-regulators--say/>.

NAGEL, Thomas. *The Possibility of Altruism*. Princeton, NJ: Princeton University Press, 1970.

NAKAGAWA, Atsuo et al. "Association of Suicide and Antidepressant Prescription Rates in Japan, 1999-2003". *Journal of Clinical Psychiatry* 68, n. 6, pp. 908-16, jun. 2007.

NATIONAL ADVISORY MENTAL HEALTH COUNCIL (Conselho Nacional de Consulta sobre Saúde Mental). "Minutes of the 184 Meeting". 16 set. 1996. Manuscrito.

_____. "Bridging Science and Service: A Report by the National Advisory Mental Health Council's Clinical Treatment and Services Research Workgroup". Manuscrito.

NATIONAL ALLIANCE ON MENTAL ILLNESS (Aliança Nacional para a doença mental). "General Information about Specific Medications". Disponível em <http://www.nami.org/Template.cfm?Section=About_Medications&Template=/ContentManagement/ContentCombo.cfm&NavMenuID=798&ContentID=23662>.

NATIONAL INSTITUTE OF HEALTH'S GENETICS WORKGROUP (Grupo de Trabalho sobre Genética do Instituto Nacional de Saúde). "Genetics and Mental Disorders". National Institute of Mental Health. Manuscrito.

NATIONAL INSTITUTE OF MENTAL HEALTH (NIMH) (Instituto Nacional de Saúde Mental). *Suicide Research Workshop: From the Bench to the Clinic*. 14-15 nov. 1996.

_____. "Report to the National Advisory Mental Health Council Director of the NIMH". 28-29 jan. 1997.

_____. *Depression: What Every Woman Should Know*. Campanha do Depression Awareness, Recognition, and Treatment (D/ART).

NATIONAL MENTAL HEALTH ASSOCIATION (Associação Nacional para Saúde Mental). "Tipper Gore Announces Major Mental Health Initiative". NMHA Legislative Alert.

NATIONAL MENTAL HEALTH CONSUMER'S SELF-HELP CLEARINGHOUSE et al. *Amici Curiae Brief for the October 1998 Supreme Court Case of Tommy Olmstead, Comissioner of the Department of Human Resources of the State of Georgia et al. vs. L. C. and E. W., Each by Jonathan Zimring, as Guardian ad Litem and Next Friend*. Filadélfia, Pa.: NMHCSHC, 1998.

NAUGHTON, Marie et al. "A Review of Ketamine in Affective Disorders: Current Evidence of Clinical Efficacy, Limitations of Use and Pre-clinical Evidence on Proposed Mechanisms of Action". *Journal of Affective Disorders* 156, n. 3, pp. 24-35, mar. 2014.

NAUREX, INC. "FDA Grants Fast Track Designation to Naurex's Rapid-acting Novel Antidepressant GLYX-13". *PR Newswire*, 3 mar. 2014. Disponível em <http://www.prnewswire.com/news--releases/fda-grants-fast-track-designation-to-naurexs-rapid-acting-novel-antidepressant--glyx-13-248174561.html>.

NAZROO, J. Y. et al. "Gender Differences in the Onset of Depression Following a Shared Life Event: A Study of Couples". *Psychological Medicine* 27, pp. 9-19, 1997.

NEAMAN, Judith S. *Suggestion of the Devil: The Origins of Madness*. Garden City: NY: Anchor Books, 1975.

NEMEROFF, Charles B. "The Neurobiology of Depression". *Scientific American*, jun. 1998.

NESSE, Randolph. "Evolutionary Explantions of Emotions". *Human Nature* 1, n. 3, pp. 281-89, 1990.

_____. "What Good Is Feeling Bad?". *The Sciences*, dez. 1991.

_____. "Is Depression an Adaptation?". *Archives of General Psychiatry* 57, n. 1, pp. 14-20, 2000.

NEWTON, Isaac. *Newton's Principia: The Mathematical Principles of Natural Philosophy*. Trad. para o inglês, Andrew Motte. Nova York: Daniel Adee, 1848.

NICHOLSON, Barbara L.; KAY, Diane M. "Group Treatment of Traumatized Cambodian Women: A Culture-Specific Approach". *Social Work* 14, n. 5, pp. 470-79, 1999.

NIELSEN, D. et al. "Suicidality and S-Hydroxindoleacetic Acid Concentration Associated with Tryptophan Hydroxylase Polymorphism". *Archives of General Psychiatry* 51, pp. 34-38, 1994.

NIERENBERG, Andrew et al. "Mania Associated with St. John's Wort". *Biological Psychiatry* 46, pp. 1707-8, 1999.

NIESINK, R. J. M. et al. (Eds.). *Drugs of Abuse and Addiction*. Boca Ratton, Fla.: CRC Press, 1998.

NIETZSCHE, Friedrich. *Beyond Good and Evil*. Trad. para o inglês, R. J. Hollingdale. Londres: Penguin Books, 1990. [Ed. bras.: *Além do bem e do mal*. Trad. Paulo César de Souza. Ed. de bolso. São Paulo: Companhia das Letras, 2005]

_____. *Thus Spoke Zarathustra*. Trad. para o inglês, Walter Kaufmann. Nova York: Modern Library, 1995. [Ed. bras.: *Assim falou Zaratrusta*. Trad. Paulo César de Souza. São Paulo: Companhia das Letras, 2011]

_____. *The Will to Power*. Trad. Walter Kaufmann. Nova York: Vintage Books, 1967. [ed. bras.: *A vontade de poder*. Trad. Marcos Sinésio Pereira Fernandes e Francisco José Dias de Moraes. Rio de Janeiro: Contraponto, 2008]

NOLEN-HOEKSEMA, Susan. *Sex Differences in Depression*. Stanford, Calif.: Stanford University Press, 1990.

NORDEN, Michael J. *Beyond Prozac: Brain Toxic Lifestyles, Natural Antidotes and New Generation Antidepressants*. Nova York: ReganBooks, 1995.

Norton Anthology of Poetry. Rev. e ed. de Alexander W. Allison et al. Nova York: W. W. Norton, 1975.

NULAND, Sherwin, B. *How We Die*. Londres: Vintage, 1997. [Ed. bras.: *Como morremos: Reflexões sobre o último capítulo da vida*. Trad. Fábio Fernandes. Rio de Janeiro: Rocco, 1995]

NULMAN, Irena et al. "Child Development Following Exposure to Tricyclic Antidepressants or Fluoxetine Throughout Fetal Life: A Prospective, Controlled Study". *American Journal of Psychiatry* 159, n. 11, pp. 1889-95, nov. 2002.

NUTT, David. "Substance-P Antagonists: A New Treatment for Depression?". *Lancet* 352, pp. 1644-45, 1998.

OBERLANDER, Tim F. et al. "Externalizing and Attentional Behaviors in Children of Depressed Mothers Treated with a Selective Serotonin Reuptake Inhibitor Antidepressant during Pregnancy". *Archives of Pediatric and Adolescent Medicine* 161, n. 1, pp. 22-29, jan. 2007.

O'CONNOR, Lynn E. et al. "Guilt, Fear, and Empathy in College Students and Clinically Depressed Patients". Trabalho apresentado em encontros da Human Behavior and Evolution Society, Califórnia, jul. 1998.

O'CONNOR, Thomas G.; MONK, Catherine; FITELSON, Elizabeth M. "Practitioner Review: Maternal Mood in Pregnancy and Child Development: Implications for Child Psychology and Psychiatry". *Journal of Child Psychology and Psychiatry* 55, n. 2, pp. 99-111, fev. 2014.

ODER, Sir William. *Aequanimitas*. Londres: H. K. Lewis, 1904.

OLDHAM, John M. "Antidepressants and the Placebo Effect, Revisited". *Psychiatric News*, 16 mar. 2012.

OLFSON, Marc et al. "Relationship between Antidepressant Medication Treatment and Suicide in Adolescents". *Archives of General Psychiatry* 60, n. 10, pp. 978-82, out. 2003.

OLNEY, Buster. "Harnisch Says He Is Being Treated for Depression". *New York Times*, 26 abr. 1997.

OLSEN, K.; PAVETTI, L. *Personal and Family Challenges to the Succesful Transition from Welfare to Work*. Washington, DC: Urban Institute, 1996.

OPLER, Marvin; SMALL, S. Mouchly. "Cultural Variables Affecting Somatic Complaints and Depression". *Psychosomatics* 9, n. 5, pp. 261-66, 1968.

OPPENHEIM, Janet. *Shattered Nerves*. Oxford: Oxford University Press, 1991.

OQUENDO, M. A. et al. "Suicide Risk Factors and Prevention in Refractory Major Depression". *Depression and Anxiety* 5, pp. 202-11, 1997.

_____. "Inadequacy of Antidepressant Treatment for Patients with Major Depression Who Are at Risk for Suicidal Behavior". *American Journal of Psychiatry* 156, n. 2, pp. 190-94, 1999.

ORGANIZAÇÃO MUNDIAL DA SAÚDE. *Prevention of Suicide*. Public Health Paper n. 35. Genebra: World Health Organization, 1968.

OVERSTREET, D. H. et al. "Alcoholism and Depressive Disorder: Is Cholinergic Sensitivity a Biological Marker?". *Alcohol and Alcoholism* 24, pp. 253-55, 1989.

OVERSTREET, S. et al. "Availability of Family Support as a Moderator of Exposure to Community Violence". *Journal of Clinical Child Psychology* 28, n. 2, pp. 151-59, 1999.

The Oxford English Dictionary. Oxford: Clarendon Press, 1978. 12 v.

PAE, Chi-Un et al. "Milnacipran: Beyond a Role of Antidepressant". *Clinical Neuropharmacology* 32, n. 6, pp. 355-63, nov./dez. 2009.

PAGEL, Walter. *Religion and Neoplatonism in Renaissance Medicine*. Ed. de Marianne Winder. Londres: Variorum Reprints, 1985.

PAPOLOS, Demitri; PAPOLOS, Janice. *Overcoming Depression*. Nova York: HarperCollins, 1997.

PARIS, Jayson J. et al. "Immune Stress in Late Pregnant Rats Decreases Length of Gestation and Fecundity, and Alters Later Cognitive and Affective Behaviour of Surviving Pre-adolescent Offspring". *Stress* 14, n. 6, pp. 652-64, nov. 2011.

PASCUAL-LEONE, Alvaro et al. "Cerebral atrophy in habitual cocaine abusers: A planimetric CT study". *Neurology* 41, pp. 34-38, 1991.

_____. "Rapid-Rate Transcranial Magnetic Stimulation of Left Dorsolateral Prefrontal Cortex in Drug-Resistant Depression". *Lancet* 348, pp. 233-37, 1996.

PATROS, Philip G.; SHAMOO, Tonia K. *Depression and Suicide in Children and Adolescents*. Boston: Allyn & Bacon, 1989.

PATTON, Stacey Pamela. "Electrogirl". *Washington Post*, 19 set. 1999.

PAWLBY, Susan et al. "Antenatal Depression Predicts Depression in Adolescent Offspring: Prospective Longitudinal Community-based Study". *Journal of Affective Disorders* 113, n. 3, pp. 236-43, mar. 2009.

PEAR, Robert. "Insurance Plans Skirt Requirement on Mental Health". *New York Times*, 26 dez. 1998.

PEARCE, Erica; MURPHY, Julie. "Vortioxetine for the Treatment of Depression". *Annals of Pharmacotherapy*, 758-65, 27 mar. 2014. Online.

PELÁEZ-NOGUERAS, Martha et al. "Depressed Mothers Touching Increases Infants' Positive Affect and Attention in Still-Face Interaction". *Child Development* 67, pp. 1780-90, 1996.

PETERCHEV, Angel V.; MURPHY, D.L.; LISANBY, Sarah H. "Repetitive Transcranial Magnetic Stimulator with Controllable Pulse Parameters (cTMS)". *Proceedings of the 2010 Annual International Conference of the IEEE Engineering in Medicine and Biology Society*, pp. 2922-26, 1-4 set. 2010.

PETTI, T. A. "Depression in Hospitalized Child Psychiatry Patients: Approaches to Measuring Depression". *Journal of the American Academy of Child Psychiatry* 22, pp. 11-21, 1978.

PHILLIPS, Adam. *Darwin's Worms*. Londres: Faber & Faber, 1999.

Physicians' Desk Reference. 3 ed. Monvale, NJ: Medical Economics Company, 1999.

PICKWORTH, W.B. et al. "Evaluation of Cranial Electrostimulation Therapy on Short-term Smoking Cessation". *Biological Psychiatry* 42, n. 2, pp. 116-21, 15 jul. 1997.

PINEL, Philippe. *A Treatise on Insanity, in Which Are Contained the Principles of a New and More Practical Nosology of Maniacal Disorders*. Trad. para o inglês, D. D. Davis Sheffield, Inglaterra: W. Todd, 1806.

PIRKIS, Jane; BURGES, Philip. "Suicide and Recency of Health Care Contacts: A Systematic Review". *British Journal of Psychiatry* 173, pp. 462-75, 1998.

PLATH, Sylvia. *The Bell Jar.* Nova York: Harper & Row, 1971. [Ed. bras.: *A redoma de vidro.* Trad. Beatriz Horta. São Paulo: Record, 1999]

PLETSCHER, A. et al. "Serotonin Release as a Possible Mechanism of Reserpine Action". *Science* 122, pp. 374, 1955.

POLLAN, Michael. "A Very Fine Line". *New York Times Magazine,* 12 set. 1999.

POLLICE, Christine et al. "Relationship of Depression, Anxiety, and Obsessionality to State of Illness in Anorexia Nervosa". *International Journal of Eating Disorders* 21, pp. 367-76, 1997.

PORTER, Roy. *Mind-Forg'd Manacles: A history of madness in England from the Restoration to the Regency.* Londres: Athlone Press, 1987.

POSNER, Kelly et al. "Columbia Classification Algorithm of Suicide Assessment (C-CASA): Classification of Suicidal Events in the FDA's Pediatric Suicidal Risk Analysis of Antidepressants". *American Journal of Psychiatry* 164, n. 7, jul. 2007.

_____. "The Columbia-Suicide Severity Rating Scale: Initial Validity and Internal Consistency Findings from Three Multisite Studies with Adolescents and Adults". *American Journal of Psychiatry* 168, n. 12, dez. 2011.

POST, Robert M. "Transduction of Psychosocial Stress into Neurobiology of Recurrent Affective Disorder". *American Journal of Psychiatry* 149, n. 8, pp. 999-1010, 1992.

_____. "Malignant Transformation of Affective Illness: Prevention and Treatment". *Directions in Psychiatry* 13, pp. 2-7, 1993.

POST, Robert M. et al. "Cocaine, Kindling, and Psychosis". *American Journal of Psychiatry* 133, n. 6, pp. 627-34, 1976.

_____. "Recurrent Affective Disorder: Roots in Developmental Neurobiology and Illness Progression Based on Changes in Gene Expression". *Development and Psychopathology* 6, pp. 781--813, 1994.

_____. "Developmental Psychobiology of Cyclic Affective Illness: Implications for Early Therapeutic Intervention". *Development and Psychopathology* 8, pp. 273-305, 1996.

_____. "Rational Polypharmacy in the Bipolar Affective Disorders". *Epilepsy Research,* supl. 11, pp. 153-80, 1996.

POWELL, Barbara et al. "Primary and Secondary Depression in Alcoholic Men: An Important Distinction?". *Journal of Clinical Psychiatry* 48, n. 3, pp. 98-101, 1987.

POZNANSKI, E.; ZRULL, J. P. "Childhood Depression: Clinical Characteristics of Overtly Depressed Children." *Archives of General Psychiatry* 23, pp. 8-15, 1970.

PRICE, John S. "Genetic and Phylogenetic Aspects of Mood Variation". *International Journal of Mental Health* 1, pp. 124-44, 1972.

_____. "Agonistic versus Prestige Competition". *ASCAP* 8, n. 9, pp. 7-15, 1995.

_____. "The Expression of Hostility in Complementary Relationships C Change due to Depressed Mood". *ASCAP* 9, n. 7, pp. 6-14, 1996.

_____. "Goal Setting: A Contribution from Evolutionary Biology". *ASCAP* 10, N1 10, 1997.

_____. "Job's Battle with God". *ASCAP* 10, n. 12, 1997.

_____. "Do Not Underestimate the Dog!". *ASCAP* 11, n. 12, 1998.

PRICE, John S.; STEVENS, Anthony. *Evolutionary Psychiatry.* Londres: Routledge, 1996.

PRICE, John S. et al. "The Social Competition Hypothesis of Depression". *British Journal of Psychiatry* 164, pp. 309-15, 1994.

PRICHARD, James Cowles. *A Treatise of Insanity and Other Disorders Affecting the Mind.* Londres: Sherwood, Gilbert, & Piper, 1835.

PRITCHARD, C. "New Patterns of Suicide by Age and Gender in the United Kingdom and the Western World, 1974-1992; An Indicator of Social Change?". *Social Psychiatry and Psychiatric Epidemiology* 31, pp. 227-34, 1996.

QUEN, Jacques M.; CARLSON, Eric T. (Eds.). *American Psychoanalysis: Origins and Development. The Adolf Meyer Seminars.* Nova York: Brunner/Mazel, 1978.

QUINT, J. C. et al. *New Chance: Interim Findings on a Comprehensive Program for Disadvantaged Young Mothers and Their Children*. Nova York: Manpower Demonstration Research Corp., 1994.

RABINS, Peter et al. "Scientific and Ethical Issues Related to Deep Brain Stimulation for Disorders of Mood, Behavior, and Thought". *Archives of General Psychiatry* 66, n. 9, set. 2009.

RADKE-YARROW, Marian et al. "Affective Interactions of Depressed and Nondepressed Mothers and Their Children". *Journal of Abnormal Child Psychology* 21, n. 6, pp. 683-95, 1993.

———. "Depressed and Well Mothers". *Child Development* 65, pp. 1405-14, 1994.

RADO, Sandor. *Psychoanalysis of Behavior: The Collected Papers of Sandor Rado*. Nova York: Grune & Stratton, 1956. 2 v.

RAI, Dheeraj et al. "Parental Depression, Maternal Antidepressant Use during Pregnancy, and Risk of Autism Spectrum Disorders: Population Based Case-control Study". *British Medical Journal* 346, f2059, abr. 19, 2013.

RALEIGH, Michael; MCGUIRE, Michael. "Bidirectional Relationships between Tryptophan and Social Behavior in Vervet Monkeys". *Advances in Experimental Medicine and Biology* 294, pp. 289-98, 1991.

RALEIGH, Michael et al. "Social and Environmental Influences on Blood Serotonin Concentrations in Monkeys". *Archives of General Psychiatry* 41, pp. 405-10, 1984.

———. "Serotonergic Mechanisms Promote Dominance Acquisition in Adult Male Vervet Monkeys". *Brain Research* 559, pp. 181-90, 1991.

RAY, Shona; STOWE, Zachary N. "The Use of Antidepressant Medication in Pregnancy". *Best Practice and Research Clinical Obstetrics and Gynaecology* 28, n. 1, pp. 71-83, jan. 2014.

Readings from the Hurricane Island Outward Bound School. Rockland, Me.: Hurricane Island Outward Bound.

REAL, Terrence. *I Don't Want to Talk About It*. Nova York: Scribner, 1997.

REES, Jonathan. "Patentes and Intellectual Property: A Salvation for Patient-Oriented Research?". *Lancet* 356, pp. 849-50, 2000.

REGIER, D. A. et al. "Comparing Age at Onset of Major Depression and Other Psychiatric Disorders by Birth Cohorts in Five U.S. Community Populations". *Archives of General Psychiatry* 48, n. 9, pp. 789-95, 1991.

———. "The De Facto Mental and Addictive Disorders Service System. Epidemiologic Catchment Area Prospective 1-Year Prevalence Rates of Disorders and Services". *Archives of General Psychiatry* 50, n. 2, pp. 85-94, 1993.

RELMAN, Arnold S. "A trip to Stonesville". *New Republic* 219, n. 24, pp. 28-37, 1998.

REMAFEDI, G. et al. "The Relationship between Suicide Risk and Sexual Orientation: Results of a Population-Based Study". *American Journal of Public Health* 88, n. 1, pp. 57-60, 1998.

RICH, C. L. et al. "San Diego Suicide Study I: Young vs Old Subjects". *Archives of General Psychiatry* 43, n. 6, pp. 577-82, 1986.

RICHTER, Gerhard. *The Daily Practice of Painting*. Trad. para o inglês, David Britt. Cambridge: MIT Press, 1998.

RIDLEY, Matt. *Genome*. Londres: Fourth State, 1999. [Ed. bras.: *Genoma*. Trad. Ryta Vinagre. Rio de Janeiro: Record, 2001]

RIHMER, Zoltan et al. "Suicide in Hungary: Epidemiological and Clinical Perspectives". *Annals of General Psychiatry* 12, n. 21, p. 13, 26 jun. 2013.

RILEY, Anne W. "Effects on children of treating maternal depression". National Institute of Mental Health Grant #R01 MH58394.

RILKE, Rainer Maria. *The Selected Poetry of Rainer Maria Rilke*. Trad. e ed., Stephen Mitchell. Nova York: Vintage International, 1989.

RIMER, Sara. "Gaps Seen in Treatment of Depression in Elderly". *New York Times*, 5 set. 1999.

RITTERBUSH, Philip C. *Overtures to Biology: The Speculations of Eighteenth-Century Naturalists*. New Haven, Conn.: Yale University Press, 1964.

RIVA-POSSE, Patricio et al. "Practical Considerations in the Development and Refinement of Subcallosal Cingulate White Matter Deep Brain Stimulation for Treatment-resistant Depression". *World Neurosurgery* 80, n. 3-4, e25-34, set.-out. 2013.

ROAN, Shari. "Magic Pill ou Minor Hope?". *Los Angeles Times*, 14 jun. 1999.

ROBBINS, Jim. "Wired for Miracles?". *Psychology Today* 31, n. 3, pp. 40-76, 1998.

ROBBINS, Maggie. *Suzy Zeus Gets Organized*. Nova York: Bloomsbury, 2008.

ROBINSON, James Harvey. *Petrarch: The First Scholar and Man of Letters*. Nova York: G. P. Putnam's Sons, 1909.

ROBINSON, Nicholas. *A New System of the Spleen, Vapours and Hypochondriack Melancholy*. Londres: A. Bettewworth, W. Innys e C. Rivington, 1729.

ROCCATAGLIATA, Giuseppe. *A History of Ancient Psychiatry*. Nova York: Greenwood Press, 1986.

RODGERS, L. N.; REGIER, D. A. (Eds.). *Psychiatric Disorders in America: The Epidemiologic Catchment Area Study*. Nova York: Free Press, 1991.

ROGERS, E. S. et al. "A Benefit-Cost Analysis of a Supported Employement Model for Persons with Psychiatric Disabilities". *Evaluation an Program Planning* 18, n. 2, pp. 105-15, 1995.

ROMACH, M. K. et al. "Long-term Codeine Use is Associated with Depressive Symptoms". *Journal of Clinical Psychopharmacology* 19, n. 4, pp. 373-76, 1999.

ROSA, Moacyr; LISANBY, Sarah. "Somatic Treatments for Mood Disorders". *Neuropsychopharmacology Reviews* 37, n. 1, pp. 102-16, jan. 2012.

ROSE, Henry. *An Inaugural Dissertations on the Effects of the Passions upon the Body*. Filadélfia: William E. Woodward, 1794.

ROSE, R. M. et al. "Endocrine Activity in Air Traffic Controllers at Work. II, Biological, Psychological and Work Correlates". *Pyschoneuroendocrinology* 7, pp. 113-23, 1982.

ROSE, William. *From Goethe to Byron: The Development of "Weltschmerz" in German Literature*. Londres: George Routledge & Sons, 1924.

ROSEN, David H. *Transforming Depression*. Nova York: Penguin Books, 1993.

ROSEN, Laura Epstein; AMADOR, Xavier Francisco. *When Someone You Love Is Depressed*. Nova York: Free Press, 1996.

ROSEN, Peter et al. (Eds.). *Emergency Medicine: Concepts and Clinical Practice*. 4ª ed. St. Louis, Mo.: Mosby, 1998. 3 v.

ROSENFELD, Alvin et al. "Psychiatry and Children in the Child Welfare System". *Child and Adolescent Psychiatry Clinics of North America* 7, n. 3, pp. 515-36, 1998.

ROSENTHAL, Norman E. "Diagnosis and Treatment of Seasonal Affective Disorder". *Journal of the American Medical Association* 270, n. 22, pp. 2717-20, 1993.

_____. *Winter Blues*. Nova York: Guilford Press, 1993.

_____. *St. John's Wort*. Nova York: HarperCollins, 1998.

ROSENTHAL, Norman E. et al. "Seasonal Affective Disorder". *Archives of General Psychiatry* 41, pp. 72-80, 1984.

ROSSOW, I. "Alcohol and Suicide C beyond the Link at the Individual Level". *Addiction* 91, pp. 1463-69, 1996.

ROTHMAN, David J.; ROTHMAN, Sheila M. *The Willowbrook Wars*. Nova York: Harper & Row, 1984.

ROUKEMA, deputada Marge. "Capitol Shooting Could Have Been Prevented". *New Jersey Herald*, 16 ago. 1998.

ROUKEMA, deputada Marge et al. "Mental Health Parity Act of 1996 (H.R. 4058)". Câmara dos Deputados.

_____. "Mental Health and Substance Absuse Parity Amendments of 1998 (H.R. 3568)". Câmara dos Deputados.

ROUNSAVILLE, Bruce J. et al. "Psychiatric Diagnoses of Treatment-Seeking Cocaine Abusers". *Archives of General Psychiatry* 48, pp. 43-51, 1991.

ROY, Alec et al. "Genetic of Suicide in Depression". *Journal of Clinical Psychiatry.* supl. 2, pp. 12--17, 1999.

RUBIN, Julius H. *Religious Melancholy and Protestant Experience in America.* Oxford: Oxford University Press, 1994.

RUSH, Benjamin. *Benjamin Rush's Lectures on the Mind.* Ed. Eric Carlson, Jeffrey L. Wollock, and Patricia S. Noel. Filadélfia: American Philosophical Society, 1981.

_____. *Medical Inquiries and Observations.* 3 ed. Filadélfia: Mathew Carey et al., 1809. 4 v.

_____. *Medical Inquiries and Observation upon the Diseases of the Mind.* Filadélfia: Grigg and Elliot, 1835.

RUTHERFORD, Bret R.; ROOSE, Stephen P. "A Model of Placebo Response in Antidepressant Clinical Trials". *American Journal of Psychiatry* 170, n. 7, pp. 723-33, jul. 2013.

RUTHERFORD, Bret R. et al. "A Randomized, Prospective Pilot Study of Patient Expectancy and Antidepressant Outcome". *Psychological Medicine* 43, n. 5, pp. 975-82, maio 2013.

RUTTER, Michael; SMITH, David J. (Eds.). *Psychosocial Disorderes in Young People.* Chichester: John Wiley & Sons, 1995.

RYABININ, Andrey. "Role of Hippocampus in Alcohol-Induced Memory Impairment: Implications from Behavioral and Immediate Early Gene Studies". *Psychopharmacology* 139, pp. 34--43, 1998.

RYAN, Neal et al. "Imipramine in Adolescent Major Depression: Plasma Level and Clinical Response". *Acta Psychiatrica Scandinavica* 73, pp. 275-88, 1986.

SACK, David et al. "Deficient Nocturnal Surge of TSH Secretion During Sleep and Sleep Deprivation in Rapid-Cycling Bipolar Illness". *Psychiatry Research* 23, pp. 179-91, 1987.

SACKS, Oliver. *Seeing Voices.* Berkeley: University of California Press, 1989. [Ed. bras.: *Vendo vozes: Uma viagem ao mundo dos surdos.* Trad. Laura Teixeira Motta. São Paulo: Companhia das Letras, 1998]

SACKEIN, Harold et al. "A Prospective, Randomized, Double-Blind Comparison of Bilateral and Right Unilateral Electroconvulsive Therapy at Different Stimulus Intensities". *Archives of General Psychiatry* 57, n. 5, pp. 425-34, 2000.

SAFRAN, Jeremy D. "Breaches in the Therapeutic Alliance: An Arena for Negotiating Authentic Relatedness". *Psychotherapy* 30, pp. 11-24, 1993.

_____. *Widening the Scope of Cognitive Therapy.* Northvale, NJ: John Aronso, Inc.,1998.

_____. "Faith, Despair, Will, and the Paradox of Acceptance". *Contemporary Psychoanalysis* 35, n. 1, pp. 5-23, 1999.

SAKADO, K. et al. "The Association between the High Interpersonal Sensitivity Type of Personality and a Lifetime History of Depression in a Sample of Employed Japanese Adults". *Psychological Medicine* 29, n. 5, pp. 1243-48, 1999.

SALOMON, Charlotte. *Charlotte Saloman: Life? or Theater?* Zwolle, Holanda: Waander Publishers, 1998.

SAMEROFF, A. J.; SEIFER, R.; ZAX, M.."Early Development of Cildren at Risk for Emotional Disorder". *Monographs of the Society for Research in Child Development* 47, n. 7, 1982.

SANACORA, Gerard. "Ketamine-induced Optimism: New Hope for the Development of Rapid--acting Antidepressants". *Psychiatric Times*, 13 jul. 2012.

SANCHEZ, C. et al. "The Role of Serotonergic Mechanisms in Inhibition of Isolation-Induced Aggression in Male Mice". *Psychopharmacology* 110, n. 1-2, pp. 53-59, 1993.

SANDFORT, T. G. et al. "Same-Sex Sexual Behavior and Psychiatric Disorders: Findings from the Netherlands Mental Health Survey and Incidence Study (NEMESIS)." *Archives of General Psychiatry* 58, n. 1, pp. 85-91, 2001.

SANDS, James R. et al. "Psychotic Unipolar Depression at Follow-Up: Factors Related to Psychosis in the Affective Disorders". *American Journal of Psychiatry* 151, n. 7, pp. 995-1000, 1994.

SAPOLSKY, Robert. "Stress in the Wild". *Scientific American* 262, n. 1, pp. 116-23, 1990.

SAPOLSKY, Robert. "Social Subordinance as a Marker of Hypercortisolism: Some Unexpected Subtleties". *Annals of the New York Academy of Sciences* 771, pp. 626-39, 1995.

SAPOLSKY, Robert et al. "Hippocampal Damage Associated with Prolonged Glucocorticoid Exposure in Primates" *Journal of Neuroscience* 10, n. 9, pp. 2897-902, 1990.

SARTRE, Jean-Paul. *Being and Nothingness*. Trad. para o inglês, Hazel E. Barnes. Nova York: Washington Square Press, 1966. [Ed. bras.: *O ser e o nada*. Trad. Paulo Perdigão. Petrópolis, RJ: Vozes, 2013]

_____. *Nausea*. Trad. para o inglês, Lloyd Alexander. Nova York: New Directions, 1964. [Ed. bras.: *A náusea*. Trad. Rita Braga. Rio de Janeiro: Nova Fronteira, 2006]

SATEL, Sally L. "Mentally Ill or Just Feeling Sad?". *New York Times*, 15 dez. 1999.

SAVAGE, George H. *Insanity and Allied Neuroses: Practical and Clinical*. Filadélfia: Henry C. Lea's Son & Co., 1984.

SCHAFFER, Carrie Ellen et al. "Frontal and Parietal Electroencephalogram Asymmetry in Depressed and Nondepressed Subjects". *Biological Psychiatry* 18, n. 7, pp. 753-62, 1983.

SCHELLING, Friedrich Wilhelm Joseph von. "On the Essence of Human Freedom". In *Saemmtliche Werke*. Stuttgart: Cotta, 1856-61. v. 7.

SCHERDER, Erik et al. "Effects of High-frequency Cranial Electrostimulation on the Rest-activity Rhythm and Salivary Cortisol in Alzheimer's Disease: A Pilot Study". *Dementia and Geriatric Cognitive Disorders* 22, n. 4, pp. 267-72, set. 2006.

SCHIESARI, Juliana. *The Gendering of Melancholy*. Ithaca, NY: Cornell University Press, 1992.

SCHILDKRAUT, J. J. "The Catecholamine Hypothesis of Afective Disorders: A Review of Supporting Evidence". *American Journal of Psychiatry* 122, pp. 509-22, 1965.

SCHLEINER, Winfried. *Melancholy, Genius, and Utopia in the Renaissance*. Wiesbaden: In Kommission bei Otto Harrassowitz, 1991.

SCHMIDT, Heath D.; SHELTON, Richard C.; DUMA, Ronald S. "Functional Biomarkers of Depression: Diagnosis, Treatment, and Pathophysiology". *Neuropsychopharmacology* 36, n. 12, pp. 2375-94, nov. 2011.

SCHNEEBERG, Richard. *Legally Drugged: Ten Nuthouse Hospital Stays to $10 Million*. Pittsburgh, Pensilvânia: Dorrance, 2006.

SCHOPENHAUER, Arthur. *Complete Essays of Schopenhauer*. Trad. para o inglês, T. Baily Sanders. Nova York: Willey Book Co., 1942.

_____. *Essays and Aphorisms*. Ed. e trad. de R. J. Hollingdale. Londres: Penguin Books, 1970.

_____. *The Works of Schopenhauer*. Ed. de Will Durant. Nova York: Simon & Schuster, 1931.

_____. *The World as Will and Representation*. Trad. para o inglês, E. E. J. Payne. Nova York: Dover Publications, 1958. v. 2. [Ed. bras.: O mundo como vontade e como representação. Trad. Jair Barboza. São Paulo: Ed. Unesp, 2005. 3 v.]

SCHOPICK, Abigail J. "The Americans with Disabilities Act: Should the Amendments to the Act Help Individuals with Mental Illness?" *Legislation and Policy Brief* 4, n. 1, Article 1, 27 abr. 2012.

SCHRAMBLING, Regina. "Attention Supermarket Shoppers!". *Food and Wine*, out. 1995.

SCHROF, Joannie M.; SCHULTZ, Stacey. "Melancholy Nation". *U.S. News & World Report*, pp. 56-63, 8 mar. 1999.

SCHUCKIT, Marc. "A Long-Term Study of Sons of Alcoholics". *Alcohol Health & Research World* 19, n. 3, pp. 172-75, 1995.

_____. "Response to Alcohol in Daughters of Alcoholics: A Pilot Study and a Comparison with Sons of Alcoholics". *Alcohol & Alcoholism* 35, n. 3, pp. 242-48, 1999.

SCOTT, Sarah. "Workplace Secrets". *MacLean's*, 11 dez. 1997.

SCREECH, M. A. *Montaigne & Melancholy*. Londres: Gerald Duckworth, 1983.

SCULL, Andrew. *Social Order/Mental Disorder: Anglo-American Psychiatry in Historical Perspective*. Berkeley: University of California Press, 1989.

SEARLE, John R. "Consciousness". Manuscrito.

SEGAL, Boris; STEWART, Jacqueline. "Substance Use and Abuse in Adolescence: an Overview". *Child Psychiatry and Human Development* 26, n. 4, pp. 193-210, 1996.

SELIGMAN, Martin. *Learned Optimism*. Nova York: Simon & Schuster, 1990.

SHAFFER, D. et al. "Sexual Orientation in Adolescents Who Commit Suicide". *Suicide and Life Threatening Behaviors* 25, supl. 4, pp. 64-71, 1995.

_____. "The NIMH Diagnostic Interview Schedule for Children Version 2.3 (DISC 2.3): Description, acceptability, prevalence rates, and performance in the MECA Study. Methods for the Epidemiology of Child and Adolescent Mental Disorders Study". *Journal of the American Academy of Child and Adolescent Psychiatry* 35, n. 7, pp. 865-77, 1996.

SHAKESPEARE, William. *The Complete Works*. Ed. G. B. Harrison. Nova York: Harcourt, Brace & World, 1968. [Ed. bras.: *Obras completas*. Trad. Barbara Heliodora. Rio de Janeiro: Nova Aguilar, 2006]

_____. *Hamlet*. Nova York: Penguin Books, 1987.

SHAW, Fiona. *Composing Myself*. South Royalton, Vt.: Steerforth Press, 1998.

SHEALY, C. Norman et al. "Depression: A Diagnostic, Neurochemical Profile and Therapy with Cranial Electrotherapy Stimulation (CES)". *Journal of Neurological and Orthopaedic Medicine and Surgery* 10, n. 4, pp 319-21, dez. 1989.

_____. "Cerebrospinal Fluid and Plasma Neurochemicals: Response to Cranial Electrotherapy Stimulation". *Journal of Neurological and Orthopaedic Medicine and Surgery* 18, n. 2, pp. 94-97, 1998.

SHEEHAN, Susan. *Is There No Place on Earth for Me?* Nova York: Vintage Books, 1982.

SHELLEY, Percy Bysshe. *The Complete Poems of Percy Bysshe Shelley*. Nova York: Modern Library, 1994.

SHEM, Samuel. *Mount Misery*. Nova York: Fawcett Columbine, 1997.

SHERRINGTON, C. S. *The Integrative Action of the Nervous System*. Cambridge: Cambridge University Press, 1947.

SHIROMANI, P. et al. "Acetylcholine and the Regulation of REM Sleep". *Annual Review of Pharmacological Toxicology* 27, pp. 137-56, 1987.

SHNEIDMAN, Edwin S. (Ed.). *Essays in Self-Destruction*. Nova York: Science House, 1967.

_____. *The Suicidal Mind*. Nova York: Oxford University Press, 1996.

SHORTER, Edward. *A History of Psychiatry: From the Era of the Asylum to the Age of Prozac*. Nova York: John Wiley & Sons, 1997.

SHOWALTER, Elaine. *The Female Malady: Women, Madness, and English Culture, 1830-1980*. Nova York: Pantheon Books, 1985.

SHUTE, Nancy et al. "The Perils of Pills". *U.S. News and World Report*. 6 mar. 2000.

SICKELS, Eleanor M. *The Gloomy Egoist: Moods and Themes of Melancholy from Gray to Keats*. Nova York: Columbia University Press, 1932.

SILVA, Marcus et al. "Olanzapine plus Fluoxetine for Bipolar Disorder: A Systematic Review and Meta-analysis". *Journal of Affective Disorders* 146, n. 3, pp. 310-18, 25 abr. 2013.

SILVER, Cheryl Simon; DEFRIES, Ruth S. *One Earth, one Future: Our Changing Global Environment*. National Academy of Sciences. Washington, DC: National Academy Press, 1990.

SIMMONS, William S. *Eyes of the Night: Witchcraft Among a Senegalese People*. Boston: Little, Brown, 1971.

SIMON, Bennett. *Mind and Madness in Ancient Greece: The Classical Roots of Modern Psychiatry*. Ithaca, NY: Cornell University Press, 1980.

SIMON, Gregory E.; SAVARINO, James. "Suicide Attempts among Patients Starting Depression Treatment with Medications or Psychotherapy". *Focus* 6, n. 1, inverno 2008.

SIMON, Gregory E. et al. "Suicide Risk during Antidepressant Treatment". *American Journal of Psychiatry* 163, n. 1, pp. 41-47, jan. 2006.

SIMON, Linda. *Genuine Reality: A Life of William James*. Nova York: Harcourt, Brace, 1998.

SIMPSON, Jeffry A.; RHOLES, W. Steven (Eds.). *Attachment Theory and Close Relationships*. Nova York: Guilford Press, 1998.

SKULTANS, Vieda. *English Madness: Ideas on Insanity, 1580-1890*. Londres: Routledge & Kegan Paul, 1979.

SLOMAN, Leon et al. "Adaptive Function of Depression: Psychotherapeutic Implications". *American Journal of Psycotherapy* 48, n. 3, 1994.

SMITH, C. U. M. "Evolutionary Biology and Psychiatry". *British Journal of Psychiatry* 162, pp. 149-53, 1993.

SMITH, Jeffery. *Where the Roots Reach for Water*. Nova York: North Point Press, 1999.

SMITH, K. et al. "Relapse of Depression After Rapid Depletion of Tryptophan". *Lancet* 349, pp. 915-19, 1997.

SMITH, Silas W.; HAUBEN, Manfred; ARONSON, Jeffrey K. "Paradoxical and Bidirectional Drug Effects". *Drug Safety* 35, n. 3, pp. 173-89, mar. 2012.

SNOW, C. P. *The Light and the Dar*. Middlesex, Inglaterra: Penguin Books, 1962.

SOARES, J.; MANN, John. "The Functional Neuroanatomy of Mood Disorders". *Journal of Psychiatric Research* 31, pp. 393-432, 1997.

SOLOMON, Andrew. "An Awakening from the Nightmare of the Taliban". *New York Times Magazine*, 10 mar. 2002.

_____. *A Stone Boat*. Londres: Faber and Faber, 1994.

_____. "To an Aesthete Dying Young". *Yale Alumni Magazine*, jul. 2010.

_____. "Depression, the Secret We Share". Vídeo da fala no TEDxMET, out. 2013a. Disponível em: <http://www.ted.com/talks/andrew_solomon_depression_the_secret_we_share>.

_____. "Shameful Profiling of the Mentally Ill". *New York Times*, 8 dez. 2013b.

_____. *Far From the Tree: Parents, Children, and the Search for Identity*. New York: Scribner's, 2012. [Ed. bras.: *Longe da árvore: Pais, filhos e a busca da identidade*. São Paulo: Companhia das Letras, 2013.]

SOLOMON, Jolie. Breaking the Silence. *Newsweek*, 20 maio 1996.

SØNDERGÅRD, Lars et al. "Do Antidepressants Prevent Suicide?". *International Clinical Psychopharmacology* 21, n. 4, pp. 211-18, jul. 2006.

SONTAG, Susan, *Under the Sign of Saturn*. Nova York: Farrar, Straus & Giroux, 1980. [Ed. bras.: *Sob o signo de Saturno*. Trad. Ana Maria Capovilla e Albino Poli Jr. Porto Alegre: L&PM, 1986]

SØRENSEN, M. J. et al. "Antidepressant Exposure in Pregnancy and Risk of Autism Spectrum Disorders". *Clinical Epidemiology* 5, n. 1, pp. 449-59, 15 nov. 2013.

The Sorrow Is in My Heart... Sixteen Asian Women Speak About Depression. Londres: Comission for Racial Equality, 1993.

SPITZ, Herman H. *The Raising of Intelligence*. Hillsdale, NJ: Lawrence Erlbaum Associates, 1986.

SPITZ, René. "Anaclitic Depression". *Psychoanalytic Study of the Child* 2, 1946.

SPITZ, René et al. "Anaclitic Depression in an Infant Raised in an Institution". *Journal of American Academy of Child Psychiatry* 4, n. 4, pp. 545-53, 1965.

SPUNGEN, Deborah. *And I Don't Want to Live This Life*. Nova York: Ballantine Books, 1993.

STABLER, Sally P. "Vitamin B12 Deficiency in the Elderly: Current Dilemmas". *American Journal of Clinical Nutrition* 66, pp. 741-49, 1997.

STAROBINSKI, Jean. *La Mélancolie au miroir*. Conférences, essais et leçons du Collège de France. Paris: Juliard, 1989.

STEFAN, Susan. "Preventative Commitment: The Concept and its Pitfalls". *MPDLR* 11, n. 4, pp. 288-302, 1987.

STEPANSKY, Paul E. (Ed.). *Freud: Appraisals and Reappraisals*. Hillsdale, NJ: Analytic Press, 1988. 3 v.

STERNE, Laurence. *The Life and Opinions of Tristram Shandy*. Nova York: Penguin Books, 1967.

STEVENS, Anthony; PRICE, John. *Evolutionary Psychiatry: A New Beginning*. Londres e Nova York: Routledge, 1996.

STONE, Gene. "Magic Fingers". *New York*, 9 maio 1994.

STONE, Michael H. *Healing the Mind: A History of Psychiatry from Antiquity to the Present*. Nova York: W. W. Norton, 1997.

STORR, Anthony. *Churchill's Black Dog, Kafka's Mice, and Other Phenomena of the Human Mind*. Nova York: Grove Press, 1988.

STRUPP, Hans; HADLEY, Suzanne. "Specific vs. Nonspecific Factors in Psycotherapy: A Controlled Study of Outcome". *Archives of General Psychiatry* 36, n. 10, pp. 1225-36, 1979.

STYRON, William. *Darkness Visible: A Memoir of Madness*. Londres: Jonathan Cape, 1991. [Ed. bras.: *Perto das trevas*. Trad. Aulyde Soares Rodrigues. Rio de Janeiro: Rocco, 1991]

SUBSTANCE ABUSE AND MENTAL HEALTH SERVICES ADMINISTRATION. "House Appropriations Subcommittee Hearings". 11 fev. 1999.

SULLIVAN, Mark D. et al. "Depression, Competence, and the Right to Refuse Lifesaving Medical Treatment". *American Journal of Psychiatry* 151, n. 7, pp. 971-78, 1994.

SUMMERS, Montague (Ed.) *The Malleus Maleficarum*. Nova York: Dover Publications, 1971.

SUPERVILLE, Darlene. "US to Overturn Entry Ban on Travelers with HIV". *Boston Globe*, 31 out. 2009.

SUTHERLAND, Stuart. *Breakdown*. Oxford: Oxford University Press, 1998.

SWIFT, Jonathan. *Gulliver's Travels*. Nova York: Dover Publication, 1996. [Ed. bras.: *As viagens de Gulliver*. Trad. Octavio Mendes Cajado. Rio de Janeiro: Globo, 1987]

SZASZ, Thomas. *The Second Sin*. Nova York: Anchor Press, 1973.

_____. *Primary Values and Major Contentions*. Ed. de Richard Vatz e Lee Weinberg. Nova York: Prometheus Books, 1992.

_____. *Cruel Compassion*. Nova York: John Wiley & Sons, 1994. [Ed. bras.: *Cruel compaixão*. Trad. Ana Rita P. Moraes. Campinas, SP: Papirus, 1994]

TADINI, Laura et al. "Cognitive, Mood, and Electroencephalographic Effects of Noninvasive Cortical Stimulation with Weak Electrical Currents". *Journal of ECT* 27, n. 2, pp. 134-40, jun. 2011.

TALBOT, Margaret. "Attachment Theory: The Ultimate Experiment". *New York Times Magazine*, 24 maio 1998.

TAN, Shawn. "Little Boy Blue". *Brave*, ed. final, 1999.

TANNON, Deborah. *You Just Don't Understand*. Nova York: Ballantine Books, 1990.

TAYLOR, Shelley E. *Positive Illusions*. Nova York: Basic Books, 1989.

TAYLOR, Steve. *Durkheim and the Study of Suicide*. Londres: Macmillan Press, 1982.

TAYLOR, Steven et al. "Anxiety Sensitivity and Depression: How Are They Related?". *Journal of Abnormal Psychology* 105, n. 3, pp. 474-79, 1996.

TAYLOR, Verta. *Rock-A-By Baby: Feminism, Self-Help, and Postpartum Depression*. Nova York: Routledge, 1996.

TCHEKOV, Anton. *Lady with Lapdog and Other Stories*. Trad. para o inglês, David Magarshack. Londres: Penguin Books, 1964. [Ed. bras.: *A dama do cachorrinho e outros contos*. Trad. Boris Schnaiderman. São Paulo: Ed. 34, 1999]

_____. *The Party and Other Stories*. Trad. para o inglês, Ronald Wilks. Londres: Penguin Books, 1985.

TENNYSON, Alfred Lord. *Tennyson's Poetry*. Ed. Robert Hill, Jr. Nova York: W. W. Norton, 1971.

TEOTONIO, Isabel. "Canadian Woman Denied Entry to U.S. Because of Suicide Attempt". *Toronto Star*, 29 jan. 2011.

THAKORE, Jogin; JOHN, David. "Prescriptions of Antidepressants by General Practitioners: Recommendations by FHSAs e Health Boards". *British Journal of General Practice* 46, pp. 363-64, 1996.

THASE, Michael. "Treatment of Alcoholism Comorbid with Depression". Apresentação na Universidade de Pittsburgh, Escola de Medicina.

THOMPSON, Tracy. *The Beast*. Nova York: G. P. Putnam's Sons, 1995.

THOMSON, James. *The City of Dreadful Night*. Edimburgo: Canongate Press, 1993.

THORNE, Julia. *A Change of Heart*. Nova York: HarperPerennial, 1993.

THORNE, Julia et al. *You Are Not Alone*. Nova York: HarperPerennial, 1993.

TILLER, William A. *Science and Human Transformation*. Waltnut Creek, Calif.: Pavior Publishers, 1997.

TOCQUEVILLE, Alexis de. *Democracy in America*. Trad. para o inglês, George Lawrence. Nova York: Harpercollins, 1988. [Ed. bras.: *A democracia na América*, trad. Eduardo Brandão. São Paulo: Martins Fontes, 2005. 2 v.]

TODOROV, Tzevetan. *The Conquest of America: The Question of the Other*. Trad. para o inglês, Richard Howard. Nova York: Harper & Ro, 1984. [Ed. bras.: *A conquista da América: A questão do outro*. Trad. Beatriz Perrone-Moisés. São Paulo: Martins Fontes, 2010]

TOLLEY, Barbara. "The Languages of Melancholy in *Le Philosophe Anglais*". Dissertação.

TOLSTOI, Leo. *Anna Karenina*. Trad. para o inglês, Rosemary Edmonds. Londres: Penguin Books, 1978. [Ed. bras.: *Anna Kariênina*. Trad. Rubens Figueiredo. São Paulo: Cosac Naify, 2005]

TOMARKEN, A. J. et al. "Psychometric properties of resting anterior EEG asymmetry: Temporal stability and internal consistency". *Psychophysiology* 29, pp. 576-92, 1992.

TORREY, E. Fuller. *Nowhere to Go*. Nova York: Harper & Ro, 1988.

TORREY, E. Fuller; ZDANOWICZ, Mary. "We Need to Ask Again: Why Do Severely Mentally Ill Go Untreated?". *Boston Globe*, 11 ago. 1998.

_____. "Why Deinstitutionalization Turned Deadly". *Wall Street Journal*, 4 ago. 1998.

TRACY, Ann Blake. *Prozac: Panacea or Pandora?* West Jordan, Utah: Cassia Publications, 1994.

TREISMAN, Glenn. "Psychiatric care of HIV-infected patients in the HIV-specialty clinic". Manuscrito.

TRIGGS, W. J. et al. "Effects of Left Frontal Transcranial Magnetic Stimulation on Depressed Mood, Cognition, and Corticomotor Threshold". *Biological Psychiatry* 45, n. 11, pp. 1440-46, 1999.

TSUANG, Ming T.; FARAONE, Stephen V. *The Genetics of Mood Disorders*. Baltimore: Johns Hopkins University Press, 1990.

TURNER, J. J. D.;PARROT, A. C. "'Is MDMA a Human Neurotoxin?': Diverse Views from the Discussants". *Neuropsychobiology* 42, pp. 42-48, 2000.

UNITED STATES HOUSE OF REPRESENTATIVES, COMMITTEE ON WAYS AND MEANS (Comitê sobre Modos e Meios da Câmara dos Deputados dos Estados Unidos). *Green Book*. 1998.

UNIVERSIDADE GEORGE WYTHE, "Final Steps in the Administrative Transformation of George Wythe University". 10 out. 2012. Disponível em <http://news.gw.edu/?p=393>.

U.S. DEPARTMENT OF HEALTH AND HUMAN SERVICES, CENTERS FOR DISEASE CONTROL. "Suicide: Facts at a Glance". U.S. Centers for Disease Control, 2012. Disponível em <http://www.cdc.gov/violenceprevention/pdf/Suicide_DataSheet-a.pdf>.

U.S. DEPARTMENT OF HEALTH AND HUMAN SERVICES, NATIONAL INSTITUTE OF MENTAL HEALTH. "Research Domain Criteria (RDoC)". National Institute of Mental Health, 2014. Disponível em <http://www.nimh.nih.gov/research-priorities/rdoc/index.shtml>.

U.S. DEPARTMENT OF HEALTH AND HUMAN SERVICES, NATIONAL INSTITUTES OF HEALTH. "Behavioral Insomnia Therapy for Those with Insomnia and Depression". Projeto n. 5R01MH076856-05; Colleen E. Carney, Ryerson University, líder do projeto. Disponível em <http://projectreporter.nih.gov/project_info_description.cfm?aid=8189289&icde=18398605>.

_____. "Efficacy and Safety of Cranial Electrical Stimulation (CES) for Major Depressive Disorder (MDD)". Estudo n. NCT01325532; David Mischoulon, Massachusetts General Hospital, líder do projeto; Fisher Wallace Labs, LLC, colaborador; 24 mar. 2011. Disponível em <http://clinicaltrials.gov/ct2/show/NCT01325532>.

U.S. DEPARTMENT OF HEALTH AND HUMAN SERVICES, NATIONAL INSTITUTES OF HEALTH. "Improving Depression Outcome by Adding CBT for Insomnia to Antidepressants". Projeto n. 5R01MH079256-05; Andrew D. Krystal, Universidade Duke, líder do projeto. Disponível em <http://projectreporter.nih.gov/project_info_description.cfm?aid=8311829&icde=18398621>.

U.S. FOOD AND DRUG ADMINISTRATION. "FDA Statement on Recommendations of the Psychopharmacologic Drugs and Pediatric Advisory Committees", 16 set. 2004a. Disponível em <http://www.fda.gov/NewsEvents/Newsroom/PressAnnouncements/2004/ucm108352.htm>.

_____. "Joint Meeting of the CDER Psychopharmacologic Drugs Advisory Committee and the FDA Pediatric Advisory Committee, Bethesda, Maryland, September 13, 2004", set. 2004b. Disponível em <http://www.fda.gov/ohrms/dockets/ac/04/transcripts/2004-4065T1.pdf>.

_____. "Antidepressant Use in Children, Adolescents, and Adults", 2 maio 2007. Disponível em <http://www.fda.gov/drugs/drugsafety/informationbydrugclass/ucm096273>.

_____. "Guidance for Industry: Suicidality: Prospective Assessment of Occurrence in Clinical Trials". Center for Drug Evaluation and Research, set. 2010. Disponível em < http://www.fda.gov/Drugs/GuidanceComplianceRegulatoryInformation/Guidances/ucm315156.htm>.

_____. "Executive Summary Prepared for the February 10, 2012 Meeting of the Neurological Devices Panel", 2012a. Disponível em <http://www.fda.gov/downloads/AdvisoryCommittees/CommitteesMeetingMaterials/MedicalDevices/MedicalDevicesAdvisoryCommittee/NeurologicalDevicesPanel/UCM330887.pdf>.

_____. "Guidance for Industry: Suicidal Ideation and Behavior: Prospective Assessment of Occurrence in Clinical Trials". Center for Drug Evaluation and Research, ago. 2012b. Disponível em: <http://www.fda.gov/Drugs/GuidanceComplianceRegulatoryInformation/Guidances/ucm315156.htm>.

VALENSTEIN, Elliot S. *Great and Desperate Cures*. Nova York: Basic Books, 1986.

VALUCK, Robert J. et al. "Spillover Effects on Treatment of Adult Depression in Primary Care after FDA Advisory on Risk of Pediatric Suicidality with SSRIs". *American Journal of Psychiatry* 164, n. 8, ago. 2007.

VAN BEMMEL, A. L. "The Links between Sleep and Depression: The Effects of Antidepressants on EEG Sleep" *Journal of Psychosomatic Research* 42, n. 6, pp. 555-64, 1997.

VAN DER POST, Laurens. *The Night of the New Moon*. Middlesex, Inglaterra: Penguin Books, 1970.

VARTANIAN, Aram. *La Mettrie's L'Homme Machine*. Princeton, NJ: Princeton University Press, 1960.

VASARI, Giorgio. *Lives of the Artists*. Londres: Penguin Books, 1987. 2 v. [Ed. bras.: *Vida dos artistas*. Trad. Ivone Castilho Benedetti. São Paulo: WMF Martins Fontes, 2011]

VENTER, Craig J. et al. "The Sequence of the Human Genome". *Science* 291, n. 5507, pp. 1304-51, 2001.

VERWIJK, Esmée et al. "Neurocognitive Effects after Brief Pulse and Ultrabrief Pulse Unilateral Electroconvulsive Therapy for Major Depression: A review". *Journal of Affective Disorders* 140, n. 3, pp. 233-43, nov. 2012.

VICARI, Eleanor Patricia. *The View from Minerva's Tower: Learning and Imagination in "The Anatomy of Melancholy"*. Toronto: University of Toronto Press: 1989.

VIRKKUNEN, M. et al. "Personality Profiles and State Aggressiveness in Finnish Alcoholics, Violent Offenders, Fire Setters, and Healthy Volunteers". *Archives of General Psychiatry* 51, pp. 28-33, 1994.

VOLK, S. A. et al. "Can Response to Partial Sleep Deprivation in Depressed Patients be Predicted by Regional Changes of Cerebral Blood Flow?" *Psychiatry Research* 75, n. 2, pp. 67-74, 1997.

VOLKOW, Nora et al. "Cerebral Blood Flow in Chronic Cocaine Users: A Study with Positron Emission Tomography". *British Journal of Psychiatry* 152, pp. 641-48, 1988.

VOLKOW, Nora et al. "Effects of Chronic Cocaine Abuse on Postsynaptic Dopamine Receptors". *American Journal of Psychiatry* 147, pp. 719-24, 1990.

_____. "Brain Imaging of an Alcoholic with MRI, SPTEC, and PET". *American Journal of Physiological Imaging*, pp. 194-98, 1992.

_____. "Long-Term Frontal Brain Metabolic Changes in Cocaine Abusers". *Synapse* 11, pp. 182--90, 1992.

_____. "Imaging Brain Structure and Function". *Annals of the New York Academy of Sciences* 820, pp. 41-56, 1997.

_____. "Imaging Studies on the Role of Dopamine in Cocaine Reinforcement and Addiction in Humans". *Journal of Psychopharmacology* 13, n. 4, p. 337-45, 1999.

_____. "Addiction, a Disease of Compulsion and Drive: Involvement of the Orbitofrontal Cortex". *Cerebral Cortex* 10, pp. 318-25, 2000.

VOLTAIRE. *Candide*. Trad. para o inglês, John Butt. Nova York: Penguin Books, 1947. [Ed. bras.: *Cândido, ou o Otimismo*. Trad. Mário Laranjeira. São Paulo: Penguin Classics Companhia das Letras, 2012]

WAAL, Frans de. *Good Natured*. Cambridge: Harvard University Press, 1996.

WADDINGTON, John; BUCKLEY, Peter (Eds.). *The Neurodevelopmental Basis of Schizophrenia*. Londres: R. G. Landes, 1996.

WALKER, C. E.; ROBERTS, M. C. (Eds.). *Handbook of Clinical Child Psychology*. 2 ed. Nova York: John Wiley & Sons, 1992.

WALSH, B. Timothy et al. "Placebo Response in Studies of Major Depression: Variable, Substantial, and Growing". *JAMA: Journal of the American Medical Association* 287, n. 14, pp. 1840-47, 10 abr. 2002.

WANG, Sheng-Min et al. "A Review of Current Evidence for Vilazodone in Major Depressive Disorder". *International Journal of Psychiatry in Clinical Practice* 17, n. 3, pp. 160-69, ago. 2013.

WATERS, John. "'I've Been Put on Trial Over My Beliefs.'" *Independent*, 13 abr. 2014.

WATSON, Paul J.; ANDREWS, Paul W. "An Evolutionary Theory of Unipolar Depression as an Adaptation for Overcoming Constraints of the Social Niche". Manuscrito.

_____. "Niche Change Model of Depression". *ASCAP* 11, N1 5, pp. 17-18, 1998.

_____. "Unipolar Depression and Human Social Life: An Evolutionary Analysis". Manuscrito.

WEHR, Thomas A. "Phase Advance of the Circadian Sleep-Wake Cycle as an Antidepressant". *Science* 206, pp. 711-13, 1979.

_____. "Sleep Reduction as the Final Common Pathway in the Genesis of Mania". *American Journal of Psychiatry* 144 n. 2, pp. 201-4, 1987.

_____. "Sleep Loss: A Preventable Cause of Mania and Other Excited States." *Journal of Clinical Psychiatry* 50, supl. 12, pp. 8-16, 1998.

_____. "Reply to Healy, D., Waterhouse, J. M.: The Circadian System and Affective Disorders: Clocks or Rhythms". *Chronobiology International* 7, pp. 11-14, 1990.

_____. "Sleep-Loss as a Possible Mediator of Diverse Causes of Mania". *British Journal of Psychiatry* 159, pp. 576-78, 1991.

_____. "Improvement of Depression and Triggering of Mania by Sleep Deprivation". *Journal of the American Medical Association* 267, n. 4, pp. 548-51, 1992.

WEHR, Thomas A. et al. "48-Hour Sleep-Wake Cycles in Manic-Depressive Illness". *Archives of General Psychiatry* 39, pp. 559-65, 1982.

_____. "Eye Versus Skin Phototherapy of Seasonal Affective Disorder". *American Journal of Psychiatry* 144, n. 6, pp. 753-57, 1987.

_____. "Rapid Cycling Affective Disorder Contributing Factors and Treatment Responses in 51 Patients". *American Journal of Psychiatry* 145, pp. 179-84, 1988.

_____. "Treatment of a Rapidly Cycling Bipolar Patient by Using Extended Bedrest and Darkness to Promote Sleep". NIMH, Bethesda, Md., 1997.

WEHR, Thomas A. et al. "Melatonin Response to Seasonal Changes in the Length of the Night in SAD and Patient Controls". NIMH, Bethesda, Md.

WEHR, Thomas A.; ROSENTHAL, Norman E.. "Seasonality and Affective Illness". *American Journal of Psychiatry* 146, pp. 829-39, 1989.

WEINER, Dora. "Le 'geste de Pinel': The History of a Psychiatric Myth". In: MICALE, Mark; PORTER, Roy (Eds.). *Discovering the History of Psychiatry.* Oxford: Oxford University Press, 1994.

WEINER, Myron F. et al. "Prevalence and Incidence of Major Depression in Alzheimer's Disease". *American Journal of Psychiatry* 151, n. 7, pp. 1006-9, 1994.

WEISS, Suzanne; POST, Robert. "Kindling: Separate vs. Shared Mechanisms in Affective Disorder and Epilepsy." *Neuropsychology* 38, n. 3, pp. 167-80, 1998.

WEISSMAN, Myrna M. *IPT: Mastering Depression.* Nova York: Graywind Publications, 1995.

WEISSMAN, Myrna M. et al. "Cross-National Epidemiology of Major Depression and Bipolar Disorder". *Journal of the American Medical Association* 276, n. 4, pp. 293-99, 1996.

————. "Offspring of Depressed Parents". *Archives of General Psychiatry* 54, pp. 932-40, 1997.

————. "Depressed Adolescents Grown Up". *Journal of the American Medical Association* 281, n. 18, pp. 1701-13, 1999a.

————. "Prevalence of Suicide Ideation and Suicide Attempts in Nine Countries". *Psychological Medicine* 29, pp. 9-17, 1999b.

————. *Comprehensive Guide to Interpersonal Psychotherapy.* Nova York: Basic Books, 2000.

WEISSMAN, Myrna; PAYKEL, Eugene. *The Depressed Woman: A Study of Social Relationships.* Chicago: University of Chicago Press, 1974.

WEISSMAN, S. M.; SABSHIN, H. Eist (Eds.). *21st Century Psychiatry: The Foundations.* Washington. DC: American Psychiatric Press, no prelo.

WELLON, Arthur. *Five Years in Mental Hospitals.* Nova York: Exposition Press, 1967.

WELLS, Kenneth et al. *Caring for Depression.* Cambridge: Harvard University Press, 1996.

————. "Impact of Disseminating Quality Improvement Programs for Depression in Managed Primary Care: A Randomized Controlled Trial". *Journal of the American Medical Association* 283, n. 2, pp. 212-20, 2000.

WENDER, Paul et al. "Psychiatric Disorders in the Biological and Adoptive Families of Adopted Individuals with Affective Disorder". *Archives of General Psychiatry* 43, pp. 923-29, 1986.

WENDER, Paul; KLEIN, Donald. *Mind, Mood, and Medicine: A Guide to the New Biopsychiatry.* Nova York: Farrar, Straus & Giroux, 1981.

WENZEL, Siegfried. *The Sin of Sloth: Acedia.* Chapel Hill: University of North Carolina Press, 1967.

WEZTEL, Richard; MCCLURE JR., James. "Suicide and the Menstrual Cycle: A Review". *Comprehensive Psychiatric* 13, n. 4, pp. 369-74, 1972.

WHITAKER, Robert. *Anatomy of an Epidemic: Magic Bullets, Psychiatric Drugs, and the Astonishing Rise of Mental Illness in America.* Nova York: Broadway Books, 2011.

WHITE, S. R. et al. "The Effects of Methylenedioxymethamphetamine on Monoaminergic Neurotransmission in the Central Nervous System". *Progress in Neurobiology* 49, pp. 455--79, 1996.

WHOOLEY, Mary A.; SIMMON, Gregory E. "Managing Depression in Medical Outpatients". *The New England Journal of Medicine* 343, n. 26, pp. 1942-50, 28 dez. 2000.

WHYBROW, Peter C. *A Mood Apart: Depression, Mania, and Other Afflictions of the Self.* Nova York: Basic Books, 1997.

WILDE, Oscar. *Complete Poetry.* Ed. Sobel Murray. Oxford: Oxford University Press, 1997.

————. *Complete Short Fiction.* Londres e Nova York: Penguin Books, 1994.

WILCOX, Monica; SATTLER, David N.. "The Relationship Between Eating Disorders and Depression". *Journal of Social Psychology* 136, n. 2, pp. 269-71, 1996.

WILLIAMS, J. Mark G. *The Psychological Treatment of Depression.* 2 ed. Londres: Routledge, 1992.

WILLIAMS, Tennessee. *Five O'Clock Angel: Letters of Tennessee Williams to Maria St. Just, 1948--1982.* Nova York: Alfred A. Knopf, 1990.

WILLIS, Thomas. *Two Discourses Concerning the Soul of Brutes.* Fac-símile da tradução de 1683 por S. Pordage. Gainesville, Fla.: Scholars' Facsimiles and Reprints, 1971.

WINERIP, Michael. "Bedlam on the Streets". *New York Times Magazine,* 23 maio 1999.

WINNICOTT, D. W. *Home Is Where We Start From.* Nova York: W. W. Norton, 1986.

WINSTEAD, Ted. "A New Brain: Surgery for Psychiatric Illness at Massachusetts General Hospital". Manuscrito.

WINSTON, Julian. "Welcome to a Growing Health Care Movement". in WINSTON, Julian (Ed.). *Homeopathy: Natural Medicine for the 21st Century.* Alexandria, Va.: National Center for Homeopathy, 1993.

WIRZ-JUSTICE, A. et al. "Sleep Deprivation in Depression: What We Know, Where Do We Go?". *Biological Psychiatry* 46, n. 4, pp. 445-53, 1999.

WITTKOWER, Rudolph; WITTKOMER, Margot. *Born Under Saturn.* Nova York: W. W. Norton, 1963.

WOLF, Naomi R. *The Beauty Myth.* Londres: Chatto & Windus, 1990. [Ed. bras.: *O mito da beleza.* Trad. Waldéa Barcellos. Rio de Janeiro: Rocco, 1992].

WOLKOWITZ, O. M. et al. "Antiglucocorticoid Treatment of Depression: Double-blind Ketoconazole" *Biological Psychiatry* 45, n. 6, pp. 1070-74, 1999.

WOLLMER, Marc Axel et al. "Facing Depression with Botulinum Toxin: A Randomized Controlled Trial". *Journal of Psychiatric Research* 46, n. 5, pp. 574-81, maio 2012.

WOLMAN, Benjamin B. (Ed.) *Between Survival and Suicide.* Nova York: Gardner Press, 1976.

WOLPERT, Lewis. *Malignant Sadness.* Nova York: Free Press, 1999. [Ed. bras.: *Tristeza maligna: A anatomia da depressão.* Trad. Waldéa Barcellos. São Paulo: Martins Fontes, 2003]

WOO, Young Sup; WANG, Hee Ryung; BAHK, Won-Myong. "Lurasidone as a Potential Therapy for Bipolar Disorder". *Neuropsychiatric Disease and Treatment* 9, pp. 1521-29, 8 out. 2013. Online.

WOOLF, Leonard. *Beginning Again.* San Diego: A Harvest/HBJ Book, 1964.

WOOLF, Virginia. *The Diary of Virginia Woolf.* Ed. Olivier Bell. Nova York: Harcourt Brace Jovanovich, 1980a. v. 3.

_____. *Jacob's Room.* San Diego: A Harvest/HBJ Book, 1950. [Ed. bras.: *O quarto de Jacob.* Trad. Lya Luft. 2ª ed. Rio de Janeiro: Nova Fronteira, 2003]

_____. *The Letters of Virgina Woolf.* Ed. Nigel Nicolson e Joanne Trautmann. Londres: Hogarth Press, 1980b. 6 v.

_____. *To the Lighthouse.* Nova York: Harcourt Brace Jovanovich, 1981. [Ed. bras.: *Rumo ao farol.* Trad. Luiza Lobo. São Paulo: Folha de S.Paulo, 2003]

_____. *The Years.* Londres: Hogarth Press, 1937. [ed. bras.: *Os anos.* Trad. Raul de Sá Barbosa. Rio de Janeiro: Nova Fronteira, 1982]

WORDSWORTH, William. *Favorites Poems.* Canadá: Dover Thrift Editions, 1992.

_____. *The Prelude: Selected Poems and Sonnets.* Ed. de Carlos Baker. Nova York: Holt, Rinehart & Winston, 1954.

_____. *The World Health Report 1999.* Genebra: Organização Mundial da Saúde, 1999.

WORTMAN, Marc. "Brain Chemistry". *Yale Medicine* 31, n. 1, pp. 2-11, 1996.

YAPKO, Michael D. *Hypnosis and the Treatment of Depression.* Nova York: Brunner/Mazel Publishers, 1992.

_____. *Breaking the Patterns of Depression.* Nova York: Doubleday, 1997.

YOKEL, R. A. et al. "Amphetamine-type Reinforcement by Dopaminergic Agonists in the Rat". *Psychopharmocology* 58, pp. 282-96, 1978.

YOUNG, Edward. *The Complaint, or Night-Thoughts.* Londres: 1783. 2 v.

ZAGHI, Souroush et al. "Noninvasive Brain Stimulation with Low-intensity Electrical Currents: Putative Mechanisms of Action for Direct and Alternating Current Stimulation". *Neuroscientist* 16, n. 3, pp. 285-307, jun. 2010.

ZERBE, Jerome; CONNOLLY, Cyril. *Les Pavillons of the Eighteenth Century.* Londres: Hamish Hamilton, 1962.

ZIMA, Bonnie et al. "Mental Health Problems among Homeless Mothers". *Archives of General Psychiatry* 53, pp. 332-38, 1996.

ZUBENKO, George S. et al. "Impact of Acute Psychiatric Inpatient Treatment on Major Depression in Late Life and Prediction of Response". *American Journal of Psychiatry* 151, n. 7, pp. 987-93, 1994.

ZUESS, Jonathan. *The Natural Prozac Program.* Nova York: Three Rivers, 1997.

ZWILLICH, Todd. "Mental Illness and HIV Form a Vicious Circle". *International Medical News Group.* Fax.

Agradecimentos

No final de dezembro de 1999, vendo-me muito animado, uma amiga minha me perguntou o que eu estava fazendo. Respondi entusiasmado que acabara de marcar um encontro num hospital psiquiátrico da zona rural da Polônia para a véspera do Ano-Novo, e que eu também encontrara algumas notas sobre suicídio que temera ter perdido. Ela sacudiu a cabeça gravemente e me disse que essa loucura tinha que parar. É com um alívio considerável que eu termino meu livro. A loucura parou.

Meu agente, Andrew Wylie, está a meu lado há doze anos. Ele me aceitou antes de eu ter publicado um livro sequer e orientou todos os meus esforços adultos. Tem apoiado inabalavelmente a mim e a este trabalho: prezo muito sua amizade e seu discernimento. Sou também grato a Liza Walworth, à agência Wylie, que tornou o começo de tudo isso tão agradável, e a Jeff Posternak, que facilitou elegantemente todos os arranjos posteriores. Nan Graham, minha brilhante editora nos Estados Unidos, tem sido constantemente generosa e sábia, trabalhando inteiramente em sintonia comigo e demonstrando o entusiasmo radiante que sempre esperei encontrar. Brant Rumble, seu assistente competente, manteve a ideia de ordem de pé ante o caos. Alison Samuel, minha editora no Reino Unido, foi uma fantástica leitora e uma apoiadora dedicada. Sou grato a Pat Eisemann por sua liderança excelente e enérgica da equipe de publicidade nos Estados Unidos, e a Giulia Melucci, a Beth Wareham e aos outros que vêm participando da promoção deste livro, assim como a Patrick Hargadon por seu trabalho publicitário no Reino Unido. Agradeço também a Christopher Hayes por coordenar o conteúdo de relações-públicas de *O demônio do meio-dia* na internet. Gostaria também de agradecer a meu advogado, Chuck Googe, por sua minuciosa atenção a meus contratos.

Partes deste livro apareceram anteriormente na revista *The New Yorker*, em *The New York Times Magazine* e em *Food and Wine*. Agradeço a Tina Brown por publicar "An Anatomy of Depression" em *The New Yorker* em 1998. Minha maior e verdadeira dívida para com essa revista repousa em meu editor, Henry Finder. Ninguém no mundo tem seu amável tato, erudição, prudência e lealdade. Eu jamais teria começado a trabalhar nesse tema difícil se não estivesse certo da paciência liberal de Henry. Uma porção menor do livro foi publicada no *The New York Times Magazine*. Jack Rosenthal me deu um respaldo valioso no *Times*, e Adam Moss apoiou meu prolongado trabalho sobre depressão, pobreza e política, ajudando-me a destacar a verdade por trás das anedotas difusas. Diane Cardwell também me auxiliou editando tal material. Dana Cowin, em nome do *Food and Wine*, despachou-me em momentos cruciais para a mais prazerosa das muitas curas que explorei, e agradeço por sua indulgência. Stephen Rossoff gentilmente convidou-me a continuar minha pesquisa na Universidade de Michigan para *The University of Michigan Alumni Magazine*. Escrevi as partes de abertura deste livro durante uma estada na Villa dei Pini da Bogliasco Foundation na Ligúria em fevereiro de 1998. Agradeço profundamente ao generoso apoio da fundação.

Por sua ajuda com meu trabalho no Camboja, agradeço a Laurie Beckelman, Fred Frumberg, Bernard Krishna e John Stubbs. Por sua ajuda com meu trabalho na Groenlândia, agradeço especialmente a René Birger Christiansen e Lisbet Lyager, assim como a Flemming Nicolaisen, Johanne Olson e ao povo de Illiminaq. Sou também grato pela assistência de Eric Sprunk-Janssen e Hanne Skoldager-Ravn, sem o que eu teria sido incapaz de começar meu projeto na Groenlândia. Por sua ajuda com meu trabalho no Senegal, agradeço a David Hecht e Hélène Saivet, cujos esforços em meu benefício foram bem, bem além do dever ou da amizade. Sou grato a Anne Applebaum e Radek Sikorski pelos arranjos feitos em meu benefício na Polônia. Tenho dívidas para com Enrico Marone-Cinzano por me ajudar substancialmente com pesquisa para o capítulo 6.

Muitos amigos e profissionais do ramo deram-se ao trabalho de ler e comentar rascunhos deste livro. Por sua extraordinária editoria, gostaria de agradecer a meus dois leitores mais próximos: dra. Katherine Keenum e dra. Claudia Swan. A delicada e extraordinária atenção que me dispensaram foi tão animadora quanto inestimável, e seus insights e amor me permitiram obter algo semelhante à clareza em meu próprio pensamento e na expressão dele. Sou também grato àqueles que leram e comentaram versões posteriores do manuscrito: dra. Dorothy Arnsten, Sarah Billinghurst, Mary Bisbee-Beek, Christian Caryl, Dana Cowin, Jennie Dunham, dr. Richard A. Friedman, dr. Richard C. Friedman, dra. Rhonda K. Garelick, dr. David Grand, John G. Hart, dr. Steven Hyman, Eve Kahn, Fran Kiernan, Betsy Joly de Lotbnière, Sue Macartney-Snape, dr. David McDowell, Alexandra Munroe, dr. Randolph M. Nesse, dra. Julie S. Peters, Margaret Robbins, dr. Peter Sillem, Amanda Smithson, David Solomon, Howard Solomon, Bob Weil, Edward Winstead e Helen Whitney.

Gostaria de agradecer a Philippe de Montebello, Emily Rafferty e Harold Holzer por seu notável apoio a este projeto e à sua grande generosidade em me dar total acesso ao Metropolitan Museum of Art.

Estou em dívida com Eugene Cory, Carol Czarnecki e Brave New Words por transcreverem mais de 10 mil páginas de entrevistas gravadas. Agradeço também a ajuda de Fred Courtwright na obtenção de permissões para material citado neste livro. Emma Lukic foi incansável na caça às referências, e agradeço seu auxílio com a pesquisa.

Sou grato a muitos profissionais que partilharam seus insights comigo quando iniciei o trabalho sobre o projeto. O dr. Frederick Eberstadt passou muito tempo comigo e facilitou inúmeras apresentações. O dr. Steven Hyman, do NIMH, assim como sua equipe, mostrou-se maravilhosamente acolhedor. A dra. Kay Redfield Jamison me deu sugestões no início da pesquisa e graciosamente convidou-me à sua conferência sobre suicídio em 1996. O dr. David McDowell foi igualmente generoso, e também me guiou através dos mistérios da Associação Americana de Psiquiatria – um serviço inestimável. Sally Mink, da Associação de Depressão e Transtornos Afetivos Associados do hospital Johns Hopkins, foi incansavelmente generosa com seus inúmeros contatos e insight pessoal. O dr. Randolph Nesse foi o primeiro a me atrair para o campo da psicologia evolucionista, tendo por isso uma profunda influência no meu projeto. A dra. Anne Stanwix forneceu uma sabedoria lúcida e ofereceu muitos dos epigramas que incorporei aqui. O dr. Peter Whybrow foi muito generoso em me indicar muitas das questões gerais que abordo neste livro.

Será evidente para qualquer leitor deste texto quantas outras pessoas me dedicaram seu tempo. Não é possível citar todos aqueles cujas ideias e pontos de vista foram incorporados aos meus, mas gostaria de agradecer sobretudo aos que encontrei pessoalmente para realizar extensas entrevistas gravadas: dra. Dorothy Arnsten, dr. James Ballenger, dr. Richard Baron, Agata Bielik-Robson, dr. Poul Bisgaard, dr. George Brown, Deborah Bullwinkle, dr. René Birger Christiansen, dra. Deborah Christie, dra. Joyce Chung, dr. Miroslaw Dabkowski, Hailey Dart, dr. Richard Davidson, dr. J. Raymond DePaulo, senador Pete Domenici, Vicki Edgson, Laurie Flynn, dra. Ellen Frank, dr. Richard A. Friedman, dr. Edward Gardener, dr. David Grand, dr. John Greden, dra. Anna Halberstadt, dra. Emily Hauenstein, dr. M. Jabkowski, dr. Mieczylsaw Janiszewski, Karen Johnson, dr. Paramjit T. Joshi, deputada Marcy Kaptur, dr. Herb Kleber, dr. Don Klein,

Gladys Kreutzman, Marian Kyner, dr. Bob Levin, dr. Reinhard Lier, dr. Juan López, Sara Lynge, dr. John Mann, dr. Melvin McGuiness, dr. Henry McCurtiss, dra. Jeanne Miranda, dr. William Normand, Phaly Nuon, Kristen Peilman, deputado John Porter, dr. Robert Post, dr. William Potter, senador Harry Reid, dr. Norman Rosenthal, deputada Marge Roukema, dr. Arnold Sameroff, senador Chuck Schumer, dra. Sylvia Simpson, dr. Colin Stine, dr. Glenn Treismann, dr. Elliot Valenstein, dr. James D. Watson, dr. Thomas Wehr, senador Paul Wellstone, dra. Myrna Weissman, deputado Bob Wise e dra. Elizabeth Young.

Muitas pessoas se abriram para mim e me contaram suas histórias difíceis enquanto eu trabalhava neste livro, usufruí de suas confidências e passei a usufruir da amizade de muitas delas. Nenhum outro empreendimento de minha vida foi tão triste, mas nenhum outro convenceu-me tão inteiramente de que a comunicação é possível e que o mundo é um lugar de intimidades. Um enorme agradecimento é dirigido para os que me permitiram contar suas histórias neste livro: Laura Anderson, Janet Benshoof, Robert Boorstin, Brian D'Amato, Walt Devine, Sarah Gold, Ruth Ann Janesson, Amalia Joelson, Karen Johansen, Eve Kahn, Amelia Lange, Carlita Lewis, Betsy de Lotbinière, Martha Manning, Pearl Bailey Mason, Theresa Morgan, Dièry Prudent, Lynn Rivers, Maggie Robbins, Joe Rogers, Joel P. Smith, Tina Sonego, Angel Starkey, Mark Weiss, e para as pessoas que eu chamei de Sheila Hernandez, Frank Rusakoff, Bill Stein, Danquille Stetson, Lolly Washington, Claudia Weaver e Fred Wilson. Esses homens e mulheres, e inúmeros outros, narraram magnanimamente suas histórias difíceis para mim; espero ter sido um conduto suficiente para sua coragem.

Agradeço ainda a Ros Frankel, Richard A. Friedman, John Rabisch, Jeffrey A. Lieberman, Helen Mayberg, Kelly Posner e Kathleen Seidel.

Já que este é um livro sobre depressão, quero agradecer também àqueles sem os quais eu não teria me recuperado suficientemente para escrever minha história. Sou grato a muitos médicos de quem recebi tratamento para depressão. Sinto-me com muita sorte por ter tido minha mente em mãos tão capazes. O trabalho dos médicos foi complementado pela generosidade de amigos que não vou citar, mas que sabem terem criado possibilidades que me permitiram sobreviver. Minha receita contra a depressão incluiria, bem no alto, o amor como o que essas pessoas demonstraram por mim; são genuínas e boas até o âmago, e seus gentis conselhos, seu bom senso solidário e controle racional definiram o espaço dentro do qual pude ser maluco com segurança. Agradeço a Juan e Amalia Fernandez, cujos cuidados amorosos e atenção nesse período de trabalho liberaram-me para escrever o que eu desejava.

Nunca empreguei um assistente de pesquisa até começar a trabalhar neste livro. Tive uma sorte extraordinária de encontrar o talentoso artista Stephen Bitterolf, que passou centenas de horas longe de suas telas para trabalhar em *O demônio do meio-dia* tão arduamente quanto eu. O possível rigor que consegui aqui não teria sido possível sem o seu rigor: e muitas das minhas ideias foram formadas pelas ideias dele. Este livro não poderia existir de modo algum em sua atual forma sem a contribuição de Stephen, que demonstrou também ser um homem de caráter; sua presença de espírito, afeição e bondade têm sido uma constante fonte de prazer para mim.

Meu pai estava com 67 anos quando tive meu primeiro episódio de depressão. Ele deve ser elogiado não apenas por seu amor e generosidade como também pela flexibilidade de mente e espírito que lhe permitiu entender e deter minha doença por esses últimos seis anos. Jamais conheci alguém que integre com tanta beleza a vitalidade imaginativa da juventude com a ponderada sabedoria da idade. Ele tem sido, sempre, meu esteio infalível e minha grande inspiração. De todo o coração dedico-lhe este livro.

Índice remissivo

AA *ver* Alcoólicos Anônimos

Abraham, Karl, 272, 310, 312

Abrams, Richard, 117

abstinência sexual, 275

abuso sexual, 39, 168, 180, 482

acedia, 280-1, 287, 493

acetilcolina, 112, 140, 318

ácido fólico, 133, 447

açúcar no sangue, taxa de, 57, 131, 134, 246

acupuntura, 143

Administração dos Veteranos, 365, 454

Administração para Serviços de Saúde Mental e Uso de Drogas (Substance Abuse and Mental Health Services Administration, SAMHSA), 353

adolescentes: depressão de, 179-81, 463; suicídio de, 246, 252-3; uso de drogas, 211

adrenalina, 56, 113, 189, 242, 249, 474

adversidade, importância da, 416, 420-4

afetos, 59, 176, 213, 386, 398, 472, 486, 504

África, 159, 161

África do Sul, 134

afro-americanos, 187-91, 336

agitada, depressão, 46, 69, 71, 118, 210, 218, 277, 358, 397, 434

agonistas colinérgicos, 111

Agostinho, santo, 279, 492

agressividade: e impulsos autodestrutivos, 406; internação contra, 364; liberação de estresse e, 241-2; níveis de serotonina e, 109, 242

Agrippa (alquimista e cabalista), 283, 493

aids, 25, 69, 75, 237, 325, 338--9, 347, 359, 418, 462, 488; *ver também* HIV

Ajax (mitologia), 275

álcool, consumo de: absorção de medicamento e, 485; alívio da ansiedade, 215; dano neurológico fetal devido a, 243; diferenças culturais nos níveis aceitáveis de, 215-6

Alcoólicos Anônimos, 217, 229, 350

alcoolismo: antidepressivos e, 209; casos de duplo diagnóstico e, 209-10, 217, 227-30; debilitação física e, 217; em homens e mulheres, 168; endomorfinas e, 213; filhos de pais deprimidos e, 174; herança genética e, 63, 213, 475; incidência de, 208; níveis de serotonina e, 207, 217; opções de trata-

mento para, 209-11, 217--8; padrões de sono REM e, 210; recuperação do, 217; sintomas da depressão provocados por, 209; suicídio e, 217, 244; *ver também* uso de drogas

alegria, 26, 31, 65, 88, 96, 120, 126, 128, 184, 221, 230, 235, 249, 257, 279, 285, 290, 300-3, 308, 354, 384, 416, 420-1, 424, 433, 505; *ver também* felicidade

Alemanha, 71, 151, 224, 301, 306, 317, 484

alergias, 133-4, 143, 174, 261, 266

Aliança Nacional para os Pacientes Mentais, 354

alienação, período vitoriano/ começo da modernidade, sentimento de, 307--8, 315

alimentação, 100, 107, 132-3, 168, 257-8, 272, 283, 331, 357, 377, 389, 467, 480, 500; disfunções alimentares, 168, 417

altruísmo, 137, 393, 394, 412

altura, medo de, 27

alucinógenos, 211, 221

Alvarez, A., 199, 233, 251, 484, 487, 491

Alzheimer, mal de, 184-5, 221,

257, 441, 449, 458, 464, 482-3

amamentação: antidepressivos e, 81; seio materno, 312

amantadina, 111

Ambien, 90, 114, 222

Ambrosini, Paul, 481

América do Norte, 299

American Journal of Psychiatry, 318, 451, 473

amídala cerebral, 54, 58, 165

amizade: apoio da, 67, 393; conserto da, 68; passado recluso como obstáculo para, 156

amor: apoio oferecido pelo, 414, 418; aspecto bioquímico do, 23; depressão como imperfeição no, 15; função evolutiva do, 394-6; luto como evidência de, 394

anaclítica, depressão, 176

Anafranil, 109, 113

analfabetismo, 325, 329, 336

Anatomia da melancolia, A (Burton), 288, 296, 494

Anderson, Laura, 89, 101, 250, 419, 423, 467

Andrews, Paul, 392, 504

anedonia, 19, 65

anfetaminas, 111, 211, 219, 486

Angel of Bethesda, The (Mather), 299

animais: comportamentos autodestrutivos em, 245; estimação, antidepressivos para, 417; desamparo aprendido, 333; dominância em, 108-9, 387-8; emoções em, 385, 395-6; estresse e, 390; estudos de serotonina em, 108, 109, 242; hibernação de, 389

animismo: ritual animista senegalês, 159-63

"Annabel Lee" (Poe), 344

anorexia nervosa, 146, 168-9, 186, 256, 300, 449, 480, 496

Anos, Os (Woolf), 99

ansiedade: álcool usado como alívio da, 215; consumo de café associado a, 134; depressão e, 63-4, 218, 228, 310, 388; efeito de proteção, 392; exercício físico e, 133; maconha e, 218; manifestações físicas da, 63, 404; modernidade como causa da, 389-91; serotonina e, 63, 114; suicídio e, 262; terapia cognitivo-comportamental para, 106; tratamento psicofarmacológico da, 49, 61, 76, 84, 106, 114, 123, 222, 404

ansiolíticos, 61, 84, 211

Antabuse, 218, 486

antagonistas alfa-2, 111

antidepressivos: alcoólatras e, 209, 213; amamentação e, 81; atípicos, 109, 113, 185; aversão dos psicanalistas a, 46, 49; combinações, 83-4, 91, 113-5; como estratégia de manutenção, 77; culpa/ vergonha pela doença melhorada com, 317; dependência, 224; depressão leve, 382; direto de recusar, 364, 377; efeitos a longo prazo, 77; efeitos colaterais, 77-8, 84, 88-90, 109-13, 147, 150, 154, 164, 403-4; efeitos colaterais na sexualidade, 88, 110-2, 150; eficácia de, 58, 83, 99, 114; eficiência a curto prazo, 99; emprego e, 351; escolha de, 109, 115; estabilizadores de humor em pacientes bipolares, 46, 102; estratégias de redução de estresse ver-

sus, 119; gastos, 58, 338; gravidez e, 81, 90; história dos, 317; idosos e, 181, 185; IMAOs *ver* monoamino-oxidase, inibidores da; inconsistência, 113; intolerância social e, 61; ISRSs *ver* inibidores seletivos de recaptação da serotonina; mania induzida por, 46, 113, 478; mecanismo de reapreensão bloqueado por, 318; para crianças, 177; para evitar o suicídio, 110, 239-40; pesquisas atuais sobre, 115, 164; princípio básico, 106; processos judiciais e, 364; promoção da indústria famacêutica, 378; reações a altas dosagens de, 405; reações culturais, 187, 329; redução do cortisol, 56; resistência a, 58, 354; resposta menor depois de interrupção, 55; risco de suicídio associado a, 47, 78; sentido da pesquisa atual, 115; sistemas múltiplos, 380; sono REM alterado por, 108, 140; temperatura corporal e, 108, 476; tempo de resposta, 58, 107-8, 115, 181, 225, 319, 439; teoria do receptor e, 107; tipos de, 109; TRH e, 54; tricíclicos, 26, 109-10, 112, 142, 164, 212, 317-9, 481; uso amplo, 417; uso de drogas ilícitas e, 207, 224; uso excessivo e, 26; uso paliativo, 417; usuários de drogas tratados com, 209, 211; volição pessoal e, 98; *ver também medicamentos específicos*

Antônio, santo, 16

Aquário de Baltimore, 379

Archives of General Psychiatry, 453

Areopagitica (Milton), 420

Areteus, 277

aristocracia, melancolia como doença da, 286, 297

Aristóteles, 275-6, 288, 303, 492

armas de fogo, 243, 342, 490

Arnold, Matthew, 308, 497

Arnsten, Dorothy, 164

Artaud, Antonin, 75, 475

Åsberg, Marie, 242, 489

Asendin, 60, 109, 113

Ashcroft, George, 499

asilos, criação do sistema de, 304-7

assimetria do cérebro, 398--401, 504

Associação de Saúde Mental do Sudeste da Pensilvânia, 368

Associação Federal de Aviação (Civil Aeromedical Institute, CAMI), 351

Associação Internacional dos Serviços de Reabilitação Psicossocial (International Association of Psychosocial Rehabilitation Services, IAPSRS), 352

Associação para o Tratamento da Depressão e Distúrbios Afetivos Relacionados (Depression and Related Affective Disorders Association, DRADA), 153, 481

Astbury, Jill, 170, 480, 482

astecas, 278

Atay, Joanne, 503

atenção, efeito da medicação na, 86

Ativan, 89, 113-4, 156, 404

atividade física *ver* exercícios físicos

Austrália, 72, 454

autoconsciência, 104, 206, 234, 395, 397-8

autocontrole, 79, 103, 169, 209, 213-4, 281, 351

automutilação, 69, 146, 403-5, 409

Auxílio para Famílias com Filhos Dependentes (Aid to Families with Dependent Child, AFDC), 324, 500

avião, medo de, 105

Axelrod, Julius, 318

bacalhau, 133, 205

Ball, H. Irene, 473

Ballenger, James, 63, 106, 114, 119, 389

Baltimore, estudo de tratamento de depressão com populações com HIV e de indigentes em, 325

Barbey, J. T., 503

barbitúricos, 222, 243, 258

Barléu, Gaspar, 291

Baron, Richard, 352-3, 501

Baudelaire, Charles, 302, 496

Beck, Aaron, 103, 488

Beckett, Samuel, 272, 315-6, 491, 498

Beddoes, Thomas, 306

Bedlam, 295, 305, 373, 495

bem-estar social, 324, 360, 500

Benshoof, Janet, 104, 226, 419

benzodiazepínicos, 114, 185, 222-3, 426, 477, 483, 487

Berger, professor M., 140, 478

beta-adrenérgicos, receptores, 319

betanecol, 111

Biathanatos (Donne), 236

Bíblia, 125-6, 249-50, 279, 492

Bicêtre (França), 295, 495

Bielik-Robson, Agata, 192-3

bile amarela, 273-4

bile negra, melancolia como excesso de, 273-8, 283, 285, 293

biologia, 18, 20-1, 106, 167, 272, 292-3, 318, 384-5, 434, 452; cartesiana, 292-3

bipolar, doença *ver* maníaco--depressivo, doença

Birtchnell, J., 388, 503

Bisgaard, Poul, 200

bissexuais, 193, 198, 483

Blair-West, G., 472

Blake, William, 295

Bloom, Harold, 487

"boa-noite Cinderela" (benzodiazepínicos), 223

boca seca, 164, 222; gengivite causada por, 403

Boerhaave, Hermann, 293-5, 494-6

Boorstin, Robert, 355, 423

Boswell, James, 296, 495

Bower, Bruce, 480

Brecht, Bertolt, 307

Breviário de decomposição (Cioran), 261

brócolis, 133

bromocriptina, 111

Brontë, Charlotte, 128

Brown, George, 60, 63, 168, 333, 474, 480

Brown, John, 297, 495

Brown, Thomas, 478

bruxas, 284

Buckingham, condado de: estudo de tratamento de depressão em mulheres, 325

Bucknill, John Charles, 497

Bukowski, Charles, 238, 488

bupropiona, 111, 113

Burke, Edmund, 297, 495

Burton, Robert, 288-91, 296, 309, 488, 494-5

BuSpar, 75, 83-4, 89, 111, 114, 224, 367, 403, 473

caça, sociedades de, 390

cafeína, 214, 381, 426

caiaque, 137-8, 203; "ansiedade de caiaque", 203

Callahan, Roger, 137, 478

Camboja: depressão em sobreviventes de traumas, 13, 32-3, 328, 335

Cameron, Julia, 148

campos de concentração, sobreviventes de: suicídio

561

de, 268-9; terapia cognitiva-comportamental para, 104

Camus, Albert, 234-6, 251, 307, 315, 487, 491

Canadá, 453

câncer, 25, 30-1, 43, 51, 55, 69, 91, 114, 132, 179, 215, 223, 237, 256, 258-9, 264, 267, 270, 346-7, 350, 357, 359, 385-6, 402-3, 416, 418, 458-60, 463-4, 472-3; de pele, 30-1, 350, 402, 472-3; de pulmão, 347, 385

Cândido (Voltaire), 297

capitalismo, 246, 358, 379

Carlos VI, rei da França, 291

Carlsson, Arvid, 319-20

Carlyle, Thomas, 307, 497

casamento: escolha moderna de parceiro, 391; transtorno mental como estresse com, 91

Casanova, Ludovicus, 291

Cassiano, 279, 492

catatonia, 77, 321, 372

catecolaminas, 319

catolicismo, 127

cavalinha, 133

Celexa (citalopram), 13, 109, 113, 150, 183-4, 320, 471, 499

celíaca, doença, 134

Centro Bazelon, 365

Centro de Defesa do Tratamento (Treatment Advocacy Center, TAC), 364

Centro para o Controle de Doença, 502

cerebral, função: capacidade de adaptação, 54, 108; capacidade de adaptação das células e, 54; mal de Alzheimer e, 184; efeito do uso de drogas na, 207-9, 212, 220, 222; evolução da, 395-401; flexibilidade da, 398; impacto de episódios depressivos e,

54; pesquisas genéticas e, 164

cerebral, química: 20-1, 107-9; ansiedade e, 63, 106; efeitos da TEC na, 116, 118; efeitos da psicoterapia na, 106; impulsos elétricos neurais e, 316; mente emocional versus, 98; suicídio e, 243; teorias de ações antidepressivas na, 318-9; *ver também* neurotransmissores; *neurotransmissores específicos*

cérebro: assimetria do, 398-401; autópsias do, 306; circulação de sangue no, 294, 399-400; cirurgia no, 132, 157-8, 422; como fonte de emoção/ doença mental, 273, 397, 400-1; "Década do Cérebro" (1990-2000), 353; e a tecnologia da imagem, 243, 347, 399; estimulação magnética e, 134, 400; modelo médico do, 306; modelo trino, 397; reptiliano, 397; sistema nervoso e, 276

Cervantes, Miguel de, 291

cetamina, 435-6, 445, 447

céticos, 275

cetoconazol, 56

charlatães, 132, 274

charlatanismo, 36

Chaucer, Geoffrey, 280, 493

Chavez, Cesar, 376

Chesterton, G. K., 241, 489

China, 86: fitoterapia chinesa, 132, 143, 218; suicídio por ingestão de pesticida, 243

chocolate, 85, 117, 133, 146, 149, 426

choque, tratamentos com *ver* terapia eletroconvulsiva

Chow, David, 378

Christiansen, René Birger, 204

Christie, Deborah, 177, 411, 481, 491

Chua-Eoan, Howard, 482

Chung, Joyce, 333-4, 337

Churchill, Winston, 332, 352

ciência: abordagens mecanicistas, 292; da psicobiologia, 313; na vida moderna, 392; pesquisa aplicada versus pesquisa básica em, 353; valores espirituais versus, 308

cigarros, 90, 208, 215, 219, 403, 462

cinesiologia, 137

cingulotomia, 157-8, 422, 442, 465

Cioran, E. M., 261, 491

ciproeptadina, 111

citalopram, 13, 109, 113, 150, 183-4, 320, 471, 499

classe dominante: opressão imposta pela, 307

classificações de doenças, 305

Clayton, Anita, 110-2, 476

Clinton, Bill, 358, 360, 362

clonidina, 154

Clozaril, 403, 405

cobertura de seguro *ver* seguro-saúde

cocaína, 207, 211, 213-4, 218-20, 225-6, 244, 484, 486; abstinência da, 212, 219; antidepressivos tricíclicos e, 211; como droga ilegal, 213, 224; crack, 213, 219, 327; dano neurológico fetal da, 243; danos físicos pelo uso de, 220, 331; deprimidos como usuários crônicos de, 208; ecstasy e, 222; impacto na ansiedade e depressão, 211; qualidade irregular da, 226; ressaca da, 219; sistema da dopamina afetado por, 207, 220, 484; uso controlado da, 226

Cogentin, 404

cognição, 53, 98, 103, 207, 397-8, 436, 457; *ver também* terapia cognitivo--comportamental (TCC)

colapsos: causas cumulativas de, 47; definição de, 47; dificuldade de comer durante, 49, 52-3; experiência de imobilidade, 51; funções fisiológicas afetadas por, 54; sono e, 50

Coleridge, Samuel Taylor, 298, 495

colesterol, taxas de, 26, 76, 99, 133, 142, 241, 243, 489; depressão e, 133

coletividade, 387

colinérgicos, agonistas, 111

Colt, George Howe, 232, 246, 482, 487-90, 504

Columbia, Universidade: terapia cognitiva-comportamental para impedir recaída, 217

combate ou fuga, reações de, 56

comida, valor terapêutico da, 133-4

Como quiserem (Shakespeare), 286

competição, 31, 238, 249, 356, 388

comportamento: controle do, 315; transtornos de, 334, 338-9; *ver também* terapia comportamental

Comprehensive Textbook of Psychiatry (1989), 21, 472

compromisso, capacidade de estabelecer, 395

comunitária, programas de saúde mental, 361-2, 366, 368, 374, 403

Conferência da Casa Branca para a Doença Mental, 358

confissão religiosa, 125

Congresso dos EUA: "Década do Cérebro" (1990--2000) declarada pelo,

353; legislação da paridade do seguro, 354-8; liderança republicana no, 360; preocupações com doenças mentais, 360-1, 366-8; serviços de saúde para indigentes, 360-2; *ver também deputados específicos*

consciência: modelo mecanicista de, 292; suicídio e, 234, 242, 245; *ver também* autoconsciência

Conselho Nacional para Consulta de Saúde Mental, 501

Conto de inverno (Shakespeare), 412, 505

coração, doenças do, 55, 237

corpo: modelos mecanicistas de, 292-4; temperatura do, 54, 476

cortes autoinflingidos *ver* automutilação

córtex: frontal, 47, 54, 118, 400; motor, 438; pré--frontal, 57, 399-401, 504; pré-motor, 438; subgenual, 441

corticotrofina, fator liberador de (CRF), 220

cortisol, taxa de: ativação do hemisfério direito e, 400; efeitos de longo prazo do aumento sustentado de, 56-8; níveis de serotonina versus, 55--7; padrões circadianos, 54, 56; separação maternal e, 109

Cosgrove, Reese, 157

covardia, 172, 234, 270

Cowper, William, 296-7, 495

crack, 213, 219, 327

crença espiritual *ver* fé religiosa

crianças: desenvolvimento da linguagem em, 401; filhos de pais deprimidos, 80, 173-4, 323, 330-6,

341-2, 367; homofobia internalizada em, 195; suicídio e, 176, 242, 246, 249, 252-3, 481-2; uso de drogas pela mãe e, 243; *ver também* infância, depressão na

Crisipo de Cnido, 274, 492

cristianismo: 126, 279; condenações medievais da depressão, 279-81; dificuldades da depressão ajudadas pelo, 126; martírios e, 235; moralidade protestante e, 299; proibição do suicídio, 126, 235, 290

Cristo *ver* Jesus Cristo

Crohn, doença de, 330

cromo, 133

Crow, Timothy, 397-401, 504

Cullen, William, 496

cupons de alimento, 324

Cutbush, Edward, 496

D'Amato, Brian, 110

Dakar, Senegal: instituições de saúde mental de, 159

Daniel Deronda (Eliot), 419

Daniel, Livro de, 279

Danquah, Meri, 187, 471, 483

Danziger, Sandra, 499

Darwinian Psychiatry (McGuire e Troisi), 384

Davidson, Richard J., 399--401, 504

Day for Night: Recognizing Teenage Depression (vídeo), 481

De praestigiis daemonum (Wier), 284

De Wester, Jeffrey, 472

Deffand, marquesa Du, 297

delinquência juvenil, 454

delírios, 126, 276-7, 283-4, 290-2, 294, 309, 314, 485, 498

delirium tremens, 217

demência, 182, 184

Demerol, 45, 220

demográficos, fatores *ver* populações

"demônio do meio-dia": história da expressão, 279, 492

Demônios, Os (Dostoiévski), 256

dentes, efeitos de medicação de longo prazo nos, 403

Depakote, 81, 90, 116, 122, 154, 465

depressão: aceleração das recorrências, 55, 58; acidentes causados por, 25, 36; *ver também* suicídio; agitada, 46, 69-71, 118, 210, 218, 277, 358, 397, 434; alteração do padrão do sono, 139-40, 210, 478, 485; anaclítica, 176; ansiedade e, 63-4, 218, 228, 310, 388; aspectos bioquímicos da, 20-1; *ver também* cerebral, química; neurotransmissores; atípica, 46, 109; atitudes históricas em relação a, 272, 491; aumento da vulnerabilidade a outras doenças, 359; aumento das taxas de, 31; cobertura do seguro-saúde, 346, 354-61; colapsos e, 17, 38; como preocupação médica, 347; descrições metafóricas e, 18, 27-8; diagnóstico de, 19, 27, 321, 482, 486, 499; diversidade da, 288; doenças somáticas, 25, 472; dos pais, 80, 174-5, 323-4, 330-6, 341-3; e "melancolia", 471; em conflitos de dominância, 387-8; endógena versus reativa, 60-1, 316; estatísticas da, 12, 25, 337, 472; estigmatização, 272, 279-81, 347--50, 354, 358, 367; estratégias de sobrevivência, 78-80, 83-4, 95, 424; estresse da vida moderna e, 390-2; estudos em animais, 108, 333; experiência do autor com, 18, 29, 38-53, 58-70, 75-7, 81-8, 95; experiências precursoras, 43, 75, 81-2; fatores de risco e, 175; gastos econômicos, 355; gatilhos da, 60-1; gênios associados a, 272, 275, 286--7, 303; hibernação e, 389; homossexualidade e, 193-8, 483; independência do suicídio, 232; infantil, 173, 480-2; início da, 75, 92, 179-80; julgamentos objetivos e, 414; leve versus severa, 16-9, 383, 471; luta permanente contra, 59, 422; luto versus, 310-1, 394; modelo de doença, 380--3; mudanças de vida benéficas acarretadas pela, 393, 416, 418-20; ocorrências sazonais, 132, 134, 199; onipresença da, 13, 24, 472; papéis de gênero e, 168, 480; personalidade e, 410-5, 422; pobreza e, 37, 321, 360-2, 499; pontos de vista evolutivos, 384; pós-parto, 133, 166-7, 169, 467, 479--80; predisposição genética e, 47, 54, 63, 219, 475; prevenção, 346; procedimentos urgentes, 59, 62, 64-5, 416; profundidade moral a partir da, 37, 424; questões políticas ligadas a, 192, 346, 391; reação de amigos e familiares, 61, 67, 91, 155, 227, 368, 393-4, 405, 418-9; relatos de personalidades públicas e, 350; ritmos circadianos e, 52, 139; severa, 17-9, 25, 28, 39, 60--1, 63-4, 67, 75, 87, 109--10, 137, 174, 182-3, 193, 220, 237, 240, 244, 277, 296, 311, 322, 325-6, 346, 357, 377, 381, 383, 411, 415-6, 454, 471; sintomas da, 46, 321; sistemas psicológicos múltiplos como raiz da, 380; suicídio e *ver* suicídio; taxas de colesterol e, 133; taxas de recorrência, 55-8, 78; taxas masculinas/ femininas, 168, 170, 173, 480; temperatura corporal e, 54, 108, 476; tendência ao vício e, 230; terapias alternativas para, 130--65; tipos baseados em experiências de trauma, 61, 135, 152; transtorno maníaco-depressivo e, 24, 46, 89-94, 102, 113, 121-3, 142, 237, 240, 243, 306, 358; tratamentos hospitalares, 73, 115, 159, 182, 295, 304-7, 355, 362--6, 369-76, 405, 408-9; uso de drogas *ver* alcoolismo; uso de drogas; *ver também* antidepressivos; tratamento e *tipos de tratamento específicos*

derrame, 48, 80, 185, 237, 341--2, 398, 483

Derrocada, A (Fitzgerald), 139

desamparo aprendido, 175, 333, 500

desbridamento, 404

Descartes, René, 292-3, 302, 494

desemprego, 188, 199, 246, 322-4, 330, 345, 499

desipramina, 367

"desmoralização de longo prazo", 336

dessensibilização e reprocessamento por meio dos movimentos oculares *ver* EMDR

Deus, 18, 31, 74, 79, 121, 125--8, 141, 148, 174, 236, 272, 279-83, 285, 290, 299, 308, 336-7

Deus selvagem, O (Alvarez), 233

Dewey, John, 314

dexanfetamina, 89

Dexedrine, 60, 111, 114

diabetes, 21, 57, 78, 458, 459

Dickens, Charles, 305, 307, 497

Dickinson, Emily, 50, 258, 420, 473, 491, 505

Dinamarca, 199, 454, 456

Diouf, Mareme, 159-60

Discours des maladies mélancoliques (Du Laurens), 284

dislexia, 227

Ditropan, 403

doença mental: autoconsciência como origem da, 397; cérebro assimétrico como origem de, 398-9; classificações de, 305, 310, 317, 381, 397; clínicas comunitárias para, 362, 368; criminalização da, 364-5; desemprego devido a, 322; determinantes histórico-sociais para formas de, 186; direitos de cidadania e, 363-6, 377; imagens populares de violência ligadas a, 357; impacto socioeconômico da, 338; paridade do seguro para, 354-60; pesquisa governamental sobre, 353, 360; pontos de vista psicanalíticos versus psicobiológicos, 309-14; primeiras teorias genéticas sobre, 294; punição da, 279, 295; "tratamento moral" da, 304; tratamento versus cura, 305--6; *ver também* depressão; maníaco-depressivo

(bipolar), doença; esquizofrenia

Domenici, Pete, 354-61

dominante, comportamento: depressão em conflitos de, 387; níveis de serotonina animal e, 109

dominicanos, 186-7

Donne, John, 236, 487

dopamina, 108-9, 111-3, 133, 140, 142, 164, 207-8, 219--20, 223, 318, 320, 435; efeitos do sono sobre, 140; efeitos do uso de drogas sobre, 207, 220, 222, 484-5; primeiras pesquisas sobre, 318-9; TEC e, 118

dor: autoinflingida, 404; benefícios da, 24, 37; emocional versus física, 404, 416; procedimentos hospitalares de medicação para, 81

Dostoiévski, Fiódor, 256, 421, 491, 505

Dotação Combinada para os Serviços Comunitários de Saúde Mental, 361

Downey, Jennifer, 195-6, 483

drogas: "drogas da balada", 221; legais e ilegais, 224; sem receita, 382; *ver também* antidepressivos; indústria farmacêutica; uso de drogas

Dryden, John, 296

Du Laurens, Andreas, 284-6, 290, 493

Durkheim, Émile, 238-9, 241, 488

Dworkin, Ronald, 266, 491

Eccleston, Donald, 499

Eclesiastes, 301, 496

ecstasy, 211, 221-2, 224, 487

Edgson, Vicki, 134, 477

efedrina, 111

Efexor, 74-5, 83-4, 109, 113-4, 153, 224, 320, 435, 445, 473

Einheitspsychose, 306

Einstein, Albert, 126

Elavil, 109

"Elegy Written in a Country Churchyard" (Gray), 298

eletrochoque *ver* terapia eletroconvulsiva (TEC)

Eli Lilly, 108, 110, 320, 378

Eliot, George, 419, 505

Eliot, T. S., 214, 258, 485

EMDR (dessensibilização e reprocesssamento por meio dos movimentos oculares), terapia de, 132, 135--6, 138, 151, 378, 478

emergência, salas de, 82, 365

emoções: assimetria cerebral e, 400-1; espectro de, 395-6; experiência animal de, 385; humor e, 386; no sistema límbico, 397; repressão emocional, 36, 335; sensações como gatilhos para, 385

Emoções Anônimas (grupo), 229

Empédocles, 273, 491

emprego: cobertura do seguro-saúde do, 356; desemprego, 188, 199, 246, 322-4, 330, 345, 499; efeitos salutares do, 358; escolhas modernas de, 390; perda de produtividade, 356

encefalina, 207

Enchantment Resort, 478

endorfinas, 133, 213, 218, 438--9

energia, terapias de, 131

Enigma of Suicide, The (Colt), 232

envenenamento, 130-1

epinefrina, 318, 320

Era da Razão, 295, 300

Erasístrato, 276, 492

erva-de-são-joão, 36, 132, 141-2, 144, 290, 299, 378, 478

Escócia, 297

Escola de Medicina Albert Einstein, 210

escolha: estresse diante das possibilidades modernas de, 390-1; responsabilidade moral da, 413-4;

escuridão, metáforas da depressão como, 274, 285, 296

escuta dos pais, 175

espancadores, 172

Espinosa, Baruch, 294, 495

esquimós (inuítes), depressão em, 199-205

Esquirol, J. E. D., 497

esquizofrenia, 338, 358, 364, 368, 377, 397-8, 457

estados mistos (na doença maníaco-depressiva), 47

estimulação magnética intracraniana repetitiva (EMTr), 132, 134, 400, 477, 504

estimulantes ilegais, 219-20; *ver também* uso de drogas

estoicismo, estoicos, 46, 279, 492

estresse: ativação do hemisfério direito do cérebro e, 400; crônico, 241, 390, 489; da vida moderna, 31, 119, 389-92; humilhação e perda como causas do, 61; isolamento como redução do, 119; níveis de cortisol afetados pelo, 55-8; pós-traumático, 35, 95, 135, 365, 435; suicídio e, 241-2; violência como forma de liberação do, 242

estrogênio, 112, 166, 479

estupro, 326

etnia: afro-americana, 187-91, 336; asiática oriental, 192; cambojana, 32-6; hispânica, 186, 329; inuíte/ esquimó, 199-205; judia, 71, 74, 79, 173, 195, 484; russa, 192, 216

eu: conceito histórico, 274, 286; modelo sequencial, 21

eutanásia, 256-60, 266-7, 491

Evágrio, 279, 493

eventos de vida: depressão provocada por, 60-1

evolução: aspectos sociais da, 388, 390-6; da função cerebral, 395-402; de benefícios sociais da depressão, 392-4; decisão de tratamento a partir de entendimento da, 402; do espectro emocional, 394-6; do otimismo versus realismo, 415; dominância e, 388; estresse da vida moderna e, 389-91

exercícios físicos, 29, 64, 80, 84, 99-100, 132, 143, 189, 191, 297, 477, 497

existencialismo, 234, 315, 415

Eyeson-Annan, M. L., 472

fala: como origem da autoconsciência, 397; emoções positivas ligadas à, 401

Farman, Joseph, 500

Faverin/ Luvox (fluvoxamina), 109, 320, 499

FDA (Food and Drug Administration), 347, 379, 381, 436, 440-1, 448-9, 452-3, 455, 459, 479

fé religiosa: alienação moderna da, 308; nas colônias norte-americanas, 299; perda da, 79; proibição do suicídio, 126, 235, 247, 290; recuperação impulsionada pela, 74, 124; *ver também* religião, religiões

feitiçaria, 283-4, 479

felicidade, 19-20, 24, 104, 124, 128, 145, 150, 199, 220, 222, 270, 289, 302-3, 364, 383, 424, 428, 466; como insensibilidade, 424; cultivo da, 128; experiência pós-depressão, 76; vitalidade versus, 424, 466; *ver também* alegria

feminilidade, ideal passivo de, 169

fenda sináptica, 318-9

Fénelon, François de Salignac de La Mothe-, 125

Ficino, Marsílio, 282-3, 286, 288, 298, 493

Field, Tiffany, 480-1

fígado de boi, 133

Filágrio, 274

Filiston, 274, 492

filosofia, 12, 30, 37, 46, 209, 275, 277-8, 282-4, 288, 304, 308-9; humanista, 282

Filotimo, 274

fitoterapia: chinesa, 132, 143, 218; erva-de-são-joão, 36, 132, 141-2, 144, 290, 299, 378, 478

Fitzgerald, F. Scott, 139, 475, 478

fleuma, 273, 283

Fliess, Wilhelm, 309, 498

fluoxetina, 320, 435; *ver também* Prozac

fluvoxamina (Faverin/ Luvox), 109, 320, 499

Flynn, Laurie, 354

fobias, 27, 105

fome, 75, 385

Food and Drug Administration *ver* FDA

Food Doctor, The (Edgson), 134

Forest Laboratories, 13, 471, 499

Foucault, Michel, 307, 495, 497

França, 284, 286, 295

Frank, Ellen, 97, 99, 475

Frazer, Allan, 108

Freud, Sigmund: contexto social de, 169, 390; experiências infantis destacadas por, 175, 315; *Luto e melancolia*, 288, 311-2,

489, 498, 505; mente inconsciente e, 98, 309-11; motivações escondidas propostas por, 98, 311; Platão e, 274; sobre a percepção precisa do melancólico, 415; sobre ego dividido como reação à perda, 311; sobre histeria feminina, 169; sobre suicídio, 235, 241, 489

Friedman, Richard A., 109, 113, 132, 487

Friedman, Richard C., 195-6, 483

fumo *ver* cigarros; nicotina

função sináptica, 54

GABA, receptores, 217, 441, 486

Galanter, Marc, 475, 484, 486

Galeno, Cláudio, 277-9, 287, 288, 492

Gardner, Russell, 388, 503-4

gástricas, secreções, 54

gays, 193-7, 368, 461, 484; depressão entre, 193-8, 483-4

genes, 56-7, 63, 115, 164-5, 214, 239, 270, 387, 389, 392, 395-7, 452, 479

gengivite, 403

gênio, melancolia associada a, 272, 275, 286-7, 303

genoma, 165, 479; hipótese da defasagem do, 389

gérmen de trigo, 133

"Gerontion" (Eliot), 214, 485

GHB, 221

Gifford, George, 283

ginkgo biloba, 111

glândula pineal, 54

glicocorticoides, receptores de, 55-6

Goddard, Russell, 60

Goethe, Johann Wolfgang von, 239, 300-2, 496

Gold, Mark, 485-7

Gold, Sarah, 113

Goldstein, Andrew, 357

Goldstein, Rise, 489

Goodwin, Frederick, 472-5, 486

Gore, Tipper, 350, 358, 501

Grand, David, 136

granisetron, 111

gravidez: antidepressivos e, 81, 90; baixa taxa de suicídio, 238; de filhas de indigentes deprimidos, 323; nutrição na, 133; TEC durante a, 115

Gray, Thomas, 298, 301, 495

Grécia: medicina na Grécia antiga, 273-6; taxas de suicídio na, 247

Greden, John, 26, 58, 77, 459, 474

Greene, Graham, 11, 471

Griesinger, W., 306-7, 497

Groenlândia, 13, 199-204, 246, 484; depressão entre o povo inuíte da, 199--205; suicídio de jovens na, 246

grupo, terapia de, 163, 327-8, 334

Grupos de Apoio às Pessoas com Transtornos de Humor (Mood Disorders Support Groups, MDSG), 11, 153, 155, 156

Gut, Emmy, 416, 505

Guze, S. B., 472

Hacking, Ian, 185-6, 483

Hadley, Suzanne, 476

Hagen, Edward, 394, 504

Hahn, Kurt, 137-8, 478

Halberstadt, Anna, 192

Halcion, 114

Hamlet (Shakespeare), 234, 286, 302, 401, 487, 505

Haroules, Beth, 366

Harrington, Scott, 502

Harris, M. Jackhuelyn, 483

Hassoun, Jacques, 313, 498

Hauenstein, Emily, 325, 330, 334, 340, 499-500

Hawthorne, Nathaniel, 315

Healey, David, 380-2, 503

Hegel, Georg Wilhelm Friedrich, 302-3

Heidegger, Martin, 421, 505

Heldman, Kevin, 370, 503

Hellinger, Bert, 151, 478

hemangioma, 340-4

Henry, Patrick, 238

Héracles (mitologia), 275

Hernandez, Sheila (pseudônimo), 11, 331-2, 345, 364

Herófilo de Calcedônia, 276, 492

heroína, 207-8, 211, 214, 218, 220-1, 224, 226, 331, 375

Herrel, R., 483

hibernação, 389

Hildegard von Bingen, 281

Hinckley, John, 357

hipérico, 141, 478

hipertensão, 78, 320, 456

hipnose, 132, 138, 478

hipnóticos, medicamentos, 211

hipocampo, 58

Hipócrates, 31, 272-7, 288, 306, 320, 473, 491-2

hipomania, 121, 439

hipotálamo, 54, 135

hipótese da deriva descendente, 338

hipotireoidismo, 276

HIV, 22, 69-70, 75, 142, 171, 194, 198, 251, 325, 331, 338-40, 347, 460, 462

HMOs *ver* organizações para a manutenção da saúde

Hobbes, Thomas, 395

Hoffman, Friedrich, 294, 495

Holanda, 194, 259, 286, 453

Holocausto, sobreviventes: TCC como estratégia, 104

homens, depressão em: agressividade e, 171-2; alcoolismo e, 168; depressão em mulheres versus, 166, 168, 170, 173; homossexualidade e, 193-8; indigentes, 339; resistência a tratamento, 339

homens, suicídio de, 243, 246

567

homeopatia, 132, 143, 148, 150, 478

Homero, 274, 492

homicídio, 237, 251, 269

Homme machine, L' (La Mettrie), 294

homofobia, 194-6, 198, 484

homossexualidade, 166, 193--7, 461, 483, 484

hormônios, 57, 81, 167, 209, 210, 266, 458; terapias hormonais, 112, 185

hospitais, hospitalização, 73, 115, 355-6; como forma de tratamento, 115; custo por paciente, 369; de idosos deprimidos, 182; experiências de desumanização, 73, 369; instituições públicas, 370, 373; medicação sedativa, 369; no Senegal, 159; processo contra, 376; recorrência de, 409; sistema de asilo residencial, 304-7; violência no séc. XVIII, 295; voluntária versus involuntária, 362

hospitais, hospitalização:, 370-2

How to Stop Time: Heroin from A to Z (Marlowe), 226

Hugo, Victor, 307, 497

humilhação, 60, 61, 154, 188, 480

humor: emoção versus, 386

humores *ver* quatro humores, teoria dos

Humphry, Derek, 256

Huysmans, Joris-Karl, 307, 497

Hyman, Steven, 23, 99, 101, 107-8, 125, 164, 177, 225, 324, 347, 472, 480, 486

IAPSRS *ver* Associação Internacional dos Serviços de Reabilitação Psicossocial

iatromecânico, modelo, 294

icebergs, 201

Idade Média, 272, 279, 281-3

idosos: deficiências circulató-

rias em, 294; depressão entre, 181-4, 247, 294, 482, 490; suicídio de, 246-7, 258

Illiminaq (Groenlândia), 201-6

imagem, tecnologia de: metabolismo do cérebro representado na, 243, 347, 399

IMAOs *ver* monoamino-oxidase, inibidores da

imipramina, 147, 317, 445

impotência sexual, 110

impulsividade, 233, 239, 242, 262, 481

imunológico, sistema, 55-6, 141, 331, 400

"incapacidade de prosperar", 176, 481

inconsciente, mente, 98, 309

Índia, 423; suicídio em linhas de trem, 243

individualismo, 126, 143, 204

indústria farmacêutica, 13, 21, 338, 346-7, 353, 378, 436, 449, 459, 503

infância, depressão na, 173--81; abuso sexual e, 334, 340, 403; adolescentes, 179-81, 481; depressão de adultos depois de, 179--80; depressão dos pais e, 174-5; doença física e, 175, 179-81; manifestações precoces de, 176, 403; pais e terapia para, 175; suicídio e, 242, 246, 249, 252-3, 481-2; taxa de incidência nos EUA, 24, 472; tratamento da, 175--81; *ver também* crianças

Inglaterra, 30, 39, 42, 45-6, 215-6, 258, 284, 286, 290, 295, 297, 305, 349, 495; hospitais vitorianos, 305; padrões culturais de consumo de álcool, 215; suicídios com gás na, 243

inibidores seletivos de recaptação da serotonina (ISRSs):

depressão em idosos tratada com, 181, 185; depressão pós-derrame e, 185; desenvolvimento pela indústria farmacêutica, 319; efeitos colaterais, 78, 110-2, 115, 225; efeitos negativos na sexualidade, 110-2; na prevenção do suicídio, 110, 240; no mal de Alzheimer, 185; processo de reabsorção bloqueado por, 107; temperatura cerebral e, 476; tipos de, 109; uso amplo de, 416; uso nos EUA, 25; *ver também inibidores específicos*

Inquisição, 280, 295

insônia, 110, 114, 140, 164, 176, 182, 273, 329, 437, 443, 476

instintos, 135, 234-5, 241, 242, 251, 303, 383, 385, 396-7, 411

institucionalização *ver* hospital, hospitalização

Instituto Nacional de Saúde Mental (National Institute of Mental Health, NIMH), 23, 99, 134, 318, 348

Instituto Nacional de Saúde (National Institute of Health, NIH), 353, 362, 501

interleucina-6, 141

internação, 217, 228, 362-3, 365-6, 376, 437, 465

interpessoal, terapia (TIP), 103, 105-6, 476

intimidade física, reserva emocional versus, 200

intimidade, importância da, 418

inuítes (esquimós), 199-206, 484

invenção, natureza versus, 412

ioimbina, 111

iprindole, 319

iproniazida, 317
IRM (imagem por ressonância magnética), 399
Islã, 159, 228, 235
isolamento, 36, 46, 63, 66, 99, 105, 156, 195, 205, 210, 287, 299, 321, 325, 375, 415, 418, 445, 460, 474
isoniazida, 317, 362
ISRSs *ver* inibidores seletivos de recaptação da serotonina
Itália, 30, 41, 142, 286, 301, 454

Jack, Dana Crowley, 169, 480
Jackson, Stanley, 471, 491-4, 497-8
James I, rei da Inglaterra, 284, 492
James, William, 308, 314, 443, 497
Jamison, Kay, 54-5, 60-1, 180, 243, 247, 251-3, 395, 422, 471-5, 488-91, 499, 503
Janesson, Ruth Ann, 329, 344
Japão, 229, 239, 454
Jefferson, Thomas, 315
Jesus Cristo, 15, 126, 332
Joelson, Amalia, 202-5
Johansen, Karen, 203-5
Johns Hopkins, hospital universitário, 60, 98, 100, 102, 153, 158, 177-8, 315, 325, 331-2, 355, 364, 370, 464, 481
Johnson, Samuel, 296-7, 495
Jones, Nancy Aaron, 481
Joshi, Paramjit T., 177-8, 481
judeus, 71, 74, 173, 195, 484

Kaczynski, Theodore (Unabomber), 120, 357, 477
Kahn, Eve, 79
Kahn, Jack, 387, 503
Kant, Immanuel, 298, 300, 302, 495-6
Kaptur, Marcy, 356-8, 362-3, 365-6, 502
Katz, Ira, 482

Keats, John, 300, 344, 496
Keller, Martin, 99, 475
Kendler, Ken, 474-5
Kendra, Lei de, 364
Kennedy, John F., 434
Kennedy, Patrick, 434
Kenyon, Jane, 64, 76, 475, 477
Kevorkian, Jack, 256
Kharms, Daniil, 75, 475
Khmer Vermelho, 32-4, 335, 473
Kierkegaard, Søren, 303, 496
Kleber, Herbert, 209, 211, 213-4, 219, 475, 484-6
Klein, Donald, 99
Klein, Melanie, 312, 498
Klerman, Gerald, 105, 476
Kline, Nathan, 317, 499
Klitzman, Robert, 100, 417
Klonopin, 80, 89, 114, 116, 122, 222
Kraemer, Gary, 476, 489-90
Kraepelin, Emil, 181, 272, 310, 313-5, 317, 475, 482, 498
Krafft-Ebing, Richard von, 498
Kramer, Peter, 498
Kristeva, Julia, 50, 251, 416, 421, 471, 473, 491, 505
Kuhn, Reinhard, 493
Kuhn, Roland, 317
Kye, Christopher, 481
Kyner, Marian, 330, 334-6, 340, 343

La Mettrie, Julien Offray de, 294-5, 495
Lacan, Jacques, 313
lagosta, 133
Lange, Amelia, 203, 204
L-arginina, 111
laticínios, 133
latina, cultura, 186, 329
Lawlor, B. A., 482
Lebou, povo: cerimônias *ndeup*, 159
Lei de Paridade para a Saúde Mental, 359

Lei para Americanos com Deficiência (Americans with Disabilities Act, ADA), 351, 354, 376, 501
Lemnius, Levinus, 286, 493
Leopardi, Giacomo, 301, 496
lésbicas, 193, 483
Lescol, 403
Levi, Primo, 269, 491
Lévi-Strauss, Claude, 90
Lewin Group, 501
Lewis, C. S., 487
Lewis, Carlita, 334
libido, 44, 78, 88, 110-2, 182, 230, 310, 312-3, 498
Licenciado Vidraça, O (Cervantes), 291
liderança, política de, 352
Lier, Reinhard, 151-2, 478-9
límbico, sistema, 47, 397
Lincoln, Abraham, 315, 352
linguagem: assimetria do cérebro e, 398, 401
lítio, 74, 80, 113, 116, 122, 156, 240, 367, 369, 445, 477; ganho de peso com, 154; reações adversas, 94; suicídio contido por, 240; uso descontinuado, 121, 240
livre-arbítrio, 321
Livro de oração comum (Igreja Anglicana), 289
lobby, 347, 462
lobo frontal, 54, 185
lobo occipital, 54
lobotomia, 157, 439
locus coeruleus, 63
López, Juan, 57, 186, 329, 474, 490
Lotbinière, Betsy de, 127
"loucura divina", 275, 282
Luhrmann, T.M., 97-8, 100, 475
Lunáticos, Decretos dos (Inglaterra – 1845/1862), 305
Lustral/ Zoloft (sertralina), 320
luto, 288, 310-2, 421, 466, 489; amor na base do,

394; depressão e, 310-1, 394

Luto e melancolia (Freud), 288, 311-2, 489, 498, 505

Luvox/ Faverin (fluvoxamina), 109, 320, 499

luz, terapias de, 135

Lynge, Sara, 205, 484

MaCartney-Snape, Sue, 486

MacLean, Paul, 397, 504

maconha, 207, 214, 218-9, 226, 486

Mad Travelers (Hacking), 185

Madras, Bertha, 212, 485

magnésio, 133

magnética, terapia, 437

Malaurie, Jean, 204, 484

Mandelstam, Nadezhda, 268

Mandelstam, Osip, 268

maníaco-depressiva, doença, 22, 24-5, 46-7, 123, 180, 237, 306, 358, 368, 418, 473, 477, 491; aceitação da, 306; bipolar II, 89; estados mistos, 47; estatísticas dos EUA de, 24; início, 24; necessidade de medicação permanente para, 121; predisposição genética, 46, 435; SAME como gatilho de mania, 142; sensação de um eu coerente, 123; taxas de suicídio, 237, 240, 243; tratamento antidepressivo para, 46, 102, 113

Mann, John, 242, 489, 504

Manning, Martha, 116-8, 416, 422, 471, 477

Manual diagnóstico e estatístico de transtornos mentais (*DSM*), 20, 24, 232, 458, 483

Marcus, Eric, 480, 488, 490

Marlowe, Ann, 226

Mason, Paul Bailey, 352

Massachusetts General Hospital, 157

massagem, tratamentos de, 132, 136

maternais, interações: causa e efeito em, 335

maternidade, 169, 396, 480; afetividade da, 396; amamentação e, 81; depressão na, 456; depressão pós-parto, 133, 166-7, 169, 467, 479-80; efeitos da depressão na, 173; suicídio e, 116

Mather, Cotton, 299, 496

Maudsley, Henry, 309, 497

McCance-Katz, Elinore, 210

McCarran-Ferguson, Lei, 360, 502

McCauley, Elizabeth, 472

McClure, James, 488

McCurtiss, Henry, 102

McDowell, David, 22, 208, 210, 218-9, 222, 226, 411, 475, 477, 484-7

McGuire, Michael, 384, 389-90, 402, 476, 503-5

McInniss, Melvin, 60

MDMA (ecstasy), 221

MDSG *ver* Grupos de Apoio às Pessoas com Transtornos de Humor (Mood Disorders Support Groups, MDSG)

Mead, Richard, 494

mecanicistas, modelos: teorias biológicas baseadas em, 292-4

Medicaid, 353, 359, 456

medo irracional, 133, 249, 292, 431

meio ambiente, 30

melatonina, 54, 135

Mellsop, G. W., 472

memória: de eventos traumáticos, 135; em demência versus depressão, 182; nas funções do cérebro, 47; perda de memória em usuários de drogas, 220-1; TEC e perda de, 73, 80, 117, 405; tristeza provocada por lembranças, 95

Menandro, 275, 492

Menninger, Karl, 241, 244, 490

Menódoto de Nicomédia, 276, 492

menopausa, 112, 166-7, 479

menstruação, 166, 357

mercado americano, 379

Mercado, Huarte, 286, 493

Mercado, Luis, 286, 493

Mercado, Walter, 186

Mercador de Veneza, O (Shakespeare), 28, 473

Merck, 164, 479

mercúrio, 131

Merkin, Daphne, 52, 474

Metablética (Van den Berg), 390

metabolismo cerebral, 118

metadona, 221

metilfenidato, 111

Meyer, Adolf, 314, 498

Meyer, Mary Brooks, 315, 498

Meyer, R. E., 211, 485

mianserina, 319

Millay, Edna St. Vincent, 254, 491

Milton, John, 287, 420, 494, 505

Miranda, Jeanne, 325, 327-8, 332-5, 355, 500

mobilidade, facilidade moderna de, 391

modernidade, estresse da, 31, 389-91

Mondimore, Francis, 471, 477, 485

monoaminas, 318, 487, 490

monoamino-oxidase, inibidores da (IMAOs), 26, 109-10, 113, 318, 445; depressão infantil e, 177, 481; descoberta dos, 318; desconfortos, 26, 113; efeitos colaterais negativos na sexualidade, 110; efeitos nos neurotransmissores, 109; para depressão atípica, 109

Monro, John, 295

Monroe, Marilyn, 240, 489

Montaigne, Michel de, 284, 493

morfina, 45, 81, 133, 207, 213, 314, 464

Morgan, Theresa, 340

mortalidade, 25, 40, 194, 235, 245, 296, 299, 386, 472-3

Mount Sinai, hospital: terapia eletroconvulsiva no, 73

mulheres: alcoolismo, 168; espancamento de esposas, 171; suicídio e, 238, 488

mulheres, depressão em: abuso sexual e, 168, 334, 340; afro-americanas, 187; causas biológicas, 166; depressão em homens versus, 166, 168, 170, 173; em zonas rurais, 325, 329; maternidade, 81, 116, 133, 166-7, 169, 456; no séc. XVIII, 297

Nagel, Thomas, 412, 505

Naltrexone, 218

Napier, Richard, 493-4

Napoleão Bonaparte, 218

narcóticos, 218, 438

Nardil, 109, 154, 447

natureza: alienação da, 300; invenção versus, 412

náusea, 117, 223, 381, 386

Náusea, A (Sartre), 315-6

Navane, 61, 62, 114

nazismo, 33, 71, 269, 484

ndeup, cerimônias, 159-63

negros: experiência da depressão em, 187-91, 336

Nemeroff, Charles, 474

Nesse, Randolph, 389, 393, 416-7, 504

Neurontin, 94, 404

neuropatia periférica, 58

neurotransmissores: diminuição nos idosos, 181; efeito de exercícios nos, 133; efeitos da TEC em, 118; em estados do sono, 139; erva-de-são-joão e, 141; exposição à luz e, 135; fluxo sanguíneo e, 399; história da pesquisa sobre, 318; impacto em episódios depressivos, 54; interações entre, 108; relação indireta do humor com, 107-8; taxa de suicídio afetada por, 241; tempo de recuperação e, 399; uso de drogas e, 207-8, 212, 217, 219; *ver também* dopamina; norepinefrina; serotonina; níveis de serotonina; *outros neurotransmissores específicos*

new age, tratamentos, 136

New Yorker, The, 11, 38, 196, 348, 350, 471, 491

Newman, John, 297

Newman, Russ, 475

nicotina, 193, 207-8, 214, 463

Nierenberg, Andrew, 112, 477, 478

Nietzsche, Friedrich, 138, 270, 304, 491, 497

niilismo, 301, 311

Nolen-Hoeksema, Susan, 167, 479-80

noradrenalina, 242, 435, 439, 441, 489

norepinefrina, 21, 63, 108-9, 112-3, 140, 164, 219, 242, 318-9, 384, 489

Normand, William, 97

Norpramin, 109

Norristown Hospital, 370-3, 376, 404, 405, 406, 409, 413, 505

nortriptilina, 80, 177

Nova York (cidade), 484

Nova York (estado), 502

Nova Zelândia, 193, 483

Nuon, Phaly, 33-6, 328, 335

nutrição, 19, 132, 169, 498

obsessivo-compulsivos, medo irracional de, 292

"Ode sobre melancolia" (Keats), 300

ódio de si mesmo, vergonha de ser gay e, 196

olanzapina, 435

óleo de peixe, 133, 447

ômega-3, ácidos graxos, 133

opiáceos, 12, 211, 220-1

ópio, 220-1, 278, 314, 498

Oppenheim, David, 243, 490

Oquendo, Maria, 240, 488-9

orações, 126, 127

Organização Mundial de Saúde, 251, 317, 381, 472, 488

organizações para a manutenção da saúde (Health maintenance organizations, HMOs), 355, 368

orgasmo, 88, 110-2, 119, 498

orientais, 192

Osler, Sir William, 314

otimismo, vantagem seletiva evolucionária do, 415

outreach, tratamento de programas, 323, 374, 500

Outward Bound, 137-8, 198, 478

Ouvindo o Prozac (Kramer), 225, 351, 382

Ovídio, 37, 473

ozônio, camada de, 30-2, 344, 500

"páginas matinais" (exercícios terapêuticos), 148

pais: depressão em, 80; depressão nos, 80, 173-5, 323, 330-6, 341-2, 367; homossexualidade vista pelos, 197

Paixões da alma, As (Descartes), 292

Pamelor, 109

Pancratz, S., 473

pânico, 12, 42, 50, 52, 54, 59, 63, 65-6, 148, 168, 174, 184, 193, 214, 375, 403-4, 406, 429, 480, 483

Paraíso perdido, O (Milton), 301, 420

paraquedismo, 127, 198, 249

parassuicida, comportamento, 233, 249, 256
parens patriae, 364
Parnate, 109
paroxetina *ver* Paxil
Partido Republicano, 360
pássaros, comportamento no ninho, 389, 396
patentes de substâncias, 378
Paxil (paroxetina), 59, 68, 75, 89, 109, 114, 122, 154, 156, 320, 330, 335-6, 343
pecado, depressão como, 280-3
Peilman, Kirsten, 201
peixes, 133
Peláez-Nogueras, Martha, 481
pena de morte, 423
Penney, Darby, 370
"Penseroso, Il" (Milton), 287, 494
Pensilvânia, 103, 239, 257, 338, 374, 375, 404-5, 478, 482, 503
personalidade: depressão influenciada pela, 22
pesadelos, 69, 79, 160, 223, 449
pesquisa: aplicada versus básica, 353; orçamento federal para, 360; pela indústria farmacêutica, 378
Petrônio, 258
Pharmacia, 164, 479, 499
pilotos de avião: estigmatização da depressão, 351
pindolol, 111
Pinel, Philippe, 304, 306, 495, 497
Pio II, papa, 291
placebos, 113, 132, 142, 181, 439, 441, 449-51, 453
planejamento familiar, clínicas de, 325
plantas, extratos de, 141
Platão, 274, 275, 492
Plath, Sylvia, 64, 475
Plínio, o Velho, 141, 235
Plistônico, 274, 492
pobreza, depressão e: assis-

tência socioeconômica versus soluções psiquiátricas, 323, 345; desamparo, 333; desemprego e, 322; estudos de saúde pública e, 322, 325; políticas dos congressistas para, 359-62; problemas extremos encontrados em, 326; taxas de, 322, 333; vida emocional reprimida por, 336
Pol Pot, 32-3
política: custos da depressão e, 355-7; de liberdades civis versus segurança pública, 362; de paridade de seguro para doenças mentais, 354-8; de saúde pública para não segurados, 359-62; influência do lobby na, 347, 357; liberdade, 192, 391; liderança, 352; percepção da depressão na, 347; preocupações de custos, 359
Pollan, Michael, 224, 487
Polônia, 192
poluções noturnas, 275
polvo, suicídio do, 245
populações: crianças, 173-81; diferenças culturais de, 191-205; étnicas *ver* etnia; feminina, 166-70; gay, 193-6; idosos, 181-4, 463; masculina, 166-72
Porter, John, 347, 353, 360, 501
Positive Illusions (Taylor), 415
possessão, depressão como sintoma de, 279, 284
Possibility of Altruism, The (Nagel), 412
Post, Robert, 55, 78, 119, 134, 474, 485
Potter, William, 26, 108, 115, 224, 378
Price, John, 387, 503-4
Prichard, James Cowles, 497
Prilosec, 403

Prince George, condado de (Maryland), 325, 333
Prince, Elizabeth, 53
Productive and Unproductive Depression (Gut), 416
progesterona, 166, 479
Projeto de Anatomia da Molécula Cerebral (Brain Molecule Anatomy Project, BMAP), 164
prolactina, 54, 389
promiscuidade, 246, 323, 499
protease, inibidores de, 340
protestantismo, 297, 299
Prozac, 25-6, 29, 61, 68, 74, 77-8, 80, 85, 89, 100, 109-10, 142, 148, 156, 177, 207, 226, 270, 273-4, 276, 287, 317, 320, 323, 343, 351, 359, 378, 382, 403, 417, 434-6, 445, 449, 460, 476, 499; como ISRs, 25, 109; crítica popular, 78; desenvolvimento, 320, 378; efeitos negativos na sexualidade, 110; eficácia, 74; imipramina versus, 317; introdução em 1988, 74; para crianças, 177; poucos efeitos colaterais, 110; reações adversas, 77; uso excessivo, 26, 323, 382
Prudent Fitness, 189
Prudent, Dièry, 188-90, 191, 474
psicanálise, psicanalistas: antidepressivos rejeitados por, 46, 49; insights e desenvolvimento teórico, 310-2; propensão ao culto, 314; tempo exigido, 98
psicobiologia, 278, 313
psicofarmacologia: combinação de terapias da fala com, 99; preocupações com o vício, 114; receita médica e, 382; tratamento de Hipócrates para

depressão versus, 272-4; uso amplo de, 417; *ver também* antidepressivos

psicossomáticas, doenças, 20

psicoterapia: alterações fisiológicas realizadas por, 106; como proteção contra a recorrência, 99; custo elevado, 103; desenvolvimento inicial, 98, 310-2; duração da, 98; eficácia de longo prazo, 99; em grupo, 132, 151-5, 163, 327-8, 339; EMDR associado a, 136; emotividade na, 102; fala para melhorar estado de espírito, 401; insight com, 99; intervenção física associada a, 97; na cultura inuíte na Groenlândia, 204-5; origens antigas da, 274, 277; processo de escolha do terapeuta, 100-2, 105-6; psicanálise e, 49, 97-8, 310-2; psicofarmacologia versus, 97-9; reação de indigentes deprimidos a, 327; rejeição no séc. XVIII a, 293; terapia cognitiva-comportamental, 100, 103-4, 106, 217, 336; terapia interpessoal, 103, 105; três formas de, 36

psiquiatria: como terapia dinâmica, 314; consideração do contexto social, 314; modelos categóricos usados, 381; mudanças em voga, 164; psicobiologia versus piscanálise, 311-4; psicoterapia versus psicofarmacologia, 97-9; raízes filosóficas da, 274; *ver também* antidepressivos; psicanálise; psicofarmacologia; psicoterapia

puberdade, 44, 166, 179, 197, 246, 323, 499

puritanismo, 300

Qigong, 143

Quando a noite cai (Jamison), 248, 471

Quarto de Jacob, O (Woolf), 16

quatro humores, teoria dos, 273, 275, 278

queimaduras autoinfligidas, 403-4, 406

racismo, 188-90, 195, 246, 336

Rado, Sandor, 498

raiva: papel evolutivo da, 396; repressão da, 190

Rand Corporation, 501

Reagan, Ronald, 357

reapreensão, teoria da, 318

reboxetina, 164, 479

receptor, teoria do, 107-8, 476, 499

rede imobilizadora, 405

Redoma de vidro, A (Plath), 64

Rees, Jonathan, 378, 503

Regier, D. A., 472-3

Reid, Harry, 357

religião, religiões, 74, 79, 124-7, 234, 235, 247, 304, 306, 309, 392, 494, 496; *ver também* fé religiosa

REM *ver* sono REM

"remédio sagrado", 276

Renascimento, 272, 275-6, 282-4, 493

Renda de Segurança Complementar (Supplemental Security Income, SSI), 353

repressão emocional, 36, 335

Réquiem (Rilke), 266

Restoril, 114

Revolução Industrial, 307

Rhodes, Tristan, 125

Richards, Keith, 226

Richter, Gerhard, 44, 473

Rilke, Rainer Maria, 266, 491

Rimer, Sara, 482

rins, pedras nos, 45, 81, 342

Risperdal, 113

ritual, poder do, 163

Rivers, Lynn, 347, 358, 366, 368

Robbins, E., 472

Robbins, Maggie, 22, 120, 125-6, 418, 423, 465

Roberts, Seth, 131

Robinson, Nicholas, 293, 496

Roger, Joe, 368, 373-4

Rogers, Timothy, 494

romanos: reflexões sobre a melancolia, 277-8

romantismo, 298, 302

Roose, S. P., 503

Rose, Henry, 300, 496

Rosenfeld, Alvin, 500

Rosenthal, Norman, 100, 134, 135, 443, 478

Roukema, Marge, 357, 361-2

Rowley, William, 495

Rufo de Éfeso, 276, 492

Rusakoff, Frank (pseudônimo), 11, 156, 419, 422, 479

Rush, Benjamin, 306, 497

Rússia: imigrantes nos Estados Unidos vindos da, 192; padrões de consumo de álcool, 216

Ryan, Neal, 481

Saar, Dou-dou, 159

Sackein, Harold, 477

S-adenosilmetionina (SAME), 132, 142, 254, 478

sadismo, 310-2

Salmos, 126, 279, 492-3

SAME *ver* S-adenosilmetionina

Sameroff, Arnold, 174-5, 481

Sandfort, Theo, 194

Santayana, George, 235

Sapolsky, Robert, 474, 489

Sartor Resartus (Carlyle), 307

Sartre, Jean-Paul, 315, 498

Saturno, 272, 283

saudades de casa, 417

saúde mental, 73, 83, 103, 114, 117, 125, 159, 174, 177, 194, 210, 225, 236, 295, 310, 322, 324-5, 329, 338, 347, 353-4, 356, 358-60, 362, 365-8, 370, 374-7,

382, 415, 426, 432-3, 436, 444, 452-3, 455, 461-3, 466, 472, 494-5, 498-501
Savage, George H., 309, 498
Schelling, Friedrich Wilhelm Joseph von, 421, 505
Schildkraut, Joseph, 318, 319, 499
Schmidt, Chrissie, 252
Schopenhauer, Arthur, 24, 234, 236, 303, 424, 472, 487, 496, 505
Scot, Reginald, 284
sedativos, 113, 211, 426, 434
Segal, Boris, 485
Seguro de Deficiência da Segurança Social (Social Security Disability Insurance, SSDI), 353
seguro-saúde, 155, 354; aumento de custo e número de segurados, 356; ausência de, 359-62; controle estadual versus mandados federais, 360; lobby da indústria, 357; paridade da doença mental no, 354-8, 361
Seligman, Martin, 476, 500
Selvatico, Giovanni Battista, 286, 493
sem-teto, 102, 339, 344, 359, 373-6, 499-500
Sêneca, 275
Senegal, 13, 159-60
senilidade, 182, 183, 184, 482
sensação, emoções provocadas por, 385
separação corpo-mente, 292, 309
separação da mãe, 109, 176, 243, 245
sèrér, povo, 159
Seroquel, 403
serotonina/ níveis de serotonina: alcoolismo e, 207, 217; ansiedade e, 63, 114; antagonistas de, 111; antidepressivos atípicos e, 113; como mo-

noamina, 318; comportamento agressivo e, 109, 242; determinação genética de, 242; diminuição em idosos, 181; drogas ilegais e, 219, 222; durante o sono, 140; efeitos de tricíclicos em, 112; em homens versus em mulheres, 242; escolhas alimentares e, 133; funções múltiplas da, 107; impulsividade e, 241; isolamento inicial de (1933), 318; mal de Alzheimer e, 184; melatonina derivada de, 54; na melhora da depressão, 22; nicotina e, 215; níveis de cortisol versus, 55, 57; síntese na retina, 135; suicídio e, 241; teoria da, 319; *ver também* ISRSs
Seroxat, 320
sertralina (Lustral/ Zoloft), 320
Serzone, 109, 113, 114
sexualidade: abuso sexual, 39, 168, 180, 482; doenças sexualmente transmissíveis, 194, 348; efeitos negativos de antidepressivos na, 88, 110, 150; excesso de informação sobre, 383; *ver também* gays; homossexualidade
Shaffer, D., 472, 484
Shaffer, Howard, 212
Shakespeare, William, 286, 288, 412, 487
Sheils, John F., 501
Shelley, Percy Bysshe, 301, 496
Sherrington, Charles, 386, 503
Shneidman, Edwin, 236-7, 241, 251, 487, 489, 491
Shorter, Edward, 186
Sibila de Cumas (mitologia), 258

Simpson, Sylvia, 100, 102, 178, 355
síndrome do intestino irritável, 63
Singapura, 192
Singh, Pami, 478
Slaby, Andrew, 485-7
Sloman, Leon, 503
Smith, C.U.M, 386, 503
Smith, Joel P., 256
Smith, Richard, 501
Smollett, Tobias, 297
sobrevivência, 132, 137, 365, 411
Sociedade de Comparações e Psicopatologia entre Espécies (American Civil Liberties Union, ASCAP), 388
sociedades hierárquicas, 387, 503
sociedades primitivas, 390
Sócrates, 274, 275, 492
Sofrimentos do jovem Werther, Os (Goethe), 239, 488
solidão, 131, 205, 417, 418
solidariedade, 287, 303, 306, 350, 394
Solomon, Andrew: carreira literária, 39, 45, 47, 84, 86, 312, 381, 434; custos de tratamento, 501; episódios de violência de, 172; experiências de colapso, 41-52, 62-7, 81-8, 266, 311-2, 408, 419; homossexualidade de, 197--8; infância de, 38-40, 197; medicamentos usados por, 58, 61-3, 68, 75--7, 83-8, 114, 118, 223-5, 230, 408, 501; membros do Congresso entrevistados por, 360-2; pensamentos suicidas de, 65--70, 76, 82, 233, 236, 248, 253, 262, 266-7, 270, 427; psicoterapia, 43, 46, 68, 100; reação ao álcool, 216; valor pessoal da ex-

574

periência da depressão, 76, 88, 418

Solomon, Carolyn (mãe de Andrew), 197, 256, 259-60, 262-6, 491

Solomon, David, 265

Solomon, Howard (pai de Andrew), 13, 265

Solução final: Justificativa e defesa da eutanásia (Humphry), 256

Sonata, 222

sonecas, 121, 140

Sonego, Tina, 226-30, 419, 423, 465

sono: ataques de pânico na fase delta do, 63; cafeína e, 381; como primeira forma de diagnóstico, 210; delta, 63; fase REM *ver* sono REM; flutuação do nível de açúcar no sangue e problemas no, 134; insônia, 110, 114, 140, 164, 176, 182, 273, 329, 437, 443, 476; neurotransmissores e, 139; padrões de, 210; terapia de privação do, 132

sono REM, 108, 140, 210, 226, 456, 476, 485; alterado pela depressão, 140; efeitos de drogas e álcool, 210, 218; no diagnóstico de alcoólicos deprimidos, 210; supressão por antidepressivos, 108, 140

soviéticos, campos de concentração, 268

Special K, 221, 435

Spitz, Herman, 473

spleen, 284, 297, 302

Stanley, Jonathan, 364-5

Starkey, Angel, 403, 413, 419, 462

Stein, Bill (pseudônimo), 11, 71-2, 74-5, 423, 463

Stetson, Danquile (pseudônimo), 11, 336

Stevens, Anthony, 387, 503

Stewart, Jacqueline, 485

Strupp, Hans, 476

Styron, William, 130-1, 350, 501

substância P, 164, 479

sucesso: competitividade versus conquistas pessoais, 388; suicídio e, 244

Suécia, 216, 237, 242, 320, 454

suicídio: alcoolismo e, 217, 244; antidepressivos e, 78; armas usadas em, 243, 490; atos parassuicidas e, 249, 251; audiências no Congresso sobre, 357; automutilação e, 290; centro de valorização da vida, 342; cobertura hospitalar e, 355; como liberdade civil, 236, 270; como reação à ansiedade, 262; considerações filosóficas do, 234-5; controle exercido através do, 267, 269; de homens mais velhos, 246; de homens versus de mulheres, 171, 488; de idosos, 246-7, 258; de judeus de Berlim, 195, 484; de pessoas bem-sucedidas, 244; de sobreviventes do horror, 268-9; depressão independente do, 232-3, 237; diferentes métodos de, 247; do polvo, 245; do povo inuíte, 199; e intolerância à dor, 82; em estados mistos com doença maníaco-depressiva, 47; epidemias de, 239, 246, 267; estresse da desintoxicação e, 210; eutanásia e, 256-60, 266-7; falta de explicação para, 251-3; histórico familiar de, 239, 256; homossexualidade e, 193, 483; ideia/fantasia de, 65-8, 240,

483; impedimento pelo hospital, 371; locais de, 239; lógica falha do, 234; lógica racional do, 234, 236, 247, 256, 270; morte de familiar e, 245; movimento de prevenção ao, 236; na infância, 176, 242, 246, 249, 252-3, 481, 482; níveis animais de serotonina e, 109, 242; níveis de cortisol e, 57; predisposição genética ao, 239, 243; prevenção ao, 240; prevenção com ISRSs, 110, 240; proibição religiosa do, 126, 235, 247, 290; quatro grupos de suicidas, 233, 238; reação de amigos e familiares a, 250, 252-3, 266, 270; sistema neurotransmissor e, 241-2; sociologia e, 238-9; taxas de, 63, 199, 217, 237-8, 240-4, 246-7, 269, 452-4, 484, 488-90; tecnologia e, 243; tentativas de, 77, 193, 236-8, 240-2, 247, 249, 257, 369, 454-5, 483, 488-90; tentativas versus ações bem-sucedidas, 236, 239, 246-7, 472; uso de drogas e, 210-1, 217, 242, 485

Sullivan, Andrew, 171

Swift, Jonathan, 303, 495

Szasz, Thomas, 236-7, 377, 487, 503

Taylor, Shelley E., 415

Taylor, Steve, 488

Taylor, Verta, 479, 480

Tchékhov, Anton, 130

tecido neuronal, danos ao, 58

Tegretol, 90, 444

Tennyson, Alfred, 258, 307, 491

terapia cognitivo-comportamental (TCC), 103-6, 476;

575

como otimismo aprendido, 103; depressão alcoólica tratada com, 217-8; medicação e, 100; metabolismo cerebral afetado por, 106; pensamento negativo controlado por, 103-4, 336

terapia eletroconvulsiva (TEC): ação rápida, 115, 117; distância emocional depois de, 79; efeitos metabólicos no cérebro, 118; eficácia, 60, 73, 115-7, 405; estímulo de ondas seno versus estímulo de impulsos breves, 116; experiência de, 73, 116; impulsos suicidas contidos pela, 241; para idosos, 182; perda de memória, 73, 80, 117-8, 405; preconceito social, 117; resistência a, 118; terapia magnética versus, 134; unilateral e bilateral, 116, 477

Terra desolada, A (Eliot), 258

testosterona, 112, 170, 171

Thase, Michael, 140, 476, 478

Thompson, William, 496

TIP *ver* interpessoal, terapia

tiroide, 54

tiroteios, 357

"Tithonus" (Tennyson), 258

Tocqueville, Alexis de, 238, 488

Tofranil, 109

Tomás de Aquino, São, 63, 280, 475, 493

Topamax, 404

transtorno afetivo sazonal (TAS), 443

transtorno de déficit de atenção/hiperatividade (TDAH), 178, 435

tratamento: acesso a, 338; ausência de, 25; conceito biopsicossocial de terapia, 97; conhecimento evolutivo como fator de, 401; crença religiosa como, 124-7; custos de, 323-5, 338, 366-7; de idosos, 181-4; de indigentes deprimidos, 322, 359, 499; de usuários de drogas com depressão, 208--11, 339; direito de recusar, 362, 378; duas principais modalidades de, 97; eficácia da combinação de, 475; em clínicas comunitárias, 362, 368, 374-6; em salas de emergência, 81-2, 365; escolhas pessoais de, 117--9; hospitalização para, 73, 115, 159, 182, 295, 304-7, 355, 362-6, 369--76, 405-6, 408-9; influências políticas no, 346, 359-62; interesse da indústria farmacêutica, 378, 503; métodos alternativos de, 130-65; métodos históricos de, 273--7, 287, 290, 295, 299, 304; mudança de processo de patente, 378; não apropriado, 25; não cumprir o, 111; padrões de qualidade, 338; para crianças, 176-81; para populações específicas, 36, 176-85; porcentagem de deprimidos em, 25, 473; preventivo, 55, 115; programas *outreach*, 323, 374, 500; resistência a, 323, 339; terapia eletroconvulsiva (TEC), 73, 79, 97, 115-8, 134, 154, 156--7, 163, 182, 185, 241, 257, 351-2, 380, 405, 418, 436--8, 442, 445, 477; voluntário versus involuntário, 362-6, 370, 377; *ver também* antidepressivos; psicoterapia

trauma: níveis de tolerância para, 82, 289, 340; terapia para memória de, 135, 152

trazodona, 111, 185, 483

Treisman, Glenn, 325, 331-2, 338, 500

TRH (hormônio liberado pela tiroide), 54

tricíclicos: cocaína e, 212; descoberta de, 318; efeitos colaterais de, 110, 112; mecanismo de recaptação bloqueado por, 318; neurotransmissores e, 109, 112, 164; SAME versus, 142; transtorno maníaco-depressivo e, 112

triptofano, 107, 133, 242; 5-hidroxitriptofano, 435

Troisi, Alfonso, 384, 389-90, 402, 476, 503-5

tuberculose, 244, 317, 332, 362, 385, 502

Tuke, Daniel H., 497

Tuke, Samuel, 304

TWA, voo 800 da, 417

Two Discourses Concerning the Soul of Brutes (Willis), 293

Tylenol, 117, 177, 254-5, 327

Unabomber *ver* Kaczynski, Theodore

Undercurrents (Maning), 116

União Americana das Liberdades Civis (American Civil Liberties Union, ACLU), 363, 364

Upjohn, 164, 499

uso de drogas: adaptações cerebrais e, 208-9, 212, 220, 222; adolescentes e, 211, 485; automedicação e, 207, 210, 226; contemplativos e pré-contemplativos, 213; criminalidade e, 339; de indigentes deprimidos, 322, 332, 338; de veteranos de guerra, 365;

depressão e, 207, 208-11, 339; hospitalização depois de abstinência de, 375; interrupção do, 209, 218, 221, 223, 375; necessidades crescentes, 208; pela mãe, 243; predisposição genética a, 207, 213; prevenção de recaída, 218; reabilitação farmacológica de, 218; remédios ansiolíticos e, 114; sistema de neurotransmissores afetado por, 207-8, 212, 217, 476; suicídio e, 210-1, 217, 242, 485; variações nos padrões sociais, 216; velocidade de absorção, 208, 225; *ver também* alcoolismo e *drogas específicas*

Valenstein, Elliot, 106, 108, 157, 378, 477
Valium, 72, 89-91, 95, 114, 217, 222-3
Van den Berg, J. H., 390
Van der Goes, Hugo, 281
Vasari, Giorgio, 283, 493
venlafaxina, 320
Venter, Craig J., 479
veteranos de guerra, 157, 221, 359, 365, 454, 502
Viagra, 88, 112, 114, 477
vício: benzodiazepínicos, 114; depressão como gatilho para o, 230; evitar o, 213--4; funcionamento do cérebro e, 212; heroína, 221; variações culturais no, 216; *ver também* alcoolismo; uso de drogas; *drogas específicas*
vidro, delírio do, 291
Vietnã, Guerra do, 221, 246, 365, 483
vilazodona, 435
Villette (Brontë), 128

violência: comportamento autodestrutivo versus, 406; de homens deprimidos, 171-2; doença mental relacionada à, 357; doméstica, 170-1, 340, 410; internação involuntária e, 364; na zoza rural pobre, 336; privação econômica e, 332
visão, 54, 58
vitalidade, 169, 192, 227, 274, 329, 411, 424, 466, 468
vitaminas, 80, 133, 153, 266, 382, 455; B, 133; D, 447, 458
Vitória, cataratas, 27
vitoriano, período, 300, 305-7
volição, 98, 281, 333, 335
Volkow, Nora, 484
Voltaire, 297, 302-3, 495

Wallace, Mike, 350, 501
Walpole, Horace, 298-9
Warnock, Julia, 112, 477
Washington, Lolly (pseudônimo), 11, 326, 334, 344
Watson, James, 133
Watson, Paul J., 392, 504
Weaver, Claudia (pseudônimo), 11, 143, 145, 151, 419, 423, 466, 478
Wehr, Thomas, 139-40, 389, 478, 504
Weil, Andrew, 141, 478
Weiss, Mark, 47
Weissman, Myrna, 105, 168, 476, 479-82, 503
Wellbutrin, 83-4, 88-9, 92, 109, 113-4, 116, 122, 156, 164, 224, 445, 465, 473
Wellstone, Paul, 354, 356, 360--1
Weltschmerz, 301
Wender, Paul, 488
Weston Jr., Russel, 357
Wetzel, Richard, 488
White Guard, The (Bulgakov), 471

Whitman, Walt, 315
Whybrow, Peter, 471, 473-4, 476-7, 484, 498
Wier, Jan, 284
Wilde, Oscar, 307, 497
Williams, Tennessee, 424, 505
Willis, Thomas, 293-4, 494, 496
Willow Weep for Me (Danquah), 187
Willowbook, 364, 502
Wilson, Fred (pseudônimo), 11, 339
Wilson, John, 359
Wise, Bob, 353, 361, 368, 376
Wittkower, Rudolph e Margot, 471, 492-4
Wong, David, 320
Woodhull Hospital, 370
Woolf, Leonard, 53, 474
Woolf, Virginia, 16, 53, 85, 99, 261, 262, 471, 475, 491
Wordsworth, William, 300, 496

Xanax, 49-50, 52, 59, 61-3, 68, 72, 76, 84-6, 89, 114, 122-3, 222-4, 343, 439, 499

Yapko, Michael, 139, 478
Young, Edward, 297, 495
Young, Elizabeth, 55, 474

zinco, 133
Zoloft, 49, 58, 75, 89, 109, 113-4, 116, 225, 320, 427, 434, 445, 499; *ver também* Lustral
zona rural: depressão entre mulheres da, 325, 329, 336
Zubenko, George, 482
Zyprexa, 84-7, 89-90, 114, 158, 223-5, 230, 408, 426-8, 435, 466, 473

577

1ª EDIÇÃO [2018] 9 reimpressões

ESTA OBRA FOI COMPOSTA EM JANSON TEXT PELA VERBA EDITORIAL
E IMPRESSA EM OFSETE PELA LIS GRÁFICA SOBRE PAPEL PÓLEN NATURAL
DA SUZANO S.A. PARA A EDITORA SCHWARCZ EM FEVEREIRO DE 2024

A marca FSC® é a garantia de que a madeira utilizada na fabricação do papel deste livro provém de florestas que foram gerenciadas de maneira ambientalmente correta, socialmente justa e economicamente viável, além de outras fontes de origem controlada.